民事訴訟法【第2版】

瀬木比呂志

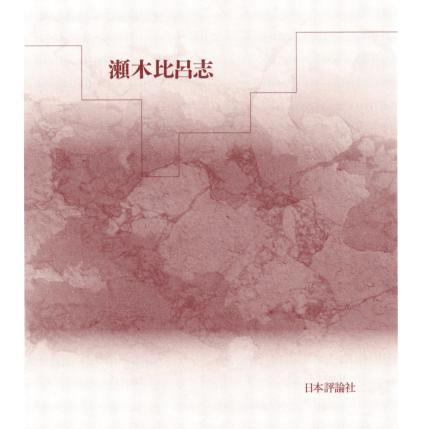

日本評論社

第2版 はしがき

　幸い多くの読者を得ることができた本書初版の刊行から3年半が経過した。この間、逐次、全面的な改訂の準備を進めてきたが、ようやくそのための検討を終えることができたので、判例学説等の補充、また記述の全面的な見直しと新たな論点の追加をも含めた大幅な補充を行った第2版をここにお届けする。

　以下、まず、初めて本書に接する読者のための参考という意味合いをも含めて、本書の特色をかいつまんで説明し（詳しくは「初版 はしがき」を御覧いただきたい）、その後、今回の改訂で特に重点を置いた点についてもふれておきたい。

　本書は、学生、弁護士等の法律家、さらには民事訴訟法を本格的に学びたいと考える広い範囲の法律実務家・関係者（たとえば企業法務にたずさわる方々等）をも読者として想定した民事訴訟法の教科書である。

　学生については、その苦手科目となることの非常に多い、難解といわれる民事訴訟法理論を明快かつ正確に理解し、同時にその面白さをも知っていただける書物となることを目的とし、弁護士等の法律家については、座右に置いて、日常の法律実務で民事訴訟法上の問題が生じたとき、あるいはそれについて確認したいときに参照していただけ、また、民事訴訟法理論の学び直しのためにも利用していただける書物となることを目的としている。

　そのような目的のために、論点としては、理論上・実務上重要なものを網羅し、それらについて、できる限りわかりやすく正確に、そのために必要と

あらば相当に言葉を尽くした解説、分析を行っている。ことに、従来の教科書の記述では十分にその意味が通じにくかったのではないかと思われる部分については、そのようにしている。たとえば、訴訟物理論、一部請求と残部請求、重複起訴の禁止、当事者の確定と任意的当事者変更、入会団体等の当事者能力・適格、訴訟担当、将来の給付の訴えの利益、確認の利益、当事者の訴訟行為、弁論主義違反の有無、権利自白、証明責任の転換、文書提出命令等に関する記述がそうである。また、既判力を始めとする判決の効力、共同訴訟と各種の参加（多数当事者訴訟）、上訴等の不服申立てについては、その全部についてそのような工夫を行っている。そのために、これまでの執筆や研究、また授業や実務経験で得たノウハウをできる限り生かした。

また、たとえば、訴訟物以外の権利の主張と時効完成猶予・更新（[045]）、相殺の抗弁と重複起訴をめぐる判例の変遷とその分析（[067]）、遺言執行者（[160]）、法的観点の提出に関する既判力の縮小（[477]）、訴訟告知と参加的効力（[570]）等のやや高度ながら理論上・実務上重要と思われる論点についても、紙数の許す範囲で詳細かつ具体的に記した（なお、そのような論点の選択に当たっては、近年の学界や実務における議論の動向、また過去の司法試験等における出題についても考慮している）。

さらに、民事執行・保全法上の論点についても、それが民事訴訟法理解のために必要なものである場合には、かなり詳しく論じた（後者について補足すると、たとえば、既判力の主観的範囲の拡張は執行力のそれとともに学ばないと正確な理解が難しいし、訴訟承継主義はそれを補完する係争物に関する仮処分とともに、かつ当事者恒定主義との対比において、理解することが望ましいといえる）。また、要件事実論と国際民事訴訟については、上記のような読者にとっての今後の実際上の必要性を考え、各1章を費やして概説と分析を行っている。

論述のあり方としては、機能性、合理性、経験論的、社会科学的、実証主義的といった言葉が当てはまるだろう。

具体的に述べると、結論については、法廷で実際に機能するか、本当の意味で手続保障にかなうかなどの点を共通の考慮要素としており、全体として、法律家のコモンセンスに沿うものとなることを心がけた

もっとも、これは、必ずしも、通説、多数説、判例に従うという趣旨ではない。また、実務の要請を絶対視したり、それを第一に持ち出すような立論もしていない。制度の意味を洗い直した上で、あるべき妥当な考え方、合理

的な考え方を採っているということである。

　また、根拠については、その適切さと説得力が重要なのはもちろんだが、それとともに、そのうち純理で詰められる部分と実際的な要請が重視されている部分との区別が理解できるような書き方に努めた。従来の民事訴訟法文献の記述には、現実には実際的要請をも考慮しているにもかかわらずあたかも純理ですべてが解けるかのような書き方のされている場合が時にあり、それが学生や実務家の理解を妨げる一つの原因となっていたように思われるからである（技術的性格の強い民事保全・執行法は基本的に理詰めで考えられる部分が大きいが、動態的でありかつ実体法の要請を考慮しなければならないことの多い民事訴訟法や倒産法では、実際的な要請を重視せざるをえない場面がより多いというのが、研究者を兼ねる裁判官としての私の実務経験に基づく実感である）。

　以上については、学生のみならず、弁護士等の日常的な使用の上でも有用な特色となりうると考える。

　引用文献については、少数にとどめ、学生、弁護士等の読者にとって利用、入手しやすいものを挙げた（『民事保全法〔新訂第2版〕』〔日本評論社、2020年〕の場合と同様、普通に読み通すレヴェルを超えてさらに確認や調査をしたい場合の1つの便宜という観点から挙げた例が多い。なお、同旨の場合をも含め、1つでも文献が挙げられている点については、多少とも争いがある、その点にふれている文献が限られ見解が必ずしも確立していない、などのことがありうる。また、1つの論点について多数の文献が引用されている場合には、参照する意味のあることがより多いであろう）。

　本文中のクロスレファレンス、各章末の確認問題については、読者の理解を深めるという観点から記載、作成した。一通り読了した後のさらなる民事訴訟法理解・活用能力向上のために役立てていただきたい（ことに、再読時には、クロスレファレンス事項をその都度確認すると、概念の理解が相互に確実になり、手続法的感覚や思考力も伸びるはずである）。

　注の数はなるべく少なくしているが、それでも、大幅な加筆・補充を行った第2版では、紙数の関係から、比較的高度な理論面の記述（今回の改訂で最も時間をかけた部分であり、学生や実務家にとって重要なものを含む）や新たな判例に関する記述の一部をも注に落とさざるをえなかったことをお断りしておきたい。

　なお、索引やクロスレファレンスについては、「本文の左欄外に付したブ

ロックごとの番号」によって行っている。

　次に、今回の改訂で特に重点を置いた点について述べておきたい。
　第一に、法科大学院における各種の講義・演習における本書使用の経験、学生の質問、また研究者や実務家の質問・指摘から得たものを採り入れ、記述を全面的に見直し、かつ新たな論点の追加をも含めて補充し、わかりやすさ、正確さの一層の向上に努めた。ことに、先に掲げたような重要論点・分野については、考察を深めるべく、記述の大幅な補充や再構成を行った例が多い（一部請求・重複起訴〔債権者代位の場合をも含む〕全般、遺言関連訴訟の当事者適格、任意的訴訟担当、即時確定の利益、重要な間接事実と弁論主義、証明効、既判力の作用・争点効の活用全般、補助参加と訴訟告知の章全般、控訴審判決全般と不利益変更禁止の原則等）。もっとも、改説箇所自体は、書物全体の中でみればわずかである。
　第二に、新たな判例については、民事訴訟法理論上の新たな論点に関係することも多いため、学生、実務家にとっての重要性を考慮し、意味の大きいものはできる限り取り上げ、なるべく詳細な解説、分析を試みるようにした。これは、判例索引から新たな判例に関する部分を一通りさらえることによって、民事訴訟法判例・理論に関する理解をアップトゥデイトできるようにすることをも意図したものである。
　第三に、やや付随的な事柄ではあるが、民事訴訟法、民事手続法に関するレポートや答案、あるいは同様の法律論にかかる準備書面等作成の際に留意すべき点、その要諦についても、気がついた場合には、具体的な論点に関連しながら簡潔にふれるようにした。学生についても、実務家についても、上記のような文書の記述には問題を感じることが時にあったという私の経験に基づき、若干のアドヴァイスを行ったということである。
　また、法律家には多面的な思考力が必要であり、近年は司法試験においても判例や通説とは異なった立場からする立論を求める問題が出題されていることなどをも考慮し、通説判例や本書の結論とは異なった考え方についても、汲むべき点がある場合には、ふれるように心がけた（なお、私自身は、学生の苦手科目とされることの多い民事訴訟法の司法試験問題は、いわゆる旧司法試験時代の事例問題に準じるような内容、水準のもので十分であり、かつ、それが適切ではないか、また、何が問われているのかについては旧司法試験問題のように一読すれば明

白なものとすべきではないかと考えている〔後記『民事訴訟実務・制度要論』[**160**]〕が、それはまた別の問題である）。

　本書の頁数自体はやや大きいが、それは、以上のとおり、理論上・実務上の重要論点を網羅するとともに、記述においては正確さとわかりやすさを心がけ、必要とあらば相当に言葉を尽くした説明を行っていることによる。また、読みやすさの観点から、注を含め小さなポイントの活字で記載された部分は抑えるようにしていることにもよる。したがって、分量の割には短い時間で、集中して読んでいただくことができると思う。逆にいえば、上記のような本書の目的を達成するためには、最小限この分量が必要だったともいえる。それが、著者としての私の実感である。

　なお、「民事裁判手続のIT化に関する改正」についても、巻末の「補論」で、その概要を紹介するとともに若干の考察を加えた（この改正に伴う民事訴訟法の条数の変更については「凡例」の1参照）。この改正は主として制度面のものだが、実務に及ぼす影響は大きい可能性があり、それに伴い、新たな理論的問題も生じてくるであろう。そうした側面については、次の改訂の機会に論じたい。

　本書の記述には、民事訴訟実務、司法制度等に関するものも若干含まれている。それらは、民事訴訟法学（また法学全般）の根底にあるべき個々の研究者の司法観や訴訟観の一端を示すという観点（それらは、個別の解釈論にも微妙な形で影響を及ぼしうるので、その理解にも資する面がある）、また、アメリカ等の民事訴訟法学では1つの確立した基盤となっている法社会学的な思考方法をも示すという観点からのものである。そうした意味で、実務家のみならず学生読者にとっても何らかの参考に、あるいは民事訴訟法理論・実務・制度について考えるための素材になりうる事項を選ぶように努めた。こうした事柄は本来（民事訴訟）法学の一部を成すはずのものであり、条文解釈のみが法学ではないという考え方による。もっとも、本文の流れから切り離しにくい場合を除き注に落としてあるので、興味と関心に応じ、適宜参照していただければと考える。

　最後に、初版刊行後の私の一般書のうち関連するものについてふれておきたい。『民事裁判入門――裁判官は何を見ているのか』〔講談社現代新書、2019年〕は民事訴訟実務の実際とそれを支える法的制度のエッセンス、また、準

備書面等の書き方や訴訟指揮の方法等をも含めた法的技術・戦術の核心部分について論じたものであり、本書とともに、学生、弁護士等の座右に置いていただける書物となることをもめざしている（弁護士等についていえば、『民事訴訟実務・制度要論』〔日本評論社、2015年〕のより詳細な記述がベターとは思うが、アウトラインをつかむには、新書も役立つかと考える）。『檻の中の裁判官——なぜ正義を全うできないのか』〔角川新書、2021年〕は、私の司法分析・批判書の集大成であり、全体的な考察を深めるとともに、裁判の本質と役割、戦後裁判官史、裁判官と表現、法曹一元制度・裁判官任用等のための独立機関各創設の必要性とその可能性、死刑制度の是非等の新たな論点にも言及している。『究極の独学術——世界のすべての情報と対話し学ぶための技術』〔ディスカヴァー・トゥエンティワン、2020年〕は、以前に出していた『リベラルアーツの学び方』〔同社、2015年〕を入門編とする独学術の実践・応用編であり、本書の方法でもある「合理論や現代思想・哲学の影響をも受けた私なりのプラグマティズム」に基づき、独学の重要性とその技術について論じている。私の法律実務家・研究者としての経験に基づく部分も大きいので、やはり、本書の読者の方々には参考にしていただける部分があるのではないかと考える。また、本書に至る道程ともなっている私の専門書群については、「初版はしがき」中の記述を御参照いただきたい。

　一部重要項目の補筆部分原稿について長時間議論をして下さった我妻学教授（東京都立大学）、法制審議会で関与された上記IT化に関する改正についての質問にお答え下さった山本和彦教授（一橋大学）を始めとして御協力いただいた研究者の方々、また、各分野の実務の現状に関する情報をいただいた弁護士、裁判官の方々に、お礼を申し上げたい。

　第2版の編集については、『法学セミナー』編集長をも兼ねる晴山秀逸さんが担当された。晴山さんには、ことに、学生、弁護士等を含む読者の視点から全体を新たな目で見直していただき、有益な示唆を得た。感謝したい。

　この改訂版が、読者の方々の民事訴訟法理解、活用に一層資するものとなることを願ってやまない。

　　2022年10月

　　　　　　　　　　　　　　　　　　　　　　　　　　瀬木　比呂志

初版 はしがき

　本書は、民事訴訟法の教科書、概説書である。
　民事訴訟法全領域の中でも、民事訴訟法の教科書、概説書の数は際立って多い。その中にあっての本書の多少の特色について書いておきたい（私の専門書は、最初にその特色と方法論を詳細に述べるため、はしがきが長い。時間の惜しい読者はとりあえずとばしていただいても結構である。もっとも、その内容は、本文の理解にも一定程度資すると考える）。

　どこまでそれが実現されているかは読者の判断にゆだねるほかないが、コンパクトな分量、密度の高い記述、機能的考察、正確さとわかりやすさが、本書のめざした全体としての特色である。
　以下、順次解説する。

　本書の第一の性格は、教科書、概説書に徹しつつ、その読者としては、学生を第一としつつも、同時に、弁護士等の法律実務家（以下、単に「実務家」という）をも念頭に置いている、ということである。
　私のもう 1 つの教科書、概説書である『民事保全法〔新訂版〕』〔日本評論社、2014年〕は、67条から成る民事保全法に本文で約630頁を費やしており、「教科書」というよりも「体系書」の性格が強い。読者についても、主として、弁護士等の法律実務家、研究者、ないしは熱心な学生を想定している。
　これに対し、本書は、本文約700頁で405条から成る民事訴訟法について論じるものであり、『民事保全法』と同様の濃密な記述は困難である。また、手続の骨格自体は比較的シンプルなものである日本の民事訴訟法・規則の条文には、一読しただけでもおよその意味をとることが可能なものもかなり存在する点が、いちいちの詳細な説明が必要な民事保全法とは異なるという事情もある。さらに、民事訴訟法については、各種のコンメンタールを始めとして、詳細な記述を行う書物や論文が数多く存在するので、細目的な事柄については、それらを参照することも難しくはないはずだ（広義

の民事訴訟法のほかの分野とは異なり、たとえば、コンメンタール類にしても、比較的質がそろっており、改訂も行われているし、入手もしやすい）。

　そこで、本書は、上記のとおり、書物の性格としては、教科書、概説書に徹することとした。具体的には、司法試験受験をめざす法科大学院生、また、民事訴訟法をきちんと理解したいと考える法学部学生の需要に応える書物にするとともに、弁護士等の実務家に今一度民事訴訟法を正確に学び直してもらうために役立つような書物とすることをもめざした。

　最後の点は、後にも論じるように比較的観念的、演繹的な性格の強い日本の民事訴訟法理論の性格もあってか、その核になる部分を必ずしも正確、的確に理解していない実務家が、比較的優秀な人々の中にも一定の割合で存在するという、私の裁判官時代の認識に根ざしている。こうした傾向は、民事執行法、民事保全法、倒産法において顕著だが、それらの基本となる民事訴訟法についても、またいえることなのである。

　民事訴訟実務自体は、特異な局面にでも遭遇しない限り、民事訴訟法理論を正確に理解していなくてもできてしまうという側面がある。これは、手続法理論が、実体法理論とは異なり、主として例外的な局面で問題になることが多いものであることによる。しかし、実務家の民事訴訟法理解がそのように浅いものであっては寂しい。また、民事訴訟法は上記各特別法に対して一般法の関係にあるため、民事訴訟法理論を正確に理解していないと、それら特別法の理解も、おぼつかないものとなりやすい。

　こうした観点から、私は、先のとおり、学生のためのみならず、民事訴訟法理論を実務家がもう一度学び直すために役立つような書物とすることをもめざして本書を執筆した。そのような方向をめざしたことは、同時に、とかく難解、観念的といわれることの多い民事訴訟法理論を学生の皆さんに正確に理解していただくという目的にも、資するのではないかと考える。

　そのため、本書は、教科書、概説書ではあるが、①学生のみならず実務家にとっても、訴訟法的な考え方や感覚を身につける、あるいは身につけ直すために有用と思われるような論点、また、②実務家がそのキャリアの中で現実に遭遇することがありうるような論点については、できる限り漏れなく言及し、かつ、それらの論点に関する考え方（私なりの結論）とその根拠を明確に示すよう努めている（付言すれば、①、②のような論点は、司法試験等の各種試験の出題対象ともなりうる論点でもあり、実際、近年の司法試験問題では、こうした論点にかかわる問題が、かなりの数出題されている）。

　こうした論点については、従来の教科書やコンメンタール等の記述が、学生・実務家にはいささかわかりにくい場合がある（これはほかの法学の教科書類でも多かれ少なかれいえることかもしれないが、民事訴訟法の研究者でないと正確な趣旨の把握が難しいような記述も、一定程度存在すると思う）こともあり、本書における記述は、可能な範囲でそれぞれの論点や考え方の背景まで含めて詳しく論じるようにし、また、後記のとおり、できる限りわかりやすいものとすることにも努めた。具体的には、たとえば、当事者、弁論主義、自白、証明責任、証拠調べ（ことに書証）、既判力、多数当事者訴訟、上訴等、難しい論点を含む部分の記述がそうである（こうした論点については、学生のみならず実務家にも十分に理解されていない場合が、ままあると思う）。

初版 はしがき

　反面、前置き的、一般的な事柄、また、常識によって、あるいは条文を読めばおおむね趣旨が理解できるような事柄（技術的な細目にかかわる条文についてその例が多い）については、記述はなるべく簡潔にした。
　したがって、本書の記述は、後記のとおりわかりやすくすることには努めたが、内容が凝縮されているため、密度はかなり高くなっている。じっくりお読みいただきたい。また、引用されている条文は、細かな事項についてのそれであっても、できる限り目を通していただきたい。これは、上記のような本書の記述方針にもよるが、法学の基本は、条文を正確、細密に読むことに始まるからでもある。
　なお、民事訴訟法の各分野は相互に関連しているため、ある事柄を説明するためにどうしても後に説明する予定の事柄の一部の説明を行わなければならない場合が出てくる。したがって、初学者にとっては、教科書は最低2度は読まないと総合的な理解は難しいということも、併せて付け加えておきたい（もっとも、民事訴訟法の骨格が理解できればそれでよい、むしろ、一般的に、訴訟法的な考え方を知り、訴訟法的な思考力を身につけたいという学生については、1度でも十分であろう。また、難しい論点については、問題の所在だけ把握してもらうことでもよいと思う。それ以外の学生や実務家が2度読む場合にも、1度目については、全体の骨格と各論点の意味〔なぜそれが論じられる必要性があるのか〕をつかむことに主眼を置き、細かい部分にはあまりこだわらない読み方でかまわないと思う）。

　本書の第二の性格は、機能的な民事訴訟法学をめざしたということである。これについては、詳細は私の研究の総論である『民事訴訟の本質と諸相──市民のための裁判をめざして』〔日本評論社、2013年〕および論文「機能的民事訴訟法学・法教育の試み」〔明治大学法科大学院論集第15号57頁以下、2014年〕に譲るが、簡単にいえば、「哲学的方法」としてのプラグマティズム的な思考方法に基づき、できる限り機能的な観点から、つまり、理論を現実の法廷に落として考え、その結果を理論にフィードバックさせるという観点から、民事訴訟法理論を、その法社会学的な基盤をも含めて客観的、外在的に記述することに努め、ことに、演繹的な理論展開によってすべてが解けるといった書き方をしないことに努めた。いいかえれば、結論のよって立つ実際的な根拠の部分をも明らかにし、結論のうちどこまでが純理によるものでありどこからが実際的要請によるものかをなるべく明確にすることに努めた。また、最高裁判例についても、結論や理由付けに疑問のあるもの（本文でもふれるが、基本的な民事訴訟法理論の理解が不十分であることに基づくのではないかと思われるような場合も、一定程度存在する）は、無理に合理化しようとはせず、どの点に疑問があるのかを明確に示すようにした（なお、司法試験問題でも、近年は、最高裁判例とは異なった方向で考えさせるような問題が出ている。学生は、最高裁判例の丸暗記ではなく、その批判的理解に努めるべきであるとの考え方に基づくものといえよう）。
　その背景には、私の裁判官としての長年の実務経験がある。また、法学の理論は国によって相当に異なるが、その結論はかなりの部分において類似しているという事実も、法学における論理が純粋な意味での理論とはやや異なることを示していよう（自然科学はもちろん、社会科学一般と比較しても、「説明のための論理」という側面が強いと考えられる。これは、人々の行為を適正に規整するフレームとしての「法」に

関する学問という、法学の、純粋社会科学というよりは人文科学の色彩が強い性格によることであり、法学をおとしめる趣旨ではない。実をいえば、法学と並んで専攻する学生の多い学問である経済学にもその傾向はかなりあると、私は考えている）。

　もっとも、実際には、過去の民事訴訟法理論の膨大な蓄積には大きな引力があり、そのような蓄積が比較的小さい民事保全法理論の場合に比べると、私の方法の特色を打ち出せた程度は、かなり限られると思う。せいぜい、記述の全体を通じればそれらを貫く私なりの機能的な視点をどうにか示しえた、という程度であろう。しかし、いずれにせよ、そのような方向をめざしたことは、本書の教科書、概説書としての特色といえ、かつ、そのことによって、読者の民事訴訟法理解、実務家にとってはその新たな理解に、いくぶんは貢献できるところもあるのではないかと考える。また、この点については、プラグマティズム法学的な方向の洗礼を受けた部分がたとえば民法学に比べて相対的に小さい民事訴訟法学に対する、私なりの、微力を尽くした貢献といえる部分ではないかとも考えている。

　また、本書では、それをすることが読者の民事訴訟・民事訴訟法学理解に資すると思われるような場合には、法社会学的な観点からする考察、また、実務の解説をも、随所で行っている（たとえば、争点整理や事実認定に関する考察等）。本来、法社会学は民事訴訟法学の隣接領域であり、民事訴訟法の正確かつ立体的な理解のためには実務の客観的な理解も必要である、との考え方に基づく（なお、アメリカでは、民事訴訟法研究者が法社会学的な研究を行うのは、ごく普通のことである。これは、アメリカが判例法国であるため、体系への指向が弱いことの裏面でもある）。

　本書の第三の性格は、できる限り正確かつわかりやすい記述に努めたということである。民事訴訟法分野の法律書には、理論に精通している者、具体的には研究者あるいはそれを兼ねるようなごく一部の実務家以外にはかなりわかりにくい記述が多くはないかという、これも裁判官時代以来の私の認識による。法学は、まずは専門家のためにあるとしても、最終的には、実務家の仕事を通じて人々に貢献するためのものである。そのような観点からみるとき、日本の法学、ことに民事訴訟法学等の概念的、観念的性格の強い法学には、結局は人々を法から遠ざけてきている側面があることは否めない。法学の論理がわかりにくいものであることは、程度の差はあれどこの国でもいえることだが、大陸法系国である日本のそれはその傾向が強いという事実も否定しにくい。そして、難解な法学が立派な司法や法曹を生み出しているのなら結構なことだが、実際にはその反対かもしれないというのが、研究者としてのキャリアをも含めた長年の法曹経験の帰結としての、私の実感でもある。わかりにくいものを、正確さをそこなわない限りにおいてできる限りわかりやすく説明するのが、教科書、概説書の基本的な役割ではないかと、私は考える。

　本書では、法学の教科書、概説書には珍しい、「筆者」ではなく「私」という一人称を使用したのも、そのような方向の1つの現れといえる。「筆者」という一人称を用いれば記述がより客観的になりうるのかといえば、必ずしもそうではなく、かえって、どんな書物でもいずれにせよ避けられない記述の主観性が、それによっていくぶん隠蔽されるだけのことかもしれない。いずれにせよ、こうした慣例には、あまり大きな意味はないと考える（なお、私自身も、『民事保全法』では「筆者」を用いてお

り、そのような慣例的記述方法に異をとなえるものではない。ただ、「わかりやすい教科書、概説書」をめざした本書には、「私」という一人称がより適していると考えたものにすぎない)。

　全体の構成についても、わかりやすさの観点から、パンデクテン方式による編別構成を基準とした『民事保全法』とは異なり、全体を24の章に分けて、各章ごとに記述にまとまりをもたせ、これにより、実体法の場合と異なり用語や概念についてある程度総体を理解していないと各部分の理解も難しいという手続法独特の学びの困難を、ある程度でも緩和することに努めた。章の流れも、なるべく実際の訴訟手続の流れに合わせ、初学者にとってもイメージがつかみやすいようにした。

　その正確性には一定の限界のある概念図を本文中に若干入れることにしたのも、同様の考慮からである。

　次に、内容面プロパーの特色についても、若干ふれておきたい。

　まず、要件事実論に1章をさいた。私は要件事実論(なお、本書では、便宜上、民事訴訟法学で論じられることの多い「司法研修所の要件事実論」という意味でこの言葉を用いる)を無条件に評価するものではないが、確かに、有用な部分、また、民事訴訟法学にその「側面」から光を当てるという機能もあり(その意味では、要件事実論には、単に実体法の解釈問題にはとどまらないメリットもある)、さらに、近年は、司法試験にも、その一定の理解を前提とする問題が出題される例があることが、その理由である。要件事実論を、その弱点をも含めて客観的に理解しておくことには、学生のみならず実務家にとっても、民事訴訟法学や実務の理解のために、一定の意味があると考える。

　また、国際民事訴訟法にも1章をさいた。これは、閉じられた法域のみでは起こらない訴訟法上の問題についてその初歩だけでも理解しておくことが、今後は、学生にとっても実務家にとっても、有意義だと考えたからである(たとえば、アメリカでは、連邦制をとることの帰結として、日本でいうと国際民事訴訟法や国際私法に当たる法領域が、きわめて重要である)。

　次に、これはすでにふれたが、民事訴訟の客観的な全体像が把握できるよう、従来の民事訴訟法理論上の論点以外にも、適宜、法社会学的な見地からする検討を付け加え、さらに、民事執行・保全法等の特別法分野についても、略式訴訟手続や人事訴訟についても、民事訴訟・民事訴訟法をその外延とのつながりにおいて理解するために必要な事柄だけは、押さえておくようにした。

　さらに、各章の末尾に確認問題を掲げた。これらは、必ずしも網羅的なものではないし、スペースの関係上、具体的な事例設問はほとんどないが、その章の記述の要点を読者が理解しているかどうかを確認するための一助として、掲げることとしたものである。定期試験や司法試験等の受験に備えて読者がみずからの知識を確認するために、一定程度有効ではないかと考える。その解答ないし具体例は、当該章の中に記述されている(もっとも、もちろん、読者の考える解答の内容は、本書の記述とは異なっていてもかまわない)。設問の言葉遣いは、無理に統一せず、若干のニュアンスの相違により適宜言葉を使い分けている。

　これらの確認問題に正確に答えることはきわめて難しいと思うが、頭の中に、解答

の概要、あるいはそのおおまかなイメージ、問題の所在だけでも浮かぶかどうかを、試してみてほしい。ほとんど何も浮かんでこないという場合には、その設問に該当する記述をもう一度読み返しておく必要がある。

なお、本書の執筆に当たっては多数の文献を参照したが、引用する文献については、できる限り、基本的なもの、また、学生や実務家にも入手や参照が容易なものにとどめた。判例についても、解釈論上重要なものを精選した。注の数も少なくしたが、反面、注にも重要な事柄が記載されている場合が少なくないことに注意してほしい。

また、索引や本文中のクロスレファレンスは、本文の左欄外に付したブロックごとの番号によって行っている。教科書類には、改訂の場合に索引の頁に誤りが生じている例がかなり見受けられるが、そのような事態を避けたいという配慮による。慣れれば、頁による検索と同様に容易に行っていただけるものと考える。なお、事項索引で掲げるブロック番号は、索引でないと検索が難しいような種類の横断的項目についてのみ詳しめにし、あとはなるべく中心的な項目に絞っている。その代わり、本文中のクロスレファレンスは、参照の便という観点から、詳しめに付けておいた。

さらに、現在の民事訴訟法には、その制定後もかなりの改正があったが、本書では、これらの改正の経緯については、それを明示することが内容の理解のために重要と思われる場合にのみ、適宜記している。

最後に、関連して、私の書物の中から、民事訴訟手続や民事裁判の背景をなす法社会学的な事柄、あるいは日本の司法制度、裁判についての知識を得、民事訴訟法とそれに基づく民事訴訟実務を立体的に理解するために有用と思われるものを、いくつか選んで挙げておきたい（なお、それらの書物を含めた私の著作の背景にある私の考え方〔自由主義、経験論等を含め〕について詳しく記した書物としては、『裁判官・学者の哲学と意見』〔現代書館、2018年〕がある）。

学生にも比較的読みやすいものが、『絶望の裁判所』〔講談社現代新書、2014年〕、『ニッポンの裁判』〔同、2015年〕である。基本的な観点は法社会学的なものだが、後者については、アメリカのプラグマティズム法学、リアリズム法学の方法をも参考にしている。これらの書物により、日本における通常の法学の説明とは異なった観点からするより機能的でリアルな制度理解、裁判理解の方法を知ってもらうことは、本書の理解のためにも、民事訴訟実務や制度の理解のためにも、役立つはずである。ことに、後者は、学生の皆さんには、日本の法学における判例理解が見落としている視点を補うという意味で参考になるのではないかと考える。なお、これらを補いつつ新たな情報や視点をも付け加えた書物として、『裁判所の正体——法服を着た役人たち』〔新潮社、2017年〕がある。これは、ジャーナリスト清水潔氏との対談だが、多くの部分は私に対する清水氏のインタビューに近い内容であり、その意味で、最も平明な叙述となっている。

専門書としては、①『民事訴訟実務・制度要論』〔日本評論社、2015年〕、②『ケース演習 民事訴訟実務と法的思考』〔同、2017年〕そして、先に挙げた③『民事訴訟の本質と諸相』〔同、2013年〕がある。順に、①は、実務と制度の掘り下げた実証的・機能的分析、②は、実体法と訴訟法が現実の事件でどのように使われ、それが、どのように、判決という、裁判官による判断、検証、報告の文書に結晶してゆくかの分析、

③は、幅広い法社会学的考察と私の「方法」の総まとめ、といった内容である。学生がレジュメ、レポート、答案作成の基礎になる力を付けるという観点からは、2番目の書物が最も有用かもしれない。

　私の民事訴訟法・法社会学研究も、裁判官時代以来で約30年、大学に移ってからでも約7年になる。本書には、そのほとんどが民事裁判官としてのものであった33年間の私の実務体験、7年間の明治大学法科大学院における民事訴訟法、同演習、各種の展開演習、模擬裁判の教授体験、そして、これらを通じての私の研究者としての体験、さらには、裁判官時代と研究者時代の2度、合わせて2年間のアメリカの大学における在外研究体験が、さまざまな形で反映していると考える。

　ことに、この書物に関しては、明治大学における民事訴訟法の講義や関連の各種演習の教授体験の意味は、きわめて大きかった。機能的考察の重要な民事保全法の体系書執筆が立法準備作業への従事と集中的な実務体験なくして難しかったのと同じように、具体的な記述に当たっては機能的な思考方法に努めたとはいえ、概念的な理論体系の正確な理解が基本的な枠組みとなる民事訴訟法の教科書、概説書執筆に当たっては、ことに、それを、正確さをそこなわない限りでわかりやすく説明するに当たっては、法科大学院における教授体験が、また、それを通じて、学生にとって民事訴訟法理論のどのような部分がどのような理由から理解しにくいかを知ることが、決定的な重要性をもったからである。

　本書の執筆については、大学に移ってから3年目の2014年ころに着手した後、一般書の執筆やほかの専門書の改訂で中断を重ねていたが、2017年度の在外研究の際に、調査等と並行して何とかまとまった時間がとれ、初稿を完成することができた。純粋な研究者としての生活を5年間続けた時点で大学から在外研究の機会が与えられたことについては、感謝しなければならないだろう。

　専門書主著者としては6冊目に当たる本書をもって、私の研究、すなわち、機能的考察を特色とする民事訴訟法と法社会学の研究にも、大きな節目が付き、1つのサイクルが完成したと考える。

　今後は、以上にふれた書物、場合により論文集『民事裁判実務と理論の架橋』〔判例タイムズ社、2007年〕をも含めての改訂をさらに続けながら、余力があれば、新しい領域の研究をも考えてゆきたい。

　これまでにお世話になった多数の研究者、実務家の方々、そして学生の皆さんに感謝したい。また、日本評論社から出版、復刊されてきた私の書物について一貫して編集を担当してくださっているヴェテラン編集者の高橋耕さん、本書の校正を担当してくださった駒井まどかさんにも、お礼を申し上げたい。

　2019年1月

瀬木　比呂志

目　次

はしがき ──────────────────────────── i

凡例および文献略記とその案内 ──────────────── xl

第 1 章　民事訴訟法総論 ─────────────────── 1

第 1 節　民事訴訟法の沿革 …………………………………………… 1
第 2 節　民事訴訟制度の目的と訴権論、指導理念としての手続保障 ……… 2
　　第 1 項　訴権論　2
　　第 2 項　民事訴訟制度目的論　3
　　第 3 項　理念としての手続保障　5
第 3 節　民事訴訟手続の流れ ………………………………………… 7
　　第 1 項　訴えの提起　7
　　第 2 項　口頭弁論と証拠調べ　8
　　第 3 項　判決　10
　　第 4 項　上訴　10
　　第 5 項　民事保全と民事執行　10
　　第 6 項　日本の民事訴訟手続の特質　11
第 4 節　訴訟法規の種類──強行規定、任意規定、訓示規定 …………… 13
　　第 1 項　訴訟法規の種類　13
　　第 2 項　強行規定　13
　　第 3 項　任意規定　14
　　第 4 項　訓示規定　14
第 5 節　訴訟と非訟 …………………………………………………… 15
　　第 1 項　訴訟と非訟の区別、非訟手続における審理　15
　　第 2 項　訴訟の非訟化　16
　　第 3 項　非訟手続における手続保障のあり方　16
第 6 節　民事訴訟手続に関連する諸手続・制度 ……………………… 18
　　第 1 項　民事訴訟手続と並び立つ諸制度
　　　　　　（民事訴訟手続の付随手続）　19
　　　　第 1　民事保全手続　19
　　　　第 2　民事執行手続　19
　　　　第 3　倒産処理手続　19

　　　　　　　　　　　　　　　　　　　　　　　　　　　　　　目　次

　　　　　　　　の紛争処理制度　20
　　　　第2項　第1　調停　20
　　　　　　　　第2　仲裁　21
　　　　　　　　民事訴訟手続の特別手続　21
　　　　題】　23

　　　　　　　　類型とその提起、訴訟物──────────24

　　　　　　　　請求、訴訟物 ……………………………………………24
　　　　項　概説　24
　　　　項　訴えの種類　26
　　えの3類型 ……………………………………………………27
　　　1項　給付の訴え　27
　　　2項　確認の訴え　29
　　　第3項　形成の訴え　31
　　　　　　第1　概説　31
　　　　　　第2　形成の訴えの種類　32
　　　　　　第3　形成の訴えの該当性　34
　　　　　　第4　形式的形成訴訟　36
　3節　訴えの提起とその後の手続 ……………………………………38
　　　第1項　訴えの提起　38
　　　　　　第1　訴状の提出　38
　　　　　　第2　訴状の記載事項　38
　　　第2項　訴え提起後の手続　40
　　　　　　第1　訴状の審査　40
　　　　　　第2　訴状の送達　41
　　　　　　第3　第1回口頭弁論期日の指定等　42
　　　第3項　訴え提起と訴訟係属の効果　43
　　　　　　第1　訴訟係属の効果　43
　　　　　　第2　訴訟の開始に結びつけられる実体法上の効果　43
　　　　　　　1　概説　43
　　　　　　　2　時効の完成猶予　44
　第4節　訴訟物 ………………………………………………………47
　　　第1項　訴訟物論争　47
　　　第2項　論争の評価　48
　　　　　　第1　純理の問題　48
　　　　　　第2　機能的・実際的な妥当性、市民の法意識　50
　　　　　　第3　結論　52
　　　第3項　確認訴訟、形成訴訟の場合　52
　第5節　処分権主義 …………………………………………………53

　　　　　　　　　　　　　　　　　　　　　　　　　　　　　　xv

　　　　第 1 項　概説　53
　　　　第 2 項　審判形式・順序の指定、訴訟物による審判の限定
　　　　　　第 1　審判形式・順序の指定　54
　　　　　　第 2　訴訟物による審判の限定　55
　　　　第 3 項　一部認容が許される場合　56
　　　　　　第 1　量的一部と質的一部　56
　　　　　　第 2　債務不存在確認請求の場合　58
　　　　　　第 3　条件付きの給付判決、引換給付判決をする場合
　　　　　　第 4　執行に関する制約文言が主文に加えられる場合
　　　　第 4 項　一部請求と残部請求の可否　62
　　　　　　第 1　概説　62
　　　　　　第 2　判例の考え方　62
　　　　　　第 3　学説　63
　　　　　　第 4　後遺症の後発発生の場合　65
　　　　　　第 5　検討　67
　　　　　　第 6　一部請求と過失相殺、相殺　70
　第 6 節　重複起訴の禁止 ……………………………………………… 72
　　　第 1 項　概説　72
　　　第 2 項　事件の同一性　74
　　　　　第 1　訴訟物が同一の場合　74
　　　　　第 2　訴訟物が異なる場合　76
　　　　　第 3　相殺の抗弁と重複起訴　76
　　　第 3 項　拡大された重複起訴　83
　　　【確認問題】　84

第 3 章　複数請求訴訟　──────── 86

　第 1 節　概説 ……………………………………………………………… 86
　第 2 節　請求の併合 …………………………………………………… 87
　　　第 1 項　概説　87
　　　第 2 項　併合の態様　88
　　　第 3 項　併合請求に対する審判　89
　　　　　第 1　概説　89
　　　　　第 2　単純併合　89
　　　　　第 3　予備的併合　89
　　　　　第 4　選択的併合　92
　第 3 節　訴えの変更 …………………………………………………… 92
　　　第 1 項　訴えの変更の意義、態様　92
　　　第 2 項　訴えの変更の要件　94
　　　第 3 項　訴えの変更の手続　95

第4項　訴えの変更に対する裁判所の処置　96
　第4節　反訴 …………………………………………………………… 96
　　　第1項　反訴の意義、態様　96
　　　第2項　反訴の要件　97
　　　第3項　反訴の手続　98
　第5節　中間確認の訴え ………………………………………………… 99
　　　【確認問題】　100

第4章　裁判所 ──────────────────────── 101

　第1節　裁判所、裁判体、裁判官等の裁判所職員 ……………………… 101
　　　第1項　裁判所の意義　101
　　　第2項　裁判体　102
　　　第3項　裁判官等の裁判所職員　104
　第2節　裁判官等の除斥・忌避・回避 ………………………………… 106
　　　第1項　裁判官の除斥　106
　　　　第1　除斥事由　106
　　　　第2　除斥の効果　107
　　　第2項　裁判官の忌避　108
　　　　第1　忌避事由　108
　　　　第2　忌避に関する手続と裁判　109
　　　第3項　裁判官の回避　112
　　　第4項　裁判所書記官等への準用　112
　第3節　民事裁判権 ……………………………………………………… 113
　　　第1項　意義　113
　　　第2項　対人的制約　113
　第4節　管轄と移送 ……………………………………………………… 115
　　　第1項　概説　115
　　　第2項　管轄の種類、専属管轄　116
　　　第3項　法定管轄　118
　　　　第1　職分管轄　118
　　　　第2　事物管轄と訴え提起の手数料　119
　　　　第3　土地管轄　122
　　　　　1　意義　122
　　　　　2　普通裁判籍　122
　　　　　3　独立裁判籍　123
　　　　　　(1)　一般の独立裁判籍　123
　　　　　　(2)　知的財産権関係事件に関する管轄等の定め　124
　　　　　4　関連裁判籍　125
　　　第4項　法定管轄以外の管轄　127

　　　　　　第1　指定管轄　　127
　　　　　　第2　合意管轄　　127
　　　　　　　1　概説　　127
　　　　　　　2　要件　　128
　　　　　　　3　合意の内容と効力　　128
　　　　　　第3　応訴管轄　　130
　　　第5項　管轄の調査　　131
　　　第6項　移送　　132
　　　　　　第1　概説　　132
　　　　　　第2　移送の裁判の効果　　133
　　【確認問題】　135

第5章　当事者、代理、当事者適格 ──────────── 136

第1節　当事者の概念 …………………………………………………… 136
第1項　概説　　136
第2項　形式的当事者概念　　137
第2節　当事者の確定、表示の訂正、任意的当事者変更 ……………… 138
第1項　概説　　138
第2項　当事者の確定の基準　　142
第3項　当事者の確定等の処理の具体的な例　　144
　　　　　　第1　氏名冒用訴訟　　144
　　　　　　第2　死者を当事者とした訴訟　　145
　　　　　　第3　法人格否認の法理が当てはまる場合　　147
第3節　当事者に関する能力 …………………………………………… 148
第1項　当事者能力　　148
　　　　　　第1　概説　　148
　　　　　　第2　当事者能力をもつ者　　149
　　　　　　　1　自然人、法人、国　　149
　　　　　　　2　法人格のない社団・財団　　149
　　　　　　　3　入会団体等の団体、民法上の組合は、
　　　　　　　　　いかなる形で当事者となりうるか　　151
　　　　　　　　(1)　入会団体等の団体　　151
　　　　　　　　(2)　民法上の組合　　154
第2項　訴訟能力　　156
　　　　　　第1　概説　　156
　　　　　　第2　訴訟無能力者および制限的訴訟能力者　　157
　　　　　　　1　未成年者および成年後見人（訴訟無能力者）　　157
　　　　　　　2　被保佐人および被補助人（制限的訴訟能力者）　　157
　　　　　　　3　人事訴訟の場合　　158

　　　　　第3　訴訟能力欠缺の場合の処理　158
　　第3項　弁論能力　159
第4節　訴訟上の代理人 ……………………………………………………… 160
　　第1項　概説　160
　　第2項　法定代理　162
　　　　　第1　実体法の規定に基づく法定代理人　162
　　　　　第2　訴訟法上の特別代理人　162
　　　　　第3　法定代理人の地位　163
　　　　　第4　法定代理人の権限　164
　　　　　第5　法定代理権の消滅　164
　　第3項　法人等の代表者　165
　　第4項　訴訟委任に基づく訴訟代理人　166
　　　　　第1　弁護士代理の原則とその違反　166
　　　　　　1　弁護士代理の原則　166
　　　　　　2　違反した行為の取扱い　167
　　　　　第2　弁護士法25条違反行為の効力　169
　　　　　第3　訴訟代理権の授与、範囲、消滅等　170
　　　　　　1　訴訟代理権の授与　170
　　　　　　2　訴訟代理権の範囲　171
　　　　　　3　訴訟代理権の消滅、訴訟代理人の地位　172
　　第5項　法令上の訴訟代理人　173
　　第6項　補佐人　174
第5節　当事者適格 …………………………………………………………… 174
　　第1項　概説　174
　　第2項　訴えの3類型と当事者適格　175
　　　　　第1　給付の訴え　175
　　　　　第2　確認の訴え　176
　　　　　第3　形成の訴え　176
　　第3項　訴訟担当　177
　　　　　第1　意義　177
　　　　　第2　法定訴訟担当、遺言執行者　177
　　　　　　1　概説　177
　　　　　　2　遺言執行者　179
　　　　　　　(1)　被告適格一般　179
　　　　　　　(2)　原告適格一般　180
　　　　　　　(3)　昭和43年最判について　181
　　　　　　　(4)　特定財産承継遺言の場合　182
　　　　　第3　任意的訴訟担当　184
　　　　　　1　法令上の根拠のある場合、選定当事者　184
　　　　　　　(1)　選定の要件等　184

xix

             （2） 選定行為　185
             （3） 選定当事者の地位　185
          2　法令上の根拠のない場合　186
     第4項　当事者適格の拡張　188
    【確認問題】　190

第6章　訴訟要件、審判権、訴えの利益―――――――――――――192

  第1節　概説 ……………………………………………………………………… 193
     第1項　訴訟要件の意義　193
     第2項　訴訟要件の種類、その調査と審理　193
        第1　訴訟要件の種類　193
        第2　訴訟要件の機能的分類等　194
        第3　訴訟要件の審理一般　197
  第2節　審判権の限界 …………………………………………………………… 198
     第1項　概説および宗教的紛争　198
     第2項　そのほかの限界　201
  第3節　訴えの利益 ……………………………………………………………… 202
     第1項　各種の訴えに共通の訴えの利益　202
     第2項　給付の訴えの利益　204
        第1　現在の給付の訴え　204
        第2　将来の給付の訴え　205
     第3項　確認の訴えの利益（確認の利益）　208
        第1　概説　208
        第2　確認の訴え選択の適否　209
        第3　確認対象（訴訟物）選択の適否　210
        第4　即時確定の利益　212
     第4項　形成の訴えの利益　217
    【確認問題】　220

第7章　訴訟手続の進行―――――――――――――――――――――221

  第1節　手続の進行と裁判所・当事者の役割、訴訟指揮権、責問権 ………… 221
     第1項　手続の進行と裁判所・当事者の役割、訴訟指揮権　221
     第2項　責問権　222
  第2節　当事者の欠席等 ………………………………………………………… 223
     第1項　当事者の双方の欠席等　223
     第2項　当事者の一方の欠席　224
  第3節　期日、期間、訴訟行為の追完 ………………………………………… 225
     第1項　期日　225

　　　　　　第1　概説　225
　　　　　　第2　期日の呼出し　226
　　　　　　第3　期日の変更　227
　　　　　　第4　期日の実施　228
　　　　第2項　期間、訴訟行為の追完　228
　　　　　　第1　概説　228
　　　　　　第2　行為期間、猶予期間　229
　　　　　　第3　法定期間、裁定期間　229
　　　　　　第4　通常期間、不変期間　229
　　　　　　第5　訴訟行為の追完　230
　第4節　訴訟手続の停止 ……………………………………………………… 231
　　　　第1項　概説　231
　　　　第2項　訴訟手続の中断　232
　　　　　　第1　中断事由の分類等　232
　　　　　　第2　中断が生じない場合　234
　　　　　　第3　中断の解消　235
　　　　第3項　訴訟手続の中止　236
　第5節　送達 …………………………………………………………………… 237
　　　　第1項　概説　237
　　　　　　第1　送達およびこれと関連する概念等　237
　　　　　　第2　送達が必要とされる書類　238
　　　　　　第3　職権送達主義　238
　　　　　　第4　送達担当機関と送達実施機関　238
　　　　　　第5　送達に用いられる書類　239
　　　　　　第6　送達報告書　240
　　　　　　第7　受送達者　240
　　　　　　第8　送達の瑕疵とその救済　240
　　　　第2項　送達場所の届出制度　241
　　　　第3項　送達の方法　241
　　　　　　第1　交付送達　241
　　　　　　　1　原則的な交付送達　241
　　　　　　　2　就業場所送達　242
　　　　　　　3　裁判所書記官送達　242
　　　　　　　4　出会送達　242
　　　　　　　5　補充送達　242
　　　　　　　6　差置送達　243
　　　　　　第2　付郵便送達　244
　　　　　　第3　公示送達　244
　　　　　　　1　要件、効力等　244
　　　　　　　2　公示送達に瑕疵があった場合の救済　246

xxi

【確認問題】　247

第8章　口頭弁論と当事者の訴訟行為─────────248

- 第1節　口頭弁論とその必要性・諸原則・実施、口頭弁論調書 ……………… 248
  - 第1項　口頭弁論とその必要性　248
  - 第2項　口頭弁論の諸原則　250
    - 第1　双方審尋主義　250
    - 第2　口頭主義、書面主義　251
    - 第3　直接主義、間接主義　252
    - 第4　公開主義　253
    - 第5　適時提出主義、随時提出主義、法定序列主義　254
    - 第6　集中審理主義、併行審理主義　254
  - 第3項　口頭弁論の実施　255
    - 第1　概説　255
    - 第2　弁論の再開　256
    - 第3　弁論の制限・分離・併合　256
  - 第4項　口頭弁論調書　259
- 第2節　当事者の訴訟行為 ……………………………………………………… 262
  - 第1項　訴訟行為の意義・種類　262
    - 第1　概説　262
    - 第2　申立て　262
    - 第3　事実上の主張と法律上の主張　263
      1　概説　263
      2　事実上の主張の種類等　263
      3　事実上の主張に対する当事者の対応　264
      4　主張の有理性　264
    - 第4　意思表示の性質をもつ行為　265
  - 第2項　訴訟行為の撤回・取消し、訴訟行為と条件　266
    - 第1　訴訟行為の撤回・取消し　266
    - 第2　訴訟行為と条件　267
  - 第3項　訴訟行為と信義則　268
    - 第1　概説　268
    - 第2　訴訟上の権能の濫用の禁止　268
    - 第3　訴訟上の禁反言　270
    - 第4　訴訟上の権能の失効　271
    - 第5　訴訟状態の不当形成の排除　271
  - 第4項　訴訟行為と私法行為　272
    - 第1　訴訟契約の性質とその効果　272
    - 第2　意思表示の性質をもつ訴訟行為についての

　　　　　　　私法規定の類推適用　272
　　　　　第3　形成権の訴訟上の行使　273
　【確認問題】　274

第9章　弁論主義 ─────────────────────── 276

第1節　弁論主義と職権探知主義 ………………………………………… 276
　　第1項　概説　276
　　　　第1　弁論主義と職権探知主義　276
　　　　第2　弁論主義の根拠、処分権主義との関係　277
　　第2項　弁論主義の内容と主張責任　278
　　　　第1　主張に関する原則（第一原則）　279
　　　　第2　自白に関する原則（第二原則）　279
　　　　第3　証拠に関する原則（第三原則）　280
　　　　第4　主張責任と事案解明義務　280
　　　　　1　主張責任、主張共通の原則、不利益陳述と
　　　　　　　先行自白　280
　　　　　2　事案解明義務　282
　　第3項　弁論主義の対象　282
　　　　第1　主要事実、間接事実、補助事実　283
　　　　第2　規範的要件　285
　　　　第3　権利抗弁　289
　　　　第4　訴訟要件　290
　　第4項　事実の同一性ないしふくらみ　290
　　　　第1　概説　290
　　　　第2　契約の日時の相違等　291
　　　　第3　規範的要件の基礎付け事実　291
　　第5項　弁論主義違反の有無　292
　　　　第1　抗弁か積極否認か　292
　　　　第2　所有権の移転経過　293
　　　　第3　主要事実と認定事実が明らかに異なる場合　296
　　第6項　職権探知主義　296
第2節　釈明権・釈明義務と法的観点指摘権能・義務、
　　　真実義務と完全陳述義務 ………………………………………… 297
　　第1項　概説　297
　　第2項　釈明権・釈明義務とその限界　298
　　　　第1　釈明権、釈明義務、釈明処分　298
　　　　第2　釈明権の限界　300
　　第3項　法的観点指摘権能・義務　304
　　第4項　真実義務と完全陳述義務　305

　　　　【確認問題】　　306

第10章　争点整理────────────────────────307
　第1節　審理の計画と進行協議期日 ………………………………… 307
　　第1項　審理の計画　307
　　第2項　進行協議期日　309
　第2節　準備書面 ………………………………………………………… 309
　　第1項　準備書面の意義、内容等　309
　　第2項　準備書面の提出、送付とその効果　311
　第3節　争点整理の実際、争点および証拠の整理手続 …………… 312
　　第1項　争点整理の実際　312
　　第2項　弁論準備手続　313
　　　　第1　沿革と意義　313
　　　　第2　内容　314
　　　　第3　手続の終了とその効果　316
　　第3項　準備的口頭弁論　317
　　第4項　書面による準備手続　318
　第4節　時機に後れた攻撃防御方法等の却下 ……………………… 319
　第5節　訴訟準備・情報収集のための諸制度 ……………………… 322
　　第1項　概説　322
　　第2項　当事者照会　323
　　第3項　裁判所による調査等の嘱託、弁護士法上の照会　324
　　　　第1　裁判所による調査の嘱託　324
　　　　第2　裁判所による鑑定の嘱託　325
　　　　第3　弁護士法上の照会　326
　　第4項　訴え提起前の証拠収集処分　327
　　第5項　証拠保全　328
　　　　第1　概説　328
　　　　第2　証拠保全の手続　329
　　【確認問題】　　330

第11章　証明と証明責任、自白──────────────331
　第1節　概説 ……………………………………………………………… 331
　第2節　証拠と証明およびこれらに関連する諸概念 ……………… 332
　　第1項　証拠に関する基本的概念　332
　　第2項　証明に関連する諸概念　334
　　　　第1　証明度、証明と疎明　334
　　　　第2　厳格な証明と自由な証明　336

　　　　　　第3　本証と反証　337
　第3節　証明の対象と証明を要しない事実 …………………………………… 338
　　第1項　証明の対象　338
　　　　第1　概説　338
　　　　第2　経験則　339
　　　　第3　法規　339
　　第2項　証明を要しない事実──自白、裁判所に顕著な事実　340
　　　　第1　概説　340
　　　　第2　裁判上の自白概説　340
　　　　第3　自白の成立とその対象　341
　　　　　1　概説　341
　　　　　2　自白の対象たる事実　342
　　　　　3　不利益性　343
　　　　　4　裁判外の自白等　345
　　　　　5　事実主張の一致　345
　　　　第4　自白の効力とその撤回　346
　　　　　1　概説　346
　　　　　2　自白の撤回　347
　　　　第5　擬制自白　348
　　　　第6　権利自白　349
　　　　　1　概説および権利自白の効力　349
　　　　　2　権利自白の対象　349
　　　　第7　裁判所に顕著な事実　351
　　　　　1　概説　351
　　　　　2　公知の事実　352
　　　　　3　職務上顕著な事実　352
　第4節　事実認定の方法 …………………………………………………………… 354
　　第1項　自由心証主義　354
　　　　第1　概説　354
　　　　第2　証拠共通の原則　355
　　　　第3　弁論の全趣旨　356
　　第2項　損害額の認定　356
　　第3項　事実認定の実際　358
　　　　第1　事実認定の本質等　358
　　　　第2　民事事実認定と刑事事実認定、事実認定論　360
　　　　第3　ストーリーのぶつかり合いとしての民事訴訟　361
　第5節　証明責任とその分配、転換 ……………………………………………… 362
　　第1項　概説　362
　　第2項　証明責任の分配　364
　　第3項　証明責任の転換、証明負担の軽減等　364

　　　　第1　事実上の推定、一応の推定（表見証明）、
　　　　　　証明主題の転換、間接反証　364
　　　　　1　事実上の推定　364
　　　　　2　一応の推定（表見証明）　366
　　　　　3　証明主題の転換　367
　　　　　4　間接反証　368
　　　　第2　法律上の推定、暫定真実　368
　　　　第3　意思推定規定、擬制規定、法定証拠法則　370
　　【確認問題】　371

第12章　要件事実論 ─────────────── 373

第1節　概説 ……………………………………………………… 373
　　第1項　要件事実論とは何か　373
　　第2項　要件事実論の問題点とその機能　375
　　　　第1　要件事実論の問題点　375
　　　　第2　要件事実論と争点整理　379
第2節　民事訴訟法学、民事訴訟実務の理解のために有用な
　　　　　若干のポイント ………………………………………… 380
　　【確認問題】　383

第13章　証拠調べ ─────────────────── 384

第1節　証拠調べ総論 …………………………………………… 384
　　第1項　証拠の申出　384
　　　　第1　概説　384
　　　　第2　証拠の申出の時期等　385
　　　　第3　証拠の申出の撤回　385
　　　　第4　証拠の申出に対する裁判所の判断　386
　　第2項　証拠調べの実施　387
　　　　第1　口頭弁論との関係　387
　　　　第2　証拠調べの実施とその援用　388
第2節　証人尋問 ………………………………………………… 389
　　第1項　意義　389
　　第2項　証人能力および証人の義務　389
　　第3項　証言拒絶権　390
　　　　第1　審理と判断　390
　　　　第2　自己負罪等拒否　391
　　　　第3　公務員の職務上の秘密　391
　　　　第4　法定専門職の守秘義務　392

          第5　技術または職業の秘密　393
       第4項　証人尋問の手続　395
          第1　証人尋問の申出　395
          第2　証人の出頭確保　395
          第3　宣誓　395
          第4　証人尋問の実施　396
          第5　陳述書　398
          第6　口頭陳述の例外　399
          第7　受訴裁判所の法廷以外の場所での尋問　401
          第8　証人の保護に関する措置　401
  第3節　当事者尋問 ………………………………………………………… 402
  第4節　鑑定 ………………………………………………………………… 403
    第1項　概説　403
    第2項　鑑定人　404
    第3項　鑑定の手続　405
    第4項　鑑定人質問　406
  第5節　書証 ………………………………………………………………… 407
    第1項　書証の意義　407
       第1　文書および準文書　407
       第2　新種証拠　407
       第3　文書の種類　408
          1　公文書、私文書　408
          2　処分証書、報告証書　408
          3　原本、副本、謄本、正本、抄本、写し　409
    第2項　文書の証拠力　409
    第3項　書証の申出と実施　411
    第4項　文書提出命令　413
       第1　概説　413
       第2　文書提出命令の対象　415
          1　引用文書　415
          2　引渡しまたは閲覧の対象となる文書　416
          3　利益文書　416
          4　法律関係文書　416
          5　4号概説（一般義務文書）　418
          6　証言拒絶事項と同様の目的をもつ規定　419
            (1)　自己負罪等拒否　419
            (2)　公務秘密文書　419
            (3)　法定専門職秘密文書　421
            (4)　技術・職業秘密文書　422
          7　自己利用文書　422

xxvii

                (1) 概説　422
                (2) 内部文書性　423
                (3) 不利益性　424
                (4) 特段の事情の不存在　426
                (5) その他　426
            8　刑事訴訟等関係文書　428
        第3　文書提出命令に関する手続　430
            1　文書提出命令の申立てと文書の特定　430
                (1) 文書提出命令の申立て　430
                (2) 文書特定のための手続　431
            2　裁判所の判断等　432
            3　インカメラ手続　433
        第4　文書提出命令に従わない場合の効果　434
    第5項　文書送付嘱託　436
第6節　検証 ……………………………………………………………………… 437
    第1項　概説　437
    第2項　検証の手続等　438
    【確認問題】　439

第14章　判決とその確定、仮執行宣言、訴訟費用の負担と訴訟救助 ──────── 440

第1節　裁判の意義と種類 ………………………………………………………… 440
    第1項　訴訟の終了　440
    第2項　裁判の意義と種類　441
        第1　裁判の意義　441
        第2　裁判の種類　441
            1　判決、決定、命令　441
                (1) 裁判機関　441
                (2) 成立手続および不服申立て　442
                (3) 裁判事項　442
            2　その他の分類　443
第2節　判決の種類 ………………………………………………………………… 443
    第1項　終局判決　443
        第1　全部判決、一部判決　443
            1　概説　443
            2　複数請求訴訟の場合　444
            3　多数当事者訴訟の場合　444
            4　1個の請求の場合　445
            5　裁判の脱漏　445

　　　　　第2　本案判決、訴訟判決　445
　　第2項　中間判決　446
　　　　　第1　概説　446
　　　　　第2　中間判決の効力　448
　第3節　判決の成立とその確定 ……………………………………………… 448
　　第1項　判決の成立　448
　　　　　第1　判決の内容の確定時点　448
　　　　　第2　判決書　449
　　　　　　1　概説　449
　　　　　　2　事案の概要　450
　　　　　　　(1)　事案の要旨　451
　　　　　　　(2)　争いのない事実ないし前提事実　451
　　　　　　　(3)　争点　452
　　　　　　3　争点についての判断　452
　　　　　　4　まとめ　453
　　　　　第3　判決の言渡しとその送達　453
　　　　　　1　判決の言渡し　453
　　　　　　2　判決書に代わる調書（調書判決）　455
　　　　　　3　判決の送達　455
　　第2項　判決の確定　456
　　　　　第1　概説　456
　　　　　第2　確定の時期　456
　　　　　第3　確定の範囲　456
　　　　　第4　確定の証明　457
　第4節　仮執行宣言等 ………………………………………………………… 457
　　第1項　要件等　457
　　第2項　仮執行宣言の手続　459
　　第3項　仮執行の効果　460
　第5節　訴訟費用とその負担、訴訟救助、法律扶助 ……………………… 461
　　第1項　概説　461
　　第2項　訴訟費用の種類　461
　　第3項　訴訟費用の負担　463
　　第4項　訴訟費用負担の裁判と訴訟費用額の確定手続　464
　　第5項　訴訟費用の担保　465
　　第6項　訴訟救助　467
　　第7項　法律扶助　467
　　【確認問題】　469

第15章　判決の効力 ―――――――――――――――――――――― 470
　第1節　概説および証明効 ……………………………………………………… 470
　第2節　判決の自縛力・覊束力 ………………………………………………… 474
　　第1項　判決の自縛力（自己拘束力）と判決の更正・変更　474
　　　　第1　概説　474
　　　　第2　判決の更正　474
　　　　　1　更正の要件　474
　　　　　2　更正の手続と不服申立て　475
　　　　第3　判決の変更　476
　　第2項　判決の覊束力（手続内拘束力）　476
　第3節　非判決、判決の無効、確定判決の騙取 ………………………………… 478
　　第1項　非判決（判決の不存在）　478
　　第2項　判決の無効　479
　　第3項　確定判決の騙取　479
　第4節　既判力、執行力（主観的範囲）、対世効等、反射効 ………………… 482
　　第1項　既判力概説　482
　　　　第1　既判力の定義・目的・根拠　482
　　　　第2　既判力の性質　482
　　　　第3　既判力の作用　483
　　　　　1　消極的作用と積極的作用　483
　　　　　2　訴訟物が同一・矛盾・先決関係にある場合　484
　　　　　　(1)　訴訟物が同一の場合　484
　　　　　　(2)　訴訟物が矛盾関係にある場合　484
　　　　　　(3)　訴訟物が先決関係にある場合　485
　　　　　3　以上についての補足　486
　　　　　4　既判力の双面性　489
　　　　第4　既判力の調査　489
　　　　第5　既判力を有する裁判　490
　　　　　1　確定した終局判決　490
　　　　　2　確定判決と同一の効力を有するもの　490
　　　　　3　決定　491
　　第2項　既判力の時的限界、既判力の縮小、確定判決変更の訴え　491
　　　　第1　既判力の時的限界　491
　　　　第2　基準時後の形成権行使　493
　　　　　1　概説　493
　　　　　2　取消権　494
　　　　　3　解除権　495
　　　　　4　相殺権　495
　　　　　5　建物買取請求権　496

            6　白地手形の補充　496
        第3　既判力の縮小　496
            1　概説　496
            2　事実の提出に関する既判力の縮小　496
            3　法的観点の提出に関する既判力の縮小　497
                (1)　学説　497
                (2)　判例　498
                (3)　前記判例の事案の学説への当てはめ　502
                (4)　評価　502
            第4　確定判決変更の訴え　503
    第3項　既判力の客観的範囲（対象たる客体の範囲）　505
        第1　主文中の判断　505
            1　概説　505
            2　強制執行にかかわる文言　506
        第2　相殺の抗弁　509
            1　概説　509
            2　そのほかの解釈問題　511
    第4項　既判力・執行力の主観的範囲（対象たる主体の範囲）、
        　　対世効等、反射効　513
        第1　概説　513
        第2　既判力の主観的範囲の拡張　515
            1　口頭弁論終結後の承継人　515
                (1)　既判力拡張の根拠　515
                (2)　承継人の範囲を定める基準と具体例　515
                (3)　関連する論点　517
                    (ア)　訴訟物の性質　517
                    (イ)　固有の防御方法、実質説と形式説　517
                    (ウ)　承継の時期、登記（対抗要件）との関係　518
                    (エ)　拡張される既判力の内容　519
            2　訴訟担当の被担当者（利益帰属主体）　520
                (1)　既判力拡張の根拠　520
                (2)　具体例　521
                    (ア)　債権者代位訴訟　521
                    (イ)　差押債権者の取立訴訟　523
            3　請求の目的物の所持者　523
                (1)　概説　523
                (2)　その類推適用　524
        第3　執行力の主観的範囲の拡張　525
        第4　法人格否認の法理と既判力および執行力の拡張　526
        第5　第三者に対する判決効の拡張　527

xxxi

            1　形成判決の第三者効等　527
            2　対世効等　528
            3　判決効を受ける第三者の保護　529
        第6　反射効　529
　第5節　争点効と信義則 ………………………………………………………… 532
    第1項　争点効とその根拠　532
    第2項　争点効理論と信義則による規制論　535
        第1　概説　535
        第2　評価と展望　537
    【確認問題】　541

第16章　当事者の意思による訴訟の終了──────────────543

　第1節　概説 ……………………………………………………………………… 543
　第2節　訴えの取下げ …………………………………………………………… 545
    第1項　概説　545
    第2項　訴えの取下げの一般的な要件　545
    第3項　訴えの取下げの手続等　546
    第4項　訴えの取下げの効果　547
        第1　訴訟係属の遡及的消滅　547
        第2　再訴の禁止　548
    第5項　意思表示の瑕疵に関する規定の類推、
　　　　　　訴えの取下げの効力を争う方法　549
        第1　意思表示の瑕疵に関する規定の類推　549
        第2　訴えの取下げの効力を争う方法　550
　第3節　訴訟上の和解 …………………………………………………………… 551
    第1項　和解の種類　551
    第2項　訴訟上の和解の意義・手続・あり方　551
        第1　訴訟上の和解の意義・手続　551
        第2　訴訟上の和解のあり方　553
    第3項　訴訟上の和解の要件　556
        第1　互譲　556
        第2　和解の対象　556
        第3　和解の主体　557
        第4　当事者の処分権限等　557
        第5　訴訟要件　558
    第4項　訴訟上の和解の法的性質・効果、
　　　　　　訴訟上の和解の効力を争う方法等　558
        第1　訴訟上の和解の法的性質・効果　558
        第2　訴訟上の和解の効力を争う方法、和解の解除　560

　　　　　　1　和解に意思表示の瑕疵が認められる場合に
　　　　　　　　その効力を争う方法　560
　　　　　　2　和解の解除　562
　第4節　請求の放棄・認諾 …………………………………………………… 562
　　　第1項　概説　562
　　　第2項　請求の放棄・認諾の要件　564
　　　　　第1　当事者の処分権限等　564
　　　　　第2　訴訟要件　564
　　　第3項　請求の放棄・認諾の効果等　565
　　　【確認問題】　565

第17章　共同訴訟　──────────────────────566

　第1節　多数当事者訴訟・共同訴訟の意義と類型 ……………………… 566
　　　第1項　多数当事者訴訟の意義と類型　566
　　　第2項　共同訴訟の意義と類型　567
　第2節　通常共同訴訟と同時審判申出共同訴訟 ………………………… 569
　　　第1項　通常共同訴訟の要件　569
　　　第2項　共同訴訟人独立の原則　570
　　　　　第1　概説　570
　　　　　第2　証拠共通の原則　571
　　　　　第3　主張共通を認めることの是非　573
　　　第3項　同時審判申出共同訴訟等　575
　　　　　第1　主観的予備的併合　575
　　　　　第2　同時審判申出共同訴訟　577
　　　　　　1　制度の趣旨　577
　　　　　　2　事実上非両立の場合　578
　第3節　必要的共同訴訟 ……………………………………………………… 579
　　　第1項　固有必要的共同訴訟　579
　　　　　第1　概説　579
　　　　　第2　管理処分権が共同で帰属する場合
　　　　　　　　（共同の職務執行が必要とされる場合）　580
　　　　　第3　他人間の法律関係に関する形成・確認訴訟の場合　580
　　　　　第4　広い意味での共同所有関係にかかわる場合　581
　　　　　　1　概説　581
　　　　　　2　原告側になる場合　581
　　　　　　　（1）　確認・形成の訴え　581
　　　　　　　（2）　給付の訴え　583
　　　　　　3　被告側になる場合　583
　　　　　　　（1）　確認の訴え　584

             (2) 給付の訴え　584
           4　共有者間の訴訟の場合　585
           5　合有の場合　586
      第2項　類似必要的共同訴訟　587
      第3項　必要的共同訴訟の審理　588
         第1　概説　588
         第2　40条1項　588
         第3　40条2項　590
         第4　40条3項　591
         第5　まとめ　591
  第4節　共同訴訟参加 ………………………………………………………… 591
  第5節　主観的追加的併合 …………………………………………………… 593
      第1項　概説とその適否　593
      第2項　具体的な類型　595
      【確認問題】　596

第18章　補助参加と訴訟告知―――――――――――――――――597

  第1節　概説 ………………………………………………………………… 597
  第2節　補助参加の要件 ……………………………………………………… 599
      第1項　他人間の訴訟の係属　599
      第2項　補助参加の利益　600
         第1　概説　600
         第2　法律上の利害関係――主要な類型　602
  第3節　補助参加の手続 ……………………………………………………… 606
  第4節　補助参加人の地位 …………………………………………………… 607
      第1項　概説　607
      第2項　訴訟行為についての制限　608
  第5節　補助参加人に対する判決の効力（参加的効力）……………………… 611
      第1項　参加的効力の内容とこれが生じる判断　611
      第2項　参加的効力の要件、補助参加における既判力等の拡張　615
         第1　参加的効力の要件　615
         第2　補助参加における既判力等の拡張　615
  第6節　共同訴訟的補助参加 ………………………………………………… 616
  第7節　訴訟告知とその効力 ………………………………………………… 618
      第1項　概説　618
      第2項　訴訟告知の要件と手続　619
      第3項　訴訟告知の効果　620
      【確認問題】　626

第19章 独立当事者参加 —————————————————— 627

- 第1節 独立当事者参加の意義と機能、訴訟の構造 ……………………… 627
- 第2節 独立当事者参加の要件 ……………………………………………… 630
  - 第1項 詐害防止参加　631
  - 第2項 権利主張参加　632
    - 第1　2つの考え方とその評価（二重譲渡をめぐって）　632
    - 第2　当事者適格非両立の場合（債権者代位訴訟の場合）　635
  - 第3項 共通の要件　638
    - 第1　時期　638
    - 第2　請求の趣旨　638
- 第3節 独立当事者参加の手続 ……………………………………………… 640
- 第4節 独立当事者参加の審理・判決・上訴 ……………………………… 641
  - 第1項 独立当事者参加の審理（40条準用の意味）　641
  - 第2項 独立当事者参加の判決　642
  - 第3項 独立当事者参加事案における上訴と上訴審の判断　643
- 第5節 訴訟脱退 ……………………………………………………………… 646
  - 第1項 脱退の要件と手続　646
  - 第2項 脱退の効果　647
- 【確認問題】　649

第20章 訴訟承継 —————————————————— 650

- 第1節 概説 …………………………………………………………………… 650
  - 第1項 訴訟承継主義と当事者恒定主義　650
  - 第2項 訴訟承継の種類と効果　652
    - 第1　訴訟承継の種類　652
    - 第2　訴訟承継の効果　653
- 第2節 当然承継 ……………………………………………………………… 654
  - 第1項 当然承継が生じる場合　654
  - 第2項 当然承継の手続　655
- 第3節 参加・引受承継 ……………………………………………………… 656
  - 第1項 参加・引受承継の原因　656
  - 第2項 参加・引受承継の手続　658
    - 第1　概説　658
    - 第2　参加承継の手続　658
    - 第3　引受承継の手続　659
  - 第3項 参加・引受承継事案の審理、
      承継が認められない場合の判決　661
    - 第1　参加・引受承継事案の審理　661

xxxv

　　　　第2　承継が認められない場合の判決　662
　　【確認問題】　663

第21章　上訴等の不服申立て————————————664
　第1節　概説 …………………………………………………… 664
　　第1項　上訴の概念　664
　　第2項　上訴制度の組立て・目的、
　　　　　　上訴審の審判の対象、事実審と法律審　665
　　　　第1　上訴制度の組立て　665
　　　　第2　上訴制度の目的　667
　　　　第3　上訴審の審判の対象　667
　　　　第4　事実審と法律審　669
　　第3項　上訴の種類とその概要　670
　　第4項　上訴の要件と違式の上訴・裁判　671
　　　　第1　上訴の要件　671
　　　　第2　違式の上訴・裁判　672
　　第5項　上訴の効果とその手続の概要　673
　　第6項　執行停止　675
　第2節　控訴 …………………………………………………… 676
　　第1項　概説　676
　　第2項　控訴の利益　677
　　第3項　附帯控訴　679
　　　　第1　概説　679
　　　　第2　附帯控訴の性質　679
　　第4項　控訴の手続　681
　　　　第1　控訴・附帯控訴の提起　681
　　　　第2　控訴審の構造　683
　　　　第3　控訴審の審理　684
　　　　　1　概説　684
　　　　　2　弁論の更新　684
　　　　　3　弁論の更新権　685
　　第5項　控訴審の判決　686
　　　　第1　概説　686
　　　　第2　不利益変更・利益変更禁止の原則　689
　　　　　1　概説　689
　　　　　2　不利益変更・利益変更禁止の原則の例外　690
　　第6項　当事者の意思による控訴権の処分　695
　　　　第1　控訴・独立附帯控訴の取下げ　695
　　　　第2　不控訴の合意　696

　　　　　　　第3　控訴権の放棄　697
第3節　上告と上告受理申立て …………………………………………… 698
　　第1項　概説　698
　　第2項　上告制度の改革　699
　　第3項　上告理由　700
　　　　第1　憲法違反　700
　　　　第2　絶対的上告理由　701
　　　　　1　判決裁判所の構成の違法　701
　　　　　2　判決に関与できない裁判官の判決関与　701
　　　　　3　日本の裁判所に専属的国際裁判管轄を認めた
　　　　　　　規定の違反　701
　　　　　4　専属管轄規定違反　701
　　　　　5　代理権または代理人に対する授権の欠如等　702
　　　　　6　口頭弁論公開規定違反　702
　　　　　7　判決の理由不備・理由の食い違い（理由齟齬）　702
　　　　第3　判決に影響を及ぼすことが明らかな法令違反　703
　　　　第4　再審事由の上告・上告受理申立理由該当性　704
　　第4項　上告受理申立理由　706
　　第5項　上告の手続　708
　　　　第1　上告の提起　708
　　　　第2　上告受理申立て　709
　　　　第3　附帯上告等　710
　　第6項　上告審の審理・判決　712
　　　　第1　口頭弁論の要否　712
　　　　第2　上告審における調査等　714
　　　　　1　調査の範囲　714
　　　　　2　事実審で確定した事実の拘束　715
　　　　　3　職権調査事項の場合　716
　　　　第3　上告審の判決等　716
　　　　　1　概説　716
　　　　　2　破棄判決　717
　　　　　3　差戻審の審理と破棄判決の拘束力　718
第4節　抗告 ………………………………………………………………… 720
　　第1項　抗告の意義と種類　720
　　　　第1　抗告の意義　720
　　　　第2　抗告の種類　720
　　第2項　抗告の認められる裁判　721
　　　　第1　法328条1項の抗告　721
　　　　第2　それ以外の抗告　722
　　第3項　抗告の手続　722

xxxvii

          第4項　再抗告　724
          第5項　許可抗告　725
            第1　意義　725
            第2　対象　725
            第3　手続および裁判　726
  第5節　特別上訴 …………………………………………………………… 727
        第1項　概説　727
        第2項　特別上告、特別抗告　727
            第1　特別上告　727
            第2　特別抗告　728
        【確認問題】　728

第22章　再審 ―――――――――――――――――――――――― 730

  第1節　概説 ……………………………………………………………… 730
  第2節　再審事由 ………………………………………………………… 732
  第3節　再審の訴えの対象、訴訟要件ないし適法要件 ……………… 734
        第1項　再審の訴えの対象となる裁判　734
        第2項　再審の訴えの管轄　735
        第3項　再審の訴えの出訴期間　735
        第4項　再審の補充性　736
        第5項　再審の訴えの当事者適格　737
  第4節　再審の手続 ……………………………………………………… 739
        第1項　再審の訴えの提起　739
        第2項　再審の訴えの適法性および再審事由の審理と裁判　739
        第3項　本案の審理と判決　739
        【確認問題】　740

第23章　簡易裁判所とその審理、
　　　　略式訴訟手続、家庭裁判所と人事訴訟 ――――――――― 741

  第1節　簡易裁判所とその審理 ………………………………………… 741
        第1項　簡易裁判所　741
        第2項　簡易裁判所の訴訟手続　743
  第2節　略式訴訟手続 …………………………………………………… 744
        第1項　手形・小切手訴訟　745
        第2項　少額訴訟　747
        第3項　督促手続と督促異議、通常訴訟への移行　750
            第1　概説　750
            第2　支払督促の申立てと発付　751

　　　　　　第3　督促異議　752
　　　　　　第4　通常訴訟への移行　753
　　第3節　家庭裁判所と人事訴訟 ………………………………………………… 754
　　　　第1項　家庭裁判所とそのあり方　754
　　　　第2項　家事審判・調停と人事訴訟　756
　　　　　　第1　家事審判・調停　756
　　　　　　第2　人事訴訟　757
　　　【確認問題】　758

第24章　国際民事訴訟 ――――――――――――――――――――― 759

　　第1節　概説 ………………………………………………………………………… 760
　　　　第1項　適用される法規、関連の条約　760
　　　　第2項　送達　760
　　　　第3項　外国人の当事者に関する規律　761
　　　　第4項　その他　762
　　第2節　国際裁判管轄 ……………………………………………………………… 763
　　第3節　外国判決の承認と執行 ………………………………………………… 765
　　　　第1項　概説　765
　　　　第2項　外国判決の承認　766
　　　　第3項　外国判決の執行　770
　　　　第4項　外国判決の承認・執行の効果　771
　　第4節　国際訴訟競合 ……………………………………………………………… 771
　　　【確認問題】　774

補論　民事裁判手続のIT化に関する改正について ――――――――― 775

　一　制度の概要 …………………………………………………………………………… 775
　二　若干の考察 …………………………………………………………………………… 781

事項索引 ――――――――――――――――――――――――――― 784

判例索引 ――――――――――――――――――――――――――― 805

xxxix

凡例および文献略記とその案内

1 法令の表記

　民事訴訟法は、原則として条数のみで示し、必要に応じて、「法」あるいは「民事訴訟法」と表示する。民事訴訟規則は、本文では「規則」と表示し、かっこ内では「規○条」と表示する。

　なお、従来の条文のうち補論に記した改正（令和4年法律第48号）によって条数が変更されたものについては、新たな条数を「（令和4年改正後○条）」の形式で補って示している。

　旧民事訴訟法（現行民事訴訟法施行前の民事訴訟法）は「旧法」と表示する。

　主要な法令名の略語は、一般に用いられているものによる。

2 判例の表記

　下記の例によるほか一般の慣例による。

　なお、判例については、直前に掲げられたものを再度引用する場合にのみ判例集等の表示を省略している（再出の判例でも、記述の位置が前のものと一定以上離れている場合には、再度判例集等の表示を掲げている）。

最判昭和61・3・13民集40巻2号389頁
　＝最高裁判所昭和61年3月13日判決最高裁判所民事判例集40巻2号389頁
東京高決平成15・7・15判時1842号57頁、判タ1145号298頁
　＝東京高等裁判所平成15年7月15日決定判例時報1842号57頁、判例タイムズ1145号298頁

3 文献略記とその案内

　以下においては、本書執筆に当たって参考にした多数の文献の中から、その一部、本書執筆に当たって参考にすることの比較的多かった書物や資料でかつ読者にとっても比較的参照しやすいものを選んでいる。

　また、そのうち雑誌を除いては、簡潔な文献案内をも付している。それらに対する著者の見方を簡潔にではあっても示しておくことで、本書がどのような趣旨でそれらを参考にし、また引用しているのかを理解していただくことが容易になると考えたからである。

　つまり、これらの文献は、学生や実務家にもその利用を薦めることができるものという

観点から選んだ部分が大きく、本文中で引用されていない文献もわずかながら含まれている（なお、それらについても、改訂の際等に引用することがありうるので、とりあえず略記は付しておいた）。「文献略記」と「文献案内」を別々に掲げるのは煩瑣であるため、「文献略記」の項目で併せて簡潔な文献案内をも行ったものと御理解いただきたい。

【教科書類】

伊藤	伊藤眞『民事訴訟法〔第7版〕』〔有斐閣、2020年〕
兼子	兼子一『民事訴訟法体系』〔酒井書店、1954年〕
クエスト	三木浩一ほか『民事訴訟法〔第3版〕』〔有斐閣、2018年〕
講義	中野貞一郎ほか編『新民事訴訟法講義〔第3版〕』〔有斐閣、2018年〕
新堂	新堂幸司『新民事訴訟法〔第6版〕』〔弘文堂、2019年〕
高橋上、下	高橋宏志『重点講義民事訴訟法上、下〔第2版補訂版〕』〔有斐閣、2013年、2014年〕
松本＝上野	松本博之＝上野泰男『民事訴訟法〔第8版〕』〔弘文堂、2015年〕
三ヶ月	三ヶ月章『民事訴訟法』法律学全集35巻〔有斐閣、1959年〕

「兼子」は現代民事訴訟法学の基礎を築いた研究者によるものであり、民事訴訟法関係文献の各種記述の出発点になっていることが多い。「三ヶ月」はドイツ系民事訴訟法学を深く咀嚼した書物。「新堂」は、逆に、アメリカ系の考え方が強く、現実の法廷を意識しており、プラグマティックである。その指摘は、今日でも、理論と実務の双方にとって新鮮なものを含む。「伊藤」、「松本＝上野」、「高橋上、下」は、その後の民事訴訟法学の展開を代表するものといえよう。「伊藤」は、体系性を重視した比較的伝統的な考え方を骨格としつつ、記述については、1つの規律を立ててそこから演繹する志向と、実務との架橋を図ろうと配慮する志向の双方が内容に応じ調整されているように思われる。「松本＝上野」は、ドイツ的な考え方が強いが、随所に独自の考察が示されている。「高橋上、下」は「新堂」を継承しつつ、それを細密な論理によって補強する方向性が軸であり、また、従来の学説の総括的批評という側面もある（全体として、経験論的な「新堂」と比べると、演繹論的な志向がより強い）。「講義」と「クエスト」は共著（前者は多数、後者は4名）であり、後者は、比較的新しい考え方まで含めて説いている。

【コンメンタール】

コンメⅠ～Ⅶ	菊井維大＝村松俊夫原著、秋山幹男ほか『コンメンタール民事訴訟法ⅠおよびⅡ〔第3版〕、ⅢおよびⅣ〔第2版〕、Ⅴ～Ⅶ』〔日本評論社、2006年～2022年〕
条解	兼子一原著、松浦馨ほか『条解民事訴訟法〔第2版〕』〔弘文堂、2011年〕
全訂民訴Ⅰ～Ⅲ	菊井維大＝村松俊夫『全訂民事訴訟法Ⅰ〔補訂版〕、Ⅱ、Ⅲ』〔日本評論社、1993年、1989年、1986年〕
注釈(1)～(5)	高田裕成ほか編『注釈民事訴訟法』〔有斐閣、2015年～。(1)および(2)

注釈旧版(1)〜(9)	新堂幸司ほか編集代表『注釈民事訴訟法1〜9』〔有斐閣、1991年〜1998年〕

「条解」と「注釈」、「注釈旧版」は主として研究者の執筆にかかる。「コンメ」とその旧版である「全訂民訴」は研究者と実務家の共同執筆にかかる。「注釈」は刊行中である。「注釈旧版」は旧民事訴訟法についてのものだが、今でも参考になる。

なお、コンメンタールの筆者表示については、筆者独自の考え方がまとまって展開されているような場合を除き、省くことで統一した。

【雑誌】

判時	判例時報
判タ	判例タイムズ

【その他】

一問一答	法務省民事局参事官室編『一問一答新民事訴訟法』〔商事法務研究会、1996年〕
一問一答債権関係	筒井健夫＝村松秀樹編著『一問一答民法（債権関係）改正』〔商事法務、2018年〕
井上	井上治典『多数当事者訴訟の法理』〔弘文堂、1981年〕
講座①〜⑦	新堂幸司編集代表『講座民事訴訟①〜⑦』〔弘文堂、1983年〜1985年〕
国際民訴	小林秀之＝村上正子『新版 国際民事訴訟法』〔弘文堂、2020年〕
30講	村田渉ほか編著『要件事実論30講〔第4版〕』〔弘文堂、2018年〕
瀬木・架橋	瀬木比呂志『民事裁判実務と理論の架橋』〔判例タイムズ社、2007年〕
瀬木・ケース	瀬木比呂志『ケース演習 民事訴訟実務と法的思考』〔日本評論社、2017年〕
瀬木・裁判	瀬木比呂志『ニッポンの裁判』〔講談社現代新書、2015年〕
瀬木・裁判官	瀬木比呂志『檻の中の裁判官——なぜ正義を全うできないのか』〔角川新書、2021年〕
瀬木・裁判所	瀬木比呂志『絶望の裁判所』〔講談社現代新書、2014年〕
瀬木・本質	瀬木比呂志『民事訴訟の本質と諸相——市民のための裁判をめざして』〔日本評論社、2013年〕
瀬木・民事裁判	瀬木比呂志『民事裁判入門——裁判官は何を見ているのか』〔講談社現代新書、2019年〕
瀬木・民保	瀬木比呂志『民事保全法〔新訂第2版〕』〔日本評論社、2020年〕（なお、同書については、本書では、頁ではなくブロック番号によって引用する）

瀬木・要論	瀬木比呂志『民事訴訟実務・制度要論』〔日本評論社、2015年〕（同上）
瀬木=清水	瀬木比呂志=清水潔『裁判所の正体——法服を着た役人たち』〔新潮社、2017年〕
争点	伊藤眞=山本和彦編『民事訴訟法の争点』ジュリスト増刊 新・法律学の争点シリーズ4〔有斐閣、2009年〕
中野・過失	中野貞一郎『過失の推認〔増補版〕』〔弘文堂、1987年〕
中野・現在問題	中野貞一郎『民事手続の現在問題』〔判例タイムズ社、1989年〕
中野・論点Ⅰ、Ⅱ	中野貞一郎『民事訴訟法の論点Ⅰ、Ⅱ』〔判例タイムズ社、1994年、2001年〕
中野=下村	中野貞一郎=下村正明『民事執行法〔改訂版〕』〔青林書院、2021年〕
判例解説	『最高裁判所判例解説民事篇 昭和29年度〜』〔法曹会、1955年〜〕
百選5版	高橋宏志ほか編『民事訴訟法判例百選〔第5版〕』別冊ジュリスト226号〔有斐閣、2015年〕
山本・課題	山本和彦『民事訴訟法の現代的課題（民事手続法研究Ⅰ）』〔有斐閣、2016年〕
山本・基本問題	山本和彦『民事訴訟法の基本問題』〔判例タイムズ社、2002年〕

「講座」は、刊行時期は古いが、民事訴訟法の基本的論点が適切に拾われているという意味で、掲げておいた。

民事執行法の体系書である「中野=下村」以外の中野貞一郎教授の書物については、論文集と教科書の中間的な位置付けが可能なものであることから、参考にすることが比較的多かったので、掲げておいた。山本和彦教授の「課題」、「基本問題」についてもそれらに準じる。井上治典教授の論文集は、分野を限っているが、従来の民事訴訟法学を縛っていた一種の観念的傾向、カテゴリー中心の思考方法に対するアンチテーゼとして、示唆に富む部分がある。いずれの研究者も、みずからの考え方を明確に打ち出す人なので、それに賛同するか否かは別として、参考になる部分が多い。

民事訴訟法学の論文を少し読んでみたい、その方法論を学びたい、と考える読者にも、以上の論文集ないし書物は、お薦めできる。

さらに専門的なものを読んでみたいという方々には、書名等の細目は省くが、たとえば、新堂幸司（有斐閣）、谷口安平（信山社）各教授の論文集、あるいは民法領域における川島武宜教授の諸著作（岩波書店等）等が、この教科書の記述に通じる方法（経験論的方法）を志向して書かれており、大陸法系法学の観念的・演繹的思考方法とは異なった方向性を示すものとして、思考の幅を広げる助けとするために好適ではないかと考える。

「百選5版」は、学生にもよく利用されている。もっとも、解説の考え方や書き方にはかなりの幅、個人差がある。しかし、そこを正確に見極めるのはかなり難しい。学生の中に解説の記述の細部に引っかかって悩む者が多いことの1つの理由は、実は、この点にある。一般的には、考えるための1つの参考として読むべき性格が強いといえようか（もっ

とも、以上については、各分野のコンメンタールでも同様のことがいえる場合もあり、程度の差ではある。比較すれば、教科書や個人論文集は、1つの統一した視点から書かれているので、記述の細部が引っかかるということはより少ない。書物全体との関連によって、どういう観点からのどういう趣旨の記述であるかの理解がより容易だからである）。

　最高裁判例が、結論の根拠を、必ずしも、すべて、あるいは適切に、掲げているとは限らない。また、結論や理由付けに疑問のある場合も、もちろん存在する。これは、どの国でも、程度の差はあれ、同じことであろう。「判例解説」は、事案を担当した最高裁判所調査官による解説だが、その時点における当該裁判体自体の考え方を敷衍している場合が多い。記述の水準にはムラがあり、また、書かれた時代の限界もあるものの、最高裁判例の趣旨について考えるための第一次的参考資料であることは間違いないであろう。

　民事保全法の体系書である「瀬木・民保」等の私の書物については、それが本文中で適宜引用されていることから、略称を表示するために掲げた（なお、「瀬木・民保」と「瀬木・要論」については、上記のとおり、頁ではなくブロック番号によって引用する）。「一問一答」、「国際民訴」、「30講」についても同様である。

　なお、論文集所収の論文を引用する場合、比較的近年の論文集の場合を除き、初出の記載は省略した。

　また、判例解説（最高裁判所調査官による上記のもの）、百選５版等の見開きないしこれに準じる短い判例解説類の筆者表示については、基本的に省くことで統一した。

第1章
民事訴訟法総論

本章では、民事訴訟法の沿革、民事訴訟制度目的論について簡潔に論じた後、具体的な事件を例に取りながら民事訴訟手続の流れについて一通りの解説を行い、さらに、総論的な事柄である訴訟法規の種類（強行規定、任意規定、訓示規定）、訴訟と非訟、民事訴訟に関連する諸手続・制度について述べる。

第1節　民事訴訟法の沿革

　近代法としての最初の民事訴訟法は、1890年（明治23年）に公布された。これは、ドイツ民事訴訟法の影響が強いものであったが、使いにくく不備が多いとの批判があり、施行後間もない時期から改正の動きがあった。しかし、この改正作業は難航し、結局、相当の期間が経過した後の1926年（大正15年）に現在の民事訴訟法に対応する部分の全面改正が行われるに至った。この民事訴訟法（「旧民事訴訟法」と呼ばれることが多い。本書では「旧法」という）については、戦後間もなく、当事者主義を徹底する方向での改正等いくつかの改正が行われた。

　現行民事訴訟法は、1979年（昭和54年）の民事執行法、1989年（平成元年）の民事保全法に続く民事訴訟法領域の新たな法律として、1996年（平成8年）に公布され、1998年（平成10年）に施行された。また、新たな民事訴訟規則も1996年（平成8年）に公布、民事訴訟法と同時に施行された。

　現行民事訴訟法には、争点および証拠の整理手続の充実、文書提出義務の一般義務化（220条）等の証拠収集手段の拡充、上告受理制度の導入（318条）

等の特色があるが、基本的には、1980年代から弁護士、裁判官が進めてきた弁論の活性化（いわゆる、さみだれ式、書面重視審理方式の改善）、審理期間の短縮、陳述書の導入と人証調べの集中化、判決書の改善（いわゆる新様式判決の導入）等の動きを、その趣旨を汲み、手続保障にも留意しながら法文化したという色彩が強い。その後、2003年（平成15年）等にいくつかの重要な改正が行われて現在に至っている[1][2]。

第2節 民事訴訟制度の目的と訴権論、指導理念としての手続保障

[003] 第1項 訴権論

　民事保全法、民事執行法、倒産法等の民事訴訟法以外の民事訴訟法領域の諸分野では、とりたててその制度目的が詳しく論じられることはない。それぞれの法律冒頭の趣旨規定や法律の内容自体からその目的が明らかだからであろう。

　しかし、民事訴訟、民事訴訟制度の目的については、多数の教科書の冒頭部分で、よく論じられている。この目的論については、ドイツの民事訴訟法学の影響の強い訴権論と大きな関係があるので、最初に訴権論について述べておこう。

　訴権論とは、要するに、実体法上の権利と訴えを提起して判決を求める当事者の権利とをどのように関係付けるかという議論であり、ローマ法上のアクチオ（実体法、訴訟法未分化の権利体系ないし訴訟手続の体系）が実体法と訴訟

---

(1) 民事訴訟法の法源には、狭義の民事訴訟法以外の民事訴訟法領域の各法律、規則のほか、憲法（82条〔裁判公開の原則〕等）、民法（258条〔裁判による共有物の分割〕等）、会社法（第7編第2章「訴訟」の部分等）、消費者契約法41条ないし47条等の民事訴訟手続関連規定も含まれる。なお、判例の法源性については [637] の注(11)参照。
(2) 新法成立後の改正経過の詳細については、松本＝上野32〜34頁等。「初版 はしがき」でもふれたとおり、本書では、これらの改正の経緯については、それを明示することが内容理解のために重要と思われる場合にのみ、適宜記している。

法に分解された結果として生じてきたものといわれる。

これについては、最初は訴権を私権、請求権の一作用ととらえる私法的訴権説が唱えられたが、やがて、訴権は私人間の権利ではなく国家に対する権利であるとする公法的訴権説に圧倒された。

訴権を国家に対する公法上の権利であるとする公法的訴権説にはいくつかの考え方があるが、主要なものとしては、訴権を自己に有利な判決（勝訴判決）を要求する権利ととらえる権利保護請求権説、請求の当否（訴訟物たる権利関係の存否）について判決することを要求する権利ととらえる本案判決請求権説がある。権利保護請求権説は、権利保護要件として訴訟的・実体的の別を明らかにし、この訴訟的権利保護要件（権利保護の資格および権利保護の利益）から現在の訴訟要件の考え方が導き出された（[167]）。

日本では、戦前は権利保護請求権説が有力であったが、戦後は、兼子一教授が本案判決請求権説を提唱するに伴い、これが有力となった。

しかし、現在では、訴権論はあまり論じられていない。訴権論の解釈上の成果は訴訟要件論に取り入れられたし、訴権論を論じることの現時点における解釈論的な意味があまり明らかではないことによる。その意味では、訴権論は主として歴史的な意味をもつにとどまるが、後記**第2項**で述べるとおり、民事訴訟制度目的論に関する議論には、なお訴権論が大きな影を落としていると思われる。

[004] 第2項　民事訴訟制度目的論

民事訴訟制度目的論には、民事訴訟制度の目的を私権の保護、実現に求める権利保護説、私法秩序の維持に求める私法秩序維持説、紛争の解決に求める紛争解決説、目的を多元的にとらえる多元説、手続保障それ自体が民事訴訟制度の目的であるとする手続保障説（井上治典教授らが展開）、民事訴訟制度目的論は個々の解釈論や立法論にはあまり影響しないのでとりあえず棚上げにしておいてもかまわないという考え方、すなわち棚上げ論（高橋上23頁）等がある。

訴権論との対比からすると、権利保護説が権利保護請求権説に対応し、紛争解決説が本案判決請求権説に対応すると考えられる。

以上を踏まえた上で、現時点で民事訴訟制度目的論を考える場合には、その議論が、どのような民事訴訟制度を対象とする、どのような文脈の議論な

のかを確定しておくことがまず第一に必要ではないかと思われる。国により時代によって民事訴訟制度の目的が同じでないことは自明であり（たとえば共産主義国家におけるそれを考えてみよ）、そうした要素を捨象した思弁的、概念的な目的論は、あるいは法哲学の主題にはなりうるかもしれないが、民事訴訟法の解釈論、立法論を導くガイドラインとしての意味には乏しいと思われるからである。

　こうした観点からは、常識的にみれば、現代の自由主義体制下、ことに現代日本における民事訴訟制度目的論を考えるのが順当であろう。

　そのように考えるならば、民事訴訟制度の目的を権利保護あるいは紛争解決として一元的にとらえようとする権利保護説、紛争解決説には、いずれも相当に無理があり、訴権論の尻尾を引きずっている議論という印象が強い。また、私法秩序維持説については、上告審の機能等を考えるなら私法秩序維持が民事訴訟制度の一目的であることは否定できないが、それをもって現代の民事訴訟制度目的の全体とみるのは、およそ無理であろう。

　原告の視点からみれば権利保護が、被告あるいは社会全体の視点からみれば紛争解決が民事訴訟制度の主目的なのであり、また、制度全体としてみれば、法解釈の統一等私法秩序維持という観点も一定程度重要である。民事訴訟制度といった大きな制度の目的をリアルに、プラグマティックに考えるならば、これを1つに絞ること自体に大きな無理があるといわざるをえない。したがって、本書では、これらのすべてを民事訴訟制度の目的とみる多元説を採りたい。

　なお、手続保障については、重要ではあるが、民事訴訟制度の目的というよりは、後記のとおり、それを運営する上での指導理念とみるべきものであろう。

　また、棚上げ論については、その意図するところは理解できるものの、棚上げにしておいてかまわないような議論であれば論じる意味にも乏しいと考えられ、その意味では、目的論の一類型というより、目的論不要論にゆきつくべき議論ではないかと考える（もっとも、「棚上げ論」という主張に、高橋教授の微妙な位置の取り方、バランス感覚をみることはできる）。

　多元説を採る限り目的論を論じる意味はさほど大きくないものの、手続保障を指導理念とし、権利保護と紛争解決を主目的とする民事訴訟制度目的論を、民事訴訟法の解釈論、立法論を論じるに当たっての1つの定点とすること自体は、可能なのではないかと考える（以上につき、瀬木・本質142〜146頁）。

[005]　第3項　**理念としての手続保障**

　　民事訴訟制度を運営する上で最も重要な指導理念としては手続保障が挙げられ、近年の研究は、いずれも、民事訴訟法解釈のキーワードとしてこれを重視している。

　　この手続保障には、大きく分けて2つの側面がある。

　　1つは、形式的手続保障、すなわち、法廷における公開の口頭弁論、法定の方式による証拠調べ、厳密な形式による調書の作成等の形としての手続保障であり、もう1つは、実質的手続保障、すなわち、①当事者の立会権、反論権、反対尋問権の保障（広くいえば、対席による実質的な討論、反論の機会の保障）、また、②事実と法に関する情報の取得、③証拠の取得といった、実質的な意味での手続保障である[3]。

　　そして、この実質的手続保障のほうが、形式的手続保障よりも本質的なものである、ありうるとする議論については、山本和彦教授の一連の論考がある[4]。また、私も、これについて、一連の「仮の地位を定める仮処分の特別訴訟化論」[5]において論じ、さらに、論文「これからの民事訴訟と手続保障論の新たな展開、釈明権及び法的観点指摘権能規制の必要性」栂＝遠藤古稀335〜371頁、瀬木・民保 **[113-3]**、瀬木・要論第1部第20章Ⅰに私見をまと

---

[3] 山本和彦「手続保障再考——実質的手続保障と迅速訴訟手続」井上追悼146頁以下、山本・課題107頁以下は、従来から論じられてきた①に、②、③を加えた。

[4] 山本・前掲注[3]のほか、「民事訴訟における手続保障」争点54〜55頁〔山本和彦〕、また、私の後記仮の地位を定める仮処分の特別訴訟化論に関する「仮の地位を定める仮処分の特別訴訟化について——手続保障論に対する根本的な問いかけ」判タ1172号22頁以下。

[5] 「現在日本の民事司法システムにおいては、迅速な救済の要請が高い一定の事件類型（各種の差止め、地位確認、私道の通行、隣地使用権等に関する紛争）につき、仮の地位を定める仮処分がいわば通常の民事訴訟の特別訴訟として機能しており、そのことには一定の理論的、実際的な正当性があるとの議論」であり、論文「仮の地位を定める仮処分の本案代替化現象——特別訴訟的側面の顕在化に伴うその紛争解決機能・領域の拡大、保全と本案の役割分担の流動化」〔判タ1001号4頁以下、瀬木・架橋21頁以下〕、「仮の地位を定める仮処分の特別訴訟化再論——その根拠、関連の立法論及び保全の審理対象論との関わり」〔判タ1105号4頁以下、瀬木・架橋61頁以下〕および「仮の地位を定める仮処分の特別訴訟化論の新たな展開——『選択的特別手続指向論』を背景として」〔判タ1179号16頁以下、瀬木・架橋113頁以下〕において展開した。

めている。

　私見としては、手続保障論に関する議論が今後めざすべき目標を一言で表すならば、実質的手続保障論の成熟とそこにおける当事者の権利の確保、そして、裁判官の恣意の規制ということではないかと考える。

　日本の実務家にはなお実質的手続保障の重要性に関する認識が相対的に薄い。しかし、上記①については、いわゆる「審尋請求権」すなわち弁論権およびこれを保障するための諸権利（「審問請求権」ともいわれるが、その内容からすると、「審尋請求権」の用語のほうが適切であろう）として、憲法32条の「裁判を受ける権利」の核心をなすものであり、「裁判において当事者が自己の見解を表明する機会の保障」として、非訟手続（ことに争訟的非訟手続〔[017]〕）においても保障されると解されており、いわば、広義の民事訴訟手続のコアを構成する概念なのである。

　民事訴訟法学のいう「手続保障」は、いわゆる「当事者権」（当事者に対して訴訟手続上認められるさまざまな権能の総称。クエスト92〜94頁参照）の保障とほぼ同義であり、「当事者権」の中核に位置するのが、上記の「審尋請求権」である。

　また、口頭弁論の諸原則の１つである「双方審尋主義」（[222]）は「対審の原則」とほぼ同義であり、審尋請求権を保障する手段である（新堂132〜133頁、伊藤116頁、クエスト18頁、23頁、143頁等）。

　要するに、保全命令手続のような一種の略式訴訟手続はもちろん、（争訟的）非訟手続についても、以上のような「双方審尋の下で相手方の主張立証に対して適切な反論、反証を行う機会」が確保される必要があり、それは、憲法上の要請であり、裁判を受ける権利や広義の適正手続（デュープロセス）請求権に基礎を置くものであり、したがって、その違反、ことに裁判官の裁量権行使逸脱に基づく違反があり、それにより、実質的手続保障を欠き、審尋請求権の侵害があったと認められる場合には、そのような手続に基づく裁判は、違法、違憲とされる余地があるということである。

　訴訟法は「適用された憲法」ともいわれ、本来、憲法上の広義の適正手続請求権とのかかわりが非常に強い（中野・現在問題１頁以下の「民事裁判と憲法」、27頁以下の「公正な手続を求める権利」各参照）。その意味でも、以上のような実質的手続保障は、民事訴訟法解釈上の指導理念として、重視、強調されるべきであるといえよう。

[006] 第3節　民事訴訟手続の流れ

　以下においては、実務上よくみられる事件類型の1つを例にとって、訴えの提起から判決確定に至るまでの訴訟手続の流れを概観する。また、日本の民事訴訟手続の大きな特徴である争点整理証拠調べ（人証以外の証拠調べの趣旨であり、中心となるのは書証）一体方式、事件の同時多数併行審理方式についても解説する。

[007] 第1項　訴えの提起

　原告Xは、500万円の貸金（その内容は後に述べる）の主債務者Yと連帯保証人Zに対し、1通の訴状で貸金返還請求、連帯保証債務履行請求の訴えを提起した。

　訴訟の開始は当事者のイニシアティヴによってもたらされる。具体的には、原告Xが、訴状を、事物管轄に従い、地方裁判所に提出する。訴状は、地裁事件係の裁判所書記官（以下、この節では、「書記官」という）によって一応の審査が行われた後に受け付けられ、各部に配てんされ、各部においてさらに特定の裁判体（単独体あるいは合議体）に配てんされる。各部の書記官、また、合議事件の場合には陪席裁判官も訴状審査事務を行うが、これらは、事件係における審査と同じく、裁判長（単独体の裁判所〔ここでいう「裁判所」は「訴訟法上の裁判所」〔[086]〕の趣旨〕ではその裁判官が裁判長の役割を兼ねる）の訴状審査権（137条）に基づく事実上の事務である。

　訴状審査の後、訴状はYとZに送達される（98条以下）。これによって、裁判所と双方当事者の間に訴訟法律関係、訴訟係属が生じる。

　XのYに対する訴訟の訴訟物は、XY間の2020年2月10日の消費貸借契約に基づく500万円の貸金返還請求権、これに対する弁済期である2021年2月10日までの利息請求権、同月11日から支払済みまでの遅延損害金請求権であり、利息請求権は利息契約に基づくもの、遅延損害金請求権は履行遅滞に基づくものだから、いずれも、貸金返還請求権とは別個の訴訟物である。つまり、XのYに対する訴訟においては、3つの請求が併合（単純併合）され

ていることになる（136条）。このように、請求の併合は、実際の訴訟では、ほとんど常にみられるものである。利息、遅延損害金等の附帯請求については訴訟物が別になるからである。

　XのZに対する訴訟の訴訟物は、1個の連帯保証契約に基づき元本、利息、遅延損害金の連帯保証債務の履行を請求するものだから、訴訟物は1個である（この点は間違いやすいところだが、民法447条1項の趣旨からすれば1個とみるのが適切であろう）。

　そして、XのYとZに対する訴えは、通常共同訴訟の要件（38条）を満たすものであるから、1通の訴状によって提起されたのである。

[008] 第2項　口頭弁論と証拠調べ

　裁判長による第1回口頭弁論期日の指定（規60条）後、こうした事案で争点にも特に複雑なものがなければ、4、5回までの口頭弁論期日で争点整理と書証の取調べが完了することが多いであろう。弁論準備手続（168条以下）が行われる場合でも、口頭弁論期日との合計の回数は同程度であろう。

　実務では、比較的簡単な事案については、弁論準備手続に付することなく通常の口頭弁論のみで争点整理が行われ、あるいはある程度争点整理が煮詰まってきたところで集中的に弁論準備手続が行われる例も多く、実質的な争点整理がすべて弁論準備手続等の「争点および証拠の整理手続」で行われるとは限らない（裁判長の方針による〔[282]〕。もっとも、最高裁判所事務総局は、少なくとも私が裁判官であった時代には、争点および証拠の整理は弁論準備手続等の争点および証拠の整理手続によるべきとしていた。なお、争点整理がすべて弁論準備手続で行われた場合には、残されるのは人証調べだけとなるから、口頭弁論は、実質的には弁論準備手続の結果陳述だけを行う場所になってしまうが、口頭主義、公開主義の観点から、はたしてそれでよいのだろうかという疑問も感じる）。

　争点整理の間に、当事者が人証調べの段階で提出を考えている弾劾証拠等ごく一部の証拠（日本では、人証攻撃のために弾劾証拠を提出しないでおくといった訴訟戦術は、まれである。アメリカでは、「ショウトライアル」といった言葉もあるとおり、弾劾証拠等を使った派手なトライアルが、日本よりは多いだろう）を除けば、重要な書証は、ほとんどすべて提出される（なお、この事案では考えにくいが、たとえば鑑定や検証も適宜行われうる）。

よく、「集中証拠調べ」(182条)ということがいわれるが、これは、日本では、「人証の集中証拠調べ」を意味するにすぎないことに注意すべきである。

現代の訴訟においては、かつてにもまして書証の重要性が高まっているから、裁判官の心証形成(心証とは裁判に関する裁判官の内面的、暫定的判断)は、争点整理、書証の取調べが進行するにつれて徐々に行われてゆくものであり、人証集中証拠調べの際に一気に行われるわけではないことにも注意する必要がある(むしろ、人証集中証拠調べの段階までは認容、棄却についてのおおよその心証が取れない、という事件のほうが、割合としてはやや少ない。もっとも、これはあくまで「おおよそ」のことであり、人証集中証拠調べの結果により心証が変わることはもちろんある〔[326]〕)。

口頭弁論においては、当事者双方から事前に準備書面が提出される(161条)が、それらの準備書面を立体的に読み解いて当該事案の「真の争点」を明らかにしてゆくことが、裁判官(裁判長)の訴訟指揮、釈明権や法的観点指摘権能行使の目的である。

争点整理が終了すると、人証について集中証拠調べが行われる。集中証拠調べは、人証2ないし4、5人くらいについて1期日2時間から午後一杯程度で行われることが多い。合議体の複雑な事件では、2期日程度、場合により各半日ではなく1日の人証調べが行われることもある。

人証調べの前には、陳述書の作成が可能な人証については、双方同時提出で陳述書が提出されるのが普通である。陳述書は、主尋問準備のためにも役立つし、反対尋問との関係では事前の証拠開示的な意味合いをももつ。私が裁判官になったころ(1980年代)の人証調べは、ことに合議事件の場合、さみだれ式に数期日かけて行われることが多く、非常に非効率的であったが、現行民事訴訟法制定の一定程度前の時期から陳述書の提出が慣行化したことが、短時間の尋問を可能にし、人証の集中証拠調べを可能にしたといえる。

通常共同訴訟である本件訴訟には共同訴訟の証拠共通の原則がはたらき、提出された証拠は、すべて、Y、Z双方との関係で斟酌される。

実務においては、訴訟上の和解によって事件が終局する例も多く、本格的に争われる事件についても60パーセント余りは和解によって終わっている([502])。ただ、日本の民事訴訟特有の裁判官主導による当事者の一方ずつとの順次の面接(交互面接)による和解は、手続保障や透明性の観点からは問題を含んでおり([512])、民事訴訟に対する当事者の満足度がかなり低い

（2000年以降数回の調査でいずれも2割前後〔瀬木・裁判7頁〕）ことの1つの原因になっている可能性が大きく、改善の必要があると考えられる。

　裁判所は、審理のどの段階でも和解を試みることができる（89条〔令和4年改正後89条1項〕）が、実際に和解が行われるのは、争点整理の（一応の）終了後、また、人証の集中証拠調べ後が多い。これらの双方で2回和解が試みられることもある。

　当事者の意思による（判決によらない）訴訟の終了の例としては、和解が最も多いが、訴えの取下げもかなりある。大半は訴え提起直後第1回口頭弁論期日前のものであり、当事者間における訴訟外の和解を前提としていると思われる（訴訟が維持できなくなったことによる取下げの例は、まれである）。請求の放棄・認諾の例は、ごくわずかである。

[009] 第3項　**判　決**

　訴訟が裁判をするのに熟した状態（243条1項）になると、口頭弁論が終結され、裁判官の評議、判決書作成を経て、判決言渡しに至る。

[010] 第4項　**上　訴**

　終局判決に対する上訴には、控訴および上告がある。

　なお、前記の訴訟で、Xが勝訴し、Zのみが控訴した場合、通常共同訴訟人独立の原則（[529]）に従い、XZ間の訴訟は確定が遮断され控訴審に移審するが、XY間の判決は確定する。

　最高裁判所に対する上告理由は限られている（312条）ため、当事者が法律問題についてさらに上告審で争いたい場合には、上告受理の申立て（318条）が行われることが多い。これについて上告受理の決定があると上告があったものとみなされる（同条4項）。

　上告審における判決言渡しがあると判決が確定し、訴訟は終了する。

[011] 第5項　**民事保全と民事執行**

　以上が通常訴訟手続の流れであるが、本件事案は金銭請求なので、事前に、

多くは訴えの提起以前に、民事保全としての仮差押命令の申立て、発令があり、仮差押執行が行われることがある。

　また、本件は給付の訴えであるから、債務名義成立後、被告らが任意に支払をしない場合には、仮執行宣言付判決、また確定判決に基づき、不動産執行、債権執行等の強制執行手続が行われる。実際には金銭執行では仮執行の例は少なく、多くは確定判決に基づく執行である（弁護士は、判断がくつがえったときなどの原状回復のリスク〔260条〕を考えるため）。一方、たとえば建物明渡し執行についてみると、仮執行の例も多い（長期間の賃料不払等債務不履行の明白な事案）。

　このように、民事保全、民事執行の各手続は、通常訴訟手続の前とあとに位置する、通常訴訟手続ときわめて関係の深い手続であるといえ、その点において、相対的な独立性の高い倒産手続とは、その法的性格をかなり異にしている。たとえていうなら、民事保全と民事執行が民事訴訟の兄弟だとすれば、各種倒産手続はその従兄弟たちといったところであろうか。

[012]　第6項　日本の民事訴訟手続の特質

　以上のような日本の民事訴訟手続の特質は、その単純性にある。つまり、争点整理証拠調べ（人証以外の証拠調べ）一体方式ということである。

　たとえば、アメリカのシステムは、これと異なり、プリーディング（訴答）、ディスカヴァリー（証拠開示）、トライアル前手続、トライアル（日本でいう口頭弁論に対応するのは、しいていえばトライアルであろう）と明確に段階が分けられており、争点整理終了後にトライアルで集中的にすべての証拠調べが行われる。トライアルを行う裁判官がそれまでの手続を行う裁判官とは別になる例もある。

　このシステムでは、訴訟がトライアルの段階に進むまでに相当の時間を要し、また、多くの事件はトライアル前に和解等で決着をみる（広汎なディスカヴァリー〔これについては実は手間と費用がかかりすぎるという問題もあるのだが〕と双方対席和解が、相対的に和解の透明性を高めている）。そして、トライアル自体は比較的短い時間で、1日で終了しない場合にも連続して行われる。したがって、トライアルを担当する裁判官は、それを1件ずつ順番に審理してゆくことが可能になる。

これに対し、日本のシステムでは、訴え提起に接着して口頭弁論期日が指定されるが、反面、裁判官は、同時併行で多数の事件を担当することを余儀なくされる。つまり、事件の同時多数併行審理方式ということである。

　こうした訴訟手続の根本的な相違については、長い歴史の積み重ねの結果であり、国民性や法文化の相違も関係しているから、一概にいずれがよいといえるものではない。しかし、日本のような事件の同時多数併行審理方式では、裁判官は、どうしても、当事者の個性、「顔」、また個々の事件の個性を的確に認識し記憶するのが難しくなることは間違いがない。このことにキャリアシステムによる純粋培養の司法官僚型裁判官任用制度の消極面が加重されると、裁判官が、当事者や事件を生きた実体としてではなくただの記号としてしか認識しにくいという傾向が出てきやすいことには、注意すべきであろう。

　なお、アメリカの手続が陪審制を前提としていることにも留意してほしい。実際には、アメリカでも、民事訴訟は陪審員なしで行われる例が多いのだが手続自体は陪審制を前提としている、ということである。こうした手続全体の構造のほかに、陪審制を前提としていることによるもう１つの大きな相違は、アメリカでは、トライアルに提出できる証拠について、日本とは異なってかなりの制約があるという点であろう。素人である陪審員は、提出される証拠が適切にコントロールされていないと、判断を誤りやすいからである。これに対し、日本の民事訴訟では、証拠はほぼ無制限に許容されているし、交互尋問における規制も相当にルースである（その結果は、一長一短であり、総体としての評価、比較も簡単ではないというのが、２度目の在外研究を経ての、私の率直な印象だ)[6]。

---

(6)　なお、たとえば憲法や民事訴訟法といった分野では、基本的な思想の相違が大きいが類似面もあるアメリカ法を学んでみることは、日本法を外側から客観的に見詰める視点を獲得するためにきわめて有意義だと思う。ことに、憲法については、アメリカ憲法を学ぶことによって日本の憲法訴訟、あるいは憲法学の問題点を目からウロコが落ちるように理解できるという側面が大きいのではないかと考える。一歩深い勉強を行ってみたいという学生、弁護士等の方々には、ぜひお勧めしたい（もっとも、ここでも、「隣の芝生はより青く見える」現象には注意すべきである。ことに、研究者は、どの国でも、この傾向に陥りがちだ。なお、財産法になると、基本的な発想や歴史があまりにも違いすぎるため、アメリカ法によって発想がインスパイアされるという側面は、より小さくなるように思われる。なお、関連して［**600**］も参照)。

第4節　訴訟法規の種類——強行規定、任意規定、訓示規定

[013] 第1項　訴訟法規の種類

　訴訟法規には、効力規定と訓示規定がある。効力規定は、それに違反した訴訟行為の効力が否定されるなど訴訟行為の効力に影響が生じる規定である。効力規定には、強行規定と任意規定がある。これに対し、訓示規定は、その違反が訴訟行為の効力に影響をもたらさない規定である。

　訴訟上の行為、訴訟行為は累積的に積み重ねられてゆく性質をもっている（これは、訴訟行為の顕著な特色の1つである）ため、効力規定に違反した場合の効果についても、訴訟の進行段階によって異なりうるという性質があり、このことが、訴訟法規の効力の問題を複雑にし、わかりにくくしている。

[014] 第2項　強行規定

　訴訟法規のうち、訴訟制度の根幹にかかわる規定（強行規定）は、訴訟手続の安定を確保する公益的な要請が高いものであることから、必ず遵守されなければならず、裁判所の裁量や当事者の意思でその効力を変更することはできない。

　裁判所の構成、裁判官の除斥、専属管轄、当事者能力、訴訟能力、口頭弁論の公開、不変期間等に関する規定がこれに当たる。

　これらの事項については、当事者の主張を待たずに裁判所が職権をもって調査しなければならない（職権調査事項）。

　強行規定に違反した行為は原則として無効だが、この効果は、強行規定の性質や訴訟の進行段階によって異なりうる（異なった規律がなされていることがある）。

　たとえば、訴訟能力や法定代理権については追認が可能である（34条2項）。また、専属管轄違背の訴訟は管轄裁判所に移送され（16条1項）、これが見過ごされたまま判決が言い渡された場合には、上訴によって取り消される

（299条、312条2項3号）が、専属管轄違背は再審事由とはなっていないので、再審でこれを主張することはできない。

[015] 第3項　任意規定

　私法上の任意規定は、当事者がこれと異なる定めをすることによって排除される規定だが、訴訟法規については、手続の明確性の要請から、このような意味での任意規定は少なく、当事者に訴訟上の合意が認められる場合は多くない（このことを、こなれていない用語だが、「任意訴訟の禁止」という〔[238]〕）。しかし、それが認められる場合もあり、たとえば、専属管轄以外の管轄に関する合意、不控訴の合意等のいわゆる訴訟契約、訴訟上の合意（[232]、[238]）はその例である。その意味で、専属管轄以外の管轄に関する規定や控訴権に関する規定（281条）は任意規定であるといえる。

　また、訴訟法規における任意規定には、もう1つの意味もある。それは、規定に違反する行為によって不利益を受ける当事者が遅滞なく適時に異議を述べないとその瑕疵が治癒される規定という意味である。責問権の放棄・喪失（[184]）に関する90条の規定は、このことを意味している。当事者の利益の保護に重点のある効力規定ゆえ、責問権の放棄・喪失が認められるということである。

　このような任意規定の例としては、期日の呼出しの方法を定めた94条、訴えの変更は書面によるべきことを定めた143条2項、証人尋問の順序を定めた202条等が挙げられる。一般に、当事者の訴訟行為の方式を定めた規定、裁判所の呼出し、送達、証拠調べの方式を定めた規定の多くは、これに当たる。

[016] 第4項　訓示規定

　訓示規定とは、前記のとおり、その違反が訴訟行為の効力に影響をもたらさない規定である。判決言渡期日に関する251条1項等、裁判所に義務を課した規定にその例が多い。

　また、訓示規定には、違反行為に対して制裁がないという意味でのそれもある。当事者に義務を課した規定にその例がある。たとえば、当事者照会に関する163条は、その典型的な例である。

第5節　訴訟と非訟

[017] 第1項　訴訟と非訟の区別、非訟手続における審理

　訴訟と非訟の区別については、訴訟は民事訴訟であり非訟は民事行政であるとの兼子一教授の古典的な定義がある（兼子40頁）。実体的権利関係の存否を確定して紛争を最終的に解決する手続が民事訴訟であり、私人間の生活関係に国家が介入して各種の命令、処分を行いそれを調整する手続が非訟手続である（このような非訟手続の定義の具体的に意味するところについては、[680]を参照していただくとよく理解できると思う）、と一応はいえる。

　しかし、その境界領域はあいまいであり、境界領域に位置する類型（非常に多い）については、最終的には、立法のあり方、広義の手続法の定め方によってその性格が決定されるという側面が大きい。

　具体的には、非訟事件手続法第3編の定める民事非訟事件、基本的には非訟事件手続法が適用される借地非訟事件（借地借家第4章）、会社非訟事件（会社第7編第3章）、非訟事件手続法が準用される（労審29条1項）労働審判事件、家事事件手続法が適用される各種の家事事件等がこれに当たる。

　もっとも、非訟事件にも争訟性の高いものと低いものがあり、前者を争訟的非訟事件、後者を非争訟的非訟事件という。前者の例として家事事件手続法39条別表第2に規定される家事審判事件、借地非訟事件、後者の例として同条別表第1に規定される成年後見、保佐、補助等に関する家事審判事件、法人の事務や精算の監督にかかる裁判（一般法人86条、209条等）等が挙げられる。後者は本来的に司法の守備範囲に属するものではなく、行政的性格が強いが沿革的な理由から裁判所が処理することとされているものである（当事者は申立人のみで、対立する相手方がおらず、2当事者対立構造[[117]]となっていない）。

　同じく非訟事件といっても、争訟的非訟事件には争いの実質があり、当事者の権利義務関係に与える影響も大きいから、手続保障がより重視されるべきであるといえる。

　審理のあり方についてみると、訴訟手続においては、公開による口頭弁論、

弁論主義の原則、判決、控訴・上告による不服申立て等が保障される。

これに対し、非訟手続においては、一般的に、非公開であり、対審構造が採られるとは限らず（非争訟的非訟事件の場合）、職権探知主義が採用され、裁判の形式は決定であり、不服申立ても抗告となる。

[018] 第2項　訴訟の非訟化

訴訟事件と非訟事件の区別は、前記**第1項**の記述からも明らかなとおりあくまでも相対的なものだが、現代社会においては、全般的な「訴訟の非訟化傾向」がみられるといわれる。

これは、社会生活の高度化や福祉国家思想の進展に伴い、私人の生活関係に国家が後見的に介入し調整を行う場面が増えてくること、実体法においてもそうした領域を中心に一般条項が活用されて裁判官の裁量の余地が広まる傾向があること（ことに、日本法には、全般的に、裁判官に大きな裁量を認める規定が多い）、紛争の解決方法についても訴訟物の枠にこだわらない弾力的かつ迅速な解決が望まれる場合がありうることなどの結果として、訴訟手続によっていた紛争の多くを非訟手続で取り扱おうとする動きの結果である。

日本でも、戦後の1947年（昭和22年）に家事審判法が制定されてそれまで訴訟事件であった多数の事項が審判事項とされ、1966年（昭和41年）には借地非訟事件の制度が新設され、また、2004年（平成16年）には労働審判法により労働審判手続が新設された。

要するに、争訟的非訟事件の増加傾向がみられ、その中には、手続が全般に非訟化される場合（争訟性の高い家事事件）のほか、通常の訴訟手続とは別に、その実質的な特別訴訟手続的意味合いをもった手続が新設される例（労働審判手続）がある。

[019] 第3項　非訟手続における手続保障のあり方

非訟手続における手続保障のあり方については、大きな議論のあるところである。

判例は、訴訟と非訟の区別をかなり形式的にとらえ、たとえば、夫婦の同居に関する審判事件において、夫婦の同居義務自体は判決手続で確定される

べきものであり、一方、このことが保障されている以上、夫婦同居の時期、場所、態様等について審判で判断することには問題がないとの判断を行った（最大決昭和40・6・30民集19巻4号1089頁、百選5版2事件）。

　すなわち、一方で根本的な権利関係について訴訟手続で確定的な判断を求める道が残されている以上、そのような権利関係を前提とする裁量的形成的事項については非訟手続で判断を行うことが許され、かつ、これについては訴訟手続におけるような手続保障を考える必要はないという二分法的な割り切り、いいかえれば、①権利の確認的裁判事項と形成的裁判事項を区別し、前者について訴訟の道が確保されれば後者については非訟手続によってよく、かつ、②後者については訴訟手続におけるような手続保障を考える必要はない、という割り切りをしたのである。

　しかし、判例のこのような考え方については、学説の批判が強い。

　確かに、たとえば遺産分割審判とその前提問題である特定の財産の遺産帰属性、特定の相続人の相続人たる資格、遺言の効力等に関する判断については、判例のいう区別は合理性がある。遺産分割手続で上記のような事項について争いが生じた場合には、遺産分割手続の進行を一時停止して（期日を「追って指定」としておく）前提問題について判決を求め、それを確定させてから再び遺産分割手続を進めることが相当であろう（[545]）。

　だが、夫婦の同居義務についていえば、同居の時期、場所、態様等と区別して同居義務の存否を確定することができるのか、またそれに意味があるのかは、疑問であろう。こうした事柄については、非訟手続の中ですべて解決することに合理性がある（判例は訴訟と非訟を非常に形式的に区別していないかという問題。上記①についての問題）。

　また、判例が、非訟手続に関する限り、一律に訴訟手続におけるような手続保障を考える必要はないとの立場を採っていると思われることにも、疑問がある（上記②についての問題）。

　前記のとおり、元々、訴訟と非訟の区別、ことに訴訟事件と争訟的非訟事件の区別はあいまいであり、同じ事柄が立法のあり方によって訴訟事項とされたり非訟事項とされたりすることは、十分にありうる。また、訴訟の非訟化の進展に伴い、そのような傾向には一層拍車がかかっている。さらに、実質的手続保障（[005]）については、争訟性の高い非訟手続ではその基本が確保されるべきであろう。2011年（平成23年）に成立した非訟事件手続法、家事

事件手続法では、このような趣旨から、従前の同種手続に比較すると、はるかに実質的手続保障の充実が図られている（伊藤11〜12頁、松本＝上野17〜18頁）。

たとえば、同じ訴訟手続であっても、通常の民事訴訟手続と保全命令手続では、形式的手続保障にはかなりの差があるが、実質的手続保障については、保全命令手続でも、双方審尋事件ではおおむね確保されている。争訟性の高い非訟手続については、同じような配慮があってしかるべきであろう（たとえば、遺産分割手続には、きわめて大きな遺産についての深刻な争いがありうることを考えてみよ）。

そうであるとすれば、非訟手続についても、立法のあり方、法規の定め方のみによってひとくくりに考えるのではなく、個々の手続における争訟性の程度や当事者の権利義務関係に影響が及ぶ程度を具体的に考慮した上で、それぞれの手続にふさわしい手続保障のあり方が探究されるべきであり、ことに、争訟的非訟事件については、実質的手続保障の根幹は確保されなければならないといえるであろう（近年の最決平成20・5・8判時2011号116頁、判タ1273号125頁も、上記のような判例の枠組みを踏襲しているものの、全体に手続保障に対する気配りが一定程度感じられるものになっている。しかし、上記のような硬直した二分法的な枠組みの是非事体が、問われるべきであろう）[7]。

[020] 第6節　民事訴訟手続に関連する諸手続・制度

この節では、民事訴訟手続に関連する諸手続について簡潔に解説する。**第1項**では、民事保全、民事執行、倒産法の諸手続について、**第2項**では、民

---

[7] なお、この判例は、最高裁判所の公式判例集である「最高裁判所民事判例集」ではなく、「最高裁判所裁判集民事」（裁判所にのみ備え付けられている）に収録されているので、文献では、判例雑誌に掲載されている場合には、判例雑誌の掲載頁を示すのが通常である。こうした判例は、一般的にいえば重要性の劣るものであることが多いが、ときに、重要な判例も混じっている（判例百選収録判例にも、後者に当たるものが、かなりの数ある）。そして、後者については、公式判例集収録判例よりも理論付けに難点のある場合がより多い感がある（十分な理論付けができなかった場合に公式判例集収録を避ける傾向がみられる）。このことは、特に実務家にとっては、判例を読む上で、知っておいたほうがよい事柄である。

事訴訟とオルタナティヴな関係に立つ紛争処理制度（裁判外紛争処理制度〔ADR〕）について、**第3項**では民事訴訟手続の特別手続ないしこれに準じる制度について、それぞれ述べる。

第1項　民事訴訟手続と並び立つ諸制度（民事訴訟手続の付随手続）

[021]　第1　民事保全手続

　民事保全手続は、本案の訴訟手続のための保全手続であり、保全命令手続は民事訴訟手続との、保全執行手続は民事執行手続とのアナロジーで考えることができる。

　保全命令のうち、仮差押えは、金銭請求訴訟について本案の債務名義取得時までに財産が散逸して強制執行が不能になることを防止するために財産の現状を保全するものである。係争物に関する仮処分は、登記に関する訴訟や引渡・明渡請求訴訟に関して当事者を恒定するものであり、日本法が採っている訴訟承継主義の欠点を補うための制度といえる（[587]）。以上の保全命令は、純粋に本案のための保全である。

　これに対し、仮の地位を定める仮処分は、本案の権利関係につき債権者に生じる損害や危険を避けるために仮に権利関係を規整するものであり、その大半を占める断行の仮処分は、本案と同様の満足を仮に債権者に与える（その機能からすると、英米法のインジャンクションに近いところがある）。

[022]　第2　民事執行手続

　強制執行手続は、給付の訴えの判決等の債務名義に基づき、国家機関である執行機関がその満足を図るための手続であり、大きく、金銭執行と非金銭執行に分かれる。民事執行法は、ほかに、担保権の実行手続についても規定する。給付の訴えの債務名義の各執行方法については、後記[031]参照。

[023]　第3　倒産処理手続

　民事執行手続が各債権者の個別的な満足を図る制度であるのに対し、倒産処理手続は、複数の債権者が競合し、債務者の財産がすべての債権者に満足を与えることができない場合において、総債権者に公平な満足を与えるため

の精算的手続である。破産、民事再生、会社更生、会社法上の特別精算の4つの制度がある。

　倒産処理手続には実体法と深く交錯する側面があり、また、債務者の経済的再生もその目的とされているなど、民事訴訟手続からの独立性、独自性が強く、民事保全や強制執行のように通常の民事訴訟手続と常に連動するような手続ではない。

[024]　第2項　他の紛争処理制度

　紛争処理のための制度としては、民事訴訟制度以外にも多くのものがあり、ことに、近年、裁判外紛争処理制度（ADR〔Alternative Dispute Resolution〕）と総称されて、注目を集めている。民事訴訟制度は紛争処理制度の代表的なものではあるが、手続としては重く、手間や費用もかかり、必ずしもあらゆる場合に適した紛争解決制度というわけではない（むしろ、ADRでは対応できない場合のための制度という側面もある）。それぞれの紛争に適した紛争処理制度が選択されてしかるべきである。その意味で、ADR諸制度については、今後の一層の充実が望まれる。

[025]　第1　調　停

　調停は、私人間の紛争解決のために、第三者が適切な仲介を行って紛争の解決を図る制度であり、紛争処理の原初形態ともいえる。

　裁判所が関与するものとしては、一般民事事件に関する民事調停（民調2条）、家事事件に関する家事調停（家事第3編）、労働審判手続における調停（労審1条）があるが、ほかにも、行政機関が行う調停、民間機関が行う調停の制度が多数設けられている。なお、民事調停、家事調停については、非常勤の民事調停官、家事調停官（弁護士5年以上経験者から任命）が裁判官と同様の権限を行うことができる（民調23条の2ないし5、民調規25条、26条、家事250条、251条、民事調停官及び家事調停官規則）。

　民事調停、家事調停における調停には、それぞれ、裁判上の和解と同一の効力、確定判決と同一の効力が認められると規定されている（民調16条、家事268条1項）。具体的には、執行力は認められるが、調停は裁判ではないから、既判力（[**454**]）は認められない。

調停は、裁判のように事実を認定してこれに法を適用するといった手続を経るものではなく、その内容も、当事者の要望や利益に沿った柔軟なものでありうるという性格をもつ。訴訟上の和解との相違については、訴訟上の和解が裁判官の暫定的な心証に基づく、その意味で法律をガイドラインとしたものであるのに対し、調停は、法律の枠組みに必ずしもこだわらない柔軟な解決をめざすものであるところに求められよう。

[026] 第2 仲裁

仲裁は、当事者間の合意に基づき紛争の解決を第三者である仲裁人にゆだねる制度である。

仲裁廷においては裁判に類した手続が行われ、法に準拠して判断が行われるので、仲裁の性格は、いわば私的な裁判、私設の裁判とでもいうべきものである。仲裁判断は確定判決と同一の効力を有する（仲裁45条1項）。

仲裁を取り扱う機関としては、組織を備えた各種の仲裁機関が存在する。日本にも、日本商事仲裁協会、日本海運集会所等があり、また、建設工事紛争審査会、公害等調整委員会といった行政機関も仲裁を行うことができる。

仲裁が用いられる最も典型的な紛争は、国際商事取引に関する紛争である。こうした取引に関しては国際裁判管轄（[689]）が問題になる上、裁判官がその種の紛争に必ずしも慣れていないため裁判所によって早期に適切な解決がもたらされることも期待しにくい。また、仲裁には、非公開なので知的財産等に関する企業秘密が守られやすい、上訴がないので判断が早期に得られるなどのメリットもある。そのため、国際取引に関する契約においては、契約中で、あるいは契約と併せて、仲裁合意を行っておく場合が多い。

なお、仲裁判断の執行のためには仲裁判断の執行決定を得る必要がある（同46条）が、多数の国々が加盟する「外国仲裁判断の承認及び執行に関する条約」（ニューヨーク条約）の加盟国間においては、外国における商事仲裁についての仲裁判断の承認、執行が可能とされている。

[027] 第3項 **民事訴訟手続の特別手続**

まず、民事訴訟法に規定されている特別訴訟手続、略式訴訟手続としては、手形・小切手訴訟手続（350条以下）、簡易裁判所における少額訴訟手続（368

条以下）がある。督促手続（382条以下）も、手続の最初の段階で発せられる支払督促は書記官によるものであって裁判ではないが、督促異議の申立てによって通常訴訟に移行する（395条）ので、広い意味では、民事訴訟手続の特別訴訟手続ということができる。

　人事訴訟手続は、人事訴訟法の定める特別訴訟手続であり、基本的な部分は民事訴訟手続と同様だが、人事訴訟法がその特例を定める（人訴1条）。人事訴訟については、2004年（平成16年）の人事訴訟法の施行により、家庭裁判所の管轄となった。

　以上については、**第23章**で詳しく論じる。

　行政事件訴訟手続は、行政事件訴訟法の定める特別訴訟手続であり、基本的な部分は民事訴訟手続と同様である（行訴7条）。各種の訴えの類型が特殊であるため、行政法の領域で学ぶことになる。民事訴訟法理論との関係では、職権証拠調べ（行訴24条）、第三者に対する判決効の拡張（同32条1項）の各規定が重要である[8]。

---

(8) ほかの特別手続についてもふれておく。
　労働審判手続は、個別労働関係民事紛争を対象とする非訟事件手続だが、労働審判に対して適法な異議の申立てがあると労働審判はその効力を失い（労審21条3項）、労働審判申立ての時に訴えの提起があったものとみなされ（同22条1項）、適法な異議の申立てがないときは労働審判は裁判上の和解と同一の効力を有する（同21条4項）という形で民事訴訟手続と連動しており、その意味で、民事訴訟手続の特別手続ということができる。なお、労働審判を行う労働審判委員会は、裁判官と非常勤の労働審判員で構成される（同1条、7条ないし10条、12条1項）。
　「犯罪被害者等の権利利益の保護を図るための刑事手続に付随する措置に関する法律」によって設けられた刑事訴訟手続に伴う犯罪被害者等の損害賠償にかかる裁判手続も、刑事訴訟手続に付随し（ただし、手続が開始されるのは有罪判決の言渡し後である。同法26条1項）、簡易な手続（決定手続、審理期日は4回以内。同29条、30条）によって犯罪被害者等に迅速に債務名義を取得させる手続だが、性質としては民事訴訟手続であり、労働審判手続とおおむね同様の形で民事訴訟手続と連動しており（同33条4項、5項、34条1項）、その意味で、民事訴訟手続の特別手続ということができる（この制度の詳細については、松本＝上野896〜907頁）。
　ほかに、仮の地位を定める仮処分命令手続も、各種の差止めを求める事件等を中心に、民事訴訟手続の実質的な特別手続として機能している面が大きい（仮の地位を定める仮処分の特別訴訟化（**[005]**）。詳しくは、瀬木・民保**[036]**ないし**[042]**、**[042-2]**、**[042-3]**、**[311]**等参照）。

【確認問題】

1　民事訴訟制度の目的についてどのように考えるか。また、民事訴訟制度の目的論と訴権論の関係について述べよ。
2　形式的手続保障と実質的手続保障の内容、また、後者の意義とその重要性がいかなる点にあるかについて述べよ。
3　日本の民事訴訟手続の特色について、アメリカのそれとの対比において述べよ。
4　強行規定、任意規定、訓示規定について、例を挙げて具体的に説明せよ。
5　非訟は訴訟とどのように区別されるか。また、訴訟の非訟化とはいかなることを意味するか。
6　判例は、訴訟と非訟についてどのように区別し、規律しているか。また、学説は、判例の枠組みについてどのように評価しているか。

[028] 第2章

訴えの類型とその提起、訴訟物

　本章では、訴えと訴訟物に関連する基本的な事項について論じ、また、それらと関係の深い論点である処分権主義、重複起訴の禁止について解説する。基本的かつ重要な事項が多いが、その応用的な部分はかなり複雑なので、確実に理解しておく必要がある。本書の最初の大きな山である。

第1節　訴え、請求、訴訟物

[029]　第1項　**概　説**

　最初に、訴え、請求、訴訟物という基本的な概念について理解しておく必要がある。法学はある意味定義の学問であり、定義の正確性と厳密性が要求されるが、反面、基本的な概念の中には、その含意するところがいささかあいまいで、広義と狭義のそれにかなりの差のあるようなものも存在する。「請求」という概念は、その典型的な例の1つである。

　さて、訴えとは、原告が被告に対する請求を定立して裁判所に対してその請求についての審判を求める申立て、簡単にいえば、「裁判所に対する審判の申立て」である。給付、確認、形成の3類型がある。手形訴訟手続（350条以下）や少額訴訟手続（368条以下）によるといった手続指定、複数の請求のうちあるものについては予備的に審判を申し立てるといった請求の併合における態様の指定も、訴えの内容に含まれる。1通の訴状をもって行われる

訴えは1つの訴えである。こうした意味では、訴えは、複数の請求を入れることのできる入れ物、器のようなものだと理解することも可能である。

請求については、上記のとおり、幅の広い概念であり、広義、狭義、最狭義のそれがある。

最もよく用いられる定義は、狭義のそれであり、「原告の被告に対する権利主張」を意味する（なお、訴訟法上の請求は、実体法上の請求権とは切り離されたものだが、これに「請求」の語が用いられるのは、訴えの類型に給付の訴えしかなかった時代のなごりであろうといわれる〔確認・形式の訴えの審理の対象は実体法上の請求権ではない〕）。

広義のそれは、原告の被告に対する権利主張のほかに、権利保護方式の指定（給付、確認、形成の別）をも含んだ裁判所に対する特定の勝訴判決の要求を含んだ概念であり、「請求の趣旨」という場合の請求はこの意味になる。訴えに近い部分があるが、あくまで原告の被告に対する権利主張を中心とした概念である。

最狭義の請求は、訴訟物と同じ意味で用いられる。

こうした「請求」概念の多義性は初学者にはわかりにくいと感じられるものだが、実際にその言葉が用いられる文脈においては、その理解は難しくない。「請求」という言葉が民事訴訟法や民事訴訟法学の中で多義的に用いられてきたことを踏まえ、学説がむしろ後付け的にその定義を整理し直したものと考えればよいであろう。

最後に、訴訟物とは、「審判の対象となる権利関係それ自体」を意味する。純粋に理論的な概念であり、民事訴訟法学の基本的概念の1つであるにもかかわらず、訴訟物という言葉は、民事訴訟法には一度も出てこない。

それでは、請求（狭義の請求）と訴訟物とはどのように区別されるのか。比喩的にいえば、請求は原告から被告に向けられたものであり、「矢印」の要素を含んでいるが、訴訟物は裁判所の審判の対象となる権利関係それ自体であるから、矢印の要素を含んでいない。

たとえば、同一の債権に関する給付請求と債務不存在確認請求は、原告と被告が逆になる関係にあり、請求としては異なる（矢印としては逆方向）。しかし、訴訟物は同一の債権であって、同じであると解するのが通説である。

なお、このように、債務不存在確認請求は、さまざまな意味で、給付請求と表裏の関係に立つ請求であることを理解しておいてほしい。たとえば、債

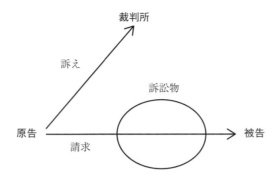

権給付請求の請求棄却判決の既判力は、債務不存在確認請求の認容判決のそれと同一の事柄、すなわち、その債権の不存在について生じる。後記の処分権主義の関係でも、給付請求と債務不存在確認請求とは、表と裏の関係に立つ（[**055**]）[1]。

訴え、請求、訴訟物の関係を概念的に示せば、上の図のようになろうか。

[030]　第2項　訴えの種類

訴えに含まれる請求の性質による分類としては、後記**第2節**で述べる給付・確認・形成の訴えの別がある。

以下は、提訴の態様による分類である。

請求の単複との関係では、単一の訴えと併合の訴えの別がある。単一の訴えは、1人の原告が1人の被告に対し1つの請求を行う形の訴えである。併合の訴えには、1人の原告が1人の被告に対し複数の請求を行う場合（複数請求訴訟あるいは請求の客観的併合〔意味としては、「請求の客体の併合」〕）と、複

---

[1] なお、債務不存在確認請求については、給付の反訴（146条。[**081**]）を引き出すための訴訟という側面も強く、また、訴訟物の価額が常に明確ともいえない（債務の上限を明示しない請求も適法であると解するのが多数説である〔[**055**]〕）ことを考えると、原理的には訴訟物の価額は濫訴を防ぐに適当な金額であれば足りるとの考え方がある（中野・論点Ⅰ71頁。訴え提起の手数料については、定額制も考えられるということになろうか）。また、高橋下270頁も、債権者が法外な要求をしている場合にもこれを基準とするのは適切ではないという。現実には、債権者が債務不存在確認請求の手数料が高くなることを見越してことさらに法外な要求をする例はあまりないと思うが、定額制とすることには考慮の余地があろうか。

数の原告によって、または複数の被告に対し、1つの訴えが提起される場合（共同訴訟あるいは訴えの主観的併合〔意味としては、「訴えの主体の併合」〕）がある。併合の訴えは、併合の要件（136条、38条）を具備する必要がある。

提訴の態様によるもう1つの分類としては、独立の訴えと訴訟中の訴え（訴訟内の訴え）の別がある。独立の訴えは新たに判決手続を開始させる訴えであり、訴訟中の訴えは、すでにほかの訴えによって開始されている訴訟手続内でそれと併合審理を求めて提起される訴えである。

訴訟中の訴えには、同一当事者間で開始されている手続に併合されるものとして、訴えの変更に基づく訴え（143条）、反訴（146条）、中間確認の訴え（145条）、第三者間で開始されている手続に併合されるものとして、独立当事者参加（47条）、共同訴訟参加（52条）、任意的当事者変更（明文の根拠はない）、訴訟参加（49条、51条）、訴訟引受け（50条、51条）がある。訴訟中の訴えは、すでに開始されている手続を利用するものであるから、それぞれ特有の提訴の要件を満たす必要がある（なお、[526] も参照）。

第2節　訴えの3類型

[031]　**第1項　給付の訴え**

原告の被告に対する給付請求権の主張とそれに対応する権利保護形式としての給付判決の要求を請求（広義の請求）の内容とする訴えであり、給付の内容には、金銭や物のみならず、作為、不作為一般、意思表示を含む。実務における訴えの多くは給付の訴えである。

給付訴訟の訴訟物については、旧訴訟物理論は個々の実体法上の請求権と考え、新訴訟物理論の多数説は請求権を超えた「給付を求める法的地位」として1個であると考える（[046]）。

すでに履行期が到来している給付請求権についての給付を求めるのが現在の給付の訴え、未だ履行期の到来していない給付請求権についての給付を求めるのが将来の給付の訴え（135条）であり、この区別は、訴えの利益を考え

る場合に大きな意味をもつ（[175]、[176]）。

給付の訴えを認容する判決を給付判決という。確定した給付判決は、給付請求権の存在を既判力をもって確定するとともに、その内容を強制的に実現する効力としての執行力をもつ。給付の訴えを棄却する確定判決は給付請求権の不存在を既判力をもって確定するものであり、性質としては確認判決である。

仮執行宣言を付された給付判決は、未確定であっても執行力をもつ。

給付判決の主文例を、その説明をも加えつついくつか挙げておこう。

「被告は、原告に対し、金300万円及びこれに対する〇年〇月〇日から支払済みまで年〇分（民法404条の定める法定利率）の割合による金員を支払え」

金銭給付とこれに対する利息、遅延損害金の給付を命じるものであり、現実の訴訟においては最も例の多い主文である。請求権の個性自体は、主文からは明らかにならない（判決書の「事実及び理由」の部分を参照する必要がある）。

「被告は、原告に対し、別紙物件目録1記載の建物を収去して、同目録2記載の土地を明け渡せ。

被告は、原告に対し、〇年〇月〇日から上記の建物収去地明渡済みまで1か月金10万円の割合による金員を支払え」

民事訴訟法学で論じられることの多い建物収去土地明渡請求（および未払賃料と賃料相当損害金の請求）の主文である。

「被告は、原告に対し、別紙物件目録記載の土地について〇年〇月〇日の売買を原因とする所有権移転登記手続をせよ」

「被告は、別紙物件目録記載の土地について〇地方法務局〇年〇月〇日受付第〇号の所有権移転登記の抹消登記手続をせよ」

移転登記・抹消登記手続請求の主文である。登記に関する請求は意思表示を求めるものだから、給付の訴えである。抹消登記手続請求では「原告に対し、」を入れない慣例となっている。

最後に、給付判決の執行方法について簡潔にふれておく（詳しくは民事執行法で学ぶことになる）。

金銭給付を命じる給付判決については、金銭執行である（民執43条以下）。金銭執行の対象としては、不動産、準不動産（船舶、航空機、自動車、建設機械等）、動産、債権およびその他の財産権がある。執行機関は執行裁判所、執行官である。

それ以外の給付判決については、非金銭執行である。

不動産の明渡し、動産の引渡しを命じる給付判決については、通常は直接強制だが、間接強制も用いられうる（同168条ないし170条、173条）。執行機関は執行官である。

代替的作為義務（たとえば建物収去）を命じる給付判決については、代替執行だが、間接強制も用いられうる（同171条、173条）。執行裁判所が授権決定（代替的作為を債務者の費用で債務者以外の者に実施させることを債権者に授権する決定）を行う。作為の実施は執行官による例が多い。

非代替的作為義務（たとえば証券に署名すべき義務。これは、債務者本人がしなければ署名としての法的効果が生じないから、非代替的作為義務である）、不作為義務（たとえば建物建築禁止）を命じる給付判決については、間接強制（執行裁判所が、債務者に、債権者に対する一定の金額の支払を命じることによって債務の履行を強制するもの）である（同172条）。

意思表示を命じる給付判決（たとえば登記に関する請求にかかる判決）については、判決の確定によって意思表示が擬制される（同177条）。

以上のような給付判決の執行方法の大枠については、上記のとおり民事執行法領域の事柄ではあるが、民事訴訟法を理解する上でも最低限必要な知識といえるから、正確に頭に入れておく必要がある。

[032] 第2項　確認の訴え

原告の被告に対する特定の権利関係の存在または不存在の主張とそれに対応する権利保護形式としての確認判決の要求を請求の内容とする訴えである。権利関係の存在を主張するものを積極的確認の訴えと、その不存在を主張するものを消極的確認の訴えという（前者の例としては土地所有権確認の訴え、後者の例としては債務不存在確認の訴えが挙げられる）。

確認訴訟では、実体法上の権利ないし権利関係がそのまま訴訟物となる。これは、実体法上の権利の存否を確定することによって紛争を解決するという確認訴訟の性質によることで、旧訴訟物理論でも新訴訟物理論でも変わらない（[050]）。

確認の訴えは、これを認容する判決も棄却する判決も確認判決であり、確定した確認判決は、権利関係の存否を既判力をもって確定する（関連しても

う一度確認しておくと、債務不存在確認請求の認容判決の既判力は、債権給付請求の請求棄却判決の既判力と等しい。なお、債務不存在確認請求の棄却判決の既判力は、債権給付請求の請求認容判決の既判力と等しいが、債務不存在確認請求の棄却判決に執行力がないことはもちろんである)。

　確認の対象は通常は現在の権利関係だが、それらを確認することによって現在の権利関係に関する紛争の解決が図られる場合には、例外的に事実の確認や過去の法律行為の有効無効の確認等も許される。これについては訴えの利益の部分で詳しく述べる ([179])。

　確認判決は執行を伴わない (当事者がそれに従わなくても損害賠償請求ができるだけである) から、実体法秩序が整備され、裁判所で確認された法律関係については尊重するという人々の法意識が確立して初めて実効性をもつ。したがって、この訴訟類型が承認されたのは、比較的新しい時代、19世紀後半のことであった (三ヶ月37頁)。

　給付判決、形成判決においても、請求権や形成原因 (あるいは給付や形成を求める法的地位) の存否が既判力によって確定されることから、いずれも確認判決的な性質をも有し、その意味で確認の訴えが3類型のうちの基本的類型であり、給付の訴えや形成の訴えはその特殊な場合であるとする確認訴訟原型説がある (兼子144頁)。しかし、理論的な整理としてはそのようにみることもできる、というにすぎないであろう (こうした思弁的な議論は、そこから何が導き出されるのか、すなわちその機能的意味が明らかにされていなければ、それほど大きな意味はない)。

　確認訴訟はさまざまな紛争の基盤にある法律関係を確認することで紛争を抜本的に解決する機能をもつ場合があるといわれる。たとえば、特定の土地についての返還、登記抹消等の各種の給付訴訟に代えて土地所有権確認訴訟を提起することで一挙に紛争が解決する場合等が考えられる。このような場合には、給付の訴えが可能であってもなお確認の訴えの利益があるということになる ([178])。

　また、確認訴訟は、権利についての現実の侵害が起こる前に提起されうるという意味で予防的機能をもつといわれる。たとえば、ある土地の所有権について疑義を申し立てられそうな者が、実際に紛争が生じる前に相手を訴えるといった場合が考えられる。

　実務において多い確認訴訟は、消費貸借や交通事故損害賠償に関する債務

不存在確認の訴えだが、これらは、予防的機能とともに、相手が給付の訴えを提起する前に機先を制して先制攻撃をかけるという意味合いが強く、予防的機能というよりもむしろ攻撃的機能が強いといえる（これについては、即時確定の利益のうち、不安・危険の態様〔切迫性〕が問題になりうる〔**[180]**〕）。

なお、教室設例ではよく出てくる所有権確認の訴えは、実務においてはそれほど多くない。考えられるとすれば２つの土地の境界付近の土地（係争土地部分）の所有権確認の訴えだが、これは、実際には、証明責任の負担のない境界（筆界）確定の訴え（形式的形成訴訟。後記**第３項第４**〔**[036]**〕）として提起されることが多い。

確認判決の主文例も２つ挙げておこう。

「原告と被告との間において、原告が、別紙物件目録記載の土地につき、所有権を有することを確認する」

「原被告間の〇年〇月〇日の消費貸借契約に基づく原告の被告に対する元金300万円の返還債務が存在しないことを確認する」

第３項　形成の訴え

[033]　第１　概説

一定の形成原因の主張とそれに対応する権利保護形式としての形成判決の要求を請求の内容とし、形成原因の主張に基づく特定の法律関係の変動を宣言する形成判決を求める訴えである。やはり観念的な裁判のみで目的を達する訴訟類型であり、20世紀に入ってから明確に観念されるようになった（三ヶ月37頁）。

形成訴訟の訴訟物については、新訴訟物理論は、「形成を求める法的地位」として１個であると考えるが、旧訴訟物理論を採っても、形成原因ごとに訴訟物が別個であると考えなければならない必然性はない（[050]）。

形成の訴えを認容する判決を形成判決という。確定した形成判決は、形成原因の存在を既判力をもって確定するとともに、それに応じた法律関係の変動を実現する効力としての形成力をもつ（なお、形成判決の第三者効については、[496]参照）。形成の訴えを棄却する確定判決は形成原因の不存在を既判力をもって確定するものであり、性質としては確認判決である[2]（以上のとおり、

訴えの類型にかかわらず、請求棄却判決の性質は確認判決である）。

　形成訴訟については、形成判決が確定して既判力をもって確定されるまでは、当事者も第三者も、その法律関係の変動を前提とした法律関係を別訴等で主張できない。たとえば、離婚判決が確定するまでは、別訴で離婚を前提とする主張を行うことはできない（行っても顧慮されない）。この点が「形成の訴えのメルクマール」であるとされる（高橋上71〜73頁）。

　形成の効果は原則として判決確定時に生じる。明文の規定がある場合（たとえば認知の場合。民784条）や事柄の性質上遡及効を認めざるをえない場合（嫡出否認の場合）にのみ、遡及効が認められる。

　形成判決の主文例も2つ挙げておこう。

　「原告と被告とを離婚する」（「離婚せよ」ではないことに注意。判決の文言自体が形成の趣旨を表現している）

　「被告の〇年〇月〇日開催の定時株主総会における別紙決議目録記載1及び2の各決議をいずれも取り消す」

[034]　第2　形成の訴えの種類

　実体法上の形成の訴えが認められるのは、人事訴訟や団体（会社等）関係訴訟が多い。その性質上画一的に法律関係の変動が決せられる必要のある場合であり、対世効（[496-2]）が認められることが多い。ただし、後記**第3**のとおり、形成の訴えかどうかは、その実質をみて判断する必要がある。

　具体的には、人事訴訟では、離婚（民770条、人訴2条1号）、離縁（民814条、人訴2条3号）、婚姻・縁組・離婚・離縁の取消し（民743条ないし747条、803条ないし808条、764条、812条、人訴2条1号、3号）、嫡出否認（民775条、人訴2条2号）、認知（民787条、人訴2条2号）等の訴えが、団体（会社等）関係訴訟では合併無効（会社828条1項7号、8号）、設立無効（同項1号）、株主総会決議

---

(2)　もっとも、形成判決については、既判力を否定する見解もある（三ヶ月48頁、50〜52頁）。この見解は、形成の訴えの訴訟物は形成権であり、それは形成判決の確定により目的を達して消滅するのであり、したがって、形成判決には既判力という観念を容れる余地はないとする。しかし、形成判決だけについて既判力を特に否定する合理的な理由はないと思われるし、これを認めないと、形成原因がないのに形成判決がされたことを理由とする損害賠償請求（後訴）を封じることができないことからしても、既判力を認める通説が妥当である。

取消し（会社831条）、会社の解散（同833条）等の訴え、一般社団法人等の組織に関する同種の訴え（一般法人264条、266条ないし268条）等が形成の訴えと解されている。婚姻・縁組無効の訴え（民742条、人訴2条1号。民802条、人訴2条3号）については、後記**第3**①のとおり、争いがある（なお、団体関係訴訟の場合には、対世効が認められるのは、請求認容判決の場合のみである〔**[496-2]**〕）。

　訴訟法上の形成の訴えは、訴訟法上の法律関係を変動させることを目的とするものであり、定期金賠償確定判決の変更を求める訴え（117条。**[481]**）では確定判決の既判力や執行力の消滅がもたらされるし、再審の訴え（338条）では確定判決の形式的確定力や既判力の消滅がもたらされる。もっとも、訴訟法上の形成の訴えは、訴訟法の定めた特殊な訴えの類型につき、その機能、効果に着目して、いわば後付けで個々に形成の訴えと分類されたものにすぎないとの見解があり（新堂211頁）、確かにそのとおりであろう。

　たとえば、民事執行法領域の事柄になるが、執行債務者が債務名義に表示された請求権の存在や内容を争う実体上の事由（たとえば確定判決についての口頭弁論終結後の弁済）に基づき執行債権者に対して執行の不許を求めて提起する請求異議の訴え（民執35条）については、執行力の排除を求める形成の訴えであるとする考え方（形成訴訟説）が通説だったが、債務名義に表示された実体上の給付義務の不存在確認の訴えであるとする確認訴訟説もあった。

　しかし、この訴えは、まずは執行力を排除するものであるから形成の訴えの性質を有することは明らかであり、一方、そこで審理の対象となった債権の存否およびその範囲についても既判力を認めないとこの訴訟で敗訴した当事者の不当利得返還請求を排除できないから、確認の訴えの性質をも認めざるをえない。つまり、形成の訴えというカテゴリーには収め切れないのである。そこで、近年は、この両方の性質を併有する特殊な訴えであるという考え方が有力になっている。

　訴訟法上の形成の訴えというカテゴリーが、実体法上の形成の訴えというカテゴリーにならう形で作られたいわば後付けの分類、カテゴリーであることを考えれば、その中に形成の訴え以外の性質をも含むものがありうることは、何ら不思議なことではないであろう。

　また、いずれにしても、訴訟3類型論は、歴史的なものであるとともに、理論上の整理のために有効な分類にすぎない（訴訟物論、訴訟要件等について

議論する場合に有効といえる）のであるから、3類型の別を先験的なものとして考える必要はなく、2つの類型の性質を併せ持つ訴えを考えることも許されよう。

もっとも、この点については、この訴えの訴訟物をどう考えるかという論点もからんで、さまざまな説が出ている（中野＝下村229〜234頁。なお、この論点に典型的にみられるように、「純理」としての説明の仕方、整合性の観点から細密な議論を重ねるのがドイツ民事訴訟法学由来の日本の民事訴訟法学の顕著な特徴である。これに対し、アメリカの民事訴訟法学は、民事訴訟をいかにして社会や人々のニーズに合致するように構築するかに議論を集中し、上記のように「純理を詰めて細部の整合性を図ること」には、あまり興味を示さない。また、日本の法学でいうならば法社会学に近い志向も強い。いずれの方向についてもその歴史的・社会的背景があるので、どちらが正しいといった言い方ができるものではないが、純理の理論に傾きがちな日本の民事訴訟法・法学には、社会や人々の潜在的なニーズに応えて新たな制度を構築する力においてやや弱い面があることは、事実であろう）。

なお、同様の議論は、第三者異議の訴え（同38条）、配当異議の訴え（同90条）についても存在する（中野＝下村315〜316頁の注(1)、573頁）。

[035]　第3　形成の訴えの該当性

形成の訴えに該当するか否かは、訴えに付されている名称ではなく、その実質に注目して決定する必要がある。つまり、前記**第1**で述べた「形成の訴えのメルクマール」により決することになる。

たとえば、前記会社合併無効・設立無効の訴えは、無効宣言判決があるまでは、誰も、別訴の先決問題としてもその無効を主張できないことが法によって明示されており（会社828条1項柱書参照）、かつ事柄の性質上適切でもあるから、形成の訴えと解すべきである。

この点が問題になる例をほかにいくつか挙げておく。

①　婚姻・養子縁組無効の訴え

これらの訴えについては、当事者間に婚姻・縁組の効力について争いがある以上判決により無効が確定されるまでは有効と扱うことにすべきであるとの考え方が、伝統的には多数説である（条解714頁）。

しかし、これらの訴えについては、対世効は認められる（人事訴訟の確定判決は人訴24条1項により一般的に対世効を有する）ものの、民法でも訴えによら

なければならないと規定されているわけではなく、実質的にみても、日本では婚姻・縁組届出の審査がかなり形式的であるためにこれらの訴えが起こされる例が多いことを考えるならば、常に訴えで無効を主張しなければならずその確定判決があるまでは別訴の先決問題としても無効を主張できない（前記第1参照）とするのは酷であって、実際的な要請のほうを優先させるべきであり、確認の訴えと解すべきであろう（新堂207頁等）。

判例も、養子縁組無効確認の訴えにつき、最判昭和63・3・1（民集42巻3号157頁）が、傍論ではあるが、養子縁組の無効により自己の財産上の権利義務に影響を受ける第三者はその権利義務に関する限りで個別的、相対的に縁組の無効を主張することができるとしている（**[180]**）。これは、養子縁組無効の訴えを確認の訴えと解しているものと考えられよう。

② 株主総会決議無効・不存在の訴え

これらの訴えについては、やはり別訴で無効等を先決問題として主張させることが相当であるなどの理由から形成の訴えではなく確認の訴えであると解されてきており、会社法830条は明文でそのように規定した。新株発行等の不存在確認の訴えについても同様である（会社829条）。

③ 詐害行為取消しの訴え（民424条以下）

詐害行為取消権については、かつては、(i)形成の訴えである取消しと取消しの効果としての財産返還とを求めるものであるとする判例（大判明治44・3・24民録17輯117頁。なお、抗弁の方法による取消権の行使を認めないとする最判昭和39・6・12民集18巻5号764頁も、形成の訴え説を前提としていると解されよう）、多数説、(ii)取消しについては上記のとおり給付請求を同時にする必要があり取消しは給付の前提にすぎないこと、取消権行使の効果は相対的であって判決効は第三者に及ばない（それがかつての通説的な理解であった）こと、取消しについても否認権同様抗弁としても行使できると考えるのが相当であることなどから、形成の訴えではなく、したがって、取消しについては関連訴訟で適宜先決問題として主張できるとする有力説（新堂第5版210〜211頁の注(2)、条解715頁等）があり、後者の考え方にも相当の根拠があったといえよう。

しかし、2017年（平成29年）債権関係改正後の関係条文（民424条以下）は、取消しについてのみ明文で規定していたそれまでの条文と異なり、取消しと財産返還（同424条の6）の双方について規定するとともに両者を「詐害行為取消請求に係る訴え」として一括し（同424条の7）、また、認容判決の効力

は債務者およびそのすべての債権者に及ぶとして上記相対効の原則を修正している（同425条。その前提として同424条の7第2項は債務者への訴訟告知を必要とする）から、現在の解釈としては、（i）説が相当であろう。

　④　請求異議の訴え（民執35条）

これについては、前記**第2**で論じたとおりである。

[036]　第4　形式的形成訴訟

　形式的形成訴訟とは、法律関係の変動を目的とはするが、その形成原因が存在しない（実体法に定められていない）形成訴訟であり、境界（筆界）確定の訴え、共有物分割の訴え（民258条）、父を定める訴え（同773条）がこれに当たるとされる。前2者は、実務上も一定程度みられる訴えである（最後のものが形式的形成訴訟に当たることについては、松本＝上野188～189頁等参照）。

　これらの訴訟では、裁判所は、事実認定に基づき合目的的見地からその裁量で結論を出す（たとえば境界確定の訴えであればしかるべき境界線を定める）のであり、したがって、これらの訴訟は本質的には非訟事件（[017]）であるといえる（ここに、境界確定の訴えの事実上の前駆手続として行政手続たる筆界特定手続〔不登第6章〕の設けられる根拠、合理性がある）。性質上非訟事件であるが形成の訴えとされているところから、これらの訴訟を「形式的形成訴訟」と呼ぶわけである。

　形式的形成訴訟には訴訟物たる権利関係（形成原因）も、処分さるべき権利関係もないから、私的自治の原則を主な根拠とする処分権主義、弁論主義が妥当しない。また、主要事実が存在しないのだから証明責任も観念されない。さらに、裁判所は、請求棄却判決をすることができず、何らかの結論を出さなければならない。

　形式的形成訴訟の代表的なものである境界確定の訴え（最判昭和43・2・22民集22巻2号270頁、百選5版35事件は、これを形式的形成訴訟であるとし、土地所有権の確認を目的とするものではないから、時効取得によって境界が変更されるとの当事者の主張は失当であり、時効取得による土地所有権取得の主張については、所有権確認の訴えをもってすべきであるという）を例にとると、原告は、単に隣接する土地の境界を定めることを申し立てれば足り、特定の境界線を提示したとしても（実務では必ず当事者双方が特定の境界線を提示するが）、それは1つの提案としての意味をもつにすぎず、裁判所は、双方の提示した境界線によって

画された範囲外に境界線を定めることもでき、また、境界線につき控訴審で不利益変更禁止の原則の適用もない（[**620**]の①）、ということになる。

なお、当事者適格については、境界線に密接な利害関係をもつ者としての隣接する土地の所有者に認められるが、土地の一部が時効取得・承継取得されても当事者適格が失われることはない（最判昭和58・10・18民集37巻8号1121頁）。しかし、土地の全部が時効取得され、隣地所有関係が消滅すれば、当事者適格も否定される（最判平成7・7・18裁判集民176号491頁）。

もっとも、境界確定の訴えについては、通説判例のいうように公簿上の境界を定める訴えではなく、所有権の範囲の確認を求める訴えであるとする説も有力であり、この説によれば、裁判所は、双方の提示した境界線によって画された範囲外に境界線を定めることはできず、控訴審では不利益変更禁止の原則の適用があり、さらに、係争部分の土地の所有権に関する自白や和解も可能であるということになる（以上につき、詳しくは、高橋上82～88頁参照）。

どう考えるべきか。

確かに、境界確定の訴えを提起する原告の目的は公簿上の境界の確定を求めるというよりは所有権の範囲の確認を求める（所有権に関する紛争を解決する）ことにあると思われる（所有権確認の訴えによらない理由は、証明責任の負担のない境界確定の訴えのほうが立証が容易だからである）が、境界確定の訴えが認められている理由は法が私人の所有権の境界とは趣旨を異にするものとして土地の公簿上の境界を認めていることに由来するから、両訴訟を峻別して考えることにも合理性があること、実務上も山林等非住居地域の境界線は双方の提示した境界線によって画された範囲外に認められる例もあること（私自身その経験がある）などを考えると、境界確定の訴えについては非訟という性質を重視して通説判例のように理解することが適切ではないかと考える。

第3節　訴えの提起とその後の手続

第1項　訴えの提起

[037]　第1　訴状の提出

　　訴えの提起は、訴状を裁判所に提出することによって行う（133条1項〔令和4年改正後134条1項〕）。

　　訴状には、所定の事項を記載し（同条2項。訴状、準備書面等に共通の記載事項につき規2条1項）、原告またはその代理人が記名押印し（規2条1項）、所定の添付書類を添付し（規55条）、訴額に応じた手数料を収入印紙を貼ることによって納付し（民訴費3条1項、同別表第1の項1、4条、8条）、被告に対する送達のために必要な副本（規58条1項参照）を添えて提出する。送達費用も郵便切手によって予納する（民訴費11条ないし13条）。

　　なお、訴状には原告またはその代理人の郵便番号、電話番号、ファクシミリ番号も記載することとされている（規53条4項）。送達、電話会議システムの利用、ファクシミリによる書面提出、送付（規3条、47条1項）の際等に利用するためである。また、訴え提起の前に証拠保全の証拠調べが行われた場合には、その証拠調べを行った裁判所および証拠保全事件の番号をも記載することとされている（規54条）。証拠保全記録送付のためである。

[038]　第2　訴状の記載事項

　　訴状には、当事者および法定代理人、請求の趣旨および原因を記載する（133条2項〔令和4年改正後134条2項〕）。

　　当事者については、当事者および法定代理人の住所氏名を記載してこれを特定する。法定代理人の記載が要求されるのは、当事者が訴訟無能力者や法人である場合（37条参照）に実際の訴訟追行者（送達もこれに対してなされる〔102条1項〔上記改正後99条1項〕〕）を明らかにするためである。なお、実務では、法定代理人のみならず訴訟代理人についても、必ず訴状に記載されて

いる（規2条1項1号）。

　当事者および法定代理人の特定は上記のとおり住所氏名をもってなされるのが普通だが、学説上は、氏名に代えて商号、雅号、芸名等の通称によってもよいとされている。実務では通称による特定の例はほとんどない（通称によらない特定が可能である限りは、それが望ましいことは当然である）。しかし、インターネットによる取引や情報の流通の増加に伴い、今後、そうした形での特定を認めざるをえない場合が増えてくる事態は考えられる。

　ある職務に就いていることに基づき訴訟担当（[158]）によって当事者となる者については、たとえば、「○○破産管財人弁護士A」、「○○組合業務執行組合員B」といった形で訴訟担当の根拠となる職務上の資格を氏名の前に表示するのが適切である。

　次に、請求の趣旨および原因について述べる。

　133条2項2号（上記改正後134条2項2号）の請求の趣旨および原因は、請求を特定するために記載されるものである。すなわち、ここでいう「請求の原因」は、実務家によって通常よく使われる意味での「請求原因」、つまり訴訟物たる権利関係を理由付ける事実主張（後記）をいうものではなく、あくまで、請求を特定するために記載が必要とされる「請求の原因」を意味している。

　請求の趣旨は、当事者が訴えをもって求める審判の内容を示すものであり、請求全部認容判決の主文は、請求の趣旨と同じ内容になる。

　以下、訴えの類型別に、請求の特定のために必要な記載について論じる。

　確認の訴えでは、請求の趣旨だけで確認されるべき権利関係が明らかになるから、請求の特定のために請求の原因の記載は必要ではない。

　給付の訴えのうち金銭給付請求では、請求の趣旨からは請求権の個性自体は明らかにならず、また、同一当事者間で同じ金額の請求権が複数存在する場合が考えられるから、請求の趣旨だけでは請求が特定せず、請求特定のためには、必ず、金銭請求の個性（内容、成立日）が明らかにされる必要があり、その限度で、請求の原因の記載が必要になる。これは、旧訴訟物理論を採る場合でも新訴訟物理論を採る場合でも同様である（訴訟物理論にかかわらない問題である）。

　給付の訴えのうち不作為請求については、被告の企業活動等（作為）の禁止という形の代わりに、たとえば、「原告の住居地に、あるレヴェル以上の騒音を到達させてはならない」といった形で、抽象的不作為を求めることが許され

るかという問題（抽象的不作為請求の許容性）があるが、具体的作為義務の範囲が合理的に限定されるようなものであれば認めてよいと考えられる。被告にとっても、みずから方法を選択できるほうが経済的負担が軽いといえる（伊藤210頁の注(74)、条解755頁等）。騒音公害については、実務でも一般的に認められている（もっとも、マンションの水漏れ被害のような小規模な生活紛争で安易にこれによると、執行の段階でゆきづまってしまう危険性があることにつき、瀬木・民保[316]）。

　特定物の給付請求の場合には、旧訴訟物理論ではその根拠となる請求権（たとえば、所有権に基づく請求権、売買に基づく請求権等）が明らかにされないと請求が特定しない（したがって、請求の原因の記載がないと請求が特定しない）が、新訴訟物理論では、給付を求める法的地位が訴訟物であるから、請求の趣旨だけで請求が特定される。

　訴えの変更（143条）とは請求の趣旨および原因の変更をいうが、そこでいう「請求の原因」は、上記の「請求の原因」（狭義の請求の原因）を意味する。

　もっとも、実際の訴状には、ここでいう「狭義の請求の原因」だけではなく、訴訟物たる権利関係を基礎付ける事実主張としての請求の原因、すなわち「広義の請求の原因」（この意味では、「請求原因」ということが多い）も記載されている。規則53条1項にいう「請求を理由づける事実」、すなわち主要事実がそれである。この限度で、訴状は準備書面を兼ねることになる（同条3項）。なお、同条2項にいう「当該事実に関連する事実」は、間接事実を意味する。

　形成の訴えでは、訴訟物をどう考えるかにより、請求を特定するために必要な事項の範囲が異なってくる。形成を求める法的地位が訴訟物だと考えれば請求の趣旨だけで請求が特定されるし、個々の形成原因ごとに訴訟物が異なると考えれば、請求の特定のために請求の原因（狭義の請求の原因）の記載が必要になる。

第2項　訴え提起後の手続

[039]　第1　訴状の審査

　裁判所に提出された訴状は、事件係書記官によって立件され、事務分配の定め（下級裁判所事務処理規則6条、8条）により、特定の部（たとえば、千葉地裁民事第1部）の特定の裁判官の係（たとえばイ係）に配てんされる。

この過程で、訴状の必要的記載事項を含むさまざまな事項についてのさまざまな観点からする訴状審査が、裁判長（単独体の裁判所ではその裁判官）のほか事件係や各部の書記官によっても行われるが、書記官のそれは裁判長の訴状審査権（137条1項）に基づく事実上のものである（合議体の左陪席裁判官が行う訴状審査についても同様）[3]。

　訴状は、それをもって訴えが開始される民事訴訟手続における最重要書面であるから、実際の訴状審査は、民事訴訟法等に定められた記載事項に限定されない種々の事項について行われることを、理解しておいてほしい。

　訴状の必要的記載事項に不備がある場合には、裁判長は、相当の期間を定めて補正を命じ、不備が補正されないときには命令で訴状を却下する（137条1項前段、2項）。この訴状却下命令は、訴状を受理できないものとして突き返す処置だと解するのが通説である（なお、実際には、必要的記載事項の不備を理由とする訴状却下命令の例は少ない）。訴え提起の手数料が納付されない場合にも同様である（同条1項後段、2項〔令和4年改正後137条の2〕）。裁判長は、訴状の補正の促しを書記官に命じて行わせることができる（規56条）。原告は、訴状却下命令に対して即時抗告ができる（137条3項）。

　裁判長による訴状審査および訴状却下命令は訴状送達前にだけ行いうるものであり、訴状送達（訴訟係属）後は、裁判所が訴状審査を行い、補正が行われなければ、裁判所の訴え却下判決（140条。なお、140条は、本来は、後記**第3**でふれるとおり、訴訟要件の欠缺が補正不能であることが明らかな場合に適用される条文である）がされる（条解809頁）。

[040]　第2　訴状の送達

　適式な訴状は、被告に送達される（138条1項）。送達費用未納、被告の住居所の記載が誤っているなどの理由により送達ができない場合には、補正が命じ

---

[3]　具体的な審査事項は、①民事訴訟法および規則に定められた記載事項と添付書類、訴え提起の手数料、管轄（一次的審査）等の形式的・基本的な訴訟要件に関する一次的な（比較的形式的な）審査、②訴訟物、請求の趣旨、計算関係、相続関係等に関する実質的審査、③管轄（二次的審査。管轄については判断が微妙なので二次的審査も行うのが適切）、法規に定められた出訴期間の遵守、当事者能力、当事者適格、訴えの利益等の訴訟要件一般に関する実質的審査、④請求原因や法的な構成・問題点についての実質的審査、といった事柄である（瀬木・要論 **[024]**。なお、各裁判所の訴状受付係の書記官は①を中心的に行う）。

られ、補正が行われなければ訴状が却下される（同条2項、137条2項）。なお、被告の住居所が不明な場合には、公示送達（110条）の余地がある。被告が訴訟無能力者で法定代理人がいない場合、被告が法人で代表者がいない場合には、原告は、特別代理人の選任を申し立てることができる（35条1項、37条。**[139]**）。

[041]　第3　第1回口頭弁論期日の指定等

　裁判長は、訴状の送達とともに、第1回口頭弁論期日を指定して当事者双方を呼び出す（139条、規60条1項本文）。期日の呼出しは、書記官が呼出状を作成して送達するのが原則である（94条1項）。呼出し費用の予納が相当の期間を定めて命じられたにもかかわらずそれがない場合には、被告に異議がないときに限り、決定で訴えを却下することができる（141条1項。被告に異議がないときに限っているのは、被告の、請求棄却判決を得る利益を保護するためである）。

　事件をただちに弁論準備手続に付することについて当事者に異議がない場合または書面による準備手続に付する場合には、裁判所は、口頭弁論を経ないで事件をそれらの手続に付することができる（規60条1項ただし書）。

　なお、訴訟要件が欠け、それが補正不能であることが明らかな場合には、裁判所は、口頭弁論を経ないで判決で訴えを却下することができる（140条）。もっとも、実務においては、訴状の記載の趣旨が全体として不明でありおよそ補正も不可能なような場合（原告本人訴訟等にときにみられる）にも、この条文の類推により、被告を呼び出さないで訴えが却下されている（**[237]**）。

　第1回口頭弁論期日は、特別な事由がある場合を除き、訴えが提起された日から30日以内の日に指定しなければならないとされている（規60条2項）が、これは訓示規定である。特別な事由としては、大規模事件等で訴状の事実上の補正や答弁書の作成（規80条1項参照）に相当の時間を要するような場合が考えられる。

　訴状の記載が不明確、不正確なまま訴訟を開始すると、それを基礎に各種の手続や書面が積み上げられ、後に禍根を残すことになりやすい。大規模、複雑な事件ほど、訴状の記載を明確、正確にしておくことが、まず第一に重要である（この点、原告代理人は、とかく先を急ぎたがりやすいが、裁判所の補正の促しには理由のある場合が多いことは、認識しておくべきである。それがあまりに形式的であると思われるような場合には、裁判官に面接を求めるなどして、趣旨を明らかにしてもらえばよいであろう）。

[042] 第3項　訴え提起と訴訟係属の効果

　訴えの提起と訴訟係属は区別される。訴訟の開始はさまざまな効果をもつが、それらの効果は、訴えの提起に結び付いている場合と、訴訟係属、すなわち、被告への訴状の送達によって生じるところの、裁判所と両当事者の間の訴訟法律関係の成立（いいかえれば、特定の裁判所が特定の事件について審理を行いうる状態）に結び付いている場合とがある。

[043]　第1　訴訟係属の効果

　まず訴訟係属のほうから説明すると、最も大きなものは重複起訴の禁止だが、これについては後記**第6節**で論じる。
　ほかにも、訴訟係属により、当該訴訟における各種の参加（補助参加、独立当事者参加、共同訴訟参加、訴訟承継に伴う訴訟参加）、訴訟引受け、訴訟告知が可能になり（42条、47条、52条、49条ないし51条、53条）、また、訴えの変更（143条）、反訴（146条）、中間確認の訴え（145条）が可能になる。

　第2　訴訟の開始に結びつけられる実体法上の効果

[044]　1　概　説

　訴訟の開始に実体法上特別の効果が認められる場合がある。その最も大きなものである時効完成猶予については、詳しくは後記2で論じる。
　こうした効果の発生と消滅の時点については、それらの効果が認められる趣旨から判断される。
　たとえば、時効完成猶予は、訴え提起時、具体的には訴状の受付時点において生じ（147条、民147条1項1号。原告はこの時点で権利行使の意思を明確にしているのだし、時期の予測できない訴状送達時とすると、原告の利益をそこなう）、訴えの取下げまたは却下があった場合にも、その時点から6か月を経過するまでは、引き続き時効の完成が猶予される（民147条1項柱書かっこ書）。なお、訴えの提起によって完成が猶予された時効は、裁判が確定した時点で更新され、新たに進行を始める（同条2項）。
　出訴期間その他の除斥期間の遵守（これらは実体法のほか訴訟法にも規定されている場合がある。同201条、747条2項、777条、会社828条1項、831条1項柱書、

民訴342条、行訴14条等)の効果についても訴え提起時に生じるが、これは、訴えの取下げまたは却下によってさかのぼって失われる。

以上に対し、善意占有者の悪意占有擬制の効果(民189条2項)は、被告の善意・悪意にかかわるものだから、訴状の被告への送達時を基準にして判定する。

手形の裏書人の他の裏書人および振出人に対する償還請求権の消滅時効(裏書人が手形上の請求について訴えを受けた日から6か月)の進行開始時(手形70条3項)についても同様である。なお、これについては、被告が第三者に対していつからその債権を行使できるようになるかが問題となる規定だから、いったん進行を始めれば、その後の訴えの取下げまたは却下によって影響を受けないとするのが通説であるが、被告になった手形債務者の権利行使の困難(訴えの取下げまたは却下の場合、被告になった手形債務者はまだ手形を所持していないから権利を行使できない)という観点から、訴えが取り下げられまたは却下されると時効は当初から進行しなかったことになるとする異説も有力である(コンメⅢ263頁参照)。

[045]　2　時効の完成猶予

時効完成猶予・更新の根拠については、権利行使説(その根拠を権利行使がなされたことに求める。時効を実体法的にとらえる考え方と整合的)と権利確定説(その根拠を権利の存在が確定されることに求める。時効を訴訟法的にとらえる考え方と整合的)とがあり、後者にもそれなりの根拠はある。

しかし、権利行使説によれば、時効完成猶予・更新の原因となるような「訴訟における権利行使」の範囲を訴訟物に限定せずにより広く認めることが容易になり、時効制度の趣旨からしてもそれが望ましいと考えられることから、本書では、基本的には、従来の有力説である権利行使説に立って考える。

以下、具体的に論じる。

まず、①訴訟物たる権利関係についての時効完成猶予は、債権者の給付の訴え、積極的確認の訴えの提起のほか、債務者の債務不存在確認の訴えに対して債権者が権利主張をしたことによっても、その時点(たとえば答弁書提出時)に生じると解される(この場合、訴訟物は同一である)。

また、②訴訟物たる権利関係に限らず、その前提となる権利関係(後記最判昭和37・10・12の事案参照)や攻撃防御方法たる権利の主張についても、権利行使の意思が明確にされていれば、時効完成猶予の効果を認めてよいであろう。

たとえば、請求異議の訴え（民執35条）の被告が債権の存在を主張する場合（大判昭和17・1・28民集21巻37頁）、抵当権設定登記の抹消請求に対して被告がその被担保債権を主張する場合（最判昭和44・11・27民集23巻11号2251頁）、動産引渡請求訴訟の被告が留置権の抗弁を提出し、その被担保債権を主張する場合（最大判昭和38・10・30民集17巻9号1252頁）等には債権の消滅時効完成猶予の効力が認められる。

また、所有権の取得時効に関しては、判例は、所有権に基づく土地明渡しの訴えは相手方の所有権の取得時効の完成を猶予し（大判昭和16・3・7判決全集8輯12号9頁）、所有権に基づく登記手続請求訴訟において、被告が自己に所有権があることを主張して請求棄却の判決を求め、その主張が判決によって認められた場合には、同主張は、原告の所有権の取得時効を更新する効力を生じるものとしている（最大判昭和43・11・13民集22巻12号2510頁）。

さて、以上②の場合については、その権利が理由中の判断で認められて権利主張者の勝訴判決が確定したときに、民法147条2項を類推して時効の更新まで認めるか、それとも、民法147条1項柱書中のかっこ書部分の類推適用があるとみるにとどめるかが問題となる（上記昭和38年最判は、その事案における権利主張についていわゆる裁判上の催告の効果を有するとしたが、これは2017年〔平成29年〕債権関係改正後の民法147条1項柱書中のかっこ書部分と実質的に同趣旨となる〔一問一答債権関係46頁〕ので、後者の見解を採るものといえる。一方、上記昭和43年最判、昭和44年最判は、前者の見解を採るもののようである。なお、両事件の判例解説〔昭和43年度1041〜1046頁、昭和44年度866〜872頁〕は、両事件は昭和38年最判とは事案を異にするというが、その点を含め、これらの解説の説明は十分に納得できるものではない）。

これについては、上記のような権利主張のあった権利に関する争点が主要な争点となり、それが認められて争点効（本書はこれを肯定する〔[[500]]〕）が生じるような場合（上記のような権利主張については、そのような場合が多いであろう）には、訴訟物たる権利が認められた場合に準じ、前者の見解を採ることでよいと思われる（この点では、統一的で明確な基準という観点から、訴訟法的な要素を加味して考えたい。また、争点効が生じるような場合には権利行使という観点からも前者の見解を採ることが正当化される、ともいえよう）。主要な争点とはなったものの結局権利主張のあった権利については判決中で判断されるに至らなかったような場合（別の争点で決着がついたような場合や大元の訴えが取下げ、

却下された場合）あるいは主要な争点とはならなかったものの権利主張のあった権利が理由中の判断で認められた場合についても、民法147条1項柱書中のかっこ書部分の類推適用は認めてよいであろう（おおむね同旨、新堂229〜231頁）。なお、権利が認められなかった場合については、権利そのものの存在が否定された以上、時効完成猶予も問題にならない（伊藤240頁、内田貴『民法Ⅰ〔第4版〕』〔東京大学出版会〕322頁等。したがって、民法147条1項柱書中のかっこ書部分の類推適用もない）。

　以上を始めとして、判例の多くは、訴訟物たる権利関係に限らない権利の主張についても、権利行使の意思が明確にされていれば、時効完成猶予を認める方向のものであるが、これを消極に解したものもある。

　たとえば、最判昭和37・10・12（民集16巻10号2130頁）は、債権者が受益者に対して詐害行為取消しの訴えを提起しても、債権者の債権について消滅時効完成猶予の効力を生じないとした。詐害行為取消訴訟では同債権は取消の先決問題として主張されるにとどまること、受益者を被告とする訴訟は債務者に対し裁判上の請求をするものではないことを理由とする。

　しかし、この判例については、権利行使説の視点からみると疑問が大きいといえよう。訴訟物たる権利関係に限らない権利の主張についても、権利行使の意思が明確にされている限り、147条、民法147条1項1号の類推適用を認めることに問題はないと思われるからである。

　次に、最判平成29・3・13（判時2340号68頁、判タ1436号92頁）は、貸金の支払を求める支払督促は、その支払督促の当事者間で締結された保証契約に基づく保証債務履行請求権について消滅時効完成猶予の効力を生じないとした。

　これは、Xに対するAの貸金債務についてYが貸主Xとの間で保証契約を締結したにもかかわらず、「同保証契約締結の趣旨で、Y自身がXから金員を借り受けた旨の公正証書が作成され（これは、実務上ときにみられる方法のようである）」、かつ、Xが、Yに対して、同公正証書記載のとおりXがYに金員を貸し付けたとして貸金の支払を求める支払督促の申立てをしたという事案であった。

　理由としては、XのYに対する貸金請求と、Xに対するAの貸金債務についてのXのYに対する保証債務履行請求とは、全く別個の、かつ、相互に相容れない請求であることが挙げられている。

　この判例については、その理由付けからみて、妥当なものといえよう。

第4節　訴訟物

[046]　第1項　訴訟物論争

　訴訟物は、前記（[029]）のとおり、審判の対象となる権利関係それ自体であり、訴訟における審判対象の最小基本単位である。訴訟物を原則的な基準として、請求の併合（136条）、訴えの変更（143条）、重複起訴の禁止（142条）、既判力の客観的範囲（114条1項）、終局判決後の訴えの取下げに伴う再訴の禁止（262条2項）等の訴訟法上の効果が決定される。

　給付訴訟の訴訟物については、旧訴訟物理論は個々の実体法上の請求権と考え、新訴訟物理論の多数説は請求権を超えた「給付を求める法的地位」として1個であると考える（なお、新訴訟物理論には、給付の訴えの訴訟物につき、判決の申立てと事実関係の2つの要素によって訴訟物が特定されるとする2分肢説も存在し、ドイツではこれが通説判例であるといわれる〔松本＝上野199〜201頁、208〜211頁〕）。

　このように、訴訟物に関しては、実体法上の請求権を基準として訴訟物を考える旧訴訟物理論（実体法説）と、実体法とは離れて、訴訟法独自の基準により、より広く訴訟物をとらえようとする新訴訟物理論（訴訟法説）とが対立している。学説上は、当初は旧訴訟物理論が採られ、昭和30年代のいわゆる訴訟物論争以降は新訴訟物理論が優勢になっていたが、近年は旧訴訟物理論によるものが再び増えてきている。また、実務は、一貫して旧訴訟物理論によっている。本書も旧訴訟物理論を採る。

　かつての訴訟物論争は、給付訴訟を中心にして行われた。給付訴訟においては、旧訴訟物理論は、たとえば、同一の医療事故損害賠償請求について債務不履行と不法行為の2個の訴訟物を考える。同様に、賃貸借にかかる建物明渡しについても、所有権に基づく明渡請求権と賃貸借終了に基づく明渡請求権という2個の訴訟物を考える。

　これに対し、新訴訟物理論は、実体法秩序が1回の給付しか是認しない場合には、訴訟物は、請求権を超えた「給付を求める法的地位」として1個であると考えるべきであり、個々の請求権はそれを基礎付ける攻撃防御方法

（攻撃防御方法とは、本案の申立てを理由付けるためにされる事実上・法律上の陳述および証拠の申出をいう）にすぎないとする。そして、旧訴訟物理論によれば、原告は、1つの請求権を主張して敗訴しても、既判力で妨げられずに他方の請求権で再訴ができることになり、紛争の1回的解決の要請に反するし、また、1つの訴訟において2つの請求権が主張された場合には2つの認容判決を出さなければならないことになるがこれは不自然である、と主張した。

　後者の指摘に対する旧訴訟物理論からの回答が、選択的併合である。選択的併合とは、各訴訟物に関する審判要求のいずれについてもほかの訴訟物に基づく請求が認容されることを解除条件とする併合形態であり（[076]）、これによれば、給付判決の重複は避けられる。

　これに対し、新訴訟物理論は、訴訟物に基づく審判の申立ては確定的であるべきであり、裁判所がいずれを認容してくれてもかまわないというのはおかしい、選択的併合は、1つの訴訟物について攻撃防御方法が複数主張されている場合の取扱いを訴訟物の場合に流用するものである、と批判した。

　一方、旧訴訟物理論の側からは、新訴訟物理論では認容された請求権の法的性格が明らかにならない不都合があるとの批判がなされた。たとえば、不法行為（悪意による）に基づく請求権と債務不履行（民法509条2号の場合を除く）に基づく請求権では反対債権による相殺が許されるか否かに相違があり、所有権に基づく建物明渡請求権と賃貸借終了に基づく建物明渡請求権では造作買取請求権の行使が許されるか否かに相違があるが、新訴訟物理論ではこの点が明らかにならないというのである。

　これに対し、新訴訟物理論の側からは、後にその点が問題になったときに再度その法的評価を行えばよいという反論がなされた（法的評価の再施）。たとえば、債務不履行（同前）で請求が認容された後、被告が請求異議の訴え（民執35条）で相殺を主張した場合には、原告は、同請求が不法行為（同前）によっても基礎付けられることを同訴訟の中で主張できる、というのである。

第2項　論争の評価

[047]　第1　純理の問題

　まず、純理の問題として考えると、確かに、新訴訟物理論の議論は整って

いる。ただ、絶対的にそちらのほうが論理的にすぐれているとまでいえるかについては、私は、いささか疑問を感じる。

　議論の１つのかなめとなる選択的併合については、「旧訴訟物理論の最後の墓場」（三ヶ月94頁）という研究者の間では有名な言葉があるが、いくつかの実体法上の請求権を立てることが可能である場合にいずれであっても認容してもらえればよいという相互に解除条件付きの原告の申立てが、あまりに便宜的であり、裁判所に専権を与えすぎ、処分権主義に抵触する可能性がある（高橋上34頁）とまでいえるのだろうか（言い方を換えれば、処分権主義をそこまで厳格に考える必要があるのだろうか。たとえばアメリカ法では日本の法学でいうような厳格な処分権主義の考え方は採られていない〔谷口安平「アメリカ民訴における新しい権利の生成」『民事手続法の基礎理論Ⅰ』〔信山社〕125頁以下〕が、そのような枠組み、考え方も、十分に成り立つ余地があるのではないだろうか）。

　実務上この種の併合として申立てがあるのは、債務不履行と不法行為（医療事故訴訟が典型的）、あるいは不法行為と不当利得（これらが競合する事案は非常に多い）等であるが、これらに限らず、請求権、法的構成は異なるけれども実質的な事実関係、主要事実はおおむね同一という場合が大多数であり、また、ある程度法的構成に幅がある場合には、原告は、単に選択的併合を主張するのみならず、個々の申立てに順位を付している。この順位に裁判所に対する拘束力を認めるか否かについては考え方が分かれると思われる（私はこれを原則的に肯定してよいと考える〔**[052]**〕）が、たとえ拘束力までは認めないとしても、裁判所は、特に支障がない限りこれを尊重すべきであり、現にしていると思われる。

　そのような実務を前提にすれば、選択的併合について指摘される上記のような理論的難点は、大きなものとは思われないし、また、新訴訟物理論を採ることによって被告に防御上特にメリットが生じるとも思われない。

　これに関連して、選択的併合の議論自体が、原告にとって重要なのは実体法上の請求権ではなく給付を求める法的地位であることを示唆するものだとの指摘もあるが、この指摘については、後記**第2**のとおり本当にそうなのか疑問を感じる。

　もう１つの議論のかなめであると思われる請求権の法的性格の点については、法的評価の再施は、巧みな理論構成であり、柔軟性のある考え方でもある。私が新訴訟物理論の論理に最も惹かれるのはこの部分である。前記**第1**

項のとおり、たとえば、債務不履行（民法509条2号の場合を除く）で請求が認容された後、被告が請求異議の訴えで相殺を主張した場合には、原告が、同請求が不法行為（悪意による）によっても基礎付けられることを同訴訟の中で主張できるということである。

もっとも、旧訴訟物理論においても、原告は、この点が気になれば上記のように請求に順位を付けておけばよいとはいえる。しかし、一次的に債務不履行、二次的に不法行為として請求を立て債務不履行で認容された場合のことを考えるならば、旧訴訟物理論では原告にとって不利になる面は出てくる。

しかし、この点についても、請求を定立する原告の引き受けるべきやむをえないリスクと考えることも可能であり、また、いずれにせよそのような実例も稀有と思われ、決定的な問題とまでは考えにくい。

[048] 第2 機能的・実際的な妥当性、市民の法意識

それでは、理論の機能的、実際的な妥当性という側面ではどうだろうか。

私は、この点では、旧訴訟物理論のほうがより妥当性が高いのではないかと考える。

機能面からみるときの新訴訟物理論の最大のメリットとして主張されているのは、いうまでもなく、紛争の一回的解決、蒸し返し訴訟の防止ということであろう。

これは立派な理由になりうるが、それは、あくまで、現実に実務において蒸し返し訴訟が一定程度存在するという前提があってのことである。

しかし、実際には、このような蒸し返し訴訟の例を、私は寡聞にして知らない。長年裁判官を務めてきて一度も経験しなかったし、経験したという話をほかの裁判官や弁護士から聞いたこともない。

実際に蒸し返しが多発しているのは主要な争点（理由中の判断）についてのそれであり、後記（[498]以下）の争点効ないし信義則の適用領域においてである。

なぜ訴訟物レヴェルでの蒸し返しがないのかは法社会学的な問題となるが、おそらく、1つの請求権を選択して、あるいは選択的併合の申立てをして、敗訴すれば、それは自己責任の問題であり、別の請求権によるさらなる再訴は不適当、不適切というのが、弁護士、市民の一般的な法意識だからであろう。そして、前記**第1**のとおり、選択的併合の請求は、請求権、法的構成は

異なるけれども実質的な事実関係、主要事実はほとんど同じというものが大多数であるという事実がその背景にあるのだろう。同じ証拠で別の請求権（多くの場合にはより認められにくい）を立てて再訴を行ってみても結果は同じであることが歴然としている場合がほぼすべて、ということである。

　もう1つの機能的、実際的考慮としては、争点整理、訴訟指揮と被告の防御の便宜という観点が挙げられる。従来は、裁判官の釈明権の範囲が広がりすぎ適切でないということが新訴訟物理論への批判として主張されてきたが、私は、争点整理、訴訟指揮というより広い観点から考えたいし、被告の防御の便宜という側面も重視したい。

　この点は本当に現実の訴訟における実際的な問題ということになってしまうのだが、前記の、債務不履行と不法行為、あるいは不法行為と不当利得といった選択であれば、いずれの理論を採っても特に問題はない。

　しかし、これは実務において時に経験する、原告の求める給付は明確だがその根拠はあいまいである（法的構成が難しい事案においていくつもの請求権が主張されているが、いずれもその内容が明確であるとはいいがたい）といった事案（瀬木・要論［**052**］、瀬木・本質304～306頁、瀬木・民事裁判97～106頁）では、旧訴訟物理論を採って実体法上の請求権を明確に絞らせる争点整理のほうが合理的、効率的であり、被告にとっても防御の対象が明確になりやすいことは、おそらく間違いがないように思われる。

　こうした場合に、「給付を求める法的地位」が訴訟物であるとして、原告がさまざまな「攻撃方法」を立てるということになると、争点整理には実際上支障を来す部分がある。

　訴訟物なら、絞らせ、明確にさせることもできるが、攻撃方法ということになると、原告は、その主張が弱いほどあれもこれも維持して釈明にも容易に応じないということになりやすい。

　程度問題といわれれば全くそのとおりだが、争点整理の合理化、被告の防御という双方の観点からみて、おそらく、旧訴訟物理論のほうが機能的にすぐれていると思われる。これは、単に裁判官の釈明の負担といった問題にとどまらない。

　また、先にもふれたことだが、「原告は本当に実体法上の請求権を問題にしていないのだろうか」という「市民の法意識の問題」もある。

　むしろ、通常の市民は、実体法上の請求権を基準にして契約を行い、紛争

を解決し、それができない場合には訴えを提起しているというのが、正しい理解なのではないだろうか。

「あなたが求めているのは『給付を求める法的地位』であって、普通にいうところの『請求権』などではないのですよ」という説明は、かなりの程度に知的レヴェルの高い当事者であっても、相当にわかりやすい説明を行わないと理解してもらえないところではないだろうか。形成の訴えの場合にはこの説明はより理解しやすいと思われるが、しかし、形成の訴えの場合には、後記第3項のとおり、旧訴訟物理論を採る場合であっても、実体法上の請求権がそもそも1つであると考えることが可能であり適切な場合が多いからこそ、そういうことになるのではないだろうか。

[049] 第3　結論

以上のような事情を総合考慮すると、私は、旧訴訟物理論の機能的、実際的なメリットは、理論上の多少のデメリットを補うに足りるものではないかと考える。

なお、以上の議論は、訴訟物理論の意義を否定するものではないし、旧訴訟物理論が新訴訟物理論の影響を受けてたとえば賃貸借終了に関する訴訟物の一元化の方向に進むなどの歩み寄りの姿勢をみせたことの意味を否定するものでもない。

また、前記の「紛争の一回的解決」のような政策的な要請については、実務の実際に対する目配りはもちろんだが、さらにいえば、それについて詰めてゆく場合には、法社会学・法政策学的な緻密な考察も必要であると思われることも指摘しておきたい[4]。

[050] 第3項　**確認訴訟、形成訴訟の場合**

確認訴訟では、実体法上の権利ないし権利関係がそのまま訴訟物となる。

---

(4) たとえば、大村雅彦＝三木浩一編『アメリカ民事訴訟法の理論』〔商事法務〕に収められたアメリカの法学者の議論をみるだけでも、そのことは明らかであろう。アメリカが常にすぐれているとは全く思わないが、日本の民事訴訟法学の理論がときに観念的でありすぎ、アメリカのそれがときに計量的分析や統計に過度に寄りかかりすぎる、という傾向はあると思う。相互に、相手の方法の意味をも知ることが必要であろう。

これは、実体法上の権利の存否を確定することによって紛争を解決するという確認訴訟の性質によることで、旧訴訟物理論でも新訴訟物理論でも変わらない。

　形成訴訟の訴訟物については、新訴訟物理論は、「形成を求める法的地位」として1個であると考えるが、旧訴訟物理論を採っても、形成原因が訴訟物であり、形成原因ごとに訴訟物は別個であると考えなければならない必然性はない。

　たとえば、離婚訴訟（民770条）の場合、同条1項の1号ないし4号は5号の例示であると解釈すれば、訴訟物は1個であると解することができる（なお、最判昭和36・4・25民集15巻4号891頁は、訴訟物は各号ごとに別個であることを前提としているように読める。しかし、実務における離婚訴訟の感覚はむしろ訴訟物1個説に近く、訴状にも「号」の記載すらなく、裁判官の釈明権の行使によって補足するといった例がままある）。株主総会決議取消訴訟（会社831条）についても、決議に関する手続上あるいは内容上の瑕疵が形成原因であると考えれば、訴訟物は1個であると解することができる（なお、同条1項柱書の出訴期間との関係で取消し事由の追加主張が許されるかという問題があるが、訴訟物を1個であると解するほうが追加主張を肯定しやすいであろう）。

　形成訴訟では、このように、実体法の解釈により訴訟物は1個であると考えることのできる場合が多いと思われる。

第5節　処分権主義

[051] 第1項　概説

　処分権主義とは、当事者に訴訟の開始、審判対象（訴訟物）の設定、判決によらない訴訟の終了に関する決定権があることを意味する。訴訟物のレヴェルにおける私的自治の原則の反映であるといわれる（これに対し、弁論主義は、主張のレヴェルにおける私的自治の原則の反映であるといわれる）。また、上訴審における不利益変更・利益変更禁止の原則（304条、313条。[619]）の基礎

にも処分権主義があるとされる。

　訴訟の開始に関する処分権主義とは、訴訟の開始に関する「訴えなければ裁判なしの原則」、「不告不理の原則」、また、審判対象（訴訟物）の設定は原告の専権であること、ことに後者を意味する。処分権主義には、訴訟の終了に関する処分権主義、すなわち判決によらない（当事者の意思による）訴訟の終了という側面もあるが、これについては第16章で論じることとし、ここでは、審判対象の設定に関する処分権主義（246条）について論じる（なお、特に断りもなく処分権主義という言葉が使われる場合、訴訟の開始、審判対象の設定に関する処分権主義を意味する場合が多い。本書でも同様である）。

　この意味における処分権主義の機能には、原告に審判の対象を設定する権能を与えることとともに、これにより被告に防御の目標を明示するという被告にとっての手続保障の意味もある。

　日本の民事訴訟法では処分権主義はきわめて厳格だが、アメリカでは、裁判所は、例外的にではあるが当事者の求めたとおりではない内容の裁判を与えうる場合があるとされ、処分権主義は、日本ほど厳格ではない（[047]）。なお、日本の手続法についても、民事保全法24条は、仮処分の機能という観点から処分権主義をゆるめた規定と解することができる（瀬木・民保[319]ないし[321]）。

第2項　審判形式・順序の指定、訴訟物による審判の限定

[052]　第1　審判形式・順序の指定

　原告は、訴えの3類型である給付、確認、形成のうちどれを選択するかを明示しなければならず、裁判所は、これに拘束され、当事者の選択した審判形式と異なる判決をすることは許されない。

　給付の訴えの2類型については、現在の給付の訴えに対して、履行期未到来、停止条件付き等の理由により将来の給付判決をすることは、原告の通常の意思に合致しているであろうから、被告にとって不意打ちにならない限り許される。これは、後記第3項で論じる質的一部認容の1例といえる[(5)]。逆に、将来の給付の訴えに対して現在の給付判決をすることは、原告の申立てを超えるから許されない。もっとも、口頭弁論終結時までに期限が到来しあ

るいは停止条件が成就したような場合には、そのようなときには現在の給付判決を求める趣旨であることが原告の主張からうかがわれるならば、現在の給付判決をしてもかまわないであろう（そのような場合が通常と思われる）。

　当事者が複数の請求の間に審判の順序についての指定を行った場合には、裁判所はこれに拘束されるか。たとえば、請求の予備的併合の場合（[072]）には、請求相互の論理的関係から、裁判所は、主位的請求から判断しなければならないのは当然である。選択的併合（同前）にかかる複数の請求の間に順序が指定された場合についても、裁判所はこれに拘束されると解すべきであろう[6]。

[053]　第2　訴訟物による審判の限定

　申し立てられている訴訟物の枠を超えて判決をすることは許されない。また、給付の訴えの上限を超えて請求を認容することも許されない。

　判例は、同一事故により生じた同一の身体傷害を理由として財産上の損害と精神上の損害の賠償を請求する場合における請求権および訴訟物は、1個

---

(5)　この点については肯定説が多数説だが、2類型の相違を強調するなどの理由により一時的棄却判決（[482]）をすべきであるとする反対説もある。また、肯定説による場合にも、将来の給付の訴えの利益（[176]）が認められない場合には、一時的棄却判決をせざるをえない。
　　なお、期限未到来の一時的棄却判決では期限を確定しても既判力はその点には生じないとするなら、原告はより早い期限を後訴で主張立証できる利益があり、したがって、原告の意思を確認せずに将来の給付判決をすることは不適切であるとする折衷的な考え方もある（注釈(4)967〜968頁〔山本和彦〕）。期限の認定に争点効（本書はこれを肯定する〔[500]〕）が生じると考えるなら原告にそのような利益はなくなるが、既判力だけで考えるなら、この指摘は意味をもちうる。
(6)　これは、各請求の関係が本来選択的併合の場合について併合形態を予備的併合とすることは許されるか、という問題でもある。両説ある（肯定説、松本＝上野720〜721頁、クエスト507〜508頁等。否定説、新堂758頁等）が、私見としては、肯定説を採りたい（後記[075]でふれる最判昭和39・4・7民集18巻4号520頁も、肯定説を前提としている）。選択的併合の性質からすれば順位の指定はおかしいという批判はありうるが、順位付けは、攻防の対象を明確にするという観点からは望ましいし、処分権主義の観点からも許容されてよいと考える。実務でも、各請求権の性格がある程度異なるような場合には、付ける例がある。なお、単純併合の場合には、通常は順位付けは認められないと思われる（松本＝上野同前は肯定）が、同時審判申出共同訴訟の場合については、法律上非両立の場合であるから、例外的に、これを認める余地があると考える（[533]）。

であると解している（最判昭和48・4・5民集27巻3号419頁、百選5版74事件）。相当であると思われる。

したがって、個々の損害費目ごとに原告が示した内訳金額は、裁判所を拘束しない。たとえば、逸失利益500万、慰謝料300万円の合計800万円の請求に対して、裁判所が、逸失利益600万円、慰謝料100万円の700万円を認めても、逸失利益が原告の請求金額以上になっている点は処分権主義に反しないこととなる（もっとも、弁論主義の問題として、逸失利益600万円を基礎付ける主張がなされていたかどうかは問題になる）。

なお、物損については、身体傷害と併せて1個である、物損全体で1個である、個々の物ごとに訴訟物は別であるとの考え方がありえよう。物の個性を重視すれば第三の考え方も成り立ちうる（なお、条解1347頁は、最判昭和61・5・30民集40巻4号725頁を根拠として挙げるが、これは、著作財産権に基づく慰謝料請求と著作者人格権に基づく慰謝料請求とは、訴訟物を異にする別個の請求であるとしたものであり、特殊な事案であろう）。しかし、私見としては、第二の考え方が被告の防御や審理の効率性（紛争の一回的解決）の観点からは適切であり、常識的でもあるのではないかと考える[7]。

第3項　一部認容が許される場合

[054]　第1　量的一部と質的一部

まず、量的な一部認容については、許されることに問題がない。

次に、質的な一部認容については、その限界について微妙な問題が生じる。つまり、「質的に異なるものは与えられないのが原則」だが、「その例外がさまざまな意味で考えられる」ということである。これを判断する際の基準は、原告の意思に反しないか、被告にとって不意打ちにならないか、の2点である（なお、量的な場合も質的な場合も、許されるのは「一部認容」であって、原告の求めている以上のものを与える〔認める〕ことはできない。きわめて当然のことなの

---

(7)　第三の考え方によりつつ併合強制を要求するという方法もあり（高橋下260～261頁の注(32)参照）、これには例外が設定できるからきめ細かな判断が可能になるかもしれないが、いずれにせよ、物損の一部についての後訴というのはきわめて考えにくいので、大きな実益はないと思われる。

だが、単純な量的一部の場合以外について尋ねられると、この基本を見失う学生が意外に多いので、注意してほしい）。

以下、この**第1**ではまず一般的な例（広い意味での量的一部に当たるものが多い）について述べ、**第2**以下ではより特殊な場合について述べる。

土地・家屋の明渡請求に対してその一部の明渡しを認め、1筆の土地の所有権移転登記請求に対して土地の一部を分筆してその部分の移転登記を認める（その具体例が後記昭和30年最判）などのことについては、目的物の個性によることであるが、原告がその部分だけの認容でも求める意思があると解される場合には許されよう。

2戸建て家屋のうちの1戸について認める（最判昭和24・8・2民集3巻9号291頁）ような場合はもちろん、1つの家屋のうちの一部の明渡しであっても、原告としてはとりあえずその部分だけでも明渡判決を得ておく利益を感じることが多いであろうから、許されよう。実務でもそのような例はある[8]。

また、判例は、1筆の土地売買に基づく所有権移転登記手続請求について、居宅敷地分だけについて分筆の上移転登記手続を命じることを肯定している（最判昭和30・6・24民集9巻7号919頁。「分筆の上」という文言は申立てにはないが、分筆は執行の前提として行われるものの執行それ自体ではないから、請求の趣旨にはない先の文言を主文に加えても186条〔現行法の246条〕違反にはならない旨を説示している）。

一方、判例は、原告が一時金による支払を求めている場合には、定期金による支払を命じる判決をすることはできないとしている（最判昭和62・2・6判時1232号100頁、判タ638号137頁）。原告の求めている支払方法とは質的に異なる上、定期金賠償については被告の支払能力等の不確定要素が大きいこと、また、被告にとっての不意打ちという観点からも、少なくとも原則としては、

---

[8] 高橋下244～245頁は、同居を命じる判決になり、現在の住宅事情では疑問があるとするが、実務で一部認容がされるのは親族や知人間の貸借（使用貸借を含む）の場合が多く（全部認容までするのは酷な場合等）、また、一部認容判決が出ても、相当の対立がある状況で原告がこれをみずから利用すること、あるいは係争中の状態でこれを他に賃貸することは考えにくいのが事実であろう。それでも、原告としては、とりあえず一部認容を得ておくことに利益はあると思われる（たとえば、占有を他の者に移転される心配がなくなる、その後の当事者間の和解交渉が円滑になりやすいなどのメリットがある）。要するに、原告の意思との合致という側面をみる限り、一部認容に問題はないと思われる。

そのように解してよいであろう。

[055]　第2　債務不存在確認請求の場合

債務不存在確認請求については、量的一部の関係は、給付請求のちょうど裏返しになる。

具体的には、たとえば、右の図のとおり100万円の債務のうち10万円を超える債務の不存在確認が求められている場合（このような場合、原告は、債務のうち10万円については訴状等で自認していることも多いと思われるが、この説例では、その点は不明としておく）には、裁判所は、債務額が40万円であると認めれば、60万円について請求認容、30万円について請求を棄却する。

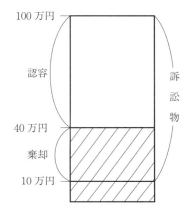

なお、貸金債務に関する一定金額を超える債務の存在しない旨の確認請求は、当該貸金債務額から上記一定額を控除した残債務額についての不存在の確認を求めるものと解されるから、上記の例について債務の現存額が10万円以上であることが明らかになればただちに請求を棄却するという判断をすべきではない（最判昭和40・9・17民集19巻6号1533頁、百選5版76事件）。

この点は、原告が債務の上限を示さないまま10万円を超える債務の不存在確認を求めるような場合（一般的に、総額の確定しにくい不法行為債務のような場合には、債務の上限を示さない債務不存在確認の例が多い）でも同様と解される。

また、上記の場合に裁判所が債務は5万円であると認める場合でも、債務が5万円を超えて存在しない旨を主文で確認するのは原告の申立て以上のものを認めることになるから、債務が10万円を超えて存在しない旨を確認するにとどめることになる。

なお、原告が10万円を超える債務の不存在確認を求めるような場合には、訴訟物から除外された10万円については既判力を生じないが、全部・一部棄却判決があった場合には、後訴におけるこの部分に関する債務不存在の主張は信義則に反し許されないと解すべきであろう（一部請求と残部請求に関する最判平成10・6・12〔**第4項第2〔[059]〕**〕の場合と同様、債権の全部について審理

が行われたことを理由として、信義則により後訴を封じるべきであろう。同旨、条解1357頁。なお、原告が前訴で10万円について自認していれば、前訴が全部認容であっても、信義則により後訴は許されないであろう）。

　また、原告が債務の上限を示さないまま債務の不存在確認を求める場合、口頭弁論終結時までには上限額を特定しなければならないとの考え方もある（伊藤228頁等）が、多数説は、このような請求も許容する（上限額の特定不要とする）。

　たとえば、高橋下（263～264頁）は、給付請求の場合とは異なり、債務不存在確認請求では、債務さえ特定されれば被告である債権者はその金額を知ることができ、したがって、原告が金額を明示することによって敗訴リスクの最大限を被告に通告するという機能は考えなくてよいから、と理由付ける。その上で、しかし、特定が可能な契約上の債務については特定すべきであり、不法行為では、不可能なことを強制すべきではないから特定はしなくてよいとする。この考え方が合理的であろう。

　このような訴えに対する判決については、原告が債務の存在およびその金額を争うという通常の場合には、債務額を確定した上、債務の上限が示されている場合の一部認容の場合と同様に、「その債務額を超えては債務が存在しないことを確認し、その余の請求を棄却する」旨の判決をすべきである（債務が存在するとすればその債務額は争わないが、債務の存在は争うというきわめて例外的な場合には、判決は、全部認容か全部棄却になる。以上につき、条解1358頁）[9]。

[056]　第3　条件付きの給付判決、引換給付判決をする場合

　まず、無条件の給付請求に対して条件付給付判決を命じることは許される。現在の給付の訴えに対して将来の給付判決をする場合（前記**第2項第1**

---

[9]　アメリカの法学であれば判例がない限りまずは考えないこのような例外的な場合についても熟考するというのが、基本ドイツ型の日本の民事訴訟法学の、ある意味での長所であろう。もっとも、そのような日本の法学の長所は、判例の基礎となった具体的事実を客観的に分析しながらメルクマールを詳しく設定してゆくという場面での弱さと、表裏である。そして、これは、実は、判例自体についてもいえることなのである。アメリカの場合には、これらの長所と短所については、日本とちょうど逆になる（瀬木・本質63～64頁、瀬木・要論 [098]）。

〔[052]〕）はその1例といえる（ほかに、無条件の土地引渡請求に対して条件付引渡判決をすることを認めた最判昭和40・7・23民集19巻5号1292頁、債務額の確定とその弁済を条件とする根抵当権設定登記抹消登記手続請求に対して被告が債務額はより多いと主張した場合にその金額を確定して条件付判決をすべきだとした大判昭和7・11・28民集11巻2204頁等）。

また、無条件の給付請求に対して被告の同時履行の抗弁権や留置権の抗弁を認めて引換給付判決を命じることも許される（この引換給付またはその提供は執行開始の要件となり、執行開始に当たって執行機関がその有無を判断する〔民執31条1項〕）。

これらは質的一部認容判決の一種といえよう（原告の意思に反せず、被告にとって不意打ちにならないから許される）。

正当事由による賃貸借終了（借地借家6条、28条）請求事案において、立退料の申立てがある場合についてはどうか。

まず、原告が明示の立退料またはこれと格段の相違のない範囲内の立退料を支払う旨の意思を表明している場合には、相当額の増額を行った立退料の支払と引換えに請求を認容することができる（最判昭和46・11・25民集25巻8号1343頁、百選5版75事件。具体的には、300万円に対し500万円）。なお、この判例は約1.67倍の立退料を「格段の相違のない範囲内」として認めているが、物価の高騰が激しかった時代の判例であることは、考慮されるべきであろう（現在なら、「格段の相違のない範囲内」は、基本的には、1.2倍ないし1.3倍までといったところではないだろうか。もっとも、この点は具体的な事案にもよるので、一概にはいえない）。いずれにせよ、たとえば裁判所が原告の示した金額の2倍、3倍の立退料を相当と認めるような場合には、「格段の相違のない範囲内」とはいえない（原告の意思に反する）し、被告にとってもそのような金額の立退料との引換給付が認められるのは予想外のことであって不意打ちとなる（正当事由による賃貸借終了請求事案においては、当事者間に熾烈な争いがある。したがって、被告としても、大きな金額の立退料が認められるなら認容でもよいという事案では全くないことに注意）から、引換給付を認めることはできず、訴えを棄却すべきであろう。

逆に、原告が明示した立退料よりも低い金額の立退料と引換えに請求を認容することは、原告が求めた以上のものを認めることになるから原則として許されない。仮に、原告が300万円の立退料を明示し、裁判所が200万円が相

当であると認めるときであっても、300万円との引換給付を命じるにとどめるべきである[10]。

　もっとも、原告が一次的に無条件の給付を求め、二次的に一定額の立退料との引換給付を求めているような場合（2つの請求の趣旨を立てる。実務ではそのような例が多いと思われる）には、裁判所が先の一定額よりも低い金額の引換給付を認めることができることはもちろんである（原告の求めているものの範囲に幅があり、被告もそのことは認識しているから、不都合はない）。

　では、原告が無条件の給付のみを求めている場合に立退料との引換給付判決ができるか。これについては争いがある。否定説は2つの場合の訴訟物が異なることを根拠とするが、そう考えると、原告は、無条件の給付を求める請求の棄却判決確定後に立退料との引換給付を求める請求で再訴ができることになり、妥当とは思われない（注釈(4)971頁）。もっとも、肯定説を採っても、借地借家法28条は立退料の申出を必要としているから、弁論主義の観点からはその主張が必要だということになる。その主張があれば、処分権主義の観点からも弁論主義の観点からも引換給付判決をすることに問題はないといえよう。

　最後に、建物収去土地明渡請求に対して被告が建物買取請求権を行使した場合に原告が建物代金を支払うのと引換えに建物退去土地明渡しの判決をすることは許される（最判昭和33・6・6民集12巻9号1384頁。なお、判旨は「家屋の引渡」というが、現在の実務では「建物退去」であろう）。

[057]　**第4　執行に関する制約文言が主文に加えられる場合**

　給付請求は認容されるが限定承認や不執行の合意の事実が認められる場合には、主文に、「被相続人から相続した財産の限度において支払え」という趣旨の文言や「給付の主文につき強制執行をすることができない」趣旨の文言が加えられる（最判昭和49・4・26民集28巻3号503頁、百選5版85事件。最判平成5・11・11民集47巻9号5255頁）。

---

(10)　ただし、原告が先のような幅のある申出をしており、そこには明示額よりも小さな金額が含まれうるような場合（たとえば、原告が本来は明示額よりも小さな金額が適切であると考えている旨をも明確に述べていたような場合）であれば、より小さな金額を認めうるときもありえよう。しかし、これについては、より大きな金額を認めるときよりも、許容される減額の幅は小さいであろう。

しかし、これらの文言は執行の関係で記載されるものにすぎないから、請求自体については全部認容判決であり、一部認容一部棄却判決の場合の「原告のその余の請求を棄却する」との文言は、主文に入らない。その意味で通常の一部認容判決とは異なるが、給付請求に対してこうした留保文言を付した判決を行っても処分権主義には反しないという意味では、広義の質的一部認容判決ともいうことができる。

第4項 一部請求と残部請求の可否

[058] 第1 概説

原告は数量的に可分な債権の一部のみを請求することができるか。また、その場合に、残部についてさらに後訴で請求を行うことができるか。これが、いわゆる「一部請求」の問題である。したがって、正確には、「一部請求と残部請求の可否」という論点となる。

この論点には、処分権主義、訴訟物、既判力にまたがる問題があるが、基本的には処分権主義に対する制約を認めるか否かが問われているといえるので、ここで解説する。

一部請求については、まず、訴訟物をどのようにとらえるかという問題があり、これには、①債権のうち訴求されている一部のみが訴訟物となるとする見解、②債権の全体が訴訟物となるとする見解、③一部請求である旨が明示されている場合には一部が訴訟物となるとする見解があり、判例は③の見解を採るものと解される（ことに、後記第2の昭和45年最判の判示は、そのように解されるものである）。

[059] 第2 判例の考え方

まず、判例の考え方（前記第1のとおり、③の見解を採る）を説明すると、判例は、一部であることの明示されていない請求については債権の全部が訴訟物となり、したがって、残部請求は既判力にふれるから許されないとし（最判昭和32・6・7民集11巻6号948頁、百選5版81事件。分割債務を主張して認容後、同一の債務につき連帯債務であったとして残額を請求した事案）、また、このような場合には時効完成猶予の効力は債権全体に及ぶとする（最判昭和45・7・24

民集24巻7号1177頁）。

　一方、一部請求である旨が明示されている場合には一部が訴訟物となるが、その場合時効完成猶予の効力が及ぶのも当該一部に限られるとし（最判昭和34・2・20民集13巻2号209頁〔この判例の判旨自体は時効完成猶予に関するもの〕。なお、最判平成25・6・6民集67巻5号1208頁は、(i)昭和34年最判の法理は、明示の一部請求訴訟において債権の一部が消滅している旨の抗弁に理由があると判断されたため、判決において上記債権の総額が認定されている場合についても当てはまる〔それは判決理由中の判断にすぎないとの理由による〕とする一方、(ii)明示の一部請求訴訟の提起は、特段の事情のない限り、残部についてもいわゆる裁判上の催告としての消滅時効の完成猶予の効力を生じ、債権者は、当該訴えにかかる訴訟の終了後6か月以内に新たな訴え提起等の措置をとることにより、残部についても消滅時効の完成猶予の効果が得られる、とした）、一部請求後の残部請求を認めていた（最判昭和37・8・10民集16巻8号1720頁）。

　しかし、その後、前訴が全部または一部棄却判決であった場合については、「一部請求について判断するためには、おのずから債権の全部について審理判断することが必要になる」とし、前訴で債権の全部について審理が行われたことを理由として、信義則により後訴は許されず不適法却下されるとの判断を示した（最判平成10・6・12民集52巻4号1147頁、百選5版80事件）。このような形で蒸し返し的な残部請求を制限することに踏み切ったわけである。

　判例の考え方については、一部請求である旨が明示されているか否かによって訴訟物が変わると考えることは相当か、明示の有無という指標の適切性等の問題はあるが、その示した結論についてだけみるならば、時効完成猶予の効力が及ぶ範囲の点を除き、おおむね相当な規整となっているといえよう（時効完成猶予については後記**第5**参照）。

　以上、判例は、一部請求の場合についても処分権主義の原則をそのまま貫くものということができる。

[060]　第3　学説

　学説は、上記①と②に大きく分かれる（ほかに、判例と同様の考え方〔③説〕を採るものもあるが、現在では有力説とはいえないであろう）。

　まず、②の、訴訟物を債権全体とするものについてみる。これには、既判力も債権全体について生じるとし、かつ、後訴については原則として全面的

に否定する考え方（新堂337〜338頁。紛争の一回的解決の要請を重視する）、前訴が全部または一部棄却の場合には残部請求は既判力によって遮断され、前訴が全部認容の場合には、後訴については、既判力にはふれないが新たに訴えを起こす以上訴えの利益が必要であるとする考え方（伊藤229〜232頁）等がある。

もっとも、新堂説は、最初の訴訟の結論にかかわらず、つまり、全部認容の場合でも、一律に後訴を許さないとするものであるから、既判力だけでこれを説明することは困難なように思われる。信義則的な考慮が働いているとみる（訴訟物が債権全体であることを前提とすれば、「最初の訴訟の口頭弁論終結時までに請求を拡張しておかなかった以上、その結果が全部認容であっても信義則的な観点から後訴は許されない」という考え方は成り立ちうるであろう）か、あるいは、残部請求にかかる部分については請求棄却との潜在的判断が擬制されるとみるか、であろう。

伊藤説は、この問題を意識した考え方とも解される。

伊藤説をさらに敷衍すれば、金額は金銭債権特定のために不可欠な要素であり、一部の金額のみを目的とする債権が存在するものではないとの考え方により、一部請求の場合においても訴訟物は債権全体であり、原告の請求は給付命令の上限を画する効果しかもたないとする（以上の点は新堂説もおそらく同旨であろう）。この限度で処分権主義を明確に制約するものといえる。

そして、一部請求について全部または一部棄却判決が確定したときには、残部請求は既判力によって遮断されるとする。

認容判決が確定した場合については、一部であることが明示されていなかった場合には債権の金額がこれをもって確定されたのであるから事後これに反する主張をすることは既判力の双面性から許されないとし（既判力は同一当事者に対して有利にも不利にもはたらく〔[462]〕。したがって、原告は、既判力の双面性により、前訴で認容された債権が一部にすぎなかったことを後訴で主張できない）、明示されていた場合については、残部請求は既判力によっては遮断されないが、前訴であえて一部請求を求めた原告には後訴について訴えの利益が要求されるとする（もっとも、伊藤説は、被告が残額の弁済を拒絶しているなどの事情があれば訴えの利益を肯定するので、訴えの利益は比較的容易に認められることになる）。

以上のように、伊藤説は緻密である。しかし、一部請求の場合でも訴訟物

は債権全体であるという考え方を採ることの大きな意味、機能は、紛争の一回的解決を重視し、訴訟経済や被告にとっての不公平を根拠として残部請求を全面的に否定することにあるのではないだろうか。そのような観点からみれば新堂説は一貫している。もっとも、この考え方については、後記**第5**のとおり、具体的な妥当性を欠くのではないかという問題がある。

なお、新堂説（338頁）は、残部請求を許すとしても債権の存否（金額も含むのであろう）について争点効がはたらくとも述べている。

次に、①の、訴訟物は一部であるとするものがある。これは、後訴については信義則あるいは禁反言によって調整しようとするものである（中野・現在問題85頁以下の「一部請求論について」等）。

判例との相違は、債権の一部であることの明示といった基準を用いず、信義則をダイレクトに適用してゆく点である。

具体的な結論は判例とおおむね同様となるが、後記**第4**の後遺症の後発発生の場合には、後訴は信義則に反しないという理由だけでよりストレートに認められることになる。

なお、以上の考え方の相違には、起訴責任（民事訴訟なのだから「提訴責任」のほうが適切かもしれないが、通常用いられる用語に従っておく）の負担を被告に負わせることが相当かについての考え方の相違という側面もある。新堂説以外の考え方では、被告が是が非でも紛争を1回で解決したいと考える場合には、最初の訴訟で、被告において、残部請求に該当する部分についての債務不存在確認の反訴（146条）を提起しておくほかない。

[061]　**第4　後遺症の後発発生の場合**

一部請求に関連しては、後遺症の後発発生の場合の新たな損害賠償請求の可否という問題もある。

つまり、いったん不法行為損害賠償請求で勝訴した原告の、前訴口頭弁論終結後に生じた新たな後遺症に基づく損害賠償請求の後訴を認めるか、という問題である。

これについては、判例も学説の多数も後訴を認める（認めないことは明らかに不当であるから）が、学説の考え方についてはやはりヴァリエーションがある。

まず、判例は、一部請求の考え方をこの場合についても適用し、前訴が明

示の一部請求であった場合には後訴を認めるとし、また、この場合の明示については、口頭弁論終結時までに判明した損害を求める趣旨が明らかにされていれば足りるとする（最判昭和42・7・18民集21巻6号1559頁、百選5版82事件。なお、判旨自体は消滅時効に関するもの）。

　学説の理由付けは分かれるが、多くの学説は、前訴当時通常の注意を払っても予見しえなかった後遺症に基づく請求については、請求しようがなかったものであるから、前訴で一部であることを明示していなくても後訴を認めるべきであるとする。

　以上に対し、伊藤（232～233頁）は、後遺症の場合にはそもそも債権の全額を前訴において明らかにすることはできないのだから、この問題を一部請求の問題として考えることには無理があるとし、同一の不法行為に基づくものではあるが別個の被侵害利益によるものだから訴訟物も別個であり、したがって、後訴が前訴の既判力にふれることはありえないとする。

　どう考えるべきか。

　判例は、一般的な一部請求の場合との整合性を図るために明示を要求するものの、その明示についてはほぼ実質がないもので足りるとしており、かなり擬制が目立つ。伊藤説については、同一の不法行為に基づく損害は一体と考えるのが通常であることとの関係が問題となり、また、後発後遺症ほどに損害発生時点の別個であることが明確ではない後発損害の場合についてはどのように考えるべきかがあいまいであるという難点がある（実務は、このような損害についても多くの場合には後訴を認めていると思われる。上記昭和42年最判は、受傷当時には医学的に通常予想しえなかった治療のための費用についてこれを認めている）。

　前記①説、すなわち第3末尾で解説した信義則規整説によれば、これらの場合には、後訴は信義則に反しない限り認められることになる（おおむね認められることになるであろう）。

　なお、この論点については、事実の提出に関する既判力の縮小を認める考え方では、それによって説明することもできる（[476]）。理屈としてはよりスマートであろう。しかし、双方を理解しておくことが必要である（司法試験を受験しようとする学生の一般的な傾向として、最もわかりやすく答案に書きやすい見解1つだけを記憶しておくということがある。しかし、この学習方法では、法的論理を使いこなす力、より一般的にいえば法的思考力、論理構成能力は伸びないし、

答案の水準もまた伸び悩むことになりやすい。御忠告申し上げる)。

[062] 第5 検討

　一部請求に関する考え方の相違については、原告による債権の分断の利益や後記試験訴訟の必要性を重視するか、被告の全面紛争解決への期待を重視するかが、主な実質的考慮要素となろう。前記**第3**のとおり、残部請求を認める場合には、被告が紛争の一回的解決を図るためには債務不存在確認の訴えを提起しておく必要があるが、そのように起訴責任を被告に負わせることが相当かという問題でもある。

　さて、どう考えるかであるが、この論点についても、私は、理論的観点だけからでは決着は付けにくいのではないかと考える。処分権主義の解釈いかん、その要請をどこまで貫くかにより、いずれの考え方も成り立ちうると思われるからである。

　私は、処分権主義の要請を重視する考え方を採りたい。

　「訴訟物を超える部分が原告の意思により審理判断の対象になるというのであれば、どのようにしてそうなるかが明らかにされなければならない」(松本博之「一部請求訴訟の趣旨」民事訴訟雑誌47号22頁) との見解に賛成である。

　市民にとってのわかりやすさという観点からみても、「あなたは100万円しか請求しなかったけれども、実は訴訟の対象は債権全体だったのだから、残部請求はできませんよ」という理屈は説得力に乏しく、納得が得にくいのではないか、ということはいえそうに思う (なお、そうでなくても、法律家の理屈というものは、他分野の知識人からは、詭弁のように感じられやすいものであることを記憶しておくべきであろう。これは、真理を追究するというよりも人々や国家を規整する適切な方法を探究する学問である法学の宿命ともいえる。ただ、その中でも、民事訴訟法学は、観念的な理屈に耽溺する傾向が比較的強いと受け取られやすいものである。こうした法学、より広くいえば法と、市民の意識の間の溝を埋める努力が、日本の研究者、法律家には未だ十分ではないことも事実だと思う)。

　より実質的な観点は、残部請求を封じることが本当に適切かということであろう。この点については一部請求の動機による類型を分けた分析がある (三木浩一「一部請求論について──手続運営論の視点から」民事訴訟雑誌47号34頁以下) が、私の裁判官としての経験から述べると、かつてはともかく、近年は、訴訟の早期一回的決着の必要性・相当性に関する意識の高まりに伴い、

一部請求後の残部請求にはほとんどお目にかからなくなっていたというのが正直なところである（なお、上記論文の分析の対象事案についても、残部請求の後訴に関する事案は限られるようである）。

しかし、少なくとも、今後も、「試験訴訟」（とりあえず少額の一部請求を行い、これが認容された場合にはさらに残部請求を行うという場合の前訴）の提起は考えられるし、それが不当であるとはいいにくいのではないだろうか。

公害訴訟、製造物責任訴訟、国家賠償請求訴訟等の類型を中心として、また、それらに限らず、原告の請求が認められるか否かは確実ではないが、訴えの提起自体にはそれなりの正当性がある、つまり原告のみならず社会全体の利益という観点からみた場合にも正当性があるという訴訟は、今後もなくならないであろうし、むしろ、市民による国家や大企業の監視という観点からすれば、増加する可能性もある。

もっとも、第一審で請求が全部認容された場合については、一部請求後の残部請求を認めない考え方を採る論者は控訴の利益（[610]）を認めるであろう（つまり、原告は当該訴訟の中で拡張を行うことが可能である）し、それが期待されているともいえよう。しかし、控訴審で初めて請求が認容されたような場合には、原告としては、後訴によるほかない。

また、被告の不便、不利益については、債務不存在確認の反訴で対処させることとしても、起訴責任のバランスを欠くとまではいえないのではないだろうか。

以上によれば、一部請求後の残部請求については、これを許し、不当な後訴は信義則で一元的に調整する学説（前記①説）が最もすぐれており、また、具体的にも妥当といえるのではないだろうか。この考え方によると、一般的な一部請求の場合と後遺症の後発発生等の場合を統一的に処理できる点にも、メリットがあるように思われる。

なお、一部請求による時効完成猶予については、判例は前記**第2**に記したような複雑な規整を行っているが、権利行使の意思自体は明確である以上、債権の全部について時効完成猶予を認めてよいと考える（同旨、条解856頁）。残部請求を認めながら時効完成猶予の効力が及ぶ範囲については一部請求の範囲に限定するというのは、右手で与えたものを左手で奪っている感が強い。

最後に、判例の考え方全般について、その理論的な問題点を検討しておきたい。

判例の考え方については、前記**第2**のとおり、その示した結論についてだけみるならば、時効完成猶予の効力が及ぶ範囲の点を除き、おおむね相当な規整となっているといえよう。

　しかし、一部請求である旨が明示されているか否かによって訴訟物が変わることについては、なぜそうなるのかの説明がなされておらず、いささか奇妙であろう。

　明示という指標自体の適切性、必要性についても、ことに前記**第4**の後遺症の後発発生の場合を考えるならば、疑問である。

　判例が一部であることの明示されていない請求について債権の全部が訴訟物であるとしたのは、そのような請求が行われた場合の残部請求を認めないための理屈であったのではないかと考えられる。

　しかし、一部であることの明示されていない請求が行われた場合の残部請求を認めないことについては、②説によれば、前記**第3**のとおり、既判力の双面性によって説明することができるし、①説によれば、信義則に基礎を置くところの「訴訟物の枠を超える失権効」がはたらく（残部請求が留保されていることが明らかでなければ、被告は、反訴を提起してみずからのイニシアティヴにより紛争の一回的解決を図ることができないところ、一回的解決に対する被告の期待は保護されるべきであるから）と説明することができる（条解533頁〔竹下守夫〕）。これらの説明のほうが適切であろう。

　一部請求と残部請求に関する学生のレポートや答案では、判例の考え方の大筋を、適切な理由付け（学説の批判に対する反論等）を欠いたまま記し、学説についてみると、②説（一部請求の訴訟物は債権全体であるとする説）については1、2行でふれるだけであり、また、①説（訴訟物一部説、信義則による残部請求規制説）については判例（ないしは③説）との相違がほとんど理解できていない、というものが非常に多い。

　しかし、法律論というものは、結論がおおむね妥当ならばそれで足りるというものではなく、理論的な検討も当然必要であり、ことに法律家の議論にはそれが要求されることをよく考えるべきであろう。こうした傾向（判例、あるいは学説における通説、有力説の結論とごくおおざっぱな根拠付けだけを暗記、再現してこと足れりとする傾向）は一般的にみられる問題なので、ここで一度指摘しておきたい。

[063] 第6 一部請求と過失相殺、相殺

　関連して、一部請求に対して過失相殺や相殺の抗弁が提出された場合の損害の算定方法についてふれておきたい。

　これについては、損害の総額を確定した上でこれを基準として割り出した過失相殺額を損害総額から控除する、相殺の場合には確定された自働債権額を損害総額から控除する（外側説。その結果が一部請求金額を下回ればそのまま認容し、一部請求金額以上であれば一部請求を全部認容する）、損害の総額を基準として割り出した過失相殺額を一部請求部分から控除する、相殺の場合には確定された自働債権額を一部請求部分から控除する（内側説）、一部請求額と損害総額からこれを控除した残額との間で案分して控除する（案分説）がある（なお、内側説は本来は損害総額を確定しなくともよいとする考え方だが、本書では、実務、また現在の判例にならい、裁判所は債権の全部について審理を行い、損害総額を確定するとの前提の下に解説を行う。後記注(13)の計算例についても同様）。

　もっとも、案分説は後記のような特殊な場合を除けば支持者は少なく、議論は、主として外側説と内側説のいずれが適切かをめぐって行われてきた。

　この点については、外側説は、過失相殺や相殺による減額のありうることをも考慮して一部請求を行っていることの多い（これについては、請求原因にそのことが明示されているか否かは別として、実際にもそういう考慮はあると思われる）原告の意思に合致する、内側説を採ると原告としてはこれに呼応して請求を拡張しなければならないし、もしもそうしなかった場合には後訴を提起しなければ自己の得られる最大限の金額を確保できないことになって全体としての紛争解決に資することができない、という理由から、外側説が相当であろう。判例も外側説を採っている（過失相殺につき、最判昭和48・4・5民集27巻3号419頁、百選5版74事件。相殺につき、最判平成6・11・22民集48巻7号1355頁、百選5版113事件）。

　なお、内側説の根拠は、一部請求における攻撃防御の本来の対象は一部請求部分であるべきこと、相殺の場合についてはさらに被告の受動債権指定権の確保、といった観点である。

　また、特殊な場合であるが、費目を特定して一部請求がなされたような場合には、損害総額は確定されないから、外側説、内側説によることはできず、案分説によるほかない（クエスト449頁）[11][12][13]。

⑾　なお、一部請求に関する前記①説は訴訟物一部説であるのにここでは損害総額から過失相殺額、相殺額を控除するのは不整合である（①説はむしろ内側説と整合的なのではないか）という批判はありうるが、これについては、上記のような外側説の根拠の合理性のほか、「債権の一部だけについて審理することは実際上きわめて困難であり、その全部について審理が行われ、損害総額が確定されるのが通例である」という訴訟実務上の実際的な理由を挙げておくことになろう。私見としては、訴訟物一部説と外側説は必ずしも矛盾しないと考えており、その点では判例に賛成である。

⑿　時系列的にみるなら、上記昭和48年・平成6年最判が外側説を採った（判例のいうところの訴訟物一部説を採っても債権全部の審理を行うことに問題はなく、またそれを行うべきであるという考え方を採った）ことを前提として、前記**第2**でふれた平成10年最判のような判断が可能となった、ということができる（平成10年最判は、その判示において、平成6年最判を引用している）。

⒀　以上につき、理解を明確にするために、最後に、各説の計算方法に関する現在の標準的な考え方による計算例を示しておく（もっとも、内側説のそれについては、異論もありうる）。

　　まず、過失相殺の場合について。

　　原告が不法行為による損害賠償額2000万円の一部請求として1000万円を請求、裁判所の認定した損害総額は1200万円であり、過失相殺の割合は3割であるとする。

　　まず、原告の主張した損害賠償額が2000万円であるという点にとらわれる必要はない。上記の設例におけるこの金額には一部請求の金額を超えているというだけの意味しかなく、これがたとえば3000万円であっても、以下の検討には変わりがない。

　　最初に、裁判所の認定した損害総額1200万円を基準として割り出した過失相殺額を考える。これは360万円である。

　　外側説によれば、この360万円を損害総額の1200万円から控除する。その結果840万円は一部請求金額1000万円を下回るからこれが認容額となる（もしも過失相殺を行った結果が一部請求額1000万円以上である場合には一部請求を全部認容することになる）。

　　内側説によれば、360万円を一部請求金額1000万円から控除するので認容額は640万円となる。

　　案分説によれば、360万円を一部請求額1000万円と損害総額からこれを控除した残額200万円との間で案分して控除するから、360万円を5対1で案分した300万円を一部請求額1000万円から控除することになり、認容額は700万円となる（上記の各部分から過失相殺の割合に相当する金額を控除すると考えても同じことであり、そう考えるならば、1000万円からその部分についての過失相殺の割合に相当する金額300万円を控除する、という計算になる）。

　　なお、裁判所の認定した損害総額が一部請求額を下回っていれば、一部請求の問題は関係がなくなるから、通常どおりの過失相殺をすることになる。たとえば、裁判所の認定した損害総額が600万円であれば、これに3割の過失相殺を行った420万円が認容額となる。

　　また、費目を特定して、たとえば逸失利益のみが請求されたような場合（損害総額は確定されない）には、裁判所の認定した逸失利益額が500万円であるとするならそれに認定された過失相殺の割合をかけた金額を500万円から控除することになる（たとえば過失相殺の割合が3割なら350万円を認容する）。この場合の案分説の意味は、どの費目についても認定された過失相殺を同じように行うべきであるということだか

第6節　重複起訴の禁止

[064]　第1項　概説

　訴訟係属の効果の1つとして、重複起訴の禁止（142条）がある。

　重複起訴とは、すでに係属している事件と同一の事件について新たな訴えを提起することである。重複起訴による被告（被告が重複起訴を提起する場合には原告）の負担、裁判所の負担（重複審理の無駄）、判断の矛盾の可能性が根拠として挙げられている。

　もっとも、判断の矛盾の可能性の核心となる既判力の抵触の可能性についていえば、既判力によって利益を受ける当事者と裁判所の双方が既判力ある判断の存在を見逃した場合にしか問題にならないし、その場合でも、法338条1項10号により再審の訴えで調整されるから、その意味では、解決方法は用意されているともいえる（なお、2つの判決が併存している時点では、口頭弁論終結時が後であり、したがってより新しい事情を審理、考慮している後の判決が優先するとされている。また、法338条1項10号によれば後の確定判決が再審の訴えで取り消されるのが原則のはずだが、当事者が確定判決の存在を知りながらこれを援用せずに既判力と抵触する判決の作出を許してしまった場合には、再審の補充性〔338条1項ただし書〕の問題となり、その結果、基準時がのちになるあとの判決のほうが通用力をもつことになる。実際には、後者の例のほうが多いであろう。より詳しくは、

ら、具体的な計算方法自体は通常の過失相殺の場合と変わりないことになる。
　次に、相殺の場合について。
　原告の一部請求額が400万円、裁判所の認定した請求債権額が500万円、被告が200万円の自働債権による相殺を主張し、それは全額が認められるとする。
　外側説によれば、500万円から200万円を控除した300万円が認容額となる（もしも相殺を行った結果が一部請求額400万円以上である場合には一部請求を全部認容することになる）。内側説によれば、400万円から200万円を控除した200万円が認容額となる。案分説によれば、200万円を一部請求額400万円と裁判所の認定した請求債権額からこれを控除した残額100万円との間で案分して控除するから、200万円を4対1で案分した160万円を一部請求額400万円から控除することになり、認容額は240万円となる。

[463]、[661] 参照)。

　しかし、そのような関係にある2つの訴えを併存させて別々に審理を行うこと自体が裁判所・当事者の負担になるのみならず、それぞれの裁判所の判断が異なる場合に、再審による調整までは新しい判決が優先し、再審による調整後は上記のとおりとなる結果も、当事者、ことに本人の視点からは、非常にわかりにくく、かつ、不合理なものにみえる可能性が高いであろう。つまり、判断の矛盾抵触の不合理、不適切は、既判力の問題に解消されるものではなく、同時並行的に2つの訴訟が進行している段階においても考慮されるべき事柄であろう。

　重複起訴の要件は、当事者と事件の同一性である。

　当事者の同一性は、原告、被告が逆転しても認められる。

　また、訴訟担当の被担当者はこの関係では担当者と同一当事者とみなされる。担当者の訴訟追行権は被担当者のそれに由来するものだからである。

　債権者代位権に基づき代位債権者が第三債務者(代位される債権の債務者)に対して訴訟を提起している場合に債務者が同一債権について別訴を提起すれば重複起訴の禁止にふれることになる(この場合の処理については、[576] 参照)。

　事件の同一性については、①訴訟物の同一性を意味するというのが伝統的な考え方だが、近年は、訴訟物に限定せず拡大する方向が有力である。

　これには、②訴訟物の枠を緩和するレヴェルのものと、③主要な争点共通(新堂224頁)、訴訟物の基礎となる社会生活関係が同一であり、主要な法律要件事実を共通にする場合(伊藤235～237頁)等のより広い基準で同一性をとらえるものとがある。もっとも、③説については、それらの基準によれば重複起訴にふれると解される訴訟であっても①説あるいは②説によれば重複起訴にならないような場合には却下は相当ではない(移送、弁論の併合〔152条1項。[230]〕、また、審級が異なるなどによりそれが困難あるいは不相当である場合には手続の事実上の中止〔期日を追って指定にしておく〕が相当)という意味で、本来の重複起訴とは効果が異なり、いわば、「拡大された重複起訴」とでもいうべきものである。そこで、これについては後記**第3項**で最後に論じることとし、以下においてはまず伝統的な意味における重複起訴とその類推適用について論じる(学生には、この相違を意識しないまま漫然と新堂説や伊藤説の基準を適用して考える傾向が強い。注意してほしい)。

上記のとおり、近年は事件の同一性を訴訟物より広く解し、重複起訴の範囲を広げる考え方が有力だが、後記のとおり、重複起訴の禁止にふれると移送や弁論の併合（事件が係属している官署としての裁判所が異なる場合にはまず移送が必要）が無理な場合には訴えが却下されることになるので、後訴の原告の利益が害されることには注意する必要がある。その意味で、伝統的な考え方にも一定の正当性はある。

　重複起訴が問題になるのは、新たな訴えを別個に提起する場合である。同一訴訟手続内で訴えの変更や反訴の形式で申立てをする場合には、ここでいう重複起訴つまり、「禁止される重複起訴」にはならない。同様に、重複起訴にふれる訴えについても、弁論の併合により同一の訴訟手続で審理されるようになれば、重複起訴の問題は解消する（この点、判例は、同一訴訟手続の場合でも弁論の分離の可能性を考えるのか重複起訴と解する〔弁論の分離をすれば重複起訴になることを考慮して同一訴訟手続の場合でも重複起訴を考える〕ようだが、重複起訴の状態を生じさせるような弁論の分離は、裁判所の裁量を逸脱し、許されないと解すべきであり、したがって、判例のこのような考え方には疑問が大きい〔後記**第2項第3**〔**[067]**〕参照〕）。

　重複起訴となる場合の措置については、かつては却下と解されていたが、近年は、後訴原告の利益を考え、第一次的には却下に代えて移送や弁論の併合（なお、官署としての裁判所が異なる場合にはまず移送が必要）を行うべきであり、それが不可能な場合にのみ却下によるべきであると解されている。

第2項　事件の同一性

[065]　第1　訴訟物が同一の場合

　同一債権（債務）に関する給付請求と債務不存在確認請求は、訴訟物が同一であるから、重複起訴の禁止にふれる（なお、訴訟物は別であるが142条が類推適用されるという見解もある）。

　債務不存在確認請求が先行する場合には、債権者は、その裁判所に反訴（146条1項）を提起すべきである。なお、判例は、債務不存在確認の訴えに対し給付の訴えが反訴として提起された場合には、債務不存在確認の訴えは確認の利益を欠くことになるから却下されるべきであるとする（最判平成16・

3・25民集58巻3号753頁、百選5版29事件。このような場合、実務では、本訴である債務不存在確認の訴えが取り下げられるのが通常である）。

もっとも、以上については、①給付請求は執行力の関係で確認請求よりも要求が大きいから常に給付請求が適法となり、債務不存在確認請求が確認の利益を欠くか重複起訴の禁止にふれるかの理由で不適法となるとする見解や②給付請求の請求棄却は必ずしもその請求権の不存在に基づく場合に限らない（たとえば、期限未到来による現在の給付請求の棄却）から同一の債権についての給付請求と債務不存在確認とは同一事件に当たらないとする見解もあるが、今日では、合理的、効率的な審理の要請が重視されるようになってきているため、こうした考え方を採る学説実務はあまりないと思われる。

しかし、たとえば、債務不存在確認の訴えが提起されている裁判所が債権者の住所地から遠いために債権者が給付の訴えをみずからの住所地で提起し、その後あなたが弁護士として債権者から委任を受けたといった場合であれば、上記のような見解は、あなたが移送や却下を避けるために重複起訴に関する法律論を組み立てる上で助けになるだろう。このように、法律家としては、現在ではあまり採られていない考え方であってもそのもちうる意味を理解しておくことの有益な場合がある。学生、実務家ともに留意してほしいところである。

さて、先に述べた原則の例外として、手形金債務不存在確認の訴えが提起されている場合の手形訴訟の提起は重複起訴の禁止にふれないとするのが通説判例（大阪高判昭和62・7・16判時1258号130頁、判タ664号232頁）である。手形訴訟と通常訴訟は別個の訴訟手続であるから、反訴として手形訴訟を提起することは不可能であり、したがって、手形債権者は、手形訴訟手続という略式訴訟手続を利用しようと思えば別訴によるほかなく、また、簡易迅速な手続を利用することについての手形債権者の利益は、保護されるべきだからである。

次に、同一債権についての給付請求と積極的確認請求（すでに論じた同一債権〔債務〕に関する給付請求と債務不存在確認請求の場合と異なり、原告が共通である場合）については、上記のとおり、給付請求は期限未到来等請求権不存在以外の理由で棄却される可能性もあること、一方給付判決には執行力が認められることから、原告にもたらされる利益からすると完全に重なり合うものとはいえないが、訴訟物たる権利関係は共通であるから、重複起訴の禁止に

ふれる（原告に訴え提起の特別な必要性がある場合には訴えの変更の形式で行うべきである）と考えるのが適切であろう。

　同一の債権を分断して別々に訴えを提起することも重複起訴の禁止にふれる。やはり、訴えの変更（請求の拡張）の形式によるべきである。

[066]　第2　訴訟物が異なる場合

　訴訟物が異なる場合であっても、それらが相互に両立しない関係にある場合には、重複起訴の禁止にふれると解される。

　たとえば、同一の土地に関するXのYに対する所有権確認の訴えとYのXに対する所有権確認の訴えの間には、訴訟物が異なる（前者ではXY間におけるXの所有権の存否、後者ではXY間におけるYの所有権の存否が審理の対象であり、訴訟物は異なる。まれにこの基本を理解していない学生がいるので、注意する必要がある）が、実体法上の一物一権関係を媒介とした矛盾関係があり、一方の訴訟が前訴確定後の後訴であれば既判力にふれる関係にある。

　すなわち、1つの土地については1個の所有権しか観念しえない以上、前訴口頭弁論終結時にXがその土地について所有権を有すると認められればYはその時点において所有権を有することはできず、したがって、Yは、既判力の作用により、後訴においては、自己の所有権を基礎付ける事実のうち基準時前の事実の主張を遮断されることになる（[460]）。

　このような関係にあるYの後訴は重複起訴の禁止にふれる。もっとも、その効果については、却下ではなく、後記**第3項**で論じる拡大された重複起訴の場合と同様に考えるべきであろう。Xの前訴で請求棄却判決がされてもYの所有権が認められる効果は生じないところ、双方の所有権の主張は対等に扱われるべきだからである（クエスト533頁）。

[067]　第3　相殺の抗弁と重複起訴

　相殺の抗弁については、訴訟物ではないが、対抗した額の不存在について既判力を生じる（114条2項）ので、これについて重複起訴の規定の類推適用を考える余地が生じる（適用をいう学説もあるが、類推適用というべきであろう）。

　これについては、相殺は多くの場合予備的な防御方法にすぎず判決において取り上げられるとは限らない（実際、予備的な防御方法として主張されても、ほかの防御方法が認められて相殺については判断されない場合はかなり多い〔私自身

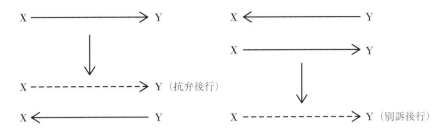

は、相殺の抗弁について実際に判断した例はあまり記憶にない〕）こと、相殺の担保的機能（債権者が相殺しうる債務を有することは自己の債権について債務額分の担保を有することに等しい。これが明確に理解できていない学生は民法の該当部分を復習する必要がある）を重視すべきこと（なお、相殺の担保的機能は、倒産法においても原則として尊重されている〔破67条、民再92条、会更48条〕）などから、類推を否定する考え方も有力だが、近年の考え方の多くは一定の限度で類推を認める。

　これについては、別訴先行・抗弁後行型（以下、「抗弁後行型」という）と抗弁先行・別訴後行型（以下、「別訴後行型」という）を分けて考えることが相当である。

　上の図のとおり、抗弁後行型とは、XがYに対して訴えを提起した後、YがXに対して提起した訴えに対しXが先の債権をもって相殺の抗弁を主張する場合であり、別訴後行型とは、YがXに対して提起した訴えに対しXが相殺の抗弁を主張した債権についてXが別訴を提起する場合である。

　考え方は区々に分かれるが、抗弁後行型は適法、別訴後行型は重複起訴の禁止にふれると解するのが相当であろう（高橋上140〜144頁等）。

　抗弁後行型ではXの相殺の担保的機能への期待を重視すべきであるし、Xは積極的に別訴を提起したわけではなくYの訴訟に応答して抗弁を行使したにすぎないからである。また、重複起訴類推適用説によると、Xが相殺の担保的機能を後訴で貫徹したいと考える場合には前訴を取り下げなければならないが、前訴の取下げにはYの同意が必要である（261条2項）ところ、これが得られるとは限らない（むしろ得られない可能性が高い）という事情もある。

　これに対し、別訴後行型ではXはすでに相殺を行ってその担保的機能を享受しており、また、相殺の抗弁に関連して反訴を提起すれば十分である

（146条1項のいう「本訴の防御の方法と関連する請求」に当たる。また、後記のとおり、そうすれば「重複起訴の問題」は避けられる）ところあえて別訴を提起しており、保護すべき理由に乏しい。

学説には、ほかに、抗弁後行型のみ類推適用説、上記の双方の場合とも類推適用説もある。前者にはあまり合理性があるとは思えないが、後者については、重複起訴禁止の趣旨を相殺の場合でも徹底するという意味では理解できる部分がある。つまり、抗弁後行型のみ類推適用説以外の考え方にはそれぞれにその根拠があることになる。しかし、やはり、実体法上の強い要請である相殺の担保的機能を考慮しつつ、上記のように保護すべき理由に乏しい別訴後行型については重複起訴禁止の趣旨を類推適用する「別訴後行型のみ類推適用説」が、結論からも理由付けからも、最も適切かと思われる（もっとも、抗弁後行型の事案でも、矛盾する判断の可能性をできる限り避けるという観点からは、同一の官署としての裁判所に両事件が係属するなど弁論の併合が容易な場合には、これを行うことがより望ましいとはいえるであろう）。

しかし、判例は、抗弁後行型について、矛盾した判断の防止という観点から（相殺の担保的機能の点を含む上記のような議論には言及していない）、重複起訴にふれ、相殺は許されないとしている（最判平成3・12・17民集45巻9号1435頁、百選5版38事件の①）。また、この判例は、弁論（前頁の左側の図の2つの弁論）の併合がされている場合についても重複起訴を認めている。弁論の分離がありうるとの考え方によるのかと思われる（この事案では原審たる控訴審で弁論の併合がされた後に再びこれが分離されていた）が、この事件で原審が弁論の分離を行ったことについては、学説の批判が強い。前記**第1項**末尾のとおり重複起訴となる場合の措置として一次的には弁論の併合で対処すべきであると考えるべきことからすれば、裁判所の裁量を逸脱した弁論の分離とみるべきであろう。

ここはわかりにくいところなので、前記**第1項**末尾で述べたことの繰り返しになるが、さらに敷衍してみたい。

つまり、上記の判例は抗弁後行型について重複起訴の禁止にふれるとするのだが、「たとえそうであるとしても、そのような関係にある両事件が別々に進行しているのではなく両事件の弁論が併合されている限り」前記**第1項**冒頭で述べたような「重複起訴の問題」は生じず（なぜなら、重複起訴の問題は、同一手続内で併合審理されている限りいずれも生じないからである。すなわち、

同一手続で審理されているのだから当事者の負担の点についても裁判所の負担の点についても問題にならず、判断の矛盾や重複の問題も生じない〔重複の点については、後記の訴訟上の相殺の抗弁の性質に関する議論も参照。いずれにせよ、こうした事案で同一の裁判所が相互に矛盾、あるいは重複した判断をすることは考えにくい〕)、したがって、裁判所は、そのような両事件の弁論を分離できないはずなのである([230])。そして、「分離すれば重複起訴の問題が生じるこのような場合には裁判所は弁論を分離できない」以上、そもそもこのような場合に重複起訴の問題を考える必要はなかったはずなのだ(なお付言すれば、「本書の採る見解によるなら、抗弁後行型の場合には重複起訴にはならない」のだから、「先のような両事件は(可能であれば弁論の併合が望ましいものの)別々に審理されてもかまわない」ことになる)。

　以上のとおり、この判例には疑問が大きい[14]。

　判例は、その後、抗弁後行型について、一部請求後の残部による相殺は特段の事情のない限り適法としている(最判平成10・6・30民集52巻4号1225頁、百選5版38事件の②)。残部請求は一部請求とは訴訟物が別であるという判例の考え方を前提としている。結論自体は正当だが、上記平成3年最判との整合性には疑問がある(おそらく、最高裁は、平成3年最判に対する批判を考慮して抗弁後行型適法説に一定の理解を示す方向を採ったということなのであろう。しかし、その結果、平成3年最判との不整合が際立つ結果となってしまった。弥縫策によらずに判例変更を行うのが相当だったと思われる。なお、こうした事態については、大法廷を開くことについて合理的な根拠なく消極的であるという最高裁の姿勢も関係している)。

　さて、その後の判例(最判平成18・4・14民集60巻4号1497頁、百選5版A11事件)は、抗弁後行型に関し、本訴および反訴が係属中(すなわち、同一手続内で審理されている場合)に反訴請求債権を自働債権として相殺の抗弁を主張することは許されるとしており、その理由として、この場合には、反訴原告が異なる意思表示をしない限り、反訴は、反訴請求債権につき本訴において相

---

[14] なお、この事案は、いわゆる筋の悪い争い方をされたものであり、問題となった相殺の抗弁も必ずしも真摯なものとはいえなかった(時機に後れた攻撃防御方法〔157条1項。[288]〕で処理したほうがよいような主張であった)ことは、この判例に批判的な学説の一部も、指摘している(中野・論点Ⅱ166～167頁、高橋上146頁の注(25))。その意味では、一般化した法的判断を行うには不向きな事案だったといえる。

殺の自働債権として既判力ある判断が示された場合にはその部分については反訴請求としない趣旨の予備的反訴（相殺に供された部分については反訴の対象としないという意味での解除条件付き反訴。普通にいう予備的反訴は、本訴請求が、却下、棄却されるのであれば審判を求めないという意味での解除条件付き反訴〔[081]〕なので、ここでいう予備的反訴は、それとは意味が異なることに注意。この点につき理解の混乱している学生が多い）に変更されることになるものと解され、そのように解すれば、重複起訴の問題は生じないから、としている（重複して審判の対象となる部分はなくなるから、という趣旨であろう）。

この判例については、まず、訴訟上の相殺の抗弁の性質を考える必要がある。

これについては、訴訟上の相殺の意思表示は私法行為であるが、それは裁判所の判断を受けることを条件としている（裁判所が債務があるとの判断に至ったときには相殺を考慮してもらうが、後記のような事情で防御方法としての意味を失ったときには白紙に戻すという効果意思をもつ）という考え方（それまでの私法行為説、訴訟行為説を踏まえて「新併存説」といわれる）が有力である（[248]参照）。この場合の条件成就の有無は訴訟終了とともに判明するから訴訟手続の安定も相手方の利益も害せず、民法506条1項後段（相殺に条件を付することの禁止）の例外となるとする。

そして、先の条件については、相殺の抗弁が時機に後れた攻撃防御方法（157条1項。[288]）として却下され、あるいは訴えの取下げ・却下があり、あるいはほかの防御方法が認められて相殺の抗弁が判断されることなく判決がされるときには相殺の意思表示の効果を失わせる旨の解除条件が付せられているとみる説が有力である（ほかに、停止条件説もある）。

このような考え方を前提とするなら、相殺の効果が生じれば反訴請求債権は相殺の限度で消滅するから反訴はその限度で棄却されるというだけであり、上記平成18年最判のいうように反訴が予備的反訴に変更されたと解する必要はないし、むしろそのように解することは処分権主義との関係で問題があるという学説の指摘は正当であろう（なお、予備的な審判申立てという法律構成の問題は、次にふれる大阪地判では、予備的本訴は許されないから相殺の主張も許されないことになるという、より実質的な問題をももたらす）。また、同一手続内で審理されている場合にはそもそも重複起訴の問題は生じないという学説の指摘も、すでに述べたおり正当である（中野・論点Ⅱ140～151頁、松本＝上野

356〜357頁、ジュリスト臨時増刊平成18年度重要判例解説128頁、高橋上146〜147頁の注(25))。

この判例に関連する判例として、大阪地判平成18・7・7（判タ1248号314頁）は、反訴被告（本訴原告）が、本訴で請求する債権を自働債権として、反訴における反訴原告（本訴被告）の請求債権に対し相殺の抗弁を主張することを否定した。

この場合、上記平成18年最判の考え方によると、この本訴は、本訴請求債権につき反訴において相殺の自働債権として既判力ある判断が示された場合にはその部分について本訴の対象とはしない旨の解除条件付きの予備的本訴に変更された（ないし本訴について先の旨の停止条件付きの訴えの取下げがされた）と解することになる（この判例〔大阪地判〕は停止条件付きの訴えの取下げと解している）。しかし、訴訟法律関係の基本となる本訴の提起（ないしその取下げ）に条件を付することは、手続の安定を害するから許されないと解すべきであるということになり、この判例はそのように判示しているのである（予備的反訴は、「審理の過程でその条件成就の有無が明確となるから手続の安定を害さない」という理由により、本来は許されない条件付き訴訟行為の例外として許容されるものだが、条件付きの本訴の提起ないしその取下げとなると、手続の安定を害するからである〔[**240**]〕)。

以上のとおり、この判例は平成18年最判の考え方の論理的帰結であるといえる。しかし、その結論の妥当性という面からみると、本訴被告と本訴原告で相殺の抗弁を提出できるか否かが異なり、対等に扱われるべきはずのところがそうなっていないという意味で、武器平等の原則、当事者対等の原則（[**222**]）に反し、不公平の観は否めない（なお、平成18年最判とこの判例に関する見解は、第2版で改めた）。

さらに、その後、判例（最判平成27・12・14民集69巻8号2295頁）は、本訴において訴訟物となっている債権の全部または一部が時効により消滅したと判断されることを前提として、本訴原告（反訴被告）が、反訴において、当該債権のうち時効により消滅した部分を自働債権として相殺の抗弁を主張することは許される（重複起訴の問題も生じない）とした（時効消滅した債権であっても消滅以前に相殺適状になっていた場合にはこれを自働債権として相殺の抗弁を主張することが可能であること〔民508条〕を前提とした判断である）。

この判例をどう位置付けるかであるが、一般的に上記大阪地判のような考

え方を否定した（そうであるならば、大阪地判が平成18年最判の考え方を前提として先のような法律論を立てている以上、平成18年最判の考え方とこの判例の判断との整合性について何らかの説明をしておくのが妥当であると思われるが、そのような判示はない）とみるよりも、その例外となる場合についての判断であるとみるほうが適切であろうか。

つまり、この事案では、相殺の抗弁は、相殺の自働債権とされる部分について本訴請求が時効消滅により否定されることを前提とした仮定的抗弁であるという点に特殊性があり、したがって、審理の過程でそれについて判断するか否かの条件は明確にされる（つまり、相殺の自働債権とされる部分については、本訴請求棄却の判断が前提になっている）から、その部分について条件付きの本訴の提起（ないしその取下げ）がされたという解釈をする必要がなく、手続の安定を害しない、また、重複起訴の問題も生じない、ということである（以上は、もしも３つの判例をそのよって立つ論理に従いつつ整合的にとらえようとするなら、この判例については上記のように解することになろうか、という趣旨の記述である）。なお、本訴と反訴の牽連性、また、実体法である民法508条の趣旨を重視した判断であるともいえよう。

また、最判令和２・９・11（民集74巻６号1693頁）は、請負契約に基づく請負代金債権と同契約の目的物の瑕疵修補に代わる損害賠償債権の一方を本訴請求債権とし、他方を反訴請求債権とする本訴および反訴の係属中に、本訴原告が、反訴において、本訴請求債権を自働債権とし、反訴請求債権を受働債権とする相殺の抗弁を主張することは許されるとした（その理由は、請負契約における注文者の請負代金支払義務と請負人の目的物引渡義務とが対価的牽連関係に立つことからすれば上記各債権については相殺による清算的調整が期待されるため、そのような関係にある本訴と反訴の弁論を分離することは許されないから、相殺の抗弁の主張による判断の矛盾抵触のおそれや重複起訴の問題は生じない、というものである）。

この判例では、上記のとおり、債権の実体法上の性格からして本訴と反訴の弁論を分離することは許されないという命題から直接的に先のような結論が導かれており、その結論に異論はないが、平成３年最判や平成18年最判（後者も請負代金債権と瑕疵修補に代わる損害賠償債権が問題になった事案であった）との理論的な関係はやはり十分に明らかとはいいにくい。

以上の一連の判例の流れをみると、やはり、平成３年最判が、①「抗弁後

第 2 章　訴えの類型とその提起、訴訟物

行型について重複起訴にふれる」とし、また、②「そのような事件について弁論の併合がされている場合に関してもその分離の可能性を考えて重複起訴を認めた」ことに問題があり、したがって、その後の判例はその例外を積み重ねざるをえず、また、一連の判例相互の間でも、その理論的整合性が十分でないという結果になっている観は否めない[15]。

なお、別訴後行型に関する最高裁判例はない。

[068]　第3項　**拡大された重複起訴**

重複起訴については、前記**第1項**のとおり、事件の同一性について、主要な争点共通（新堂224頁）、訴訟物の基礎となる社会生活関係が同一であり、主要な法律要件事実を共通にする場合（伊藤235〜237頁）等のより広い基準でとらえるものがある。

これは「拡大された重複起訴」とでもいうべきものであり、それらの基準からすれば重複起訴にふれると解される訴訟であっても狭義の重複起訴（前記**第1項**でふれた①説、②説による重複起訴）に該当しない場合には、却下は相

---

[15]　平成18年・27年各最判や令和2年最判が本訴と反訴の訴訟法的あるいは実体法的な牽連性による本訴と反訴の分離困難あるいは不可能性を前提として重複起訴を否定したことに理由がないとはいえないが、それ以前に、②の問題（これは、本訴反訴の場合に限らない一般的な規律であるといえる）について適切な判断を行っていれば、あえて先のような理由を持ち出す必要性もなかったはずなのである。

　付言すれば、同一訴訟手続内で事件が併合審理されており、かつ裁判所による弁論の分離が許されず、したがって、重複起訴禁止の問題を考える必要はないはずの場合についてこれを繰り返し論じるという②の問題（なお、この点については [576] も参照）に典型的にみられるように、また、本書の他の箇所における記述でもふれることがあるとおり、日本の最高裁判例の手続法的な感覚（ないしは民事訴訟法学理解）に不十分な場合があるのではないかと思わせるような事態は、一定程度存在する。

　これは、最高裁判所裁判官も、最高裁判所調査官も、民事訴訟法ないし民事訴訟法理論に関する理解が十全ではない場合がありうることを意味するが、私の33年間の裁判官経験からすれば、それは、「直視されるべき厳粛な事実」であると思う。最高裁判例を盲信、暗記することを第一とするような学習方法は、この意味でもつつしむべきであろう。もっとも、上記のことは、弁護士についても時に当てはまることであり、裁判官だけの問題ではない。つまり、日本の法律家、法律学、法学教育全体の問題である（なお、もちろん、他国の判例にもそのような事態はありうるが、少なくとも、日本の民事訴訟法判例の場合にそれがやや目立っていることは、否定しにくいように思われる）。

当ではなく、移送、弁論の併合により対処し、また、前訴がすでに上級審に係属中であるなどの理由によりもはや併合が困難あるいは不相当（審級の利益等の観点から）である場合には、前訴判決の確定まで後訴の手続を事実上中止する（期日を追って指定にしておく）のが相当であるということになるであろう（新堂227頁参照）。

　実務においては、原告が関連訴訟をいくつかに分散して提起する例があり、そのような場合、狭義の重複起訴には当たらないが、上記の拡大された重複起訴の要件にはふれることが多い。原告がこうした訴訟戦術を採るのは、原告にとって都合のよい訴訟（裁判官の心証のよさそうな訴訟）を先行させて関連訴訟全体を有利に進めようという意図に基づく場合が大半である。しかし、このような原告の利益は正当なものではなく、最初に提起された訴訟に弁論を併合することが適切である。

　時期を異にする蒸し返し訴訟を争点効（ないし信義則）で規制すべきである（[498]以下）と同様に、時期を同じくする主要な争点の共通な複数の訴えの提起も、規制される必要がある。私見としては、狭義の重複起訴の外側において、新堂説に従い、主要な争点共通の場合に、「拡大された重複起訴」を認めたい。

【確認問題】
1　訴え、請求、訴訟物をそれぞれ定義し、それらの関係について述べよ。
2　給付・確認・形成の訴えの例を、その主文とともに挙げよ。
3　2のそれぞれの訴えにかかる認容、棄却の確定判決は、それぞれどのような効力をもつか。
4　実体法上・訴訟法上の形成の訴えとは、それぞれ、どのようなものか。例を挙げて説明せよ。
5　次の訴えは、それぞれ、どの類型に属するか。
　　①　会社合併無効・設立無効の訴え
　　②　婚姻無効の訴え
　　③　株主総会決議無効・不存在の訴え、新株発行等の不存在確認の訴え
　　④　詐害行為取消しの訴え
　　⑤　請求異議の訴え

6　形式的形成訴訟とはどのようなものであり、その特質はいかなるところにあるか。境界確定の訴えを例にとって説明せよ。

7　請求の特定のために必要な請求の原因の記載について、訴えの類型別に述べよ。

8　訴訟物ではない権利の主張によって時効完成猶予・更新の効果が生じるのはどのような場合か。

9　旧訴訟物理論、新訴訟物理論の利害得失について、理論面と実際面の双方から考察せよ。

10　現在の給付の訴えに対して将来の給付判決をすること、将来の給付の訴えに対して現在の給付判決をすることは、それぞれ、許されるか。

11　逸失利益500万、慰謝料300万円の合計800万円の請求に対して、裁判所が、逸失利益600万円、慰謝料100万円の合計700万円を認めることについて、処分権主義、弁論主義の各観点から問題はあるか。

12　原告は500万円の立退料と引換えに土地の明渡しを求めている。裁判所が以下のような心証をもった場合、どのような判決をすべきか。
　　①　立退料として600万円が相当との心証をもった場合
　　②　立退料として1500万円が相当との心証をもった場合
　　③　立退料として200万円が相当との心証をもった場合

13　一部請求後の残部請求の可否について、後遺症の後発発生の場合をも含めて、判例、学説の考え方の大筋を整理して述べよ。

14　同一の土地に関するＸのＹに対する所有権確認の訴えとＹのＸに対する所有権確認の訴えは重複起訴の禁止にふれるか。

15　次の相殺の抗弁の主張、訴えの提起は重複起訴の禁止ないしはその類推適用にふれるか。
　　①　ＸがＹに対して訴えを提起した後、ＹがＸに対して提起した訴えに対しＸが先の債権をもって相殺の抗弁を主張する場合
　　②　ＹがＸに対して提起した訴えに対しＸが相殺の抗弁を主張した債権についてＸが別訴を提起する場合

[069] 第3章
複数請求訴訟

　本章では、1つの訴訟手続で複数の請求が審理される場合、すなわち、複数請求訴訟について論じる。前記（[007]）のとおり、請求の併合（単純併合）にかかる複数請求訴訟は、実際の訴訟ではほとんど常にみられるものなので、本書では、冒頭に近い部分でこれを解説しておくこととした（これに対し、1つの訴訟手続に複数の当事者が関与する多数当事者訴訟については、通常共同訴訟、補助参加の例は一定の割合であるものの、それ以外の例はかなり少なく、また、理解も難しいため、書物の後半で論じている。なお、従来は、複数請求訴訟は、請求の客観的併合（意味としては、「請求の客体の併合」）と、多数当事者訴訟は、「訴えの主観的併合」（意味としては、「請求の主体の併合」）と呼ばれることが多かった）。

[070] 第1節　概　説

　1つの訴訟手続で複数の請求が審理される場合がある。うち、同一当事者間の1つの訴訟手続で複数の請求を併せて審理するのが複数請求訴訟であり、1つの訴訟手続に複数の原告、被告、あるいはそれ以外の第三者が関与するのが多数当事者訴訟である（多数当事者訴訟では、たとえ請求の趣旨としては1つになる場合でも、訴訟法律関係や請求自体は複数存在すると解される）。
　これらを併せて複雑訴訟形態ということがあるが、実務では、金銭請求には利息、遅延損害金等の附帯請求が併合されている場合がほとんどであり、複数請求訴訟でない訴えの例は少ない。
　複数請求訴訟の形態が原始的に生じる場合が当事者による当初からの請求

の併合の場合（136条）であり、後発的に生じる場合が、当事者による訴えの変更（143条）、反訴（146条）、中間確認の訴え（145条）、裁判所による弁論の併合（152条1項）の場合である。

訴えの変更、反訴、中間確認の訴えは、訴訟中の訴えであるから、請求の併合の要件を充足するとともに、それぞれの固有の要件をも満たしている必要がある。

第2節　請求の併合

[071]　第1項　概　説

請求の併合の要件は、同種の訴訟手続によって審判されるものであること（136条）、各請求について受訴裁判所に管轄権があること、である。

訴訟手続には、通常、人事、行政の別のほか、民事訴訟法に規定されている略式訴訟手続として、手形・小切手訴訟手続や少額訴訟手続がある。これらの手続は対象となる訴訟の別に応じて手続の枠組み、弁論や証拠調べの基本原則が異なるから、異種手続の請求を併合することは許されない。

もっとも、その例外として、法が、異種手続間の併合を認めている場合がある。人事訴訟に関連する損害賠償請求の併合を認める場合（人訴17条、8条2項）、離婚訴訟等に附帯して子の監護に関する処分や財産分与の申立てを認める場合（同32条）、行政処分の取消訴訟に関連請求（たとえば当該行政処分に関連する損害賠償請求）の併合を認める場合（行訴16条）等である[1]。

---

(1) なお、人事訴訟法17条、8条2項の関連請求の典型的な例は、原告が被告に対して不貞行為を原因とする離婚請求をしている場合の、原告の被告、またその不貞行為の相手方に対する、同不貞行為（不法行為）に基づく損害賠償請求であるが、最決平成31・2・12民集73巻2号107頁は、離婚訴訟の被告が、原告は第三者と不貞行為をした有責配偶者であると主張して離婚請求の棄却を求めている場合の、被告のその第三者に対する同不貞行為に基づく損害賠償請求についても、上記の関連請求に当たるとした（併合の前提としての移送に関する人事訴訟法8条1項についての判例）。

受訴裁判所の管轄権については、他の裁判所が専属管轄権をもつ場合（13条1項）を除き、7条の併合請求の裁判籍（[107]。なお、裁判籍については[102]）の定めによって、1つの請求について管轄権があれば、他の請求についても認められる。

　ほかに、併合要件について特別な定めがあれば、それに従う必要がある。たとえば、行政処分の取消訴訟については、行政事件訴訟法16条1項により、同種の行政事件訴訟手続による請求であっても、関連するもの（関連請求については行訴13条参照）でなければ併合できない。

[072] 第2項　併合の態様

　請求の併合には、単純併合、予備的併合、選択的併合の3つの態様がある。

　単純併合は、相互の請求に条件関係がなく、各請求のすべてについて審判を求める併合形態であり、最も一般的なものである。請求相互間には、実体上も無関係な場合と、貸金請求と利息・遅延損害金請求のように相互に関連のある場合とがある。

　なお、物の引渡請求とその将来の執行が不能な場合の代償請求とは、一方が現在の給付の訴え（[175]）、他方が将来の給付の訴え（[176]）であって、相互に両立し、単純併合となる。たとえば、「珍種の猫を引き渡せ。その執行が不能である場合には50万円を支払え」といった例である（予備的併合と誤解する学生がいるが、次に述べるとおり、予備的併合の場合には両請求が法的に両立しないところ、この場合には両請求が時点を異にして法的に両立する〔つまり、双方を認容できる〕ことに留意）。

　予備的併合は、実体法上両立しない関係にある複数の請求について、ある請求を一次的請求とし、他のものについてはその認容を解除条件として審判を申し立てる併合形態である。たとえば、売買が有効であることを前提とした代金支払請求（第一次請求）とそれが無効である場合の目的物返還請求（第二次請求）といった例である。

　選択的併合とは、複数の審判要求のいずれについてもほかの請求が認容されることを解除条件とする併合形態である。前記（[046]）のとおり、旧訴訟物理論が新訴訟物理論に対する反論として援用した併合形態である。

第3項　併合請求に対する審判

[073]　第1　概説

　請求の併合の要件は併合訴訟の訴訟要件であり、職権調査事項である。併合要件を欠く場合、単純併合であれば別個の訴えの提起として取り扱われることになる。予備的併合、選択的併合の場合には、原告がそのような併合形態で審判を受けることを意図しているとみられる場合には、不適法として却下すべきであろう。

　併合訴訟では弁論および証拠調べは共通だが、裁判所は、単純併合では弁論の分離を行うことが可能である（152条1項）。

[074]　第2　単純併合

　単純併合の場合、一部判決が可能である（243条2項。[**410**]）。全部判決にかかる請求の一部について上訴があった場合にも、上訴不可分の原則（[**607**]）によって全部の請求について移審の効果が生じるが、上訴審の審判の範囲は不服申立てのあった請求に限られる（296条1項）。

[075]　第3　予備的併合

　予備的併合の場合、裁判所は請求の順位付けに拘束される。

　主位的請求を認容する場合には、予備的請求について判断する必要はなく、その判決も全部判決である。これに対し被告が控訴した場合には、予備的請求も移審し、裁判所が主位的請求には理由がないが予備的請求には理由があると判断する場合には、第一審判決を取り消して主位的請求を棄却し、予備的請求を認容する（最判昭和43・3・7民集22巻3号529頁。次の段落の場合との相違については、予備的請求について判断するには主位的請求棄却が論理的前提となることに求めることになろう〔高橋下658頁〕。ただし、各請求が金銭請求である場合の認容額については、不利益変更禁止の原則〔304条。[**619**]〕により、裁判所の心証が第一審判決における認容額〔一部認容額〕を超える場合であっても、第一審判決における認容額にとどめるべきである）[2]。予備的請求については上訴審で初めて審判されることになるが、その判断の基礎となる事情は主位的請求と共通す

る部分が多いので、被告の審級の利益が害されることにはならない。

　予備的併合において、主位的請求が棄却され、予備的請求が認容され、これに対し原告のみが控訴した場合に、控訴審が主位的請求を認容するときの裁判については、多数説、判例（最判昭和39・4・7民集18巻4号520頁）は、単に主位的請求を認容すればよく、第一審判決を取り消す必要はないとする[(3)]。もっとも、形の上からは2つの認容主文が存在することになるので、明確性の観点から、判決主文において、第一審判決は失効した旨を宣言しておくのが相当であろう（高橋下658～659頁等）。

　この場合において、控訴審が、主位的・予備的請求の双方について理由がないと考える場合、第一審判決を取り消して各請求を棄却すると、控訴人である原告により不利な結果となって不利益変更禁止の原則にふれるから、控訴棄却にとどめなければならない。

　予備的併合において、主位的請求が棄却され、予備的請求が認容され、これに対し被告のみが控訴した場合に、控訴審が主位的請求に理由があると判断するときについては、見解の対立がある。

---

(2)　なお、各請求が金銭請求である予備的併合の場合、主位的請求と予備的請求の金額が異なり、予備的請求のほうが大きいことがありうる（選択的併合でも金額が異なることはありえないではないが、よりまれであろう）。この場合について第一審判決が主位的請求全部認容であると、原告には控訴の利益（[610]）がないから控訴ができない。それにもかかわらず、控訴審が、主位的請求には理由がないが予備的請求については全部、すなわち、「主位的請求を超える部分」をも認めることができるとの心証をもった場合であっても、不利益変更禁止の原則をはたらかせて認容額は第一審におけるそれにとどめることに問題はないであろうか。

　　これについては、予備的請求は主位的請求が認容されないことを停止条件として判断されるものであり、その意味で付随的なものであるから、原告に不服申立ての機会のないまま控訴審で「主位的請求を超える部分」についても不利益変更禁止の原則をはたらかせてこれを認めないとすることはやむをえないと解される（仙台高判昭和62・12・23判時1273号65頁、判タ674号200頁。別冊判例タイムズ昭和63年度主要民事判例解説283頁）。

(3)　多数説、判例の根拠は、主位的請求を認容すれば予備的請求については解除条件が成就するから原判決の予備的請求認容部分は当然に失効するというものである。主位的請求認容により予備的請求の訴訟係属が消滅するのは主位的請求認容判決確定時点であって、その終局判決時ではないのではないか（したがって上記の場合にも第一審判決の取消しが必要なのではないか）との疑問もあるが、終局判決によってとりあえず解除条件が成就すると考えることもできるから、これに従っておきたい（この点については、後記**第4**の選択的併合の場合をも含め、第2版で見解を改めた）。

多数説、判例（最判昭和58・3・22判時1074号55頁、判タ494号62頁、百選5版111事件）は、この場合、原告が控訴も附帯控訴もしていない以上、主位的請求に対する第一審判決の当否は審判の対象とはならないとして、第一審判決を取り消し、請求棄却判決をすべきであるとする。

これに対し、少数有力説（なお、学説の分布においては高橋648頁の注(53)のとおり、ほぼ拮抗している）は、原告のトータルな意思を考えるなら、この場合でも、原告は主位的請求の棄却部分について実質的な不服をもっているとみるべきである（原告は両請求を一体として把握しているはずであり、不服申立て概念で両請求を分断してしまうのは不自然である）。予備的請求を認容された原告に控訴、附帯控訴を要求するのは酷である、第一審で敗訴している被告としては、主位的請求で敗訴させられても後記のとおり認容額が増えなければ実質的に不利益変更にはならない、裁判所としても心証に沿った落ち着きのよい結論が得られるなどの理由により、第一審判決を取り消し、主位的請求認容判決をすべきであるとする（少なくとも直接的な不服の対象とはなっていない主位的請求を認容するのであるから、この限度で不利益変更禁止の原則の例外となる〔[620]〕の⑦。一方、認容額については、この場合にも、第一審判決におけるそれを超えないという形で不利益変更禁止の原則がはたらくことになる）。

この論点については、形の上では不服申立ての対象となっていない主位的請求まで審判の対象となっているとみるのは難があるという形式理論面からは多数説（実務家論者にはこの説が多い）に説得力がある一方、実質的にみれば、少数有力説（新堂幸司「不服申立て概念の検討——予備的併合訴訟における上訴審の審判の範囲に関して」『訴訟物と争点効（下）』〔有斐閣〕227頁以下等）の掲げる根拠のほうが厚みがあり、また、予備的併合の場合法的非両立なので証拠が十分ならいずれかで勝てるはずである原告の利益、期待にも沿い、悩ましい。しかし、選択的併合にかかる請求に当事者が順位を付けた場合（形の上では予備的併合としたことになる〔[052]〕）については、請求間の本来の関係、また、附帯控訴を期待しにくいこと（実務上はこの亜型のほうが多いのだが、実務家は、選択的併合に順位を付ければ予備的併合になることを必ずしも意識していない）から、多数説を採るのはまさに原告に酷と思われ、この場合をも視野に入れると、「不服申立てを基本とすることは、例外を許さないものではない（高橋下647頁）」とみる少数有力説のほうにはかりが傾く。将来をも見据えて少数有力説を採りたい（この点については、第2版で見解を改めた）[4]。

[076] 第4 選択的併合

　選択的併合の場合には、請求の1つについて認容判決がされると他の請求については解除条件が成就したことになるから、この判決は全部判決である。これに対して上訴がなされた場合には、他の請求も解除条件付きのまま移審する。そして、控訴審が、第一審判決で認容された請求に理由がないと考えるときには、他の請求につき審理判断し（最判昭和58・4・14判時1131号81頁、判タ540号191頁。高橋下643頁等。第一審判決が全部認容の場合であっても、被告の控訴によって、他の請求も審判の対象になると考えられる）、これが理由があると認めるときには、単にその請求を認容すればよく、第一審判決を取り消す必要はない（最判平成元・9・19判時1328号38頁、判タ710号121頁）。しかし、やはり、明確性の観点から、判決主文において、第一審判決は失効した旨を宣言しておくのが相当であろう（高橋下659頁等。なお、認容額については、不利益変更禁止の原則がはたらく）。

　なお、選択的併合にかかる複数の請求間に順序が指定された場合には、裁判所はこれに拘束され、予備的併合となる（[052]、前記第3）。

第3節　訴えの変更

[077] 第1項　訴えの変更の意義、態様

　訴えの変更（143条）とは、原告が、訴訟係属後に、その請求を変更することをいう。訴訟物は請求の趣旨および原因によって特定されるから、訴えの変更も、これらの変更を意味する。したがって、訴訟物理論の違いに応じ、

---

(4)　なお、多数説を採る場合でも、裁判所の行為規範（[098]）としては、原告に附帯控訴についての釈明をしておくべきである。また、いずれにせよ、判例は先のとおりでありかつ併合形態の枠組みにも揺らぎがあるので、原告側弁護士としては、「順位を付けた併合で第一順位以外認容なら常に（附帯）控訴をしておく」のが適切、無難であることに間違いはない。

訴えの変更になりうる場合も異なってくることになる（[038]）。

　訴えの変更は、原告が新たな請求をする場合に、従前の訴訟の結果を生かしてこれを行うことができるようにするための制度である。

　訴えの変更の態様には、従来の請求に新たな請求を追加する場合（追加的併合）と旧請求に代えて新請求の審判を求める場合（交換的変更）とがある。追加的併合については、請求の併合が生じる（なお、実務では、交換的変更はまれである）。

　交換的変更については、判例は、新たな請求にかかる訴えの追加的併合提起（143条１項の要件を満たす訴えの追加的変更）と旧請求にかかる訴えの取下げにすぎないとみており（つまり、訴えの交換的変更という特別なカテゴリーは認めていない）、後者については被告の同意（261条２項）が必要であるとしている（最判昭和31・12・20民集10巻12号1573頁、最判昭和32・２・28民集11巻２号374頁。後者は百選５版33事件。なお、後者の判例の表現は非常にわかりにくいが、善解すれば上記のように解される）。もっとも、被告が新訴に異議なく応訴した場合には、旧訴の取下げに黙示の同意をしたものと解している（最判昭和41・１・21民集20巻１号94頁）。

　しかし、そのような構成では、従来の審理の結果がそのまま利用できることを説明しにくいため、学説においては、訴えの変更の中に、追加的変更とは異なる交換的変更というカテゴリーを認めるべきであるとの考え方が有力であり、私見も同様である。

　すなわち、交換的変更の場合には、訴えの取下げは不要で、旧請求の訴訟係属は当然に消滅すると解すべきであろう（伊藤646～647頁）。

　従来の審理の結果はそのまま利用できる。

　時効完成猶予については、2017年（平成29年）債権関係改正後の解釈としては、基本的に民法147条１項柱書中のかっこ書部分の解釈問題と考えるべきであろう（旧請求の訴えの取下げの場合に準じて扱うのが適切である。すなわち、交換的変更後６か月を経過するまでは時効は完成しない）。

　もっとも、新旧両請求の内容が実質的にみて同一の権利、権利関係にかかる場合には、原告を保護すべき必要性が高いから、旧請求と同一の訴訟物について６か月以内に新たに訴えが提起された場合と同じく、従来の時効完成猶予の効果がそのまま引き継がれると解してよいであろう。これは、判例のような考え方によれば前記改正前（民法147条１項柱書中のかっこ書部分のよう

な規定がなかった）においては旧請求の訴えの取下げに伴い時効完成猶予の効果もさかのぼって失われることになるという不都合を回避しようとした判例（最判昭和38・1・18民集17巻1号1頁〔係争地域が自己の所有に属することの主張は前後変わることなく、ただ単に請求を境界確定から所有権確認に交換的に変更したにすぎない場合には、境界確定の訴えの提起によって生じた時効完成猶予の効力には影響がないとする。もっとも、その根拠は明らかにしていない〕や最判平成10・12・17判時1664号59頁、判タ992号299頁〔不法行為と不当利得の新旧両請求が経済的に同一の給付を目的とする関係にあるなどの事情にかんがみ、旧請求の訴え提起時から新請求に関する催告が続いていたと理論付けている〕）の趣旨を生かしたものである（同旨、伊藤647頁の注(17)）。

請求金額の拡張は訴えの変更であるが、その縮小（請求〔金額〕の減縮）は、訴えの変更ではなく一部取下げであると解するのが判例、多数説である（なお、一部請求の場合でも訴訟物は債権全体であるとする考え方による場合については、[503] 参照）。

[078] 第2項　訴えの変更の要件

訴えの変更の要件は、①請求の基礎に変更のないこと、②著しく訴訟手続を遅滞させないこと、③事実審の口頭弁論終結前であること、④交換的変更の場合には被告の同意があること（判例の考え方による場合）、⑤請求の併合の要件を充足していること（[071]）、である。

①の請求の基礎に変更のないことは、訴えの変更を被告との関係で合理的な範囲にとどめるための要件であり、新旧両請求の基礎となる事実が訴訟物として構成される以前の社会生活関係において同一ないし密接に関連していて（伊藤648頁）、あるいは、新旧両請求の主要な争点が共通であって（新堂765頁）、そのため、旧請求の訴訟資料（主張）、証拠資料が新請求についても利用できること、を意味する（被告の利益ないし期待の保護という観点からは、後半の部分が重要である）。

これは、かなり広い概念であり、たとえば、ある請求に基礎になる事実関係を同一とする損害賠償請求を追加しあるいはこれと交換する場合等がこれに当たる。ゆるやかな要件であるため、実務上も、この要件の該当性が争われることはほとんどない。

この要件は、被告の利益保護を目的とするものであるから、被告の同意がある場合や被告の主張事実に基づいて新たな請求をする場合には、必要とされない。

　②の著しく訴訟手続を遅滞させないことについては、旧請求についての今後の審理に要する期間と新請求についての審理に要する期間を比較し、後者が著しく大きいような場合には、訴えの変更ではなく別訴によらせるべきであろう。

　実務上は、この要件の該当性が問題になるような例もあまりないが、控訴審では、この点はより厳格に判断されるべきであろう。

　この要件は、公益的なものであるから、被告の同意があっても阻却されない。

　③の事実審の口頭弁論終結前であることについては、控訴審における訴えの変更も、請求の基礎が同一である限り、被告の審級の利益を害するものとはいえない。

　上告審は事実審ではないから、口頭弁論が開かれても訴えの変更はできない。ただし、事件が上告審に係属中に被告が破産宣告を受けたときには、原告は、給付訴訟を破産債権確定訴訟に変更することができる（最判昭和61・4・11民集40巻3号558頁）。形式的な変更にすぎず新たな事実審理を必要としないからである。

　④の点については、前記**第1項**参照。

[079] 第3項　**訴えの変更の手続**

　訴えの変更は書面によって行わなければならない（143条2項）。判例は、請求の原因のみの変更は書面によることを要しないとする（最判昭和35・5・24民集14巻7号1183頁）が、訴状の記載事項としての請求の原因を変更するような場合（前記**第1項**のとおり、そのような請求の原因の変更は訴えの変更に該当する）には書面を要すると解すべきであろう。

　訴えの変更の書面は被告に送達され（同条3項）、これによって新たな請求について訴訟係属の効果が生じる。ただし、時効完成猶予効等については、書面提出時に生じる（147条、民147条1項1号）。

[080] 第4項 　訴えの変更に対する裁判所の処置

　訴えの変更が問題となった場合には、裁判所は、職権をもって調査する。その結果訴えの変更はないと認めればそのまま審理を続行する。もっとも、もしもその点について当事者間に争いがあれば、中間判決（245条）、または終局判決の理由中でその旨の判断をする。

　訴えの変更はあるがそれが許されないと判断する場合には、訴えの変更を許さない決定（143条4項）をする。この決定は、審理の整序のための中間的裁判にすぎず、新請求を終局的に却下するものではない。裁判所は、終局判決において新請求を却下する。したがって、これに対する不服申立ては終局判決に対する上訴によるべきであり、先の中間的裁判に対する抗告は許されない。これに対する控訴で控訴審が訴えの変更を許すべきであると判断した場合には、先の決定を取り消し、控訴審で新請求について審理するかあるいは事件を第一審に差し戻す（308条1項）。

　訴えの変更がありかつ裁判所がそれを適法なものと認めるにもかかわらず被告がその点を争う場合には、裁判所は、訴えの変更を許す決定（143条4項の類推）をするか終局判決の理由中でその旨の判断をする。これに対する不服は、終局判決に対する上訴によってもすることができない。すでに新請求について審理判断してしまったのにこれについて再び別訴を提起させるのは相当ではないからである（以上、新堂769～770頁）。

第4節 　反　訴

[081] 第1項 　反訴の意義、態様

　反訴（146条1項）とは、訴訟の係属中に被告が原告に対し係属中の本訴との併合審理を求めて提起する訴えである。

　反訴は、原告に訴えの変更を認めたこととのバランスをとるために公平の

見地から認められているものだが、同時に、関連訴訟の重複審理や矛盾する判断の防止をもその目的としている。

　反訴には通常の反訴と予備的反訴がある。予備的反訴は、本訴請求の却下、棄却を解除条件とする反訴である。たとえば、原告の売買代金請求に対し、被告が、売買は無効であるとしてその取消しを求めるとともに、本訴請求が認容されるのであれば目的物の引渡しを反訴として求めるといった例であり、本訴請求と反訴請求は予備的併合の関係になる（もっとも、通常の予備的併合では、一次的請求の「認容」が解除条件となるのとは逆になる。これに対し、通常の反訴請求は、本訴請求と単純併合の関係になる。なお、いずれの場合にも、通常の併合形態とは異なり、併合といっても、本訴と反訴では「請求の方向」が異なるのはもちろんである）。

　また、相殺の抗弁を提出している被告が自働債権について反訴を提起する場合、反訴請求債権につき本訴において相殺の自働債権として既判力ある判断が示された場合にはその部分については反訴請求としない趣旨の予備的反訴として提起する例がある（もっとも、この場合、先に定義した予備的反訴とは、何について「予備的」なのかの意味が異なる。なお、理論的にはこのような反訴を予備的反訴として提起する必要はない〔[**067**]〕)(5)。

[082]　第2項　**反訴の要件**

　反訴の要件は、①本訴の請求またはこれに対する防御方法との関連、②著しく訴訟手続を遅滞させないこと、③事実審の口頭弁論終結前であること、④反訴が禁止されていないこと、⑤控訴審における反訴については相手方（第一審原告）の同意があること（300条1項）、⑥請求の併合の要件を充足していること（[071]）、である。

---

(5)　なお、弁護士は、反訴が予想される事案の訴えの提起については、慎重に検討すべきである。私の経験では、「藪をつついたら大蛇が出てきた」すなわち、「予想を超える金額や形態の反訴が提起され、かつ、反訴だけが認容される結果となった」という例が、かなりの数あるからだ（瀬木・ケース166～167頁参照）。先のような事案では、とりあえず訴えの提起は控え、紛争解決の必要があれば、先方が望むなら先方にも代理人を依頼してもらった上で、訴訟外で話合いをしたほうがよい場合が相当に多いのではないかと思う。

①の本訴の請求またはこれに対する防御方法との関連とは、本訴請求に関連する請求のほか、被告の防御方法に関連する請求をも行いうるとの趣旨である。訴えの併合の要件がゆるやかなものであることとの関連から、原告、被告の公平を図る趣旨でこのように規定されていると解されている。実務上、この要件の該当性が争われることは、まれにはある。

この要件は原告の利益保護を目的とするものであるから、原告が反訴提起に同意する場合や異議を述べずに応訴する場合には、必要とされない。

②、③については、訴えの変更と基本的に同様である。

④の反訴を禁止する規定としては、351条、367条2項（以上、手形・小切手訴訟）、369条（少額訴訟）等がある。

また、民法202条2項が本権に関する理由に基づいて占有の訴えの裁判をすることを禁じている（したがって、占有の訴えに対して防御方法として本権に基づく主張をすることはできない）こととの関係で、占有の訴えに対して本権に基づく反訴を提起できるか否かが問題となる。この点については、本権に基づく反訴は占有の訴えに対する防御に関連するとはいえないが、両請求を基礎付ける事実には共通性が認められるから、反訴は適法である、と解されている（伊藤655〜656頁。最判昭和40・3・4民集19巻2号197頁、百選5版34事件）。

⑤については、第一審原告の審級の利益を考慮したものであるから、同原告が異議を述べずに応訴する場合には必要とされないし、第一審における防御方法、たとえば抗弁等の形ですでに反訴請求についての実質的な審理が行われている場合にも、必要とされない。また、人事訴訟については、控訴審における反訴について原告の同意は不要と解されている（人訴18条1項）。これは、人事訴訟においては関連紛争の一挙解決の要請から判決確定後の別訴が禁止されていること（同25条）の帰結である（[**683**]）。

⑥については、特許権等に関する訴訟について東京、大阪の地方裁判所に専属管轄が認められている（6条1項）ところ、一方の専属管轄に属する請求について他方に反訴を提起することができる（146条2項）点が、反訴の場合の特色である。

[083] 第3項　反訴の手続

反訴提起の手数料については、本訴の経済的目的と重複する限りで納付を

要しない（民訴費 3 条 1 項、同別表第 1 の項 6）。

　反訴提起後に本訴が取り下げられても反訴の訴訟係属に影響はないが、本訴取下げ後の反訴の取下げについては相手方の同意を要しない（261条 2 項ただし書。[504]）。

　反訴の要件を欠く反訴については、終局判決で却下すべきであるとするのが判例である（最判昭和41・11・10民集20巻 9 号1733頁）が、多数説は、独立の訴えの要件を備える限り弁論の分離または弁論の分離と移送で対処すべきであるとする。反訴原告には利益となる反面相手方にとっても大きな不利益はないことを考えると、多数説に従いたい。

　反訴の弁論の分離については、予備的反訴の場合、分離すれば重複起訴の問題を生じる場合、同一目的の形成訴訟の場合（[230]）等の例外的な場合を除き、弁論の分離を肯定するのが多数説である。しかし、現実には、請求相互の関連性、訴訟経済等の観点から分離は適切ではない（裁判所の裁量が制約される）場合が多いというべきであろう（〔[230]〕。同旨、伊藤658頁。実務においても分離はほとんど例をみない。なお、最判令和 2・9・11民集74巻 6 号1693頁は、傍論ではあるが、債権の実体法上の性格からこの分離が許されない場合について判示している〔[067]〕）。

[084] 第5節　中間確認の訴え

　中間確認の訴え（145条）とは、すでに係属中の訴訟の当事者が、訴訟物である法律関係の先決問題となる法律関係一般の確認をその訴訟手続内で求める訴えである。原告が提起する場合には訴えの追加的変更の一種となり、被告が提起する場合には反訴の一種となる。

　たとえば、所有権に基づく土地明渡請求や所有権に基づく土地所有権移転登記手続請求では、判決が確定しても、所有権の存否自体には既判力が生じない。所有権の存否については、理由中の判断にすぎないからである。所有権について既判力のある判断を得るためには、いずれかの当事者が、中間確認の訴えとして、土地所有権確認の訴えを提起するほかない。つまり、中間確認の訴えは、本来であれば判決理由中の判断にしかならない法律関係を訴

訟の対象とすることによってその点に既判力を生じさせることを目的とする。

中間確認の訴えの対象は訴訟物である法律関係の先決問題となる法律関係（その例としては、上記のもののほかに、利息請求の訴えにおける元本債権の存否等がある。コンメⅢ223～224頁参照）の確認であるから、訴えの変更や反訴における関連性の要件は当然に備えていることになる。また、控訴審における反訴については原告の同意が要求される（300条1項）が、中間確認の訴えについてはこれは不要であると解されている（伊藤652頁等）。

特許権等に関する訴訟について東京、大阪の地方裁判所に専属管轄が認められている（6条1項）ところ、一方の専属管轄に属する請求について他方に中間確認の訴えを提起することができる（145条2項）。反訴の場合と同趣旨の規定である。

なお、私の知る限り、実務においては、中間確認の訴えはほとんど例をみない。その理由は種々考えられるが、私見としては、①中間確認の訴えは法律関係についてのものであるため、主要事実のレヴェルにおける蒸し返しを防げないこと（高橋上650～651頁の注(59)参照）、②ありうる蒸し返し訴訟に対処するために訴訟物の先決問題となる法律関係のうちどれについて中間確認の訴えを提起しておけばよいのかの予測も難しいこと、が大きなものではないかと思われる。以上の点に対処するには、中間確認の訴えでは難しく、争点効の再構成、活用によるのが適切ではないかと考える（[**500**]参照）。

【確認問題】
1　複数請求訴訟はどのような場合に生じるか。
2　物の引渡請求とその将来の執行が不能な場合の代償請求は、いかなる併合形態となるか。
3　予備的併合において、主位的請求が棄却され、予備的請求が認容され、これに対し被告のみが控訴した場合に、控訴審が主位的請求に理由があると判断するときには、いかなる判決をすべきか。
4　訴えの交換的変更の法的性質について説明せよ。
5　訴えの変更に対する裁判所の処置について述べよ。
6　控訴審における反訴に被告の同意を要しないのはどのような場合か。また、それはなぜか。

[085] 第4章
裁判所

本章では、裁判所、裁判体、裁判官等の裁判所職員、裁判官等の除斥・忌避・回避、民事裁判権、管轄と移送といった裁判所に関する一般的事項について論じる。民事裁判権、管轄については、基礎的な事項なので、よく理解しておく必要がある。

第1節　裁判所、裁判体、裁判官等の裁判所職員

[086] ### 第1項　裁判所の意義

民事訴訟法学でいう裁判所には、訴訟法上の裁判所、すなわち裁判機関としての裁判所と、官署としての裁判所、司法行政機関としての裁判所があり、後の2者をまとめて国法上の裁判所という（伊藤37頁）。

民事訴訟法学で普通に裁判所といえば「訴訟法上の裁判所」のことであるが、管轄の関係では「官署としての裁判所」が問題とされることが多い。「司法行政機関としての裁判所」については裁判法の領域で論じられるが、教科書の無機的な記述では、その構造、ことに日本におけるそれの欧米等と比較しての目立った特殊性を実感をもって理解することは難しいかもしれない[1]。

[087] 第2項　裁判体

　訴訟法上の裁判所の構成、すなわち裁判体には、合議制と単独制の別がある。最高裁判所は15人の裁判官による大法廷、5人の裁判官による小法廷に分かれ（裁9条、最事規2条）、高等裁判所は3人の合議制が原則である（裁18条。5人となる場合として、裁18条2項ただし書〔刑事事件〕、法310条の2本文、特許182条の2）。地方裁判所は単独制が原則であり、法律に定めのある場合、合議制で裁判する旨の決定（付合議決定）がされた場合に限って、3人または5人（5人となるのは例外的な場合。269条1項、269条の2第1項本文）の合議制となる（裁26条）。家庭裁判所も単独制が原則である（同31条の4第1項、第2項）。簡易裁判所は常に単独制である（同35条）

　合議制、単独制の別は立法政策の問題であるが、地方裁判所の合議体には若手裁判官を教育する目的が大きく関係していると考えられ、たとえば法曹一元制度への移行が図られるような場合には、合議事件は現在よりも限定する方向が相当であろう。

　合議体を構成する裁判官の1人が裁判長となる（同9条3項、18条2項、26

---

(1)　これについては、瀬木・裁判所、瀬木・裁判、瀬木・裁判官、瀬木＝清水等の私の書物を読んでいただくと、そのある側面を、実感をもって理解していただくことができるだろう。

　ことに、日本の裁判官制度が、司法修習生から任官した若者がそのままピラミッド型の官僚機構である裁判所組織に入り、その中で細かな序列を経ながら上昇してゆくというシステムを採っていることの弊害は大きい。先進諸国の中でこうしたシステム、つまり裁判官が官僚として「出世」（いやな言葉であるが）してゆくというシステムを採っている国はほとんどない。このようなシステムの下では、裁判官たちが、人事（異動、転勤を含む）、給与等を押さえている最高裁の方向を向きがちになることは避けがたいし、隔離された官僚機構の中にいる司法官僚としての裁判官たちには、たとえ彼らが良心的な裁判官であろうと努めている場合であっても、普通の市井の人間である当事者の顔が見えない、その考えていることや感じていることがわからない、という傾向が出てきやすいからである。こうした問題とその解決の方向性については、瀬木・裁判官において、過去の記述を総合した上で、詳細に論じている。

　このような制度の含む問題に関する私の見解に賛同するか否かはおくとして、少なくとも、制度の実際と、そこに問題があるとすればそれはどのようなものであるのかについては、法学を学ぶ人々や法律実務家・研究者には知っておいていただきたいと考える。

条3項、31条の4第3項）。

　裁判長には、合議体の代表者としての権限（その資格としての裁判を行うこととなる）と合議体から独立して行使する権限（独立の裁判機関としての裁判を行うこととなる）とがある。

　前者はより一般的であり、例としては、口頭弁論における訴訟指揮権（148条）や釈明権（149条）、尋問の順序の変更（202条2項、215条の2第3項）、証人保護のための付添い・遮蔽の措置（203条の2第1項、203条の3第1項、第2項）等がある。これらについては、当事者の異議が認められる（訴訟指揮等に対する異議〔150条〕、尋問の順序の変更についての異議〔202条3項、215条の2第4項〕、付添い・遮蔽の措置に対する異議〔203条の2第3項、203条の3第3項〕）。

　後者は、比較的簡単な事項や急を要する事項について定められているもので、特別代理人の選任（35条1項）、期日の指定（93条1項。したがって、訴訟記録を見ると、期日指定の裁判には裁判長の押印しかない）、訴状審査、補正命令とこれに従わない場合の却下（137条1項、2項。もっとも、訴状審査については、実際上は、陪席裁判官や裁判所書記官も、裁判長の訴状審査権に基づいて事実上の事務を行うのが通常である〔[039]〕）等があり、これらについては、明文で即時抗告が認められる場合（137条3項等）を除けば、抗告が許される場合がありうるにとどまる（328条1項）。

　合議制の場合、裁判は、裁判官の評議に基づき、その過半数の意見によってされる（裁75条ないし77条）。

　合議制の場合に、裁判長に指名されて法定の事項を合議体に代わって行う合議体の一員である裁判官を、受命裁判官という。和解、弁論準備手続等については受命裁判官が行う場合も多い。

　これに対し、裁判所間の共助（同79条）の一環として、他の裁判所から法定の事項の嘱託を受けてこれを担当する裁判官を、受託裁判官という。遠方における人証調べ（証人の健康状態等から受訴裁判所への出頭が難しい場合に行われる）の場合にその例が多い（195条）。受託裁判官は受訴裁判所の構成員ではない。

　受命裁判官や受託裁判官の証人・当事者尋問の順序の変更に関する異議については、手続保障にかかわるため、受訴裁判所が裁判をする（206条ただし書、210条）。これ以外の異議については、受命・受託裁判官が裁判をする（コンメⅣ274頁等）。

受命・受託裁判官の裁判で受訴裁判所がしていれば抗告の対象となるものについては、受訴裁判所に異議を申し立てることができる（329条1項）。

単独制の場合には、裁判長の行うべき職務は、その裁判官が行うこととなる。

[088] 第3項　裁判官等の裁判所職員

　裁判官には、最高裁判所の裁判官として最高裁判所長官と最高裁判所判事があり、下級裁判所の裁判官として高等裁判所長官、判事、判事補、簡易裁判所判事がある（裁5条1項、2項）。判事補は、原則として1人で裁判をすることができず、また、同時に2人以上合議体に加わり、または裁判長となることができない（同27条、31条の5）。もっとも、判事補の職権の特例等に関する法律1条により、5年以上の経験がありかつ最高裁判所の指名を受けた者は判事の権限を有するとされている。いわゆる「特例判事補」である。

　裁判に関係する裁判官以外の裁判所職員には、裁判所調査官（裁57条）、裁判所事務官（同58条）、裁判所書記官（同60条）、裁判所速記官（同60条の2）、家庭裁判所調査官（同61条の2）、執行官（同62条）、廷吏（同63条）等がある。

　裁判所書記官は、事件記録等の書類の作成保管、裁判官の法令・判例調査等の補助を職務とするが（同60条）、民事訴訟法においても、送達関係事務（98条2項）、口頭弁論調書の作成（160条1項）、訴訟費用負担額の確定（71条1項）、支払督促の発布（第7編）等の権限を与えられており、また、近年は、民事執行法等において固有事務、権限の範囲が広げられている。裁判官の補佐役として重要な役割をになう職務であるといえる。

　裁判所調査官は最高・高等・地方各裁判所に置かれるが、最高裁判所におけるそれが下級裁判所の裁判官から選ばれ法律調査を行う専門職であるのに対し、下級裁判所におけるそれは知的財産権や租税に関する事件について調査を行うため裁判官以外の専門家が任命されるものである。

　家庭裁判所調査官は家庭・高等裁判所に置かれ、心理学等の専門知識を生かして、人事訴訟において、子の監護に関する処分等の人事訴訟法32条1項の附帯処分事項や親権者指定の裁判について事実の調査を行う（人訴33条、34条）。

　以上とは異なり、専門委員（92条の2以下）は、非常勤の国家公務員であり

(92条の5第3項)、争点整理、証拠調べ、和解に関与して、専門的な知見に基づく説明を行う。医師、建築家、各分野の研究者、知的財産権や情報技術の専門家が任命される例が多い。専門委員の関与については、当事者の意見を聴くこと、または、同意を得ること（和解の場合）が必要であり、証人等に対する直接の発問については当事者の同意と裁判長の許可が必要である（92条の2）。

　実際には、争点整理と和解についての関与が大半である。専門委員の行うのはあくまで「説明」であって「意見を述べること」ではないというのが法の建前である（弁護士側からの懸念に応える形でそのような規定ぶりとなった）が、実際には、当事者の理解が得られる限り、相当程度に重みのある「意見に近い説明」を提供する例も多い。

　鑑定との関係、その潜脱になることを懸念する声もあるが、専門委員の中立性が保たれ、良識ある方法で説明が行われる限り、裁判官や当事者に専門分野の知識、経験則とそれに基づく知見を提供する専門委員の役割は、評価されてよいと思われる（なお、「経験則」とは、経験から帰納された事物に関する知識や法則のことである。経験則は、推認の基礎となる。一般的経験則は人々が日常の推認に用いているもので、裁判官もこれの積み重ねによって事実認定をしている部分が大きいといわれる。しかし、専門的経験則については、裁判官もよくわからないことが多々あるので、これについては、場合により鑑定や専門委員が利用されるわけである。その意味で、専門委員の実質的な機能は、鑑定人に近い）。

　実務においては、実際には、当事者双方がそれを求めるか少なくとも異議がない場合に、専門委員が利用されている。鑑定の場合のように大きな費用をかけずに専門的な経験則ないしは経験則に事実を当てはめた結果についての説明が得られることは、双方当事者にとっても利益になる場合が多い（たとえば、それに基づいて準備書面を書く、立証を準備する、和解に踏み切るなどのことがありうる）ため、裁判官が専門委員を利用したいという場合、当事者が反対することは少ない（もっとも、その利用について強い懸念がある場合には、裁判官に対して、その旨を明確に述べるべきである）。また、当事者の側からその旨の希望が出る場合もある。もっとも、専門委員の発言が中立性や客観性を欠いたり、一方当事者に偏している印象を与えると、当事者の大きな反発を招くことになるから、その点については注意が必要である。

　専門委員は、こうした職務の性質から、除斥、忌避、回避の対象となる（92条の6、規34条の9）。

[089] 第2節　裁判官等の除斥・忌避・回避

　裁判官の除斥は、裁判官に公正を疑わせる事由がある場合に、その裁判官を当然に職務の執行から排除する制度である。忌避は、除斥事由以外の事由について、当事者の申立てに基づく裁判によって、当該裁判官をそれ以降に職務の執行から排除する制度である。回避は、裁判官が、自己に除斥・忌避事由があると判断する場合に、みずから職務の執行を避ける制度である。

第1項　裁判官の除斥

[090]　第1　除斥事由

　除斥原因は、23条1項各号に定められている。うち1号ないし3号は、裁判官が当事者と密接な関係をもっている場合であり、4号ないし6号は、裁判官が事件と密接な関係をもっている場合である。

　前者の「当事者」には、従たる当事者である補助参加人、訴訟担当における被担当者も含まれる。裁判官の公正という観点からは、これらの者も当事者と同視されるからである。

　後者については、4号は、当該事件についての証拠資料の提供者が判断を行うのを避ける趣旨である。

　6号の「前審関与」には解釈上の問題が多い。

　まず、「前審」の意味が問題となる。ここでいう前審とは、その事件についての直接（原審）または間接（原原審）の原審級の裁判（中間判決〔245条〕を含む。なお、伊藤105〜106頁は、より広く、283条にいう終局判決前の裁判〔不服申立ての対象となるもの〕一般を含むとする）を意味すると解されている。つまり、審級制度の趣旨を無意味にするような場合を「前審関与」と解するわけである。

　したがって、同一の審級における不服申立てである異議における、異議の対象となる裁判（異議申立て〔357条、367条2項〕後の通常訴訟における手形・小切手判決、保全異議手続〔民保26条以下〕における保全命令、異議申立て〔労審21

条〕後の通常訴訟における労働審判〔最判平成22・5・25判時2085号160頁、判タ1327号67頁〕）は、ここでいう前審には該当せず、実際にも、同一の裁判官が続けて担当し（たとえば手形・小切手判決に対する異議申立後の通常訴訟）、あるいは、続けて担当する場合（たとえば保全異議審における審判）がかなりある。これらの手続は、性格的には同じ審級における審理の続行だから、同一裁判官が担当することに問題がない（前審関与の問題にはならない）からである。

また、同一訴訟手続に属しない裁判も、前審には該当しないとされる。再審手続における確定判決、請求異議の訴え（民執35条）における債務名義たる裁判、本案訴訟における保全命令等である。もっとも、再審については、実際上上訴と類似の機能をももつとして、確定判決がその前審に当たると解する考え方も有力であり（伊藤106頁等）、再審という制度の意味、機能、そして当事者の納得という観点を併せ考えてこれに賛成したい。

上告審の差戻しあるいは移送判決に基づいて原審あるいは移送を受けた裁判所が審理を行う場合の控訴審の原判決も、同等の裁判所による判断なので前審には当たらないが、325条4項は、先入観のない裁判官に担当させるのが相当という趣旨から、原判決に関与した裁判官は審理に関与できないとしている。

次に、「前審の裁判への関与」とは、裁判の中核部分である判断そのもの、すなわち、裁判の評決（評議の結果を評決という。裁77条参照）と判決原本等の裁判書の作成を指す。そのほかの審理一般、また判決の言渡しはこれに含まれない（なお、判決の言渡しについては、裁判の評決と判決書の作成に関与した裁判官が行う必要はない〔**[426]**〕）。

[091]　第2　除斥の効果

ある裁判官について除斥事由が認められれば、その裁判官は、当然にその事件の職務の執行から排除される。申立てによりまたは職権でされる除斥の裁判（23条2項）は、忌避の場合とは異なり、確認的なものにすぎない。

除斥事由のある裁判官が行った行為は、除斥決定の有無にかかわらず無効である。したがって、終局判決前であればその行為はやり直さなければならないし、終局判決後であれば、上訴の理由になる。判決に関与した場合には、絶対的上告事由（312条2項2号）、再審事由（338条1項2号）となる。

例外として、除斥事由のある裁判官でも、26条の「急速を要する行為」は行うことができる（後記**第 2 項第 2**〔**093**〕）。また、前審関与に当たる裁判官は、受託裁判官としての職務を行うことはできる（23条1項柱書ただし書）。

第 2 項　裁判官の忌避

[092]　第 1　忌避事由

忌避事由は、「裁判官について裁判の公正を妨げるべき事情があること」、つまり、不公平な裁判が行われるおそれのある事情が存在することである（24条1項）。

通説は、これについて、裁判官と事件との特殊な結び付きを示す客観的事情であるとする。具体的には、裁判官と当事者の間に個人的な関係があること、訴訟について利害関係を有していること、「前審関与」には当たらないとしても前審の訴訟手続に関与していることなどの、いわば、除斥事由の外側にある事情が忌避事由に当たることになる。反面、裁判官の訴訟指揮は原則として忌避事由に当たらないとする（もっとも、近年は、裁判官の訴訟指揮が極端にかたよっている場合には忌避事由になるとする説もある。しかし、具体的な記述はなく、抽象的に訴訟指揮の忌避該当可能性をいうにとどまっている）。

通説によると、忌避事由が認められる場合は、ごく狭いものとなる。また、通説の掲げるような事情がある場合には、後記**第 3 項**のとおり裁判官がみずから配てんされた事件を交換するなどの形で対応するのが通常なので、なおさらそれに該当する場合は減少する。

しかし、判例は、忌避事由に当たる場合をさらに狭く限っており、たとえば、裁判官が一方当事者の訴訟代理人の女婿である場合についても、忌避事由に当たらないとする（最判昭和30・1・28民集9巻1号83頁、百選5版4事件）。この判例については学説の批判が強い。時代が古いものとはいえ、およそ手続的正義の感覚を欠いた判例というほかない（なお、忌避を認めた判例としては、裁判官が、被告らに口頭弁論期日の呼出状を送達する際に、「原告の請求を棄却する旨の答弁書を提出すれば出頭は不要である」との事務連絡を同封したという事案がある〔横浜地小田原支決平成3・8・6自由と正義43巻6号120頁〕。そのほかの判例については、新堂88頁、伊藤108～109頁等を、また、詳しいものとしてはコンメⅠ

351～355頁を参照）。

　このように、日本の実務において忌避の申立てが認められる例はほぼ皆無であり、実務においては、それは、裁判官のかたよった訴訟指揮に対する事実上の異議申立て、抗議行動として行われ、すべて却下されているというのが実情である（申し立てるほうも、忌避が容れられるとは考えていない）。反面、そのために、裁判官に対するいやがらせ的な、理由に乏しい忌避申立てを行う弁護士も一定程度存在する（制度のあるべき姿が実現されていないとかえってその濫用が生じる結果になる。その一例ではないかと考える）。

　しかし、私は、以上のような実務とそれをおおむね追認している通説に大きな疑問を感じる。実務においては、裁判官の不当な訴訟指揮によって訴訟の帰趨が左右されるような場合も一定程度存在するのであり、こうした訴訟指揮については、「裁判の公正を妨げるべき事情」と認めるべきではないかと考える。それが、制度の活性化、適正化にもつながるはずである[2]。

[093]　第2　忌避に関する手続と裁判

　以下は、その旨を注記する場合以外、除斥の申立てについても同様である。
　その裁判官が所属している裁判所（官署としての裁判所）に対して、その原因を明示して申立てを行う（規10条1項）。期日においてする場合を除いては書面でしなければならない（同条2項）。忌避については、忌避事由を知った後に裁判官の面前で弁論をし、または弁論準備手続で申述をしたときは忌避権を失うとされている（24条2項）が、訴訟指揮に関する忌避については、その訴訟指揮があった期日ないしはその直後に申立てをすれば足りると解すべきであろう。当事者にはとっさの判断がつかない場合もありうるからである。

　事由は、3日以内に疎明しなければならない（規10条3項前段）。これをしないと申立ては却下される。もっとも、これは、およそ理由のない申立てをさせないための申立ての適法用件にすぎず、裁判所が事由ありとの判断をするには、証明が必要であると解される（上記条文の趣旨につき、詳しくは、コンメI 362～363頁参照）。

　地方裁判所以上の裁判官の除斥・忌避についてはその所属裁判所の合議体が、簡易裁判所の裁判官の除斥・忌避については管轄地方裁判所の合議体が、決定で裁判を行う（25条1項、2項）。当該裁判官はこの裁判に関与すること

ができない（同条3項）が、意見を述べることはできる（規11条）。
　除斥・忌避を認める決定に対しては不服申立てができず、これを理由がな

(2)　ドイツでは、忌避事由に関する条文が日本とほぼ同様であるにもかかわらず、裁判官の訴訟指揮や言動の不当が忌避事由として認められ、忌避申立てが認容される場合も多いといわれる（坂元和夫「弁護士からみたわが国のフェアネス」谷口安平＝坂元和夫編著『裁判とフェアネス』〔法律文化社〕58頁が引いているドイツの文献によれば、5パーセント前後が認容されているという。これは非常に高い割合といえよう）。
　裁判官制度が相当に民主化されたといわれるドイツにおいてさえこうなのであることを考えると、裁判官が一般社会から隔離されていることの結果として、その自己を客観的に見詰める目が不足しがちな傾向のある日本において、実質的な事由による忌避を一切認めない日本の判例の問題は、大きいように思われる。ことに、積極的な法的釈明権の行使、法的観点指摘の場合については、上記のような観点から不当と考えられる訴訟指揮が行われる可能性が相対的に高く（[273]）、公正・公平の観点から忌避が認められるべきではないかと考える。
　また、忌避については、それが認容されたからといってその裁判官が問題裁判官であるといった見方をすべきでもない。たまたま当該事件で訴訟指揮等に公平を欠くなどの事情があったというだけのことであり、そのことを本人が謙虚に受け止めさえすれば、それでよいのである。検察官の場合でも同様だが、体面や無謬性にこだわることが、結局、裁判のあり方をゆがめることにつながっているのではないだろうか（以上につき、瀬木・要論 [056] の(7)、また、瀬木比呂志「これからの民事訴訟と手続保障論の新たな展開、釈明権及び法的観点指摘権能規制の必要性」栂・遠藤古稀356～369頁参照）。
　近年、裁判官の訴訟指揮についての手続裁量の規制を主張する考え方がある（条解874～877頁参照）。こうした議論の方向には、基本的にうなずける部分がある。しかし、一方、裁判官の訴訟指揮、広く訴訟運営一般についての裁量に一定の限界があること自体は、きわめて当然のことであり、先のような考え方に関して議論されているところも、おおむね常識の範囲内の事柄である場合が多い。
　より大きな問題は、むしろ、上記のとおり、裁判官の訴訟指揮、釈明権の行使について明らかに問題があった場合の規制をどのように行うかという点にあるのではないだろうか。
　こうした観点からみるとき、ことに、積極的な法的釈明権の行使、法的観点指摘の場合については、訴訟指揮に関する忌避を認めることが、公正・公平な審理を確保するための喫緊の課題ではないかと考える。
　弁護士や研究者と同様に裁判官の個性もさまざまだが、日本の裁判官養成システムの特殊性もあって、自己過信の非常に強い裁判官も残念ながら時に存在する（瀬木・裁判官59～64頁）ところ、そうした裁判官の恣意を抑制するためには、訴訟指揮上の問題が上訴の理由とされうるというだけでは、全く不十分（こうした上訴が容れられるのは、裁判官の裁量逸脱が一見明白な場合にほぼ限られる）だからである（また、よき裁判官であっても誤ることはあり、そのような裁判官にとっても、忌避による規制は、みずからの訴訟指揮を客観的にかえりみる内省と成長の機会となるはずである）。

いとする決定に対しては即時抗告をすることができる（25条4項、5項）。

　除斥・忌避の申立てがあったときは、その申立てについての決定が確定するまで、訴訟手続は停止する（26条本文）。これを認めないと、その裁判官による審理が進行してしまい、申立ての意味がなくなるからである。

　ただし、急速を要する行為（証拠保全、民事保全、執行停止等）はその例外とされる（同条ただし書）。急速を要する行為のあとで除斥・忌避の理由があるとされた場合のその行為の効力については争いがあるが、26条は、迅速な裁判の要請を公正な裁判の要請に例外的に優先させたものとみるべきであるから、急速を要する行為自体は有効であると解される（もっとも、新堂90頁は、その行為によって不利益を受ける当事者に配慮し、その後の手続における急速を要する行為の評価に当たっては、その行為が除斥・忌避の理由があるとされた裁判官によって行われたことを考慮すべきであるとしている。妥当な考え方であろう）。

　除斥・忌避の申立てについての審理中に裁判官が急速を要しない行為を行った場合については、違法ではあるが、後に除斥・忌避申立てを却下する決定が確定した場合にはその瑕疵は治癒されるとするのが通説・判例（最判昭和29・10・26民集8巻10号1979頁）である。

　しかし、除斥・忌避の申立てについての審理中には申立人は手続関与を強制されるいわれはなく、関与しなかったことによって不利益を受けるのは相当ではないから、その不急の行為について申立人が十分な訴訟活動をしなかったことが証明される場合には瑕疵は治癒されず、ことに、不急の行為である終局判決がされた場合には上訴の理由となるとする考え方があり（新堂89〜90頁。講義68頁もほぼ同旨）、これが相当であろう。

　除斥・忌避、ことに忌避の申立ては、濫用的に行われることがある（原告本人訴訟で、精神的に問題のある原告が理由のない申立てを繰り返す場合が、まれにある）。このような場合には、忌避権の濫用として、訴訟手続の停止を認めず、また、当該裁判官自身が却下の裁判をすることができると解すべきである（解釈による簡易却下。26条、25条3項の例外となる。刑訴24条参照）。実務では、同じ内容の申立てあるいは無内容な申立てが繰り返される場合には、簡易却下が行われている（私自身も、一度だけこれを行った経験がある）。

　前記**第1項第2**（[091]）のとおり除斥の裁判は確認的なものにすぎないが、忌避の裁判は、これとは異なり、形成的なものである（その効果は、その確定の時点から生じる）。

したがって、忌避事由が存在した場合であっても、いったん終局判決がされてしまえば、当事者は、上訴等で忌避事由の存在を主張することはできない。この点は、主として、24条2項ただし書が適用されるのは当該審級において終局判決がされるまでの間に限られるという意味で問題となる（伊藤111～112頁）。

[094] 第3項　裁判官の回避

前記のとおり、裁判官が、自己に除斥・忌避事由があると判断する場合に、みずから職務の執行を避ける制度である。司法行政上の監督権をもつ裁判所（裁80条）の許可を得ることが必要である（規12条）。

実際には、除斥・忌避事由がある場合には、その裁判官が当該事件についての職務の執行から外れるように事件を割り当てる（本来の割当ての順番を変える。外形的に明確な前審関与の場合等には、こうしたこともありうる）、裁判体の間で任意に事件を交換する、などの形で対応が図られることがほとんどであり、正式の回避はまれであろう。

[095] 第4項　裁判所書記官等への準用

裁判所書記官、専門委員、裁判所調査官（知的財産関係事件における）については、それらの職務の性質が裁判の公正さに一定の影響を及ぼすため、除斥、忌避、回避の対象になる（27条、規13条、92条の6、規34条の9、92条の9、規34条の11）。

もっとも、たとえば裁判所書記官の場合、その職務の性質上、前審関与の規定（23条1項6号）は準用されない（最判昭和34・7・17民集13巻8号1095頁）。また、除斥・忌避事由のある裁判所書記官等の職務の執行は違法であり、判決に影響を及ぼす場合には上訴の理由となるが、裁判官の場合のように絶対的上告事由（312条2項2号）、再審事由（338条1項2号）となるわけではない。

第3節　民事裁判権

[096] 第1項　意　義

　裁判権（民事裁判権）とは、ある国の裁判所が特定の人または事件に対して行使できる国家権力・権限であり、司法権と同一のものだが、その及ぶ人や事件の範囲を問題にする場合に、これを裁判権と呼ぶ。

　民事裁判権の内容には、裁判・強制執行等に関する権能が、裁判についてみると、具体的には、送達、口頭弁論期日等への当事者の呼出し、証人等の呼出し・尋問、判決言渡し等の権能が含まれる。

　民事裁判権には上記のとおり対人的制約と対物的制約があるが、対物的制約のうち他の国家との関係におけるものが国際裁判管轄の問題であり（これについては、第24章で論じる）、国内の、司法権の本質と役割に内在する要請に基づくものが審判権の限界の問題である（これについては、訴訟要件の一種であり、第6章で論じる）。

　民事裁判権が及ぶことを前提としていずれの裁判所がこれを行使することができるかを定めるのが後記第4節の管轄の問題である。

[097] 第2項　対人的制約

　日本の民事裁判権は、原則としてその主権の及ぶ範囲にいる人、すなわち、日本国内にいるすべての人に及ぶ。

　天皇についても例外ではないとするのが通説だが、判例は、天皇は日本国の象徴であり日本国民統合の象徴であることから、天皇には民事裁判権は及ばないとしている（最判平成元・11・20民集43巻10号1160頁）。しかし、天皇も私法上の権利主体となりうる（権利能力、当事者能力がある）以上、上記のような理由から天皇に民事裁判権は及ばないとすることには、疑問がある。どこか戦前の天皇の地位に引きずられた考え方ではないだろうか。もっとも、当事者としてはともかく、天皇を証人尋問等の対象とするのはその憲法上の

地位から適切ではない面があるとする考え方（クエスト347～348頁）は、正しいものを含むかもしれない。

外国国家については、かつては、その国家が免除特権を放棄した場合、条約に定めのある場合等特別な場合を除き民事裁判権に服しないとする絶対免除主義が採られていたが、近年では、国家の私法的行為については一般的に民事裁判権の免除を認めないとする制限免除主義が通説、判例（最判平成18・7・21民集60巻6号2542頁）となっている。

これについては、国際連合が2004年（平成16年）に採択した「国及びその財産の裁判権からの免除に関する国際連合条約（国連裁判権免除条約）」に日本も2007年（平成19年）に署名、2010年（平成22年）に批准しており（ただし、同条約の発効には30か国の批准が必要とされており、未だ未発効）、その内容を踏まえて、2009年（平成21年）には「外国等に対する我が国の民事裁判権に関する法律」が制定されている（翌年施行）。

なお、絶対免除主義を採っても、外国国家が進んで日本の民事裁判権に服することは妨げられないが、この意思表示については、条約の定めか特定の事件についての外国国家の意思表示が必要と解されていたところ、上記平成18年最判は、外国国家が、私人との間の書面による契約に含まれた明文の規定により当該契約から生じた紛争について日本の民事裁判権に服することを約した場合にも、原則として、当該紛争について日本の民事裁判権から免除されない旨を判示した。

また、元首、外交官やその家族等についても民事裁判権の免除が認められるが、外交官等については、その範囲は限定される。

具体的には、日本も加盟している「外交関係に関するウィーン条約」31条1項は、個人の不動産に関する訴訟、個人として関与する相続に関する訴訟、公務の範囲外で行う職業・商業活動に関する訴訟を民事裁判権免除の範囲外としている。また、民事裁判権免除の範囲内の訴訟についても、派遣国がこれを放棄することはでき、たとえば自動車事故に基づく損害賠償請求訴訟等については、こうした放棄の意思表示が求められ、それがなされる例が多い。

第4節　管轄と移送

[098] 第1項　概説

　前記（[096]）のとおり、民事裁判権を前提としていずれの裁判所がこれを行使することができるかを定めるのが管轄の問題である。いいかえれば、管轄とは、各裁判所（官署としての裁判所）の間の事件分担の定めである。これを各裁判所からみるときには、特定の事件について裁判権を行使できるという意味で、「管轄権がある」あるいは「管轄がある」ともいう。

　上記の意味における裁判所の部内における裁判機関相互の事件の分配に関する内部的な定めが事務分配である。地方裁判所本庁と支部の間における事件の分担もこれによる。事務分配は内部的な定めにすぎないから、特定の官署としての裁判所に管轄権がありさえすれば、その裁判所内部にあるどの裁判機関が裁判を行っても（つまり、事務分配の定めに反して裁判を行っても）、違法にはならない。

　最判昭和41・3・31（判時443号31頁、判タ190号125頁）は、この観点から、事件を地方裁判所本庁で審理するか支部で審理するかは、地方裁判所内部の事務分配に関する事項であって、訴訟法上の管轄の問題ではないから、公正証書を債務名義とする請求異議の訴え（民執35条）における債務者が地方裁判所支部の管轄区域内に住所を有する場合に、当該地方裁判所本庁に対して同訴訟が提起され、これに基づいて審理判決がされたとしても、専属管轄に違背したものとはいえないとした。

　もっとも、これは一種の救済判例、あるいは新堂（62〜63頁）がいうところの評価規範、すなわち手続を振り返って法的評価を行う際にはたらく基準を設定したものであって、通常は、裁判所（事件受付係の書記官）が気付くかあるいは被告の指摘があれば、上記の本庁は支部へ事件を回付（後記**第6項第1**〔**[114]**〕）したであろう。つまり、これから手続を進める際にはたらく基準、新堂説のいう行為規範としては、事務分配の定めに従って事件を担当すべき裁判機関が裁判を行うのが適切、ということになる。

なお、この、「行為規範と評価規範の区別」という考え方（新堂62〜63頁。当事者の確定という場面では規範分類説と呼ばれる〔**[120]**〕）は、新堂理論の提供した卓見の1つであり、手続法理論の特殊性のある側面をうまく表現している。手続法においては、先行手続を前提として後行手続が積み重ねられてゆくので、すでに行われてしまった手続はできる限り生かしたいという手続の安定性の要請がはたらくため、このように、行為規範と評価規範の区別、分離が生じるのである（これに対し、実体法規範においては、行為規範と評価規範にずれが生じることは少ないであろう）。

日本の法廷で管轄がシリアスな問題として争われることは、それほど多くない。もちろん、当事者にとっては、出頭の便や委任する弁護士の選択等の観点からどこの裁判所で審理が行われるかは重要な事柄だが、日本では、後記の義務履行地の管轄（5条1号）によって原告の住所地に訴えを提起できる場合が非常に多いこともあり、被告のほうではあきらめてそこで審理を受けるという事態も多いからである（もっとも、原告と被告の住所地が遠いという事件の割合自体が、元々、それほど高くはない）。

これに対し、たとえばアメリカの場合には、国土が広大で、連邦事件以外では適用される法も州によって異なるため、どの裁判所に管轄があるかは、当事者の利害にきわめて大きく影響する。その利害状況がさらに拡大されるのが、**第24章**で論じる国際裁判管轄の場合である。

管轄には、そういう奥深い問題がからんでくることに注意してほしい（なお、アメリカでは、国際私法と同種の問題としての抵触法も、同様に重要な問題になることが多い）。私自身は、日本の当事者、弁護士が管轄の問題により敏感になり、後記**第6項第1**（**[114]**）の17条による移送の申立てをより積極的に行ってゆくことが適切ではないかと考えている。

[099] 第2項　**管轄の種類、専属管轄**

管轄は、①管轄の発生根拠の観点から法定・指定・合意・応訴管轄に、②強制力の有無の観点から専属・任意管轄に、そして、③法定管轄について、管轄分配の基準の相違から職分・事物・土地管轄に、それぞれ分類できる。

以下、まずここで②（専属・任意管轄）について論じ、後記**第3項**で法定管轄について③の分類に応じて論じ、さらに、後記**第4項**で①のうち法定管轄

以外の管轄について論じる。

　専属管轄は、適切な裁判所が審理を行うという観点から、高度の公益的要請がある場合に認められるものであって、当事者の意思によって左右できない。これに対し、任意管轄は、当事者の利害の調整や公平のために定められるものであるから、当事者の意思によってこれと異なる管轄を定めることができる。したがって、合意管轄や応訴管轄は任意管轄についてのみ生じうることとなる。

　③の分類（職分・事物・土地管轄）についていうと、職分管轄は裁判所間の役割分担に関する定めであって公益性が高いから専属管轄となる。これに対し、事物・土地管轄については、法が特に専属と定める場合に限り専属管轄となる。

　専属管轄の定めがあると、他の一般の規定による競合的管轄（関連裁判籍に関する7条、合意管轄に関する11条、応訴管轄に関する12条が重要）は生じない（13条1項）。裁判所も、それ以外の裁判所に事件を移送することはできない。

　もっとも、専属管轄裁判所が競合する事態はある。日常的な事件でもこれが多数生じるのが、民事保全事件である。本案の管轄裁判所または仮差押えの目的物や係争物の所在地という広い形で管轄が定められているためである（民保12条1項。なお、民事保全法の規定する管轄はすべて専属管轄である〔同6条〕）。民事保全事件については、公益性と当事者の便宜の双方の要請が重要であるため、こうした規定ぶりになっているわけだ。

　専属管轄は公益性が高いので、その違反は、控訴の理由（299条1項ただし書）、また、絶対的上告理由（312条2項3号）となる。もっとも、再審事由にはならない。事件が確定してしまった以上、もはや、専属管轄違背といえども問題にすべきではないということである。

　控訴審は、第一審判決が専属管轄に違背する場合には、当事者の主張の有無にかかわらず、これを取り消して管轄裁判所に移送する（309条）。これに対し、任意管轄違背については、当事者はこれを主張できないし、裁判所もこれを理由に第一審判決を取り消すことはできない（299条1項本文）。

　なお、以上のような専属管轄に関する規律は、後記**第4項第2の3**（[**111**]）の専属的合意管轄には適用されない。たとえば、専属的合意管轄については、移送も許される（20条1項かっこ書）し、地方裁判所がその管轄区域内の簡易裁判所事件についても審理できることを定める16条2項も適用さ

れる（同項ただし書中のかっこ書）。応訴管轄も生じるし、合意した管轄を当事者間でさらに変更することもできる。すなわち、少なくとも現行民事訴訟法の下では、専属的合意管轄というのは、合意の性質が付加的ではなく専属的であることを意味するにすぎず、専属管轄とは別個の概念である（この点については、混乱しやすいので注意）。

第3項　法定管轄

[100]　第1　職分管轄

　職分管轄は、各種の事件に対する裁判権をどの裁判所が行使するかを定めるもの、すなわち裁判所間の役割分担に関する定めであって、公益性が高いから、専属管轄となる。

　判決手続は民事訴訟法の定める判決裁判所が管轄し、執行手続は執行裁判所が管轄する（民執3条。なお、民事執行法上の管轄も、民事保全法上のそれらと同様、すべて専属管轄である〔同19条〕。さらに、倒産法関係についても同様である〔破6条、民再6条、会更6条〕）。

　判決手続については、少額訴訟事件（368条以下）について簡易裁判所の職分管轄が、人事訴訟事件の第一審（裁31条の3第1項2号、人訴4条）について家庭裁判所の職分管轄が、それぞれ定められている。

　簡易裁判所は、訴え提起前の和解（275条）、督促異議手続（394条1項、395条）、公示催告手続（非訟99条以下）についても職分管轄を有する。

　職分管轄のうち、第一審の裁判所、上訴審の裁判所を定めるものを審級管轄という。第一審は、上記のとおり人事訴訟事件については家庭裁判所であり、それ以外の事件については原則として地方または簡易裁判所である（裁31条の3第1項2号、24条1号、33条1項1号）。特殊な事件については、高等裁判所が第一審を担当する例がある（公選203条、特許178条1項、地自251条の5ないし252条）。

　地方・家庭裁判所の第一審判決に対する控訴については高等裁判所に、上告については最高裁判所に審級管轄がある（裁16条1号、7条1号、法311条1項）。簡易裁判所の第一審判決に対する控訴については地方裁判所に、上告については高等裁判所に審級管轄がある（裁24条3号、16条3号、法311条1項。

ただし、高等裁判所は、その意見が最高裁判所等の判例と相反する場合には、最高裁判所への移送を義務付けられている〔324条、規203条〕）。

[101]　第2　事物管轄と訴え提起の手数料

　事物管轄は、第一審裁判所としての地方裁判所と簡易裁判所の事務分担の定めである（なお、前記**第1**に記したとおり、特殊な事件では高等裁判所が第一審を担当する場合がある）。「訴訟の目的の価額」すなわち訴額が140万円を超えない請求については簡易裁判所の、それ以外の請求については地方裁判所の管轄とされる（裁24条1号、33条1項1号。つまり、140万円の場合には簡易裁判所の管轄となる）。

　事物管轄は専属管轄ではないから、当事者の合意によって変えることができ、合意管轄（11条）、応訴管轄（12条）が生じうる。また、当事者の申立てと相手方の同意がある場合には、第一審裁判所は、その訴訟について管轄がある場合にも、訴訟を申立てにかかる地方裁判所または簡易裁判所に移送しなければならない（19条1項本文。もっとも、ただし書の例外がある）。実際には、訴額は小さいが複雑な事件について、簡易裁判所から地方裁判所への移送の申立ての例が多い。

　また、簡易裁判所の管轄に属する事件については、地方裁判所が受理した場合であっても、相当と認めるときには地方裁判所がみずから審理することができる（16条2項）し、簡易裁判所は、その管轄に属する事件について、相当と認めるときには地方裁判所に移送することができる（18条）。さらに、簡易裁判所は、不動産に関する訴訟について被告の申立てがある場合にはこれを地方裁判所に移送しなければならない（19条2項。訴額が140万円以下の不動産訴訟については地方裁判所にも管轄がある〔裁24条1号〕）。

　以上のとおり、事物管轄にはさまざまな意味で流動性があり、複雑な事件や当事者双方がそれを望む事件については簡易裁判所ではなく地方裁判所で審理を行う道が保証されている。なお、簡易裁判所の管轄と移送関係については、簡易裁判所の事物管轄の拡大化傾向を考慮して、ほかにも調整規定が設けられている（後記［671］で、上記の点を含め、全体を整理している）。

　事物管轄は、訴訟の目的の価額、すなわち訴額によって決する（8条1項）。訴額とは、原告が訴えで主張する利益、すなわち、訴訟物についての原告の主張が認容された場合に原告が受ける利益を金銭的に評価したものである。

複数請求訴訟の場合には合算される（9条1項本文）が、原告の主張する利益が各請求に共通である限度ではその例外となり、共通である部分は合算されない（同項ただし書）。たとえば、主債務者と保証人に対する請求、複数の連帯債務者に対する請求、物の引渡しとその代償請求等の併合の場合がこれに当たる。また、利息、遅延損害金等のいわゆる附帯請求は訴額に合算されない（同条2項）[3]。

訴訟物が非財産権上の請求である場合、たとえば、身分法上の法律関係、人格権、団体の決議の効力等にかかる請求である場合には、訴額の算定は不能なので、140万円を超えるものとみなす。財産権上の請求の場合にも、算定がきわめて困難な場合（裁判所の裁量的な評価によって決することも困難な場合）には、やはり、140万円を超えるものとみなす（8条2項）。

訴額は、事物管轄決定の基準であるとともに、訴え提起の手数料の基準でもあり、後者の算定方法は前者のそれと同一である（民訴費4条1項）。非財産権上の請求および訴額の算定がきわめて困難である請求の場合には160万円とみなす（同条2項）。

上記手数料の算定については、昭和31年12月12日最高裁民事局長通知「訴訟物の価額の算定基準について」（これを補うものとして、昭和39年6月18日、平成6年3月28日各最高裁民事局長通知がある）が一応の算定基準を提供しているが、これは裁判所を拘束するものではない（最判昭和47・12・26判時722号62頁）。名誉毀損等に基づき謝罪広告を求める請求では、その掲載に必要な費用によるとされている（最判昭和33・8・8民集12巻12号1921頁）。上記算定基準に当てはまらないようなものについては、先のとおり裁判所の裁量的な評価によって決し、それもきわめて困難な場合には、160万円とみなすことに

---

(3) 最決令和3・4・27判時2500号3頁、判タ1488号70頁は、次に述べる非財産権上の請求につき、抗告人のした①新宿区選挙管理委員会の「抗告人の当選無効決定（本件決定）」の取消しを求める請求、②東京都選挙管理委員会の「同決定に対する審査申立てを棄却する裁決」の取消しを求める請求、③別の当選人の当選無効を求める請求のうち①、②は本件決定の効力を失わせることを目的とするものであり原告が訴えで主張する利益を共通にするといえるが、③は別の当選人の当選無効を求めるものであって、①、②とは認容されることで実現される状態が異なるから、先の利益を共通にするとはいえないとした。当選訴訟における訴えの利益の共通性を、必ずしも訴訟物にこだわらずに、「請求の趣旨によって定まるところの原告に実現される利益の共通性」という観点から判断したものといえよう。

なる。

　訴額の算定がきわめて困難な請求と解されている訴訟類型に、住民訴訟（最判昭和53・3・30民集32巻2号485頁）、株主代表訴訟（株主による役員等の責任追及の訴え。会社847条以下）、会社設立や株主総会決議の効力に関する訴訟等がある。これらの訴訟については、訴訟物となるのは地方公共団体や会社の1個の権利であるが、原告が受けるべき利益は抽象的なものであるため、金銭評価が困難だからである。したがって、これらの訴訟については、原告の数にかかわりなく手数料額は160万円であると解されている。

　これに対し、差止め訴訟や行政処分取消訴訟で多数の原告が同一の請求の趣旨を立てて提訴する場合については、考え方が分かれている。たとえば、湾岸戦争への国の支出や自衛隊機派遣の差止めについては、下級審判例は分かれていたが、最高裁は、林地開発行為処分取消請求訴訟について、個々人の水利権、人格権、不動産所有権を根拠とするものであって、各原告が訴えで主張する利益は全員に共通であるとはいえないとし、個々の原告ごとに個別算定すべきであるとした（最判平成12・10・13判時1731号3頁、判タ1049号216頁）。

　上記最判に賛同する見解もある（新堂112頁。新堂説には珍しく、当事者に対して厳しい解釈である）が、後者のような訴訟について原告が受けるべき利益が本当に「個別的な私益」といえるものであるのかは疑問であり、訴訟の目的や実質からみると、前者の場合と同様に考えることが適切ではないかと思われる（コンメⅠ269～270頁は、請求の趣旨が共通であり、原告となっている地域住民等の共通の利益のための請求と認められる限り、との限定を付した上で、同様の考え方を採る。この考え方でよいであろう。もっとも、実際の訴訟のほとんどが、この要件を満たすと思われる）。

　ここで注意してほしいのは、手数料の算定方法といった従来の民事訴訟法学からみれば比較的小さな事柄が、現実には、人々の訴訟提起のインセンティヴにもなりまたそれを思いとどまらせる動機にもなりうる、つまり、実際には非常に重要な意味をもつ、ということである。上記判例は、こうした訴訟にきわめて消極的な方向性を示したものといえ、先のような観点からすると問題が大きいことに留意してほしい。

第3　土地管轄

[102]　1　意　義

　　土地管轄は、管轄区域を異にする同種の裁判所間の同種の職分分担についての定めである。下級裁判所の管轄区域については「下級裁判所の設立及び管轄区域に関する法律」で定められている。

　　土地管轄は、裁判籍、すなわち、事件の当事者・訴訟物に密接に関連する特定の地点を指示する観念であって特定の裁判所に土地管轄を生じさせる原因となるもの、によって定められている。

　　裁判籍には、一般的に土地管轄の根拠となる普通裁判籍と、特定の種類の事件について認められる特別裁判籍とがある。特別裁判籍には、他の事件と関係なくその事件について認められる独立裁判籍と、他の事件との関連において、いわばそれに引きずられて認められる関連裁判籍とがある。

[103]　2　普通裁判籍

　　民事訴訟を行う場合には原告が被告の生活や業務の本拠地に出向いて行うのが相当であるとの理由から、普通裁判籍は、そうした場所に定められている（4条1項）。

　　自然人の場合には、第一次的に住所、第二次的に日本に住所のないときまたは住所の知れないときに居所、第三次的に日本に居所のないときまたは居所の知れないときに日本に最後にもっていた住所となる（同条2項）。外国において治外法権の特権を有する日本人が以上の規定により普通裁判籍を有しない場合には、日本のどこかに裁判籍を置くほかないから、東京都千代田区をその地と定めている（同条3項、規6条）。これを補充裁判籍という。人事訴訟法4条2項、人事訴訟規則2条は、人事訴訟についての補充裁判籍の規定である。

　　法人その他の社団・財団については、第一次的に主たる事務所または営業所、第二次的に代表者その他の主たる業務担当者の住所となる（4条4項）。外国の社団・財団についてもこれに準じる（同条5項）。

　　国については、民事訴訟について国を代表する官庁である法務大臣の所在地である東京都千代田区となる（同条6項、国の利害に関係のある訴訟についての法務大臣の権限等に関する法律1条）。

[104]　3　独立裁判籍

　独立裁判籍は、5条、6条、6条の2に定められている。一般的な規定である5条と、知的財産権関係事件に関する6条、6条の2に分けて論じ、また、後者については、関連規定をも含め、知的財産権関係事件に関する管轄、移送全般について、まとめて解説する。

[105]　(1)　一般の独立裁判籍

　5条の独立裁判籍は、当事者の便宜のために普通裁判籍と競合して認められるものであり、任意管轄である。

　うち、よく使われるものとしては、財産権上の訴えについての義務履行地（1号）、法人等の事務所・営業所における業務に関する訴えについてのその事務所または営業所の所在地（5号）、不法行為に関する訴えについての不法行為地（9号）、不動産に関する訴えについての不動産の所在地（12号）等がある。

　義務履行地の裁判籍については、実体法上持参債務の原則（民484条1項、商516条）が採られている結果、原告の住所地にきわめて広く管轄が認められ、被告の普通裁判籍に原則的な土地管轄を認めるという4条1項の原則（民事訴訟の提起に関する原則としてはこれが正当である）の趣旨がそこなわれる結果を招いている。立法論としては、特約に基づく履行地に限るべきであるとの考え方が古くからあり（兼子83頁、松本＝上野297頁等）、正当と思われるが、現行民事訴訟法も、この考え方を採らず、17条の移送の要件を緩和してこれを活用することで問題に対処する方法を採用した。このことを考えると、被告住所地の裁判所で審理を行うことが公平にかなうと認められるような場合には、後記**第6項第1**（[114]）の17条の移送については、なるべく広く（現在の実務よりもより広く）認めてゆくべきであろう。

　不法行為地の裁判籍については、被害者に不法行為地での訴え提起を認めてその便宜を図ることと不法行為地では証拠資料収集が容易であることとを根拠として認められている。債務不履行についても本号を適用あるいは類推適用する考え方もある（条解94頁等）が、上記の2つの要請が不法行為の場合ほど強いとはいえず、現行民事訴訟法で明文の規定が置かれなかったのにあえて解釈でこれを認める必要まではないと考える。

　不法行為地については、加害行為の行われた地と結果の発生した地の双方を指す（名誉毀損の事案等では両者がずれることがある）とされ、また、共同不

法行為にあってはいずれの者の行為の行われた地も加害行為地となるとされる。

不法行為地の所在については、原告の主張によって判断すれば足りるとする考え方もある。しかし、管轄騙取のためにほしいままな主張をする場合がありうる（この疑いのあるような事案は実際にも存在する）こと、また、管轄についての被告の大きな利害を考慮すれば、不法行為地の立証は必要であるが、それは外形的なもので足り（裁判官が外形的な不法行為事実についての心証を得ればそれで足りる）、不法行為の各要件（故意過失、違法性、因果関係）までをも厳密に立証する必要はないとする考え方（コンメⅠ225〜226頁、より一般的には296〜298頁等）が相当であろう（最判平成13・6・8民集55巻4号727頁は、国際裁判管轄の事案につき、そのような考え方を採り、被告が日本でした行為により原告の法益に損害が生じたことについての客観的事実関係が証明されれば足りるという。通常の土地管轄についても、同様に解すべきであろう）。

[106]　(2)　知的財産権関係事件に関する管轄等の定め

知的財産権訴訟のうち特許権等に関する訴訟の管轄の定めは、専属管轄ではあるが一定の場合には専属性の例外を定めるという特殊な規定となっている。

まず、4条、5条の規定によれば東日本の地方裁判所が管轄を有すべき場合には東京地方裁判所が、西日本の地方裁判所が管轄を有すべき場合には大阪地方裁判所が専属管轄を有するとの定めがある（6条1項）。知的財産の専門部がある裁判所に事件を集中する趣旨である。そして、控訴審は東京高裁の専属管轄とされており（6条3項）、東京高裁の特別の支部である知的財産高等裁判所が審理を行う（知財高裁2条）。

しかし、一方、13条2項は、併合請求における関連裁判籍、合意・応訴管轄については、専属管轄の縛りを外して東京・大阪の各地方裁判所に管轄を認め、20条2項は、東京地裁と大阪地裁の間では17条および19条1項による移送が許されることを定める。これらは、2つの地方裁判所の人的・物的態勢に特に相違がないことを前提として、専属性をゆるめた規定である。

また、20条の2第1項は、管轄裁判所は、その訴訟において審理すべき専門技術的事項について審理を行うために必要な専門性を欠くなどにより（そのほかの事情としては、特許権の内容ではなくその帰属のみが争われている場合などが考えられる）著しい損害または遅滞を避けるために必要な場合には、6条

1項の規定がなければ任意管轄が認められていた裁判所や19条1項によれば移送を受けることが可能な裁判所に事件を移送することができる旨を、同2項は、東京高裁は、同様の理由がある場合には、大阪高裁に事件を移送することができる旨を、それぞれ定める。

ほかに、145条2項、146条2項、299条2項、312条2項3号かっこ書も、同様の趣旨の規定である。

以上は、ほかにその訴訟において審理すべき専門技術的事項について審理を行うために必要な専門性を有する裁判所が存在する場合や当事者の場所的利益に配慮する必要が大きい場合について、専属性をゆるめた規定である。

さらに、簡易裁判所がこれらの訴訟の管轄を有する場合には、訴額の小さな事件についての当事者の便宜を考慮して、その裁判所にも競合管轄が認められる（6条2項）。

知的財産権訴訟のうち意匠権等に関する訴訟の管轄の定めは、特許権等に関する訴訟の場合ほど専門性が高いわけではないことから、4条、5条によって定まる管轄裁判所のほかに、6条1項における分類に従い、東京・大阪地裁にも競合管轄が認められる（6条の2）。

知的財産権関係事件に関する管轄等の定めは以上のとおり非常に複雑だが、その全体としての構造や趣旨をとらえれば、理解が容易になる。立法の目的を正確に実現するためのこうした詳細かつ厳密な規定ぶりは、手続法規定に特徴的なものである。民事訴訟法にはこうした細かな規定はそれほど多くないが、民事執行法、民事保全法、倒産法においては、この種の技術的規定がかなり多くなる。このような規定の趣旨を条文を追うだけで正確に読み取ることのできる能力は、手続法理論全般に習熟する上で重要な能力の1つであることを理解してほしい。

[107] 　4　関連裁判籍

関連裁判籍を定める条文としては、7条、人事訴訟法5条等がある。

民事訴訟法の一般規定である7条は、複数請求訴訟（136条）の場合について、また、共同訴訟（訴えの主観的併合）のうち38条前段の場合について、関連裁判籍を認める。

複数請求訴訟の場合には、1つの請求に管轄を有する裁判所に本来であれば管轄のない請求についても管轄を認めることは、被告にとっても不利益ではなく、訴訟経済上も適切であるから、関連裁判籍を認めることに問題はな

い。

　しかし、共同訴訟の場合には、自己に関係の薄い場所での応訴を強いられる被告の不利益を考慮すべきであるから、7条ただし書は、請求相互の関連性の強い38条前段の場合、すなわち、①訴訟の目的である権利または義務が数人について共通であるとき、②訴訟の目的である権利または義務が同一の事実上および法律上の原因に基づくときにのみこれを認め、同条後段の場合、すなわち、③訴訟の目的である権利または義務が同種であって事実上および法律上同種の原因に基づくときについてはこれを認めない。③の場合には、上記のような被告の不利益を考慮すべきだからである（①ないし③については、具体的には、[528]参照。なお、法5条1号が義務履行地に管轄を認めている〔前記3(1)〔[105]〕〕結果、③に当たるような場合でも原告が被告らに対してみずからの住所地で訴えを提起できることがかなり多いため、7条の適用をみる事案は実際にはそれほど多くはない）。

　原告が、自己にとって便利な裁判所に7条の関連裁判籍を得ることを目的として、たとえば資力がないことが判明しているなどの理由によって本来であれば訴えを提起する意思・必要のない被告についても共同訴訟の形で訴えを提起したような場合については、管轄選択権の濫用として7条の適用を否定する見解もある（コンメⅠ250～251頁）が、この点に関する的確な認定判断をことに訴訟の早期の時点で行うのは必ずしも容易ではなく、17条による移送をもって対処するのが適切であろう（同旨、新堂117～118頁の注(1)）。

　なお、7条の規定は、専属管轄の定めがある場合には適用されない（13条1項）。

　また、7条の規定は土地管轄に関するものであって事物管轄に関するものではないから、38条後段にかかる共同訴訟については、7条ただし書にかかわりなく、9条により合算された訴額で事物管轄が定まるのであって、7条ただし書により9条の適用が排除されることはない（最決平成23・5・18民集65巻4号1755頁。これは、当然のことを確認した判例というべきである）。

第4項　法定管轄以外の管轄

[108]　第1　指定管轄

　指定管轄は、管轄が明確でない場合に上級の裁判所の指定によって生じる管轄である。

　これには、①管轄裁判所が法律上または事実上裁判権を行うことができないとき（10条1項。管轄裁判所の裁判官の多くに除斥事由がある、病気や天災によって職務を行えないなど）と、②裁判所の管轄区域が明確でないため管轄裁判所が定まらないとき（同条2項。管轄原因の生じる具体的な場所は特定しているが地図が不正確なためその地点がどの管轄区域に入るのかはっきりしない場合がこれに当たる。進行中の乗物の中で不法行為が起こったがその正確な場所が不明な場合、すなわち、管轄区域自体は明確だが管轄原因の生じる地点が明確でない場合にも類推適用されると解されている）とがある。

　管轄を指定する裁判所は、①の場合にはその裁判所の直近上級裁判所（たとえば、岐阜地裁については名古屋高裁）であり、②の場合には、関係のある裁判所の共通する直近上級裁判所（たとえば、岐阜地裁と富山地裁については名古屋高裁、岐阜地裁と大津地裁については最高裁）である。

　いずれにせよ、きわめて例外的なものである。

第2　合意管轄

[109]　1　概　説

　合意管轄は、当事者の合意によって生じる管轄である。法定管轄のうち専属管轄については、前記**第2項**のとおり高い公益的な要請がある場合に認められるもので、当事者の意思によって左右できないから、これと異なる合意管轄は認める余地がない（13条1項）。しかし、専属管轄でない管轄（任意管轄）、具体的には事物管轄や土地管轄については、主として当事者間の公平や審理の便宜を考慮して定められたものにすぎないから、合意管轄を認めることができる。

　11条1項は、このような考慮から、第一審に限り、合意管轄を認める。

　管轄の合意は、訴訟契約（[**232**]、[**238**]）の一種である。

[110]　2　要件

　第一に、合意の対象となる管轄は、前記のとおり、第一審の管轄裁判所に関するもの、具体的には事物管轄と土地管轄に限定される（11条1項）。

　第二に、合意は「一定の法律関係に基づく訴え」についてされる必要がある（同条2項）。通常は、特定の契約書中で管轄を合意する場合が多い（たとえば、「この契約から生じる一切の紛争について合意管轄裁判所を東京地方裁判所と定める」といった趣旨の条項を置く形になる。個別的な紛争の形態まで特定する必要はない）。しかし、「今後当事者間に生じる一切の紛争」といった包括的な定めは、被告の利益を害するから、無効と解される。

　関連して、「すべての裁判所に管轄を認める合意」も、被告の利益を害するから、無効と解される。逆に、「すべての裁判所の管轄を排除する合意」はどうかであるが、これは、不起訴の合意と解すべきであろう（伊藤86頁の注(104)は、外国裁判所の管轄に服する合意と解する余地もあるという。渉外取引の場合などには、そう解する余地もありえようか）。

　第三に、合意は、書面あるいは電磁的記録によってなされなければならない（同条2項、3項）。明確性の観点から、様式行為としたものである。

　なお、合意の時期については、15条との関係（後記**第5項**）から、起訴前にすべきものと解される。もっとも、当事者は、前記**第3項第2**（[101]）でふれた19条1項によって、起訴後の合意が認められたのと同様の効果を得ることができる。

[111]　3　合意の内容と効力

　適法な合意があれば、その内容どおりに管轄の変更が生じる。

　合意には専属的合意（その裁判所のみに管轄を認める）と付加的合意（法定の管轄に付加して管轄を認める）があり、専属的合意の場合には他の法定管轄は排除される。

　もっとも、前記**第2項**でもふれたとおり、専属的合意管轄は法の定める専属管轄とは別個の概念であるから、専属的合意管轄については、移送も許される（20条1項かっこ書）し、地方裁判所がその管轄区域内の簡裁事件についても審理できることを定める16条2項も適用される（同項ただし書中のかっこ書）。応訴管轄も生じるし、合意した管轄を当事者間でさらに変更することもできる。再度述べれば、専属的合意管轄というのは、合意の性質が付加的ではなく専属的であることを意味するにすぎない。

問題は、特定の合意を専属的合意とみるべきか、付加的合意とみるべきかである。

かつては、①法定の管轄裁判所のどれかを特定しあるいはその中のあるものを排除する場合は専属的であり、そうでない場合は付加的であるとする考え方が有力だったが、近年では、②当事者があえて管轄を合意する場合には専属的合意管轄を定める趣旨と解するのが合理的であるとする考え方が強くなっている。

一般的には、後者のとおりに解するのが当事者の意思解釈として合理的であろう。

もっとも、いわゆる附合契約の場合にこの考え方を貫くと、消費者的な立場の契約者の利益を著しく害する（附合契約における合意管轄裁判所は、契約を起案した側にとって都合のよい裁判所、具体的には東京地裁、東京簡裁等の大都会の裁判所とされている場合が多い。また、その相手方が合意管轄に関する条項に目を通すことは少なく、その修正を求めることも難しい）。したがって、附合契約の場合については、「まずは当事者の意思解釈により、それが明らかでない場合には付加的合意とみる」ことが適切であろう（同旨、新堂121頁）。②の考え方を採る文献は、17条による移送を活用すればよいとすることが多いが、実務が17条の適用について比較的厳しく解していることを考えると、17条による移送の活用だけで対処できるかは疑問である（以上につき、ほかに、条解113〜114頁、コンメⅠ282〜283頁参照）。

上記のとおり、専属的合意管轄については移送が許されるが、それでは、専属的合意があるにもかかわらず原告が他の裁判所に訴えを提起し、かつ、17条にいう、「訴訟の著しい遅滞を避け、または当事者間の衡平を図る」という観点からその裁判所で審理を行うのが適切と認められる事情がある場合に、当該裁判所は、その事件を16条1項によって合意管轄裁判所に移送することなく、審理を行うことができるか。17条の趣旨からみて、できるというべきであろう（同旨、伊藤88頁。大阪高決平成30・7・10判タ1458号154頁は、一般論としてはこの理を認めつつ、当該事案については、17条の趣旨に基づいて本裁判所で審理を行うことができるような事情はない、とした判例である）。

合意管轄は、当事者の包括承継人や破産管財人を拘束する。訴訟物の特定承継人については、合意の効力を、一種の権利行使の条件として権利関係に付着した利害ととらえ、その権利関係が当事者間で任意に決定できるもの

（通常の債権）であれば合意の効力も特定承継人に及び（管轄の合意を内容として含む権利を承継したものとみる）、その権利関係が定型化されていて当事者間で変更できないもの（物権や手形債権）であれば合意の効力は特定承継人に及ばないと解すべきであろう（伊藤89頁、条解116頁等）。

[112] 第3 応訴管轄

　応訴管轄は、原告が管轄のない裁判所に訴えを提起し、被告がこれに対して管轄違いの抗弁を主張せずに本案について応訴した場合（弁論をしまたは弁論準備手続で申述をした場合）に生じる管轄である（12条）。このような場合には管轄の合意があった場合と同様に考えることができるという趣旨から認められるものである。

　したがって、合意管轄と同様に、専属管轄でない管轄（任意管轄）、具体的には、事物管轄や土地管轄について認められる。

　管轄違いの抗弁はいわゆる妨訴抗弁（それを主張することによって本案の弁論を行うこと自体を拒絶できる抗弁〔[170]の注(2)〕）ではないから、これを主張しても、被告は、裁判所が本案の弁論を命じる場合には、これに応じなければならない。しかし、被告が管轄違いの抗弁を主張した上で本案について弁論をすれば、応訴管轄は生じない。

　本条にいう「本案についての、弁論または弁論準備手続における申述」とは、訴訟物たる権利関係の存否に関して口頭でなされる陳述を指す（実際には、「その点について記載した答弁書の陳述」という形で行われる場合が多いであろう）。

　したがって、たとえば、訴訟要件の欠缺等本案にかかわらない事項の主張を行っても、応訴管轄は生じない。

　また、本案についての弁論を記載した準備書面（多くの場合には上記のとおり準備書面の一種である答弁書。規79条1項参照）を提出していても、期日に出頭しなければ、応訴したことにはならない。すなわち、いわゆる擬制陳述（158条、170条5項、277条）は、応訴管轄の原因としての弁論とはみなされない（伊藤90頁、条解117頁等）。これは、被告は管轄違いの裁判所に出頭する必要はないはずだから、その不出頭によってされる擬制陳述の結果被告が応訴管轄の原因としての弁論を行ったと評価することは不適切であるとの考え方に基づく（しかし、一方、原告が訴状に記載したところの「管轄原因たる事実」については擬制自白が生じることは避けられないから、これに基づいて管轄が認められ

ることはありうる。これは、応訴管轄とは別の事柄である）。

　とりあえず、「原告の請求を棄却するとの判決を求める」とだけの陳述を被告が行った場合（実務においてはままある。被告代理人は、自動的にまずこの陳述を行う癖がついている）、本案についての申述とみるべきか。通説は肯定し、判例（大判大正9・10・14民録26輯1495頁）・実務は否定する。応訴管轄を認める根拠が「管轄の合意があった場合と同様に考えることができる」ことに求められることからすれば、被告が本案について内容に踏み込んだ主張をしたときに初めて本案についての申述をしたものとみるべきであり、したがって、否定説が相当であろう（同旨、伊藤90頁）。

[113] 第5項　　**管轄の調査**

　管轄の有無は職権調査事項である。そのための主張や資料の提出については、専属管轄については公益性の程度が高いため職権探知主義が妥当し、したがって、職権証拠調べもできる（14条）が、任意管轄については、弁論主義が妥当する（任意管轄については、合意管轄や応訴管轄が認められることからすれば、その根拠となる事実については、自白も認めてよいであろう〔**[170]**〕。また、14条は任意管轄について応訴管轄が生じた場合には適用がない）。

　専属管轄は、上訴審でも調査の対象になる。もっとも、再審事由にはならない。任意管轄は、第一審でしか調査の対象とならない（299条、312条2項3号。338条参照）。

　管轄原因についての実質的な審理をどの程度まで行うかは、微妙な問題である。原告の主張によって判断すれば足りるという考え方（新堂124頁等）と、その点についての原告の一応の立証が必要であるという考え方（伊藤92頁等）とがある。ことに、一義的に定まらない不法行為地についてこれが問題になる。これについては、前記**第3項第3の3**(1)（**[105]**）で論じたとおり、後者の考え方が相当であろう。

　管轄の存在は、**第6章**で主として論じる訴訟要件の1つになるが、管轄決定の基準時は、ほかの訴訟要件の場合（口頭弁論終結時）とは異なり、訴え提起の時である（15条）。審理を進める前にこの点が確定している必要があるからである。もっとも、応訴管轄はその後に生じる。

　ただし、訴訟中の訴えの提起（訴えの変更、反訴、中間確認の訴え）の場合に

は、その時点で事物管轄が判断し直され、場合により移送されることになる（反訴については274条1項の明文がある。なお、同条2項は、この移送決定については不服申立てができないとしている。当該簡易裁判所を管轄する地方裁判所で審理を受けることになる当事者に特に不利益はないと解されるからである）。

　裁判所は、調査の結果管轄がないと認めた場合には、職権で管轄裁判所へ事件を移送する（16条1項。それがない場合にも却下ではなく移送が原則になる点が訴訟要件一般の場合と異なる）。もっとも、国際裁判管轄（[**689**]）がない場合には、移送は不可能であるから、訴えを却下することになる

　また、当事者が管轄違いを主張し、あるいは移送の申立てを行う場合には、早期に、本案の審理に入る前に、これに対する判断を示すことになる。

　当事者が移送の申立てを行う場合に裁判所がこれに応答することは当然だが、当事者が管轄違いを主張し、裁判所が管轄を認める場合についてはどうすべきか（なお、管轄がないと認めれば上記のとおり移送を行うべきである）。一般的には、終局判決の理由中でその点の判断を示すかあるいは中間判決（245条）をすべきだとされる。

　これに対し、管轄違いの主張には移送の申立てが含まれると解し、移送申立て却下決定を行うべきであるとする考え方がある。当事者に即時の不服申立て（即時抗告。21条）の機会が与えられることなどを理由とする（伊藤93頁参照）。

　興味深い考え方だが、管轄違いの主張に常に移送の申立てまでが含まれると解してよいかは微妙である。上記のような場合には、裁判所が、被告に対し、もしも不服申立ての機会の確保を望むなら移送の申立てを行うよう促すのが適切であろう。

第6項　移　送

[114]　第1　概　説

　移送とは、裁判所が、係属している訴訟を、申立てによりまたは職権で、裁判によって他の裁判所に係属せしめることをいう。移送の決定および移送の申立てを却下した決定に対しては、即時抗告ができる（21条）。

　移送は、官署としての裁判所（たとえば、特定の地方裁判所の本庁と支部とを

含めた総体）の間での訴訟係属の移転を意味し、同一の官署としての裁判所の中で行われる事件の回付とは区別される。後者は同一裁判所の中の事務分配の問題であり、当事者に申立権はない（もっとも、原告代理人が事実上の回付の要請を書面〔上申書〕で行い、それに合理的な理由があると認められるような場合には、裁判所がこれに応じる例はある）。

管轄違いに基づく移送（16条1項）については、通常は事物・土地管轄の場合について行われるが、職分管轄違背、審級管轄違背の場合についても、原則としてこれが適用されるとするのが通説である（原告本人訴訟の原告がこれらを誤る場合が、まれにではあるが存在する）。もっとも、支払督促の申立ては管轄違いの場合には却下される（385条）など、明文の規定によりその例外の規定されている場合がある。

併合された請求のうち一部が管轄違いの場合（他の裁判所の専属管轄に属する場合等）には、裁判所は、その請求にかかる部分につき弁論を分離（152条1項）した上で、移送を行うことになる。

職権で移送を行う場合において、移送をすることのできる裁判所が複数あるときには、裁判所は、当事者の意見を聴いた上で適切な裁判所を選択することが相当である。

①訴訟の著しい遅滞を避け、または②当事者間の衡平を図るための移送（17条。18条の移送とともに、裁量移送ともいわれる）については、①につき、関係証人、検証物等の証拠方法の多くが他の裁判所の管轄区域内に存在する場合、ことに比較的複雑な事件について関係証人の多くが他の裁判所の管轄区域内に存在する場合等に認められる例があり、②につき、当事者ことに被告側の経済力や代理人を含めての出頭の不便等を考慮して認められる例がある。②については、ことに義務履行地の裁判籍が認められることや附合契約における合意管轄から生じる不都合（[111]）に対処する必要性がある場合には、そのことを積極的に考慮すべきであろう。

それ以外の移送については、すでに本章の各所でふれてきた。

[115] 第2　移送の裁判の効果

移送の決定が確定すると、訴訟は、初めから移送を受けた裁判所に係属していたものとみなされる（22条3項）。裁判所書記官は、訴訟記録送付の手続をとる（規9条）。

このことの大きな効果としては、起訴による時効完成猶予、訴え提起期間遵守の効果が維持されることがある。
　移送以前に行われた訴訟行為の効果については、管轄違いによる移送の場合には失われ、それ以外の場合にはそのまま効力を有するとするのが通説である。前者については、公益性の高い専属管轄の場合にはそれでよいと思われるが、任意管轄違背の場合には、そのまま効力を有するとみて問題はないであろう（伊藤103頁）。
　確定した移送の決定は、移送を受けた裁判所を拘束し、その裁判所は、事件をさらに他の裁判所に移送することができない（22条1項、2項）。事件の返送や再移送によって当事者の利益がそこなわれることを防ぐためである。
　この趣旨から、専属管轄に違背した移送決定にも拘束力を認め、専属管轄違背を原判決の取消事由とする規定（299条1項ただし書、312条2項3号）の適用も排除されると解するのが通説である。もっとも、反対説もある（コンメⅠ336頁、同Ⅵ290頁）。
　ただし、移送を受けた裁判所において生じた新たな事由による移送は妨げられないと解される。たとえば、土地管轄の管轄違いによって移送を受けた簡易裁判所において、訴えの変更や反訴により訴訟が地方裁判所の事物管轄に属するに至った場合の移送等である。管轄違いにより移送を受けた裁判所の17条による再移送も、その根拠となる事由が新たに生じたような場合には認められると解したい（条解134頁、コンメⅠ337頁）[4]。

---

(4)　また、最決平成30・12・18民集72巻6号1151頁は、22条1項の例外として、最高裁は、規則203条所定の事由があるとしてされた324条に基づく移送決定について、当該事由がない（つまり、高裁の意見は最高裁等の判例と相反するものではない）と認めるときは同決定を取り消すことができるとしている。これは、22条1項の趣旨は移送が繰り返されることによる審理の遅延等の防止を目的とするところ、324条の移送は、同条所定の事由がある場合に高裁が判決をすると当該判決が最高裁等の判例と相反することとなるため、事件を最高裁判所に移送させることによって法令解釈の統一を図ろうとするものであるから、同条所定の事由の有無については高裁の判断よりも最高裁の判断が優先すると解されることを理由とする。

第4章　裁判所

【確認問題】

1　23条1項6号にいう「前審関与」の意味について説明せよ。
2　裁判官の訴訟指揮は原則として忌避事由に当たらないとする考え方の当否について検討せよ。
3　専属的合意管轄は専属管轄の一種とみるべきか。
4　複数の原告が共同して住民訴訟、株主代表訴訟、会社設立や株主総会決議の効力に関する訴訟等を提起する場合、差止め訴訟や行政処分取消訴訟で多数の原告が同一の請求の趣旨を立てて提訴する場合の訴額の算定方法について論じよ。
5　Xは、東京に住所のある金融業者Yに対する過払金返還請求訴訟に、札幌に住所のある金融業者Zに対する過払金返還請求訴訟を併合して、東京地裁に訴えを提起することができるか（5条1号の義務履行地の独立裁判籍に基づく管轄については考えなくてよい）。
6　附合契約においてそれから生じる紛争の管轄裁判所が特定の地方裁判所と定められている場合、その効力はいかに解すべきか。
7　被告が、管轄違いの抗弁を提出しないまま、「原告の請求を棄却するとの判決を求める」とだけの陳述を行った場合に、応訴管轄は生じるか。

[116] 第5章
当事者、代理、当事者適格

　本章では、当事者と代理にかかわる事項について論じる。うち、「当事者適格」については、訴えの利益同様、訴訟要件のうち、無益な訴訟を防ぐという観点から特定の訴訟物との関係において問題とされる代表的なものであるため、訴えの利益と併せて訴訟要件の部分で論じられることも多いが、内容からみると、一般的な能力である「当事者能力」とのかかわりが深いので、本書では、当事者に関する本章の最後の部分で解説することとした。

　民事訴訟法学に特有なものである形式的当事者概念を始めとして、当事者にかかわる理論には、手続法固有の難しさがある。また、細かく難しい解釈論も多い。したがって、当事者の確定と任意的当事者変更、当事者能力と当事者適格等の論点は、民事訴訟法の一通りの学習を終えた法科大学院の学生、さらには実務家でさえも、理解があやふやである場合が少なくない。なぜこうした論点が問題になるのかという機能的観点、背景を考えながら、基礎的な事項を確実に把握してほしい。

第1節　当事者の概念

[117] ### 第1項　概　説

　当事者とは、その名において訴えまたは訴えられることによって判決の名宛人となる者をいう。訴訟を成立させるには2当事者が必要であり、また、

民事訴訟は私人間の紛争をその間で相対的に解決するのが原則でもあるから、当事者は、対立する2当事者が基本形となる（2当事者対立構造）。そして、原告、被告が複数になる場合には共同訴訟になる。3当事者が相互に鼎立して相対する特殊な場合が独立当事者参加（47条）である。

　訴訟が成立した後に相続や合併によって対立する当事者の一方が相手方の承継人になると、訴訟は混同によって終了する。当事者の一方の地位につく者が存在しなくなった場合（訴訟物たる権利関係が一身専属である場合の自然人の死亡〔たとえば労働者や学生の地位確認訴訟において原告が死亡した場合〕、法人の消滅）にも訴訟は終了する（[**197**]）。この点につき争いがあれば、審理を行った上、裁判所が訴訟の消滅を認める場合には、訴訟終了宣言判決（[**401**]）をすることになる。

　ただし、人事訴訟においては、法律関係確定の必要がある場合には、法律上訴訟承継人を定め、訴訟を維持させる場合がある（被告死亡の場合に、検察官等を被告として訴訟を行わせ、また、続行するなど。人訴12条3項、26条2項、42条2項、43条2項、3項）。

　それでは、当初から当事者の一方が存在しない場合（たとえば被告とすべき者が死亡していた場合）はどうか。この場合には、そもそも訴訟係属そのものが生じていないのだから、「訴訟不係属宣言判決」をすべきであるとする考え方もある（クエスト92頁）。理論的にはそれが正しいかもしれないが、通常は、訴え却下判決をすべきものと解されている。なお、訴訟係属時に当事者の一方が死亡していたがその相続人が訴訟行為を行ったような場合については、「死者を当事者とした訴訟」（[**122**]）の項目で述べる。

　当事者に対して訴訟手続上認められるさまざまな権能を総称して「当事者権」という。その中核に位置するのが「審尋請求権」、すなわち、「実質的手続保障の中核をなすところの、当事者の立会権、反論権、反対尋問権（広くいえば、対席による実質的な討論、反論の機会を保障するための権利）」である（[**005**]）。

[118] 第2項　**形式的当事者概念**

　民事訴訟法学上の当事者概念は、実体法上の権利義務の帰属主体たる地位とは切り離されたものであり、その意味で、「形式的当事者概念」と呼ばれる。

たとえば、給付の訴えの当事者（当事者適格を有する者）は、実体法上の権利者と義務者ではない。実体法上の権利者と主張する者に原告適格があり、その者によって実体法上の義務者であると主張される者に被告適格がある。つまり、通常の給付の訴えにおいても、当事者概念は、実体法上の権利義務の帰属主体たる地位とは切り離されているのである。

実務においても、この点はよく誤解されており、被告代理人が、「被告は原告主張の消費貸借契約の借主ではない。したがって、被告には当事者適格がないから訴えの却下を求める」などと答弁する例は結構多い。上記のとおり、この被告にはまさに給付の訴えの被告適格があり、したがって、上記の答弁は、「請求棄却を求める」でなければならない（なお、確認の訴え、形成の訴えの当事者適格については［155］、［156］）。

後記の訴訟担当（［158］）の場合には、実体法上の権利義務者は被担当者となり、訴訟担当者が当事者となるから、形式的当事者概念性は明確だが、形式的当事者概念は、このような特異な場合にのみ問題となるものではない。

民事訴訟において解決されるべき紛争・法的な争いの当事者、判決によってそうした紛争が解決されるような法的関係にある者が、訴訟当事者となる（そのような者に当事者適格が認められる）のである。

なお、確認の訴えにおいては、他人間の法律関係（原告あるいは被告と第三者の権利関係〔［179］の末尾の部分〕。被告となる他人間の人事法律関係〔［537］］）が訴訟物となる場合がある。形成の訴えにおいても同様である（第三者が他人間の法律関係の変動を求める場合〔［537］］）。このような意味でも、民事訴訟法学上の当事者概念は、実体法上の権利義務の帰属主体たる地位とは切り離されている。

第2節　当事者の確定、表示の訂正、任意的当事者変更

[119]　第1項　概説

当事者の確定（訴訟の当事者が誰であったか、あるかが問題となった場合にそれ

を定めること）と任意的当事者変更（訴訟係属中の当事者の変更で法律の規定によらないもの。法律の規定による当事者の変更としては訴訟承継〔**586**〕等がある）は、わかりにくい論点である。

　まず、当事者の特定と当事者の確定を区別する必要がある。当事者（具体的には被告）の特定は原告の責任であり、原告は、訴状においてこれを特定しなければならない（133条2項1号〔令和4年改正後134条2項1号〕）。

　これに対し、訴訟開始後（訴訟の進行中、あるいはその終了後）に当事者（多くの場合は被告）が誰であったか、あるかが問題になる場合には、裁判所は、その点を確定しなければならない。当事者は、判決の名宛人、送達の名宛人となり、当事者能力、訴訟能力、当事者適格等も、管轄、裁判官等の除斥原因、手続の中断・受継、証人能力等も、当事者が誰であるかによって決せられる（当事者という地位は各種の手続上の事項の基準となる）ため、当事者が定まらないと手続が進められないし、終了した手続の評価もできないからである。これが「当事者の確定」の問題である。

　そして、訴訟の進行中における当事者の確定の結果、①その時点の前後で当事者が同一であり、ただ従前の当事者の表示が誤っていただけであると認められる場合には「当事者の表示の訂正」が行われ、②その時点の前後で当事者が同一ではないと認められる場合には、その訴訟手続の中での「任意的当事者変更」（上記のとおり、訴訟承継のような法律の規定によって認められる当事者の変更と区別する趣旨でこう呼ばれる）が許される場合にはこれが行われ、それが許されない場合には、新たな当事者に対して別訴が提起されることになる。

　なお、当事者の確定が問題になるような事案に関する学生のレポートや答案には不備が目立つので、その点についてもここで簡潔にふれておきたい。

　当事者の確定が問題になるような事案では、本節で論じている事柄の総合的な理解が必要だが、基本的には、訴訟のある時点で当事者に何らかの変動が生じた場合、あるいはこれを生じさせることが適切であるような場合について問われることが多い。具体的には、後記**第3項**で論じるような例が典型的である。

　その場合、まずは、問題となっている事案において、現時点の前後で当事者が同一とみるべきか異なるとみるべきかを論じ（当事者の確定。その基準については後記**第2項**のとおり）、そして、上記のとおり、当事者の確定の結果、その時点の前後で当事者が同一であり、ただ従前の当事者の表示が誤ってい

ただけであると認められる場合には「当事者の表示の訂正」により、その時点の前後で当事者が同一ではないと認められる場合には、「任意的当事者変更」が許される場合にはこれによることになる（任意的当事者変更も許されない場合には、新たな当事者に対して別訴を提起するほかないが、問われる事案では、そのような結論になることは少ないであろう）。

以上が基本中の基本なのだが、このようなスキーム・枠組み、その前提となる理論的な問題を十分に理解していない学生が多いのである。こうした理解不足は実務家になっても尾を引くことが多いので、注意してほしい。

本論に戻って、当事者の表示の訂正と任意的当事者変更についてより一般的に述べると、以下のようになる。

まず、当事者の表示の訂正は、その前後で当事者の同一性がある場合に行われる。これは、訴訟係属中いつでも行うことができる。たとえば、当事者の表示の一部に誤記があってこれを訂正する場合がその典型例だが、上記のとおり、「当事者の確定の結果、その時点の前後で当事者が同一であり、ただ従前の当事者の表示が誤っていただけであると認められる場合」にも、これが行われることになる。

これに対し、任意的当事者変更は、その前後で当事者の同一性がない場合に行われる。当事者の同一性がない場合には別訴を提起しなければならないのが原則だが、たとえば、新旧の訴え、また当事者（基本的には被告）の間に一定の密接な関係が認められる場合等には、任意的当事者変更として、その訴訟手続の中で当事者をすげ替えることを認めるわけである。

任意的当事者変更の性質に関する議論の理解は混乱しやすいので、わかりやすく解説しておく。

まず、①（複合説の１）がある。任意的当事者変更を純粋に新当事者（新被告）に対する訴えの提起と旧当事者（旧被告）に対する訴えの取下げとみる考え方（兼子420〜421頁、三ヶ月230〜231頁等）である。この考え方によれば、弁論の併合も必要的ではないし、起訴による時効完成猶予、訴え提起期間遵守の効果の維持も認められない。しかし、このように考えるのであれば、そもそも、これを、「任意的当事者変更」という特殊な名称で呼ぶ必要性、そうした概念をあえて考える必要性は乏しいであろう。なお、①説が念頭に置いているのは、原告が被告とすべき適格者を誤った場合、固有必要的共同訴訟で共同被告人とすべき者を脱落したときに補正する場合（三ヶ月231頁）と

いったかなり限られた場合のようである（このような限られた場合しか想定していないので、その効力についても特別なものは認めないのであろう）。

次に、②（複合説の2）がある。これは、この概念の適用範囲を①よりも広く認めることを前提としている（たとえば、新旧当事者の間に法人とその代表者等先に記したような一定の密接な関係がある場合にもこれを認める。新堂853〜855頁の注(1)、伊藤123〜124頁等）。

この考え方による手続の詳細は、たとえば、以下のようなものである。

新訴については訴えの主観的追加的併合の形で行われ（[**554**]。したがって、旧訴との間に38条の関係があることが必要である）、旧当事者と交代する場合にはさらに訴えの取下げが必要である。起訴による時効完成猶予、訴え提起期間遵守の効果の維持は認める（その根拠は、後記のような任意的当事者変更が認められる場合の諸事情に基づく利害の調整に求めるほかないであろう）。新当事者の審級の利益を確保する必要から、原則として第一審に限り許される。従来の訴訟追行の結果については、新当事者はこれを援用することができ、相手方はこれを拒否できない。また、旧当事者の訴訟追行が新当事者のそれと実質的に同一視できる場合には、新当事者は旧当事者の訴訟追行の結果を争えない（新堂855頁。従来の訴訟追行の結果が効力をもたないとすると任意的当事者変更を認める意味に乏しいので、できる限りその効力を認める方向で考える）。

柔軟な枠組みであり、これに従いたい。なお、新当事者と旧当事者の関係いかんによっては、訴えの取下げについての同意（261条2項）は必要ではない、控訴審でも任意的当事者変更を認める、といった処理も考えてよいのではないかと思われる。

最後に③（特殊行為説）がある。これは、新訴の提起と旧訴の取下げの複合としてではなく1個の特殊な訴訟行為として任意的当事者変更をとらえるものである（講義621〜622頁参照）。

これによると、起訴による時効完成猶予、訴え提起期間遵守の効果の維持を認めることの理由付けは容易であり、また、任意的当事者変更を控訴審でも認める余地が出てくるが、従来の訴訟追行の結果に関する処理については②のような柔軟な考え方、処理が難しくなるし、また、明文の規定のない特殊な訴訟行為を認めることになるのも難点といえる。

それでは、②説によることを前提として、任意的当事者変更をどのような場合に認めうるであろうか。

まず、新当事者の同意がある場合には、これを認めることに問題はないであろう。

　次に、新旧当事者間に実体法上の密接な関係があり、上記の同意を擬制されてもやむをえないような場合や同意を拒絶することが信義則に反する場合にも、これを認めてよいであろう。そのような新旧当事者としては、法人とその代表者、法人格否認の関係にある２つの法人（後記**第３項第３〔[123]〕**）等が考えられる。

　また、原告が被告とするものを誤ったが、そのことに重大な過失がないような場合にもこれを認める余地があろう。大阪高判昭和29・10・26（下民集５巻10号1787頁）は、原告が、当初Ａ株式会社を被告として訴えを提起し、後にこれを全く関係のない別会社である株式会社Ａに変更した事案につき、このようなことは訴訟法上許されないとしながらも、新被告がこれに異議を述べないまま第一審判決に至ったことから、結論としては任意的当事者変更を認めている（したがって、むしろ、新当事者の同意があった場合に準じて任意的当時者変更を認めた結果になっている。なお、控訴審は、本案については、立証がないとして請求を棄却している）。この事案についていえば原告に重大な過失がないといえるかは疑問であるが、これに類するような被告特定の誤りについても、任意的当事者変更を認めることに問題のない事案もありうると思われる（一例として、遺言執行に関する訴えの被告を誤った場合〔**[160]**〕の(3)参照）。以上につき、コンメⅠ386～389頁も参照）。

　なお、原告側の任意的当事者変更も考える余地があろう（たとえば、会社の貸金だと思って訴えを提起したが、被告提出の証拠から貸主はすでに亡くなったかつての代表者とみるべきことが判明したような場合。亡代表者の相続人に変更）。

[120]　第２項　当事者の確定の基準

　当事者の確定の基準については、意思説、行動説、表示説（形式的表示説と実質的表示説）、規範分類説（または二重規範説）等の考え方がある。

　意思説は、原告の内心の意思によって当事者が定まるとするものだが、原告の内心の意思をいかに特定するかが定かではなく基準として不安定であるという問題がある。

　行動説は、当事者として行動している者あるいは当事者として扱われた者

を当事者とする考え方だが、そのような者を具体的に確定する基準が定かではない。

　以上の2つの考え方については、少なくとも今日ではそのような考え方を一貫して採っている学説はあまりなく、「ありうる1つの考え方」として提示されているものという性格が強い。

　表示説は訴状の記載を基準として当事者を確定するものだが、その当事者欄のみを基準とする形式的表示説と、訴状の記載の全体を総合的に考慮して考える実質的表示説とがある。実質的表示説が今日の通説であると解されている。

　たとえば、認知の訴えにつき誤って子の母親が原告として（原告欄に母親の氏名を記載して）提起した場合についてみると、形式的表示説によれば原告は母親だからその後の処理としては任意的当事者変更によることになるが、実質的表示説によれば、訴状の記載の全体から子の認知を求める訴えであることが明確ならば、原告は子であり、原告の表示が誤っていただけだからその後の処理としては表示の訂正で足りるという解釈も可能かもしれない。

　規範分類説（新堂134～137頁）は、すでにふれた行為規範（これから手続を進める際にはたらく基準）と評価規範（手続を振り返って法的評価を行う際にはたらく基準）の二重基準（[098]）によってこの問題を考えるものである。具体的には、行為規範（いわば、前向きのベクトル。当事者の確定においては、基本的には、訴訟開始の時点においての規範）としては実質的表示説により、評価規範（いわば、後ろ向きのベクトル。具体的には、訴訟進行中やその終了後においての規範）としては、①その者に当事者としての手続保障、訴訟追行の地位と機会が与えられていたかと、②その者が紛争解決という観点から正当な当事者といえるか（その者を当事者として扱うことが適切か）、を中心として考える。実際には、①の点がより重要であり、①の点が満足される場合には、②の要件をも満たすことが多いであろう。

　具体例への応用については後記**第3項**に述べるとおりであり、規範分類説によると、実質的表示説によるよりも、表示の訂正で対処できる場合が多くなる。とはいっても、**第3項**で論じるような場合にはいずれにせよ新旧当事者の関係が深いので、任意的当事者変更による場合にも、実際に行われる手続の実質は、表示の訂正の場合と大差ない。

　もっとも、当事者の確定が問題になる主要な事例（**第3項**）において明文

のない任意的当事者変更によらずに問題を解決できるという意味でも、また、これらの場合に限らず、起こりうる多くの場合により柔軟適切に対処しうるという意味でも、私は、規範分類説のほうが実質的表示説よりもすぐれていると考える（なお、実質的表示説の長所は、明確さとわかりやすさにあるだろう）。

なお、当事者の確定に関する古い判例は、その事案事案に応じたアドホックな対応をとっており、上記に挙げた特定の考え方によって整合的に説明することは難しい。

たとえば、氏名冒用訴訟の場合について、被冒用者は再審による取消しを待たないでその効力がみずからに及ばないことを前提とした主張ができるとした判例（大判昭和2・2・3民集6巻13頁）は、当事者として行動した冒用者を当事者とみているという意味で行動説的であり、反対に、被冒用者に再審の訴えの利益があるとした判例（大判昭和10・10・28民集14巻1785頁、百選5版5事件）は、被冒用者を当事者とみているという意味で表示説的であるが、いずれも、当事者の確定に関する基準に当該事案を当てはめたというよりも、ダイレクトに、当該事案に適した結論を採ったにすぎないものとみるほうが適切であろう。

同様に、死者の相続人が訴状を受け取り訴訟を追行していた場合には当事者は相続人であって表示の訂正で対処すれば足りるとした判例（大判昭和11・3・11民集15巻977頁、百選5版6事件）は、規範分類説的であるといえる。

このような判例を事後的な学説の基準によって分類してみることに、それ以上の意味はない。まず学説の発想した枠組みを考え、それに応じて判例を分類するという方法は日本の法学に特徴的（学説本位的）だが、判例を読む場合には、まずは判例の論理に即して読むべきであろう。分類や批評は、その後で行うべきものである。

第3項　当事者の確定等の処理の具体的な例

[121]　**第1　氏名冒用訴訟**

以下、基本的に規範分類説によって解説する。

まず、訴訟中にそのことが判明した場合、原告側の氏名冒用訴訟の場合には、被冒用者が原告だが、無権代理人による訴訟と同一視して、被冒用者が

冒用者の訴訟行為を追認した上でみずから訴訟を引き継がない限り訴えを不適法却下すべきであり（新堂137～138頁）、被告側の氏名冒用訴訟の場合（被告敗訴の判決を得るために原告と氏名冒用被告が通謀している場合等）には、本来の当事者である被冒用者に訴訟を引き継がせるべきであろう（その場合、被冒用者は、冒用者の訴訟行為を追認することも、追認しないでみずから訴訟行為をやり直すこともできる。[135]、[145] 各参照）。いずれの場合も、当事者の確定それ自体としては、本来の正当な当事者は誰であるべきかという行為規範の側面から考えればよい（実質的表示説を採る場合でも、基本的な考え方としては同様となろう）。

判決後にそのことが判明した場合には、被冒用者には手続保障がなかったことを考えると、評価規範の観点から、被冒用者を当事者と考えるべきではなく、したがって、これに判決の効力は及ばず、被冒用者は、上訴や再審による取消しを待たないでその効力がみずからに及ばないことを前提とした主張ができると解される（なお、新堂137頁は、このことを前提とした上で、被冒用者保護の観点から、その者に、有効な判決としての外観を備えた判決を取り消す利益、すなわち上訴や再審の利益をも認める。これに賛成したい）。なお、実質的表示説では、被冒用者が当事者であるから、その者が上訴や再審によって救済を求めることになる（逆にいえば、上訴や再審による取消しを待たずにその効力がみずからに及ばないことを前提とした主張はできないことになる）[1]。

[122]　第2　死者を当事者とした訴訟

当事者として表示された者が訴状の裁判所提出時には生きていたが訴状送達の時点までに死亡してしまった（したがって、その時点で存在しない）ような場合である（なお、訴状の送達といっても、被告死亡の場合には、その相続人等被告以外の者がとりあえずこれを受ける形となる）。

このような場合、そもそも訴訟係属そのものが生じていないのだから、前

---

(1) なお、伊藤120頁の注(7)は、規範分類説（伊藤が例として挙げるのは行動説だが、規範分類説でも同様となる）によっても、被冒用者は、結局は氏名冒用の事実を主張しなければならないのだから、上訴や再審によらせるのと大差がないというが、実務の実際を考えれば、これは「大差がある」というべきであろう。氏名冒用の例は実際には稀有であり、もしもあれば、その主張立証は難しくはないと思われるが、そのためには必ず上訴や再審の手続を採らなければならないというのは、負担が重いと思われる。

記（[117]）のとおり、理論的には「訴訟不係属宣言判決」をすべきだとの考え方もあるが、通常は、訴え却下判決をすべきものと解されている。

　訴訟開始の時点で先のような事情が判明し、かつ、当事者がそれ以上手続を進めるつもりがない場合には、訴え却下判決をすることで問題はないであろう。なお、もしも、死者の相続人が訴訟に関与する機会のないまま判決がされこれが確定してしまったような場合には、この判決の効力は相続人には及ばないと解される（大判昭和16・3・15民集20巻191頁。訴状が公示送達された事案）。

　問題は、当事者が手続の続行を望む場合やさらに手続が進行してしまった場合（相続人が訴訟を追行してしまった場合）である。

　まず、原告死亡の場合については、訴訟手続の中断・受継の規定（124条1項1号。これは本来訴訟係属後に適用されるものである）を類推適用して、原告の相続人に承継（当然承継〔[588]〕）させることで問題はないであろう。判例も、訴訟代理人が原告の死亡を知らないままその者を原告として訴えを提起した場合についてこのことを認めている（最判昭和51・3・15判時814号114頁。旧法85条、208条〔法58条1項1号、124条1項1号に相当〕を類推適用している）。なお、訴訟を承継する者がいない場合には、訴訟は当然終了し、訴訟代理人の代理権も消滅する（コンメⅠ718頁）。

　被告死亡の場合についても、同様に、中断・受継の規定を類推して当然承継を認めてよいとするのが通説である（コンメⅠ384～385頁）。

　しかし、この場合には、当事者の確定等によって処理することも考えられる。上記のとおり、被告死亡後、被告の相続人が訴訟を追行し、ある時点でそのことが判明したような場合には、それが適切であろう。

　規範分類説によれば、この場合、相続人に手続保障はあり、また、相続人は紛争解決という観点からみても正当な当事者といえるから、この訴訟の被告は元々相続人であったとみることができ、したがって、ただ、被告の表示を被相続人から相続人に訂正しさえすればよいことになる。

　実質的表示説によれば、この訴訟の被告が相続人であったとみることは難しいであろうから（なお、実質的表示説の論者には、「この場合、原告には、被相続人死亡の場合には相続人を被告とする意図があったといえるから相続人が被告であったとみうる」と主張する例がかなりあるが、通常の訴状の記載にそこまでのことを読み込むのは無理であろう）、任意的当事者変更によることとなろうか（この場合、最初の被告となるはずの者はすでに死んでいたことを考えるならば、任意的当事

者変更の類推適用というほうが正しいが。なお、実質的表示説の示すそのほかの解決方法については、伊藤120～121頁参照)。

[123] 第3　法人格否認の法理が当てはまる場合

　実務上、当事者の確定が問題となりうるもう1つの典型的な場合としては、法人格否認の法理が当てはまる場合がある。たとえば、Xが、Y社を被告として、消滅時効の完成直前に貸金請求の訴えを提起したが、訴訟の進行中に、Y社と役員構成を同じくするZ社の存在が判明し、また、Y社の財産の大半が訴え提起より前にZ社に移されていたことが判明したような場合である（法人格濫用事例。Z社は執行逃れのために設立された疑いが強い）。

　規範分類説によって考えると、まず、Z社の役員構成はY社と同じであるからZ社にとっても手続保障は満たされていたとみることができるし、また、Z社の設立は法人格を濫用したものであるから手続の結果をZ社に帰せしめることも適切と考えられ（したがって、Z社は、紛争解決という観点からみても正当な当事者といえる）、したがって、被告は元々Z社であったと評価することができるから、Xは、被告の表示をZ社に訂正することができると考えられる（あるいは、XがY社についても債務名義を取得しておきたいと考える場合には、Y社に対する訴えを取り下げることなく、被告は元々「Y社およびZ社」であったとみて、被告の表示をそのように訂正することも認めてよいであろう。法人格否認の場合には、1つの実体としての会社が実質上の当事者であると解した上で手続処理を考察するという考え方〔高橋上165～166頁、条解155頁〕を参照。なお、法人格否認の法理が該当する新会社の主張について信義則に反するとして排斥した結果新会社は旧会社と同様の責任を負うとした原審の判断を是認した判例〔最判昭和48・10・26民集27巻9号1240頁、百選5版7事件〕も同様の結論に達しているが、この事件の原審における当事者の確定の手続は不分明である）。

　実質的表示説によれば、被告はY社であったとみるほかない（訴え提起当時Xに判明していなかったZ社が被告であったとみることは、実質的表示説からは無理である）から、任意的当事者変更によることとなろうか（もしもY社に対する債務名義も取得しておきたいような場合には、Y社に対する訴えを取り下げる必要はない。なお、Z社については消滅時効の問題をクリアできない可能性はある）。

　なお、上記の問題は、法人格否認の法理が当てはまる場合の既判力、執行力の拡張について積極説を採ることによっても対応可能である。もっとも、

この点については、判例は消極説を採り、学説も分かれている（[**495**]）。

[124] 第3節　当事者に関する能力

　訴訟法上の各種の能力については、基本的には、実体法上の各種の能力に準じる形で規律される（28条）。
　実体法上の能力としては、私法上の権利義務の主体となりうる資格として権利能力、法律行為を有効に行うことができるための要件として意思能力、行為能力が要求される。
　そして、訴訟法上は、権利能力に対応する概念として当事者能力、行為能力に対応する概念として訴訟能力の概念が存在する。もっとも、これらは、あくまで基本的に対応しているというだけであって、その内容については、訴訟法独自の観点からする修正が加えられている。
　なお、意思能力を欠く者の行為は、訴訟法上も無効である。

第1項　当事者能力

[125]　第1　概説

　当事者能力は、民事訴訟の当事者となることができる一般的な資格、訴訟法律関係の主体となるための一般的な資格であり、前記のとおり、実体法上の権利能力に対応する概念である。
　したがって、特定の訴訟物との関係で問題になる当事者適格（これは実体法に対応する観念がない）とは明確に区別されるはずであるが、実際には、後記法人格のない社団や組合の当事者能力について論じるところから明らかなとおり、当事者適格の問題と接触してくる部分がある。これらの者が当事者となりうるかという問題を一般論として論じればそれは当事者能力の問題だが、そこに、「どのような形で」、「どのような訴訟物について」という考慮が入ってくれば、それは当事者適格の問題ともなるからである（したがって、特定の事件について誰がどのような形で当事者となりうるかを考える場合には、当事

者能力、当事者適格の順に考察してゆくのが基本である）。

　当事者能力は訴訟要件の１つであるから、これが認められないときには訴えは却下される。原告が当事者能力を欠くため訴えを却下する場合には、その訴えを団体の代表者等として事実上提起した者に訴訟費用を負担させるべきである（70条の類推適用。伊藤131頁）。

　当事者能力のない者に対してされた本案判決は、無効である（[452]）。紛争の当事者たりえない者についてされた判決によって紛争を解決することはできないため、そのような判決は無意味だからである。

第2　当事者能力をもつ者

[126]　1　自然人、法人、国

　自然人はすべて当事者能力をもつ（民３条１項）。

　不法行為に基づく損害賠償（同721条）、相続（同886条１項）、受遺贈（同965条）については、胎児にも当事者能力が認められる。これらの関係の訴訟については、出生後に法定代理人となるべき者によって訴訟行為が行われる。

　破産は当事者能力を喪失させない。一定の訴訟について当事者適格を失わせる（当事者適格が破産管財人に移行する）だけである。

　法人も当事者能力をもつ（同34条）。

　法人は、解散後も、清算目的の範囲内で存続するものとみなされ（一般法人207条、会社476条、645条、破35条）、または継続することができる（一般法人150条、204条、会社473条、642条）から、当事者能力をもち、清算結了登記後に当事者能力を失う。

　外国人、外国法人の当事者能力については、[687]参照。

　国も当事者能力をもつ。地方公共団体も同様である（自治２条１項）。抗告訴訟については、処分または裁決をした行政庁が所属する国または公共団体が、同行政庁が国または公共団体に属しない場合にはその行政庁が、被告たる当事者能力をもつ（行訴11条、38条１項）。

[127]　2　法人格のない社団・財団

　近年の立法では、一般社団法人及び一般財団法人に関する法律、公益社団法人及び公益財団法人の認定等に関する法律、特定非営利活動促進法（NPOの設立、管理等について定める）、あるいは地方自治法260条の２（地縁団体に当事者能力を認めるための市町村長の認可とその要件について定める）といった法律

の整備により、法人や財団が法人格を取得することが容易になっている。

しかし、なお、法人格のない社団や財団（ことに前者）が事実上社会的活動を営み、取引の主体となる現象は避けられない（たとえば、学生や教員の任意的な集合体、あるいは一定の組織としての枠組みを備えた民法上の組合が、取引を行うような事態がありうる）。したがって、当然、それに伴う法的紛争も生じうる。

このような場合、これらの社団や財団等との間に紛争の生じた第三者としては、それらを訴訟の相手方とすることが実際的でもあり、便利でもある（社団の構成員全員を特定して訴えることの困難さを考えてみよ）。また、社団や財団等の側でも、その名において当事者となることが実際的でもあり、便利でもある。紛争の解決という観点からみても、同様のことがいえよう。そこで、法29条は、法人格のない社団・財団についても、一定の要件を満たすものには当事者能力を認めることとしている。

29条は、先の要件について「代表者又は管理人の定めがあるもの」と規定するのみだが、判例は、この点について、「団体としての組織をそなえ、多数決の原理が行なわれ、構成員の変更にかかわらず団体が存続し、その組織において、代表の方法、総会の運営、財産の管理等団体としての主要な点が確定していることを要する」としている（最判昭和39・10・15民集18巻8号1671頁〔杉並区内に居住する引揚者によって結成された任意団体について該当性を肯定〕。この基準による当てはめの他の例として最判昭和42・10・19民集21巻8号2078頁、百選5版8事件〔ある地域の住民を構成員とする地域的団体について該当性を肯定〕）。

学説は、これを①対内的独立性、すなわち構成員の変動にかかわらず団体としての同一性が保たれていること、構成員からの団体の独立性、②財産的独立性、すなわち団体が構成員から独立した財産をもっていること、③対外的独立性、すなわち代表者が定められていること、④内部組織性、すなわち代表者の選出や団体の意思決定方法等が確定されていること、と整理している（伊藤128頁）。

判例と比較すると②の点が明示されていることが異なるだけだが、判例も②を不要とするわけではなく、ただし、団体独自で管理する財産に関する収支や管理の方法が定められていれば足りるとしている（最判平成14・6・7民集56巻5号899頁）。つまり、団体としての財産が現に存在する必要はないという趣旨である。こうした団体が現に財産を有していない時期、事態もありうることを考えると、②については、判例の考え方が適切であるといえよう。

財団とは、個人に帰属せず一定の目的のために独立の存在として管理運用されている財産の集合体をいう。法人格のない財団の例としては、たとえば、設立中の財団がある。

[128]　3　入会団体等の団体、民法上の組合は、いかなる形で当事者となりうるか

前記第1でふれた、当事者能力と当事者適格が交錯する（重畳的に問題となる）論点として、入会団体（より広くいえばこれに類する法人格のない社団）、また民法上の組合がいかなる形で当事者になりうるかという問題がある。基本的には当事者能力の問題なので、ここで論じておきたい。

[129]　(1)　入会団体等の団体

通説は、29条によって当事者能力の認められる社団については、その訴訟限りで（その訴訟にかかる権利に関する限りで）実体法上の権利能力も認められるとする（したがって、社団が当然に当事者適格をももつことになる）。そうでないと、給付の訴えの訴訟物たる給付請求権が団体に帰属しえないこととなり（つまり、構成員に帰属することになり）、社団の訴えは、社団に訴訟担当者としての資格を認めない限り、当事者適格を欠くとして却下されることになってしまう（なお、後記門中についての昭和55年最判の原審のように、社団には権利が帰属しないことを理由に棄却するという考え方もありうるが、論理的には、訴訟要件である当事者適格の点についての判断が先行すべきかと思われる）からである。

当事者能力が実体法上の権利能力に対応する概念であることを考えるならば、通説のこのような考え方は明快であり、理解しやすい。通常の債権債務（具体的には後記）については、このように考えることで問題はない。

しかし、社団の構成員全員に総有的に帰属していると解される（社団に帰属するとは擬制としても解しにくい）財産については、判例は、こうした考え方を採ることはできないとし、団体自体が権利の主体であるとの考え方に基づく訴えは棄却されるべきであるとした。

具体的には、沖縄の血縁団体である門中（始祖を同じくする父系の血縁集団。沖縄では、共同の墓をもつことを始めとして、門中の結束は堅い）に関する事件で、当該門中に29条による当事者能力自体は認める（最判昭和55・2・8民集34巻2号138頁）一方、私法上所有権等の主体となりえない門中自体の土地所有権に関する訴えは棄却すべきであるとした（最判昭和55・2・8判時961号69頁、判タ413号90頁）のである。

一方、判例は、29条による当事者能力の認められる入会団体については、

構成員全員の総有に属する不動産について総有権確認請求訴訟の原告適格を有するとした（最判平成6・5・31民集48巻4号1065頁、百選5版11事件）。

最後の判例の趣旨をどう解するかについては学説は分かれている（なお、最高裁判所調査官の判例解説〔判例解説平成6年度404～406頁〕の記述からすると、この判例自体は、この入会団体に総有権確認請求訴訟の原告適格を認めるに当たっての法的構成、根拠を十分に詰めていなかった可能性がある）が、この判決が団体の原告適格を認めるについて構成員の授権を問題にしていないことからすると、法定訴訟担当（[159]）を認めたものと解するのが相当であろう。また、多数説でもある[2]。

それでは法定訴訟担当の根拠条文は何かであるが、これについては、法29条を挙げる考え方が有力である。つまり、法29条は、このような事案については、当事者能力だけではなく、当事者適格をも認めた規定であると読むわけである（やや苦しいところはあるが、法29条の立法趣旨からすれば、許容できる解釈といえよう。ほかに、入会権等の実体法上の性格自体から法定訴訟担当を認めるという見解もあるが、法定訴訟担当の根拠としてはいささかあいまいであろう）。

以上のように考えるならば、門中についての判例とこの判例の間に矛盾はないと考えてよいであろう。門中の事案では門中自体に土地所有権が属することを前提としてのそのような資格（固有の適格）に基づく訴えであったから許されず、入会団体の事案では構成員に属する不動産についての法定訴訟担当に基づく訴えであったから許されると解すればよい（なお、それでは、当事者能力の認められる門中の法定訴訟担当に基づく訴えについては認めるか否かであるが、私は、認めてよいはずだと考える）。

---

(2) ほかに、団体成立時（その後加入した構成員については加入時）に任意的訴訟担当の授権があったとする考え方もある（クエスト388頁）が、29条の要件を満たすような入会団体についての訴訟担当における授権としては、やや抽象的、擬制的にすぎるように思われる。

なお、訴訟担当構成以外に、入会団体の構成員に総有的に帰属する権利義務について入会団体が団体としての固有の利益を基礎に当事者となるとする考え方（訴訟担当構成に対する意味で、固有適格構成ということになる）もあるが、これは少数説である。この考え方によると、冒頭に述べた学説における通説の場合について後に述べるのと同様に、その判決の効力を入会団体の構成員に及ぼすことは難しくなるが、入会団体の構成員に総有的に帰属するという前提の権利義務について入会団体の構成員に判決の効力を及ぼせないというのは、いささか奇妙であろう。

それでは、この種の訴訟については、通説の考え方（29条によって当事者能力の認められる社団については、その訴訟限りで実体法上の権利能力も認められるとする考え方。入会団体自体が権利を有すると考える、という意味で権利主体構成ということもできる）と判例の考え方（判例についての有力な解釈である法定訴訟担当説）のいずれがより適切であろうか。

　私は、この種の訴訟（一般化すれば、土地所有権や入会権のように構成員に総有的に属するという性格が動かしにくい権利に関する訴訟）については、判例の考え方のほうがベターではないかと考える。このような権利については、その性格に照らすと、その訴訟限りで社団に属しているとみるのはかなり擬制が目立つし、そのように解すると判決の効力が構成員に及ぶことの説明も難しくなるからである（反射効といった考え方を採るしかなくなる〔新堂150頁は組合の受けた判決の効力が反射効によって組合員に及ぶとしているが、それと同様に考えることになろう〕。法定訴訟担当説を採れば、115条1項2号によって構成員への判決効の拡張を説明できる）。

　ここで、入会団体に類するような法人格のない社団ないしその構成員がどのような形で当事者になりうるかをまとめておこう。構成員が単独で訴えを提起できるような権利に関する訴訟（たとえば、入会団体の構成員が有する使用収益権の確認〔**[540]**〕等）は除く趣旨である。

　①　全構成員が当事者となる。

　固有必要的共同訴訟となるが、提訴に同調しない者は被告に回すことが可能である（**[540]**）。

　②　選定当事者の制度を利用する。

　ただし、29条の該当性が明確な場合にはそれによるべきであろうか（30条1項。**[161]** 以下）。

　③　29条に該当するような場合には、同条により当事者となる。

　通説は、その訴訟限りで実体法上の権利能力も認められるとする。

　これに対し、私見は以下のとおりである（なお、実務も、これを理論的に詰めるなら同様の考え方によっていると解してよいのではないかと考える。もっとも、実務ないし判例がこの問題をどこまで明確に意識しているかは、定かではない）。

　すなわち、29条に該当するような場合には、一般的には（売買、消費貸借等の契約に基づく債権債務に関する訴訟を始めとする多くの訴訟については）通説と同様に考え、例外的に、土地所有権や入会権のように構成員に総有的に属す

るという性格が動かしにくい権利に関する訴訟については、判例に従い、法定訴訟担当により社団が当事者となる。

判決の効力は、前者の場合には構成員には及ばず（権利能力のない社団の取引上の債務は、社団の構成員全員に1個の義務として総有的に帰属し、社団の総有財産だけがその責任財産となり、構成員各自は、取引の相手方に対し、直接には個人的債務ないし責任を負わないとする判例〔最判昭和48・10・9民集27巻9号1129頁〕は、この趣旨に沿うものと解してよいかと考える）、後者の場合には、115条1項2号によって構成員にも及ぶ。

なお、入会団体に関しては、その登記請求につき、特異な規律となる。これについては、登記実務が法人格のない社団の登記能力を認めないこともあり、判例もこれを認めず（最判昭和47・6・2民集26巻5号957頁）、代表者あるいはそのほかの構成員個人への登記請求のみを認め（上記昭和47年最判は、代表者である旨の肩書を付した個人名義の登記とすることもできないとしている。なお、構成員全員の共有名義への登記を求めることも可能であるが、構成員が多数の場合には、現実的ではないであろう）、また、その訴訟の原告適格は、当該個人（上記昭和47年最判）あるいは社団（最判平成26・2・27民集68巻2号192頁、百選5版10事件。やはり法定訴訟担当と解すべき）が有するとしている[3][4]。

[130]　(2)　民法上の組合

民法上の組合については、個人の集合体にすぎず、組合財産も組合員の共有（学説上は合有）に属するとされていることから、かつては、29条の適用も否定する説が多かったが、その後、民法学においても、社団と組合は連続的な実体であるとしてその峻別論が克服され（内田貴『民法Ⅰ〔第4版〕』〔東京大学出版会〕218～226頁）、判例も、29条の要件を満たす組合についてその適用を肯定した（最判昭和37・12・18民集16巻12号2422頁、百選5版9事件）。また、判例は、組合の業務執行組合員が組合員の授権に基づく任意的訴訟担当

---

(3)　判例は、さらに、権利能力のない社団を債務者とする債務名義を有する債権者が、個人名義の不動産に対して強制執行をしようとする場合には、強制執行の申立書に、その不動産が社団の構成員全員の総有に属することを確認する旨の上記債権者とその社団および上記登記名義人との間の確定判決その他これに準ずる文書を添付して申立てをすべきであるとしている（最判平成22・6・29民集64巻4号1235頁。民事執行法23条3項の規定を拡張解釈して同法27条2項の執行文の付与を求めることはできないとした）。

によって当事者となることも認めている（最大判昭和45・11・11民集24巻12号1854頁、百選5版13事件。[**165**]）。

そこで、民法上の組合がどのような形で当事者になりうるかについてもまとめておこう。

① 全構成員が当事者となる。

固有必要的共同訴訟となる場合が多いであろう。

② 選定当事者の制度を利用する。

やはり、29条の該当性が明確な場合にはそれによるべきであろうか（30条1項。[**161**] 以下）。

③ 29条に該当するような場合には、同条により当事者となる。

具体的には、権利義務の性格に従い、基本的に(1)の③と同様に考えてゆけばよいであろう。この場合、業務執行組合員は組合の代表者として訴訟を追行することになる[(5)]。

④ 業務執行組合員が組合員の授権に基づく任意的訴訟担当によって当事

---

(4) 以上は当事者適格の問題だが、社団が個々の事件につき具体的な提訴を行う場合の権限（訴訟上の代表権）については、別に考える必要がある。

これについては、明文の規定のある会社等の場合（会社349条4項、一般法人77条4項）と異なり一般的な規律はないので、社団の規約等に訴訟に関する授権の規定があればそれによることになるが、それがない場合については、さまざまな考え方がありうる。

上記最判平成6・5・31は、法人格のない社団である入会団体の代表者が構成員全員の総有に属する財産について訴えを提起するには、社団の規約等においてその財産を処分するのに必要とされる総会の議決等の手続による授権を要するとしている（すでに述べたところから明らかとは思うが、この授権は「任意的訴訟担当のための授権」ではない。混同しないこと）。

この規律はおおむね適切であろう。一般化すれば、その権利を処分するために必要な授権と同様の授権が必要、ということになる。また、規約等に実体上の管理権に関する規定があれば、訴訟追行権はそれに従って決まるともいえようか。

そして、この授権が得られない場合には、③の方法は採れないことになる（その場合、①、②の方法も当然無理となるが、入会権確認についてなら、判例の認めた「提訴に反対する者を被告に加えての提訴」は可能である〔[**540**]〕）。

なお、社団が被告となる場合については、相手方保護の観点から授権は必要がないとする見解（クエスト389頁）、構成員全員を相手にすることで足りるとする見解（百選5版27頁の解説〔山本和彦〕）等があるが、前者が相当であろう。

(5) この場合の業務執行組合員の地位については、法令上の訴訟代理人（[**151**]）の一種とみる考え方もある（新堂195頁）が、法令上の訴訟代理人は、まさに法令の規定によって代理権限が明定されている者に限る（兼子130頁、伊藤163頁）というべきであろう。

者となる（最大判昭和45・11・11民集24巻12号1854頁、百選5版13事件。[**165**]）。

　授権は、個別のものでもよいが、一般的には、「業務執行組合員に、自己の名で組合財産を管理し、これに関する訴訟を追行する権限を授与する」旨の定めを規約に置くことによって行われる例が多いであろう（これにより、実体上の管理権、対外的業務執行権とともに訴訟追行権が授与されたことになる〔上記昭和45年最判〕）。この場合、業務執行組合員は、自身が「当事者」として訴訟を追行することになる（当事者欄の表示は、「○○組合業務執行組合員A」といった形となる。なお、③の場合には、「○○組合」が当事者であり、業務執行組合員はその代表者として訴訟に関与するから、「同代表者（原告代表者という趣旨）業務執行組合員A」といった形で表示される。この相違に注意）。

　以上のような方法の使い分けについては、組合員の個性が濃厚な場合（本来的な民法上の組合の場合）には①、②により、社団的性格が強い組合の場合には③、④によることが多いであろう。

第2項　訴訟能力

[131]　第1　概説

　訴訟能力は、訴訟当事者が有効な訴訟行為を行うために必要な能力であり、前記のとおり、実体法上の行為能力に対応する概念である。もっとも、手続法上の概念であるため、種々の点で行為能力とは異なった規律となっている。手続安定の必要性と当事者保護の必要性とがそれら規律の核になる要請であるといえる。

　まず、訴訟能力が要求される者は訴訟当事者（従たる当事者である補助参加人を含む）である。

　したがって、代理人として訴訟行為を行うには、原則としては、訴訟能力は不要である（民102条参照）。常識的に考えると不思議な気がするかもしれないが、訴訟行為の効果が帰属するのは本人であって代理人ではなく、そのような本人自身が代理人に訴訟能力のない者をあえて選任する以上、これを保護する理由もないからである（自己責任の原則の帰結ともいえる）。

　もっとも、これはあくまで原則論にすぎず、地方裁判所では法令による訴訟代理人を除けば弁護士でなければ訴訟代理人となることができない（54条

1項本文）など、民事訴訟法においては、手続進行の充実と能率を図る観点と当事者保護の観点から、訴訟代理については厳しい資格制限が課せられている（これに対し、たとえば民事執行法においては、執行関係訴訟や執行抗告にかかる手続を除き、この制約はずっと緩和されている〔13条〕。執行手続は、執行機関の定型的な執行行為を中心とする手続だからである）。また、法定代理人については、裁判所の選任・監督権の行使により、その適格性の確保が図られている（たとえば、後見人につき、民840条、843条、846条参照）。

　なお、証人尋問や当事者尋問については、訴訟能力は不要である（201条2項、210条、211条ただし書参照）。証拠調べの対象となるにすぎず、訴訟行為を行うわけではないからである。

　次に、訴訟能力が要求される訴訟行為には、訴訟外または訴訟前の行為も含まれる。たとえば、管轄や訴え取下げの合意、訴訟代理人の選任等である(6)。

第2　訴訟無能力者および制限的訴訟能力者

[132]　**1　未成年者および成年被後見人（訴訟無能力者）**

　未成年者、成年被後見人とも、原則として、一律に訴訟能力はない（31条本文）。訴訟行為の複雑さと手続の安定の必要性を考慮してのことである。

　ただし、未成年者が独立して法律行為をすることができる場合のその法律行為に関する事柄については完全な訴訟能力をもつ（31条ただし書。民6条〔営業を許可された場合〕、会社584条〔持分会社の無限責任社員となることを許された場合〕等）。労働契約から生じる訴訟についても同様に解すべきであろう（労働契約の締結および賃金の請求は未成年者がみずから行うべきであるとする労基58条、59条参照。条解180頁）。

[133]　**2　被保佐人および被補助人（制限的訴訟能力者）**

　被保佐人（精神上の障害により事理弁識能力が著しく不十分な者）、訴訟行為をするについて補助人の同意を要するとされた被補助人（精神上の障害により事理弁識能力が不十分な者）の訴訟行為については、同意がその有効要件となる

---

(6) このように、その効力が手続全体に影響を及ぼす行為については、意思表示の取消しの余地を残す行為能力ではなく、有効、無効を一律に決する訴訟能力で規制するのが適切である。しかし、意思表示の瑕疵の規定の適用の余地は残すべきである（新堂152〜153頁）。

（民13条1項4号、17条1項）。同意は特定の事件について包括的に与えられなければならないが、審級ごとに与えることは可能である。

　当事者が訴訟中に保佐・補助の審判を受けた場合には、後見開始の審判を受けた場合（124条1項3号）とは異なり、訴訟手続は中断せず、当事者は、その審級については同意を要しないで訴訟行為ができる。上訴には同意を要する（伊藤135頁等）。

　被保佐人または被補助人が相手方の提起した訴えまたは上訴について訴訟行為をするには、保佐人または補助人の同意を要しない（32条1項）。相手方保護のためである。また、被保佐人または被補助人が判決によらないで訴訟を終了させる行為、上訴等の取下げ等をするには、その重大性にかんがみ、特別の授権を要する（同条2項）。

[134]　3　人事訴訟の場合

　人事訴訟においては、本人の意思尊重の観点から、訴訟無能力者および制限的訴訟能力者についても、意思能力がある限り、訴訟能力が認められる（人訴13条1項）。ただし、無能力者保護の観点から、裁判長が、申立てによりまたは職権で弁護士を訴訟代理人に選任するなどのことが認められている（同条2項ないし4項）。

　もっとも、原告・被告となる者が成年被後見人である場合には、成年被後見人は事理弁識能力、意思能力を欠く常況にあるから、成年後見人が職務上の当事者（[159]）となる。ただし、その成年後見人が当該訴訟の相手方であるときは、成年後見監督人が職務上の当事者となる（人訴14条。代理人ではなく当事者となることに注意。人事訴訟に代理は親しまないからであろう）。

[135]　第3　訴訟能力欠缺の場合の処理

　訴訟能力は、個々の訴訟行為の有効要件であるとともに、訴え提起にかかわる行為（訴訟係属を基礎付ける行為）についての訴訟要件（職権調査事項〔[170]〕）でもあるとされる。訴訟能力を欠く者が訴えを提起しまたは訴状の送達を受けた場合には、訴訟係属が適法に生じず、その補正がなされない限り、訴えは却下されるからである。

　もっとも、訴訟能力の欠缺を理由に訴え却下の判決を受けた当事者がした上訴は有効とみるべきである（却下すべきではない）。これを認めないと、その当事者が上訴で訴訟能力の有無について争う機会を奪うことになるからで

158

ある。

　訴訟能力を欠く行為は無効である。訴訟行為は累積的性格を有するところから、あとから取り消されうるということでは法的安定性を害するからである。

　もっとも、そのような訴訟行為も、意思能力を備えた者の行為である限り不存在ではないから、それが申立て（[233]）である場合には、裁判所はこれに応答しなければならない。

　また、裁判所は、訴訟能力を欠く者の訴訟行為についても、期間を定めて補正を命じ、また、遅滞のために損害を生じる恐れがある場合には、一時訴訟行為をさせることができる（34条1項。もっとも、このような行為は、結局追認が得られなければ無効に終わる）。

　訴訟能力を欠く者の訴訟行為は、これを有するに至った当事者または法定代理人の追認によって、行為の時にさかのぼってその効力を生じる（同条2項）。追認は、訴訟能力を欠く行為が確定的に排斥されるまでの間はなしうる。追認は、黙示的にも行われうる（たとえば、法定代理人が出頭し、訴訟能力を欠いていた行為にふれずにそれを前提とした訴訟行為を行うような場合）。訴訟行為の累積的性格にかんがみ、追認は、1つの審級について、対象となりうる訴訟行為を一体として不可分的に行うべきである[7]。

　訴訟能力の欠缺を見過ごしてされた本案判決については、無効ではない（伊藤138頁、コンメⅠ467〜468頁等。もっとも、新堂160頁は無効説を採る）が、上訴（312条2項4号該当とされる）、再審（338条1項3号該当とされる）によって取り消されうる。

　なお、訴訟係属中に訴訟能力が失われたときには、訴訟手続は中断する（124条1項3号）。

[136]　**第3項　弁論能力**

　弁論能力は、裁判所において現実に訴訟行為ことに弁論を行うための資格

---

(7)　1つの審級についてと限定するのは、たとえば、第一審の訴訟行為の訴訟能力欠缺を理由として控訴をした者の訴訟行為につき、控訴審のそれのみの追認を認める必要性があるからである（コンメⅠ473〜474頁参照）。

をいう。訴訟能力と異なり、当事者の保護ではなく訴訟手続の円滑な進行を目的とする。

弁護士強制主義は、弁論能力を弁護士に限定するものだが、日本では採られておらず、訴訟能力者は原則として弁論能力も認められることになる。

もっとも、法155条は、裁判所に、適切な陳述をすることができない当事者、代理人等の陳述を禁じ[8]、必要に応じ弁護士の付添いを命じることを認めている。しかし、付添い強制の制度を実行あらしめるための規定がないため、全く機能していない[9]。

第4節 訴訟上の代理人

[137] **第1項 概 説**

訴訟代理は、訴訟無能力者の権利を保護するため、また、法的な知識経験を有する者による代理を可能にするため、などの理由から認められる。訴訟能力の場合と同じく、手続安定の必要性と当事者保護の必要性とが、訴訟代理に関する規律の核になる要請であるといえる。

訴訟上の代理人は、当事者の名において、代理人たることを示して、自己の意思に基づいて、訴訟行為を行いまたは受ける者である。「当事者の名において」という点で、他人の権利についてみずからが当事者となって訴訟を

---

(8) 訴訟指揮権に基づく裁判であり、決定の形式で命じられ、これにより対象者の弁論能力が失われる。この裁判に対しては、独立の不服申立てはできない（条解935頁、コンメⅢ360〜361頁）。

(9) 現行民事訴訟法・規則は近年の立法であるにもかかわらず、このように全く機能していない規定がそのまま放置されているのは、好ましいことではない。結果として、日本の法廷では、弁論能力を欠く本人、ことに原告本人の訴訟もそのまま放置されているというのが事実である（瀬木・要論第2部第8章。もっとも、そのⅢに記したとおり、そうした本人訴訟の割合は、以前に比べれば小さくなってきていると思われる。しかし、いずれにしても、上記の点は、先進国の立法にあるまじき問題であり、法的な整備が必要であろう）。

行う訴訟担当者とは異なる。

　訴訟上の代理人は、大きく、法定代理人と任意代理人に分けられる。法定代理人は法律の規定に基づいて代理権が与えられる者であり、任意代理人は本人の意思（授権）に基づいて代理権が与えられる者である。要するに、授権に基づく代理人か否か（代理人の地位が本人の授権に基づくか否か）による分類と考えればよい。

　法定代理人には、①各種の実体法上の法定代理人と、②訴訟法上の特別代理人（35条等）があり、任意代理人には、③訴訟委任に基づく訴訟代理人と、④法令上の訴訟代理人（支配人〔会社11条1項〕等）とがある。

　①と④は、混同しやすい。いずれも実体法に根拠があり、その権限は法律で定められているが、代理人の地位自体についてみると、①では法律の規定により生じ、④ではあくまで本人の授権（選任）によって生じている。したがって、④は本人の意思（授権）に基づく代理人として、カテゴリーとしては任意代理人のほうに入るのである。

　訴訟代理については、手続安定の必要性から、明確かつ画一的な処理が要請される。具体的には、授権は書面で証明しなければならず（規15条、23条）、授権や代理権の範囲についての規制があり（32条、55条）、代理権の消滅は、本人または代理人が相手方に通知しなければ効力を生じない（36条1項、59条）。また、個別的訴訟行為についての代理は原則として許されず、少なくとも1つの審級について包括的に代理権が与えられる必要がある。ただし、例外として、送達の受領については、刑事施設の長（102条3項〔令和4年改正後99条3項〕。一種の法定代理人）、送達受取人（104条1項。任意代理人）に代理権が与えられる。

　訴訟代理権欠缺の場合の処理は、おおむね訴訟能力欠缺の場合に準じる。代理権が欠けている場合には、代理人の行為の効果は本人に帰属せず、無効となる。それが訴え提起にかかわる行為（訴訟係属を基礎付ける行為）である場合には、訴えは却下される。補正や追認の余地があることも、訴訟能力欠缺の場合と同様である（59条は、34条1項、2項を準用している）。

第 2 項　法定代理

[138]　第 1　実体法の規定に基づく法定代理人

　実体法上の法定代理人は、訴訟法上も法定代理人となる（28条）。①未成年者のための親権者・後見人（民824条、838条1号）、成年被後見人のための後見人（同838条2号、843条）、②これらの法定代理人と本人との間に利益相反が認められる場合に選任される特別代理人（同826条、860条）、③不在者の財産管理人（同25条ないし29条）、相続財産清算人（同936条、952条、953条）等である（なお、相続財産清算人〔2021年〔令和3年〕改正前は相続財産管理人〕については、法定訴訟担当者ではなく法定代理人とみるのが通説、判例〔最判昭和47・11・9民集26巻9号1566頁〕である）。以上のうち実際の訴訟でよくみられるのは、未成年者のための親権者である。

　これに対し、遺言執行者は、訴訟担当者であると解される（[159]）。

[139]　第 2　訴訟法上の特別代理人

　訴訟法上の特別代理人は、訴訟法の規定に従い、個々の訴訟や手続のために裁判所によって選任されるものである（訴訟無能力者の特別代理人〔35条〕、証拠保全における相手方となるべき者のための特別代理人〔236条〕、執行手続における債務者死亡後相続人存否不明等の場合に選任される特別代理人〔民執41条2項〕等）。

　訴訟無能力者の特別代理人（35条）は、訴訟無能力者に法定代理人がいない、利益相反により法定代理人が代理権を行使できないなどの場合に、訴訟無能力者に対して訴え提起等の訴訟行為を行おうとする者の権利保護のために、それらの者が受訴裁判所の裁判長に選任を申し立てることができるとするものである。実体法上の法定代理人の選任には手間がかかることが多いため、緊急の措置として認められている制度である。そのため、遅滞のため損害を受けるおそれがあることの疎明が必要である[10]。

　法人、法人格のない社団、財団に代表者、管理人が欠けている場合にも用いることができ（37条による準用）、実務では、この例が圧倒的に多い。

　もっとも、離婚訴訟や離縁訴訟については、元々代理に親しまないことや

訴訟無能力者である当事者の保護の観点から、特別代理人によるべきではなく、相手方は、後見開始の審判を得て、成年後見人を相手方（人訴14条。[159]）として訴訟を追行すべきであると解される（新堂172頁、伊藤145頁。最判昭和33・7・25民集12巻12号1823頁、百選5版17事件）。

なお、この制度は、本来相手方保護のためのものであるが、訴訟無能力者の側からの申立ても認めるのが判例（大判昭和9・1・23民集13巻47頁、最判昭和41・7・28民集20巻6号1265頁）、近年の通説である[11]。

[140]　第3　法定代理人の地位

法定代理人は、当事者ではなく、普通裁判籍（4条）や裁判官の除斥事由（23条1項1号ないし3号）の判定基準にもならないが、当事者本人が訴訟無能力者であることや法定代理人の当事者に近い立場が考慮されて、一定の範囲で、当事者に近い取扱いを受ける。訴状・判決の必要的記載事項であること（133条2項1号、253条1項5号〔令和4年改正後134条2項1号、252条1項5号〕）、訴訟無能力者に対する送達は法定代理人にされること（102条1項〔上記改正後99条1項〕）、釈明処分・和解において当事者本人と並んで出頭が命じられうること（151条1項1号、規32条1項）、死亡や代理権の消滅が中断事由となること（124条1項3号）、証人尋問ではなく当事者尋問の対象となること（211条）などである（なお、最後の点は見落とされやすい〔裁判官も弁護士も見落とすことがある〕。もっとも、裁判所書記官は、こうした点についてはきちんとチェックできるように教育されているはずだ）。

---

(10)　具体的には、条解191頁、コンメⅠ481～482頁に掲げられているような事由（たとえば訴え提起による時効完成猶予の必要性等）の主張と疎明が必要なはずであるが、実務では、実際には、そうした事項の厳密な主張、疎明までは求めていないと思われる。訴訟無能力者の相手方が実体法上の法定代理人選任のための手続を採ることは実際上困難な場合が多いことによるのであろう。また、実務では、本文の次の部分のとおり、この条文が用いられるのは、法人等への準用の場合が圧倒的に多いことも、関係していよう。

(11)　しかし、本来相手方保護のためのものであることに照らすと、原審で原告である法人の代表者の代表権限欠缺のために訴えが却下されている場合に上告審で原告側がその追認のために特別代理人の選任を求めることまでは許されない（最命令昭和46・3・23判時628号49頁、判タ261号194頁）。

[141] 第4　法定代理人の権限

　実体法上の法定代理人の権限については、民事訴訟法に特別の定めがある場合を除き、民法等の法令による（28条）。
　具体的には、親権者は、一切の訴訟行為を行うことができる（民824条参照）。
　後見人も同様だが（同859条）、後見監督人がある場合にはその同意を得なければならない場合がある（同864条）。もっとも、相手方が提起した訴えまたは上訴について訴訟行為をするには、後見監督人の同意は要しない（32条1項。相手方保護のためである）。一方、判決によらないで訴訟を終了させ、または不服申立てを行いもしくはこれを取り下げるには、後見監督人の特別な授権を要する（同条2項。無能力者保護のためである）。後見人についての以上のような規律はほかの法定代理人についても同様である（同条1項、2項）。
　訴訟無能力者の特別代理人については、後見人と同一の授権が必要である。したがって、判決によらないで訴訟を終了させるなどの場合には、後見監督人があるときはその特別な授権を要する（35条3項、32条2項）。後見監督人がいないときには、受訴裁判所の裁判長から特別な授権を得ることになる（条解192頁）。

[142] 第5　法定代理権の消滅

　実体法の規定に基づく法定代理人の法定代理権の消滅は、実体法の規定するところによる。本人の死亡（民111条1項1号）、代理人の、死亡・破産手続開始決定・後見開始の審判（同項2号）、各種の法定代理権発生原因の消滅（未成年者が成年に達すること〔民4条〕、後見開始の審判を取り消すべき事情の発生〔同10条〕等）、解任（不在者の財産管理人の例〔同25条2項〕等）である。訴訟法上の特別代理人の法定代理権の消滅は、その解任による（35条2項）。
　ただし、法定代理権の消滅は、本人または代理人から相手方に通知しなければ、その効力を生じないことに注意すべきである（36条1項）。相手方の代理権消滅事由発生の知、不知にかかわらない（民法112条の適用もない）。手続の安定のためである。
　それでは、法定代理権の消滅が訴訟手続の中断事由とされていること（124条1項3号）との関係はどうか。これについても、通知が到達しない限り同様で、相手方が代理権消滅事由の発生を知っていても訴訟手続は中断し

ないと解されている[12]。

　通知をするのは、訴訟能力を回復した本人または法定代理人である。しかし、法定代理人の死亡・後見開始の審判の場合には、本人も法定代理人も消滅の通知ができないから、法定代理人の死亡・後見開始の審判の時に法定代理権の消滅の効力が生じると解される（条解193頁）。

[143]　第3項　法人等の代表者

　法人あるいは法人格なき社団・財団で当事者能力を認められるもの（29条）については、その代表者によって訴訟行為が行われる。これら法人等とその代表者の関係は法定代理に類似するので、法37条は、法定代理に関する規定を法人等の代表者または管理人について準用している。

　代表者には、株式会社の代表取締役（会社349条）、一般社団法人の理事・代表理事（一般法人77条1項、4項）等があり、その権限も実体法の定めるところによる。

　代表者による訴訟追行に関する授権については、法28条により実体法の定めるところによる。たとえば、普通地方公共団体については議会の議決が必要である（自治96条1項12号）。また、前記（[129]）のとおり、法人格のない社団である入会団体の代表者が構成員全員の総有に属する財産について訴えを提起するには、社団の規約等においてその財産を処分するのに必要とされる総会の議決等の手続による授権を要するとされている。応訴については、32条1項が準用される。補正、追認（34条1項、2項）、特別代理人の選任（35条1項）、代表権の消滅の通知（36条1項）についても、法定代理に関する規定が準用される。

　法人等の代表者については、民法上の表見代理の規定が適用されるか否かが問題になる。法人等の代表者を登記の記載を基準にして特定し、訴えを提起した者が表見代理の規定によって保護されるかという問題である。

---

[12]　ただし、訴訟無能力者本人の審級の利益を保護するという観点から、相手方が知っている場合には、通知のないことによる代理権存続の擬制はその審級の終局判決の送達と同時に消滅し、手続は中断するという見解（新堂175頁）がある。手続の中断によって訴訟無能力者の上訴期間徒過を避けることを意図している。合理的な例外であり、賛成したい。

判例は、否定説を採る（最判昭和41・9・30民集20巻7号1523頁、最判昭和43・11・1民集22巻12号2402頁、最判昭和45・12・15民集24巻13号2072頁。最後のものは百選5版18事件）。①表見法理は取引の安全を保護するものだが訴訟行為は取引行為ではないこと、②表見支配人に関する商法旧42条1項ただし書が「裁判上の行為」を除外していること（商法旧42条1項ただし書は、商法24条、会社13条に相当）、を理由とする。

しかし、学説上は、肯定説が多数説である。①法人が真の代表者によって訴訟を追行する権利とともに当事者間の公平の要請もまた考慮されるべきであり、後者の要請は取引行為のみならず訴訟行為においても確保されるべきこと（いいかえれば、不真実の登記を放置している法人よりもその登記を信じた相手方のほうが保護に値すること）、②表見支配人に関する上記の規定が登記までされた表見代理人の場合にも適用されるべきかは疑問の余地があること（したがって、この規定が否定説の有力な根拠となるかも疑問であること）、③法36条1項の存在（同項は法定代理権の消滅について一種の外観法理を採用したものともいえ、表見法理の規定とその趣旨を共通にする）、④代表権の存在は職権調査事項だが、法人の相手方（原告）のみならず裁判所も、実際上は登記を基準として手続を進めざるをえないこと、を理由とする。

この点は多数説が相当であろう（なお、否定説は、不真実の登記を放置することについてのインセンティヴとして機能しうるという点からも問題がある）。

第4項　訴訟委任に基づく訴訟代理人

第1　弁護士代理の原則とその違反

[144]　1　弁護士代理の原則

訴訟委任に基づく代理人は、地方裁判所以上の裁判所においては、弁護士でなければならない（54条1項）。これを「弁護士代理の原則」という。手続進行の充実および当事者の保護が目的である。

しかし、一方、日本では、弁論能力を弁護士に限定する弁護士強制主義は採られておらず、訴訟能力者は原則として弁論能力も認められる（[136]）。つまり、当事者本人訴訟が許されている。

弁護士数が増え、その都市部偏在が是正されるならば弁護士強制主義のほ

うが望ましいという考え方もありうるが、ドイツのように広義の法律事務を行うことのできる者を弁護士に限定する方針を採るのであればともかく、日本のように弁護士隣接の法律職種が多い国では、弁護士過疎の問題の根本的解決は難しいこと（瀬木・要論［145］）、また、民事訴訟の中には、当事者本人でも、ことにその当事者が一定水準の能力を備えているならば、行いうるようなものも一定程度存在すること（比較的定型的な事件で実質的な争いのないもの、あるいは乏しいもの。近年そうした事案で原告本人訴訟が増えているのは、そのような訴訟では、インターネットで定型書式等を取得することにより、本人でも比較的容易に行えるからかもしれない）を考えるならば、基本的には現在のような規律が維持されてよいといえるであろう。

ただし、弁護士を依頼することが可能であるにもかかわらずそれをしない者について裁判所が手取り足取りの極端にパターナリスティックな後見的配慮をすること（日本の裁判官も世論もこれを美徳とする傾向が強かったのだが）は、基本的には、好ましいとはいえない。基本的には自己責任の原則を貫徹してゆくべきであろう（もっとも、自己責任の原則貫徹の前提として、法律扶助制度の充実も必要であることは強調しておきたい。また、弁護士過疎地域においては、裁判官は一定程度当事者本人訴訟に配慮せざるをえないであろう）。

簡易裁判所の手続（54条1項ただし書、2項）、非訟事件の第一審手続（非訟22条1項ただし書、2項）、家事事件手続（家事22条1項ただし書、2項）、調停手続（民調規8条2項、3項）等については、弁護士でない者も、裁判所の許可を得て、訴訟代理人となることができる。また、司法書士については、法務大臣の認定を受けた者は、簡易裁判所で取り扱うことのできる民事事件等について代理業務を行うことができ（いわゆる認定司法書士。司書3条1項6号ないし8号、2項、6項）、弁理士については、一定の条件の下で弁護士とともに訴訟代理人となることが認められている（弁理士6条の2。知的財産権等の侵害訴訟の専門性から認められた例外）。

[145] **2　違反した行為の取扱い**

弁護士資格を欠いた者の訴訟行為（弁護士法72条違反となる）は、単に弁論能力を欠いた者の訴訟行為というにとどまらない（弁護士代理の原則は手続進行の充実および当事者の保護を目的とするから、訴訟代理人の資格は弁論能力のみにかかわるものではないと解するのが多数説である）。したがって、弁護士資格は、弁護士代理の原則が適用される手続にあっては、訴訟代理権の発生・存続の

要件と解されるので、これを欠く者による訴訟行為は、無効である（最判昭和43・6・21民集22巻6号1297頁は、弁護士の登録取消後同人に対してなされた訴訟行為を無効とするが、そのような者のした訴訟行為も無効であることがその前提であると解される）[13]。裁判所は、弁護士資格を欠く者の訴訟関与を排除しなければならない。

しかし、この無効は、本人に効果が帰属しないという意味での無効であって、代理権欠缺の場合に準じて、追認の余地がある（34条2項の準用）。もっとも、この追認については信義則によって制限されることがあり、規律は複雑になる。

まず、弁護士資格を欠くことを本人が知らなかった場合には、本人は、追認が可能である（追認しなくてもよいので、みずからが敗訴した後で追認しないことによってその効果を免れることも可能である。その場合、事件が審理中であれば、第一審に差し戻されることになろう。判決確定後なら再審事由〔338条1項3号〕となる）。

次に、弁護士資格を欠くことを本人が知っていた場合について考える。

第一審の途中においてその点が問題となったときには、まず事実関係を明らかにし、その点が肯定されれば、原則として本人による追認は許されないから、本人が原告であれば訴えを却下し、本人が被告であれば、場合により中間判決（245条）で先の点に関する判断を明らかにした上で、審理をやり直すべきであろう。先の点が否定されれば、やはり場合により中間判決でそのことを明らかにした上で、審理を続行すればよい。

控訴審では、本人が第一審で敗訴したときには、信義則上、本人は無効の

---

[13] もっとも、判例は、前記1の末尾の部分でふれたいわゆる認定司法書士が弁護士法72条（非弁行為の禁止）に違反して締結した裁判外の和解契約（司法書士法3条1項7号に規定される額である140万円を超える金額の和解契約）の効力については、その内容および締結に至る経緯等に照らし、公序良俗違反の性質を帯びるに至るような特段の事情がない限り、無効とはならないとしている（最判平成29・7・24民集71巻6号969頁）。

これは、そのような司法書士の行為が刑事罰や懲戒の対象となり、また、弁護士法72条に違反して締結された委任契約自体は無効となるためその司法書士は報酬を得られないなど弁護士法72条の実効性を保障する規律が存在すること、当該和解契約の内容、締結に至る経緯等に特に問題となる事情がない場合には和解契約当事者の利益保護の見地からもそのように解するのが相当であることを理由としている。認定司法書士という資格の特殊性を考慮した判断といえよう。

主張ができず、追認を拒絶できないとし（控訴審における審理は原則として最初からやり直すことになろう）、本人が勝訴したときには、無効であって本人の追認を認めないとすることが相当であろう（その結果として、原判決を取り消し、訴えを却下することになろう。もっとも、本人が第一審被告で請求が棄却された場合については、第一審原告である相手方が異議を述べないなら、第一審については追認を認め、控訴審における審理は最初からやり直すことも許容されようか）。

　上告審の場合にも控訴審の場合に準じて考えればよい。

　判決確定後は、本人の再審の訴えは認めないこととなろう。

　もっぱら訴訟行為を行わせることを目的として支配人（会社11条1項。支配人は、**第5項**で論じる法令上の訴訟代理人の典型である）を選任した場合についても、以上と同様に考えることができよう（実務において例が多いのはむしろこちらかもしれない）。もっとも、上記のような厳しい規律が採られる以上、そのような目的にかかる選任であるか否かの判断は、的確、適切に行われるべきであろう（以上については、伊藤153～154頁、条解287～288頁、注釈(9)43～44頁等も参照）。

　弁護士が弁護士会の懲戒処分による業務停止中にした訴訟行為については、さかのぼって無効とすると、手続の安定に反し、当事者にも不測の損害を及ぼすから、有効と解することでよいであろう。あくまで業務停止中の訴訟行為にすぎないからである（最大判昭和42・9・27民集21巻7号1955頁、百選5版A8事件。なお、実務では、業務停止となった弁護士が裁判所にその旨を申告し、裁判所はその間は期日を指定しないという取扱いが、通例である）。

[146]　**第2　弁護士法25条違反行為の効力**

　弁護士法25条（弁護士が職務を行ってはならない行為を挙げる）違反の行為は、広い意味での双方代理になる例が多い。

　違反行為の効力については、有効説、絶対無効説は、いずれも硬直的で当事者の利益に沿わないから相当ではなく、追認説（依頼者本人が追認できるとする説）は、弁護士法25条各号の保護している対象が依頼者ではなく相手方である場合も存在する（たとえば1号）ことから、適切ではない。

　したがって、異議説、つまり、被保護利益の主体である依頼者あるいは相手方が異議を述べ、裁判所はそれが正当であると認められる場合にはすでになされた訴訟行為を無効なものとして取り扱う、という考え方が正当であろ

う。判例も異議説を採る（最大判昭和38・10・30民集17巻9号1266頁、百選5版20事件）。そして、当事者（被保護利益の主体である依頼者あるいは相手方）は、事後的に訴訟行為の効力を争う以外に、訴訟進行中に当該弁護士の以後の訴訟行為を排除する旨の裁判（決定）を求める申立権をも有する。また、裁判所の先の決定に対しては、みずからの訴訟代理人の訴訟行為を排除するものとされた当事者は、法25条5項の類推適用により即時抗告ができる。一方、先の決定において訴訟行為を排除するものとされた訴訟代理人には即時抗告権はない（以上につき、最決平成29・10・5民集71巻8号1441頁）。

ただし、当事者が違反の事実を知りながら遅滞なく異議を述べなかった場合には、責問権の喪失（90条）により無効の主張が許されなくなると解される。

具体的には、たとえば、1号、2号違反では相手方が、3号違反では依頼者が、4号、5号違反では双方が、異議を述べることができると解される（もっとも、誰が異議を述べられるかについては、弁護士法25条各号の保護している対象についての考え方の相違から、異議説の中でも見解が分かれる）[14]。

[147] 第3 訴訟代理権の授与、範囲、消滅等

これらについては、第1の1（[144]）で述べたところを踏まえて解説してゆく。

[148] 1 訴訟代理権の授与

訴訟代理権の授与（単独行為）には訴訟能力が必要である。これは、代理人となる者との委任契約とは区別される（その意味につき新堂188頁）。

また、授権は書面で証明しなければならない（規23条）。もっとも、これは、これから手続を進めるに当たっての限定にすぎず、別訴において問題になった場合をも含め、すでになされた代理行為の効力の判定に当たっては、あらゆる証拠方法を用いることができる（新堂188～189頁等。最判昭和36・1・26民集15巻1号175頁）。

---

[14] なお、最決令和3・4・14民集75巻4号1001頁は、弁護士職務基本規程57条（共同事務所所属弁護士は、他の所属弁護士が同規程27条または28条の規定により職務を行いえない事件について職務を行ってはならないと定める）に違反する訴訟行為について、被保護利益の主体である相手方当事者は、異議を述べ、裁判所に対しその行為の排除を求めることはできないとした。上記基本規程違反は、懲戒の原因となりうるとしても、訴訟行為の効力に影響を及ぼすものではないことを理由とする。

[149]　2　訴訟代理権の範囲

　訴訟代理権の範囲については、包括的に法定されており、また、弁護士についてはこれを制限することはできない（55条1項、3項）。訴訟手続の円滑な進行を図るためであり、弁護士に対する信頼に基づいている。なお、55条1項の記載は例示列挙であり、弁護士は、受任した事件について当事者を勝訴させるために必要なすべての訴訟行為、その前提となる実体法上の権利行使（時効の援用や相殺・解除・取消し等の形成権の行使）、相手方や第三者の訴え等（反訴等）に対する応訴、民事保全・執行手続、当該請求についての裁判外の弁済受領等を行うことができる。

　以上に対し、特別委任（授権）事項（同条2項）とされているのは、別個の訴えである反訴の提起、判決によらない訴訟の終了をもたらす訴えの取下げ、和解、請求の放棄・認諾、訴訟脱退、上訴およびその取下げ（審級代理の原則。なお、再審についても、別個の事件として、あらためて委任が必要と解すべきである。差戻し後の手続については両説があるが、その審級の審理はいったんは終了したのだからやはりあらためて委任が必要と解すべきであろう）、手形判決等に対する異議の取下げ、復代理人の選任であり、いずれも、その重要性から、本人の意思にかからしめることが相当とされているものである。

　和解については、和解に関する特別委任がありさえすれば、訴訟物以外の事項に関しても、当事者が合理的に予測できる範囲内のものについては、あらためて特別委任を得ることなく和解をすることができるとするのが、通説判例である（たとえば、最判昭和38・2・21民集17巻1号182頁、百選5版19事件は、貸金請求事件の被告所有の不動産に抵当権を設定する権限を肯定している）。そして、実際上は、訴訟物以外の事項に関する和解が広く認められている（[514]）関係上、訴訟代理人は、訴訟物以外の事項に関しても、あらためて特別委任を得ることなくあらゆる和解をしているのが実情である（もっとも、訴訟代理人としては、和解を行う場合には、その内容の全体につき当事者の意思を必ず確認すべきことは、当然である。後に争いになりうる事柄だからである）。

　なお、実務においては、定型の委任状にすべての特別委任事項が記載されているのが通例である。しかし、弁護士としては、特別委任事項にかかる行為を行う場合には、本人の意思を確かめることが適切であろう（実際にもそうされていると思われる）。

　当事者が数人の訴訟代理人を選任した場合には、各自が単独で代理権を有

し、当事者がこれと異なる定めをしても、相手方や裁判所との関係では効力を生じない（56条。個別代理の原則）。もっとも、この点についての紛争はほとんど例をみない。

[150]　3　訴訟代理権の消滅、訴訟代理人の地位

　訴訟代理権の消滅については、58条が民法の特則を定めている。すなわち、訴訟代理権は、本人の死亡・訴訟能力の喪失、法人の合併による消滅、当事者たる受託者の信託の任務の終了、法定代理人の死亡・訴訟能力の喪失または法定代理権の消滅もしくは変更（以上1項）、訴訟担当者の資格の喪失（2項、3項）によっては、消滅しない。委任の趣旨と範囲が明確であり、委任者のまたはその承継人の信頼や利益が害される恐れが小さいことを考慮したものである。したがって、訴訟代理人がいる場合には、以上のような事由（124条1項に該当する事由でもある）があっても訴訟手続は中断しない（同条2項）。

　訴訟代理権の消滅事由としては、①弁護士資格の喪失（地方裁判所以上の場合）、②代理人の死亡・破産手続開始・後見開始（民111条1項2号）、③委任の終了、がある。③の終了原因としては、(i)委任事件の終了（審級代理の場合にはその審級の終了）、(ii)委任者・受任者の破産（同653条2号）、(iii)委任契約の解除（同651条。本人からするものは解任、代理人からするものは辞任といわれる）がある。

　代理権の消滅は相手方に通知しない限りその効力を生じないとする規定（59条、36条1項）の適用については、③の(ii)、(iii)の場合に限られると解される（新堂191～193頁等）。

　具体的には、まず、①、②の場合には、代理人による通知は期待できないし、本人にこれを期待するのも相当ではないから通知の必要はない（ただし、この場合については、本人の通知を期待してよいとの説も有力である〔三ヶ月207頁、伊藤159頁の注(105)〕）。③(i)の場合には、訴訟全体が終了した場合はもちろん、審級代理が原則である以上審級終了による代理権消滅の場合にも、通知は不要と解される。

　ここで、その他訴訟代理人の地位について数点述べておく。

　訴訟代理人は、当事者ではないから、証人、鑑定人となることができる（実際、証人となる例はまれにある）。

　訴訟追行に当たる者の知・不知、故意、過失等が訴訟法上の効力に影響する場合には、その事実の有無は訴訟代理人について決する。そして、本人は、

本人と代理人の間の認識の食い違いを自己に利益に援用することはできないと解される（三ヶ月202頁。民法101条参照）。

訴訟代理人の「事実に関する陳述」については、当事者がただちにこれを取り消しまたは更正したときにはその効力を生じない（57条。更正権といわれる）。事実については当事者のほうがよく知っているという考慮に基づく。ただし、行使されることはほとんどない（もっとも、保全命令手続の場合などには、同席している本人の「先生、それ違いますよ」との指摘に答えて、弁護士が「あっ、そうなんですか。では、裁判官、そこは訂正します」などと訂正する例はあり、ここで弁護士が訂正しなければ、更正権行使の問題になるわけだ）。

[151] 第5項　法令上の訴訟代理人

法令上の訴訟代理人とは、本人の意思に基づいて一定の法的地位につく者に対して、法令が訴訟代理権を付与しているものである。

前記（[137]）のとおり、実体法上の法定代理人と混同しやすい。実体法に根拠があり、その権限が法律で定められているという点は共通だからである。しかし、代理人の地位自体についてみると、法定代理人では法律の規定により生じ、法令上の訴訟代理人ではあくまで本人の授権（選任）によって生じる。したがって、法令上の訴訟代理人は、カテゴリーとしては、任意代理人、すなわち、本人の意思（授権）に基づく代理人の一種なのである。

その例としては、支配人（商21条1項、会社11条1項）、船舶管理人（商698条1項）、船長（同708条1項）、代理委員（破110条2項、民再90条3項、会更122条3項）等がある。実務上よくみられるのは支配人くらいであり、簡易な訴訟で利用される例がある。

法令上の訴訟代理人については、訴訟委任による訴訟代理人と異なり、弁護士資格は問題にならない（54条1項）。また、訴訟代理権の範囲の制限もない（55条4項）。こうしたことから、弁護士代理の原則潜脱、あるいは非弁活動禁止の原則（弁護72条）潜脱のために支配人等が選任されるといった問題が生じうる（このことから生じる法律問題については、前記**第4項第1の2**〔[145]〕で論じた）。

本人の死亡等による訴訟代理権不消滅の規定（58条1項、2項）は法令上の訴訟代理人には適用がない。これらの規定の趣旨は弁護士資格をもつ者をい

わば属物的に事件の代理人とみるというものであり、本人との人的信頼関係に基づいてその地位についている法令上の訴訟代理人には当てはまらないからである（新堂196頁等。なお、支配人の代理権は本人の死亡では消滅しないが、これは、商法506条の適用の結果である）。

[152] 第6項　補佐人

　法60条の定める補佐人は、当事者、訴訟代理人に付き添って期日に出頭し、その陳述を補足する者である。自己の意思に基づいて発言し、その効果が本人に帰属する（60条3項）のであるから、単なる発言機関ではなく、代理人の一種とみるのが通説である。

　補佐人の資格については制限がないが、出頭には裁判所の許可が必要である。裁判所は、この許可をいつでも取り消すことができる。補佐人の陳述については、本人または訴訟代理人に更正権がある（同項）が、この更正権は、57条のそれと異なり、事実に関する陳述だけに限定されない。

　実務上は、訴訟能力が十分でない本人（多くは高齢者）に付き添って出頭した配偶者や子、ことに子が、本人の陳述を補佐したいと申し出た場合に、簡易な事案でありこれを認めることに害がないと思われるときに、補佐人の許可を与える例がある（事案が複雑な場合には、訴訟代理人の選任を促すのが相当である）。

　なお、弁理士法5条は、特許権等に関する事項について、弁理士に、裁判所の許可なく補佐人になることを認めている。

第5節　当事者適格

[153] 第1項　概　説

　当事者適格は、訴訟物たる特定の権利または法律関係について訴訟を追行し、本案判決を受けることができる資格であり、当事者能力、つまり、民事

訴訟の当事者となることができる一般的な資格を前提とするが、これと交錯する側面も大きいため、当事者能力の部分ですでに一部は論じている（[**128**] ないし [**130**]）。

　もっとも、当事者適格は、当事者能力と同様に訴訟要件の１つであるが、実体法の権利能力に対応する当事者能力とは異なり純粋に訴訟法的な概念であって、本案判決がなされるべき対象をその主体の観点から画する概念として、これをその客体の観点から画する訴えの利益（[**174**]）と対になる関係にある。

　前記のとおり、民事訴訟法学上の当事者概念は、実体法上の権利義務の帰属主体たる地位とは切り離されている（形式的当事者概念〔[**118**]〕）ところ、そうである以上、民事訴訟法学上の当事者たる地位については、これを画する概念である当事者適格が必要になるわけである。

　抽象的、一般的にいえば、当事者適格は、当該訴訟についてみずから当事者として訴訟追行を行いかつ判決を受けるにふさわしい者、当該訴訟の結果について重大な利益を有する者（当該訴訟について補助参加の利益を超えるような利益をもつ者、ということになる）に与えられるといえる。具体的には、国家（裁判所）の立場、原告および被告の立場、判決効を受ける第三者の立場が考慮されるべきである（新堂284～286頁。判決効を受ける第三者を保護する方法については、[**496-3**] 参照）。

　当事者適格の不存在を看過してされた本案判決が確定した場合、当事者は、その効力を免れることはできない（再審事由とはならない）。しかし、訴訟担当者に当事者適格が認められなかった場合には、被担当者は、後に別の訴訟でその点を争うことができる（もっとも、前の訴訟でその点を争うことができた場合には、信義則上これが許されないことになろう。新堂305～306頁）。また、判決に対世効がある場合においてその当事者が当事者適格を欠いていたときには、その判決は無効な判決（[**452**]）となる（新堂305頁）。

第２項　訴えの３類型と当事者適格

[154]　第１　給付の訴え

　給付の訴えについては、訴訟物である給付請求権を有すると主張する者に

原告適格があり、原告によって給付義務の義務者であると主張される者に被告適格がある。形式的当事者概念の部分（[118]）で論じたとおりである。

[155]　第2　確認の訴え

　確認の訴えについては、訴訟物である権利または法律関係の主体でない者についても、その権利関係の確認によってみずからの実体法的な地位が確保される（紛争が解決する）場合には、当事者適格が認められる（他人間の権利関係の確認）。たとえば、2番抵当権者Xが1番抵当権者Yに対してYの1番抵当権の不存在確認を求めるような場合である（[179]）。そして、こうした事柄は確認の利益（[177]以下）の有無を判断する過程で判断されるため、確認の訴えにおいては、通常は、当事者適格の問題は確認の利益の問題に吸収されるといわれる。

　もっとも、法人の内部紛争にかかわる訴訟（対世効のあることが多い〔[496-2]〕）における当事者適格については、これが法定されている場合には問題がないが、これが法定されていない場合には、当事者適格が問題になりうる。

　たとえば、代表者等の選任決議の効力を争う場合の被告適格については、①法人、②当該決議によって選任された者、③その双方、とする各説がある。これについては、法人の意思決定の効力を争う訴訟である以上法人を被告とすべきこと、②説では法人に判決の効力が及ばず紛争解決に役立たないこと、判決が対世効をもつことも法人に被告適格が認められることによって根拠付けられることなどから、①説が相当であろう（伊藤206～208頁等。最判昭和36・11・24民集15巻10号2583頁、百選5版A33事件も、①説を前提とする）。会社法834条16号、17号も、①説を採った。

　②説、③説は、当該決議によって選任された者が決議について最も強い利害関係をもつことなどを根拠とするが、これらの者の利益は共同訴訟的補助参加（[567]）によって十分に保護されると考えられる。

[156]　第3　形成の訴え

　形成の訴えについては、その当事者、ことに被告については、法定されているのが通常である。これがなされていなかったり（例として、再審の訴え〔338条〕）抽象的な定めにとどまる場合（行訴9条）には、前記第1項で述べ

第5章 当事者、代理、当事者適格

たような観点からこれを決定することになる。

第3項　訴訟担当

[158]　第1　意　義

　実体的権利義務の帰属主体以外の第三者が当該主体に代わって訴訟物についての当事者適格を与えられる場合に、これを訴訟担当という。形式的当事者概念〔[118]〕が鮮明に表に現れる典型的な場合である。

　訴訟担当には、法律の規定により認められる法定訴訟担当と実体的権利義務の帰属主体の授権による任意的訴訟担当がある。また、任意的訴訟担当には、法令上の根拠のある場合とそうでない場合とがある（法定代理人と任意代理人の区別が授権の有無によること、任意代理人にも法令上の根拠のある場合と純粋に訴訟委任に基づく場合（弁護士等の資格制限はあるが）とがあることに注意してほしい〔[137]〕。ここでのカテゴリーの分類も、おおむねそれに照応している）。

第2　法定訴訟担当、遺言執行者

[159]　1　概　説

　法定訴訟担当が認められる場合は、おおまかにいえば、①担当者たる第三者の利益保護を目的とする場合、②担当者によってその利益を代表される者や担当者のかかわる手続に関係する者の利益保護を目的とする場合、③訴訟物たる権利関係の帰属主体による訴訟追行が不可能、困難、不適当な場合、に分類することができると思われる。ただし、これらの区別は目的面からの相対的なものにすぎず、法定訴訟担当としての性格自体に差があるわけではない。もっとも、法律関係によってはこれらの区別が意味をもつ場合のあることには留意すべきである（その例としては、[197]の③〔訴訟手続の中断〕、[490]および[491]〔既判力の主観的範囲の拡張〕、[516]〔訴訟上の和解の権限〕、[522]〔請求の放棄・認諾の権限〕、[536]および[547]〔必要的共同訴訟の類型〕などがある）。名称としては、①および②をまとめて「狭義の法定訴訟担当」と、③を「職務上の当事者」とする用語法（伊藤195～196頁）にとりあえず従っておく[15]。

　①の例としては、債権者代位訴訟を行う債権者（民423条）、取立訴訟を行

177

う差押債権者（民執155条1項、157条。もっとも、これについては、差押債権者はその固有の当事者適格をもつという説〔固有適格説〕も有力である〔[**491**]の(イ)〕）、取立訴訟を行う債権質権者（民366条）、株主代表訴訟を行う株主（会社847条以下）等がある（もっとも、最後のものについては、直接自己に対する給付を求めるわけではないから、「担当者たる第三者の利益保護」といっても、それは、間接的なものになる）。

②の例としては、破産管財人等の倒産法上の管財人（破80条、民再67条、会更74条）等がある。

③の例としては、検察官（人訴12条3項、26条2項、42条2項、43条2項、3項。被告死亡の場合に、検察官を被告として訴訟を行わせ、また、続行する）、遺言執行者（民1012条。訴訟追行に重きを置いて②ではなく③に含める見解が有力）、成年後見人（人訴14条。人事訴訟において成年被後見人に代わって当事者となる場合）、船長（商803条2項。海難救助料に関する訴訟において債務者である船主や荷主に代わって被告となる場合等）等がある。

以上のうち遺言執行者については、①2018年（平成30年）相続法改正前の民法1015条は遺言執行者は相続人の代理人とみなすと規定していたが、同改正後の同条は遺言執行者がその権限内でかつ遺言執行者であることを示してした行為の効果が相続人に直接帰属することを定めて同条の意味内容を明確にしたこと、②民法1012条1項（遺言執行者は遺言の内容を実現するため相続財産の管理その他遺言の執行に必要な一切の行為をする権利義務を有するとする）や1013条1項（遺言執行者がある場合には、相続人は、相続財産の処分その他遺言の執行を妨げるべき行為をすることができないとする）の規定の内容、③相続人と遺言執行者が遺産や遺言をめぐって訴訟で争う事態がよくあること（遺言者の意思と相続人の利益が対立する場合があることの帰結である）からして、相続人の代理人ではなく、法定訴訟担当者とみるべきである。

---

(15) 前者（①、②）を「担当者のための法定訴訟担当」と呼ぶものも多いが、目的からすれば、②類型のそれは「担当者の利益保護」ではないであろう。いずれにせよ、③類型のみを「職務上の当事者」と呼ぶのが従来からの用語法である。しかし、ドイツの用語法にならい、①を担当者のためのもの、②と③を権利義務の帰属主体のためのものとして分類する考え方もある（クエスト125〜128頁）。この考え方によれば、②と③が「職務上の当事者」であり、②と③の相違は、②が財産の管理処分権をも与えられ、③が訴訟追行のみを担当するという点に求めることになる。

なお、相続財産清算人については、法定訴訟担当者ではなく法定代理人とみるのが通説判例である（[**138**]）。

[160] **2　遺言執行者**

前記1のとおり、遺言執行者は、相続人の代理人ではなく、法定訴訟担当者とみるべきである。

もっとも、遺言執行者の職務権限については、前記改正前は規定がおおまかつ不備であったため、その当事者適格についても、不明確な部分が大きく、判例がこれを具体化していた。

そこで、以下においては、項目ごとに前記改正前の判例の大要を解説し、ついで、これらについて検討し、また前記改正後の解釈を明らかにする。

(1)　被告適格一般

判例は、①相続人は、遺言執行者を被告として、遺言の無効を主張し、相続財産につき共有持分権の確認を求めることができるとする（最判昭和31・9・18民集10巻9号1160頁。遺言執行者のみが被告適格をもち、現実の紛争の直接の相手方である他の相続人等には被告適格はないと読める判示となっている）。また、②相続開始後、相続財産である不動産について相続を原因とする所有権移転登記が相続人になされた後に、受遺者が、その不動産が遺贈の目的物であるとして、遺言の執行として目的不動産の所有権移転登記手続を求める訴えの被告適格を有する者は遺言執行者に限られるとする（登記を有する相続人に被告適格はなく、これに対し直接の請求はできない。最判昭和43・5・31民集22巻5号1137頁。これは、裏からいえば受遺者の原告適格〔後記(2)の②〕の問題でもある）。③一方、遺言の執行としてすでに受遺者に所有権移転登記・所有権移転仮登記がなされているときには、その抹消登記手続を求める相続人は、遺言執行者ではなく受遺者を被告とすべきであるとする（最判昭和51・7・19民集30巻7号706頁、百選5版12事件）。

以下、検討する。

まず、遺言執行者には、遺言の執行に属する範囲の訴訟について当事者適格があり、また、遺言執行終了後の訴訟の当事者適格はない。これが基本である。

具体的には、遺言執行の前提となる遺言の無効確認の訴えについては、被告適格を遺言執行者に限定することに合理性があり、適切であろう（高橋上284頁〔注(37の3)〕。①のこの部分には異論はない）。

遺言の執行に属する範囲のほかの訴訟ないし遺言執行の前提となる法律関

係に関する訴訟（登記請求、所有権・共有持分権確認の訴え等）については、判例は、(2)の原告適格の場合と異なり、下級審をも含め、遺言執行者に限定する指向が強い（①、②もそうである）。しかし、学説では、(2)の原告適格の場合同様、最終的な実体権や利益の帰属主体である他の相続人、受遺者にも被告適格を認めるほうが適切ではないかとの考え方も有力である。事案にもよるが、合理性、必要性が認められる場合には、遺言執行者と並んでこれらの者を被告とすることを認めてよいのではないかと考える。

この点が大きな問題となっているのが②である。②については、原告（受遺者）が遺言執行者に勝訴してもその判決では原告は直接に登記を得られない（遺言執行者が相続人〔等登記を有する者〕に対して別訴〔抹消登記請求〕を起こし、勝訴した上で、遺言の執行として原告に移転登記をすることになる）が、これは迂遠であるから、(i)登記を有する者に（新堂297〜298頁）、(ii)あるいは登記を有する者にも（高橋上273頁）、被告適格を認めるべきであるという考え方が有力である（受遺者は、(i)説によれば登記を有する者に対し直接移転登記を求めることになり、(ii)説によれば、登記を有する者に対し抹消登記手続を、遺言執行者に対し移転登記手続を求めることになる。つまり、(ii)説では、遺言の執行としての移転登記手続は遺言執行者が行うという建前は維持される）。しかし、前記改正後の民法1012条2項は、遺言執行者がある場合には遺贈の履行は遺言執行者のみが行いうると規定したので、受遺者からの訴訟の被告適格についても、②の趣旨がとりあえず確認されたこととなる。もっとも、これにより上記の有力説が否定されたものと解する必要はないであろう。なお、②に関連して付け加えておくと、不動産が被相続人名義のままであれば、受遺者が遺言執行者に対して直接に移転登記を求めることができるのは当然である。

また、遺言がらみの訴訟一般につき、遺言執行の範囲か否かが不明確でいずれを被告にすべきか迷う場合がありうる。そのような場合には、遺言執行者と相続人等の双方を主観的予備的併合で訴えるのが適切であろう（高橋上291頁〔注(38)〕。また、本書[**533**]参照）。

③については、上記のとおり、遺言執行者の任務が終了した後には遺言執行者に被告適格はないという趣旨であり、仮登記の場合をも含め、妥当であろう（仮登記の場合については、百選5版30頁の解説も参照）。

(2) 原告適格一般

原告適格についての判例は、複雑なため詳細は略するが、基本的には遺言

執行者以外にも広く認める方向であり、以下のように整理できる。

①抹消登記手続請求、第三者異議の訴え（民執38条）、仮処分の申立て等（妨害排除や管理保存行為）については、遺言執行者のほか受益相続人（後記(3)の、特定の不動産を特定の相続人に相続させる旨の遺言に基づく受益相続人）、受遺者も、原告適格（仮処分の場合には債権者適格）を有する。②所有権移転登記を有する者に対する移転登記手続請求については、遺言執行者のほか受益相続人も原告適格を有するが、受遺者には原告適格はない（前記(1)の②の裏側として、受遺者は遺言執行者に対して訴えを起こすしかない）。

私見としては、①については異論はない（なお、遺言執行者とそれ以外の者の両者が訴えを提起する場合〔(1)において遺言執行者以外の者をも被告とすることを認める場合も同様〕の両者の関係については諸説あるが、類似必要的共同訴訟〔**547**〕となると解することができようか〔高橋上282～283頁〔注(37の3)〕〕）。②については(3)で述べる。

(3) 昭和43年最判について

さて、以上(1)、(2)の全体を通してみると、判例は、原告適格を広く認めながら被告適格は遺言執行者に限定する結果、上記(1)②の昭和43年最判においては、受遺者の訴えの被告適格を遺言執行者に限定し、移転登記手続については遺言執行者の職務であるとして受遺者の原告適格を認めない結果になっている。

判例が、受遺者は抹消登記手続請求はできる（最判昭和62・4・23民集41巻3号474頁）が移転登記手続請求はできない（上記昭和43年最判）とし、その結果、移転登記手続請求の原告適格に関する判例が、受益相続人と受遺者で結論を分けている（(2)の②）ことについて、整合的にとらえようとするなら、どのように解するべきか。

第一に、受遺者の抹消登記手続請求は妨害排除的なものであるが、受遺者への移転登記手続は本来遺言執行者が関与すべきものであること、第二に、受益相続人は後記(3)のとおり単独で相続による所有権移転登記をすることができるのに対し、受遺者は登記義務者である遺言執行者との共同申請によらなければならず、単独では所有権移転登記ができないこと、によって説明する（高橋上278～280頁の注(36)、281～283頁〔注(37の3)〕）のが穏当ということになろうか。

昭和43年最判を合理化しようとすれば、上記のような理屈付けによってで

きないではない。しかし、この判例の事案では、当初の遺言執行者が解任され、原審口頭弁論終結時には新たな遺言執行者が選任されていた（最判の説示参照）という特殊な事情があったのであり、上告審で原告適格を否定された受遺者にとっては、酷な結果となっている（もっとも、訴えを却下せず、差し戻しているので、差戻後の任意的当事者変更の余地はある）。遺言執行者には法的な資格制限等はなく、必ずしも合理的に行動するとは限らない。したがって、受遺者が相続人等登記を有する者に対して訴えを起こすのは、遺言執行者がみずから原告となって訴えを提起しようとしないなど何らかの問題を含む場合が多いであろう。そのことを考えると、この判例の規律に十分な合理性があるかは疑問である。私見としては、この類型については、原則として上記(1)で言及した(ⅱ)説によるが、受遺者に遺言執行者を訴えることを期待しにくい特別な事情がある場合には(ⅰ)説によることも許される、とするのが適切ではないかと考える（なお、受遺者に遺言執行者の債権者代位訴訟を認めるという構成も考えられる〔高橋上278頁〔注(36)〕、287頁〔注(37の3)〕参照〕が、確立した考え方ではない）。

(4) 特定財産承継遺言の場合

この場合の規律については、(1)、(2)の特則的な部分がある。

すなわち、判例は、特定の財産を特定の相続人（前記の受益相続人）に相続させる旨の遺言（前記改正後の民法1014条2項に定義されている特定財産承継遺言）がある場合については、①この遺言により不動産を得た者は単独で所有権移転登記手続をすることができ、遺言執行者は遺言の執行としてその登記手続をする義務を負わない（最判平成7・1・24判時1523号81頁、判タ874号130頁）、②この遺言の対象となる不動産についての賃借権確認請求の被告適格は特段の事情のない限り遺言執行者ではなくその不動産についての受益相続人にある（最判平成10・2・27民集52巻1号299頁）、③この遺言の対象となる不動産について遺言による登記がなされる前に他の相続人が自己名義に登記をした場合には、遺言執行者は遺言の執行としてその抹消登記手続、また真正な登記名義の回復を原因とする受益相続人への移転登記手続を求めることができる（最判平成11・12・16民集53巻9号1989頁）、とする。

①、②については、特定の財産を特定の相続人（上記の受益相続人）に相続させる旨の遺言は遺産分割方法の指定の性質を有するものであり、これにより被相続人死亡時に何らの行為を要せずにその財産が受益相続人に承継され

る（最判平成3・4・19民集45巻4号477頁）ことの帰結であった。

③については、これを前提とした上で、受益相続人に移転登記がなされる前に他の相続人が自己名義に登記をしたために遺言の実現が妨害されたような場合には、受益相続人のみならず遺言執行者にも原告適格があるとしたものである（前記(2)の原告適格に関する記述参照。なお、相続させる旨の遺言の特殊性がはらむ問題点については高橋上286頁〔注(37の3)の記述の一部〕参照）。

以下、前記改正後の解釈について検討する。

特定財産承継遺言がされた場合についての前記改正の規律は、民法1014条2項ないし4項であり、2項は、遺言執行者は相続人が対抗要件を備えるために必要な行為ができるとし、3項は遺言執行者に預貯金の払戻しやこれにかかる契約の解約の申入れをする権限を認め、4項は、前2項については遺言に別段の意思表示があればそれに従うと規定している。

上記の各判例との関係で問題になるのは2項である。

この条文の一般的な解釈は以下のようなものである。

まず、動産、債権については、遺言執行者が対抗要件具備行為を行いうることに問題はない。この点については従来と変わりないと考えられる。

不動産についてはどうか。

従来は、受益相続人は不動産登記法63条2項により単独で登記申請ができるから、不動産が被相続人名義である限りは遺言執行者の職務は顕在化せず、遺言執行者は登記手続をすべき権利義務を有しないという見解がかなり有力であった（③がその判断の前提として判示するところでもあった）。

これは、判例が、特定財産承継遺言により不動産を得た者は、登記を備えなくてもその取得を第三者に対抗できると解していたことによる（最判平成14・6・10判時1791号59頁、判タ1102号158頁）。

しかし、前記改正後の民法899条の2は相続による権利の承継についても取引の安全等の見地から対抗要件主義を採用した。そこで、民法1014条2項は、不動産の場合をも含めて遺言執行者が対抗要件具備行為を行う権限を有することを明確化したものと解されている（堂薗幹一郎、野口宣大編著『一問一答新しい相続法——平成30年民法等（相続法）改正、遺言書保管法の解説』〔商事法務〕116〜117頁）。

したがって、①については、「この遺言により不動産を得た者は単独で所有権移転登記手続をすることができる」との点については変わりがないが、

「遺言執行者は遺言の執行としてその登記手続をする義務を負わない」との点は修正されたと解することになろう（遺言執行者は登記手続をすべき権限がある以上その義務も肯定されるということになろう）。

②については、対抗要件具備行為に関係がないから結論に変わりはないと考えてよいであろう。

③のように遺言の実現が妨害されている場合には、遺言執行者は、民法1014条2項を根拠としてそこに記したような訴訟を行うことができると解される（以上のうち前記改正の趣旨については、前掲書111～121頁、173～175頁、山川一陽＝松嶋隆弘編著『相続法改正のポイントと実務への影響』〔日本加除出版〕154～190頁、228～233頁各参照）。

第3 任意的訴訟担当

[161] **1 法令上の根拠のある場合、選定当事者**

選定当事者（30条）、手形の取立委任裏書に基づき取立訴訟を行う被裏書人（手18条）、建物区分所有法上の管理者（建物区分26条4項）、いわゆるサービサー（債権管理回収業に関する特別措置法11条1項。なお、同2項の制限に注意）等がある。

以下、選定当事者について述べる。

[162] **(1) 選定の要件等**

選定当事者は、共同の利益を有する多数の者の中から総員のために当事者として選ばれた者であり（30条1項）、選定（授権）は、選定者の単独行為である。選定行為には訴訟能力が要求される。選定およびその変更は、書面で証明しなければならない（規15条後段）。審級を限定した選定も可能である。選定は訴訟係属の前でも後でも可能であり、訴訟係属後の選定の場合には、選定者は当然に訴訟から脱退する（30条2項）。

共同の利益（同条1項）については、多数人によるまたは多数人に対する請求が同一の事実上または法律上の原因に基づき、かつ、主要な攻撃防御方法を共通にする場合を指すと解されている（最判昭和33・4・17民集12巻6号873頁）。かなりゆるやかな概念である。具体的には、共同所有者、連帯債務者、同一不法行為の被害者等が挙げられる。もっとも、実務上例があるのは、共同相続人多数の場合に一部の者が選定当事者となる場合くらいであり、あまり使われていない（訴訟代理人が選任される場合であれば、この制度を利用する

実益に乏しいことが、その理由であろう）。

なお、同条1項は、29条該当の場合にはこの制度は利用できないとしているが、このような規律は疑問であるとする見解もあり（クエスト135頁）、少なくとも、29条該当性が不明確であるような場合に選定当事者の利用を拒否すべきではないであろう（この規律は、29条該当性が明確である場合にはそれによるべきであるとする限度で意味をもつと解したい）。

[163]　(2)　選定行為

選定は選定者の単独行為であるから、共同して同一人を選定する必要はない。多数者の選定行為に賛成しない者は、みずから訴訟を行うことも、別人を選定することも可能である（もっとも、そのような例は稀有である）。同一の多数者から数人の選定当事者が選定された場合には、管理処分権がその数人に共同で帰属することになるから、その訴訟は固有必要的共同訴訟となる（[536]）。

30条3項は、第三者による追加的選定について定める。この場合には、選定当事者またはその相手方によって請求が追加されることになる。これについては、訴えの変更に関する規定が準用される（144条）。控訴審における請求の追加については相手方の同意を要する点は、反訴と同様である（300条3項）。

[164]　(3)　選定当事者の地位

選定当事者は、選定者の、または選定者に対する請求について、一切の訴訟行為をすることができる。もっとも、権利の帰属が変更されるわけではないから、請求の趣旨、主文には選定者が表示され、判決の当事者欄には選定当事者のみならず選定者も記載される[16]。

選定当事者の地位は、その死亡または選定の取消しによって消滅する。選定の取消しは、相手方に通知しなければその効力を生じない（36条2項）。選定当事者の一部がその地位を失った場合には、他の選定当事者が訴訟行為を行う（30条5項）。他の選定当事者がいない場合には、選定者が訴訟行為を行うことになる。この場合には、訴訟手続は中断する（124条1項6号。もっと

---

[16]　おそらく、権利の帰属主体であるのみならず、主文にも表示され、数も多数であることが多いため、慣例として、訴訟担当者とは別個に記載されているのであろう。ほかの訴訟担当の場合には、訴訟担当者の記載において、被担当者との関係が表示される例が多いと思われる（[[038]]）。

も、選定の取消しまたは変更〔30条4項〕によってそのような事態となる場合には、選定者みずからのイニシアティヴで行われることであるから、実際上は、中断を認める必要性に乏しい〔新堂808頁〕)。

[165]　2　法令上の根拠のない場合

　法令上の根拠のない場合の任意的訴訟担当については、判例は、弁護士代理の原則（54条1項）、訴訟行為をさせることを主たる目的とする信託（信託10条）を潜脱するおそれがなく（これらは後記①説が掲げていたメルクマールであった）、かつ、これを認める合理的な必要性がある場合には認めてよいとし、民法上の組合の業務執行組合員についてこれを認めた（最大判昭和45・11・11民集24巻12号1854頁、百選5版13事件。なお、組合の業務執行組合員の場合の授権の実際については、前記[130]参照）。ほかに、無尽講の講元または会主につき、古くからこれが認められている。もっとも、実務上は、これを認める場合は比較的限定されており、「担当者が被担当者と共同の利益を有する集団の1人である場合」におおむね限られてきたといわれる（その理由の1つは、以下のとおり、学説が区々に分かれ、その掲げるメルクマールがなお不安定なことにあると考えられる）。

　学説は、古くは①権利の帰属主体から管理処分権を授権されることについて正当な業務上の必要性がある者にこれを認めるという考え方（正当業務説。兼子160〜161頁、三ヶ月186〜187頁。具体的には、無尽講の講元、後記の労働組合について肯定。もっとも、認める範囲は狭い）が通説であった。しかし、その後、②担当者が訴訟に対して有する実質的な利害関係に注目し、自己固有の利益がある場合（訴訟担当者のための任意的訴訟担当）、また、担当者が包括的な管理権を与えられ、権利主体と同程度にその権利関係に精通している場合（権利主体のための任意的訴訟担当）にこれを広く認める考え方が、上記昭和45年最判と相まって有力となった（実質関係説。福永有利「任意的訴訟担当の許容性」中田還暦上75頁以下等。補助参加の場合〔[560]〕と同様の法律上の利害関係のある場合に任意的訴訟担当を認めてよいという新堂299頁も、②に含められようか）。しかし、これについては、③実質関係説は手続の適正や権利主体の利益をそこなう可能性が高いとして、訴訟担当者が他人の権利関係について独立の訴訟を許容してでも保護すべき程度に重要な利益をもつ場合（訴訟の結果が訴訟担当者の利益に密着している場合）に、また、この利益が強いものでないときには、これに加えて任意的訴訟担当を認めないと訴訟の提起や追行が困難で実効的

な権利保護ができないという条件をも満たすときにのみこれを認めるべきであるとする考え方（中野・論点Ⅰ111～124頁）が現れ、これは、たとえば、外国で訴訟追行をしなければならない場合や公益的な公害・環境訴訟等を許容例として挙げている（なお、③説も、昭和45年最判は前提としつつ、それのいう「合理的な必要性」について厳しく解すべきだとしているのである）。そして、その後もさまざまな議論が続いている。

　②説と③説はそのよってたつ発想や価値観が大きく異なるわけだが、②説は任意的訴訟担当を認める場合があまりにも広すぎ、弊害の生じる危険性が大きい。基本的には③説に立ちつつ、「合理的な必要性」については②説を含めたほかの考え方の説くところをも参考にするのが相当であろう。

　具体的には、(i)担当者の正当、合理的な職務や管理権の範囲内に訴訟を含められるか、(ii)担当者がそういえるような知識や利害関係を被担当者の権利関係についてもっているか、(iii)訴訟担当を認める必要性が明確でありまた認めても被担当者の利益をそこなうなどの弊害が生じないか、といった観点から「合理的な必要性」を具体化すべきかと考える。

　従来よく肯定例として論じられてきたものとしては、たとえば、(a)物の買主が第三者から追奪請求を受けたときの売主（被担当者の権利実現に担当者が固有の法的利益をもつことを理由とする。ここでは、担保責任を追及されない利益）、(b)組合員の労働契約上の権利義務関係について個別に授権を受けた労働組合（労働組合は組合員の便宜を図り利益を守ることを正当な業務とし、訴訟追行能力もあることを理由とする）、(c)家屋賃貸借の管理人、がある。

　しかし、(a)については、微妙ではあるものの、基本的には補助参加という形で実質的な訴訟行為を行うことで足りるのではないかと考える（［560］の①。もしもこれについて訴訟担当を肯定するのなら、補助参加のほかの類型、事案〔［560］〕をも含め、認めてよい場合とその理由を明らかにしてゆくべきかと考える）。(b)については、労働組合が常に組合員の便宜を図り利益を守っているといえるかは疑問であり（労働組合活動にプライオリティーを置くような場合も十分にありうる）、(c)についても、報酬を得ることに主目的が置かれる懸念がある。

　他方、(d)被担当者が外国人であり、日本における訴訟追行が困難である、(e)被担当者の権利実現が担当者の本来的任務であり、その任務に合理性や正当性が認められる、などの場合（伊藤204～205頁）には肯定してよいときが比較的多いかと考える。

最判平成28・6・2（民集70巻5号1157頁）は、外国国家が発行した円建債券の償還等請求訴訟につき、当該債券の管理会社である日本の銀行は任意的訴訟担当の要件を満たすとして、これに原告適格を認めた（背景として、上記債権と社債の類似性、社債については旧商法が社債管理者に債権保全のために必要な一切の裁判上または裁判外の行為をする権限を与えていたこと〔309条1項。なお、会社法705条1項も同様〕が考慮されたものかと思われる）。これは、(e)の場合について任意的訴訟担当を認めてゆく可能性を広げた判例として評価できよう（「担当者が被担当者と共同の利益を有する集団の1人」ではない場合についての判例であることに留意）。

　なお、上記平成28年最判については、任意的訴訟担当の「授権」が明確に認められるかが疑問な事案であるとの批判もある。確かに、この事案は、その点では相当に限界的なものといえよう。しかし、一般論としていえば、(e)類型の要件が満たされる事案については、授権は、包括的、場合によっては黙示的なものであっても足りると解する余地はあると思う（被担当者の利益を害しないか、その合理的な意思にかなうか、との兼ね合いで考えるべきであろう）。

[166] 第4項　当事者適格の拡張

　当事者適格については、たとえば、アメリカでは、広義の公益ないし社会的価値（環境保護の利益、消費者の利益、公民権等）を実現するための訴訟、多数の消費者や投資家が同種の少額の損害賠償請求権をもつ訴訟等について、クラスアクションの制度（新堂303～304頁）が発達している。

　そこでは、クラスを代表して訴訟を行う者がクラス全員の利益を適切に代表しているといえるか、訴訟には登場しないが判決の効力を受ける者のための手続保障をどのように確保するか（代表者による訴訟の通知と、クラスのメンバーが判決の効力を受けるクラスから自分を除外する自由の保障等）、裁判所の後見的役割、等が問題になる。民事訴訟の目的、裁判所や法律家の役割等についての日本法とはかなり異なった観点からの視野、視点があって初めて可能になった制度であり、法律家全体や社会のコンセンサスが得られないと実現や成功が難しい制度である。

　適切な団体に公益的訴訟の当事者適格を認めるドイツの団体訴訟の制度も、同様の社会的役割を果たしている。

以上については、日本でも、消費者契約法が、適格消費者団体（消費契約2条4項）について事業者の違法行為に対する差止請求等を認め（同12条）、不当景品類及び不当表示防止法30条、特定商取引に関する法律58条の18ないし24、食品表示法11条にも同様の規定が設けられた。これらは、適格消費者団体に実体法上の差止請求権を認めたものであるが、その発想は、団体訴訟と共通している。

　また、消費者の財産的被害の集団的な回復のための民事の裁判手続の特例に関する法律（いわゆる「消費者裁判手続特例法」）により、「日本版クラスアクション制度」といわれる制度が創設された。この裁判手続は、共通義務確認の訴えと対象債権の確定手続の二段階に分かれ、さらに、後者は、簡易確定手続と異議後の訴訟により構成されている。原告適格を有するのは、特定適格消費者団体（同法2条10号）であり、消費者契約法等の制度と異なり、給付請求が認められている（以上のような日本の制度につき、詳しくは松本＝上野179～186頁参照）。

　もっとも、欧米に比較すると、日本の制度は、こうした側面ではまだ萌芽の段階であり、その果たす社会的役割も小さい。

　日本の民事訴訟制度が比較的立ち後れているのは、おそらく、広義の公益ないし社会的価値を実現するためのいわゆる現代型訴訟への対応（当事者適格の拡張、救済法領域の充実）、証拠収集手続の拡充、広義の手続保障の充実といった側面である（最後の点につき一例を挙げれば、不透明な裁判官交互面接型和解・非対席和解。瀬木・裁判第6章）。したがって、上記のような方向での当事者適格の拡張は、今後、日本でも検討されてよいであろう（なお、本項の記述およびこれと関連する「紛争管理権説」については、新堂286～290頁、伊藤205～206頁参照）[17]。

---

(17)　なお、私も、2回目のアメリカでの在外研究中、買った車についてクラスアクションに関する通知を受けたが、参考として通知を保存しただけで、上記のような積極的対応（支払を受けるための通知を行う、クラスアクションからの除外を求めるなど）はしなかった。1年間滞在するだけの外国人が、いつ得られるかわからないわずかな金額のために利用するほどのメリットは見出せなかったし、現在のアメリカにおける各種社会的サーヴィスの現状からして、手続が面倒である可能性も予測できたからである。
　しかし、いずれにせよ、アメリカの司法システムには、このように、個々の市民の権利に密着した形で動いている側面があることは、事実である。

【確認問題】

1 形式的当事者概念について説明せよ。
2 当事者の特定と当事者の確定の区別について説明せよ。
3 任意的当事者変更の概念について説明せよ。
4 当事者の確定の基準、ことに、実質的表示説と規範分類説について説明せよ。
5 氏名冒用訴訟において、訴訟中、また、判決後にそのことが判明した場合に、どのように対処すべきか。
6 死者を当事者とした訴訟（訴訟係属時に原告あるいは被告が死亡していた場合）について、どのように対処すべきか。
7 Xが、Y社を被告として、消滅時効の完成直前に貸金請求の訴えを提起したが、訴訟の進行中に、Y社と役員構成を同じくするZ社の存在が判明し、また、Y社の財産の大半が訴え提起より前にZ社に移されていたことが判明した場合に、どのように対処すべきか。
8 法人格のない社団や財団に当事者能力を認めるための要件（29条）について説明せよ。
9 入会団体等の団体、民法上の組合は、それぞれ、いかなる形で当事者となりうるか。
10 訴訟能力欠缺の場合の処理について説明せよ。
11 訴訟上の代理人（法定代理人と任意代理人）にはどのようなものがあるか。具体的に説明せよ。
12 法人等の代表者について、民法上の表見代理の規定は適用されるか。
13 弁護士資格を欠いた者の訴訟行為、もっぱら訴訟行為を行わせることを目的として選任がなされた支配人の訴訟行為、弁護士法25条違反行為の効力について、それぞれどのように考えるべきか。
14 訴えの3類型ごとに、当事者適格について説明せよ。
　　ことに、法人の内部紛争にかかわる訴訟における当事者適格については、どのように考えるべきか。
15 法定訴訟担当は、どのような場合に認められるか。
16 遺言執行者の当事者適格に関する判例を整理分析して、関連の条文にもふれながらその概要を述べよ。
17 法令上の根拠のない場合の任意的訴訟担当は、どのような場合に認め

られるか。
18　当事者適格の拡張に関する外国、日本の法制度について述べよ。

[167]　第6章
訴訟要件、審判権、訴えの利益

　本章では、まず、訴えについて本案判決をするために必要な要件である訴訟要件一般について述べた後、民事裁判権（[096]）の対物的制約のうち、国内の、司法権の本質と役割に内在する要請に基づくものとしての審判権の限界の問題（審判権の存在も訴訟要件を構成する）について解説し、最後に、**第5章**で論じた当事者適格とともに問題となることの多い重要な訴訟要件である訴えの利益について論じる。

　なお、訴権に関する考え方のうち権利保護請求権説は、権利保護要件として訴訟的・実体的の別を明らかにし、この訴訟的権利保護要件（権利保護の資格および権利保護の利益）から現在の訴訟要件の考え方が導き出されたことはすでに論じた（[003]）。権利保護の資格・利益についてさらに補足すると、権利保護の資格は、請求の内容が本案判決の対象となりうるものか、判決で確定されるに適する一般的資格をもつかを問題にするものであり、権利保護の利益は、権利保護の資格が満たされていることを前提とした上で、当該事件の事実関係を考慮して、本案判決によってその訴訟物についての争いが解決されうるか、原告が請求について判決を求める現実の必要性があるかを問題にするものである（伊藤177頁、高橋上358～359頁の注(16)）。権利保護の資格は現在の民事訴訟法学でいうところの審判権の限界（本章**第2節**）の問題に通じ、権利保護の利益は、同じく訴えの利益（同**第3節**）の問題に通じるといえよう。

第1節　概　説

[168] 第1項　訴訟要件の意義

　訴訟要件とは、訴えについて本案判決（請求の内容の当否を判断する判決）をするために必要な要件である。言葉を換えれば、訴訟要件とは、訴えが本案判決をするに値するものであるかどうかのふるい分けをするための要件である。歴史的には、訴訟要件の審理と本案判決の審理の段階を分けて考えた時代もあったが、今日では、訴訟要件の審理と本案判決の審理は段階を分けずに並行して行われる。したがって、訴訟要件は、本案審理要件ではないということになる。もっとも、訴訟要件が1つでも欠けていることが明らかになれば、裁判所は、その時点で審理を打ち切って訴え却下の判決をすべきである。

　なお、訴訟要件の審理を本案の審理とは離れて行うことが適切かつ可能であるような場合には、まずはそうした訴訟要件の審理を行い、訴訟要件を欠く場合には直ちに訴えを却下するといった進行がとられる場合もありうる。民事裁判権、たとえば、国際裁判管轄の有無が問題になる事案のような場合である。

第2項　訴訟要件の種類、その調査と審理

[169] 第1　訴訟要件の種類

　訴訟要件については、主なものとして、①裁判所に関するもの（被告および事件が日本の裁判権に服すること、裁判所の管轄権）、②当事者に関するもの（当事者の実在、当事者能力、当事者適格）、③訴訟係属を構成する行為に関するもの（訴え提起行為および訴状の送達が有効であること、そのための訴訟能力や法定代理権の存在）、④原告に訴訟費用の担保提供の必要がないことまたは担保を供したこと（75条4項）、⑤訴訟物に関するもの（重複起訴の禁止〔142条〕にふ

れないこと、訴え取下げ後の再訴禁止〔262条2項〕・再審請求棄却後の再度の再審の訴えの禁止〔345条3項〕・別訴禁止〔人訴25条〕にふれないこと、併合の訴えや訴訟中の訴えであればその要件を具備すること、審判権、訴えの利益）などがある。判例上比較的問題になることが多いものは、管轄権、当事者能力、当事者適格、審判権、訴えの利益といったところである。

　これらの訴訟要件は、その存在が本案判決の要件となる「積極的要件」（多くの訴訟要件はこれに当たる）とその不存在が本案判決の要件となる「消極的要件（訴訟障害）」（不起訴の合意および仲裁合意、同一事件の係属〔142条〕）に分けられる。

　なお、消極的要件のうち不起訴の合意については、それが独立した合意としてされることはあまりなく、和解契約等の中で「本件に関し今後裁判上の請求をしない」といった形で付随的にされることが多い点に注意しておくべきである[1]。

　各訴訟要件の判断の順序については、一般的なものはないが、③については、これが満たされなければそもそも訴えの提起行為自体が無効ということになるから、最初に判断することになろう。

　後記**第2**でふれる抗弁事項である訴訟要件についても、被告が訴訟の最初の時点で判断を求めることになろう。また、民事裁判権の対物的制約（国際裁判管轄）についても、同様であろう（職権調査事項だが、被告から主張があるのが普通であろう）。こうした事項については、争いがあれば、必要に応じ口頭弁論を制限（152条1項）した上で、まずはこれについて審理判断するのが適切であろう（訴訟要件を欠くなら訴えを却下し、訴訟要件を満たすなら中間判決〔245条〕でその旨の判断を示す）。

[170]　第2　訴訟要件の機能的分類等

　以上は単なる概念的分類にすぎないが、以下は、訴訟要件の法的性格、また、その調査と審理に関係する分類となる。

　この分類については、①裁判所が当事者の主張を待たずにそれを問題にす

---

(1)　なお、松本＝上野315〜318頁は、裁判所へのアクセスの重要性という見地から、特定の権利・紛争についてであっても、訴求可能性を全面的に排除する不起訴の合意は不適法であるとの考え方を採る。確かに、事案によっては、一般条項によりその効力を否定すべき場合がありうるかもしれない。

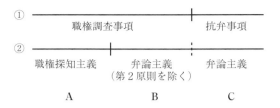

るか、また、②それについて判断するための資料収集方法いかん、という2つの観点が問題になる（上の図参照）。

まず、①の観点については、ほとんどの訴訟要件についてはこの点が肯定される（職権調査事項である訴訟要件）。例外は、抗弁事項とされる訴訟要件（純粋に被告の利益保護を目的とする訴訟要件。不起訴の合意および仲裁合意の不存在〔被告はこれらの合意の存在を主張することになる〕、訴訟費用についての担保提供の抗弁〔75条4項〕）である[2]。

②の観点からは、抗弁事項はもちろんであるが、任意管轄、訴えの利益、判決の効力の拡張のない場合における当事者適格（これら3者はそれほど公益的要素の強くない訴訟要件）についても、職権探知の対象とはならない（弁論主義が妥当する）。ただし、後者については、弁論主義の第二原則（自白に関する原則）は妥当しないとする考え方もある（条解725頁参照）。訴えの利益や当事者適格を基礎付ける事実について自白を肯定することは、こうした訴訟要件にも本案判決をするのに適切な訴訟を選択するという意味での一定の公益性はあることを考えると、適当とは思われないから、私見としては、この説を採りたい（もっとも、任意管轄については、合意管轄や応訴管轄が認められることからすれば、その根拠となる事実については、自白も認めてよいであろう）。その余の訴訟要件（公益性の高い訴訟要件）については、職権探知事項である。

以上をまとめると、多くの訴訟要件は、職権調査事項であり職権探知事項

---

[2] なお、被告がそれによって本案の弁論を拒絶することができる訴訟要件を妨訴抗弁というが、これについては、抗弁事項のうち法が明確に妨訴抗弁であることを認めている訴訟費用についての担保提供の抗弁（75条4項）のみが妨訴抗弁に該当するという考え方（新堂234頁、高橋下6頁）と、抗弁事項とされる訴訟要件は妨訴抗弁ともなるのが通常であるという考え方（クエスト345～346頁）とがある。前者が通説と思われる。なお、妨訴抗弁該当性はおくとしても、少なくとも本文に掲げた抗弁事項については、裁判所としてはまずこの点に審理を集中するのが適切な場合が多いであろう。

でもある（Aグループ。判決効の欠かせない前提となる訴訟要件といえ、公益性が高い）が、訴えの利益等は職権調査事項ではあるが弁論主義が妥当し（ただし任意管轄以外については第二原則は除く。Bグループ）、抗弁事項については、当事者の主張を待って問題にすれば足り、また、弁論主義が妥当する（Cグループ）ということになる。

　次に、以上の機能的分類と関連して考えると理解しやすい論点として、訴えの利益等の一部の訴訟要件については、裁判所は、訴えの利益があるかどうかの判断を留保したまま請求棄却判決をすることができるか、という論点があるので、これについてもふれておきたい。要するに、訴訟要件の有無よりも請求に理由がないという点のほうが先に明らかになった場合に、裁判所は、訴訟要件についての判断を留保したまま請求棄却判決をしてよいか、ということである。

　訴訟要件は本案判決の前提要件であるという従来の通常の考え方からすれば、先の問いについては、否定的に答えることになろう。

　しかし、この点については、被告の利益保護を目的とする訴訟要件（抗弁事項とされる訴訟要件）や無益な訴訟の排除を目的とする訴訟要件（訴えの利益、当事者適格）に関し、本案に理由がないことが明白なのに訴訟要件の調査に時間を費やすのは訴訟経済に反するし、かつ、被告にとっては本案判決のほうが却下判決より有利なのであるから、棄却判決をしてもかまわないという考え方が提示された。

　この論点についてはさまざまな考え方があるが、それらを踏まえて、私見を述べておきたい。

　まず、抗弁事項（被告の主張を待って判断すれば足りる訴訟要件。Cグループ）については、その主張がなければそもそも裁判所はこれについて判断する必要がないが、主張がある以上はこれに応答することが適切であろう（伊藤175頁）。

　また、職権調査事項であり職権探知事項でもある訴訟要件（Aグループ）については、公益性が高いことを重視すべきであり、その審理を省略すべきではないであろう。

　残るのはBグループの訴訟要件だが、うち任意管轄については、これがないのに請求棄却判決をしてしまうと、控訴があった場合に被告は本来管轄のなかったはずの遠隔地の裁判所で応訴しなければならなくなる可能性があ

ることからして、その審理を省略すべきではないといえよう。

　最後に、訴えの利益、判決の効力の拡張のない場合における当事者適格については、訴訟要件の有無は必ずしも明らかではないが原告の請求におよそ理由のないことが明白であるならば、請求棄却判決をしてもよいであろう。

　しかしながら、このような場合が実務上どれほどあるかは疑問である（原告本人訴訟の特殊なものについてありうるかという程度であろう）。また、訴訟要件が強く争われているのに裁判所がそれをおいて請求を棄却することについては、当事者の納得が得られるかにも疑問があり、実際には考えにくい。その意味では、この論点は、日本の民事訴訟法学に時々ある研究者特有の関心に基づく論点の１つといえよう（もっとも、訴訟要件の法的性格と種類に関する考察が進む１つのきっかけになったとはいえる）。

[171]　第３　訴訟要件の審理一般

　訴訟要件の存否を判定する基準時は、事実審の口頭弁論終結時である。訴訟要件は本案判決の要件である以上、この時点において存在すれば足りると考えられるからである。ただし、管轄については例外的に訴え提起時である（15条。[113]）。

　もっとも、原審が訴訟要件の欠缺を看過して本案判決をしているが上級審においてこれが具備するに至った場合には、結局のところ本案判決の要件を具備したといえるのだから、原判決を維持してよいであろう[3]。

　訴訟要件の有無について争いがあるが裁判所がこれを具備すると認めた場合には、中間判決（245条）または終局判決の理由中でその点を明らかにすることになる。

　上記のとおり、裁判所は、訴訟要件の欠缺を認める場合には、訴え却下の判決をし（ただし、重複起訴の場合には、第一次的には移送や弁論の併合を行うべきである〔[064]〕）、管轄違いの場合には移送決定をすべきである（16条）。もっとも、訴訟要件の補正が可能な場合には、まず補正を促すべきであり、一

---

[3]　なお、新堂237～238頁は、さらに、原審が訴訟要件の欠缺を理由に訴えを却下したが、基準時後にこれが具備するに至った場合には原判決を破棄差戻しすべきであるというが、そこまでの必要があるかについては微妙なところであろう。もっとも、審級との関係での訴訟要件の存否を判定する基準時については、個別事案の個性をみるべきであるとはいえよう（コンメⅥ377～378頁参照）。

方、最初から明らかに補正の見込みがなければ、口頭弁論を経ないで判決で訴えを却下することもできる（140条）。

なお、140条は、実務上、訴えが明らかに有理性（[237]）を欠く場合、すなわち、請求の趣旨および原因自体は一応記載されているが、その意味がとれず、かつ、当事者がその点の補正に応じない場合にも類推適用されている（精神上の問題をもつ原告本人の、およそ意味をとりにくい訴えのような場合〔訴状に何が書かれているのかが不明であり、それを明らかにさせることもおよそ困難と思われるような場合〕である）。こうした事案で口頭弁論期日を指定して被告を呼び出すことは、被告に応訴の苦痛を強いることになるからである。もっとも、この類推は、安易に多用すべきものではない。

第2節　審判権の限界

[172] **第1項　概説および宗教的紛争**

民事裁判権（[096]）の対物的制約のうち、国内の、司法権の本質と役割に内在する要請に基づくものとして、審判権の限界の問題がある。前記（[169]）のとおり、審判権の存在も訴訟要件を構成する。

これについては、まず、法律上の争訟性が問題となる（裁3条1項）。

ここでいう法律上の争訟性とは、①当事者間の具体的な権利義務ないし法律関係の存否に関する紛争であって、かつ、②それが法律の適用によって終局的に解決できるものであることを要する、とされる（最判昭和28・11・17行裁集4巻11号2760頁）。

①の点に関し、判例は、特定の者の具体的な法律関係につき紛争の存する場合においてのみ憲法判断を行うことができるという付随的違憲審査制を採り（最大判昭和27・10・8民集6巻9号783頁）、また、憲法と具体的な事件との先のようなかかわり、すなわち「事件性」の要件をアメリカの場合に比較してもきわめて狭く解している。少なくとも後者の点は、日本における憲法訴訟をきわめて困難なものとし、憲法判例と憲法学を貧しいものとしていると

いわざるをえないであろう。

　②については、学問上の争いや単なる事実の存否の確認がこの要件を欠くことは明らかだが、宗教的問題にかかわる紛争については、裁判所がどこまでこれに立ち入るかについて、困難な問題があり、判例にも混乱がみられる。

　まず、判例は、住職等の宗教的な地位それ自体は確認の対象とならないとする（最判昭和44・7・10民集23巻8号1423頁、百選5版15事件。もっとも、この点は傍論である）。

　反面、宗教法人の代表役員たる地位のような組織法上の地位に関する争いは、法律上の争訟性があることになる。檀徒の地位についても、これが宗教法人の運営に深くかかわる場合には、宗教法人の組織法上の地位とみることができるとする（最判平成7・7・18民集49巻7号2717頁）。

　また、住職たる地位についても、それが請求（この事件では本堂等の明渡請求）の当否を判断するための前提問題である場合には、その判断の内容が宗教上の教義の解釈にわたるものであるような場合を除き、裁判所は審判権を有するとする（最判昭和55・1・11民集34巻1号1頁、百選5版1事件）。そして、請求が代表役員の地位確認であり、その前提として住職たる地位が問題となった事案についても、この点を肯定し、裁判所は、宗教上の教義や活動に関する問題は審理できないが、住職の選任手続の適法性や手続上の準則については審理判断できるとする（最判昭和55・4・10判時973号85頁、判タ419号80頁）。

　以上の昭和55年の2つの判例は、裁判所の審判権を一定程度広く解する方向での判断といえる。

　しかし、一方、判例は、不当利得返還、建物明渡し、代表役員たる地位の存否確認等の請求についても、それらについて判断するための中核となる事項が宗教上の教義、信仰の内容に深くかかわっている場合には、それらの訴訟について法律上の争訟性を否定する（最判昭和56・4・7民集35巻3号443頁、最判平成元・9・8民集43巻8号889頁、最判平成5・9・7民集47巻7号4667頁等）。そして、判例全体をみると、むしろ、この方向の判断が主流になっている感がある。

　学説は、判例のうち後者のような方向については、こうした問題が争点となる紛争について判断を回避する結果となっており、裁判を受ける権利の観点から問題があるとして批判している。ただ、この問題にどのように対処すべきかについては、見解が分かれている。

1つの考え方は、問題となっている事柄、たとえば処分権者たる地位の取得等についてはその根拠となる事実が主張立証されるべきであり、この点についての主張立証が裁判所の審理できないような宗教的儀式（秘儀的儀式）等に尽きる場合には、地位取得事実の主張や立証を欠くものとして、主張責任、証明責任を適用して判断を下せば足りるとするものである（中野・論点Ⅱ334頁）。

　もう1つの考え方は、本来の証明主題である教義にかかわる事実に代わって、宗教団体内部における地位の適正な取得等をうかがわせる間接事実を証明主題とする（宗教団体としては後者のような事柄を主張、立証すれば足りるとする）ものである。より具体的にいえば、地位の取得が宗教的儀式によって行われるような場合には、宗教的儀式それ自体の存否を証明主題とするのではなく、地位が適正な選任によって取得されたことが団体内部で承認されていることを示す間接事実（たとえば、就任の公表、披露、就任儀式の挙行等）の存否、あるいは、選任に対する宗教団体内部の自律的決定ないしこれと同視しうるような間接事実（たとえば、責任役員らによる承認、新法主による儀式の挙行と列席者の承認等）の存否を主張立証させることによって判断すれば足りるということである（上記平成5年最判における大野正男裁判官の反対意見参照）。こちらが多数説である（新堂251〜252頁、伊藤177〜179頁、松本＝上野85頁等）。これは、後記の、証明負担軽減のための証明主題の転換（[**333**]）の1つの例であるといえる。

　宗教団体といえども市民法秩序を重んじるべきであり、世俗的な民事紛争においては原則として通常の民事訴訟や主張立証の原則に従うべきであると考える前者の説はすっきりしておりその点には魅力を感じるが、中核になる争点に宗教的な事柄がからむ紛争では実際上そのような主張立証はきわめて困難である場合が多いことを考えると、やはり、妥当性には疑問がある。主張立証の困難さからして証明主題の転換を認めるのが適切な場合であること、先のような事項については宗教団体の自律性を重んじる（宗教の本質にはたとえば秘儀等の部外者には理解の難しいものが含まれ、その意味で非合理的な部分を含むといえるが、裁判所もそのような点には配慮すべきであると考える）ことにも一定の合理性があることから、後者の説を採るべきであろう。もっとも、その結果として著しく宗教団体側に有利な結果とならないよう、転換された証明主題の立証については慎重に吟味すべきである。

[173]　第2項　そのほかの限界

　まず、権力分立の観点から憲法上明文で裁判所以外の機関が判断を行うこととされている場合がある。議員の資格争訟の裁判（憲55条）、裁判官の弾劾裁判（同64条）である。

　また、判例は、地方議会、大学、宗教団体、政党等における内部規律の問題は司法審査の対象外であるとする（いわゆる部分社会の法理）が、単なる内部事項とはいえない重大な事項、一般市民法秩序・権利義務にかかわる事項については審判権を認める。

　具体的には、地方公共団体の議会の議員に対する出席停止の懲罰議決の適否は裁判権の外にある（最大判昭和35・10・19民集14巻12号2633頁）、同議会議長の議員に対する発言取消命令の適否についても同様である（最判平成30・4・26判時2377号10頁、判タ1450号19頁）、大学における授業科目の単位認定行為は、特段の事情のない限り司法審査の対象にならない（最判昭和52・3・15民集31巻2号234頁）、宗教団体内でされた懲戒処分の効力の有無の確認を求める訴えについては、その処分が、当該宗教団体内部における被処分者の宗教活動を制限し、あるいはその宗教上の地位に関する不利益を与えるものにとどまる場合には不適法である（最判平成4・1・23民集46巻1号1頁）などとする一方、議員の除名処分や国公立大学における専攻科修了認定行為は、司法審査の対象になる（最判昭和35・3・9民集14巻3号355頁、最判昭和52・3・15民集31巻2号280頁）とする。

　また、前記**第1項**でふれた住職や檀徒の地位に関する判例も、法律上の争訟性の問題とともに、部分社会の法理の問題にもかかわっている。東京高判平成28・12・16（判時2359号12頁）もそれらと同種の事案であり、日本舞踊のある流派の名取として活動していたところその流派の家元から除名処分を受けた者が名取の地位等について求めた確認の訴えにつき、名取がその地位に基づいて享受する権利利益は、職業・事業活動の基盤であることに加え、流派団体の総会における議決権を伴う会員資格の基盤でもあるから、法的な利益と認められるとして、これを容れている。

　以上については、前提として、団体の性格を考えるべきであろう。その自律的決定を尊重すべき程度（先のような団体についていえばいずれもそれなりに

高いといえよう）、任意団体的な性格が強い団体か否か（たとえばペット等の同好者の趣味的団体等では除名のような重大な処分以外は司法審査の対象外としてよいことが多いであろう）、といった事柄である。

　また、一般市民法秩序・権利義務にかかわる事項については、司法審査の対象から除くことには慎重であるべきであろう。

　さらに、行政権や立法権の自律性尊重の観点から、これらの機関の行為についてはその判断を尊重する方向での裁判をすべき場合がありうるといわれる（日米安全保障条約の合憲性に関する最大判昭和34・12・16刑集13巻13号3225頁〔砂川事件上告審判決〕、衆議院の解散に関する最大判昭和35・6・8民集14巻7号1206頁）。いわゆる統治行為論である。しかし、その範囲については、厳しく限定される必要があろう。また、こうした場合については、請求そのものが法律上の争訟性を欠くとして訴えが却下されるわけではなく、他機関の判断を尊重する方向での本案判決がされる。

第3節　訴えの利益

[174]　第1項　各種の訴えに共通の訴えの利益

　訴えの利益とは、原告の請求について本案判決をすることが当事者間の紛争解決のために適切かつ有効であるかを律する訴訟要件である。訴えは、被告にとっても負担であり、訴訟制度運営者にとっても負担であること（公益上の要請）から、本案判決の必要性が真に存在する場合にのみ訴えの利益が認められる。

　訴えの利益は、本案判決がされるべき対象をその客体の観点から画する概念として、これをその主体の観点から画する当事者適格（[153]）と対になる関係にある。

　各種の訴えに共通の訴えの利益としては、伝統的には、①請求が具体的な権利または法律関係の存否にかかるものであること、②特別の救済手段が設けられていないこと、③訴えの提起が権利濫用・信義則違反と認められる場

合でないこと、④起訴が禁止されていないこと（142条、262条2項、345条3項、人訴25条）、⑤不起訴の合意や提訴後にされた訴え取下げの合意がないことなどが挙げられてきた。

しかし、①については審判権の限界の問題（[**172**]）であり、④については各規定の効果の問題（別個の訴訟要件）として考えれば足りる。したがって、固有の訴えの利益にかかるものは②、③、⑤となる。

②については、訴訟費用額等の確定（71条1項、72条、73条1項、規24条）、遺産分割（民907条2項、家事39条、同別表第2の12）等が特別の救済手段の例となる

③については、訴権の濫用の場合（[**242**]）のほか、「原告の訴えが、被告の言論等の公共的・社会的活動を制圧し、これに打撃を与える（恫喝を図る）ことを主たる目的とした民事訴訟であるような場合（いわゆるスラップ〔SLAPP〕訴訟。SLAPPは、Strategic Lawsuit Against Public Participation〔公共的活動に対する戦略的訴訟〕の略称）についても、訴えの利益を欠くとする考え方がありえよう[(4)]。

⑤のうち訴え取下げの合意については、この合意が存在すれば訴えの利益がなくなるとする考え方と、この合意に直接訴訟法上の効果を認めて訴訟終了宣言判決をすべきであるとの考え方がある（[**246**]）。

以上の各種の訴えに共通の訴えの利益は、いずれにせよ、比較的特殊な場合にのみ問題となる事柄である。

---

(4) アメリカのスラップ規制法では棄却としている。なお、スラップ訴訟については、提訴が不法行為となる場合（最判昭和63・1・26民集42巻1号1頁、百選5版36事件）の要件を緩和することによって対処すればよいとの考え方もあるが、この判例の要件はきわめて厳格である（[**435**]）し、また、スラップ訴訟は一般的な不当提訴とは次元の異なるものであることからしても、無理が大きい。スラップ訴訟の弊害が継続する場合には、アメリカの規制法のような立法による対処が必要である。詳しくは、瀬木比呂志「スラップ訴訟、名誉毀損損害賠償請求訴訟の現状・問題点とそのあるべき対策（立法論）」法学セミナー741号28～33頁、また、同号の特集「スラップ訴訟」収録の各論文参照。なお、新堂264～265頁は、スラップ訴訟が問題となる以前から、同様の解決（訴え却下）を示唆していた。

第2項　給付の訴えの利益

[175]　第1　現在の給付の訴え

　　現在の給付の訴え（すでに履行期の到来している給付請求権についての給付の訴え）については、履行期が到来した請求権についてそれが履行されていないことを前提とするものであるから、原則として、訴えの利益が認められる。

　　もっとも、同一請求について確定勝訴判決が存在する場合には訴えの利益が否定されるが、そのような場合であっても、時効完成猶予・更新の必要性がある場合（判決で確定した権利の消滅時効〔民169条〕についてさらに完成猶予・更新の必要がある場合。債務名義だけ得ておいて執行を猶予し続けているようなときにその必要性が生じる）、判決原本が滅失して執行力ある正本を得られない場合には、訴えの利益があるとされる。また、原告が債務名義を得ているがそれが既判力のないものである場合には、その請求について争いがあれば、訴えの利益が肯定される。

　　強制執行が不可能あるいは困難であることは、給付の訴えの利益を否定する理由とはならない。強制執行を行うことが不適切あるいは困難である債務（夫婦の同居義務等）、不執行の合意がある債務（最判平成5・11・11民集47巻9号5255頁。強制執行ができない旨を主文に明示すべきであるとする）についても、給付の訴えの利益はある（原告には給付請求権を確定しておくことについて利益〔たとえば、時効の関係〔[045]〕、任意の履行が期待しやすくなる、損害賠償請求の前提となる、など〕があるから）。ただし、自然債務については、裁判所に訴えて履行を求めることができないものであるから、訴えの利益が否定されることはもちろんである。

　　また、最終登記名義人に対する抹消登記手続請求が認められない場合、その前者に対する判決を得ても抹消登記はただちに実現できない（強制執行によらないところの判決の結果の実現、すなわち広義の執行[5]ができない）が、だか

---

(5)　広義の執行には、強制という要素があるわけではないので、用語としてはなじまない感があるが、民事保全・執行等をも通じてこの言葉が一般的に使われている。たとえば、判決に基づいて戸籍や不動産登記記録の記載を行うなどがその例である。

らといって前者に対する訴えの利益が否定されるものではない（最判昭和41・3・18民集20巻3号464頁、百選5版21事件。なお、この判例は、「意思表示の執行は勝訴判決確定で実現する（当時の民事訴訟法736条、現民執177条1項本文）以上、上記のような事情があるからといって訴えの利益がなくなるものではない」旨をその理由として述べているが、これは、意味がとりにくい。「当面の広義の執行はできないものの、最終登記名義人との裁判外の和解等によりその承諾が得られれば広義の執行が可能になるから」というのが正確な理由付けであろう〔なお、判例解説昭和41年度114頁はこの点にふれている〕）。

[176] 第2　将来の給付の訴え

　将来の給付の訴え（未だ履行期の到来していない給付請求権についての給付の訴え）については、あらかじめその請求をすることが必要な場合に限り許される（135条）。履行期は判決主文に示される。

　これについては、①その給付請求権について現時点で給付判決を得ておく特別な必要性があるか、②給付請求権が現時点で十分に具体化、特定されているか、また、現実的なものといえるか（給付請求権現実化の蓋然性。「債権の請求適格」ともいわれる）、という2つの観点が問題になる。なお、②については、将来の給付の訴えを認めた場合、被告のほうに請求異議の訴え（民執35条）の起訴責任を課することになるがそれが適切かという問題もある（起訴責任の分担の問題）。

　まず、①については、義務者がすでに義務の存在等を争っている場合、継続的・反復的債務について現に履行期にある部分に不履行がある場合、主たる請求が争われている場合の将来の附帯請求（元本完済に至るまでの利息・遅延損害金の請求、土地・家屋明渡済みまでの賃料・賃料相当損害金請求）、前提となる請求が争われている場合の条件付請求（物の引渡請求に併合されて提起される、その将来の執行が不能な場合の代償請求〔[072]〕、離婚訴訟に附帯して申し立てられる子の監護に関する処分や財産分与の申立て〔人訴32条。形成判決である離婚判決の確定にかかる〕、詐害行為取消しの訴えにおける返還請求〔取消宣言判決の確定にかかる。これについては、民法424条の6で訴えの利益が法定されている〕）等の場合に、特別な必要性が肯定される[6]。こちらは比較的理解しやすい。

　②については、期限未到来・停止条件付の請求権や将来発生すべき請求権でも、その基礎がすでに成立していれば問題がないとされる。上記の付帯請

求のような場合には、この点においても問題がないということになる。

　しかし、②に関し、判例は、公害等の継続的不法行為の場合につき、大阪国際空港事件（最大判昭和56・12・16民集35巻10号1369頁、百選5版22事件）において、(i)請求権の基礎となるべき事実関係および法律関係がすでに存在し、その継続が予測されるとともに、(ii)同請求権の成否およびその内容につき債務者に有利な影響を生じるような将来における事情の変動が、不動産の不法占有者に対する将来の賃料相当損害金請求の場合における債務者による占有の廃止、新たな占有権原の取得等のあらかじめ明確に予測しうる事由に限られ、かつ、(iii)これについて請求異議の訴えによりその発生を証明してのみ執行を阻止しうるという負担を債務者に課しても格別不当とはいえない場合に限るという、きわめて厳格な要件を採用し、原判決中将来の損害賠償請求を認容した部分を破棄し、第一審判決を取り消して、その請求にかかる部分の訴えを却下した。

　また、その後も、飛行場における航空機騒音等による損害賠償請求権については、事実審の口頭弁論終結日の翌日以降の分は、その判決言渡日までの分についても、高裁判断をくつがえして将来の給付の訴えを認めないとの判断を行い（最判平成19・5・29判時1978号7頁、判タ1248号117頁）、事案の具体的な検討に基づき約1年8か月間についてのみ将来請求を認めた高裁判断についても、同様にくつがえしている（最判平成28・12・8判時2325号37頁、判タ1434号57頁）。

　だが、公害等の不法行為による損害についても、その継続が合理的に予測されるような場合（空港騒音公害の場合、差止め請求が棄却されれば、その継続は合理的に予測されるであろう）には、一定の期間（たとえば数年間）に限って将来の給付の訴えを認め、被告においてその間に改善措置をとった場合には請求異議の訴えでこれに対応させることが、正義と公平の観念にかない、起訴責任の分担としても適切であろう。学説にはこのような考え方が多い（団藤重光裁判官の反対意見も同旨である）[7]。

---

(6)　なお、最判平成30・12・14民集72巻6号1101頁は、詐害行為取消しの結果として生じる受益者の取消債権者に対する返還義務が遅滞に陥る時期については、履行の請求を受けた時であるとする。詐害行為取消制度の趣旨からすれば詐害行為取消しの効果自体は過去にさかのぼって生じると考えるべきであること、また、受益者に受領済みの金員にかかるそれまでの運用利益を得させるのは相当でないことを理由とする。

それらの学説には、先の②の「請求適格」については上記最判のいうように①の「請求の必要性」と区別された独自の訴訟要件とみるべきではなく、①と②はあくまで「将来の訴えの利益」について判断するための2つの要素、観点にすぎないと分析するものがあり（堤龍弥「継続的不法行為に基づく将来の損害賠償請求における請求適格について」民事訴訟雑誌65号1頁以下）、私見も同様である。

　なお、上記の判例の趣旨については、「将来の損害賠償請求権の成否およびその金額をあらかじめ一義的かつ明確に認定することができず、請求権が成立したとされる将来の時点で債権者にあらためて訴えを提起して主張立証させることが相当な場合には②の要件（請求適格）を欠く」という一般論としてならおおむね相当であり、現に、後に述べるようにそのような当てはめが妥当な場合もある。

　しかし、上記(i)ないし(iii)の具体的な表現についてみると、(ii)の「債務者に有利な将来の事情の変動があらかじめ明確に予想しうる事由に限られ」との点については、なぜそのような限定が必要であるのか理解に苦しむ（もしも、これが、「被告が騒音是正のための措置をとるか否かおよびその態様はあらかじめ予測しがたい（これは、被告にしか決められないことである）」から「原告に起訴責任を負わせる」という趣旨であるとするなら、明らかに背理であろう。「被告に起訴責任を負わせる」とするなら合理的であり、学説の多くはそのように解しているのである）。要するに、この事案における将来の損害賠償請求を否定したいがためにこのような要件をあえて持ち込まざるをえなかったのではないかとの印象がぬぐいがたいのである（最高裁判所調査官による判例解説のうちこの論点に関する部分〔昭和56年度787～794頁〕も、従来の学説判例がこうした事案においても将来の給付の訴えを肯定していたことは認めており、また、その記述もいささか不明瞭で歯切れが悪く、調査官の苦渋がにじんでいるようにも感じられる）。

　また、判例は、継続的不法行為の場合のみならず、共有者の1人が共有物を他に賃貸して得る収益のうちその持分割合を超える部分について他の共有

---

(7)　先の最高裁判例については、差止めを例外なく認めないという判断と相まって、関連訴訟抑え込みの意図がうかがわれるといっても、いいすぎではないと思われる。瀬木・裁判所125～127頁。

者がする不当利得返還請求のうち将来分についても、賃貸借契約の存続や賃料の支払が不確実であるとして請求適格を否定した（最判昭和63・3・31判時1277号122頁、判タ668号131頁、最判平成24・12・21判時2175号20頁、判タ1386号179頁）。もっとも、これらは、駐車場の賃貸借契約の事案であり、その特殊性が考慮されたものと解される。その限りで正当といえよう（なお、このような請求についても、事実関係いかんによっては上記の点が確実といえる場合もありうることはもちろんであろう）。

第3項　確認の訴えの利益（確認の利益）

[177]　**第1　概説**

　確認の訴えにおける確認の対象は論理的には無限定でありうるため、原告の法的利益ないし地位について存在する不安・危険を除去し、法的紛争を適切に解決あるいは予防するための適切性、必要性という観点から、訴えの利益（確認の利益）を限定する必要性が大きい。

　確認の利益の有無を判断するための指標としては、①確認の訴え選択の適否、②確認対象（訴訟物）選択の適否、③即時確定の利益が挙げられ、③については、(i)原告の法的利益ないし地位に与えられる不安・危険の態様（切迫性）と(ii)保護されるべき原告の法的利益ないし地位の現実性や解決されるべき紛争の成熟性が問題となるとする考え方が有力であり、本書もこれに従う（なお、③の指標については上記のように2つに分けて考えるのが適切であろう〔新堂277頁〕）。

　もっとも、上記の3つの指標は、確立した要件といったものではなく、確認の利益について考えてゆくときの手がかりにすぎない。その意味では多分に便宜的なものである。特定の事案や判例についてこれら3つの指標のどれとの関係で論じられるかが文献によって異なっている場合のある理由はそこにある。

　確認の利益については、かつては、権利保護の資格と権利保護の利益（[167]）に分けて論じられることが一般的であり、権利保護の資格（請求の内容が本案判決の対象となりうるものか、判決で確定されるに適する一般的資格をもつか）については主として確認の対象について比較的形式的な基準による判断

が行われ、権利保護の利益（権利保護の資格が満たされていることを前提とした上で、当該事案の事実関係を考慮して、本案判決によってその訴訟物についての争いが解決されうるか、原告が請求について判決を求める現実の必要性があるか）については、個々の事案を動態的に考察して、原告に不安や危険があるか、また確認判決がその除去に有効か否かが問題とされた。しかし、現在では、そこでいう権利保護の利益のほうがより根本的な事柄であると解する考え方が強い（高橋宏志『民事訴訟法概論』〔有斐閣〕78～79頁。もっとも、伊藤185～191頁の分析方法は、伝統的な枠組みに近いものである。同185頁は、給付訴訟では実体法上の請求権が問題になるので通常は権利保護の資格は当然満たされるが、確認訴訟では、確認の対象となるものが論理的に無限定であるため、まずは権利保護の資格が問題となり、ついで権利保護の利益について判断される必要があるという）。現在の有力説の掲げる上記の3つの指標についてみると、①、②はおおむね古典的な考え方のいう権利保護の資格に対応し（したがって、比較的類型的な判断が可能）、③はおおむね権利保護の利益に対応するといえようか。

以上考察したところをまとめると、先の3つの指標の中で最も重要なものは③であるということができ、実務上、また判例において最も問題となることが多いのも、この点である。

確認の利益について具体的に考察する場合には、前提として、以上のような事柄を理解しておくことが望まれる（学生のレポートや答案には、事案を上記の3つの指標に順次機械的かつ平板に当てはめて結論を出しているものが多い。基本的な書き方としては悪いというわけではないものの、以上のような事柄を理解していれば、同じやり方をとるとしても、その事案にとってどの点が重要なポイントであるかがおのずから浮かび上がってくるような書き方ができるはずである）。

[178]　第2　確認の訴え選択の適否

第一に、原告の法的利益ないし地位について存在する不安・危険を除去するためにほかにより適切な方法がある場合には、確認の利益は認められない。その意味で、確認の訴えは補充的なものである。以下、具体的に述べる。

給付の訴えが可能な場合には、その請求権自体の確認の利益は認められない。

請求権の基礎にある権利の確認についても同様である（最判昭和29・12・16民集8巻12号2158頁は、不動産の所有権に基づく給付の訴えが可能な場合にも広くそ

の所有権の確認の利益を認めるとするが、現在の通説や実務は、そのような考え方を採っていない)。もっとも、基礎にある権利(たとえば所有権)を前提としてそこから多数の紛争が派生しているような場合には、例外的に確認の利益を認めてよいと解される。

また、身分関係や団体の代表機関たる地位に争いがあり、そこから多数の利害関係人間に紛争が派生しており、あるいはそれが予想されるような場合には、そのような身分や地位の確認をすることが関連紛争の適切な解決のために適切である。親子関係の存否の確認、宗教法人の代表役員や宗教法人の運営に深くかかわっている檀徒たる地位の確認([172])等の場合である。

債務不存在確認の訴えに対し給付の訴えが反訴として提起された場合には、債務不存在確認の訴えは確認の利益を欠くことになる([065])。

形成の訴えが可能な場合に形成原因の存在の確認を求める利益も、認められない。

第二に、本案判断の前提となるような手続上の問題については、その訴訟手続内で確定すべきであり、その確認を求める別訴は確認の利益を欠く。たとえば特定の訴訟の訴訟代理人の代理権について別訴で確認を求めることは許されない(最判昭和28・12・24民集7巻13号1644頁、最判昭和30・5・20民集9巻6号718頁。なお、このことと、代理権の証明方法の問題〔[148]、[299]〕を混同しないこと)。訴訟要件の存否、訴えの取下げや請求の放棄・認諾の効力についても同様である(ただし、和解無効確認の訴えについては、例外的に認められている〔[519]〕)。

しかし、遺産分割審判の前提問題である特定の財産の遺産帰属性、特定の相続人の相続人たる資格、遺言の効力等の権利関係については、手続上の問題ではないし、既判力のある判断を得ておく必要性がある(当該決定手続内では権利関係を確定することができない)から、確認の利益が認められる([019]、[545])。

[179]　第3　確認対象(訴訟物)選択の適否

第一に、「現在」の「法律関係」を確認することが原則であるといえる。民事訴訟は、現在の法律上の紛争の解決を図るものだからである。

その例外として、法134条(令和4年改正後134条の2)は、証書真否確認の訴えを許している。これは、文書の形式的証拠力、すなわち、その文書が、

挙証者の主張する作成者の意思に基づいて作成されたという事実を確認する訴えである。この訴えは、先の点を確認しさえすれば原告の不安が除去され、紛争が解決される場合にのみ許されると解され、その書面によってなされた法律行為の効力についても問題になるような場合には、通常の確認の訴えによるべきである。また、その文書も、原告の法的地位を直接に基礎付ける種類のものに限られる。したがって、この訴えの例は、実務上はきわめてまれである。

なお、証書真否確認の訴えの場合に限らず事実の確認が許される場合があるといわれるが、実際には、純然たる事実の確認に確認の利益が認められる例は少ない。もっとも、最判平成26・9・25（民集68巻7号661頁）は賃料増減額確認請求の訴訟物は原則として賃料増減請求の効果が生じた時点の賃料額であるとしたので、これは過去の事実の確認を認めたものといえる。

また、現在の法律上の紛争解決のために有効適切である場合には、過去の法律関係、過去の法律行為の有効無効等の確認が認められる。それらについて確認することによって派生する多数の紛争が一挙に解決するような場合である。その典型として、遺言無効確認の訴えがあるが、人事訴訟や会社関係訴訟にもその例は多い（婚姻無効の確認〔人訴2条1号。なお、[035]の①参照〕、株主総会決議の不存在または無効の確認〔会社830条〕等）。

なお、遺言無効確認の訴えについて確認の利益を肯定した初めての最高裁判例である最判昭和47・2・15（民集26巻1号30頁、百選5版23事件）は、遺言が有効であるとすればそれから生じるべき現在の法律関係の確認を求めるものと解される場合には遺言無効確認の訴えも許容されるとしている（「現在の法律関係」の確認をなお原則としている）が、同じ年度の最判昭和47・11・9（民集26巻9号1513頁、百選5版A10事件。学校法人の理事会または評議員会の決議が無効であることの確認を求める訴え）は、過去の法律関係についてもその確認によって現在の法律関係の抜本的な解決を図ることができる場合には確認の利益があるとしており、後者の判例が、その後の判例の方向を決しているといえる。

また、最大判昭和45・7・15（民集24巻7号861頁、百選5版A9事件）は、父母の両者または子のいずれか一方が死亡した後でも、生存する一方は、確認の利益（この事案では戸籍訂正の必要性）がある場合には、検察官を相手方として、死亡した一方との間の親子関係の存否確認の訴えを提起することができるとしている。

さらに、現在の法律上の紛争解決のために過去の法律関係の確認以外に適切な手段がないような場合もありうる（いわゆる国籍訴訟では、原告が現に有する日本国籍の取得が出生によるものであることの確認が、アメリカが原告のアメリカ国籍を承認するであろうことの前提となっており、紛争解決のためには過去の法律関係を確認するほかなかった。最大判昭和32・7・20民集11巻7号1314頁）。

　第二に、自己の権利の積極的確認ができる場合には相手方の権利の消極的確認を求めるべきではないという原則がある。しかし、これにも例外がある。たとえば、２番抵当権者が１番抵当権者の抵当権の不存在確認を求める場合である。原告は、この訴訟によって、自己の抵当権の目的物を被告によって任意競売されず、また、自己に先んじて被告がこれから満足を得ないという実体法的な地位ないし利益を確保される。この場合、原告が１番抵当権者であることの確認を求めても、被告による抵当権の実行を阻止するという原告の目的は達成されない（なお、大判昭和8・11・7民集12巻2691頁は原告が１番抵当権者であることの確認を求めるべきであるとするが、上記の理由から批判が強い）。

　第三に、確認の対象となる権利関係については、原告と被告との間のものである場合が多いが、他人間の権利関係（①原告あるいは被告と第三者の権利関係。②被告となる他人間の人事法律関係）であっても、その確認が原告の法的利益ないし地位の不安定を除くために必要である場合には許される。①の例としては、債権者間の債権の帰属の争いの場合、先の、２番抵当権者が１番抵当権者の抵当権の不存在確認を求める場合等がある。②については、[**537**]参照。

[180]　第4　即時確定の利益

　前記**第1**でふれた即時確定の利益の内容をなす２要件のうち、(i)「原告の法的利益ないし地位に与えられる不安・危険の態様（切迫性）」については、被告との間に法的な紛争あるいはその不安がある場合のほか、時効完成猶予・更新の必要がある場合、公簿の記載を正しいものに修正するために必要である場合（最判昭和62・7・17民集41巻5号1381頁）等にも認められる。こちらの要件については、通常は、その判断は比較的容易である。

　もっとも、債務不存在確認の訴えを債務者が攻撃的に用いる場合（実務でも、交通事故加害者〔実質的には保険会社〕がこれを行う例がある）については、たとえば、被害者の症状が未だ固定しておらず、被害者から何らの請求がな

されていない場合、当事者間で誠意ある解決をめざして協議が行われており、その続行を妨げる特別な事情もない場合等（東京高判平成 4・7・29判時1433号56頁、判タ809号215頁参照）には、上記の切迫性を欠くことになるから、少なくとも、被告からこうした事情の指摘があった場合には、原告は、切迫性の存在を主張立証すべきであろう（同旨、高橋上382～383頁。なお、先の判例自体は結論としては確認の利益を肯定しているが、これは、事案の性格によるところも大きいと思われる）。

より難しいのは、(ii)「保護されるべき原告の法的利益ないし地位の現実性や解決されるべき紛争の成熟性」のほうである。

これについては、「原告の法的利益ないし地位そのものの現実性」、「確認の対象となる法律関係の適格性（これを確認することが真に原告の法的地位を安定させるか）」、あるいはその双方が問題になりうる。

たとえば、具体的相続分の確認の訴えは、即時確定の利益を欠くものとして許されない（最判平成12・2・24民集54巻2号523頁、百選5版25事件）。具体的相続分は遺産分割の過程で問題となる計算上の価額またはその価額の遺産総額に対する割合をいうものであって、それ自体を実体法上の権利関係ということはできず、これだけを独立して確認してみても紛争解決に直接役立たないからである。ここでは、確認の対象となる法律関係の適格性がまず問題となり、これが否定される結果そのような事柄の確認をしてみても原告の法的利益・地位の不安除去に役立たないという意味で即時確定の利益を欠くことになる。なお、ここでいう確認の対象となる法律関係の適格性の問題を前記の確認対象（訴訟物）選択の適否としてとらえる考え方もあるが、ここでいう確認の対象となる法律関係の適格性の問題は、もっぱら原告の法的利益・地位の現実性にかかわってくる事柄なので、やはり(ii)の問題として考えるほうが適切ではないかと思われる。

いわゆる「将来の法律関係の確認の適否の問題」の本質も、同様に、実は、一般的に考えられているように確認対象（訴訟物）選択の適否の問題ではなく、原告の法的利益ないし地位の現実性の問題であると考えられる。

たとえば、推定相続人が被相続人と第三者間の売買契約の無効確認を被相続人の生前に提起することは許されない（最判昭和30・12・26民集9巻14号2082頁）。推定相続人の地位は、被相続人の生前においては単なる期待権にすぎず、権利性において不安定であって、これを保護するに値しないからである

（原告の法的地位そのものの現実性が問題）。

　遺言者がその生存中に受遺者に対して遺言無効確認を求める利益も認められない（最判昭和31・10・4民集10巻10号1229頁）。受遺者の地位は原告自身の新たな遺言によって失われうるものであるし、受遺者が遺言者より先に死亡した場合には何らの権利も取得しない（民994条1項）のであって、権利として不安定だからである（確認の対象となる法律関係の適格性が問題）。これは、推定相続人が原告の場合であっても同様であろう。

　しかし、推定相続人の同様の訴えであっても、遺言者が心神喪失状態にあって回復する見込みがなく、遺言者による遺言の取消し・変更の可能性が事実上ないような場合であれば、受遺者の地位はもはや権利として不安定であるとはいえず、これによっておびやかされる推定相続人の地位も不安定であるとはいえず（確認の対象となる法律関係の適格性、原告の法的地位そのものの現実性のいずれにも問題がない）、受遺者が遺言者より先に死亡するといったわずかな可能性のために確認の利益を否定することは不適切であろう（以上につき、中野・論点Ⅱ63～74頁。最判平成11・6・11判時1685号36頁、判タ1009号95頁、百選5版26事件は、「上記のような場合でも受遺者の地位の性質（その不安定さ）は変わらない」旨を述べて確認の利益を否定するが、なぜそのようにいえるのかについては何ら説明しておらず、きわめて疑問が大きい）。

　一方、判例は、賃貸借契約継続中の敷金返還請求権の確認については、条件付きの現在の権利または法律関係であるとして確認の利益を認めている（最判平成11・1・21民集53巻1号1頁、百選5版27事件。新たな賃貸人が敷金の差入れ自体を争っている事案）。また、2018年（平成30年）相続法改正前（遺留分権利者は目的物についての請求が可能であった）の判例は、遺留分権利者から遺留分減殺請求を受けた受遺者が、前記改正前の民法1041条1項所定の価額（受贈者・受遺者が目的物返還義務を免れるために遺留分権利者に弁償すべき価額）を弁償する旨の意思表示をしたが、弁償すべき価額につき当事者間に争いがある場合について、受遺者の価額弁償の確認請求を同様の理由により認めていた（最判平成21・12・18民集63巻10号2900頁）。これらの場合といわゆる将来の法律関係の確認の場合とは実質的には紙一重の差であるといえ、この点からも、将来の法律関係の確認を一律に否定することには疑問がある。

　なお、下級審では、その後も、いわゆる「将来の法律関係の確認」を肯定する判例も存在し、たとえば、東京地判平成19・3・26（判時1965号3頁、判

タ1238号130頁、百選5版28事件）は、雇用の基盤になる制度廃止時点が迫っている雇用者のその時点以降の雇用者たる地位の確認の利益を認めている。

　さて、以上においては、基本的に、即時確定の利益について、「原告の法的利益ないし地位そのものの現実性が認められうる場合」、すなわち、「原告の法的利益・地位に確認の訴えによって保護されるべき法律上の利益性が認められうる場合」について論じてきた（たとえば、推定相続人の地位についても、「期待権」であること自体は認めるのが多数説である〔中野・論点Ⅱ70頁〕）。しかし、事案によっては、そのような「法律上の利益性」の存否それ自体が中核的な問題となりうる。つまり、「原告の主張する法律上の利益が確認の訴えで保護されるべきものとはおよそいえない（原告の法的利益・地位がおよそ確認の訴えで保護するには値しない）」という意味で即時確定の利益を欠くと判断される場合がありえ、その当否が問題となる。

　たとえば、①最判平成30・12・21（民集72巻6号1368頁）は、こうした観点から、「弁護士会のする、弁護士法23条の2第2項に基づく照会（[**293**]）に対する報告義務があることの確認をその照会の相手方に対して求める訴え」は確認の利益を欠くとしている。同項は照会の相手方に対して報告を求める私法上の権利を弁護士会に付与するものではなく、したがって報告拒絶行為は弁護士会に対する不法行為を構成することはない（最判平成28・10・18民集70巻7号1725頁。〔[**293**]〕）、報告拒絶については制裁の定めがない、報告義務を確認してみてもその義務が任意の履行に期待するほかないものである点に変わりはない、などの事情に鑑みれば上記のような法律上の利益性は否定されることを理由とする。

　また、②最判昭和63・3・1（民集42巻3号157頁）は、第三者の提起する養子縁組無効確認の訴えは、養子縁組が無効であることによりその者が自己の身分関係に関する地位に直接影響を受けないときは、訴えの利益を欠くとした。養子縁組の無効により自己の財産上の権利義務に影響を受けるにすぎない者は、その権利義務に関する限りで個別的、相対的に縁組の無効を主張すれば足り、それを超えて他人間の身分関係の存否を対世的に確認することに利害関係を有するものではないことを理由とする。つまり、養子縁組無効確認の訴えの利益は、当該養親子関係の存否を対世的に確認する必要性のある者のみに認められるとしたものである。

　この判例を受けて、③最判平成31・3・5（判時2421号21頁、判タ1460号39

頁）は、養親の相続財産全部の包括遺贈を受けた受遺者につき、養子縁組無効確認の訴えについての法律上の利益性を否定した。こうした者が養子から遺留分減殺請求を受けることはありうるが、そうであるとしても自己の財産上の権利義務に影響を受けるにすぎないことを理由とする。

さらに、④最判令和2・9・7（民集74巻6号1599頁）は、「特許の通常実施権者Xが特許権者Yに対して提起した、A（Xが特許により製造した機械の販売を受けた者の後身たる法人であり、XとAの間には、Aが機械使用に関し第三者からの特許権行使により損害をこうむった場合にはXがその損害を補償する合意があった）のYに対する不法行為損害賠償債務不存在確認を求める訴え」（AがXに補助参加）について、(i)たとえ認容判決が確定しても、その効力はAとYの間には及ばないからYがAに対して損害賠償請求権を行使することは妨げられないこと、(ii)YのAに対する損害賠償請求権行使によりAが損害を被った場合に、Xが上記合意によりこれを補償し、その補償額についてYに対し特許実施許諾契約の債務不履行に基づく損害賠償請求をすることがありうるとしても、実際にAの損害に対する補償を通じてXに損害が発生するか否かは不確実であるし、また、Xは、現実に同損害が発生したときにはYに対して特許実施許諾契約の債務不履行に基づく損害賠償請求訴訟を提起することができることから、上記法律上の利益性を否定し、さらに、上記債務不履行に基づく損害賠償請求と本件確認の訴えの各主要事実にかかる認定判断が一部重なることはこの判断を左右しないと述べた。

しかし、上記①、④については批判的な学説も多く、私見も同様である。

①については、確認の訴えの対象とされる法律上の権利関係が既判力をもって確認されれば何らかの意味で法的紛争が抜本的に解決されるような場合と異なり、確認判決によって当事者が事実上有利な影響を受けるにすぎないような場合には原則として確認の利益は否定されるという趣旨かと解される。

けれども、この点に関しては、原審の、「報告義務の存在が明らかにされれば、照会先は守秘義務違反の懸念がなくなり、照会に応じることが期待されるし、また、結論が棄却であっても判決によって原被告間の紛争は収束する可能性が高いのだから、確認の利益（法律上の利益性）を認めることができる」との判断、これと同方向の学説の批判に、相当の説得力があると思われる。

④については、判決効の観点を重視し、また、法律上の利益性をきわめて厳格に解しているが、認容判決が確定すればＹがＡに対して損害賠償請求権を行使することは実際上きわめてありにくくなる（また、たとえ訴えを提起しても判決の証明効〔**[445]**。本書はこれを明確に定義した上で肯定する〕により敗訴に至る可能性が高いであろう）ことを考えれば、法律上の利益性を肯定することができるのではないかと思われる。

　また、④は、他人間の権利関係の確認を認めなかったという意味で前記**第3**末尾記述の点についての消極例を提供するものであるが、そこでふれたような事例に関しては、従来の学説は判決効を問題にしていない（他人間の権利関係の確認によって被告に対する関係で原告の法的利益・地位の安定が得られれば足りるとしている。新堂277頁、高橋上373頁等多数説）。ここで判決効を持ち出すのは解せない。

　上記のような法律上の利益性をどのような範囲にまで認めるのが適切かを画する基準の設定がなかなか難しいのは事実である。しかし、①、④、またこれらに先立つ遺言無効確認の訴えについての先の最判平成11・6・11（これは、上記のとおり論理の流れそれ自体においての問題をも含むが）は、判断のあり方がきわめて形式的であり、確認の訴えの本質やそのもつべき紛争解決機能に関する理解に乏しく、ひいては紛争解決において司法の果たすべき役割についての認識も不十分であるとの感が否めない（これらの事案では、原判決はいずれも確認の利益を認めているのである。あえて破棄しなければならないような事案なのであろうか）。

[181]　**第4項　形成の訴えの利益**

　形成の訴えについては、いかなる場合にこれが認められるかが法によって定められているため、その要件を満たす場合には原則として訴えの利益が認められることになる。

　ただし、期間の経過により法律関係の変動を生じさせることに意味がなくなり、訴えの利益が失われる場合がある（メーデーのための皇居外苑不許可処分取消請求中にメーデーの日が経過した場合についての最大判昭和28・12・23民集7巻13号1561頁）。

　もっとも、類似の事案についても、原告に何らかの法律上の利益がなお認

められる場合には、訴えの利益は肯定される（地方議会議員の除名処分の取消訴訟中に任期が満了した場合でも、歳費等を請求する前提として除名処分を取り消す利益があるなど。行政事件訴訟法9条1項かっこ書はこの点を明文で規定する。新堂281～283頁参照）。

　しかし、会社役員の選任を内容とする株主総会決議取消しの訴えの係属中にその役員の任期が満了した場合については、選任決議の手続の瑕疵と在任中の行為の責任とは別問題と解されるので、その役員に対する不法行為・不当利得等の請求の前提として決議取消しの利益を認めることはできないとするのが多数説であり、判例も結論は同様である（最判昭和45・4・2民集24巻4号223頁。もっとも、伊藤192～193頁は、現行会社法の下ではこの種の決議を取り消す判決に遡及効が認められるから上記の根拠はもはや妥当しないのではないかとの疑問を呈する）[8]。

　だが、上記昭和45年最判の考え方については、異論もある。

　たとえば、①先のような考え方は、訴訟については必ず一定の期間を要することにかんがみれば、裁判を受ける権利を否定することにつながるのであり、決議取消しの訴えについては決議の違法性を除去すること自体が原告の法的利益であることが法によって認められていると解すべきであるとする考え方がある（伊藤192～193頁）。

　また、②株主総会決議取消しの訴えは会社運営の適法性を確保するためのものであるから、会社運営が不適法である限り取消しの利益はあるとする考

---

[8]　なお、最判令和2・9・3民集74巻6号1557頁は、決議と選挙の相違はあるものの上記昭和45年最判の例外ともいうべき事情のある事案についての判断と考えられる。
　　同判決は、事業協同組合の理事を選出する選挙の取消しを求める先行訴訟に、同選挙が取り消されるべきものであることを理由として後任理事または監事を選出する後行選挙の効力を争う後行訴訟が併合されている場合には、特段の事情のない限り先行訴訟の訴えの利益は消滅しないとした。
　　その理由は、①先行訴訟の係属中に後行選挙が行われて新たに理事または監事が選出された場合であっても、先行選挙を取り消す旨の判決が確定したときには先行選挙は初めから無効であったものとみなされるから、先行選挙で選出された理事によって構成される理事会がした招集決定に基づき同理事会で選出された代表理事の招集した総会で行われた後行選挙は、特段の事情のない限り瑕疵あるものであり、②したがって、先行訴訟と併合された後行訴訟で上記の瑕疵が主張されている場合には、先行選挙が取り消されるべきものであるか否かが後行選挙の効力の先決問題となる（いいかえれば、後行選挙の効力が先行選挙の効力に依存している）から、先行訴訟の訴えの利益は消滅しない、というものである。

え方もある（高橋上392頁、396〜397頁の注(50)各参照）。

　さらに、③この場合の訴えの利益を動態的にとらえ、たとえば控訴審の結審間近といった段階であれば、訴訟経済からも、当事者の期待からも、また、取消判決が事実上役員の責任追及訴訟を有利にするといった観点からも、訴えの利益を肯定して本案判決をするほうがよく、そこまで手続が積み上げられていなければ訴え却下でよいとする考え方もある（新堂282頁、高橋上392〜393頁）。

　どう考えるべきか。

　①、②の考え方は、志向としては理解できるが、逆に、ほとんどの場合に訴えの利益が肯定されることになり、訴訟経済に反する場合が増えるのではないかという問題がある。

　③の考え方は、一見するとやや奇矯なものにみえるが、このような場合の訴えの利益について動態的にとらえるという視点は魅力的であり、かつ、欠点を指摘しようとすると難しい。これに賛成したい。第一審、控訴審を問わず、主張整理（控訴審であれば新たな主張の整理）が終局に近付いている状況であれば訴えの利益を認めて本案判決をすることが相当ではないかと考える。実際上は、控訴審における新たな主張立証は限られている場合が多いであろうから、控訴審では原則として訴えの利益を肯定してよいのではないだろうか。

　なお、株主総会決議取消請求中に同一内容の決議が再度行われた場合についても、判例は訴えの利益を否定している（最判平成4・10・29民集46巻7号2580頁）。この場合については、第二の決議によって第一の決議の瑕疵が補正されていればそれでよく（上記の判例はそのような事案であった。すなわち、退任取締役等に退職慰労金を贈呈する旨の第一の決議ではその金額が明示されておらず単に取締役会等に一任とされていたが、第二の決議ではその総額が明示された）、そうでなければ、いわゆる形成対象の繰り返しの問題として、理由中の判断に拘束力を認めるべきである（条解737頁、515〜516頁。114条1項の例外となる）。

【確認問題】
1 各種の訴訟要件について、裁判所が当事者の主張を待たずにそれを問題にするか、また、それについて判断するための資料収集方法いかんという2つの観点から、根拠を示した上で整理分類せよ。
2 裁判所は、訴訟要件があるかどうかの判断を留保したまま、請求棄却判決をすることができるか。各個の訴訟要件について具体的に考えよ。
3 宗教的問題にかかわる紛争について、審判権の限界、法律上の争訟性の観点から考察せよ。
4 部分社会の法理、統治行為論について説明せよ。
5 公害等の不法行為による損害に関し将来の給付の訴えを認めることの当否について考えよ。
6 確認の利益について判断する際のメルクマールについて説明せよ。
7 いわゆる将来の法律関係の確認の適否について説明せよ。
8 取締役の選任を内容とする株主総会決議取消しの訴えの係属中に当該取締役の任期が満了した場合、訴えの利益は消滅するか。

[182] 第7章
訴訟手続の進行

　本章では、訴訟手続（弁論と証拠調べがその中心である）の進行に関する裁判所・当事者の役割、責問権、当事者が欠席した場合の取扱い、期日と期間、訴訟手続の停止、送達とその瑕疵といった訴訟手続の進行にかかわる事項全般について論じる。

第1節　手続の進行と裁判所・当事者の役割、訴訟指揮権、責問権

[183] **第1項　手続の進行と裁判所・当事者の役割、訴訟指揮権**

　手続の進行については、裁判所がそのイニシアティヴをとる職権進行主義が現代民事訴訟法の基本である。当事者に進行の基本をゆだねると訴訟遅延等の問題が生じやすいからである。
　もっとも、当事者の利害に深くかかわる場面では、選択をその意思にかからせる、あるいはその意見を聴くということが行われる。前者の例としては、管轄の合意（11条）、応訴管轄（12条）、必要的移送（19条）、最初の期日の変更（93条3項ただし書）、弁論準備手続に付する裁判の取消し（172条ただし書）等が、後者の例としては、弁論準備手続の開始（168条）、証人尋問の順序の変更（202条2項）、証人尋問に先立つ当事者尋問の実施（207条2項）等がある。
　職権進行主義のかなめとなるのは訴訟指揮権であり、これは、原則として

裁判所に属する（151条ないし153条、155条、157条）が、合議体の審理では裁判長がこれを行う（148条、149条1項等）。裁判長は、合議体から独立して訴訟指揮権をもつ場合もある（期日の指定〔93条1項〕や訴状審査〔137条〕が典型的な例である。以上につき [087] も参照）。受命・受託裁判官も、授権された事項を処理するために訴訟指揮権をもつ。

訴訟指揮権は、口頭弁論の指揮のように事実行為として行われる場合と、裁判（決定・命令）という形をとって行われる場合とがある。後者の場合でも、その裁判は、自縛力（[446]）をもたず、いつでも取り消されうる（120条）。訴訟指揮権の行使には弾力性が必要だからである。期日指定の裁判、弁論準備手続に付する決定（172条本文）、証拠決定等がこれに当たる（ただし、証拠決定については、証拠調べ開始後はもはや取り消せないと解すべきであろう。[345] 参照）。もっとも、訴訟指揮により生じた結果自体は、取消しによって遡及的に消滅するものではない。

訴訟指揮権の内容をおおまかに分類すれば、以下のようになる。もっとも、機能からみた便宜的分類にすぎない。

①審理の進行に関するもの（期日の指定および変更〔93条〕、期間の伸縮等〔96条〕、訴訟手続の中止〔131条〕、中断した手続の職権による続行〔129条〕、口頭弁論の開始〔139条〕・終結等）、②審理の整序に関するもの（①と異なるのは、具体的な審理の状況に応じるべく適宜行われるという点。弁論の制限・分離・併合・再開〔152条、153条〕、裁量移送〔17条、18条〕、争点および証拠の整理手続に付する処置〔164条、168条、175条、規95条1項、96条1項〕、時機に後れた攻撃防御方法等の却下〔157条〕等）、③期日における弁論および証拠調べの整理（148条は主としてこれを念頭に置いている。なお、法廷秩序を維持するための法廷警察権〔裁71条〕は、民事訴訟に限定されるものではなく、ここに含まれるものでもない）、④訴訟関係を明瞭にするもの（釈明権〔149条〕、釈明処分〔151条〕）、⑤広義の紛争解決にかかわるもの（和解の勧試〔89条〕）。

[184]　第2項　**責問権**

責問権とは、裁判所や相手方の訴訟行為が手続規定に違反した場合にこれに異議を述べて争うことができる当事者の権能である（90条では、「訴訟手続に関する異議」という用語が用いられているが、同じ趣旨である）。

ただし、違反行為を行った当事者には、責問権はない。

裁判所は、当事者の責問権の行使に理由があると認める場合には当該行為を無効なものとして扱い、あらためて、訴訟行為を行い、あるいは、当事者に行わせる。

責問権については、強行規定、任意規定、訓示規定の区別（[013]ないし[016]）が重要になる。任意規定については、規定に違反する行為によって不利益を受ける当事者が責問権を放棄し、または遅滞なく適時に異議を述べないと、その瑕疵が治癒される。これを「責問権の放棄・喪失」という。強行規定は公益的な要請が高く遵守されなければならないものであるから、責問権の放棄・喪失は否定される（なお、強行規定違反行為の効果については規定の性質や訴訟の進行段階によって異なりうる〔[014]〕が、それは、責問権とは別の問題である）。訓示規定違反は、そもそも訴訟行為の無効をもたらさないから、責問権も問題にならない（なお、責問権ないしはその放棄・喪失が具体的にどのような観点からどのような場面で問題になるかについては、[146]〔弁護士法25条違反行為〕、[188]〔期日の呼出しの欠如〕、[196]〔訴訟手続の停止中の訴訟行為〕、[208]〔送達の瑕疵〕、[345]〔証拠調べの方式違背〕、[616]〔弁論の更新について報告行為説による場合〕、[643]〔上告審における調査の範囲〕の各項目参照）。

第2節　当事者の欠席等

[185] 第1項　当事者の双方の欠席等

当事者双方が欠席した場合、あるいは出頭しても弁論をしないで退廷した場合（そのように行動した、つまり、「弁論をしないで退廷します」と述べた場合）、原則としては、その期日は、目的を達せず、終了せざるをえない。もっとも、裁判所は、予定した証拠調べ（183条）と判決の言渡し（251条2項）を行うことはできる。前者は、訴訟の遅延や証人等の負担を避けるためであり、後者は、判決の言渡しが、審理を終えた後の裁判所の単独行為であって、およそ当事者の関与しないものだからである。

上記の場合、当事者が1か月以内に期日指定の申立てをしないときは、訴えの取下げが擬制される（263条前段）。実務でいういわゆる「休止満了」である。実際には、被告は出頭しているが、原告のほうがもはや訴訟追行の意欲を失い今後の出頭の見込みがないような場合に、裁判所が、被告に、「休止満了としますか？　それでよければ、被告は、弁論をしないで退廷ということでいいですか？」と問いかけた上でその旨を調書に記し、原告のほうが1か月以内に期日指定の申立てをしてこなければ（まずはしてこない）訴えの取下げが擬制される、というのが、この条文の適用される典型的な場合である。

　当事者双方が連続して2回欠席した場合、あるいは出頭しても弁論をしないで退廷した場合についても、同様に訴えの取下げが擬制される（263条後段）。

　本条の規定は、弁論準備手続にも適用される（伊藤309頁）。また、控訴審手続にも準用され、控訴の取下げが擬制されることとなる（292条2項）。

　また、当事者双方が欠席した場合、あるいは出頭しても弁論をしないで退廷した場合、裁判所は、審理の現状および当事者の訴訟追行の状況を考慮して相当と認めるときには、終局判決をすることができる（244条。審理の現状に基づく判決）。これは、訴訟が裁判をするのに熟したときに終局判決をするという原則（243条1項）の例外である。

　以上のとおり、当事者の訴訟追行が熱心でない場合については、いくつかの手当てがされているが、実務上は、上記のいわゆる休止満了以外の例はほとんどない（休止満了の例はかなりある）。

[186]　第2項　当事者の一方の欠席

　まず、最初の期日については、原告が欠席すると、口頭主義を貫く限り、審理の対象がなく、手続を進めようがなくなる。そこで、原告が欠席した場合には、準備書面を兼ねるのが通常である訴状（規53条3項）の陳述が擬制されることとし、これとの権衡上、欠席被告についても答弁書その他の準備書面の陳述が擬制され、出頭した相手方に弁論をさせることができることとしている（158条）。弁論準備手続の最初の期日についても本条が準用される（170条5項）。

この規定にいう最初の期日とは、弁論が行われる最初の期日を指す。控訴審の最初の期日にも本条が適用される（最判昭和25・10・31民集4巻10号516頁）。

擬制陳述に基づく審理の進め方自体は、通常の場合と何ら異ならない。すなわち、法は、欠席者の陳述を擬制する以外には欠席者が出席している場合と同様の取扱いをする対席判決主義を採っており、欠席判決主義を採っていない（欠席判決主義とは、欠席という事実に基づいて欠席当事者敗訴の判決〔これが民事訴訟法学にいう「欠席判決」である〕をするが、この判決に対しては欠席当事者が同一審級への「故障の申立て」をして敗訴判決以前の状態からあらためて審理を行うことを求められるシステムをいう。これは、訴訟引き延ばしの手段とされやすい。なお、実務上は、被告が欠席し、かつ、答弁書を提出せず、あるいは提出しても原告主張事実を争わない場合に擬制自白〔159条〕により下される判決を「欠席判決」と呼んでいる〔この場合、言渡しの方法につき、254条1項1号により、いわゆる「調書判決」〔254条。[**427**]〕によることが許される〕が、これは、民事訴訟法学にいう「欠席判決」ではない）。

次に、続行期日については、陳述擬制はない。もっとも、簡易裁判所では審理の簡易迅速という観点からこれを認めている（277条）。

また、244条は、当事者の一方の欠席の場合にも、当事者の双方の欠席の場合と同様に、審理の現状および当事者の訴訟追行の状況を考慮して相当と認めるときには、終局判決をすることができる旨を定めている。

第3節　期日、期間、訴訟行為の追完

第1項　期日

[187]　第1　概説

期日とは、裁判所と当事者が所定の場所に集まり訴訟行為を行うよう定められた日時のことである。

期日が開かれる場所が法廷である。法廷は、裁判所またはその支部で開か

れるのが原則だが、最高裁判所は、必要があれば、他の場所で法廷を開き、またはその指定する他の場所で下級裁判所に法廷を開かせることができる（裁69条。後者については、災害による庁舎の損壊等特殊な場合が典型的であろう）。

期日の種類としては、口頭弁論期日、弁論準備手続期日、進行協議期日（規95条）、証拠調べ期日、和解期日、判決言渡期日等がある。

期日は、裁判長が指定する（93条1項）。当事者もこれを申し立てることができる。申立てがあれば、裁判所はこれに応答しなければならない。これが却下された場合に抗告（328条1項。[**651**]）の対象になるか否かについては、当事者が訴えの取下げや訴訟上の和解の無効を主張して期日指定の申立てをする場合、いわゆる休止満了による訴えの取下げの擬制（[**185**]）を防ぐために期日指定の申立てをする場合のように、期日指定の申立てに基づいて特別な効果が生じる場合、したがって当事者に訴訟手続の終了を争ったり阻止したりする権利を認める必要がある場合には、これを肯定すべきである。

[**188**] 　第2　期日の呼出し

期日の呼出し（指定した期日を当事者等関係者に告知し、その出頭を命じる裁判所の訴訟行為）により、関係者は、期日に出頭すべき義務を負う。呼出しのないまま開かれた期日は違法である（この違法は、原則として責問権の喪失〔[**184**]〕によって治癒されうるが、治癒されない場合〔たとえば、期日の呼出しがないため出頭できず、そのまま敗訴判決を受けたような場合〔新堂425頁〕〕には、上訴、再審の事由となる〔312条2項4号、338条1項3号の各類推〕）。

期日の呼出しは、呼出状の送達、当該事件について出頭した者に対する期日の告知その他相当と認める方法（「その他相当と認める方法」とはいわゆる簡易呼出し。普通郵便や電話等）によって行われる（94条1項）。もっとも、簡易呼出しの場合には、呼出しを受けた者がその旨を記載した書面（期日請書とも呼ばれる）を提出しない限り、不出頭による制裁や不利益をこれに課することはできない（同条2項〔令和4年改正後同条3項〕）。なお、制裁としては、当事者や証人等に対する訴訟費用の負担（63条、192条1項）、証人に対する過料や罰金（192条、193条）等が、不利益としては、擬制自白（159条3項）、釈明が必要な攻撃防御方法の却下（157条2項）等がある。

判決言渡期日については、旧法下の判例では呼出状の送達は不要とされていたが、現行法下では、規則156条により、裁判所書記官が当事者に通知を

することとされた（判決言渡期日については口頭弁論終結期日に告知されるのが通例だが、これが追って指定とされた場合や最高裁において口頭弁論を経ないで判決をする場合〔319条〕の当事者についてはその機会がないので、そのような場合に対処するための規定である）。

[189]　第3　期日の変更

　期日の変更については、まず、弁論準備手続を経ていない最初の口頭弁論期日（口頭弁論期日以前に弁論準備手続が行われることは実務上少ないからこれが大半の場合だが）、また、最初の口頭弁論期日以前に開かれた弁論準備手続の最初の期日については、当事者の合意がある場合には無条件で許される（93条3項ただし書）。未だ審理が開始されていない時点において指定され、また、当事者（ことに被告側）の都合を尋ねないで指定されることが多い期日だからである。

　次に、第2回以降の口頭弁論等の期日の場合には、顕著な事由がある場合にのみ変更の申立てが認められる（93条3項本文）。原則として顕著な事由に当たらない場合については、規則37条が例示している。「顕著な事由」は、93条4項の後記「やむをえない事由」よりは広く（文言上はあまり区別がつかないが、条文の規定ぶりからそのように解すべきであろう）、当事者の急病のほか、弁論や証拠提出の準備が間に合わないといった事由も含まれると解されるが、単に当事者の都合が悪い、体調が悪いなどの事由は含まれず、また、判断に当たっては、従来からの当事者の訴訟追行態度等も考慮される（条解422頁）。

　最後に、弁論準備手続を経た口頭弁論期日の変更は、やむをえない事由がある場合に限り認められる（93条4項）。争点および証拠の整理、あるいはその大筋が終えられた段階であることが考慮されたものである。判例はかなり厳しく、当事者本人が脳溢血で絶対安静を要するとの診断書が提出されていても、代理人を選任できないなどの理由が示されていない限り、やむをえない事由に当たらないとしている（最判昭和28・5・29民集7巻5号623頁）。

　もっとも、以上についてはあくまで判例となったハードケースを分析すればそうなっているというだけのことであって、実務上は、期日の変更は、当事者（多くは代理人）の言い分にそれなりの理由があり、相手方もこれを理解しており、また、期日の変更を求める当事者の従来からの訴訟追行態度に特に問題もないような場合には、かなり広く認められている。そうした事情

があるのに一方不出頭のまま期日を行ってみても、実際に期日においてできることは少ないからである。

[190] 第4　期日の実施

　口頭弁論期日の実施については、事件の呼上げ（規62条。期日の開始を宣言する裁判所の行為だが、通常は、廷吏または裁判所書記官によって代行される）によって開始され、裁判長等の終了宣言によって終了する（もっとも、これは黙示的に行われることでよいと解されている）。

　目的である事項を何ら行わないまま期日が終了する場合を期日の延期といい、目的である事項を行ったが完了しないので審理を次回期日に持ち越すことを期日の続行という。裁判長等は、期日の延期または続行を宣言して次回期日を指定告知することによって期日を終えるのが通常である。

第2項　期間、訴訟行為の追完

[191] 第1　概　説

　期間とは、ある時点からある時点までの時間の経過であってこれについて訴訟法上の効果が付与されるものである。

　そのうち、当事者等の訴訟関係人の行動を規律するために定められている期間（その懈怠は失権を招くのが原則）を、真正期間または固有期間といい、その伸縮および追完が認められる（96条1項本文、97条）。

　これに対し、①裁判所その他の裁判機関が一定の行為をなすべく定められている職務期間（原則として訓示的意味を有するにとどまる〔この点で真正期間と異なる〕が、変更判決を行いうる期間のように裁判所を拘束する場合もある。251条1項〔判決の言渡しをなすべき期間〕、規則60条2項〔第1回口頭弁論期日を指定すべき期間〕、256条1項〔変更判決を行いうる期間〕等）、②期間の伸縮や追完が認められない一種の除斥期間（伸縮や追完が認められない点で真正期間と異なる。263条〔訴えの取下げが擬制されるための期間〕、342条2項〔再審の訴えについての除斥期間〕）を不真正期間というのが通例である（コンメⅡ320〜321頁）。

　期間の計算については、民法の定めるところにより（95条1項）、初日は原則として算入しない（民140条）。期間の末日が週末等の一定の休日に当たる

場合には、期間は、休日（連休の場合には最後の休日）の翌日に満了する（同142条）。

もっとも、110条3項の公示送達の場合のように「掲示を始めた日の翌日にその効力を生ずる」（112条1項ただし書）といった規定になっている場合には、翌日の午前零時に効力が生じる。そして、これによって送達の効力が生じた判決に対する不服申立期間は、その時点から計算する（たとえば、7月2日の午前零時に効力が生じた場合の控訴期間であれば、7月15日の経過で満了する）。つまり、初日が午前零時から始まる場合には初日を算入して期間を計算する（初日不算入の例外）。

期間の進行については、法定期間（後記）の場合には以上のとおりである。裁定期間（後記）の場合には、始期（何月何日から）および期間を明示した場合には期間の起算点・満了点は明瞭だが、単に何日間という定め方をした場合には、これが明瞭でない。そこで、95条2項は、このような場合については、その裁判が効力を生じた時点から期間が進行するとしている。

また、132条2項は、期間の進行につき、訴訟手続の中断および中止の間は停止し、その解消とともにあらためて全期間が進行を始める、としている。

以下、真正期間の種類について、いくつかの観点から分類してゆく。

[192]　第2　行為期間、猶予期間

行為期間とは、当事者が訴訟行為を行うべき期間であり、期間の懈怠により訴訟行為について失権等の効果が生じる。訴状の補正期間（137条1項）、上訴期間（285条、313条、332条）等がその例である。

猶予期間とは、当事者の利益のために一定期間の猶予が法定されている場合であり、公示送達の効力発生時期に関する期間（112条）がその例である。

[193]　第3　法定期間、裁定期間

法定期間とはその長さが法定されている期間であり、裁定期間とはその長さが裁判等によって定められる期間である。後者の例としては、訴状の補正期間（137条1項）、準備書面の提出期間（162条）等がある。

[194]　第4　通常期間、不変期間

法定期間のうち裁判所がその長さを伸縮できないもの（それを認めることが

相当でないもの）を不変期間という（96条1項ただし書）。その例としては各種の不服申立期間がある。

不変期間以外の法定期間、裁定期間は、通常期間であり、裁判所によるその伸縮が認められる（法定期間につき96条1項本文。裁定期間につき規38条）。

もっとも、不変期間についても、遠隔地居住の者については、付加期間を定めることが許される（96条2項）。また、後記**第5**の訴訟行為の追完（97条）の余地もある。

[195]　第5　訴訟行為の追完

通常期間については、伸縮も可能である（96条1項）し、当事者がこれを怠っても、なお訴訟は係属しているから、当事者はその後の手続において救済を求めることもできる。しかし、不変期間は主として不服申立期間であるため、裁判の確定や再審不可能といった重大な結果をもたらす（116条、285条、313条、342条1項）。

そこで、法は、不変期間については、追完という制度を設け、当事者がその責めに帰することができない事由により不変期間を遵守できなかった場合には、その事由が消滅した後1週間以内（外国にいる当事者については2か月。これらの期間は伸縮できない〔97条2項〕）に怠った行為をすれば、不変期間中にこれをしたのと同様の効果があることとしている（97条1項）。

このように、裁判の確定等を妨げるという趣旨で、追完は確定判決に対する不服申立てである再審に類した機能を果たすが、再審は判決前の手続や資料の瑕疵をその理由とするのに対し、追完はもっぱら判決後の上訴等提起の障害を理由とする。

当事者の責めに帰することができない事由としては、天災地変が典型的な例であり、郵便の遅延についても、通常予想される範囲を大きく超えるような場合にはこれに含まれる（なお、公示送達と訴訟行為の追完については[218]参照）。

追完事由の主張・証明責任は、追完者が負う。

責めに帰することができない事由の存否は、訴訟代理人がいる場合には、当事者本人ではなく代理人について判断される（伊藤253頁等）。

追完は、それ自体が独立の訴訟行為ではなく、不変期間の徒過によって不適法とされる訴訟行為が適切なものである旨の主張である。具体的には、未

だ対象となる訴訟行為が行われていない場合には、追完者が、これを行うとともに追完に関する主張立証をし、すでに対象となる訴訟行為が行われている場合には、追完者は、追完に関する主張立証をしさえすればよいことになる。

　裁判所は追完の適否をその訴訟手続内で判断する（たとえば、控訴の追完であれば控訴手続内で控訴の適法要件の1つとして判断する）が、追完事由の性質上、まず弁論を制限（152条1項）してこの点を審理し、中間判決（245条）で判断するのが適切であろう（新堂431頁）。

　また、追完に伴う執行停止の申立てについては、再審の場合に関する403条1項1号を類推適用すべきである。上記のとおり、追完は、機能的には再審に近いからである。

第4節　訴訟手続の停止

[196]　第1項　概説

　訴訟手続の停止とは、訴訟係属中に、当事者、裁判所にとって訴訟行為を行うことが不可能、困難、不適当な事態が発生した場合に、手続の進行を一時停止し、当事者が実際に訴訟手続に関与できる機会を保障するための制度であり、訴訟手続の中断と中止とがある。

　実務上は、こうした法定の事由に基づく停止のほかに、当事者間で和解中である、鑑定の結果待ちである、他の関連事件（関連事件のうち中核の事件や進行が早い事件）の判決を待つなどの事情がある場合に、裁判所と当事者が話合いの上で、次回期日を「追って指定」とすることによって訴訟手続を事実上停止しておく例があり、実際には、こちらのほうが圧倒的に多い。

　また、除斥・忌避の申立てに伴う訴訟手続の停止（26条。[093]）は、急速を要する行為が可能である点（同条ただし書）や、その性質上終局判決（243条）の後には生じる余地がない（[093]の末尾部分）点で、一般的な訴訟手続の停止とは異なる（なお、忌避関連の停止の例はかなりある）。

訴訟手続が停止している間は、前記（[191]）のとおり期間の進行が停止し、その解消とともにあらためて全期間が進行を始める（132条2項）。

　また、この間は、当事者・裁判所が訴訟行為を行っても、その効力は生じず、違反の場合には、上訴・再審による救済が与えられる（312条2項4号、338条1項3号。なお、もちろん、後記**第2項第3**〔[199]〕の、受継の申立てやこれに関する裁判、続行命令は別である）。もっとも、無効な訴訟行為も、責問権の放棄・喪失（[184]）によって治癒されうる。訴訟手続の停止はもっぱら当事者保護のための制度だからである。

　口頭弁論終結後に停止事由が生じた場合には、当事者に訴訟行為を行う機会を保障する必要がないので、裁判所は、判決の言渡しをすることができる（132条1項）。

第2項　訴訟手続の中断

[197]　第1　中断事由の分類等

　訴訟手続の中断は、当事者死亡等の、訴訟当事者または法定代理人について訴訟行為を行う資格や能力を失わせる事由が発生した場合に、新たな訴訟追行者が訴訟行為を行うことができるようになるまで訴訟手続を停止するものである。

　中断事由は、以下のように分類される。

　① 　当事者能力の消滅

　自然人の死亡（124条1項1号）と法人の合併による消滅（同項2号。ただし、その合併が相手方に対抗できないときを除く〔同条4項〕）の場合である。相続人、合併後の法人等が受継する。

　なお、訴訟物たる権利関係が一身専属である場合には、自然人が死亡すれば訴訟は終了する（一身専属的な権利の例については伊藤717頁の注(125)）[1]。また、一方当事者が他方当事者を相続する場合には、混同によって訴訟は終了する。いずれの場合にも、訴訟の基本構造である2当事者対立構造が消滅するからである（[117]）。

　ただし、人事訴訟における被告死亡の場合については、人事訴訟法26条2項42条2項、43条2項、3項により、検察官を被告として手続が進められる。

もっとも、離婚、嫡出否認、離縁の場合には、一身専属性が絶対的であるから、この規定の適用はない（人訴27条2項）。
　法人の合併以外の解散事由の場合には、法人は清算手続の範囲内で存続するから手続はそのまま進行し、清算が終了し法人格が消滅する時点で訴訟が終了する。
　なお、自然人の死亡と法人の合併による消滅の場合には、訴訟は当然承継される（当然承継は訴訟承継の1形態。他の形態としては訴訟物の譲渡による承継があり、この場合には、参加・引受承継の問題となる。[588]）。同一の事由につき、訴訟手続の中断は手続の側からみており、当然承継は当事者・訴訟主体の側からみていることに注意してほしい。この関係の理解が混乱している学生がいる。
　②　訴訟能力の喪失、法定代理人の死亡、法定代理権の消滅（124条1項3号）
　訴訟能力の喪失は、後見開始の審判があった場合が典型である。ほかに、未成年者に対する営業許可の取消しの場合（民6条2項）等がある。
　法定代理人が死亡しあるいは法定代理権を失った場合にも、本人自身は訴訟行為をすることができないので、訴訟は中断する。ただし、被保佐人や被補助人が訴訟行為をすることについて保佐人等の同意を得たか同意不要の場合（124条5項）には、被保佐人等がただちに訴訟行為をすることができるから、手続は中断しない。
　これらの場合には、法定代理人または訴訟能力を有するに至った当事者が受継する（後者は、当事者の訴訟能力取得による法定代理権の消滅の場合）。
　③　当事者適格の喪失
　信託財産の受託者等、また、訴訟担当者が、その資格を喪失した場合であ

---

(1)　なお、最判平成29・12・18民集71巻10号2364頁は、被爆者援護法（原子爆弾被爆者に対する援護に関する法律）に基づく被爆者健康手帳交付申請却下処分の取消し等を求める行政訴訟について、当事者の相続人による訴訟承継を認めた。訴訟物たる権利関係が一身専属的な権利であるか否かが争われた事件においてこれが一身専属的な権利ではないことを認めた珍しい判例である。被爆者援護法が社会保障法であるのみならず国家補償的な側面をももっていること、同法に基づく健康管理手当が毎月定額給付されるものであることを理由としている。被爆者援護法が被爆者の生活を経済的に援護する趣旨を含むこと、健康管理手当が必要な医療サーヴィスの対価として支払われるというよりも国家補償的な意味合いをもった定額の金銭給付であることに着目した、その意味で特異な判例であるといえよう。

る。以下のように分類される。

(i) 信託財産に関する訴訟の係属中に当事者である受託者等の任務が終了した場合（124条1項4号）

新受託者等が受継する。

(ii) 訴訟担当者が死亡等によりその資格を失った場合（同項5号）

新たな訴訟担当者が受継する。

もっとも、法定訴訟担当者のうち、担当者たる第三者自身の利益保護を目的とする訴訟担当者（自己の利益保護や債権実現を目的とする訴訟担当者）、たとえば、債権者代位訴訟を行う債権者（民423条）、取立訴訟を行う差押債権者（民執155条1項、157条）、株主代表訴訟を行う株主（会社847条以下）等（[**159**]の①の類型に属する者）については、その権利を失えば訴えが却下されることになり、中断はない（ただし、最後のものについては異論もある〔伊藤267頁の注(46)〕。なお、これらの者が死亡した場合については、124条1項1号による受継の問題となる）。

(iii) 選定当事者の全員がその資格を失った場合（同項6号）

選定者全員または新たな選定当事者が受継する（選定当事者も訴訟担当者だが、選定当事者の場合その一部の者の資格喪失は訴訟手続に影響がない〔30条5項〕ので、5号とは別に6号において規定されているのである）。

(iv) 当事者が破産手続開始（広くいえば倒産手続開始）の決定を受けた場合

この場合、破産財団の管理処分権は破産管財人に移転するので、それに伴い、訴訟は中断し、破産管財人が破産者の承継人として訴訟手続を受継することになる。なお、破産手続が終了すれば、破産者の当事者適格が回復するので、再び訴訟は中断し、破産者が承継人として訴訟手続を受継する（破44条ないし46条。同種の条文として、民再40条、40条の2、会更52条、52条の2、53条）。

[198] 第2 中断が生じない場合

中断事由が発生しても、訴訟代理人がいれば、訴訟手続は中断しない（124条2項）。訴訟代理権は中断事由の発生によっては消滅しないからである（58条。[**150**]）。訴訟代理人は、中断事由の発生を裁判所に書面で届け出なければならない（規52条）。

なお、実務上は、こうした場合、裁判所は、受継の場合に類似した内容の

書面（当事者、請求の趣旨および原因の変更に関する記載を含む）を提出させている（新堂861～862頁）。

破産等にかかわる中断については、124条2項は適用されない。破産管財人と破産者との間には利害の対立があり、破産管財人は従来の代理人とは関係なく選任されるからである。

[199]　第3　中断の解消

中断は、当事者の受継申立てに基づく受継決定または裁判所の続行命令（129条）によって解消し、手続が進行する。

受継とは、当事者による、中断した手続の続行の申立てである。当然承継人は当然に新当事者としての地位を取得するが、当事者として訴訟追行をするためには、受継の手続を経なければならない。前記**第1**のとおり、当事者に関する当然承継と手続に関する受継とは別の事柄だからである。

受継の申立ては、中断事由が生じた側の当事者として訴訟を受継すべき者（124条1項）、その相手方当事者（126条）ともすることができる。前者が訴訟追行の意欲を失っているような場合には、相手方当事者が申立てを行うこともある。

終局判決の送達後に訴訟手続が中断したときには、その判決をした裁判所に申立てをする（128条2項。受継の申立てとともに上訴をするとき〔後記〕には受継の申立ても上訴裁判所にすることができるとする説もあるが、現行法においては採りにくい考え方であろう〔伊藤270頁〕。なお、受継の申立てとともに上訴が提起されたときの処理については後記のとおり）。

受継の申立ては書面でしなければならない（規51条1項）。

受継の申立てがあった場合には、裁判所はその旨を相手方当事者にも通知する（127条）。

裁判所は、受継の申立てに理由がないときには、決定でこれを却下する（128条1項。なお、実務上は、却下の例はまずない）。却下決定に対しては抗告が認められる（328条1項）。

受継の申立てに理由があるときには、口頭弁論終結前であれば、期日を指定して審理を続行すればよく、もしも受継に関する争いがあれば、終局判決でその点（当事者適格の問題となる）について判断すればよい（もっとも、実務上は、受継に関する争いもあまり例がない）。

口頭弁論終結後の場合には、判決の名宛人を明らかにし、不服申立ての機会を保障するために、認容、却下にかかわらず、受継についての裁判をする必要がある（128条2項。条文には判決等の送達後とあるが、口頭弁論終結後に中断した場合を含めて解すべきである〔新堂445～446頁、伊藤270頁等〕）。

　この場合に、受継の申立てとともに上訴が提起されたときには、申立てによって中断が解消し、適法に上訴がなされていることになるため、事件は上訴審に移審し、上訴審が、上訴の適否の前提問題として受継の当否の判断を行うべきである。上訴審が受継申立てを相当と認めれば、そのまま上訴審の審理を行えばよい。上訴審が受継申立てを却下すれば、上訴はさかのぼって不適法となり、中断の状態がなお継続することになる（その後正当な受継の申立てが行われうるということである。なお、口頭弁論終結後の受継の申立てに関連するそのほかの細かな解釈問題については、新堂445～446頁、伊藤270～271頁各参照）。

　当事者が受継申立てを行わない場合には、裁判所は、続行命令を発して中断を解消することができる（129条）。

[200] 第3項　訴訟手続の中止

　訴訟手続の中止は、天災地変等の、裁判所や当事者が訴訟行為を行うことを不可能にする事由が発生した場合に、その事由がやむまで訴訟手続を停止するものである。

　天災地変の場合（130条）については、事柄の性質上裁判所がその旨の決定を行うことは期待できないから、中止事故の発生によって手続は当然に停止し、事故がやめば停止も終了すると解される。裁判所は、中止による停止の期間を記録にとどめるのが相当である。

　当事者が不定期間の故障により訴訟手続を続行できない場合には、裁判所は、決定でその中止を命じることができる（131条1項）。故障がやんだ場合には、裁判所は先の決定を取り消す（同条2項）。

　不定期間の故障の具体例としては、当事者居住地域の天災地変による裁判所との交通の途絶、当事者が伝染病で隔離されたなどの例が挙げられているが、当面は代理人の選任も困難なような特異な場合、ということになろうか。

　以上のとおりであるが、天災地変については、どの程度をもって中止となるのか、当事者には判断がつきかねる場合もあると思われるので（たとえば

地震や2011年の福島第一原発事故の場合等を考えてみよ）、該当地域の裁判所が早期に明確な見解、指針を出すことが望まれよう（実務上は、該当性があいまいな場合には、個々の期日が変更され、あるいは追って指定とされることによって適宜処理されていると思われるが、それでよいのかどうか。このような場合の日本の裁判所の対応は、行政庁同様、いささか「お役所的」である。なお、過去の具体例についてはコンメⅡ626～627頁参照）。

なお、ほかの法律によって、裁判所が手続を中止することができる旨が定められている場合がある。先決的法律関係にある判断の結果を待つのが適切な場合（特許54条2項、168条2項）等である。より広く、先決的法律関係に関する訴訟等の係属を理由とする中止決定を解釈論として認めるべきであるとの見解があり（新堂447頁、伊藤272頁の注(57)）、傾聴すべきであるが、準用すべき適切な条文は見当たらない（1926年〔大正15年〕改正前のいわゆる旧旧民事訴訟法にはこのような場合についての規定があったが、現行法でも復活しなかったという経緯がある〔条解676頁〕。実務上は、前記**第1項**のとおり、期日を「追って指定」とすることによって対応しているが、そうすることについて当事者間にシリアスな争いがありうることを考えれば、やはり、解釈上の中止決定を認めることが適切であろうか）。

第5節　送　達

第1項　概　説

[201]　第1　送達およびこれと関連する概念等

送達とは、訴訟関係書類の内容を当事者その他の利害関係人に了知させる機会を与えるための、法定の方式に基づく通知行為、裁判所の訴訟行為であり、裁判権の一内容をなす。送達は、当事者の手続保障の基礎となるという意味で重要であり、後記**第8**および**第3項第3の2**（[218]）でふれるとおり、これに瑕疵があった場合の救済が重要な問題となる。

「送達」は、法定の方式に沿う必要がある点で、無方式の「通知」（127条、規65条、104条等）と異なり、特定人を名宛人とする点で不特定人に対する「公告」（民執64条5項、民執規4条、破10条、32条等）と異なる。また、「送付」は送達と同様の機能を営むが、送達の厳格な方式にはよらないものである。「直送」は当事者が相手方に対して直接に行う送付である（規47条）。
　法は、多くの訴訟関係書類については、送付と直送にゆだねている（同条）。実務上、準備書面については、ほとんどの場合に直送が行われている（同条3項参照）。直送が困難な場合等には、当事者は、裁判所に対し、その相手方への送付を裁判所書記官に行わせるよう申し出ることができる（同条4項。相手方が当事者本人で書面を受け取らない場合等）。直送を受けた者は、当該書類を受領した旨の書面を相手方に直送し、かつ、裁判所に提出しなければならない。ただし、裁判所への提出については、直送を行った者が、受領した旨を直送の相手方が記載した当該書類を裁判所に提出した場合には、しなくてよい（同条5項）。

[202]　第2　送達が必要とされる書類

　送達が必要とされる書類は、①訴訟法律関係発生の基礎となる書面（訴状〔138条1項〕、訴えの変更申立書〔143条3項〕、反訴状〔146条4項、138条1項〕、上訴状〔289条1項、313条〕、各種の参加申出書〔47条3項、52条2項、規20条〕等）、②不変期間の起点となる書面（判決書またはこれに代わる調書〔255条1項〕）、③その他の訴訟手続上重要な書面（期日の呼出状〔94条1項〕。これは、送達によらない方法も可能だが、その場合には不出頭者に対する不利益は負わせられない〔同条2項。[188]〕。訴訟告知書〔規22条1項〕。もっとも、これは、相手方に対しては送付で足りる〔同条3項〕）に分類される。

[203]　第3　職権送達主義

　送達は、原則として職権で行われる（職権送達主義〔98条1項〕）が、ほかの送達方法が功を奏しない場合の公示送達については、当事者がその要件を証明する必要があるため、当事者の申立てによらせている（110条1項）。

[204]　第4　送達担当機関と送達実施機関

　送達事務、すなわち、送達を実施させ、送達実施後に送達実施機関から送

達報告書を受領するなどの事務は、裁判所書記官が取り扱う（送達担当機関。98条2項）。受訴裁判所の裁判所書記官は、この事務を送達地を管轄する裁判所の裁判所書記官に嘱託することができる（規39条）。

　送達を実際に実施する送達実施機関は、原則として郵便の業務に従事する者または執行官である（99条〔令和4年改正後101条〕。執行官を用いることができないときは廷吏によることが可能〔裁63条3項〕）。執行官による送達は、郵便による送達が困難な場合に行われている。もっとも、裁判所書記官が送達実施機関となる場合もある（出頭した者に対する送達〔100条〔上記改正後102条〕〕、書留郵便等に付する送達〔107条1項〕、公示送達〔111条〕）。外国における送達については、[686] 参照。

[205]　第5　送達に用いられる書類

　送達に用いられる書類は、通常は、当該書類の謄本または副本であるが、送達すべき書類の提出に代えて調書を作成したとき（規1条2項、法271条、273条〔271条、273条は簡易裁判所の手続〕等）には、その調書の謄本または抄本による（規40条）。

　なお、ここで、訴訟関係文書の種類（同一内容の文書をその作成者を基準として区別した種類）についてふれておくと、まず、内容である思想の主体自身が作成した文書が原本、原本の一種であるが送達に用いられるものが副本（副本も原本であるから、この場合、原本が複数作成されることになる）、全部の写しであってその作成者が原本の存在と内容の同一性について証明を与えたものが謄本（公の機関による証明がある場合を特に認証謄本という）、謄本の一種であるが特に権限のある公務員が作成し、外部においては原本と同一の効力をもって通用するものが正本（たとえば、強制執行は執行文の付された債務名義の正本に基づいて実施される。民執25条、26条）、謄本と同性質の文書だが一部の写しであるものが抄本である。これら以外のものは単に写し（規55条、139条等）といわれる。

　第2の①の書類、訴え・上訴の取下書、上告理由書等の送達は、副本によって行われる。ことに、訴状のように実体法上の意思表示等が記載されることの多い書面は、その送達により意思表示等の到達の効果が生じるので、副本の送達が望ましいといえる（コンメⅡ382頁）。

[206]　第6　送達報告書

　　送達実施機関は、送達に関する事項（いつ、どのような方法で送達したか）を記載した送達報告書を作成し、裁判所に提出する（109条〔令和4年改正後100条〕）。これは、訴状や判決書の送達日を明らかにする（訴状の被告への送達により訴訟係属が生じる。遅延損害金の起算点となることも多い。判決書の送達日は不服申立期間の始点となる）という意味で、訴訟手続上重要な書面である（たとえば、「訴状送達日の翌日から支払済みまでの遅延損害金の支払を求める」旨の請求の趣旨となっている場合、その日は、送達報告書以外の書面では判明しない）。もっとも、送達報告書は、送達の効力には影響しない。すなわち、送達の実施が他の方法で立証されれば、送達は有効として取り扱われる。

[207]　第7　受送達者

　　送達を受ける者、受送達者は、原則として送達書類の名宛人であるが、名宛人が訴訟無能力者であるときは、その法定代理人である（102条1項〔令和4年改正後99条1項〕。37条で法人の代表者に準用される。なお、103条1項ただし書は、法定代理人に対する送達は、本人の営業所または事務所においてもすることができるとしている）。訴訟代理人がいる場合には訴訟代理人が送達を受けるのが通常だが、当事者本人に対する送達も有効である（最判昭和25・6・23民集4巻6号240頁。判決を便宜のために本人に送達した事案）。共同代理の場合でも、送達はうち1人にすれば足りる（102条2項〔上記改正後99条2項〕）。名宛人が刑事施設に収容されている場合には、特別に、刑事施設の長が送達を受けるべき者となる（同条3項。一種の法定代理人である）。送達受取人（送達に関する個別的代理人）の届出がある場合には、この者も送達を受けるべき者となる（104条1項）。

[208]　第8　送達の瑕疵とその救済

　　法定の方式に反する送達は無効だが、責問権の放棄・喪失（[184]）によって治癒される。もっとも、不変期間の起算点になる場合には、責問権の放棄も許されない。また、送達が名宛人とする者を誤り、あるいはその方法に瑕疵があるなどにより違法な場合であっても、送達の名宛人が後にその書類を受領し内容を了知すれば、瑕疵が治癒され、その時点から送達は有効になる。もっとも、遡及効はないから、たとえば不服申立期間もこの時から進行する

(最判昭和38・4・12民集17巻3号468頁〔第三者が誤配で受け取ったが後に他の者を経て本人に到達した事案〕)。

[209] **第2項　送達場所の届出制度**

　法は、送達事務（きわめて手間がかかっていた）の円滑化のための1方法として、当事者、法定代理人または訴訟代理人に一般的に送達場所の届出義務を課した（104条、規41条、42条）。

　届出がなされた場合には、送達は届出場所でなされる（104条2項）。届出場所で送達ができなかった場合にはそこ宛に後記**第3項第2**（[216]）の付郵便送達が可能になる（107条1項2号）。届出がない場合には、最初の送達は本来の送達場所でなされるが、2回目以降の送達は、直前の送達をした場所宛になされれば足り、そこで送達ができなかった場合にはそこ宛に付郵便送達が可能になる（104条3項、107条1項3号）。そして、いずれの場合についても、その後の送達についても付郵便送達が可能になる。

　なお、送達場所の届出の際に送達受取人（104条1項後段）についても届出がなされた場合には、送達受取人を基準として補充送達や差置送達が可能になる。

　また、届出がなされていても、届出をした者が拒まなければ、後記**第3項第1の4**（[213]）の出会送達はできる。

第3項　送達の方法

第1　交付送達

[210] 1　原則的な交付送達

　送達の方法は、交付送達が原則である（101条〔令和4年改正後102条の2〕）。後記5、6の補充送達、差置送達も交付送達の一種である。

　交付を行うべき場所は、受送達者の住所、居所、営業所または事務所である（103条1項本文）。前記**第1項第7**（[207]）のとおり、法定代理人に対する送達は、本人の営業所または事務所においてもすることができる（同項ただし書）。

[211]　2　就業場所送達

　以上の場所が知れない場合、その場所において送達をするのに支障がある場合、または受送達者が就業場所において送達を受ける旨を述べた場合には、就業場所送達が可能である（103条2項、106条2項。その例はかなり多い）。

[212]　3　裁判所書記官送達

　裁判所に出頭した者に対しては、裁判所書記官が送達を行うことができる（裁判所書記官送達。100条〔令和4年改正後102条〕。この例もかなりある）。

[213]　4　出会送達

　受送達者が日本に住所等を有することが明らかでない場合、または日本に住所等を有することが明らかな受送達者、送達場所の届出をした受送達者がこれを拒まない場合には、この者に出会った場所において送達ができる（105条）。これを出会送達という（後記第2の、郵便の業務に従事する者が日本郵便株式会社の営業所において書類を交付すべき場合も、これに当たる）。

[214]　5　補充送達

　以上1ないし4は、送達場所による区別である。

　これに対し、補充送達は、送達受領者による区別である。

　送達実施機関は、①就業場所以外の送達すべき場所で受送達者に出会わない場合には、その使用人その他の従業者または同居者で書類の受領について相当のわきまえのある者に、②就業場所で受送達者に出会わない場合には、就業先の他人（103条2項の他人。法人、自然人の双方を含む）またはその法定代理人もしくは使用人その他の従業者であって書類の受領について相当のわきまえのある者（ただし、②についてはその者が拒まない場合）に、書類を交付することができる（106条1項前段、2項）。郵便の業務に従事する者が日本郵便株式会社の営業所において書類を交付すべき場合にも、補充送達が可能である（同条1項後段。前記4のとおり、これは出会送達の一種であると解される）。補充送達が実施された場合には、名宛人の利益保護のために、裁判所書記官から名宛人に通知がなされる（規43条）。

　補充送達を受ける者（代人）は、法的には、送達受領（のみ）についての法定代理人としての性格をもつ。

　「相当のわきまえのある者」とは、「事理を弁識するに足りる能力のある者」という趣旨である。子どもの例でみると、満10歳で肯定例、満9歳で否定例があり、このあたりで線が引かれることになる（条解483頁）が、当事者

のための手続保障の基礎としての送達の法的意味、重みを考えるならば、12歳（中学生レヴェル）くらい以上を該当とみるのが、実務では、無難であろう。実際の送達実務においては、10歳の子どもでもよいとする例はあまりないと思う。

　訴訟の相手方は、代人にはなりえない。したがって、このような者にした送達は無効となる（夫婦や同居者が相互に原告・被告となっているような場合にありうる）。

　それでは、送達名宛人と代人となるべき者の間に事実上の利益相反関係がある場合にはどうか。たとえば、妻や同居の義理の父母の無権代理行為によって連帯保証人とされた者が訴えられ、この者に対する送達書類を妻や義理の父母が受け取って本人に渡さなかったような場合である。

　判例は、このような場合にも送達自体は有効であるとする（最決平成19・3・20民集61巻2号586頁、百選5版40事件）。事実上の利益相反関係の有無の事後的判断によって送達の効力が左右されるのはあまりにも手続の安定を害するから、判例の結論は相当であろう。判例は、また、送達に瑕疵のある事案につき、再審の補充性（338条柱書ただし書）の適用はない（すなわち、再審事由を現実に了知することができなかった場合には同ただし書に当たらない）としている（最判平成4・9・10民集46巻6号553頁、百選5版116事件）。この判断も相当である（当然のことを述べた判例ともいえる）。

　再審の可否についてみると、以上の判例により、送達が無効とされる事案（上記平成4年最判事案では、訴状の送達は7歳9か月の子どもにされたので無効。なお、判決の送達は、利益相反関係のある者にされた〔有効〕が本人には渡されなかった）のみならず、利益相反関係はあるが送達自体は有効とされる事案（上記平成19年最判事案、訴状の送達は利益相反関係のある者にされた〔有効〕が本人には渡されなかった。判決の送達は付郵便送達でされたが配達できず裁判所に返還〔有効〕）についても、再審（338条1項3号）による救済が許されたことになる。

[215]　**6　差置送達**

　最後に、差置送達は、受送達者やその代人が受領義務を負わない場合（105条後段、106条2項）を除き、受領義務を前提に、これらの者が正当な理由なく送達書類の受領を拒んだ場合に書類をその場に置いてくれば送達としての効力が生じるというものである（106条3項。これは、使える制度のはずだが、実際には、その例はあまりないようである。受領を拒まれると送達不能にしてし

まう場合が多いからであろう。こうしたところにも、直接的な権力の行使を嫌う日本人の国民性がよく出ている）。

[216]　第2　付郵便送達

　交付送達ができない場合には、裁判所書記官の判断により、名宛人の住所等宛に郵便に付する送達（付郵便送達）が許される。これは、裁判所書記官が書類を本来の送達場所（就業場所を含まない）に宛てて書留郵便で発送することにより、発送時に送達があったものとみなされる制度であり（107条）、書類が名宛人に到達したか否かにかかわりなく送達の効力を認めるものである（後記第3の公示送達同様、名宛人の了知は保証されない制度であることに留意）。

　付郵便送達が認められるのは、①本来の送達場所および就業場所で交付送達（補充送達、差置送達も含め）ができなかった場合（同条1項1号）、②送達場所の届出がなされた届出場所で交付送達（同前）ができなかった場合（同項2号）、③送達場所の届出がなされず、かつ、104条3項に定められた場所で交付送達（同前）ができなかった場合（同項3号）である。②、③の場合には、その後の送達についても付郵便送達が可能になる（107条2項）。

　裁判所書記官は、付郵便送達をしたときには、その旨およびその書類について発送の時点で送達があったものとみなされることを、送達を受けた者に通知しなければならない（規44条。これは、訓示規定と解されているが、実務では例外なく行われており、それが適切であろう）。

　実務において付郵便送達がなされるのは、たとえば、被告が住所に居住していることは明らかだが、不在であり、かつ、「不在連絡票」を入れても連絡がなく、その結果郵便局の「留置期間満了」で書類が裁判所に戻り、そのような事態が複数回繰り返され、さらに執行官が送達しようとしても被告がこれに応じず、就業場所も不明であるなどといった場合（クエスト168頁）、要するに被告が送達を受けない姿勢が明確である場合が典型的である。

第3　公示送達

[217]　1　要件、効力等

　公示送達とは、裁判所書記官が送達書類を保管し、名宛人ないし受送達者が出頭すればいつでもこれを交付すべき旨を裁判所の掲示所に掲示してする送達方法であり（111条、規46条1項）、これによって名宛人が送達書類を了知

する機会を与えられたものとみなす制度である。交付送達も付郵便送達もできない場合に用いられる。

公示送達は、意思表示の方法としても用いられる（民98条）が、113条は、これについて特則を設け、その意思表示は、掲示を始めた日から2週間を経過した時に、相手方に到達したものとみなすとした。

公示送達が認められるのは、①当事者の住所等が不明の場合（調査しても判明しない場合。110条1項1号）、②付郵便送達ができない場合（同項2号）、③外国における送達が法定の方法ではできない場合（同項3号）、④外国の管轄官庁に嘱託がなされた後6か月を経過しても送達報告書の送付がない場合（同項4号）である。

②については、具体的には、住所等はわからないが就業場所はわかっており、しかし就業場所における交付送達ができなかった場合となる（就業場所に対する付郵便送達は認められていないから）。③は、およそ外国における送達が難しい国の場合だが、例はほとんどないであろう（実務上は、まず外国における送達の嘱託を試みるのが普通であり、それができなかった場合に③による）。④も例は少ないと思われる。

公示送達は、当事者がその要件を証明する必要があるため、例外的に、当事者の申立てによる（110条1項）。申立てに関する裁判所書記官の処分については、その所属裁判所に対する異議の申立てが認められる（121条）。同一の当事者に対する同一審級における送達については、上記④の場合を除き、2回目以降も公示送達によることが許され、職権で行われる（110条3項）。状況に変化があるとは考えにくいからである。

例外的に、訴訟の遅滞を避けるために必要がある場合には、受訴裁判所の決定をもって公示送達を行うことが許される（同条2項）。当事者双方が所在不明となった場合や一方当事者が所在不明となったにもかかわらず他方が公示送達の申立てをしない場合等がこれに当たる（伊藤263頁）。

裁判所書記官は、公示送達の事実を官報または新聞紙に掲載することができ、また、外国においてすべき送達については、これに代えて公示送達があったことを通知することができる（規46条2項）。名宛人に公示送達がなされた事実を知る機会を与えるための措置だが、前者は、実際上の効果がどれほどあるかは疑問であり、ほとんど行われていない（コンメⅡ455〜456頁。もっとも、実務上、公示送達の掲示〔官報または新聞紙の掲載ではなく、111条によるも

の〕を見た名宛人が出頭してきた例を私は経験している。おそらく、身を隠しながらも、気になるので裁判所には時々来ていたものであろう）。

　公示送達は、掲示がなされた日から2週間が経過することによってその効力を生じる。外国においてすべき送達についてした公示送達については、この期間が6週間となる。ただし、職権による2回目以降の公示送達（110条3項）については、もはやこうした猶予期間を設ける意味がないから、掲示がなされた日の翌日に効力を生じることとされている（112条1項、2項）。これらの期間は、猶予期間（[192]）としての性質上、短縮はできない（同条3項）が、延長は可能である。2回目以降の公示送達についても、これに準じて、2日以上の期間を定めることができると解してよいであろう（条解504頁）。

　公示送達の要件を満たしていないにもかかわらずなされた公示送達は、無効である。もっとも、多くの場合には名宛人にそれを指摘する機会のないまま判決が確定してしまうので、次の、公示送達に瑕疵があった場合の救済の問題となる。

[218]　2　公示送達に瑕疵があった場合の救済

　公示送達に瑕疵があった場合の救済（公示送達の事実を知らないまま訴訟行為をする機会を逃した名宛人に対する事後の救済）としては、訴訟行為の追完（97条1項。[195]）と再審（338条）とが考えられる。

　まず、訴訟行為の追完（上訴の追完）については、通説は、公示送達がなされたことが受送達者側の責めに帰すべき事由によるものではない場合に限って追完を認めるべきであるとする。そして、判例は、送達の不知につき過失ありと認められるべき特段の事情のない限り当事者の責めに帰することができない場合に当たるとする（最判昭和36・5・26民集15巻5号1425頁）。

　上記はいずれも抽象的な基準だが、具体的には、原告が被告の住所を知っていながら公示送達の申立てをしたような場合（最判昭和42・2・24民集21巻1号209頁、百選5版A12事件）を含め、かなり広く認められている。逆に、被告が住所を隠していた、住所を転々とし届出をしていなかった、訴えの提起を確知していたなどの事情がある場合には認められていない（判例については、詳しくは条解437〜438頁）。

　以上に記したところは、全体として相当と思われる。送達の不知につき送達の名宛人に帰責事由がない限り、追完を認めるべきであろう。その意味で、送達の名宛人が訴えの提起や判決を予測しえただけでこれに過失があるとみ

るような考え方は、不適切であろう。なお、判断に当たっては、上記のとおり、名宛人側だけでなく、公示送達申立人側の事情も考慮してよい（同旨、条解438〜440頁）。

次に、再審については、原告が送達場所を知っていながら公示送達の申立てをした、原告の過失により住所等不明として公示送達がなされたといったような場合にも、338条1項3号の再審を広く認めてよいとするのが通説であり（新堂430〜431頁、クエスト474〜475頁等）、私見も同様である。もっとも、338条1項5号、2項の場合に限るとする考え方（伊藤264頁）もある。なお、判例も、上記のような場合につき、338条1項3号に当たらないとしているが、疑問を感じる（大判昭和10・12・26民集14巻2129頁、最判昭和57・5・27判時1052号66頁、判タ489号56頁）。

【確認問題】
1　責問権とその放棄・喪失について述べよ。
2　当事者双方の欠席（あるいは弁論をしないで退廷）、当事者の一方の欠席の場合の処理について述べよ。
3　訴訟行為の追完について述べよ。
4　訴訟手続が停止（中断と中止）するのはどのような場合か。
5　訴訟手続の中断はどのようにして解消されるか。
6　補充送達において送達名宛人と代人となるべき者の間に事実上の利益相反関係があった場合、送達は有効か。また、再審は許されるか。
7　公示送達の事実を知らないまま訴訟行為をする機会を逃した名宛人に対する事後の救済方法としては、どのようなものが考えられるか。

[219] 第8章

口頭弁論と当事者の訴訟行為

　本章では、口頭弁論とその必要性・諸原則・実施、口頭弁論調書、当事者の訴訟行為の意義・種類、訴訟行為と私法行為について述べる。訴訟行為の部分は、訴訟法的な思考形態が強く現れている部分であり、学生の理解が不十分なことが多い。正確に理解しておいてほしい（一般的に、訴訟法と実体法が交錯する領域は、学生にとってわかりにくいものとなりやすい。どこまで訴訟法独自の規律を通すか、どこまで実体法を尊重するか、実体法の理屈をどのように適用ないし類推適用するかといった微妙な事柄が問題となり、また、必ずしも理屈だけでは割り切れない場合、実際的な要請が強くはたらく場合も多いためである）。

第1節　口頭弁論とその必要性・諸原則・実施、口頭弁論調書

[220] 第1項　口頭弁論とその必要性

　口頭弁論とは、①狭義では、受訴裁判所の面前で行われる当事者の弁論（申立て、攻撃防御方法の提出ないし事実上・法律上の主張、証拠の申出）を指す（87条1項や161条の口頭弁論は主としてこの趣旨であろう）。②広義では、これと連動する裁判所の訴訟指揮、証拠調べをも含めた手続全体を指す（149条、151条、152条、153条、155条、158条、251条1項、253条1項4号〔令和4年改正後252条1項4号〕）。さらに、③最広義では、判決の言渡しをも含めた意味で用いられる（160条1項、規66条、67条。148条1項、150条、154条1項もこの趣旨で

あろうか。以上の分類については、クエスト137〜140頁等)。

　この項でふれる「必要的口頭弁論」については、当事者にその機会を与えなければならないという意味合いが強いので、上記のとおり主として①の趣旨のものというべきであろう。後記**第３項第１**（[**228**]）でふれる「口頭弁論の一体性・等価値性」における口頭弁論は、証拠調べまでをも含む意味合いで用いられるので、②の趣旨であろう。③については、たとえば、上記のとおり、口頭弁論調書関係の規定における口頭弁論がこの趣旨である。当事者の弁論が行われた期日、人証調べだけが行われた期日、判決言渡期日まで含めてすべて「第〇回口頭弁論調書」との表題の下に調書が作成されているからである。

　一方、弁論準備手続（168条以下）や書面による準備手続（175条以下）は③にも含まれない。したがって、前者については、裁判の基礎とするためにはその結果を口頭弁論で陳述する必要がある（173条）。後者については、手続終了後の口頭弁論で、争点及び証拠の整理の結果を裁判所と当事者との間で確認する手続がとられる（177条。[**287**]）。

　口頭弁論は、原則として必要的である（必要的口頭弁論、87条１項本文）が、決定で完結すべき事件については、任意的であり（任意的口頭弁論）、この（任意的な）口頭弁論が行われない場合には審尋という書面または口頭による非公開の簡易な主張聴取手続が行われる（同項ただし書、同条２項）。

　具体的には、①実体権の存否そのものの確定を目的としない手続における裁判、②訴訟手続に付随する事項についての裁判は、決定で行われうる。①については、民事保全命令手続がその典型的な例であり（民保３条）、同手続における口頭弁論は、書面審理を補充する意味しかもたない（瀬木・民保[**223**]）。執行手続も同様である（民執４条）。②については、民事訴訟法にも規定がある（抗告事件〔328条〕、管轄裁判所の指定〔10条〕、訴訟引受け〔50条〕、訴訟救助〔82条２項〕、更正決定〔257条１項〕等）。もっとも、決定・命令であっても、判決手続の審理中にこれと密接に関連してされるものは、必要的口頭弁論を経ることになる（訴えの変更〔143条４項〕、口頭弁論の制限・分離・併合〔152条１項〕、時機に後れた攻撃防御方法の却下〔157条〕、文書提出命令〔223条１項〕等）。

　また、民事訴訟法においても、法律に特別の規定がある場合・事項については、口頭弁論を開かずに訴え、上訴または異議申立て等に対する裁判をす

ることが許される。訴えなどの形式的な瑕疵に基づいてこれを却下する場合や新たな訴訟資料を必要とすることなく裁判ができる場合である（担保不提供による訴えの却下〔78条〕、口頭弁論を経ない訴えの却下〔140条〕、変更判決〔256条2項〕、口頭弁論を経ない控訴の却下〔290条〕、口頭弁論を経ない上告の棄却〔319条〕、口頭弁論を経ない手形訴訟の訴えの却下〔355条1項〕、口頭弁論を経ない、手形・小切手訴訟判決や少額訴訟判決に対する異議の却下〔359条、367条2項、378条2項〕）。

[221]　第2項　**口頭弁論の諸原則**

以下の**第1**から**第4**までが根本的な原則であり、**第5**以下は審理の進行や効率化に関するものである。なお、口頭弁論の進行に関連する職権進行主義については、すでにふれた（[**183**]）。

[222]　第1　双方審尋主義

双方審尋主義とは、当事者双方が攻撃防御方法の機会を平等に与えられなければならないとする原則であり、当事者の側からみて、武器平等の原則、当事者対等の原則と呼ばれることもある（なお、「審尋」という言葉が使われているが、87条2項の「審尋」とは意味が異なる。「審尋請求権」[**005**]にいう「審尋」と同様の意味である）。

憲法82条の「対審」の語はこの原則を意味し、87条1項本文の必要的口頭弁論においては、双方審尋主義が貫かれる。

双方審尋は、裁判所の面前で双方当事者が対席してこれを行うことを意味する。つまり、裁判所と当事者の関係だけではなく、当事者間の関係でも、相手方の主張・立証を直接に聴いてこれに対する攻撃防御方法を提出する機会が与えられなければならない。

これに対し、たとえば、保全命令手続では、その申立手続においては仮の地位を定める仮処分命令を発令する場合に債務者審尋が要請されるだけである（民保23条4項。つまり、債権者と債務者の審尋は別個に行われてもかまわない。もっとも、実務上は、この場合でも双方審尋が行われている）が、不服申立手続である保全異議・取消し、また保全抗告の手続においては、双方審尋が保障される（同29条、40条1項、41条4項）。

なお、双方審尋の要請のうち、「裁判所と当事者の関係だけではなく、当事者間の関係でも、相手方の言い分を直接に聴いてこれに対する意見を述べる機会が与えられなければならない」との部分は、訴訟上の和解にも原則として当てはまる事柄というべきであろう。しかし、日本では、裁判官が当事者と交互に面接する方法による和解が一般的であり、この原則が守られていない（[**512**]。詳しくは、瀬木・裁判第6章、瀬木・民事裁判第11章）。

　責問権の喪失（[**184**]）は、双方審尋主義の帰結として、攻撃防御の機会が与えられたにもかかわらずそれを利用しなかった場合に当事者に不利益を課する制度であるといえる。

[223]　第2　口頭主義、書面主義

　口頭主義とは、審理における当事者および裁判所の訴訟行為を口頭によって行わせる原則であり、訴訟行為を書面によって行わせる書面主義と対立する概念である。ことに、判決の基礎となる申立て、主張、証拠の申出、証拠調べの結果は、何らかの形で口頭弁論で陳述あるいは援用されなければならない。

　口頭主義は、後記**第3**の直接主義と相まって、裁判所が当事者の口頭の陳述によって直接に事実を把握し、心証を形成することを可能にする。

　近代の民事訴訟法は、口頭主義を採用している。もっとも、日本の実務では、なお書面の比重が重く、口頭弁論における結果陳述や援用も形式的に行われている（これに対し、アメリカでは、口頭主義がかなり実質的なものとなっており、たとえば、上級審では、裁判所が口頭弁論で双方当事者の弁論を聴くヒアリングが重要であり、その最中に各裁判官が適宜質問を発して弁論者に応答を求めている）。私は、弁論準備手続の結果陳述等については、社会的な関心の高い事件でない限り実際上は形式的でもやむをえない（その実際的な機能や効果が明らかにされない限り、これを充実せよといってみても、実務慣行は、なかなか変わるものではない）と思うが、上記のような実質的なヒアリングは、ことに、口頭弁論の機会が限られる上級審では、日本でももっと行われてよいと考える。これは、ことに最高裁についていえることである。

　もっとも、訴訟は、複雑な事柄を扱い、また、記録に残す必要性もあるから、すべてを口頭主義でまかなうことはできず、法も、審理の基礎となる重要な訴訟行為（たとえば、訴えの提起における訴状〔133条1項〔令和4年改正後

134条1項〕）、事実上・法律上の主張を述べる書面（準備書面〔161条1項〕、上告理由書〔315条1項〕等）、判決書またはこれに代わる調書（252条ないし254条）については、補充的に書面主義を採っている。

[224]　第3　直接主義、間接主義

　直接主義とは、判決をする裁判官自身が当事者の弁論の聴取や証拠調べを行うという原則（249条1項）であり、他の者が行った弁論の聴取や証拠調べを基礎として裁判官が判決をする間接主義と対立する概念である。

　直接主義は、前記**第2**の口頭主義と相まって、裁判所がみずからの直接の経験に基づいて事実を把握し、心証を形成することを可能にする。トライアル前の手続における主張整理等を前提にトライアルは連続して行うアメリカの審理では、直接主義が貫かれている。これに対し、日本の民事訴訟では、こうした手続の区別がなく、裁判官は多数の事件を併行して担当するため、期日は飛び飛びになり、また、どうしても、審理の途中における裁判官の交代という事態が避けられない。

　そこで、同条2項は、裁判官が交代した場合について、当事者が従前の口頭弁論の結果を陳述する「弁論の更新」という制度を設けている。この弁論の更新の性質については、形成行為説と報告行為説があるが、報告行為説を採るべきであろう。詳しくは控訴審における第一審の口頭弁論の結果陳述の部分で論じる（[616]）。双方が行う必要があるかについても争いがあるが、判例は、一方が欠席していれば出頭者だけがすれば足りるとしている（最判昭和31・4・13民集10巻4号388頁）。そして、実務上は、この結果陳述は、裁判官が、当事者双方に、「従前の口頭弁論の結果を陳述しますね」と尋ね、当事者が「はい」と答えるだけの形式的な行為となっている。

　裁判官の交代については、併行審理主義を採る以上やむをえない面もあるが、直接主義の実質を確保するという観点からは、少なくとも、人証調べに入った以降のそれは、避けるべきであろう。直接主義の意味がほとんどなくなり、実質的には間接主義となってしまうからである（弁護士も、この点はよく注意すべきである。日本の弁護士は、裁判官となる経験がほとんどないことから、集団としても個人としてもこうした事柄についての認識が薄くなりがちだが、私の経験からすれば、人証だけは、判決をする裁判官に聴かせるべきである。そうでないと、思ってもみなかった判決がされる確率が高くなるからだ）。

同条3項は、こうした点を考慮し、単独の裁判官が交代し、あるいは合議体の裁判官の過半数が交代した場合において、当事者が、前に尋問をした証人についてさらに尋問の申出をしたときには、裁判所はその尋問をしなければならない旨を規定する。

　もっとも、人証調べの途中での裁判官の交代は、今日ではさすがに少ないであろう。また、裁判官が交代した場合でも、再尋問については、証人の迷惑ということもあり、実務上はほとんど申出がない（これには、訴訟代理人も、裁判官の交代に慣れっこになってしまっているという事情もある。しかし、先のような点については留意してほしい）。

[225]　**第4　公開主義**

　訴訟の審理および判決の言渡しを一般に公開された法廷で行うという原則である。審理の適正が一般国民の傍聴（監視）によって確保されるところに大きな意味があり、憲法（82条）上の要請となっている。

　憲法82条にいう「対審」とは口頭弁論と証拠調べを意味し、弁論準備手続（168条以下。もっとも、一定範囲の傍聴が認められている〔169条2項〕）、書面による準備手続（175条以下）、決定手続の審理等は除かれる。

　もっとも、公開の原則については、必ずしも憲法上の要請とはなっていない国もあり、憲法82条2項も、公序良俗を害する事件については裁判官の全員一致により対審は公開しないで行うことができる旨を定めており、こうした事情にかんがみれば、公開の利益を上回るような理由が認められる場合には、その制限も可能であると考えられる。

　このような観点から、人事訴訟法22条（当事者本人、法定代理人、証人のプライヴァシーにかかわる尋問）、特許法105条の7、不正競争防止法13条等（当事者等の、営業秘密に該当する事柄についての尋問）に、公開停止の規定が設けられ、後者については、秘密保持命令の制度も設けられた（特許105条の4ないし6、不正競争10条ないし12条）。

　なお、憲法82条1項は法廷で傍聴人がメモをとることを権利として保障しているものではないが、法廷で傍聴人がメモをとることは、憲法21条1項（表現の自由）の精神に照らし認められる、とするのが判例である（最大判平成元・3・8民集43巻2号89頁）。

　訴訟記録については、公開原則の趣旨を尊重して、原則として、一般第三

253

者の閲覧が認められている（91条1項）。もっとも、公開が禁止された事件については利害関係の疎明が必要であり（同条2項）、また、秘密保護のための閲覧等の制限の規定（92条）がある。

[226] 　第5　適時提出主義、随時提出主義、法定序列主義

　訴訟資料と証拠資料の提出については、大きく分ければ、法定序列主義と随時提出主義の2つの原則がある。法定序列主義は、攻撃防御方法の提出について法定の順序を設けるものであり、たとえば、ドイツ普通法においては、証拠判決によって弁論段階を打ち切った上で証拠調べに入ることとされ（証拠分離主義）また、同種の攻撃防御方法は定められた段階で提出しておかないと失権するという同時提出主義が採られていた。

　イギリスのコモンロー訴答(プリーディング)にも、書面交換について厳格で融通のきかない同じような形式性がみられた。

　しかし、こうした硬直的な手続は審理の効率や真実の発見という観点から問題が大きいため、旧法は、弁論と証拠調べを厳格に区別せず、当事者はその攻撃防御方法を口頭弁論終結までは随時に提出できるとする随時提出主義を採った（旧137条）。しかし、純然たる随時提出主義には、当事者が重要な主張立証を先送りにする、人証調べの途中で新たな主張が追加されるなどの結果、訴訟が遅延しかつ散漫になるという欠点があった。

　そこで、現行法は、争点・証拠の整理段階と集中証拠調べ（182条。これは、「人証の集中」を意味する）の段階を区別し、当事者は、前段の段階において、かつ、訴訟の進行状況に応じ適切な時期に攻撃防御方法を提出しなければならないとする適時提出主義を定めた（156条）。

　時機に後れた攻撃防御方法の却下（157条1項、157条の2。[288]）、釈明に応じない攻撃防御方法の却下（157条2項）、準備書面等の提出期間の定め（162条）、争点整理手続終了後の攻撃防御方法の提出について説明義務を課する（167条、174条、178条）といった規定は、適時提出主義を前提としたものであり、また、適時提出主義は、集中証拠調べの前提条件ともなっている。

[227] 　第6　集中審理主義、併行審理主義

　前記（[012]）のとおり、また前記**第3**でもふれたところであるが、日本の審理は基本的に併行審理主義であり、制度上、アメリカのような集中審理主

義（トライアルを担当する裁判官は、1つの事件を終えると次の事件をオーダーする。[012] 参照）は採りえない。

しかし、法は、前記**第5**のとおり、争点・証拠の整理段階と証拠調べの段階を区別し、後者については集中証拠調べを規定した（182条）。もっとも、これは、条文の文言からも明らかなとおり、人証の集中を意味し、今日の民事訴訟で決定的な証拠となることの比較的多い書証については、訴訟の初期段階から証拠調べが行われていることに注意する必要がある[1]。

第3項　口頭弁論の実施

[228]　**第1　概　説**

口頭弁論（前記**第1項**にいう広義のそれ）は、数期日にわたる場合（争いのある事件では当然そうなる）でも、一体として扱われ、当事者の弁論も証拠調べも含め、その終結までに行われた口頭弁論の全体が一体として判決の基礎となる。この原則を「口頭弁論の一体性」という。これを当事者の訴訟行為という側面からみれば、どの期日のそれも訴訟資料（主張）、証拠資料として同一の効果、価値をもつということになる。このことを「口頭弁論の等価値性」という。もっとも、時機に後れた攻撃防御方法の却下の制限はあり（157条1項。[288]）、また、攻撃防御方法の提出時期がその態様と相まって弁論の全趣旨として事実認定において斟酌されることもありうる（247条。[323]）。

裁判官が交代したときには、従前の口頭弁論の結果陳述により、前記**第2項第3**（[224]）でふれた弁論の更新が行われる。裁判所は、終局判決をするに

---

[1]　なお、集中審理主義と併行審理主義の利害得失は、まさに一長一短であり、一概にいずれがよいともいえない。しかし、併行審理主義の一番のウィークポイントが、裁判官が当事者の「顔」、事件の「個性」をなかなか記憶できない、したがって、良心的かつ能力の高い裁判官でないと、当事者は訴訟記録表紙のただの「記号」になってしまいやすいという点にあることは、おそらく間違いがないだろう（和解期日に裁判官が別事件の手控えを持って入ったために、話が一向にかみ合わず、やがて裁判官が事件を間違えていたことがわかった、という話を、私は、何度となく聞いた記憶がある。併行審理主義では、こうしたことがきわめて起こりやすいのだ。総体としての弁護士は、こうした問題についても考えてゆくべきであろう）。

足りる訴訟・証拠資料が得られたと判断すれば、弁論を終結する(243条1項)。

[229]　第2　弁論の再開

　裁判所は、主張、立証の補充が必要と認めれば、弁論の再開を命じることができる（153条。ほとんどの再開は、裁判官が、判決を書こうとしてから、必要な主張の一部が欠けていたのに気付くことによってなされる。これを確実に避けるためには、弁論終結前に判決書の「事実」の部分を書いておくほかない。私は、裁判官時代の後半には、そうしていた）。

　弁論の再開については、当事者に申立権はないが、事実上の申出があり、裁判所がこれを相当と認めて再開を命じる例はある。しかし、手続的正義の観点からして弁論の再開を認める必要性が高い事案では、弁論の再開を認めなかったことが裁判所の裁量を逸脱しているとして、違法とされる場合もありうる（最判昭和56・9・24民集35巻6号1088頁、百選5版41事件。判決の結果に影響を及ぼす重要な攻撃防御方法を提出する必要がある場合〔無権代理人が本人を相続したが相手方はこれを知らなかった事案〕）。その判断基準を立てることは難しいが、少なくとも、新たな主張立証を行おうとする当事者に、弁論終結前にこれができなかったことについて過失、あるいは重過失がなかったことが必要であろうと考える[2]。

[230]　第3　弁論の制限・分離・併合

　裁判所は、審理を整序するために、弁論の制限・分離・併合を命じ、あるいはこれを取り消すことができる（152条）。

　弁論の制限とは、審理を整序するために、弁論や証拠調べを1つの争点に限定して行うことである。訴訟要件等の訴訟の前提問題や手続的事項の当否が問題になっており、それによって訴訟のとりあえずの帰趨が決まるような

---

[2]　私の経験では、弁論終結前に主張するか否かを重々確認しておいた事柄について、出頭していなかった当該事務所のいわゆる「ボス弁」があとからそのことを聞いて、その点について主張したいからと再開を申立て（書記官の話ではそういうことかと思われた）、再開しないと応答したところ、忌避の申立てをしたという事案があった。残念ながら、こうしたことをして恥じない弁護士も、一定の割合で存在するのが事実である。なお、もしも結論が変わりうるのであれば、私は、この事案でも、再開を認めたかもしれない。

場合に、中間判決（245条）と併せて行われれば効果的である（もちろん、訴訟要件が欠けることが明らかになれば、その時点で訴え却下判決をすることになるから、中間判決をするのはその訴訟要件が満たされる場合である）。

弁論の分離とは、ある請求についての審理を他の請求についての審理から切り離すことである。

弁論の分離については、弁論の再開や併合と同様に原則として裁判官の裁量にゆだねられるものの、その例外として、請求相互の関連性から１つの手続で審理、判断がなされる必要性があるために、これが許されない場合がかなり多い。複数請求訴訟における予備的併合、選択的併合（請求相互間に条件関係がある）、予備的反訴（同前）、多数当事者訴訟における、必要的共同訴訟（40条。合一確定の要請から）、同時審判申出共同訴訟（41条。その制度趣旨〔[533]〕から）、主観的予備的併合（請求相互間に条件関係がある。なお、現行法の下でも許容される余地があろう〔[533]〕）、独立当事者参加(47条。その制度趣旨〔[572]〕から）、参加・引受承継（権利主張参加、同時審判申出共同訴訟の各場合に準じる。49条1項、50条3項参照）、同一目的の形成訴訟（判断の抵触を避ける必要性がある。離婚訴訟の本訴と反訴等）の各場合がそうである。また、併合されている弁論を分離すれば重複起訴の問題が生じる場合（訴訟物が同一であり、あるいは相互に両立しない権利関係を目的とする場合〔[065]、[066]〕）にも弁論の分離はすべきでない（裁判所の裁量を逸脱した弁論の分離として違法なものとなる。なお、判例のように抗弁後行型の場合にも相殺の抗弁について重複起訴を問題とするのであれば、そのような関係にある訴訟〔本訴反訴の関係にある場合をも含む〕が併合されている場合には、やはり弁論の分離はすべきでないことになろう〔[067]〕）。

したがって、弁論の分離が行われうるのは、おおむね単純併合の場合と通常共同訴訟の場合に限られることになるが、実務上、複数請求訴訟でこれが行われることは稀有であり、行われるのは、ほとんどが通常共同訴訟の場合である（原告ごと、被告ごとに訴訟の進行状況や見通しが異なってくるような場合。ことに、欠席を続ける被告に関する請求について弁論を分離し、判決をする例が多い）。

しかし、これらの場合でも、事案によっては、請求相互の関連性等の観点から、弁論の分離が裁判所の裁量を逸脱し、違法と評価される場合はありうる。また、反訴についても、そのように評価される場合が多いであろう（[083]）。

なお、いわゆる反射効が問題になるような関係にある者を共同被告とする通常共同訴訟では、安易に弁論の分離を行った上でその部分について判決をすると訴訟の循環という結果が生じかねない（[497]）ので、裁判官のみならず弁護士も、十分に注意しておく必要がある（これは、民事訴訟の経験の浅い裁判官がついうっかりやってしまいやすいミスの1つである）。

　弁論の併合とは、官署としての同一裁判所に係属している複数の訴訟を併せて同一の手続で審判することである。官署としての裁判所が異なるならば、併合の前提として移送が必要になる。実務上は、同じ裁判所（官署としての裁判所）の別の部の裁判体に係属した関連事件をその部から引き取って併合する例が多い。類似必要的共同訴訟（[547]）が別々に提起されてしまったような場合には、併合は必要的である。会社法837条のようにこのことを明文で規定する例もある。また、重複起訴の場合の第一次的な措置として行われる場合（[064]）にも裁判官の裁量の余地はないし、拡大された重複起訴に当たるような場合（[068]）についても、同様に考えるべきであろう。関連性の高い訴訟一般についても、必要性、合理性が認められる場合には、当事者の上申に応じて併合を行うことが望ましい（実務においては、裁判官は、事件が重くなることの負担感から、正当な理由もなく併合上申を拒絶する例がままみられるが、争点の共通性が高い場合には、裁量を逸脱したものと評価される余地があろう）。

　弁論の併合は、同種の訴訟手続による請求間でなければ行えない。

　併合前の証拠資料については、当事者による援用があって初めて併合後の訴訟における証拠資料となるとする援用必要説とこれを要しないとする援用不要説とがある。援用必要説を採れば、自己が関与していない証拠資料について当事者が援用を拒絶した場合には、新たな証拠調べが必要になる。

　手続保障的観点や直接主義の要請からは援用必要説にも一定の理があると考えられるが、実務は援用不要説を採っている（というよりも、日本の実務家の多くは、ここで手続保障の問題を意識しないので、援用の必要性について思い及ばないというのが正確だが）。

　実際上、上記の点がシリアスな問題になるのは人証調べの場合なので、法は、152条2項で、このような場合、すでに行われた証人尋問について尋問の機会がなかった当事者が尋問の申出をしたときは、その尋問をしなければならない旨を規定した。直接主義に関する249条3項と同様の思想に立つ条文であるが、重要な証人について尋問の機会がなかった当事者の権利を保障

するという意味では、よりシリアスな状況に対処する規定といえる。しかし、249条3項の場合と同様、実務上は、あまり利用されていない。弁護士に尋ねてみた経験によると、証人尋問の結果を検討して、再尋問の結果自己に有利になる可能性があれば申出をするが、実際にはその見込みが高い事案はほとんどない、とのことであった。確かに、その見込みが高い事案は限られるかもしれない。

　なお、関連して、複数の関連事件が終結している場合に、弁論の併合に準じて判決の併合を認める学説が多い（新堂559頁、伊藤303頁等）。同一の裁判官が審理を行っていた場合であれば、これを認めてもよいであろう（双方の事件について弁論を再開した上で併合を行うべきだとまではいえないであろう）。しかし、同一の裁判官が審理を行っていたのであればより早い段階で弁論の併合をするのが通常であろうから、あえて判決の併合を認めなければならないような場合は、まれであろう。

　別々の裁判官が審理を行っていた場合についてもこれを認めるということになると（なお、上記のような学説がそのような場合までをも想定しているとは思えないので、これは、念のための仮定論である）、判決をする裁判官は、別の裁判官が審理を行った訴訟記録に基づいて判決書の当該部分を書くということになると思われるが、これは、直接主義を完全に無視することになり、あまりに便宜的にすぎよう。上記のとおり、双方の事件について弁論を再開した上で併合を行い、当事者にも最後の弁論の機会を与えるべきである。手続保障の観点からしても、それが相当であろう。

[231] **第4項　口頭弁論調書**

　口頭弁論調書は、口頭弁論の経過を明らかにするために裁判所書記官によって作成される調書である。期日ごとに、これに立ち会った裁判所書記官によって作成され（160条1項）、訴訟記録に綴られる（いわゆる第1分類の部分の最初に綴られ、その後に訴状、準備書面が綴られる。なお、第2分類は証拠関係、第3分類は送達報告書等の雑書類である）。

　口頭弁論調書は、口頭弁論において行われた訴訟行為を記録し、公証し、前記**第2項**でふれたような口頭弁論の諸原則の遵守をも明らかにする。

　口頭弁論調書には、書面、写真、録音テープ、ビデオテープその他裁判所

において適当と認めるものを引用、添付して、その一部とすることができる（規69条）。

　調書の形式的・実質的記載事項は、それぞれ、規則66条1項、67条1項記載のとおりである。口頭弁論調書には裁判所書記官が記名押印し、裁判長が認印をする（規66条2項。裁判長に支障がある場合等については同条3項）。

　訴訟が裁判によらないで完結した場合には、裁判所書記官は、裁判長の許可を得て、証人等の陳述および検証の結果の記載を省略することができる（記載の省略）。ただし、当事者が訴訟の完結を知った日から1週間以内にそれらを記載すべき旨の申出をした場合を除く（規67条2項）。

　また、裁判所書記官は、裁判長の許可があったときには、証人等の陳述を録音テープ等に記録し、これをもって調書の記載に代えることができる（規68条1項。録音テープによる代替）。もっとも、訴訟の完結までに当事者の申出があり、あるいは上訴裁判所が必要と認めた場合には、通常の場合同様に、証人等の陳述を記載した書面を作成しなければならない（同条2項。形式的には、この書面は当事者等の便宜のために作成されるものであって、調書の一部になるものではないと解される〔伊藤313頁の注(128)〕）。

　これらの条文が実務において使われるのは、実際上は、証人尋問等の実施に続いて和解が行われそれが成立した場合である[3]。

　調書の作成は裁判所書記官の権限事項だが、裁判長が記載を命じた事項についてはこれに従うべきである（規67条1項6号）。また、裁判所法60条5項は、一般的に、書類の作成変更に関して裁判官の命令を受けた場合には裁判所書記官はこれに従うべきことを前提として、それが正当でないと認めるときは自己の意見を書き添えることができるとしていると解されるので、規則67条1項6号以外の事項についても、最終的な決定権は裁判官がもっていることになる。

---

[3] コンメIII439頁は、規則68条1項は上訴の可能性の低い事案についても使われるとしており、条文の規定ぶりからは、そのとおりであろう。しかし、上訴があれば、裁判所書記官は、尋問の記憶が薄れた段階で調書同様の書面を作成しなければならなくなる可能性が高く、また、その場合には、裁判所書記官の異動等の結果、証人等の尋問に立ち会わなかった裁判所書記官がこれを作成することもありうる（コンメIII440頁）。こうしたことを考えると、上訴の可能性が低いというだけの事案について規則68条1項の利用を安易にすすめることはできない。

もっとも、人証調書について裁判官が立ち入った意見を述べる例は、まずないであろう。私が調書で細かく確認していたのは、争点整理に関連する実質的記述くらいであり、それも、調書に記載する事項についてはその都度私のほうでまとめて正確に告げていたので、誤りはほとんどなかった（具体的には、瀬木・要論［053］参照）。

　調書は、訴訟記録の一部（相当部分を占める。ことに量が多いのは人証調書の部分）であるから、当事者および利害関係人は、閲覧、謄写等を求めることができる（91条）。

　調書の記載に当事者等が異議を述べたときは、裁判所書記官は、異議を相当と認めれば（また、上記の裁判所法の規定からすれば、裁判官がその異議を正当と認めた場合にも）、その記載を訂正する（誰の異議によりどの部分を訂正したかは記録上明らかにしておき、また、異議の申出をしていない当事者にも訂正の事実を伝えておくのが相当であろう）が、そうでなければ、異議の内容を調書に記載すれば足りる（160条2項〔令和4年改正後160条3項〕）。

　実務では、まれに当事者から記載について異議が出ることがあるが、それにより記載が訂正されることは少ない（多くの場合は、ニュアンスの相違程度の問題であることが多いからである。もっとも、当事者としては、記載が明らかに誤っていると考える場合には、裁判所書記官に、裁判官の見解も尋ねてくれるよう求めるべきであろう）。

　当事者等にはそれ以上の不服申立権はないが、人証調書のうちの決定的に重要と思われる部分については、もしも異議があれば、述べておくほうがよい。裁判官は、上級審をも含め、調書に異議の内容の記載があれば、それには一定の注意を払うはずだからである。また、場合によっては再尋問の申請をすることも考えられる（以上につき、コンメⅢ410～411頁、413頁参照）。

　口頭弁論の方式に関する事項については、調書を証拠方法とする証明のみが許される（160条3項本文〔上記改正後160条4項本文〕）。こうした事柄に関する争いによって訴訟が遅延あるいは紛糾するのを防ぐ趣旨である。これは、自由心証主義（247条）の目立った例外の1つである（法定証拠主義〔［321］〕によっている）。

　口頭弁論の方式に関する事項とは、主として上記の形式的記載事項であるが、実務上、口頭弁論の公開、関与した裁判官、従前の口頭弁論の結果陳述の実施等について、これが問題になることが多い。絶対的上告理由（312条2

項。[627] 以下）との関係上、裁判所書記官は、こうした記載を漏らさないこと、またその正確性に、十分注意する必要がある。

第2節　当事者の訴訟行為

第1項　訴訟行為の意義・種類

[232]　**第1　概説**

　訴訟行為とは、訴訟関係者の行う行為で訴訟法上の効果をもたらすものをいうが、広義では、裁判資料（本書では、「訴訟資料（主張）」と「証拠資料」を併せて「裁判資料」と呼ぶこととする）形成のための事実行為をも含む。

　また、訴訟行為には、広義では裁判所の行う行為（証拠調べ、裁判等）も含まれるが、それらについては、法的性質も異なり、別の章で論じるので、ここでは、通常の例に従い、当事者の行う訴訟行為について論じる。

　行為の性質からすると、訴訟行為は、①各種の申立て（性質としては、意思の通知に近い〔伊藤338頁〕）、②事実や法律に関する陳述（観念の通知ないし事実行為と解される）、③意思表示の性質をもつ行為（判決によらない訴訟の終了を目的とする各種の行為、各種の訴訟契約）に分けられる。まずは、この基本をしっかり押さえてほしい。

　以下、順に述べてゆく。

[233]　**第2　申立て**

　まず、裁判所に対して何らかの行為を求める当事者の訴訟行為、すなわち申立てがある。これには、本案の申立て、証拠の申出（180条）、期日指定の申立て（93条1項）、受継の申立て（124条、126条）等がある[4]。

　当事者に申立権がある場合には、裁判所は、これに応答しなければならない。明文上、あるいは解釈上、申立権がない場合には、当事者の行為（重要な事柄については、上申書によって行われる例が多い）は、裁判所の職権発動を

促す意味しかない（もっとも、実務上は、こうした行為の場合にも、裁判所は何らかの形で事実上応答することが多く、また、それが望ましいであろう）。

当事者に申立権がある場合については、口頭弁論を経ないでこれを却下した決定または命令に対しては、抗告が可能となる（328条1項。**[651]**）。

第3　事実上の主張と法律上の主張

[234]　**1　概　説**

次に、当事者が訴訟資料を裁判所に提出する行為、すなわち事実や法律に関する主張・陳述がある。

ここで、当事者の主張について、基礎的なことを述べておく。

当事者の主張は、事実上の主張（事実の存否に関する主張）と法律上の主張（法律効果に関する主張）に分かれる

民事訴訟法学上の論点が多いのは前者である。後者の典型的なものとしては、法規の内容解釈に関する主張がある（弁護士にとっては、これも非常に重要である。瀬木・要論第1部第14章、瀬木・入門第10章参照）。

[235]　**2　事実上の主張の種類等**

事実上の主張のうち、請求原因とは、請求を理由付ける事実の主張をいう[5]。

抗弁とは、請求原因と両立し、その効果をくつがえすことによって、原告の請求が認容されるのを妨げる（請求原因から生じる法律効果の発生を妨げる）主張をいう。以下、再抗弁、再々抗弁と続くことになる（**[341]** の②）。

---

(4)　なお、2004年（平成16年）改正により、電子情報処理組織を用いた申立て等を可能とする規定が設けられた（132条の10）。こうした申立てについては書面等をもってされたものとみなして同様の法的効果を生じさせ（同第2項）、裁判所の使用する電子計算機に備えられたファイルに記録された時にその裁判所に到達したものとみなす（同第3項）。これがとりあえず実際に用いられてきたのは督促手続においてである（**[677]**）。

(5)　請求の原因あるいは請求原因という言葉には、民事訴訟法上次の3つの意味がある。①請求の特定のために必要な事実（133条2項2号〔令和4年改正後134条2項2号〕。**[038]**）、②ここでいう請求原因（実務でよく用いられる言葉としての「請求原因」はこの意味）、③損害賠償請求のように数額が問題となる請求における数額を除いた事項、すなわち、訴訟物たる権利関係の存否自体に関する事項（245条。**[415]**）、である。

当事者が複数の主張に順序を付ける場合、裁判所はそれに拘束されない（攻撃防御方法である事実についての判断〔理由中の判断〕には既判力が生じないからである。この点、複数の請求に論理的な順序が付けられている予備的併合・選択的併合の場合〔[052]〕とは異なる）。ただし、相殺の抗弁については、既判力が生じる（114条2項。[484]）ので、ほかの主張が認められない場合に初めて判断の対象となる。

　相殺の抗弁に対して相殺の再抗弁の主張をすることは、仮定に仮定を重ねて法律関係を不安定にするから許されないとするのが判例である（最判平成10・4・30民集52巻3号930頁、百選5版44事件。[485]）。

[236]　**3　事実上の主張に対する当事者の対応**

　事実上の主張に対する当事者の対応（これも、自白をも含め、事実上の主張の一態様と解される）は、否認、不知、沈黙、自白の4つに分類される。請求原因や抗弁等の事実上の主張を構成する個々の主要事実についてこれが行われることになる。

　不知については、159条2項により争ったものと推定されるが、これは、いわゆる「推定」ではなく、「特に不合理な場合を除いては否認として取り扱う」という趣旨である（条解952頁。たとえば、当然知っているはずの事柄について不知と答えるような答弁は、場合により、弁論の全趣旨〔[323]〕としてその事実を推認させる資料にもなりうる。もっとも、実務上は、はっきりと記憶がない事柄について不知と答える例は多く、上記は、不知がおよそありえないような事柄についてのみいえることである）。

　沈黙（擬制自白が成立する）については[315]参照。自白については**第11章**で詳しく論じる。

[237]　**4　主張の有理性**

　主張の有理性とは、事実上の主張が実体法に照らして意味のあるものでなければならないことを意味する。つまり、事実上の主張がすべて認められる場合に当事者の主張するような法律効果が認められるか否か、という問題である。

　これが認められない場合には、裁判所は、「主張自体失当」として、証拠調べをすることなくその主張を排斥することになる。

　請求原因が主張自体失当であれば、その請求は棄却される。抗弁等のうち主張自体失当のものがあれば、裁判所は、これについては、主張自体失当で

あるという理由のみを判決書に記すことになる（実務上も、当事者の主張ないしその一部を主張自体失当と判断する例はある。瀬木・ケース132頁、139〜140頁がその1例を示している）。

なお、実務においては、訴状の記載の趣旨が全体として不明でありおよそ補正も不可能なような場合には、主張自体失当とする以前に、法140条を類推して、被告を呼び出さないで訴えが却下されている（原告本人訴訟等にみられる。もっとも、そのうちでも、たとえば、「被告の脳波が自分を狂わせるから損害賠償請求をする」といった、一見して病的な事案、あるいは、支離滅裂で全くその意味がとれないような事案等、極端なものに限られる）。被告をこのような訴訟に対応させるのは酷であるし、裁判所としてもそのエネルギーをさくべきではないからである（こうした事案では、法廷を開くと収拾がつかなくなる場合もある）[6]。

[238] **第4　意思表示の性質をもつ行為**

これは、前記**第1項第1**（[232]）のとおり、「判決によらない訴訟の終了を目的とする各種の行為」と「各種の訴訟契約」の2つに分けられる。

判決によらない訴訟の終了を目的とする各種の行為とは、訴えの取下げ（261条）、上訴の取下げ（292条、313条）、請求の放棄・認諾（266条）、訴訟上の和解（89条、267条）である（これらについては、**第16章**で論じる）。

もう1つのカテゴリーは、各種の訴訟契約（訴訟上の効果の発生を目的とする契約）ないしは訴訟上の合意であり、管轄の合意（11条）、仲裁合意（仲裁2条1項）、訴え取下げの合意、不起訴の合意、上訴に関する合意、証拠契約（自白契約、仲裁鑑定契約、証明責任契約、証拠制限契約）等がある。

訴訟手続の内容については、原則として当事者が自由にこれを変更することはできない。手続の安定等の公益的な要請が高く、また、裁判所にリーダーシップが認められる事柄だからである。このことを「任意訴訟の禁止」という。当事者に便宜的な訴訟追行を許さないという趣旨の言葉である。もっとも、処分権主義や弁論主義の趣旨を考えるならば、訴えの提起、訴訟の終

---

(6) このような場合、訴状において被告とされている者に対し、訴状、控訴状、判決正本を送達する必要もないとするのが判例である（最判平成8・5・28判時1569号48頁、判タ910号268頁）。もっとも、この判例の事案は、原告が、確定した判決の無効確認を求めたというものであって、上記のような事案ほど140条類推の必要性、合理性が高いとはいいにくい。限界的な事例といえよう。

了、証拠の提出については、当事者の合意を認めても差し支えないとされている。上記のような訴訟契約が認められる根拠はここにある。

以上の行為については、意思表示を内容とするため、私法法規の適用可能性が問題になりうる（後記**第4項第2**〔**[247]**〕）。

また、証拠契約については、自由心証主義との関係も問題となるが、この関係では、証拠契約の有効性を広く認める学説が有力である（[**321**]）[7]。

第2項　訴訟行為の撤回・取消し、訴訟行為と条件

[239]　第1　訴訟行為の撤回・取消し

申立ては、裁判所がこれに応じた行為をするまでは、撤回が可能である。その後は許されない。

もっとも、訴えについては、その取下げは、判決確定までは許される（261条1項）。これは、訴えの最終的目的を確定判決の取得とみることができるからである。ただし、相手方保護の観点から、相手方が一定の行為をした後にはこれが制限される（261条2項）。

主張の撤回については、弁論主義の下では自由であるが、撤回をしたという事実が弁論の全趣旨として評価される（証拠資料となる）ことはありうる（基本的な事実上の主張についてたび重なる変更〔従来の主張の撤回と新たな主張〕を行った場合などが考えられる）。自白については、相手方の信頼保護の観点から、撤回については特別な要件が必要であるとされる（[**314**]）。

職権探知主義の下では、主張の撤回は認められない。いったん主張された事実は、職権によって取得された事実と同様の扱いを受けるからである（もっとも、これは理論上の話であって、職権探知主義が採られる人事訴訟でも、実際の主張整理は、通常訴訟とさほど変わらない。目立った相違は、自白が認められない点くらいである）。

---

(7)　なお、訴訟行為については、行為の目的を基準にして、取効的訴訟行為と与効的訴訟行為に分類する学説もある（三ヶ月267〜269頁）。前者は、裁判所に裁判を求める行為およびそれを基礎付けるための資料を提供する行為であり、申立て、主張、立証等である。後者は、取効的訴訟行為以外の行為であり、裁判所を介することなく直接に訴訟法上の効果を生じるものである。もっとも、概念的な区別にすぎない感が強い。

意思表示としての性格をもつ訴訟行為については、その取消しが問題になる。これについては後記**第4項第2**（[**247**]）で述べる。

[**240**] 　**第2　訴訟行為と条件**

　訴訟行為については、訴訟手続の安定性、明確性の要請から、合理的な理由がある場合を除き、条件を付することは許されない。期限についても、同様の理由から許されない。もっとも、条件については、以下のとおり、その訴訟手続内で条件成就の有無が明らかになる場合には、例外として許されることも多い。

　申立てについては、訴訟外の事実を条件とする申立ては不適法である。

　予備的申立て（論理的矛盾関係がある複数の申立てについて、主位的申立てが認められることを解除条件として予備的請求をするもの）は許される（[**075**]）。解除条件が成就した場合でも、審理・被告の応訴が無駄にはならないからである。予備的反訴も許されるが、本訴は、訴訟法律関係の基礎となるものであるから、これを予備的とすることは許されない（[**067**] 参照。もっとも、相殺の抗弁と重複起訴の関係では予備的反訴・本訴を考える必要は本来ないことは、そこで述べたとおりである）。

　以上に対し、主観的予備的申立て（主観的予備的併合）の適法性については、争いがある（本書は、同時審判申出共同訴訟の規定〔41条〕が設けられた現行法の下でも、なお、特別な事情があれば許容されると解する〔[**533**]〕）。

　なお、仮執行宣言の申立て（259条）、原状回復・損害賠償の申立て（260条2項）は、それぞれ、本案の勝訴、本案判決の変更を停止条件とする申立てだが、法によって許容されているものである。

　主張に条件（順序）を付することは許されるが、予備的相殺（相殺の抗弁は、これを主張する者が自働債権を失い、かつこの点に既判力が生じる〔114条2項〔[**484**]〕〕という意味で上記の者に不利益をもたらすから、ほかの抗弁の後に判断される。「予備的相殺の抗弁」という言葉はこのことを強調する際に用いられるものであり、「相殺の抗弁」の特別な類型をいうものではない）の場合を除き裁判所を拘束しない（前記**第1項第3の2**〔[**235**]〕）。

　また、訴訟契約（**第1項第1**〔[**232**]〕、**第4**のとおり、意思表示の性質をもつ訴訟行為に属する）に条件を付することも、手続の安定を害さなければ認められる場合がある。訴えの変更が許されることを条件として旧訴を取り下げる

という意思表示、あるいは、被告が一定の金銭を支払うことを条件として訴えを取り下げるという合意（和解でよく用いられる）は、その例である（伊藤344頁）。

第3項　訴訟行為と信義則

[241]　第1　概説

　信義則（民1条2項の信義則、同条3項の権利濫用の禁止。民事訴訟法学上は、公共的見地からする権利濫用の禁止についても、信義則の一環としてとらえるのが通常である）は、民事の法領域全般に妥当する原則である。当事者の訴訟行為の多くは裁判所に向けられたものだが、相手方の訴訟行為と密接にからみ合って展開してゆくものであるから、これに関する相手方の保護という観点も重要になる。法2条が当事者に民事訴訟法上の信義則を一般的に課しているのは、こうした趣旨に基づく。

　民事訴訟法上の信義則適用の類型は、以下の4つに分類されている（もっとも、信義則は幅の広い概念なので、以下の4つの類型に当てはまりきらない例もありうる。したがって、以下はあくまで一応の分類ということである）。うち**第2**は、権利濫用禁止の原則に関係した公共的見地からの規制であり、**第3**以下が、当事者間の関係における純然たる信義則からの規制である。なお、信義則は、理由中の判断に対する拘束力を認める根拠にもなりうるという点で、争点効と同じような機能をももちうる（[**499**]）。

　もっとも、私は、民事訴訟法上の信義則の適用については、安易にこれを認めると裁判官の恣意を許すことになりがちなので（信義則は、ややもすれば無限定な概念として使われやすい）、事案上適用すべきことが明白な場合に限ってこれを認めるべきではないかと考えている。

[242]　第2　訴訟上の権能の濫用の禁止

　忌避申立権の濫用（簡易却下で対処される）、欠席と期日指定の申立ての繰り返し（当事者の欠席に対する措置によって対処される）、併合請求の裁判籍を得るためだけの目的で実際には被告とする意味のないような者を被告に加えて訴えを提起する（もっとも、これについては、却下ではなく、17条の移送によって

対処するのが相当であろう〔**[107]**〕)、応訴管轄以外に本案の管轄（民保12条1項）が生じないような裁判所に民事保全の申立てをする（密接に関連する本案訴訟がその裁判所に係属しているなど応訴管轄が生じることが確実な事情がない限り許されないとするのが相当。具体的には、債権者が申立てを取り下げなければ移送が相当であろう〔瀬木・民保**[167]**〕）等の場合が挙げられる。

　それでは、訴えの提起自体についてこれを認めて却下してよいか（訴権の濫用）。

　最判昭和53・7・10（民集32巻5号888頁）は、有限会社の経営の実権を握っていた者が、第三者に対し自己の社員持分全部を相当の代償を受けて譲渡し、会社の経営を事実上同第三者にゆだねてから相当期間が経過しており、かつ、譲渡の当時社員総会を開いて承認を受けることがきわめて容易であった場合について、譲渡人が持分譲渡承認の社員総会決議およびこれを前提とする役員選任等に関する社員総会決議の不存在確認を求める訴えを提起するのは、訴権の濫用として許されないとした。

　要するに、不当な会社支配回復のための訴訟であり、このような場合には、訴権の濫用を認めてよいであろう。

　一部請求後の残部請求について、前訴が全部または一部棄却判決であった場合については、債権の全部について審理が行われたことを理由として、信義則により後訴は許されず不適法却下されるとした最判平成10・6・12（民集52巻4号1147頁、百選5版80事件）も、信義則の適用として適切なものと評価できる（**[059]**）。

　最判昭和51・9・30（民集30巻8号799頁、百選5版79事件）は、後訴の訴訟物が異なり、当事者も一部は異なる事案についてこれを認めている。具体的には、農地の買収処分を受けた者の相続人Xが、その売渡しを受けたYに対し、Yから同農地を買い戻したことを原因として所有権移転登記手続請求訴訟を提起し、請求棄却の判決を受けて確定した後に、今度は、Xおよび他の相続人が、買収処分の無効を原因として、Yおよびその承継人に対し、売渡しによる所有権移転登記等の抹消に代わる所有権移転登記手続請求訴訟を提起した事案について、①Xが前訴においても買収処分が無効であることを主張していることを考慮すると、後訴は実質的に前訴の蒸し返しであり、②前訴において後訴の請求をすることに支障はなく、③後訴提起時には買収処分後20年近くを経過していた、などの事情にかんがみ、Xらの後

訴の提起は信義則に反し許されないとした。

　この判例も、結論としては支持できるが、かなり特殊な事案であって、一般化することが相当とは思えない。つまり、①ないし③のような事柄を一般的なメルクマールとして訴権の濫用（この判決はこの言葉は使っていないが）を認めると、訴訟物が異なるがそれが関連するような後訴は、かなりの部分が訴権の濫用ということになってしまいかねないからである（学生のレポートや答案にも、そうした傾向、問題は散見される）。また、当事者が異なる場合には既判力も及ばないのが通常であることを考えると、この判決は、その点でも、かなり思い切ったことをしているというべきであろう（なお、この事案は、前訴に非常に長い期間がかかっており、後訴の提起は前訴確定の翌年である。こうした事態については、裁判所の責任も大きい）。

　もっとも、その後の判例は、後訴が前訴と社会生活上同一の紛争に起因し内容上の関連性が高く、後訴における主張や請求を前訴でも提出することが期待でき、かつ前訴の相手方当事者の紛争解決に対する期待を保護すべき必要性が高い場合について信義則による主張や請求の規制を認めている（[499]）。これは、先の判例における判断のメルクマールを洗練したものともいえ、主張の規制というレヴェルでは相当といえよう（後訴自体の却下についていえば、やはり、信義則違反の程度がはなはだしい特殊な事案に限定すべきであろう〔この点については [499] も参照〕）。

[243]　第3　訴訟上の禁反言

　先行行為と矛盾した後行行為が信義則に反するとされる場合である。

　受継手続をとることなく控訴をした当事者が後になって受継の欠缺を理由として訴訟行為の無効を主張することは許されないとした事案（最判昭和34・3・26民集13巻4号493頁）、契約の有効を前提として反訴請求をした者（被告）が、これに応じて原告が本訴請求（契約の無効を前提とする）を放棄し、自己の契約上の債務を履行した上で、契約の有効を前提とする再反訴をした後に、反訴請求を放棄して、再反訴に対し契約の無効を主張することは許されないとした事案（最判昭和51・3・23判時816号48頁、百選5版42事件。要するに契約の有効の主張と矛盾する無効の主張ということだが、相手方が先行行為に対応した行動をとったことが重視されている）、自己が認める金員の授受について前訴で消費貸借契約によるものと主張して勝訴判決を得た者が、その後提起された貸金

請求において消費貸借契約の成立を否認することは信義則に反するとした事案（最判令和元・7・5判時2437号21頁、判タ1468号45頁）等が挙げられる。

[244] 第4　訴訟上の権能の失効

　訴訟上の権能を長期間にわたって行使せずに放置し、相手方にそれが行使されないであろうという正当な期待が生じた場合には、そのような訴訟上の権能は失効し、これを行使することは信義則に反し許されないとされる。

　解雇後長期間が経過してから解雇無効確認の訴えを提起した場合について、下級審に肯定例と否定例がある（条解32頁）。期間が相当に長い場合にのみ肯定される余地があろう。

　伊藤（571～572頁）は、前訴が所有権移転登記の抹消請求であり、所有権の帰属が主たる争点となって請求棄却判決がされた後にさらに所有権に基づく引渡しを求めるときには、所有権の帰属に関する主張は制限されるとし、類似した判例（最判昭和52・3・24金融・商事判例548号39頁）を引いている。しかし、このような場合、前訴の訴訟物ではなかった所有権には既判力が生じないというのが民事訴訟法学の大原則であるから、そうした原則を信義則という外延のはっきりしないゆるやかな概念で崩すのは、歯止めがなくなり、裁判官の恣意を許すことにならないかという懸念は否めない。争点効理論によるほうが適切かと考える（[500]）。

[245] 第5　訴訟状態の不当形成の排除

　XがZと通謀のうえ、Yに対する金銭債権の債務名義を騙取しようと企て、Yの住所を真実に反してZ方YとしてYに対する支払命令（現行民事訴訟法の支払督促）、またこれについての仮執行宣言の申立てをし、裁判所がこれらの申立てに応じてした裁判の正本等の訴訟書類をZにおいてY本人のように装って受領し、その裁判を確定させた場合においては、当該債務名義の効力はYに対して及ばないとした事案がこれに当たる（最判昭和43・2・27民集22巻2号316頁）。また、前記**第2**でも挙げた、併合請求の裁判籍を得るためだけの目的で実際には被告とする意味のないような者を被告に加えて訴えを提起した場合についても、そのような管轄の発生を否定する場合には、この類型に当てはまるといえる。

第4項　訴訟行為と私法行為

[246]　第1　訴訟契約の性質とその効果

前記**第1項第4**（[238]）の意思表示の性質をもつ訴訟行為のうち訴訟契約の性質に関する考え方としては、私法契約説、訴訟契約説、双方の契約が併存すると解する併存説（訴訟上の効果のほか、私法上の義務の負担も肯定する）、両性説がある。

判例は基本的に私法契約説を採るものかと考えられるが、併存説が相当であろう。

訴え取下げの合意の効果についてこのことが問題になる。私法契約説を採れば、原告が訴え取下げの義務を履行しない状態が継続していることになるから、裁判所は、そのような原告による訴えは訴えの利益を欠くものとしてこれを却下すべきことになる（最判昭和44・10・17民集23巻10号1825頁、百選5版92事件）。これに対し、併存説等ほかの考え方を採れば、訴訟契約の効果として訴訟係属は消滅するから、訴訟終了宣言判決をすべきことになる。

[247]　第2　意思表示の性質をもつ訴訟行為についての私法規定の類推適用

前記**第1項第4**（[238]）の意思表示の性質をもつ訴訟行為全般につき、民法の詐欺・強迫・錯誤等の意思表示の瑕疵に関する規定が類推適用されうるかどうかが問題になる（なお、訴訟行為についての実体法規定適用の有無全般について簡潔にまとめたものとしてクエスト152頁）。

これについては、判決によらない訴訟の終了を目的とする各種の行為につき、**第16章**で詳しくふれる（[508]、[518]）が、このような行為の性質を訴訟行為であると解すれば（訴訟行為説）、適用を否定する（再審事由に該当する事由がある場合にのみ再審の訴えを認める〔再審規定一般の類推適用。338条1項3号、5号等。ただし、338条2項〔再審事由となる刑事上罰すべき行為についての有罪判決等の確定〕の要件については、判例は、後記のとおり不要と解している。したがって、単なる意思表示の瑕疵だけでは再審の訴えは認められない）という結論になりやすいであろうし、行為の性質についての私法行為説や併存説、両性説によれば、適用を肯定することになりやすいであろう。もっとも、行為の性

質論から直接的に結論を導き出すことには無理がある（後記のとおり、行為の性質論を基本にしつつも、手続の安定性をも考慮し、事項により分けて考えることが相当である）。

判例は、訴えの取下げについては、訴訟行為説により、再審事由に該当する場合以外にはこれを認めないとする（最判昭和46・6・25民集25巻4号640頁、百選5版91事件。なお、338条2項の有罪判決等の確定の要件は不要とする）が、訴訟上の和解については、要素の錯誤がある場合には実質的確定力がないとして、和解無効の主張を認めている（最判昭和33・6・14民集12巻9号1492頁、百選5版93事件）。

どう考えるべきか。

基本的には、併存説により、意思表示の瑕疵に関する規定の類推適用の可能性を認めてよいが、具体的には、事項により分けて考えるべきであろう。

第一に、訴訟契約のうち、管轄の合意、仲裁合意、証拠契約の場合には、これを前提として訴訟行為が積み重ねられる以上、安易にこれをくつがえすことは相当ではない（手続の安定の要請が高い）から、再審事由に該当する場合以外にはこれを認めないという考え方を採るべきであろう。もっとも、338条2項の有罪判決等の確定の要件は不要である。

第二に、判決によらない訴訟の終了を目的とする各種の行為、訴訟契約のうち訴え取下げの合意、不起訴の合意については、これにより訴訟が終了する、あるいは訴えが提起できないということであるから、それ以上訴訟行為が積み重ねられる心配はなく（手続の安定の要請は低い）、また、訴訟の終了ないし不起訴という重大な効果が生じることを考慮して、意思表示の瑕疵に関する規定の類推適用を肯定することが相当であろう。

第三に、訴訟契約のうち上訴に関する合意については、通常の不上訴の合意の場合には類推適用を肯定してよいが、飛越上告（とびこし）の合意の場合には、後からこれをくつがえすことは相当ではないから、再審事由に該当する場合以外にはこれを認めないという考え方を採るべきであろう。

[248] **第3　形成権の訴訟上の行使**

実体法上の形成権が訴訟外で行われてその事実が弁論で主張されるのではなく、訴訟内で初めて主張されたが、訴えの取下げや攻撃防御方法の却下等によって訴訟行為としての効力が失われた場合の効果については、どう考え

るべきか。

　これについては、行為の性質論として、訴訟行為説、（私法行為との）併存説、（1個の行為であるが両方の性格をもつという）両性説、併存を認めるが、訴訟行為の効力が失われれば私法行為としても撤回されるという新併存説等の考え方があり、近年は、新併存説が通説である。

　しかし、ここでも、行為の性質論だけから結論を導き出すのは無理がある。新併存説によりつつ、当事者の合理的意思解釈、あるいは相手方との公平を考慮し、私法上の効果を残すことが相当な場合をも認めるべきであろう（諸般の事情による調整。新堂465〜466頁、伊藤345〜346頁。たとえば、相殺の効果については原則として失われ、解除の効果については原則として存続すると解される。また、最判昭和35・12・23民集14巻14号3166頁は、私法上の効果を残すことが相当な場合の例として、訴訟内における相殺の主張により受働債権につき時効更新事由としての承認がなされたものと認められる場合、その後相殺の主張が撤回されても、承認による時効更新の効力は失われないとする。妥当であろう）。

　なお、実体法上の形成権行使には条件を付けられないが、訴訟行為としての主張は、前記**第2項第2**（[**240**]）のような前提を満たすものなら、条件付きでもできる（前記[067]の相殺に関する記述参照）。

　また、この場合についても、意思表示の瑕疵に関する規定の類推適用の可能性は認められる（実際上は、形成権行使の主張については、あまり例はないと思われるが）。

【確認問題】

1　必要的口頭弁論と任意的口頭弁論の相違について述べよ。
2　双方審尋主義、適時提出主義について述べよ。
3　弁論の制限・分離・併合について述べよ。
4　訴訟行為を、その性質によって分類せよ（ことに、事実上の主張の内容と事実上の主張に対する当事者の対応については具体的に説明すること）。
5　民事訴訟法上の信義則適用の類型について、具体的な例を挙げながら説明せよ。
6　訴え取下げ契約の効果について説明せよ。
7　意思表示の性質をもつ訴訟行為についての意思表示の瑕疵に関する私

法規定の類推適用の可否について説明せよ。
8　実体法上の形成権が訴訟内で初めて主張されたが、訴えの取下げや攻撃防御方法の却下等によって訴訟行為としての効力が失われた場合の効果については、どう考えるべきか。

[249] 第9章

弁論主義

本章では、民事訴訟の基本原則の1つである弁論主義ないしこれの「対概念」である職権探知主義、また、これらを補完する事柄について論じる。弁論主義については、さまざまな側面、角度から問題にされることが多いので、理解を表面的なものにとどまらせることなく、これを十分に深めておく必要がある。

第1節　弁論主義と職権探知主義

第1項　概 説

[250]　**第1　弁論主義と職権探知主義**

　弁論主義とは裁判をするために必要な裁判資料（訴訟資料と証拠資料）の収集・提出を当事者の権能かつ責任とする原則である（弁論主義の歴史的生成過程、歴史的性格については、クエスト205〜206頁参照）。

　これに対し、それらの資料の探索を当事者のみならず裁判所の権能かつ責任ともする原則を職権探知主義（後記**第6項**）という。

　民事訴訟の一般原則は弁論主義であるが、職権探知主義が採られる場合もある。具体的には、当事者の自由処分にゆだねられる事項については弁論主義が採られ、そうでない事項（公益にかかわる事項。たとえば公益性の高い訴訟

要件、[170] 参照）については職権探知主義が採られる、ということになる。
　よく、職権探知主義は弁論主義の反対概念であるといわれるが、上記のとおり、民事訴訟でもその使い分けはみられるのであり、厳密な意味での「反対概念」というわけではない。（そのため、本章冒頭の説明では、「対概念」という言葉を用いた）。また、後記**第２節**で論じる事柄（釈明、真実義務等）も、よく、「弁論主義を補完する事項」として説明されるが、本章冒頭の記述のとおり、弁論主義ないし職権探知主義の双方を補完するものとみるのが正しいであろう（クエスト215頁）。
　弁論主義・職権探知主義の別が問題になるのは「事実」についてである。法規や経験則については、裁判所の職責にかかる事項であって、弁論主義・職権探知主義を問題にする余地はない（もっとも、経験則や法規も、専門的な経験則や外国法のようにそれが一義的に明らかでない場合には「立証の対象となる」ことはある〔[304]、[305]〕が、これはまた別の問題である。なお、事実の法規への当てはめについては、後記の法的観点指摘権能・義務の問題〔[274]〕となる）。
　どのような訴訟、事項について職権探知主義が採られるかについては、後記**第６項**で論じる。
　弁論主義は、当事者と裁判所の関係を規律する原則であり、当事者相互の関係を規律するものではない。このことは、「弁論主義は、当事者に対して、裁判所の関与できない水平空間を保障するものである」という表現でも説明されている。的確な表現といえよう。このことについては、以下で具体的に解説してゆく。

[251]　第２　弁論主義の根拠、処分権主義との関係

　まず、処分権主義との関係について述べると、近代民事法の大原則である「私的自治の原則」の訴訟法における反映であるという意味では、両者は共通している。つまり、私的自治の原則の訴訟物のレヴェルにおける反映が処分権主義であり、裁判資料（訴訟資料と証拠資料）の収集・提出のレヴェルにおける反映が弁論主義である、ということができる。
　もっとも、ここでいう「私的自治」は、実体法にいう契約自由の原則等の場合とは異なり、前記**第１**末尾でふれたとおり、民事訴訟という場に国家権力が介入できない領域を設定するという意味合いが強い（自白に関する原則はともかく、主張・証拠に関する原則は、当事者間の意思の一致を要求しているわけで

はない。当事者の一方からの主張・申出で足りる)。イニシアティヴが当事者に留保されているという意味での「私的自治」なのである(高橋上411～412頁)。

　以上を換言すれば、処分権主義は当事者に訴訟物の処分(設定と終了に関する)をゆだねるものであり、弁論主義は当事者に事実と証拠の処分(それらを提出するか否か、また事実を自白するか否かについての)をゆだねるものであるともいえよう。もっとも、いずれについても、それぞれの箇所で論じるような一定の限界があることはもちろんである。

　弁論主義の根拠については、私的紛争の解決を目的とする民事訴訟の性質に由来するという本質説、当事者に裁判資料の収集・提出をゆだねることが真実の発見に資するからであるという手段説、当事者に攻撃防御の機会を保障する原則であるという手続保障説、私的自治の尊重、真実発見の手段、不意打ち防止(弁論権の保障)、裁判の公平に対する信頼確保等の多元的な根拠があるという多元説等がある。

　こうした性質決定が個々の解釈論にただちに結び付くものではなく、したがって思弁的な性格の議論ではあるが、処分権主義との関係でふれた「私的自治の原則」の訴訟法における反映という点を考えるならば、本質説が適切であろうか。手段説については、真実発見のためには職権探知主義がより適しているというのが通常の理解であるため、採りにくい。しかし、手続保障や不意打ち防止は弁論主義の根拠ではなくその機能である(クエスト202～203頁)と明快に言い切ってしまえるかにはやや疑問もあり(法的概念、ことに訴訟法上の概念については、根拠と機能の区別が厳密には難しい場合も多い)、手続保障説や多元説にも一定の理はあると考える。

　要するに、こうした思弁的な議論は、確実に正しい答えがあるといった性格のものではない。弁論主義に関する論点について考えてゆくときの1つの参考というにとどまる。かつ、その意味では、手続保障、不意打ち防止という観点は重要である。弁論主義の主な機能がこの点にあることには間違いがない。

[252] 第2項　弁論主義の内容と主張責任

　弁論主義の内容は、以下の3つの原則に集約される。また、これと関連する主張責任についても併せて論じる。これらの原則は、個別に歴史的に生成してきたものがある時点で整理されたにすぎない(クエスト205～206頁)が、

今日の日本の民事訴訟法学では、第一原則ないし第三原則とも呼ばれ、引用する際にも便利なので、本書でもこの用語を副次的に用いる。

[253]　第1　主張に関する原則（第一原則）

　　第一の原則は、「主要事実（後記**第3項第1**〔[259]〕でふれるとおり、主要事実に限定しない考え方もあるが）は、当事者が主張しない限り、裁判の基礎とすることができない」というものである。これは、実際の訴訟においては、具体的には、証拠資料（たとえば、書記の記載、証人の証言、当事者尋問における供述）に現れてはいるが当事者が主張していない事実を裁判所が勝手に認定してはいけないという形で問題となる（「勝手に認定する」というのは、判決書の「理由」の部分で、当事者が主張していない事実について認定するという意味だが、このような場合、併せて、当事者が主張していない事実について「事実」の部分にも主張したものとして記載している、という事態もありうる）。つまり、「証拠資料をもって訴訟資料（主張）に代えることはできない」ということになる（主張に関する原則の 帰結 コロラリー ）。

　　このようにいう限り簡単なことに思えるが、実際には、当事者の主張事実と裁判所の認定した事実がどこまで食い違ってもよいか（第一原則違反にならないといえるか）については、微妙な問題となる場合が多い。これについては、後記**第4項**、**第5項**で詳しく論じる。

　　第一原則により、当事者は、相手方の主張した事実に対してのみ攻防を尽くせばよいことになるので、この原則は、不意打ち防止、防御の機会の保障の意味、機能をもつことになる。

　　また、裁判所は、主張となるべき事実をみずから探索できないという意味で、当事者と裁判所の関係が規律されているといえる。

　　そして、前記**第1項第1**（[250]）で述べたとおり弁論主義は当事者相互の関係を規律するものではないから、主張はいずれの当事者がしたものであっても、つまり、主張責任を負わない当事者が主張したものであっても、裁判所はこれを採ることができる（主張共通の原則。後記**第4の1**〔[256]〕）。

[254]　第2　自白に関する原則（第二原則）

　　第二の原則は、「当事者間に争いのない主要事実（自白した事実および自白したとみなされる事実〔159条1項〕）はそのまま（証明なしに）裁判の基礎としな

ければならない」というものである。つまり、裁判所は、これを証拠によって認定する必要がない（179条）のみならず、これと異なる認定をすることができない。

このような事実については、証明不要効、審判排除効がはたらくという意味で、当事者と裁判所の関係が規律されている。

なお、自白の効果としてはほかに不可撤回効もある。しかし、これは、主として自白の裁判所拘束力から導かれるものではあるが、当事者間の問題であり、弁論主義とは直接の関係はないというべきであろう（学生がよく混乱するところである。自白の効力については [313] 参照）。

[255] 　第3　証拠に関する原則（第三原則）

第三の原則は、「争いのある事実（これは、通説によっても、主要事実に限らない）を認定するための証拠は原則として当事者が申し出たものによらなければならない」というものである（職権証拠調べの禁止）。

裁判所はみずから証拠を探索できないという意味で、当事者と裁判所の関係が規律されている。もっとも、裁判所は、当事者が申し出た証拠であっても、必要でないと認めるものは取り調べないことはできる（181条1項）。

なお、自由心証主義の内容である証拠共通の原則（[322]）は、弁論主義の帰結というわけではないが、弁論主義と抵触するものではない。証拠の提出責任を規律するのが弁論主義であり、提出された証拠の評価は自由心証主義の問題（弁論主義の領域外の問題）だということである。

ただし、第三原則には、多くの例外がある（[343]）。主張のレヴェルと証拠のレヴェルでは、当事者の自由処分にゆだねるべき程度が異なり、後者については公益的要請や真実発見の要請がより重視されるからであろう。

第4　主張責任と事案解明義務

[256] 　1　主張責任、主張共通の原則、不利益陳述と先行自白

弁論主義の第一原則により、主要事実は、当事者が主張しない限り判決の基礎とすることはできない。したがって、ある主要事実から導き出される特定の法律効果を享受しようとする当事者は、それを主張しない限りその法律効果を享受できないという不利益を受ける。これが「主張責任」といわれるものである。当事者は、当事者が証明しないと証明責任を負わされる事実に

ついては主張責任をも負うことになるから、「主張責任の分配は証明責任の分配に従う」といわれる。

　もっとも、前記のとおり、弁論主義は当事者相互の関係を規律するものではないから、主張責任を負わない当事者が主張した事実であっても、裁判所はこれを採ることができる。これを「主張共通の原則」という。

　たとえば、Ｘが、「Ｙに100万円を貸し付けた（訴訟物は100万円の貸金債権）が、その後20万円については弁済を受けた」と主張したとする（実務でも、原告が、訴え提起後に一部弁済が判明したと述べるような場合には実際にみられる主張である）。この場合、Ｙは、消費貸借を争う場合には、100万円の貸付けのみならず、20万円の弁済についても、争うのが普通である（借りてもいないのに返したというのはおかしいから）。

　この設例の場合、20万円の弁済の事実は、消費貸借の請求原因に対する抗弁事実であるから、本来ならばＹが主張すべきである。しかし、主張共通の原則により、裁判所はこの事実の主張があったとしてかまわない。もっとも、この事実については当事者間に争いがあるのだから、裁判所は、証拠によってこれを認定しなければならない。この場合、弁済の事実は、「相手方の援用しない自己に不利益な事実の陳述」（要件事実論のいうところの「不利益陳述」）となる（判決書では、たとえば、「弁済の抗弁（原告主張）」といった形で記載されることになる）。

　それでは、教室設例になるが、もしも、Ｙが弁済の事実を認めた場合にはどうなるか。主張責任を負わない当事者Ｘが事実を陳述し、主張責任を負う当事者がこれを認めたということになるが、この場合にも、当事者間にその事実について争いはないのだから、自白は成立する。このような自白を「先行自白」という。

　なお、「先行自白」という言葉はあいまいな使われ方をしており、主張責任を負わない当事者による自己に不利益な事実の先行主張自体を「先行自白」ということもある。しかし、先行主張があっただけで自白が成立するものではなく、相手方がこれを争えば上記のとおり証拠調べが必要なのであるから、先の主張自体は、正しくは、「先行自白となりうる主張」というべきであり、「自白」自体は、相手方がその事実を認めた時点で成立するという説明が、日本語としては正確であって、混乱を招かないと考える（この点については、学生の理解の混乱している場合が非常に多い）。

[257]　2　事案解明義務

　医療訴訟、製造物責任訴訟、国家賠償請求訴訟を始めとする行政訴訟等の訴訟類型では、主張責任を負わない側（被告）が情報を独占しているため、これを負う側（原告）が十分な主張をすることが難しい場合がある。

　このような場合に、当事者間の公平や弁論権の実質的保障の観点から、主張責任を負わない側に事案解明義務を課し、事実および証拠の提出を求めるという考え方が、近年有力である。

　これは、具体的には、釈明権の行使や文書提出命令等によって図られることが多いであろうが、相手方が釈明権の行使に応えない場合にどのように考えるべきかが問題になる。

　これについては、最判平成4・10・29（民集46巻7号1174頁、百選5版62事件。伊方原発訴訟事件）が、原子炉設置許可処分の取消訴訟について、被告行政庁の側がまずその判断に不合理な点がないことを主張立証する必要があり、被告行政庁がこれをしない場合には、その判断に不合理な点があることが事実上推認される、と判断しているのが参考になる。この判例は、事案解明義務を承認したものと解釈されている[1]。

　実務でも、たとえば、医療過誤損害賠償請求において、被告が請求原因事実を争うのみで何ら積極的な答弁をせず（いわゆる「積極否認」をしない。みずからの側からするストーリーを何ら語らない）、釈明権の行使にも応じないような場合（実際、かつての法廷ではそういう例があった）には、過失を事実上推認することが許されるであろう。

[258]　第3項　**弁論主義の対象**

　弁論主義（正確には、その第一・第二原則）の対象については、主要事実に限るとするのが通説であるが、異説もあり、また、解釈上問題となる事柄も多い。

---

[1] ただし、伊方原発訴訟判決の実際の判断構造は、「被告が上記の点について一応の立証を行えば、原告側においてよほどの反論・反証をしない限り、原告の請求を認めない」という趣旨のものとなっており、行政訴訟とはいえ、原発訴訟の判断枠組みとしては問題が大きい（瀬木・裁判第4章。瀬木＝清水第6章）。事案解明義務を承認したという一般論としての部分だけを評価すべき判例といえよう。

[259]　第1　主要事実、間接事実、補助事実

　まず、主要事実、間接事実、補助事実の別について解説しておく。
　主要事実とは、法律効果の発生に直接必要な事実である。要件事実が主要事実であるとするのが要件事実論の考え方だが、学説においては、要件事実をその事案に応じて具体化したものが主要事実であるとするのが通説である。実際上はこの考え方の相違による差はあまり出てこないが、理屈の問題としては後者の理解でよいであろう。
　間接事実とは、主要事実を推認させる事実である。この推認は経験則（[304]）によって行われる。
　補助事実とは、証拠の証拠能力や証明力にかかわる事実である。証人の証言時の挙措態度（証人は誰でも緊張しているものだが、故意に虚偽の事実を述べるときには単なる緊張の場合とは異なるかなり特徴的な反応がみられる場合があり、こうした挙措態度は、補助事実として評価されうる。もっとも、その評価についてはあくまで慎重であるべきであって、大きな意味はもたせられない）、特定の書証がそれによって作成されているとされる用紙の製造年度（その用紙が、当該書証が作成されたとされている時点以降に製造されたものであれば、その書証の証明力はほとんどなくなるであろう）等が、その例になる。
　弁論主義（正確には、その第一・第二原則。なお、後者については後記[309]でも論じる）の対象については、主要事実に限るとするのが従来の多数説（以下、①説という）、実務であり、本書もこの考え方を採る。手続保障、不意打ち防止という弁論主義の主な機能からすれば、法律効果の発生に直接必要な事実を弁論主義の対象とすれば足りると考えられるからである。
　もっとも、訴訟の攻防の中心となるような間接事実については、手続保障の見地から、裁判所は、釈明権を行使して、当事者にその正確な主張を促し、あるいは、当事者にその有無が重要な争点であることを認識させておくのが適切である。裁判所がこれを怠った結果として当事者にとって不意討ちとなる裁判がされれば、釈明義務違反の問題（[272]）となる（私の裁判官時代の経験では、こうした釈明権の行使は、簡略化すれば、「確認しますが、原告は、Ａという事実を主張するわけですね。被告は、これを否認しますね。この事実は、主要事実ではありませんが、それを推認させる事実ですから、その存否は、本件の重要な争点の１つになります。そういう理解でよろしければ、調書にも記しておきます。この点、双方

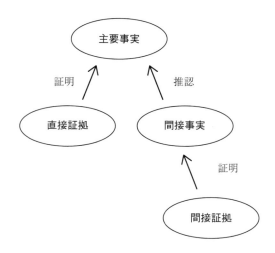

とも、次の準備書面で詳しく論じてください」などといった形で行う場合が多かった）。

　間接事実が弁論主義の対象とならない理由については、間接事実は主要事実を推認させるものであり、その意味で証拠と等質性があり、したがって、間接事実をも弁論主義の対象に含めると、裁判所は、証拠からある間接事実を認めることができる場合であっても、当事者が主張しない限りこれを用いて推認を行うことができなくなって、自由心証主義の制約になるからである、といわれる（第一原則との関係。また、第二原則との関係でも、裁判所が存在しないと考えている間接事実について自白があれば裁判所拘束力が生じてしまい、自由心証主義は制約されることになる）。

　法律効果を直接発生させる主要事実のみを弁論主義の対象とすることには、以上のような事実の性質からして合理性があり、また、当事者にとっても裁判所にとっても明確であるとも考える。

　関連して、証拠には直接証拠と間接証拠（証拠の機能という観点からする分類）があるので、この別についてふれておくと、直接証拠とは、主要事実の存在を直接証明する証拠であり、処分証書（その文書によって法律行為が行われた文書。契約書、手形、遺言書等。[372]）がその典型的な例である。間接証拠とは、間接事実・補助事実を証する証拠であり、間接的に主要事実の証明に役立つということになる。上記で証拠との等質性がいわれる証拠は、主要事実との関係の直接性という点からみると、具体的には、直接証拠ということになろうか（主要事実を推認させるか直接証明するかの違いはあるが。以上につき、上の図参照）。

さて、弁論主義の対象に関する有力な異説（以下、②説という）は、重要な間接事実は攻防の実際上の焦点（主要な争点）になることも少なくないのであるから、不意打ち防止の観点から弁論主義の対象とすべきであると考える（クエスト209〜212頁等。高橋上429頁も、ニュアンスはやや異なるが、この考え方であろう。新堂472〜474頁は、かなり微妙である。なお、古い時代の判例には、これを認めたものがある〔大判大正5・12・23民録22輯2480頁〕）。

この説の弱点は、上記のような①説の根拠に必ずしも十分に反論していない（なお、これは、②説には事実に関する当事者の支配領域を拡大したいという志向がある〔のだと思われる〕が、その理由が必ずしも十分に明確にされていない、ということとも関連している）ことのほか、「重要な間接事実」というメルクマールにある。ある間接事実が重要かそうでないかなどということは、実際上なかなか判断が難しい場合も多く、少なくとも、行為規範（[098]）としては機能しにくい。極端な不意打ちとなっているような特殊な場合（裁判所がきわめて重要と考える間接事実について当事者がそのことを認識していなかった場合。したがって、裁判所がその事実を認定して判決をすれば不意打ちとなる。高橋上、クエストとも、問題としているのは主としてそのような場合のようである。クエストは、こうした観点から、「重要な間接事実」とは、「訴訟の勝敗を左右しうる、あるいは訴訟の勝敗に直結する」ものである、と定義する）については、①説における有力な見解のいうように、間接事実に関する釈明義務違反の問題としてとらえれば足りると考える[(2)]

なお、補助事実が弁論主義の対象とならないことについては、異論は少ない（もっとも、クエスト212頁は、第一原則の適用可能性を認める）。しかし、これについても、極端な不意打ちとなっているような特殊な場合には、間接事実の場合同様、釈明義務違反の問題としてとらえれば足りると考える。ただし、私も、処分証書の成立の真正については、例外的に、主要事実に準じて自白の対象としてよいと考える（[309]）。

弁論主義の対象について主要事実という基本的な枠組みをゆるめることは、訴訟手続を予測のつかない不安定なものとし、事実認定をもぎこちないものとしやすいという欠点があることに注意すべきではないかと考える。

[260] 第2　規範的要件

「規範的要件」とは、過失、正当な理由（民110条）、正当の事由（借地借家

6条、28条)等のように、法律要件たる事実が具体的事実ではなく法的な評価として記載されている場合をいう。権利濫用(民1条3項)、信義則違反(同条2項)、公序良俗違反(同90条)等の一般条項についても、これに含めて考えることができる

 このような場合の事実についてはどう考えるべきか(これも、間接事実の場合同様、自白についても問題になる〔[317]〕)。一般的に、規範的要件に関する論点は難しく、学生の理解が不十分なことが多いので、やや詳しく論じておきたい。

 主要な考え方としては、①規範的要件自体が主要事実でありこれを基礎付ける事実は間接事実であるとする考え方(要件事実論のいう「間接事実説」)、②規範的要件を基礎付ける事実が主要事実であるとする考え方(要件事実論のいう「主要事実説」。なお、間接事実説、主要事実説の命名は、基礎付け事実を基準にしたものであることに注意)がある。

 そして、近年は、規範的要件は法的評価であって事実とはいえないこと、

---

(2) もっとも、実務では、重要な間接事実についてはその存否が重要な争点となることは、当事者双方ともよく認識しているのが通例であり、裁判所の釈明権の行使も、先のような確認的な形で行われるのが通例である。このような形での釈明権の行使は、当事者の考えている間接事実の内容を確認しかつ具体的に明らかにして、攻防の対象を明確にしておくことに主眼がある。しかし、②説のいうような重要な間接事実に当事者が気付かない場合には、裁判所はこれについて「釈明すべき」であり、釈明をしないまま判決の基礎とすれば、釈明義務違反として原判決が破棄され、差戻しされる([272])。

 なお、高橋上429頁、433〜434頁の注(28の2)は、①説の有力な見解と②説で結論が異なりうるまれな例を提示している(後記第5項第1〔[267]〕の事例で、裁判所は「別個の債務」が以前にすでに消滅していたという間接事実の心証をとり、その間接事実の主張について釈明したが、なぜか両当事者とも主張しない、そしてこの間接事実を認定しないとYの弁済が原因債務、別個の債務のいずれへのものかは真偽不明、という場合。結論は、①説の有力な見解によりこの間接事実を認定すればYの弁済は原因債務のものとみることになり請求棄却。②説によりこの間接事実を認定しないといずれへの弁済かは真偽不明で抗弁が認められず請求認容)。なるほどこういう場合も考えられるかと感じさせられる設例である。もっとも、法廷では、Yが先の間接事実の主張を予備的にでもしない、という事態はまずないであろう。また、このような場合でも弁論主義の問題となり、裁判所は先の間接事実を認定できないという点についても、自由心証主義との関係から疑問を感じる。間接事実は自由心証の領域に残しておき、例外的な不意打ちの可能性については釈明義務違反で対処するほうが、裁判所のみならず当事者にとっても明確であり、行為規範としてもベターなのではないだろうか。

①説を採ると、当事者が考えてもいなかったような基礎付け事実を裁判所が認定し、これが判断の基礎とされることがありえ、不意打ちになることから、②説が適切であるとされ、これが通説となっている。

　大筋はそれでよいと考えるが、こうした「基礎付け事実」が、普通の意味での主要事実といえるかは、いささか疑問である。また、要件事実論は、これを主張者に証明責任のある評価根拠事実と相手方に証明責任のある評価障害事実とに分けるが、これは、さらに疑問である。

　もっとも、交通事故損害賠償請求事件における過失のような場合には、要件事実論の考え方によっても、それほど大きな問題はない。基礎付け事実は、スピード違反、前方不注視、一時停止違反等のように類型化され、「評価障害事実」はあまり問題とならないからである。しかし、総合評価で決まる規範的要件（典型的には、正当な理由、正当の事由等）については、要件事実論の考え方で本当に説明になっているのかには疑問がある。

　要件事実論は、規範的要件の場合には、結局総合評価で結論が決まるのであり、主張者の主張した評価根拠事実だけでは規範的要件の充足が認められない場合には主張自体失当になる、と説明する（30講98～99頁）。しかし、それが主張立証されても必ずしも法規の要件が充足されないような事実を主要事実と呼ぶことは、相当であろうか。

　また、評価根拠事実と評価障害事実の区別があいまいである点にも疑問を感じる。たとえば、民法110条の「正当な理由」に関し、「表見代理主張者Aが相手方（表見代理行為の「本人」）Bに対し契約締結の意思があるか否かを確認したこと、あるいはしようとしたこと」がAに証明責任のある評価根拠事実なのか、それとも、「表見代理主張者Aが相手方Bに対し上記の意思があるか否かを確認しなかったこと」がBに証明責任のある評価障害事実なのか、という問題である。

　30講（317頁）は後説を採るが、私は、これは、一義的に決められることではないと思う。表見代理主張者が金融機関であるなどの事情により意思確認を行うことが相当と認められる場合には、前説のほうが適切であろう（最判昭和45・12・15民集24巻13号2081頁参照）し、そうではない場合には、そもそも意思確認の必要まではないという場合もありえよう。つまり、一義的に決めること自体が無理なのであり、また、そのような議論は、決め手のないものになるのではないだろうか。

要するに、規範的要件の基礎付け事実は本当に評価根拠事実と評価障害事実に区別できるのか、ということである。せいぜいのところ、「規範的要件については、その基礎付け事実が主要事実である」ということがいえるだけであり、「結論はそれらの総合評価によって決まる」というほうが正しいのではないだろうか。実務においても、多くの判決は、そのような判断枠組みによって判決、判断をしていると思われる[3]。

　このように考えると、上記の②説が「基礎付け事実が主要事実である」と言い切っていること自体に本当はいささか無理があるのであり、基礎付け事実については、上記のような意味、つまりその総合評価で結論が決まるという意味で、準主要事実と呼ぶほうが、説明としては適切ではないかと考える（なお、従来いわれてきた準主要事実説とは、規範的要件が主要事実であり、基礎付け事実が準主要事実であるとする考え方〔クエスト214頁〕だが、これは、適切とは思われない。私見は、②説について、「主要事実説」ではなく「準主要事実説」であると解するのがより正確であろう、という趣旨である〔「準主要事実」の意味が異なる〕）。なお、過失のような規範的要件でも、通常は評価障害事実が目立たないというだけのことであって、以上のことは、基本的には同様であろうと考える（以上につき、瀬木・要論[057]。なお、松本博之「要件事実論と法学教育――要件事実論批判を中心に(2)」自由と正義2004年1月号67〜70頁も、そのよって立つ基本的な観点は異なるが、この点についてほぼ同様の批判を行っている）。

　最後に、規範的要件のうち公序良俗違反の場合には、高度の公益性を理由にその基礎付け事実が弁論主義に服しないとする考え方が有力である（伊藤319頁等）が、これについても、法的評価が微妙な場合も十分ありうるのであって、一般的抽象的にそのようにいえるかには、疑問を感じる（現実の訴訟で、明々白々な公序良俗違反事実が、主張がないにもかかわらず認定されるようなことは、まずありにくい）。ほかの規範的要件と同様の取扱いでよいのではない

---

(3)　たとえば、民法110条についてみれば、現実の事案では、諸般の事情の総合考慮によって表見代理主張者が相手方に対し意思確認をすべきか否かを決定し、その点が決め手になって結論が決せられるという判断構造になることが多い。また、借地借家法の正当の事由については、基礎付け事実は事件ごとに異なりかつ種々雑多であって、要件事実に関する書物に挙げられている例のように評価根拠・障害事実にきれいに切り分けられるのか、相当に疑問である。これについても、現実の事案では、全体としての総合考慮で決定している例が多いと思う。

かと考える（同旨、松本＝上野52～53頁。最判昭和36・4・27民集15巻4号901頁、百選5版48事件も、傍論ではあるが、「裁判所は、当事者が民法90条による無効の主張をしなくとも、同条違反に該当する事実の陳述（主張）さえあれば、その有効無効の判断をなしうるものと解する」旨を述べている。実務も同様と考える）。

　有力説のような考え方を採る場合にも、少なくとも、行為規範としては、法的観点指摘義務を尽くすべきであろう（新堂470～471頁）。

　権利濫用や信義則違反についても同様に解する考え方もあるが、これらについては、弁論主義に服すると考えるのが適切であろう。実務でもそのように解されている。

[261]　第3　権利抗弁

　権利抗弁という言葉の定義は定まっていないが、弁論主義との関係では、要件事実論のいう定義、すなわち、「法律効果発生のための基礎となる事実の主張だけでなく、当該権利を行使する旨の意思表示の主張も要求される抗弁」という定義が意味をもつ。

　このような抗弁としては、たとえば、同時履行の抗弁権（民533条）や留置権（同295条。最判昭和27・11・27民集6巻10号1062頁、百選5版51事件）が挙げられる。

　なぜこうした抗弁については権利行使の意思表示の主張が要求されるかといえば、これらの抗弁の場合、法律効果発生のための基礎となる事実が主張されていても（当事者の主張全体からそれが読み取れるとしても）、実際に当事者がその抗弁を主張する意図があるかどうかは定かではないことがままあり、これについてその状態のまま裁判所がその主張があるとして事実認定を行うと不意打ちになるからではないかと思われる。

　各種の対抗要件の抗弁（同177条等）も、上記のような状況が存在しうるものであるから、権利抗弁に含めて考えてよいと考えるが、これについては争いがある（30講400～403頁）。

　過失相殺については、上記のような事情はなく、また、条文（同418条、722条2項）の規定ぶりも当事者の権利行使が必要であると読めるようなものではなく、過失相殺に該当する基礎付け事実の主張さえあれば、裁判所はこれを取り上げることができると解されている（たとえば、過失や因果関係を争う主張の中に過失相殺の基礎付け事実が出ていればよいということになる。もっとも、実務では、必ず過失相殺の明示的主張がされているといってよい）。

なお、判例の中には、過失相殺に該当する基礎付け事実の主張がなくても裁判所は証拠資料からこれを認定できると読めるものがある（最判昭和43・12・24民集22巻13号3454頁。弁論主義の第一原則〔主張に関する原則〕の例外を認めているかに読める）が、疑問である。

[262]　第4　訴訟要件

訴訟要件については、すでに論じたとおり、いわゆる抗弁事項については弁論主義が全面的に妥当し、任意管轄、訴えの利益、判決の効力の拡張のない場合における当事者適格（それほど公益的要素の高くない訴訟要件）については弁論主義が妥当するが第二原則（自白に関する原則）は除かれると考える（もっとも、任意管轄については、合意管轄や応訴管轄が認められることからすれば、その根拠となる事実については、自白も認めてよいであろう）。その余の訴訟要件（公益性の高い訴訟要件）については、職権探知事項である（[170]）。

第4項　事実の同一性ないしふくらみ

[263]　第1　概説

前記**第2項第1**（[253]）でもふれたとおり、弁論主義の第一原則（主張に関する原則）の下でも、裁判所の認定事実は一定限度で当事者の主張事実と異なることが許されると解されているが、実際には、当事者の主張事実と裁判所の認定した事実がどこまで食い違ってもよいか（第一原則違反にならないといえるか）については、微妙な問題となる場合が多い。これが、事実の同一性ないしふくらみの問題、そのような意味での弁論主義の限界の問題である。

これについては、基本的には、第一原則の意味、機能が不意打ち防止にあることから、「裁判所の認定が不意打ち防止の要請に反したものとなっていないかどうか」をメルクマールに考えてゆけばよいことになる。社会的事実としての同一性がある限り弁論主義違反の問題とならないとする考え方（伊藤320～321頁）でも結論はほぼ同様になるかと思われるが、「社会的事実の同一性」といった抽象的な表現は、メルクマールとしてはややあいまいではないかと考える。

以下、よく問題となる2つの場合について解説する。

[264]　第2　契約の日時の相違等

　契約の日時の多少の相違は、弁論主義違反の問題とならない典型的な場合の例として挙げられる。当事者双方が認識している契約としての同一性に食い違いがないのであれば、不意打ちの問題にはならず、弁論主義に反しないと解してよいであろう。たとえば、契約書上の契約の日時を何らかの都合から実際の契約日と若干ずらして記載する（最も近い「大安吉日」を選ぶという例が、かつては結構あった）などといったことは時々あるが、そのような場合、裁判所がほかの証拠（たとえば人証）から実際の契約日を認定しても、通常は問題ないであろう。

　もっとも、これが大幅にずれるような場合や日時の相違がわずかであってもそれが大きな意味をもつような場合には、弁論主義違反の問題が生じうるのであり、結局、こうした判断は、最終的には、その事案の事実関係に照らして不意打ちにならないか、という観点から大局的に行うほかない。

　また、日時の相違が法律要件に該当し、法律効果の発生消滅にかかわるような場合には、裁判所は、その限度では、主要事実と一致しない事実を認定できなくなる。たとえば、消滅時効の完成を猶予する事実の場合、消滅時効完成日以降はその法律効果は発生しないのだから、これを時効完成猶予事実として認定することはできなくなる（時効利益の放棄と解する余地があるような事実の場合には、法律上の釈明、法的観点の指摘を行うべきであろう）。

[265]　第3　規範的要件の基礎付け事実

　規範的要件の基礎付け事実は、前記**第3項第2**（[260]）で論じたとおりその総合評価で結論が定まるものも多く、過失のように基礎付け事実の輪郭が比較的はっきりしている場合でも、関連性のあるいくつかの過失が併せて主張されるようなこともあり、したがって、いずれにせよ、事実のふくらみを認めてよい場合が多くなる。

　正当な理由、正当の事由等の、正面から総合判断がなされる規範的事実の場合には、微細な事実については、当事者の主張事実と多少ずれる事実が認定されることはままあると思われる（判決では、裁判所が、「理由（認定事実）」のみならず、主張としての「事実」の記載自体をも、証拠資料によって修正しているような場合がありうる〔前記**第2項第1**〔[253]〕参照〕。当事者も、不意打ちと考え

291

ない限り、そうした点まではこだわらないことが多いであろう）。

　交通事故損害賠償請求事件における過失についても、たとえば、一時停止違反と周囲についての不注視のような場合、実際上はほぼ同一の社会的事実に帰着するような例もありえよう。

　これは常にいえることだが、不意打ち防止の要請に反しないかどうかは、個々の事案における当事者の主張立証との関係で考える必要があり、規範的要件の基礎付け事実の場合には、ことにそういえる。

[266]　第5項　**弁論主義違反の有無**

　弁論主義違反の有無については、微妙な場合があり、現実の事案を検討しておかないと、なかなかわかりにくい。請求原因、抗弁、再抗弁等の主張の組立てを考え、また、適宜、要件事実論的な検討をも行うことが必要である。

[267]　第1　抗弁か積極否認か

　たとえば、以下のような事案で、弁論主義違反は認められるだろうか（最判昭和46・6・29判時636号50頁、判タ264号198頁、百選5版A15事件の事案である）。

　『AからY宛に振り出され、YからB、BからXと順に裏書された約束手形の所持人Xが、Yに対し遡求権を行使して手形金請求訴訟を提起した。

　Yは、抗弁として、「本件手形は、Bが、Xに対して負っていた債務の担保のためにXに譲渡したものであるところ、Bはその後Xに対する原因債務を弁済した」旨の抗弁を提出した。

　裁判所は、BからXへの金員の支払は認めたが、それはBがXに対して負っていた別個の債務の弁済としてなされたものである（したがって、原因債務の弁済ではなかった）と認定して、Yの抗弁を排斥した』

　これについては、「BからXへの金員の支払はなされたが、それはBがXに対して負っていた別個の債務の弁済としてなされたものである」との裁判所の認定事実が問題となる。抗弁は、「BがXに原因債務を弁済した」というものであり、裁判所は、この事実は認められないとしつつ、この事実と両立しない先の事実を認定したものにすぎない。つまり、裁判所の認定事実は、仮に当事者（X）がこれを主張した場合には、再抗弁ではなく、抗弁の積極否認事実に当たるものである。そして、このような事実については、裁判所

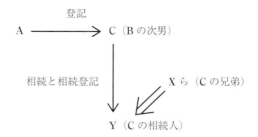

は、当事者（X）の主張がなくとも認定できる。

したがって、裁判所に弁論主義違反はない。

より一般的にまとめると、当事者の主張していない事実を裁判所が認定した場合に、仮に当事者がその事実を主張したとしたらそれが抗弁、再抗弁等に当たるならそれは主要事実であるから弁論主義違反の問題が生じ、積極否認事実に当たるならそれは間接事実にすぎないから弁論主義違反の問題は生じない、ということである（上記設例では、当事者がその事実を主張したなら再抗弁になるのかそれとも抗弁の積極否認になるのかが問題となっている）。

[268] 第2 所有権の移転経過

所有権の移転経過については、弁論主義違反の有無がわかりにくい場合がある。

たとえば、以下のような事案で、弁論主義違反は認められるだろうか（原告をX、被告をY、関係者をA以下で表示する〔上の図参照〕。最判昭和55・2・7民集34巻2号123頁、百選5版46事件の事案である）。

『本件土地については、Aから、Bの次男であるCに、売買を原因とした所有権移転登記がなされていたところ、Bの他の相続人4名のうちXら3名（Cの兄弟）が、Cの相続人で現在の登記名義人Y（Cの妻）に対して、本件土地はBの遺産であるとして、共有持分権に基づき、5分の1ずつの所有権移転登記手続を求めた。

Xは、Aから本件土地を購入したのはBであり、Bが、税金対策のために登記をC名義にしておいたにすぎないと主張する。

Yは、Aから本件土地を購入したのはCであり、自分はそれを相続した

と主張する。
　裁判所は、本件土地を購入したのはBだとしたが、CがBの家業である材木商を手伝っていたことなどの事実に基づき、Bは本件土地をCに死因贈与したと認定し、Xの請求を棄却した』
　こうした事案では、要件事実論的分析、それも、細かなことにこだわるのではなく大局的な見地からのそれが威力を発揮する。
　試みてみよう。
　Xの請求原因事実（要件事実）は、①Aの本件土地もと所有、②AからBへの売買、③XらによるBの相続、④Yの登記、である（訴訟物は、土地共有持分権に基づく妨害排除請求権としての、共有持分に対応する土地所有権移転登記手続請求権〔真正な登記名義の回復を原因とする、抹消に代わる所有権移転登記手続請求権〕）。
　Yは、①を認め、②を争い、AからCへの売買を積極否認事実として主張する。③は単なる一般的な相続の事実であるから、争いがないのが通常である。④については争いがない。
　裁判所は、②の事実を認定した上で、「⑤BからCへの死因贈与」を認定している。
　裁判所は、①、③、④の事実については争いがないのであるから、②の事実を認める以上、請求原因が認められるとして請求を認容すべきところである。ところが、請求原因事実と両立し、請求原因事実から生じる法律効果をくつがえすほかの事実である⑤（抗弁事実）を、被告の主張のないまま認定してしまっている。
　したがって、裁判所には弁論主義違反がある、ということになる（最判の結論も同様）[4]。
　では、次の事案はどうだろうか（最判昭和41・4・12民集20巻4号548頁、百選5版A16事件の事案である）。
　『本件土地について、Xは、XからYから代物弁済でY₁に、ついで売買でY₂に

---

(4) なお、この事案では、Yは、②の事実を認めて、あるいは、②の事実を争いつつも予備的に、「AからCへの売買および登記」という事実を対抗要件具備の抗弁として主張することもできたはずであるが、判決書の記載からすると、この主張はなされていないようである（Yは、上記のとおり、AからCへの売買を積極否認事実として主張しているにとどまる）。

移転した所有権移転登記の抹消登記手続を、Y₁、Y₂に請求している。

　Xは、Y₁から金員を借り受けたのは事実だが、その債務は、Y₂（元々の事案ではY₂の父）から借りた金で弁済済みであり、代物弁済を原因とするY₁への所有権移転登記は無効であると主張する。

　Yらは、Y₁がXから代物弁済により本件土地を取得し、それをY₂に売却したと主張する。なお、Yらは、XとY₂との間には、XがY₂に一定の金額を一定の期間内に持参すればY₂はXに本件土地を売却する旨の約定があったが、Xはこれを履行しなかった、とも主張する。

　裁判所は、本件土地の所有権は、①代物弁済によりXからY₁に移転した、②Xは、その後、Y₂から金銭を借り受けて本件土地を買い戻した、③Xは、さらに、その後、Y₂に本件土地を譲渡担保に供したが、期間の徒過により所有権を失った、と認定し、Xの請求を棄却した』

　Xの請求原因事実は、X土地所有、Y₁、Y₂に各登記、である（訴訟物は、土地所有権に基づく妨害排除請求権としての土地所有権移転登記抹消登記手続請求権）。

　Yらの抗弁事実は、XからY₁への代物弁済、Y₁からY₂への売買、である。

　裁判所は、上記のとおり、①XからY₁への代物弁済を認定し、②再抗弁事実としてのXのY₁からの買戻しを認定し、③再々抗弁事実としての、XのY₂に対する譲渡担保とその期間徒過による所有権の喪失を認定している。

　裁判所の認定を順にみてゆくと、①はYらが主張しているから問題がない。②については、Xが主張している事実と全く同じとはいえないが、不意打ちの問題までは生じず、事実の同一性の範囲内にあるといえるだろう（法的な評価に若干の相違があるだけ）。しかし、③については、Y主張の「売却の約束の不履行」（Yの意図としては、おそらく、いわゆる「事情」として主張しているにすぎないものであろう）と裁判所認定の「譲渡担保とその期間徒過による所有権の喪失」（再々抗弁）とは、主要事実が明らかに異なり、不意打ちとなり、弁論主義違反がある、というべきであろう（最判の結論も同様。なお、③の点についても法的評価の問題にすぎず、弁論主義違反はないという見解もある〔新堂477頁〕が、通常の実務家の感覚からすると、受け入れにくいものではないかと思われる）。

[269] 第3　主要事実と認定事実が明らかに異なる場合

　　主要事実と認定事実が明らかに異なる場合には、弁論主義違反となる。
　　もっとも、最判昭和33・7・8（民集12巻11号1740頁、百選5版47事件）は、契約の締結について本人がしたとの主張しかないにもかかわらず代理人が契約したと認定した判断について、弁論主義違反はないとしている。
　　しかし、これは、主要事実（要件事実）の分析が十分でなかった時代の判例であり、現在であれば、おそらく異なった結論になるであろう。もっとも、実務では、契約の締結が本人、使者、代理人のいずれが行ったかはほとんど争点となっておらず、当事者の主張も、「本人ないしその使者・代理人が行った」という程度のおおざっぱなものにとどまる事案もかなりあり、本件判例は、そうした事案について評価規範の観点からした救済判例であるとみることも可能かもしれない。

[270] 第6項　職権探知主義

　　職権探知主義とは、前記**第1項第1**（[250]）でふれたとおり、裁判資料（訴訟資料と証拠資料）の収集・提出を当事者のみならず裁判所の権能かつ責任ともする原則である。この原則の下では、裁判所は、当事者の主張しない事実も認定でき、自白の拘束力はなく、職権証拠調べも許される。また、当事者の主張の撤回は認められない（[239]）。
　　職権探知主義は、公益性、真実発見の要請の高い訴訟や事項についてとられる。人事訴訟（人訴19条1項、20条）、非訟事件（非訟49条1項、家事56条1項）、公益性の高い訴訟要件等がその例である。行政訴訟においては職権証拠調べが認められている（行訴24条、38条1項、41条1項）が、これは、職権探知主義を採用したものではなく、弁論主義を原則としつつ真実発見の要請からその第三原則についてのみ例外を立てたものと解されている（伊藤324頁）。
　　もっとも、実際には、たとえば人事訴訟において本格的な職権探知が行われているかといえば、答えは否であり、審理については、自白が認められない以外は、ほとんど通常の民事訴訟の審理と変わらず（司法修習生は、人事訴訟の判決起案に、「当事者間に争いのない事実」を入れてしまったりする。人事訴訟

が地裁の職分管轄で通常の民事訴訟事件に交じって配てんされていた時代には、経験の浅い裁判官も、これをやることがあった。それくらい、実際の審理の違いは目立たない）、理念としての相違程度の違いにすぎないともいえる。裁判所は、職権探知主義の下では、真実発見のためにより踏み込んだ審理ができ、またすべきであるということである。

また、職権探知主義の審理ではとかく手続保障がないがしろにされやすいという問題が、たとえば家事事件手続法制定前の家事審判実務にはあった。手続保障の要請自体は職権探知主義の下でも変わらないのであるから、当事者には、職権で探知された事実や証拠について対席の場で意見を述べる機会が与えられなければならない（家事63条、69条参照）。

なお、職権調査事項とは、すでにふれてきた（[014]、[170]等）とおり、裁判所が当事者の主張を待たずにそれを問題にすべき事項の趣旨であり、職権探知主義とは次元の異なる概念である。

第2節　釈明権・釈明義務と法的観点指摘権能・義務、真実義務と完全陳述義務

[271]　第1項　概説

釈明権・釈明義務と法的観点指摘権能・義務（通常は「義務」のほうだけが掲げられるが、「権能」ないしその限界という側面も考えるべきであろう）、真実義務と完全陳述義務等の事項については、よく、弁論主義を補完する事項という説明がなされるが、こうした事柄は職権探知主義の下でも同様に問題となるのであるから、「弁論主義・職権探知主義を補完する事項」という言い方が正しいであろう。

釈明権・釈明義務と法的観点指摘権能・義務は事案解明のための裁判所による協力であるし、真実義務と完全陳述義務は事案解明のために当事者に要請される義務である。すでに述べた専門委員制度（92条の2以下。[088]）も、その機能は鑑定と共通するが、制度としては、事案解明のための裁判所による協力という形で組み立てられている。

第2項　釈明権・釈明義務とその限界

[272]　第1　釈明権、釈明義務、釈明処分

　釈明権とは、当事者の訴訟行為の内容や趣旨を明確にするために、当事者の事実上・法律上の主張の不明確・不完全な点を指摘して修正や補充の機会を与え、また、証明の不十分な点を指摘してさらなる立証の機会を与える、そのような裁判所の権能である。

　釈明権は、合議体の場合には、裁判長が行使する（149条1項）。陪席裁判官は、裁判長に告げた上でこれを行使することができる（同条2項。陪席裁判官が、隣の席から裁判長に耳打ちした上で質問する。なお、裁判長が言い忘れたり間違ったりした場合に陪席裁判官がその点を指摘し、裁判長が質問を続ける例も多い）。当事者は、口頭弁論の期日、期日外を問わず、裁判長に必要な発問を求めることができる（同条3項。直接に質問するのではなく裁判長を介することになっている。この当事者の権利を、求釈明権、あるいは求問権という）。実際には、これは、期日に行われることがほとんどであり、また、当事者どうしの直接のやりとりを裁判長が適宜コントロールする形で行われる場合も多い。

　また、裁判官は、期日外の釈明を行うこともできる（同条1項）。攻撃防御方法について重要な変更を生じうるような事項について期日外の釈明を行った場合には、その内容を相手方にも通知しなければならない（同条4項、規63条）。手続保障のための規定である。実際には、期日に指摘し忘れた細かな事項について問うような場合には裁判所書記官を通じて電話で行い、攻撃防御方法について重要な変更を生じうるような事項をも含め大きな事項については、裁判所書記官を通じて釈明書を送り、相手方にも送付している。もっとも、期日外の釈明はあくまで補完的なものであるから、多用すべきではないであろう。

　なお、以上の「釈明権」という言葉の使い方は通常の日本語とずれていることに留意する必要がある。実際に釈明的な主張立証を行うのは当事者であり、裁判所はそれをするように促すのだから、「釈明を促す権能」というほうが日本語としては正しいであろう[5]。

　釈明権の根拠ないし機能としては、当事者間の主張立証能力の格差から生

じる不公平をただしてその実質的公平を図る、真実発見に資する、当事者の主張・立証と裁判所の心証との間のずれを埋める、などの事柄が挙げられる。

釈明には、主張の趣旨が不明確なものを明確にさせるという消極的釈明（何を言っているかが不明確な主張を明確にさせる、あるいは、欠けている主要事実の主張を促すなど）と、従来の主張立証から合理的に推測される新たな主張や証拠の提出を促すという積極的釈明があり、後者も許され、また、後者には、訴えの変更を促すような釈明も含まれると解されている。

もっとも、上記の説明からも推測されるであろうとおり、実際には、消極的釈明と積極的釈明の区別はあいまいである。「何を言っているかが不明確な主張を明確にさせる」場合には裁判所が適切な指針を与えなければならないことが多いし、「欠けている主要事実の主張を促す」ことについても、それが些細な事柄であればともかく、主要事実の内容自体に見解の対立がありうるような場合であれば、積極的釈明の色彩を帯びてくることが避けられないからである。

釈明権の適切な行使は裁判所の義務でもあり、これを釈明義務という。釈明義務違反の限界（いわば釈明権行使が不十分であった場合）については判例の蓄積があって比較的明白だが（なお、戦後の最高裁判例は、徐々に釈明義務違反の範囲、すなわち釈明義務違反、法令違反として原判決が破棄され、差戻しされる場合〔312条3項、325条1項後段、2項〕を広げてきたといわれている〔新堂499～500頁〕）、釈明権行使の限界（いわば釈明権行使が不適切に過剰な場合）については、

---

(5) ドイツ語からの直訳、ときにはやや誤訳的なそれに基づいて作られた日本の民事訴訟法学のターミノロジーには、こうした言葉はかなりあるが、多くはすでに固まっており、また、常識的に意味が取れる（そのずれが理解できる）場合も多い。そこで、本書でもその点をいちいち指摘していない（たとえば、「法律上の主張」はよいとして、それと対になって用いられる「事実上の主張」は、普通の日本語でいえば、「事実の主張」であろう。が、まあ、いずれにせよ意味はとれる）。しかし、学生や実務家の誤解の原因となりやすい用語については、適宜、説明を行い（先の釈明権はその例）、あるいは、その概念の内容を定義し直している（先行自白〔**256**〕はその例）。なお、こうした生硬なターミノロジーは、どの国の法律用語にも一定は存在するが、本来は、あまりほめられるべきものではない。また、これは外来語ではないが、要件事実論の作り出してきた造語も、要件事実論を知らない人々には一読しただけで理解することの困難なものがいささか多く、実務家以外の人々が要件事実論に拒否反応を示す原因の1つになっている（ターミノロジー〔terminology〕というよりジャーガン〔jargon〕のレヴェルの用語が目立つ）。

その限界を見極めることが非常に難しい。しかし、実務上は重要なポイントであるから、これについては後記**第2**で項を分けて論じてみたい（なお、釈明権の範囲と釈明義務の範囲は一致するかという議論もあるが、それほど生産的な議論とは思われない。常識的にみれば、釈明義務の範囲には含まれないが釈明権の行使自体は違法とはいえないという領域は存在しうると思われるので、その意味では釈明義務の範囲のほうが狭いということになろう。新堂499頁は、釈明義務の範囲は釈明権の範囲に影響するが、後者は上告審の判例では問題となりにくい事柄であるため、後者の問題は上告審判決の研究だけではカヴァーし切れないと指摘するが、そのとおりであろう）。

　釈明権に類似するものとして、釈明処分（151条）がある。これは、裁判所が訴訟関係を明瞭にするために行うものであるという意味では釈明権と共通するが、裁判所自身が行う処分であるという点が異なる。

　内容は、151条1項各号のとおりである。証拠調べとしての鑑定、検証は職権ではできないのに対し、釈明処分の方法としては鑑定、検証が認められていることには注意すべきである。

　釈明処分は訴訟資料（主張）を明確にするためのものであって証拠調べとは性質が異なるが、その結果は、弁論の全趣旨として心証形成の原因にはなりうる。

　151条1項2号の特則（ほぼ同旨の規定）である民事保全法9条（当事者の事務処理者・事務補助者に陳述をさせる）はよく使われる規定だが、151条はあまり使われていない。訴訟資料（主張）の明確を図ることは基本的には当事者の責任であるから、釈明処分は、釈明権の行使ではその目的を達しえないような特殊な場合に補充的に使われるということであろう。保全命令手続で上記9条により陳述が許されるような者については、民事訴訟手続では証人尋問が行われている。保全命令手続では、訴訟資料と証拠資料が民事訴訟の場合ほど厳しく峻別されないこと（瀬木・民保[**211**]）が、この違いを生んでいる。

[273]　第2　釈明権の限界

　釈明権の行使に関して注意すべきことは、あくまでも、当事者による主張・立証が基本であって、釈明権はそれを補完・是正するものにとどまるということである。この点は、かつての裁判官の常識であったし、私は、今で

もそれが正しい釈明権行使のあり方だと考えている（なお、アメリカにおける裁判官の訴訟指揮も、進行については有無をいわせないところがあるが、釈明権の行使についてはおおむね謙抑的である）。近年、学説では、真実発見の要請の観点を重視してか、裁判官の釈明権や法的観点指摘権能の行使を無制限に認める傾向（いささか実体的正義一辺倒的な傾向）が強いが、これには、日本の研究者の多くが実務の経験、感覚に乏しいことによる面も大きいように思われる。

能力が必ずしも十分とはいえない裁判官や自信過剰で思い入れの強い裁判官も実際には一定程度存在するという事実を考慮するならば、釈明権の限界という問題の重要性は理解されるであろう。

ことに問題が大きいのは、パターナリスティックな釈明権行使のやりすぎ、また、裁判官の一方的な思い込みに基づく極端な積極的釈明権の行使である。

前者は、たとえば、裁判官が、本人訴訟の当事者（通常は原告）に一方的に肩入れして手取り足取りの指導を行うような場合である。弁護士を依頼することが難しい地域であれば裁判官は一定程度本人訴訟の当事者を助けてあげてもよいが、それには一定の限度があり、やりすぎは、逆に、当事者間の不公平を招くことになる。

後者は、裁判官が、当事者双方が思ってもみなかったような主張を当事者の一方に細かく示唆したり（実質的には裁判所が弁論主義の第一原則を破っているに等しいような結果となる）、争点整理の初期段階であればともかく、訴訟の終盤に至ってから、それまでの訴訟の趨勢を一気にくつがえし、一方当事者が決定的に有利になるような釈明を行う（たとえば、当事者の双方がおよそ考えてもいなかった別個の攻撃防御方法を、訴訟の終盤に至ってから裁判所が示唆して、訴訟の形成を劇的に逆転させてしまう）ような場合である。

勝つべき者が勝つのだからそれでいいのではないかという反論があるかもしれないが、訴訟などというものは、自然科学の実験のように厳密なものではなく、「水物」という側面もあるので、裁判官が強引に一方に荷担するような形で事実上・法律上の主張を構成しそちらを勝たせるようなことも、実際には、「可能」である。しかし、そのような釈明権の行使は明らかに不適切であろう。

ただ、後者のような例については、微妙な部分があり、どこまでが適切な釈明権の行使でどこからが不適切な釈明権の行使なのかの線引きは難しく、釈明権行使の限界に関する判例も、訴えの変更を促す釈明も許される（この

ことは一般論としては肯定できる）とした判例として解説されることの多い最判昭和45・6・11（民集24巻6号516頁、百選5版52事件）くらいしか見当たらない。

しかし、これは、かなり限界的な事案ではないかと考える。

この事案では、控訴審は、当事者のいずれも考えていなかった別個の法的構成、事実をまるごと原告に提示し、原告が、「そのとおりである」とだけ答えたのを受け、しかも、釈明後には被告に十分な防御の機会を与えないまま弁論を終結して、原告の請求を認容している。

当事者の主張と裁判所の判断を簡潔に整理すると、以下のとおりである。

原告Xの主張は、被告Aに木箱類を売り渡し、被告Y_1（会社）とその代表者である被告Y_2がAの代金債務を連帯保証したというものである（Aが契約者、Yらが連帯保証）。

第一審は、XのAに対する木箱類の納入は、AのY_1（なお、従来はY_1がAに木箱類を納入していた）に対する注文に基づき、Y_1の下請的な立場（XがY_1の下請的な立場という趣旨）で行われたもので、XとAの間には契約が成立していないとしてAに対する請求を棄却した（確定）が、Yらについては、「XがAから代金の支払を受けられることをYらが保証した（そのような特別な約束をした）」ものであり、Xの請求はその趣旨に解することができるとしてYらに対する請求を認容した（XとYらとの間に特別な契約）。

控訴審が認定した事実は「Y_1が、Xに対し、代金はY_1において支払いY_2がこれを連帯保証するから、Aに木箱類を納入してもらいたい旨を持ちかけ、Xがこれを承諾した」というものである（Y_1が契約者、Y_2が連帯保証）。

最高裁は、釈明権違法行使という上告理由を容れなかったが、その説示は今一つ歯切れが悪く、実務経験のある私の目からみれば、その書きぶりからみて、この判例は、いわゆる救済判例の傾向がかなり強いもののように思われる（上記のとおり、釈明義務違反に関する最高裁判例は多いが、釈明権行使の違法に関するそれは、この判例くらいである）。

釈明権行使が許容されたポイントは、第一審における被告の本人尋問申請書における尋問事項の中に控訴審の示唆した法的構成（Y_2がY_1を連帯保証）に関連する事項があったということのようだが、これは、準備書面の記載ですらなく、釈明権行使の違法はない（現在の学説の考え方からすれば法的観点指摘権能の違法な行使もない）ということをいわんがために、一件記録の中から、

控訴審の示唆に関連する被告側の記述を何とか探し出して、控訴審の前記のような措置を是認している感が強い[6]。

　結局、上記の線引きについては、訴訟資料や証拠資料からして釈明権の行使によって不利益を受ける当事者にもそれなりの予測がつく、あるいは、少なくとも、指摘されればそのとおりであり、また、指摘があったとしてもやむをえないと感じられるようなものであるかどうか、によって行うしかないであろう（なお、新堂501頁の分析も参照）。

　もっとも、メルクマールがこのようにあいまいになるのは、法律論ではよくあることであり、多くの事案では、その判断を付けることは難しくないと思われる。

　さて、ゆきすぎた釈明権の行使は違法であり、異議（150条）や忌避の対象になる（なお、私見は、不当な訴訟指揮については忌避を一般的に認める立場である〔[092]〕）が、釈明権の行使に基づく当事者の主張自体は排除されないとするのが、通常の考え方である（伊藤327頁等）。しかし、当事者が主張することがおよそ考えられなかったような主張の場合には、排除を認めることが相当ではないだろうか。私の見聞きした範囲（ことに弁護士からの情報）でも、そうしたケースは、まれではあるとしても存在したと思うし、具体的な事案をみればその判断は可能だと思われるからである。

　いずれにせよ、釈明権の恣意的な行使に関する弁護士の不満は大きいのであって、裁判官は、ことに訴訟の後記段階では、その行使に当たっては公平の感覚を忘れないことが大切である（以上については、瀬木比呂志「これからの民事訴訟と手続保障論の新たな展開、釈明権及び法的観点指摘権能規制の必要性」梣・遠藤古稀356〜369頁参照）。

　なお、判例も、取得時効に関する釈明については、慎重であり、これを行わなくとも原則として釈明義務違反はないとしている（最判昭和31・12・28民集10巻12号1639頁）。もっとも、誤解ないし不注意に基づく取得時効の主張の撤回については例外的に釈明義務違反を認めている（最判平成7・10・24裁判集民177号1頁）。訴訟の勝敗に決定的な影響を与える釈明権の行使について

---

(6)　なお、判例解説昭和45年度297頁は、「第一審判決によってすでに釈明にかかる権利関係と同一の権利関係が認定され」というが、第一審におけるいわゆる判決釈明（判決において当事者の主張を善解し、整理する）の内容と控訴審の釈明の内容とが異なることは明らかであり、判例解説の先の記述は牽強付会の感が強い。

は慎重であるべきだとの思想の現れとみることができよう[7]。

[274] 第3項　**法的観点指摘権能・義務**

　すでにふれてきた法的観点指摘権能・義務（前記**第1項**でもふれたとおり、義務の裏には権能も考えることができよう）は近年のドイツ法から輸入されたものであり、当事者が気付いていないが裁判所としては証拠関係からしてより適切であると考えるような法的観点がある場合には、裁判所はこれを当事者に示唆する義務（権能）があるというものである。

---

[7]　この項目に記してきた事柄は、日本の判例、実務が訴訟指揮に関する忌避を認めず、学説もその点にあまりふれようとしないという問題（[092]）や、同じような根をもつ日本の裁判所における和解の問題（[512]）についての考察とも深く関連している。そこで、それらの背景にある問題意識について、ここで一言記しておきたい。
　日本の法学は、おおむね解釈論中心であり、法律家や司法の実態、またその構造的な問題を見据え、社会においてそれが果たすべき役割を探究するという視点には、戦後数十年間の時期と比べても、乏しくはないか。残念ながら、法社会学にさえ、そういう傾向がないではないように感じることがある。
　たとえば釈明についてみても、良識ある裁判官の意識自体は、実際には、少なくともかつては、「釈明は、第一審の争点整理が一通りすまされた後には、ゆきすぎにならないように注意を」ということであったし、今でもそうであってほしいと私は思っている。ところが、学説は、裁判官を人間や集団として分析する、その限界をみるという視点に乏しい（傾向がある）から、「裁判官はいつも正しいはず」という幻想、思い込みを無意識の前提としがちであり、その結果、「釈明や法的観点指摘はいつでもやってよい。やればやるほど、真実発見に資するし、勝つべきものが勝つのだから」ととられかねないような立論をしてしまうのではないだろうか。しかし、手続保障やフェアネスという原理を幅と厚みをもって理解するならば、そういう立論にはどこかでブレーキがかかるはずでは、と感じるのである（こうした問題については、瀬木・本質で詳しく論じている）。
　学者は裁判官の人間や集団としての限界をみない、良識ある弁護士は、裁判官や裁判官制度の問題や限界についても本当はかなりの程度にわかっているのだが公的にはそれについて語らない、学生諸君も、そうした事柄（さらに広くいえば、制度論、またそれについての視点を提供してくれる社会・自然科学全般）について考えさせられる機会をあまりもたない、ということでは、日本の司法が大きな飛躍を遂げることは難しくはないか。それが、33年間実務家をやり、ちょうど同じくらいの期間を研究者としても過ごしてきた私の、正直な感懐である（制度改革の基盤になるのは常に法だが、近年のそれは、司法分野をも含め、成功しているものが少ない）。
　いい裁判官（法律家）はいるし、いい裁判もある。それは事実だ。しかし、だからといって、各種の構造的な問題のほうについては顔をそむけたままでいるならば、日本の司法は、やがて、世界のそれに立ち後れてゆくのではないだろうか。

実際上は、積極的釈明のうち実務・判例で問題となることが多いようなシリアスなものは、多くが、この法的観点指摘権能・義務にかかわっていると思われ、その意味で、法的観点指摘権能・義務は、法律論に関する釈明と重なり合う部分が大きい。おおまかにいえば、その一部をなすといってもよいであろう。

[275] 第4項　真実義務と完全陳述義務

　真実義務とは、民事訴訟をも支配する信義誠実の原則から導かれるところの、当事者は、真実（みずからが思うところの主観的真実）に沿う主張やこれに沿う証拠の提出を行うべきであり、真実に反する主張やこれに沿う証拠の提出を行ってはならない、という義務である。

　もっとも、現実の訴訟でこれを貫くことは、困難である。積極的に虚偽の事実を主張し、偽造の証拠を提出する当事者は少ないが、みずからのストーリーに沿って事実を構成する場合、どうしても、ある部分では真実との若干のずれ（整合性を図るための多少の整理の結果としての）が生じてくることは避けがたい。

　したがって、この義務は、当事者の行為規範として機能することを期待すべきものであり、そのような趣旨の義務として観念すべきであろう。法的制裁を伴うような義務ではない（新堂481頁）。

　また、真実義務と関連して、当事者は、その有利不利を問わず、知る限りの事実を主張し、証拠を提出しなければならないとする完全陳述義務が説かれる。これは、争点整理手続において裁判官が当事者に対して広い範囲の主張や証拠の開示を求めるための理論として提示されている（伊藤317〜318頁）。

　一種の主張・証拠開示義務であり、真実義務同様に行為規範としての性格が強いものと考えられるが、たとえば、ある当事者の主張や証拠自体からその当事者に不利な事実の存在が推測されるのに当事者がそれを隠しているような場合については妥当する議論であるといえようか（債権者のみの審尋による保全命令の申立手続〔仮差押え、係争物に関する仮処分の場合〕では、債権者の疎明から予想される抗弁についても債権者が一応の反対疎明を行うことが求められる〔瀬木・民保[251]〕が、完全陳述義務は、その1根拠となりえよう）。

【確認問題】
1 弁論主義と処分権主義の関係について述べよ。
2 弁論主義を構成する3つの原則について具体的に説明せよ。
3 Xが、「Yに100万円を貸し付けたが、その後20万円については弁済を受けた」と主張した場合を例に、「相手方の援用しない自己に不利益な事実の陳述」と「先行自白」について説明せよ。
4 間接事実は弁論主義の対象となるか。消極説、積極説の双方、その当否について述べよ。
5 いわゆる「規範的要件」の主要事実についてどう考えるべきか。「過失」と民法110条の「正当な理由」を例にとって述べよ。
6 権利抗弁とはどのようなものか。
7 所有権の移転経過に関する［268］の2つの事案について弁論主義違反の有無を論じよ（設問だけを見て答えること）。
8 釈明権と釈明義務、また釈明権の限界について述べよ。
9 法的観点指摘義務とはどのようなものか。

第10章
争点整理

本章では、審理の計画、準備書面、争点整理の実際と争点および証拠の整理手続、不適切な攻撃防御方法の却下、訴訟準備・情報収集のための諸制度といった、広く争点整理および訴訟のための情報収集一般にかかわる事項について論じる。

第1節　審理の計画と進行協議期日

訴訟の円滑な進行のためには、審理が計画的に行われることが必要である。そこで、争点整理に関する事項に先立ち、審理の計画に関連する民事訴訟法上の制度について簡潔にふれておく。

第1項　審理の計画

147条の2は、裁判所および当事者が訴訟手続の計画的な進行を図らなければならない旨を規定し、147条の3では、複雑な事件については、裁判所は、当事者と協議を行い、①争点および証拠の整理を行う期間、②証人および当事者本人の尋問を行う期間、③口頭弁論の終結および判決の言渡しの予定時期を定めなければならない、とされている。また、裁判所は、特定の攻撃防御方法の提出時期等を定めることもでき、当事者と協議して審理計画を変更することもできる（同条3項、4項）。

こうした計画的進行自体は必要なことであろう。しかし、(i)裁判の迅速化

に関する法律2条1項が「第一審について2年以内のできるだけ短い期間内」という審理期間の基準を打ち出したこともあって、日本の訴訟の審理期間はごく一部の事件を除きかつてに比べればかなり短くなっており、また、(ⅱ)証拠開示制度が限られる日本で複雑な事件について審理開始時点でこのような計画を立てることは相当に困難であり、(ⅲ)無理にこれを設定しようとすれば当事者は主張立証について相当の余裕を見込んだ期間を主張しがちになり、さらに、(ⅳ)審理計画をきちんと立てようというのであれば、上記のようなおおまかな予定を定めるだけではあまり意味がなく（実際には、よほど特殊な大規模事件でない限り、①が定まれば②、③は自動的に定まるので、①以外はあまり意味がない）、期日の集中指定と各期日に行う事項の確定が望ましいが、これは(ⅱ)の点等からおよそ困難である、などの事情から、これらの条文は、実際には、あまり使われておらず、訴訟のリアルな姿と乖離しているために条文が十分に機能しない一例となっている感がある。ことに、(ⅱ)の点を考慮していない点は問題であろう（瀬木・要論 [**034**]）。

　現実には、一定の能力のある裁判官であれば、自分なりの審理計画はもっているのが通常であり、これについて、適宜当事者と協議し、また、口頭弁論調書に記載するなどのことは行っている。また、それは、必要かつ適切なことである。その意味では、上記条文の意図しているところは、一定程度はすでに実現されてきたともいえる[1]。

---

(1)　また、近年の民事訴訟では、訴訟の遅延よりも、裁判官が、審理の手間を省いて進行を急ぎ、無理な和解を行ってみずからの案を押し付けたり、行ってしかるべき人証調べを行わなかったりすることのほうがより大きな問題となっていることには、留意しておくべきであろう（瀬木・裁判所、瀬木・裁判、瀬木・裁判所、瀬木＝清水各参照）。

　　裁判において重要なことは、①その質（適切さ、公正さ）、②手続の透明性、手続保障と当事者の納得、③迅速さ、の3つであると考えるが、現状は、③はある程度満足されているが①、②については問題を含む、というところではないだろうか。これについては、もちろん、裁判所だけの責任ではなく、弁護士のあり方、当事者の法的リテラシー成熟の不十分さ（これは広義の法教育ともかかわる）等の問題も、関連していよう（なお、③については、知財事件のように迅速さが決定的に重要なものもあるが、一方、じっくり審理したほうがよい事件もあることもまた事実である。訴訟は生きものなので、③については、①、②との兼ね合いを考える必要のある場合も、確かにある）。

第10章　争点整理

[279]　第2項　**進行協議期日**

　進行協議期日（規95条ないし98条）は、口頭弁論期日外において設けられる期日であり、証拠調べと争点との関係の確認その他訴訟の進行に関し必要な事項についての協議を行うための期日である。審理の計画に関する規定同様、訴訟の円滑な進行を図るための規定ということができる。

　もっとも、こうした協議自体は、弁論準備手続等の中で行うことも可能であるから、進行協議期日は、たとえば、訴訟の進行について本格的な協議を行わなければならないような大きな事案で当事者双方の忌憚のない意見を聴く（進行協議期日については傍聴は予定されていない）、あるいは、争点に関連する複雑な技術的事項についての当事者双方による説明会を法廷ないし法廷外の場所で行う（規97条により、進行協議期日は裁判所外でも行うことができる。たとえば、紛争の現場、紛争に関連する技術的事項が問題となっている機械設備の存在する場所等が考えられよう）などのことを目的として開かれる場合が多い（その他進行協議期日に関連する細かな事項については、新堂553～554頁参照）。

　なお、実務上は、土地等の検証に代えて進行協議期日で事実上現場を見るということが行われている（これについては後記［398］参照）。

第2節　準備書面

[280]　第1項　**準備書面の意義、内容等**

　準備書面は、当事者が、口頭弁論期日において陳述することを予定して作成する、その主張を記載した書面である。簡易裁判所の手続を除き（276条1項）、口頭弁論については、準備書面の提出が必要である（161条1項）。

　準備書面は、口頭弁論を準備するための書面だから「準備書面」と呼ばれるのだが、実際には、かつての日本の口頭弁論は、おおむね、ただ準備書面を陳述するだけの場所だった。今日でも、口頭弁論は、準備書面の内容を前

提として当事者の主張を整理する形で行われており、これは、どこの国でも同様であろう。

　けれども、相対的にみて、日本の裁判は、書面重視の傾向が強い。そして、こうした事柄は、国民性やその法意識に深く関係するので、そう簡単には変わらない（しかし、少なくとも、控訴審や上告審の口証弁論における口頭の議論、裁判官の質問と当事者の応答は、現在よりも積極的に行われるべきであるといえよう）。いずれにせよ、民事訴訟で問題とされる事実・法律問題は、当事者間に争いのある事案であれば、それなりに複雑なものである場合が多いから、書面を基礎としない裁判は不可能であり、また、その内容は、準備書面として、相手方や裁判所に予告される必要がある。

　準備書面の中心となる記載事項は、攻撃防御方法と相手方の請求および攻撃防御方法に対する陳述である（161条2項）。請求原因、抗弁、再抗弁等（実際の訴訟では、再々抗弁以下の主張がある例は少ない）にかかる主要事実、間接事実、証拠に関する主張、法律上の主張、場合により訴訟要件に関する主張等が記載される（規2条、79条2項以下、80条、81条。なお、準備書面の実際とその作成に当たっての具体的な留意事項については、瀬木・要論第1部第11章、瀬木・民事裁判第7章参照）。

　当事者が相手方の主張を否認する場合にも、単純な否認ではなく、異なった事実関係が主張される場合が多い（積極否認）。これは、つまり、みずからの側のストーリーである。民事訴訟は、法社会学的にみれば、原告と被告がそれぞれのストーリー（法的な評価、枠組みにおける事実の集合体は、1つのストーリーとなる）を掲げての争いであり、その食い違う部分、ことにそのうちの重要な部分が、主要な争点となる。

　重要な書証や準備書面で引用した書証の写しの添付、直送については規定がある（規55条、80条2項、81条後段、82条、83条）が、通常は、当事者が提出予定の書証の写しに番号を振って（原告は甲第1号証から、被告は乙第1号証から）、証拠説明書とともに提出、直送する（規137条）。

　訴状には、通常、いわゆる請求原因（原告の請求、原告主張の法律効果の発生を理由付ける主要事実）としてその必要的記載事項（訴訟物を特定するのに必要な事項。規53条1項にいう「請求の原因」）を超える事項が記載される。このような訴状は準備書面としての性格を併せもつことになる（同条3項）。本案に関する被告の答弁を記載した書面は答弁書と呼ばれるが、これは、準備書面

の一種である（規79条1項）。

準備書面に各種の申立てが記載された場合（実務では、こうした例も多い）、当該部分は、準備書面ではなく、申立てとしての効力をもつ。

[281] 第2項　準備書面の提出、送付とその効果

　準備書面は、口頭弁論等の期日前に、相手方がそれに記載された事項について準備をするのに必要な期間をおいて裁判所に提出し、また、相手方に直送しなければならない（規79条1項、83条。直送については［201］参照）。実務においては、裁判官が、当事者の意見も聴きながらその提出期間を定めておくのが通常である（162条）。これを守らない弁護士が今なお相当存在する（ことに個々の裁判官と弁護士の人的関係が薄い東京に多い）が、準備書面の意義を理解していないといわざるをえない。諸般の事情により提出が遅れる場合にも、遅くとも期日の前日の午前中には提出すべきである。

　期間経過後の提出については、これが極端な場合には時機に後れた攻撃防御方法として却下されることもありうる（157条1項）し、期間の不遵守により訴訟が遅滞すれば勝敗にかかわらず遅滞によって生じた訴訟費用の負担を命じられ（63条）、法定代理人や訴訟代理人がそうした費用額の償還を命じられる（69条1項）こともありうる。また、準備的口頭弁論、弁論準備手続の終了事由ともなる（166条、170条5項）。なお、書面による準備手続においては、準備書面の提出が手続の中核をなすため、この期間を定めることが必須とされている（176条2項〔令和4年改正後176条1項〕）。これらのことはおくとしても、事前の準備書面提出を恒常的に怠る弁護士が失うものは、実際にも大きいのである（私の経験では、恒常的にこれを怠っている弁護士は、おおむね「負け筋」の弁護士である。ことに、口頭弁論等の当日に提出した準備書面については、裁判官によく読んでもらえない危険性もあることに注意すべきである）。

　相手方が在廷しない場合には、準備書面に記載された事実以外の事実は主張することができない（161条3項）。不意打ちを避ける、不出頭の相手方がこれを自白したものとみなされ（159条3項）そのまま結審されると不公平になる（新堂538～539頁）、などの理由による。

　もっとも、単に相手方の主張を争うだけの陳述は許されると解されている。当然に予想されることだからである。

証拠の申出についても、不意打ち防止の要請からこれに含まれると解されているが、すでに争点となっている事項についてのものであれば許容してよいとする説が多い。さらにそのような証拠の証拠調べまでができるかについては、書証は相手方の不利益が小さいから許容される（最判昭和27・6・17民集6巻6号595頁）が、人証は反対尋問の機会を奪うことになるからできないと解すべきであろう。

準備書面提出のそのほかの効果としては、提出当事者が最初の口頭弁論期日等に欠席した場合に、提出していた準備書面記載事項は陳述したものとみなされる（158条、170条5項。簡易裁判所の手続では続行期日でも同様〔277条〕）、相手方が本案について準備書面を提出した後は、訴えの取下げにはその同意を要する（261条2項）、などのことがある。

第3節　争点整理の実際、争点および証拠の整理手続

[282] 第1項　争点整理の実際

民事訴訟法は、「争点および証拠の整理手続」として、弁論準備手続等3つの手続を定めるが、これは、争点整理手続をこれらの方法に限定したものと解すべきではないであろう。本来、主張整理、争点整理こそ口頭弁論期日の中核的事項であり、これが公開の法廷で行われることの意味は大きい（なお、主張を整理する中で争点が定まってくるのであるから、「主張整理」という言葉のほうがより適切ではないかと思うが、以下、通例にならい「争点整理」の用語を用いる）。

上記の3つの手続のうち実際に実務で用いられているのはほぼ弁論準備手続だけであるが、弁論準備手続という非公開の手続だけで争点整理が進められることになると、裁判官の規範意識は弛緩しがちになる（かつての、「弁論兼和解」〔後記**第2項第1**〔**[283]**〕〕と同様の、不透明な、実質上の密室審理の弊害が、再燃しかねない）。また、何のために弁論準備手続を行っているのかという目的意識も薄れて、旧法時代に「口頭弁論の形骸化」として問題にされた

事柄がそのまま弁論準備手続に持ち越されることになりやすい（実際、その傾向があるのではないかという批判も、弁護士から出ており、その批判は近年むしろ強まっている）。

実際の訴訟では、ヴェテラン裁判官は、通常の口頭弁論と弁論準備手続を適宜使い分けている例が多いと思う（現行法の下では通常の口頭弁論による争点整理は特殊な場合に限られるべきとの見解もある〔講義297頁〕が、実務の実際とはかけ離れており、また、法的な根拠にも乏しいと考える。たとえば、裁判所は、当事者双方の申立てがあれば弁論準備手続に付する決定を取り消さなければならないという172条ただし書の規定ぶり自体、口頭弁論による争点整理を当事者の権利として認めるものといえよう）。

私の場合には、簡単な事案では、口頭弁論の時間を数回やや多めにとってそこだけで争点整理をすませてしまうこともあった（争点整理上の重要な事柄は、口頭弁論調書に記録しておく）し、ある程度以上複雑な事案でも、当事者の主張の大筋が整うまでの整理は口頭弁論期日で行い、その後1回ないし数回の弁論準備手続で集中的に争点整理を行うのが通常であった。1回の口頭弁論期日（実務でいうところのそれ。30分程度を2つに区切ることも多い）には通常10件程度の事件が指定されているが、争いのない事件も多いので、その中のいくつかの事件には、相当の時間をさくことも可能なのである。

実際、上記のような形で行われる争点整理には一定の緊張感が伴うが、最初から弁論準備手続を行うと、この緊張感がなく、争点整理がだれる傾向がある。もっとも、上記のような争点整理の進行を主宰するには、裁判官に一定の準備が要求されることは事実である（争点整理の実際とその技術については、瀬木・要論第1部第8章、第9章、瀬木・民事裁判第5章参照）。

第2項　弁論準備手続

[283]　第1　沿革と意義

弁論準備手続とは、口頭弁論期日外で、受訴裁判所または受命裁判官が主宰して、当事者双方が立ち会うことのできる期日において行う争点整理手続である（168条以下）。

旧法時代には、裁判官室に隣接した和解室等において、争点整理と和解を

適宜行う、いわゆる「弁論兼和解」という慣行があった。しかし、これは、明文の根拠がなく、非公開の席で実質的な弁論を行っており、これと和解の区別も不明瞭であるなど、さまざまな問題を含んでいた（日本の和解は、裁判官が当事者の一方ずつと面接する形で行われるため、元々手続保障上大きな問題があるが、実質的な争点整理と和解とが不分明なまま行われると、和解の席で裁判官が一方からその言い分や相手方に対する反論等を聴いてしまうという事態が起こりえ、さらに問題が大きくなる）。

そこで、明文で口頭弁論期日外の争点整理手続を認めるとともに先のような手続的問題を解決したのが、現在の弁論準備手続である。つまり、逆にいえば、弁論準備手続には、その運用いかんによっては、ことにこれが和解と並行して進められる場合（実務では非常に多い。和解期日が弁論準備期日の直後に別に指定される場合と、後者において和解が行われる形が続いていく場合とがありうる。これらの間では、前者がより適切である）には、裁判官および当事者が注意していないと、弁論兼和解の手続的問題が再燃しかねないという傾向が潜在している。最低限、弁論準備手続と和解が並行して進められる場合には、裁判官がその区切りを明確に当事者に告知することが必要であろう（「以後は和解手続に入りますから、一方ずつからお話をうかがいます」といった形で告知することになる）。

[284]　第2　内容

裁判所は、争点整理のために必要と認めるときには、当事者の意見を聴いて、事件を弁論準備手続に付することができる（168条。その旨の決定を行う）。裁判所は、相当と認めるときは申立てによりまたは職権で弁論準備手続に付する決定を取り消す（手続を打ち切る）ことができるし、当事者双方の申立てがあるときは、これを取り消さなければならない（172条。公開の法廷で争点整理を行いたいという当事者の意向を尊重する趣旨であるが、弁論準備手続における訴訟指揮に当事者双方が疑問を感じるような場合にも用いられよう）。このように、弁論準備手続の開始と続行にはいずれも当事者の歯止めがかかる組立てとなっていることには留意すべきである。なお、口頭弁論を経ないまま事件を弁論準備手続期日に付することも可能である（規60条1項ただし書）。

弁論準備手続は、受訴裁判所または受命裁判官が主宰する（168条、171条1項。合議体の場合、地方裁判所では、裁判長と主任裁判官である左陪席裁判官とが受命裁判官として行う場合が多い）。

弁論準備手続は非公開である（準備手続室等で行われる）が、裁判所が相当と認める者については傍聴を許すことができ、また、当事者が申し出た者については、原則として傍聴を許さなければならない（169条2項。その意味で、傍聴を求めることが当事者の権利として規定されていることに留意）。

　裁判所は、口頭弁論とほぼ同様の訴訟行為ができ（170条5項）、当事者に準備書面を提出させることもできるし（同条1項）、証拠の申出に関する裁判（その許否）、その他の口頭弁論期日外においてすることができる裁判（文書提出命令申立て、補助参加の申出、受継申立てに関する裁判等その範囲はかなり広い）、文書、準文書の証拠調べをすることができる（同条2項）。擬制陳述、擬制自白の規定も準用される（同条5項）。

　訴えの取下げ、和解、請求の放棄・認諾も可能である。後記の電話会議の方法による場合も同様である（261条3項〔令和4年改正後261条4項〕、266条1項）。

　現行法制定当初は、文書、準文書の証拠調べについては、弁論準備手続は証拠調べの場所ではないということから許されていなかったが、弁論準備手続では当然書証の申出（[375]）がされ、裁判官がそこで実際上書証を見てしまう以上、後の口頭弁論まで証拠調べを持ち越すことは意味がなく手続上煩瑣でもあるので、現在のように改正された。

　受命裁判官が手続を主宰する場合には、調査の嘱託、鑑定の嘱託、文書を提出してする書証の申出、文書送付の嘱託についての裁判を除いては、裁判をすることはできない（171条2項、3項。この場合には、行いうる裁判は、当然ながら限定される）。

　当事者の一方が遠方に居住しているなど裁判所が相当と認める場合には、裁判所は、当事者の意見を聴いて、電話会議の方法（裁判所および当事者双方が音声の送受信により同時に通話をすることができる方法）によって弁論準備手続を行うことができる。ただし、当事者の一方は期日に出頭していなければならない（170条3項）。電話のみで手続に関与した者も期日に出頭したものとみなされる（同条4項）。

　電話会議の方法は、しばしば用いられるが、私の経験からいうと、実質的な争点整理を密に行う期日や和解の重要な局面では、できれば避けたほうがよいと思う。その場の雰囲気も含め、電話だけでは聴き取れない、感じ取れない事柄がそれなりに重要な意味をもってくるからである（瀬木・要論 [048]）。人間が音声だけで受け取ることのできる情報は限られていることに注意。だからこそ、

日常生活における複雑な打ち合わせ一般についても、電話ではなくヴィデオ通話によるほうがベターなのである）。

[285]　第3　手続の終了とその効果

　弁論準備手続の終了に当たっては、裁判所は、その後の証拠調べで証明すべき事実を当事者との間で確認する（170条5項、165条1項）。裁判所は、相当と認めるときは、これを調書に記載する（規90条、86条1項）。

　実際には、この確認は、すべての主要事実ではなく、争点ないしこれに関する当事者の主張、あるいは争いのある重要な事実について行われることが多いと思われる。すべての主要事実（相当の量になる）を確認、記載するのは煩瑣であり、その内容をめぐって争いも起こりやすいし、判決書でも争点中心の判断が行われるので、当事者が最も関心をもつのもこの点だからである（この規定は、正直にいえば、実務の実態をあまりよく知らない人々が理屈本位で作ったといわれても仕方のないところがないではないように思われる）。

　また、裁判長は、相当と認めるときは、当事者に、争点および証拠の整理の結果を要約した書面を提出させることができる。この要約書面は、新たな主張を記載するものではなく、本来の準備書面とは性格が異なる。そこで、解釈上の疑義を避けるために、提出およびその期限につき特別の規定が置かれている（170条5項、165条2項、規90条、86条2項）。

　実際には、裁判所は、弁論準備手続を終えるに当たり、まとめの準備書面（新たな補充的主張も加えられている）を提出させるのが相当と思われる場合にはこれを各当事者に提出させることはあるが、上記のような要約だけの特別な書面を当事者に提出させることはあまりないようである。各当事者が自分の分を作成するなら準備書面と同じことである（もっとも、主張が錯綜していた事案であればそれでも一定の意味はあるが）し、一方当事者が双方の分を作成するのは無理があるし、双方が協力して作成するということは、実際にはきわめて難しい。正確かつ客観的な要約書面を作成するというのであれば、裁判官が行うしかないであろう（実際、ごく一部の事件ではあるが、裁判官が双方の主張を主要事実レヴェルまで整理したものを作成した上で当事者らの確認を得ている例はあるという）。いずれにせよ、165条2項も、いささか机上で作られた傾向の否定しにくい規定である。

　当事者は、弁論準備手続の結果を口頭弁論で陳述しなければならない

(173条)。口頭主義および直接主義の要請である。当事者は、その際その後の証拠調べで証明すべき事実を明らかにしなければならない（規89条。もっとも、実際には、「弁論準備手続の結果陳述」という言葉だけですませている例が多い）。裁判官交代の場合や控訴審における従前のあるいは第一審の口頭弁論の結果陳述の性質については形成行為説と報告行為説の両説がある（[224]、[616]）が、弁論準備手続の結果陳述の性質については、報告行為説でまとまっており、また、先の2つの場合と同様に当事者の一方が行えば足りると解されている（コンメⅢ555頁。口頭弁論の結果陳述の場合とは異なり報告行為説でまとまっているのは、裁判官は結果陳述の前後で異ならないかあるいは一部重なっている〔合議制の場合〕からであろうか）。

　弁論準備手続の終結後に新たな攻撃防御方法を提出した当事者は、相手方の求めがあれば、手続の終了前にこれを提出できなかった理由を説明しなければならない（理由説明義務。174条、167条）。この義務違反の事実は、時機に後れた攻撃防御方法の却下（157条1項。[288]）の要件である故意・重過失の認定資料となりうる。

　弁論準備手続の終結自体には失権効がないが、理由説明義務を介して時機に後れた攻撃防御方法の判断に影響が及ぶような形の規定となっているわけである。

　実際には、当事者が弁論準備手続の終結後に新たな攻撃防御方法を提出する場合（比較的まれ）にはそれなりの理由があることが多い（[288] 参照）ので、相手方当事者がそれについて説明を求めるという事態は、あまりない。

[286]　**第3項　準備的口頭弁論**

　準備的口頭弁論とは、特に争点および証拠の整理を目的として行われる口頭弁論であり（164条）、いわゆるラウンドテーブル法廷（裁判官席と当事者席がつながっている法廷で、書類の受け渡し等が容易）等が用いられ、1回の時間もそれなりに長くとる場合が多い。

　実質的には、弁論準備手続と同様の内容を公開の法廷で実現することが予定された手続であり、一般の傍聴を認めることが適切な、社会的・公共的価値にかかわるような訴訟では、弁論準備手続に代わるものとしての利用が考えられるであろう。

準備的口頭弁論は法的にはまさに口頭弁論であるから、弁論準備手続の場合のように、これに付する旨の裁判が行われるわけではない。口頭弁論に準備的な部分とそれ以後の部分の節目を設けるということである。

　手続の終了とその効果については、弁論準備手続の場合とほぼ同様である（165条ないし167条）。

　この手続は、実務では、それほど多く行われてはいない。ラウンドテーブル法廷における争点整理を好む裁判官が行うことがあるという程度であろう。

[287]　第4項　書面による準備手続

　書面による準備手続（175条以下）とは、当事者の出頭なしに準備書面等の提出によって行われる争点整理手続であり、準備書面等の提出と電話会議（176条3項〔令和4年改正後176条2項〕）によって行われるのが普通である（電話会議は必要的ではないが、電話会議による場合が多い）。「裁判長等は準備書面等の提出期間を定めなければならない」とこの点が必要的な事柄とされている（176条2項〔上記改正後176条1項〕。162条参照）のは、この手続では、準備書面等の適時提出が手続のスムーズな進行のかなめとなるからである。電話会議には双方当事者とも出頭する必要はない。通常の意味での「期日」ではないという考え方による。もっとも、裁判長等は、協議の結果を記載させる必要がある場合には、裁判所書記官に手続についての調書を作成させることができる（規91条2項）。

　手続を主宰するのは、裁判長または高等裁判所の受命裁判官である（176条1項）。ヴェテラン裁判官のみが行うのが相当な手続ということである（なお、上記改正後については、176条1項、176条の2第1項）。

　手続の終了とその効果については、結果の陳述がない（事実上争点整理を行っただけだからという理由によると思われる）ほか、弁論準備手続の場合とほぼ同様であるが、裁判所がその後の証拠調べで証明すべき事実を当事者との間で確認するのは、手続終了後の口頭弁論においてである（177条、178条）。

　この手続は、実務ではあまり行われていない。行われるとすれば、双方の訴訟代理人の事務所がともに遠方にあるような場合であろう（したがって、高等裁判所では活用の余地がより大きいであろうか。もっとも、近年は、民事裁判手続のIT化の試行的な意味合いで、また、2020年以降の新型コロナウイルス禍の影響

も手伝って、この手続が、いわゆるウェブ会議の中核的な手続として、積極的に利用されているようである〔なお、この項目については**補論―1、4**も参照〕)。

[288] 第4節 **時機に後れた攻撃防御方法等の却下**

　適時提出主義（[226]）の実効性を確保するための1つの手段として、時機に後れた攻撃防御方法の却下の制度がある（157条1項）。

　ここでいう攻撃防御方法とは、当事者が判決事項にかかる申立て（原告の請求、被告の請求棄却・却下の申立て）を基礎付けるためにする一切の訴訟行為を意味する。事実上・法律上の主張とこれらに対する応答、立証、証拠抗弁（相手方の証拠申出に関して、証拠能力、証明力等を具体的に争う主張）等である。

　その要件は、以下のとおりである。もっとも、①と②については重なる事柄が多いので、そうした点は①でまとめて論じる。

① 時機に後れた提出であること

　弁論の経過からみて適宜の時機に提出することが可能と思われる時機よりも後れて提出されたことである。民事訴訟法所定の争点および証拠の整理手続後の提出、弁論の制限（152条1項）が命じられた後にその事項についてする提出等は、時機に後れたものと認定されやすいといえる。162条の期間経過後の提出についても、遅滞が極端な場合には同様のことがいえよう。

　相殺の抗弁については、実質敗訴を前提とした主張であり、その提出が許されなくなった場合に相殺の担保的機能を失うことにもなるから、より慎重な判断が必要であるとの考え方（条解941頁等）と、他の抗弁と区別する必要はないとの考え方（コンメⅢ377〜378頁等）とがある。机上の議論としては前者の考え方も成り立つと思うが、実際に時機に後れた攻撃防御方法の却下が問題となるのは、おおむね、口頭弁論終結間近になってから形勢不利なほうの当事者が新たな主張立証をしようとする場合なので、そのような場合を主として念頭に置くならば、後者が適切であろう。

　付言すれば、証拠調べが終えられた時点で新たな主張立証をすることがやむをえないと考えられる場合も、ごくまれにはある。証拠調べの結果、当事者が予期していなかったような事実関係が明らかになってきた、あるいは、

攻防の新たな枠組み、フレームがみえてきたような場合である。こうした場合、たとえ却下してみても、控訴審で再度その点が問題となることは明らかなので、裁判所としては、却下には慎重にならざるをえない。なお、こうした場合、新たな立証については、補充的なもので足りる例が多い。

控訴審についても、297条によって157条1項が準用される。時機に後れたか否かが第一審、控訴審を通じて判断されるべきことは当然である（最判昭和30・4・5民集9巻4号439頁）が、第一審判決をみた結果としての新たな主張立証について先と同じようなことがいえる場合には、やはり、却下には慎重であるべきだろう。

最判令和元・11・7（判時2435号104頁、判タ1469号52頁）は、控訴審における時機に後れた提出であるか否かの該当性が問題となった事案である。労働者が解雇無効を主張して労働契約上の地位確認等を求める訴訟で、第一審が解雇を無効として請求を認容し、使用者が控訴して労働契約の期間満了による終了を主張したところ、原審はこの主張を時機に後れたものとして却下した。しかし、この事案では、同契約が第一審の口頭弁論終結時以前に期間満了により終了していたことは当事者（原告）の主張から明らかであり、したがって、主張共通の原則（[256]）から、第一審は、期間満了による労働契約終了を認定することが可能であった。

上記最判は、以上を踏まえ、期間満了による終了について原審には判断遺脱（338条1項9号の再審事由であり〔[661]〕、最高裁との関係では、上告受理申立て理由、また325条2項による破棄の対象となる〔[636]〕）の違法があったと判断し、傍論として、第一審が斟酌すべきであった事実を被告が原審で指摘することが時機に後れた攻撃防御方法の提出に当たるとはいえないとした。

②　当事者の故意または重過失

前記のとおり、民事訴訟法所定の争点および証拠の整理手続が行われた場合には、その終了後に新たな攻撃防御方法を提出した当事者は、相手方の求めがあれば、争点整理手続終了前にこれを提出できなかった理由を説明しなければならない（167条、174条、178条）が、これができなかった場合には、故意または重過失が認定されやすいであろう（一問一答184〜185頁）。

③　訴訟の完結を遅延させること

これについては、建物買取請求権の行使について、訴訟の完結を遅延させるものではないとした判例（前記①の昭和30年最判）と、それが引換給付判決

を意図した同時履行の抗弁権の前提である場合には建物の時価等について別途審理を要するから訴訟の完結を遅延させるとした判例（最判昭和46・4・23判時631号55頁、百選5版45事件）があるが、建物買取請求権の行使は多くの場合引換給付判決を意図した同時履行の抗弁権の前提としての主張であろうから、時機に後れて提出されれば訴訟の完結を遅延させるであろう（上記の判例の結論の相違は、前者では建物買取請求権の行使の主張が原審で早期に主張されていたことによるとみられる〔百選5版99頁の解説〕）。

　また、口頭弁論終結直前における書証の提出や在廷証人の取調べ申出も問題になる。前者についてはいずれにせよ取るに足りない書証の場合が多い（敗色濃厚な当事者が不要なものを提出する例が多い）ので、口頭弁論終結時期が遅れるというまでのことはない（相手方に反論の準備書面を提出させるまでもない）場合が大半である。後者については稀有であるが、相手方の準備が必要と認められるような場合には、遅延は否定できないであろう。

　時機に後れた攻撃防御方法の却下の要件は以上のとおりだが、私の経験では、現行法施行の前後から適時提出主義の原則はかなり徹底してきており、この条文による申立ても、却下を行わなければならないような事例も、まれになっていたことは、間違いがないと考える。

　なお、審理計画が定められている場合の攻撃防御方法の却下については、その要件がよりゆるやかになっている（157条の2）。

　157条2項は、趣旨不明瞭な攻撃防御方法についての釈明に当事者が応じない場合の却下について定めている。証拠の申出が趣旨不明瞭な場合には181条1項によって却下される（条解942頁）ので、本項の適用があるのは主張についてである。実務では、実際上は、裁判所がその趣旨を善解した上で調書にまとめている例が多い。およそ法的に無理な主張に当事者が固執するような場合には、判決において主張自体失当と判断する場合もある（瀬木・ケース132頁、139～140頁）。いずれにせよ、157条2項による却下の例はほとんどないと思われる。

　しかし、弁護士のうち相対的に能力に乏しい層の裁判所依存傾向は、日本の実務の問題の1つであり、本来は、本項の適用がもっとあってよいのかもしれない。

第5節　訴訟準備・情報収集のための諸制度

[289]　第1項　概説

　訴訟を実りあるものにし、そこにおける実質的手続保障を全うするためには、対席による審理、反論権や反対尋問権の保障（広くいえば、対席による実質的な討論、反論の機会の保障）のみならず、相手方と裁判所からの事実と法に関する情報の取得、証拠の取得、ことに相手方の証拠の開示といった事柄が非常に重要になってくる（実質的手続保障〔[005]〕）。

　そこで、本節では、民事訴訟法における訴訟準備・情報収集のための諸制度について、まとめて解説しておきたい。なお、文書提出命令、文書送付嘱託については、**第13章**の書証の部分で論じる。

　日本においては、実質的手続保障の重要性に関する法律家の関心がなお十分に高くないこともあって、こうした制度も全体として弱体であり、また、十分に利用されているともいえない。一方、アメリカのディスカヴァリーは、包括的かつ徹底的ではあるが、技術的・広範にすぎるともいえるし、手間や費用がかかりすぎるなどの問題も大きい（ことに、弁護士の報酬や費用がかさむことになりやすい）。

　また、日本では、ごく普通の事案においては大体の証拠は訴訟の中で自主的に提出されることが多いため、制裁を伴った制度の必要性がそれほど高くないということもいえるであろう（ここはむしろ世界的にみてもアメリカが特殊なのかもしれない）。

　しかし、相手方の証拠を十分にみる機会もないまま和解を強要されたなどという当事者の声もあるし、国や大企業等の大組織を相手方とする訴訟や技術的な事項を争点とする訴訟では、事前の証拠開示制度がないことの弊害は大きく、また、訴訟開始後も、自主的な提出、開示がなされず、裁判所も文書提出命令に積極的でない場合があり、やはり、全体としてみると、制度の不備は否定しにくいであろう。

　訴訟準備・情報収集のための諸制度の充実について今後考えてゆくような

場合には、民主主義の成熟した小国をも含め、ヨーロッパ先進諸国への目配りも必要であろう。また、こうした問題は、弁護士・弁護士会の意識が高まらなければ、決して進展、改善しないことも指摘しておきたい。他分野の知識人たちが是認、同意できるような制度になっているかということも考えてみる必要があるだろう。

　なお、現状の改善のために実質的にみて最も重要なのは、文書提出命令についての裁判所の消極的傾向の改善であろう。

[290]　**第2項　当事者照会**

　当事者照会は、当事者が、訴訟係属中に、主張立証準備のために必要な事項について、相手方に対して、相当の期間を定めて、書面で回答するよう、書面で照会を行う制度である（163条、規84条。なお、訴えの提起前における同様の制度として132条の2）。

　アメリカにおけるディスカヴァリーの1方法である質問書（interrogatories）の制度を参考にしたものだが、回答については信義則（2条）上の義務があるだけで制裁が伴わないこと、弁護士の関心も高くないことから、ほとんど利用されていない。実際上、訴訟開始後であれば、裁判所に釈明権の行使を求めるほうが確実で早いということもある。

　しかし、たとえ信義則上の義務しかないとしても、正当な理由がなく回答をしなかったり虚偽の回答をしたりすれば、訴訟においてその点が考慮されることは十分にありうるわけであって、少なくとも、後記**第4項**でふれる訴え提起前の当事者照会は、現在の制度の下でも、利用価値のあるものではないかと考える。

　163条各号（令和4年改正後163条1項各号）は、照会について当事者が回答義務を負わない場合を列挙している。内容が不適切あるいは主張立証準備という目的と合致しない場合（1号ないし4号）、相手方の負担が不当なものとなる場合（5号）、証言拒絶権で保護される事項（6号）である。

第3項　裁判所による調査等の嘱託、弁護士法上の照会

[291]　第1　裁判所による調査の嘱託

　　裁判所による調査の嘱託（186条）は、裁判所が、必要な調査を官公署等の団体に嘱託することができるとする制度である。
　　これは、公正さを疑われることのない客観的な事項について簡易迅速な証拠調べの手段を裁判所に与える趣旨の規定である。しかし、実務では、むしろ、当事者がこれを行ってくれるよう裁判所に求める例が多い（もっとも、当事者に申立権はないので、この求めは、裁判所の職権発動を促す意味しかない）。後記**第3**の弁護士法上の照会（弁護士会照会）には応じない団体でも、裁判所による調査の嘱託には応じる例があるからである。
　　官公署等の団体はこれに応じる一般公法上の義務を負うが、応じなくても制裁はない。しかし、実際には、回答が拒絶される例は少ない。
　　上記のとおり、実際上は当事者の証拠獲得の手段として利用されているという面が大きいが、そのような機能に合理的な意味はあり、むしろ、当事者の申立権をも認めるような制度として再構築することが考慮されてもよいであろう。
　　嘱託事項については、実務上、考え方にかなり幅がある。上記のとおり、公正さを疑われることのない客観的な事項で、手続保障上の問題がないもの（条解1069頁）というのが基本と思われるが、今日では、この種の情報はインターネットでの入手が容易になっている場合が多いこともあって、ボーダーラインケースについて当事者がこれを求める例が増えている。
　　調査の対象には事実のみならず経験則や法規まで含めてよいと解されているが、争点に関連する特定の歴史的事実については、不適切であろう（たとえば、「特定の日時に当事者らに対して官民境界確定のための調査を行ったか、またその結果いかん」といった内容）。証人尋問によるべきである。
　　また、経験則についても、特定の業界の商慣習あたりまでは許容されると思われるが、医学的経験則や事実のそれへの当てはめといった事柄については、上記のメルクマールを逸脱していると考える。それぞれ、証人尋問、鑑定（後記**第2**の鑑定の嘱託を含め）によるべきであろう（コンメⅣ136〜137頁は鑑

定に代わるような内容の調査嘱託を広く認めるが、疑問を感じる。調査嘱託の対象を広げるよりは、専門委員〔[088]〕の利用をより踏み込んだ形で行うほうが、制度趣旨からも、手続保障の観点からも、まだしも適切ではないかと考える）。

　また、実務では、相手方当事者の住所の調査嘱託をしてほしいとの申出もあるが、これが制度趣旨から逸脱していることは明らかであろう（以上につき、瀬木・要論［086］）。

　上記のとおり、調査嘱託は証拠調べの一種であるから、結果としての回答書（調査報告書）が官公署等から提出されれば、裁判所は口頭弁論でこれを当事者に示して意見を述べる機会を与えれば足り、当事者の援用を要しない（最判昭和45・3・26民集24巻3号165頁）し、いずれかの当事者に書証として提出させる必要もない（もっとも、これを有利に援用する当事者が証拠説明書を添えて書証としても提出する例が実務では多く、また、適切でもあろう。裁判官にとっても証拠の意味を理解しやすいからである）。

[292]　**第2　裁判所による鑑定の嘱託**

　裁判所による鑑定の嘱託（218条、規136条）は、裁判所が、個人のほかに、官公署等の団体に対して鑑定を嘱託（依頼）することができるとする制度である。関連性からすると**第13章**の鑑定の部分で取り上げるほうが適切かもしれないが、前記**第1**の制度と趣旨、性格が共通するので、この項目で解説することとした。

　鑑定（ことに科学的鑑定）は、個人に依頼されることが多い。しかし、誰がエキスパートであるかは不明だがこの研究所が適切といった場合もありえ、そうした場合には、本条による嘱託を行うことができる。

　官公署等の団体は、前記**第1**の場合と同様これに応じる一般公法上の義務を負うが、応じなくても制裁はない。

　提出される書面の性格は、調査報告書ではなく、鑑定書である。

　鑑定嘱託については、宣誓に関する規定を除き、鑑定についての規定が準用される（218条1項）。また、裁判所は、鑑定書の内容について説明を聴く必要があると認める場合には、官公署等の指定した者に口頭弁論期日において説明をさせることができる（同条2項）。説明者は鑑定人ではない（なお、証人でもない）から、鑑定に関する規定は原則として準用されない（条解1175頁、コンメⅣ366頁）。以上はかなり形式的な解釈になるが、これとは別に、当

事者が、鑑定に関与した者の尋問を求めることもできると解されているので、実際上の問題は生じないであろう（鑑定に関与した者をどのような資格の者として尋問するかはやや微妙だが、基本的に鑑定人として尋問することになろうか〔コンメIV367頁〕）。

[293]　第3　弁護士法上の照会

　法的性質は異なるが、弁護士法上の照会制度についても、前記**第1**の調査嘱託の制度と機能的に共通するため、ここでふれておく。

　弁護士は、受任している事件（訴訟係属の有無を問わない）について、所属弁護士会に対し、公務所または公私の団体に対して必要な事項の報告をするよう求めることを申し出ることができる。弁護士会は、申出が適当でないと認める場合以外には、これに応じて公務所等に報告を求める（弁護23条の2）。

　照会を受けた公務所等は、正当な事由、すなわち弁護士がその報告によって得られる正当な利益（真実の発見、公正な判断の確保）にまさる他の法益侵害のおそれがない限り、これに応じる一般公法上の義務を負うと解される。したがって、一般的な職務執行上の支障というだけでは正当な事由があるとはいえない（新堂388頁）[2]。

　もっとも、判例は、弁護士法23条の2第2項は照会の相手方に対して報告を求める私法上の権利を弁護士会に付与するものではなく、したがって報告拒絶行為は弁護士会に対する不法行為を構成することはないとする（最判平

---

[2]　なお、前科および犯罪経歴については、弁護士法23条の2に基づき前科および犯罪経歴の照会を受けた政令指定都市の区長が、照会を必要とする事由としては、照会文書中に『中央労働委員会、京都地方裁判所に提出するため』との記載があったにすぎないのに、漫然と同照会に応じて前科および犯罪経歴のすべてを報告することは、前科及び犯罪経歴については、従来からの自治省通達により一般の身元照会には応じない取扱いであり、弁護士法上の照会にも回答できないとの趣旨の自治省行政課長回答があったなど、原判示の事実関係のもとにおいては、過失による違法な公権力の行使に当たるとした判例がある（最判昭和56・4・14民集35巻3号620頁、百選5版73事件）。同判例も、前科等の有無が訴訟等の重要な争点となっていて、市区町村長に照会して回答を得るのでなければほかに立証方法がないような場合には、裁判所から前科等の照会を受けた市区町村長は、これに応じて前科等につき回答をすることができるとの一般論は掲げており、前科等の照会に応じることが一律に国家賠償法上の問題になるとはしていない。しかし、実際上は、この判例以降、公務所等が弁護士法上の照会を個人のプライヴァシーの観点から拒絶する例が増えているということはあると思われる。

成28・10・18民集70巻7号1725頁)。

[294] 第4項　訴え提起前の証拠収集処分

　訴えの提起後に可能な証拠収集方法の相当部分を訴えの提起前についても前倒しした制度である（132条の2ないし9）。

　対象事項は、当事者照会、文書送付嘱託、官公署等への調査の嘱託（訴え提起後の調査の嘱託〔186条〕に相当）、専門的知識経験を有する者に対する意見陳述の嘱託（訴え提起後の鑑定の嘱託〔218条〕に相当）、物の現況の調査命令（訴え提起後の検証に相当）であり、文書提出命令は含まれていない（132条の4第1項）。

　申立ての要件は、訴え提起後の場合よりも厳格になっている。

　まず、提訴の予告通知を行う必要がある。予告通知の書面には、提起しようとする訴えの請求の要旨および紛争の要点を記載しなければならない（132条の2第3項）。また、できる限り訴えの提起の予定時期を明らかにしなければならない（規52条の2第3項）。

　予告通知を受けた者も、答弁の要旨を記載した書面で返答をしたときは、相手方に対し当事者照会を行い（132条の3）、あるいはそのほかの証拠収集処分の申立てをすることができる（132条の4第1項柱書）。

　当事者照会が可能な期間、そのほかの証拠収集処分の申立てが可能な期間は、予告通知の日から4か月以内である（132条の2第1項柱書、132条の3第1項柱書、132条の4第2項）。

　当事者照会の対象事項は主張立証準備のために必要であることが明らかな事項であり、そのほかの証拠収集処分の申立てによって収集しようとする証拠は、立証に必要であることが明らかであり、かつ申立人がみずから収集することが困難であると認められるものでなければならない（132条の2第1項柱書、132条の3第1項柱書、132条の4第1項柱書）。

　当事者照会の除外事項については、訴えの提起前の照会であることから、例外がより広くなっており、132条の2第1項2号、3号は、163条各号（令和4年改正後163条1項各号）の事項に加えて、相手方または第三者のプライヴァシーにわたる事項と営業秘密に関する事項をも規定している（第三者のそれらについては、相手方が回答することを第三者が承諾した場合を除く〔132条の2第2項〕）。

そのほかの証拠収集処分については、裁判所が、その収集に要するであろう時間または嘱託を受けるべき者の負担が不相当なものとなることその他の事情により処分をすることが相当でないと認めるときにはできないし、処分をした後においても、同様の理由により相当でないと認められるに至ったときは、裁判所はこれを取り消すことができる（132条の4第1項ただし書、同条4項）。

　これらの制度は、要件が厳しく、裁判所自体がこの制度にあまり乗り気ではないなどのこともあって、あまり利用されていないが、前記**第2項**にも記したとおり、少なくとも、訴え提起前の当事者照会は、現在の制度の下でも、利用価値のあるものではないかと思われるし、そのほかの証拠収集処分についても、事案によっては利用が有効な場合がありうるのではないだろうか。弁護士、弁護士会の側でも、こうした新しい制度を使ってみるための協議、工夫をしてみる（研究会等で検討する）などの努力が必要であろう。その上で、使いにくい部分があれば、制度の改善を求めてゆけばよいのである。

第5項　証拠保全

[295]　第1　概説

　証拠保全とは、正規の証拠調べの時期を待っていたのではその証拠の取調べが困難になる場合に行われる証拠調べ手続であり、証拠調べを前倒しで行うものである（234条）。

　具体的には、証人について死亡のおそれがある場合、書証（たとえば診療録）について廃棄、改竄、変質等のおそれがある場合、検証物（たとえば労働事故の起こった機械や場所等）について廃棄や現状変更のおそれがある場合等に行われうる。証拠保全の事由は、疎明される必要がある（規153条3項）。

　改竄のように証拠を支配する者の主観的事情により生じる事柄の可能性については、この疎明がどの程度に必要であるかについて争いがあるが、改竄が容易であり他の事例等の経験からその蓋然性が相当程度存在すれば足りるという程度の比較的ゆるやかな解釈でよいであろう（伊藤477〜478頁）。

　これは、証拠保全制度に証拠開示収集という要請を含ませてよいかという問題とも関連するが、前記**第4項**の訴え提起前の証拠収集処分に文書提出命

令が含まれていないことなどを考えるならば、先の問題については一定程度肯定的に解することができ、当事者間の公平という観点からみても適切であろう（新堂415～416頁。なお、実務においては、かつては、証拠保全といえばほとんどが医師の診療録の検証であり、証拠保全イコール診療録の開示といった理解がむしろ一般的であったが、このような理解自体は、証拠保全という制度の趣旨を正しく理解したものとはいえない）。

証拠保全の申立ては、相手方を指定することができない場合（将来誰を被告にすべきかが明らかでない場合。たとえば不法行為の加害者が明らかでないような場合）にもすることができる。この場合、裁判所は、相手方となるべき者のために特別代理人を選任することができる（236条）。

[296]　第2　証拠保全の手続

証拠保全の管轄裁判所については、訴え提起後は、その証拠を使用すべき審級の裁判所であるが、口頭弁論期日指定後または事件が弁論準備手続等に付された後口頭弁論終結までの間は受訴裁判所である（この間は、審理を行っている裁判所が行うのが相当だからである。235条1項）。

その証拠を使用すべき審級の裁判所については、控訴提起後も訴訟記録が控訴裁判所に送付されるまでの間は第一審裁判所であると解するのが相当であろう（コンメIV603～604頁、条解1288頁）。

訴え提起前については、証拠方法が所在する地を管轄する地方裁判所または簡易裁判所である（同条2項）。急迫な事情がある場合には、訴えの提起後であっても、これらの裁判所にも申立てが可能である（同条3項）。

訴訟の係属中であれば、職権による証拠保全も可能である（237条）。

証拠保全の決定は、その証拠を取り調べる旨の証拠決定を兼ねる。文書については検証が行われることが普通（たとえば診療録については検証の上で写真撮影がなされる）だが、記載内容自体を証拠資料にする必要があれば書証としての取調べをすることになる。

証拠保全には強制力がないので、相手方が証拠保全の対象物を任意に提出しない場合（かつてはそのような場合もあった）には、文書提出命令や検証物提示命令の申立てが必要になる（232条1項、223条）。

証拠調べの期日には、申立人および相手方を呼び出さなければならない。ただし、急速を要する場合は、この限りでない（240条）。

証拠調べを行った裁判所の裁判所書記官は、本案の訴訟記録が存在する裁判所の裁判所書記官に証拠調べの記録を送付しなければならない（規154条。なお、証拠調べの記録は、本案訴訟が提起されるまでは、証拠保全が行われた裁判所に保管される〔規54条参照〕）。

　送付された記録は、口頭弁論に提出されれば証拠資料となる（証拠保全において行われた証拠調べの性質がそのまま維持される。たとえば、証人尋問は証人尋問であって、証人尋問調書が書証となるわけではない）。もっとも、証人尋問については、当事者が口頭弁論における尋問の申出をしたときは、裁判所は、その尋問をしなければならない（242条）。直接主義の要請による規定であり、249条3項と同趣旨である。

【確認問題】
1　準備書面提出の効果について述べよ。
2　弁論準備手続の概要について述べよ。
3　弁論準備手続の終了とその効果について述べよ。
4　裁判所による調査の嘱託の対象となる事項としてはどのようなものが考えられるか。
5　証拠保全はどのような場合に行われるか。また、その結果は本案訴訟においてどのような形で利用されるか。

第11章
証明と証明責任、自白

本章では、証拠と証明およびこれらに関連する諸概念、証明の対象と証明を要しない事実（ことに自白と権利自白が重要である）、自由心証主義、損害額の認定、事実認定の実際、証明責任とその分配・転換について論じる。いずれも民事訴訟の根幹にかかわる事項なので、正確かつ深い理解が必要である。

第1節　概　説

訴訟物である権利または権利関係に関する判断を含め、民事訴訟における判断は、事実を確定し（事実認定）、これに法を適用して行われる。

事実認定に当たっては、裁判所は、当事者が自白した事実および裁判所に顕著な事実については、そのまま裁判の基礎としなければならない（179条）。前者は弁論主義の第二原則（自白に関する原則）の帰結である。

それ以外の事実については、裁判所は、証拠に基づいてこれを認定しなければならない（証拠裁判主義）。裁判所の判断の客観性を担保するためである。この観点から、裁判官は、私知に基づく裁判をしてはならないといわれる。これは、裁判官が法廷外でたまたま知りえた事実や知識に基づいて裁判をしてはならないことを意味する。裁判所の判断は、公開の法廷に提出された証拠の証拠調べによることを要する。そうでないと、判断の客観性が担保されず、上級審や国民がこれを客観的に検証することもできないからである[1]。口頭弁論に関する直接主義や公開主義は、上記のような事柄に関係している。

第2節 証拠と証明およびこれらに関連する諸概念

[299] 第1項 **証拠に関する基本的概念**

　証拠という言葉は、さまざまな意味で用いられる。すなわち、①証拠調べの対象となる有形物（証拠方法）、②その取調べによって裁判所が得た内容（証拠資料）[2]、③証拠資料のうちで事実認定の原因となったもの（証拠原因）である。証拠原因となるものには、証拠調べの結果のほか、弁論の全趣旨（[323]）がある（247条）。

　証拠方法には、人証と物証がある。人証は、証人、当事者本人、鑑定人、物証は、文書、検証物である。

　人証や物証が証拠方法として用いられる適格を証拠能力という。日本の民事訴訟においては自由心証主義（[321]）が広く認められており、証拠能力の制限は、原則としてないといってよい。

　例外は、①明文で一定の事項について証拠方法を限定している場合（そのような証拠方法しか証拠能力をもたないとする。法定代理権等の証明〔規15条〕、訴訟代理権の証明〔規23条〕、口頭弁論調書の証明力〔160条3項〔令和4年改正後160条4項〕〕、疎明の場合〔188条〕、手形訴訟の場合〔352条1項〕、少額訴訟の場合〔371条〕。もっとも、訴訟代理権の証明については[148]参照）、②訴訟契約（[232]、[238]）の一種としての証拠制限契約が当事者間に締結された場合、

---

(1) もっとも、私知のうち知識の部分については、実際には、その限界は微妙である。すぐれた裁判官ほど、契約の諸類型に関する一般的知識やこれらに関する慣習等にも通じ、また社会科学一般に関する知識も一般的経験則に関する知識も深いはずであり（もっとも、実際には、法律家と呼ばれる人々は、残念ながら、必ずしも一般教養が深いとは限らない。これは、どの国でもいえることのようである）、これらは、正しい裁判を行うために有用なものである。したがって、私知の利用が特に問題となるのは、たとえば医学知識等、専門的知識ないし専門的経験則にかかわる知識であるといえよう。

(2) なお、「訴訟資料と証拠資料」という対比の中で用いられる「証拠資料」は、「当事者が提出する証拠」というほどの一般的な意味であり、ここでいう「証拠資料」とは若干意味がずれる。

③違法収集証拠の場合である。

③の違法収集証拠については、信義則違反の見地から、また、裁判所が違法行為を是認したことになるとの見地から、証拠能力を否定するのが一般論である。より具体的には、違法なあるいは社会的に容認されない方法によって証拠を得た者が法による保護や利益を求めるのは許されないという意味での訴訟法上の信義則違反があるか否かによって判断すべきであろう（条解1376～1377頁、コンメⅤ92～94頁各参照）。

そのメルクマールについては、収集の手段が刑事上罰すべき行為に当たるときには証拠能力を否定し、そこまでの程度に至らない場合には、違法性の程度や証拠の重要性等の諸般の事情を総合考慮して決すべきであるとの考え方が有力である。

基本はそれでよいと思うが、日本の実務では、離婚訴訟の場合に相手方の所有・支配にかかる手紙やメールを持ち出す、コピーする、配偶者の不貞の相手方に対する慰謝料請求（なお、私はこれを原則的に否定すべきであると考える〔瀬木・要論[128]〕）の場合に探偵社に依頼して相手方の行動を無断撮影等する、などの手段によって得られた証拠がほぼ無制限に用いられており、これにはかなり疑問を感じる。

それ以外の訴訟類型で問題になるのは無断録音テープだが、これは、事案の性格、録音がなされた際の状況、その必要性・正当性の程度等の諸事情が問題になりうるので、総合考慮によらざるをえないであろう。窃取された可能性の高い文書については、当事者が窃取にかかわっていたか否かの判断が困難な場合のあることは理解できるが、たとえば神戸地判昭和59・5・18（判時1135号140頁、百選5版66事件）などは、いささか安易に証拠能力を認めているのではないかとの感がぬぐえない。

大変率直にいえば、日本の判例には、証明力の高い証拠であれば違法収集証拠でも容認するという傾向が、いささか強すぎると思う（百選5版140～141頁の解説掲記の判例参照）。

証拠方法に関する説明が長くなったが、最後に、証拠資料は、先に挙げた証拠方法の順に、証言、当事者の供述（判決書では、「当事者本人尋問の結果」として示される）、鑑定人の意見、文書の記載内容、検証物の形状となる。証拠資料が事実認定に役立つ程度（裁判官の心証形成に役立つ程度）を証明力という（証拠力、証拠価値ともいう。証拠力という言葉は、証明力と並んでよく用いら

れる)。自由心証主義の下では、証明力は原則として裁判官の自由な判断にゆだねられている。

なお、証拠には、証拠の機能という観点からする分類として直接証拠と間接証拠があるが、これについてはすでにふれた（[259]）。

第2項　証明に関連する諸概念

[300]　第1　証明度、証明と疎明

　一般的には、証明とは、裁判官が合理的な疑いをさしはさまない程度に真実らしいとの確信を得た状態または裁判官をこの状態に達させるべく証拠を提出する当事者の行為をいい、疎明とは、裁判官が一応確からしいとの心証を得た状態または裁判官をこの状態に達させるべく証拠を提出する当事者の行為をいう、とされている。

　疎明の証拠方法は、即時に取り調べることができるものに限定されている（188条）。

　具体的には、在廷する人証の尋問、即時に行いうる鑑定、法廷に顕出された検証物の検証はできるが、在廷しない人証の採用決定や呼出し、鑑定結果が即時に提出されない鑑定、文書提出命令や文書送付嘱託の申出はできないとされる。しかし、たとえば、疎明にかかる手続（たとえば、保全命令手続〔民保13条2項〕）でも、仮の地位を定める仮処分の重大事案（たとえば健康被害にかかわる差止め仮処分等）については、事実上審尋を行う期日を定めた上でその日に当事者が同行した人証を取り調べるなど、即時性の一定の緩和が必要である（瀬木・民保 [247]）。

　民事訴訟では、判決の基礎となる事項、訴訟物に関する判断については証明が必要であるが、それ以外の派生的、付随的な手続事項（決定で裁判がされる）については疎明で足りるとされている（たとえば、特別代理人の選任〔35条1項〕、補助参加の許否の裁判〔44条1項〕、第三者による訴訟記録の閲覧・謄写における利害関係〔91条2項、3項〕等）。

　保全命令手続では、上記のとおり、裁判（決定。民保3条参照）は疎明でされるが、実際には、仮の地位を定める仮処分の大半を占める断行の仮処分（一時的に本案と同様の満足を実現させることから「満足的仮処分」ともいわれる）

については、当事者に与える影響の重大性から、証明に近い程度の疎明が要求されており、こうした意味では、証明と疎明の区別は、かなりの程度に理念的なものにすぎない。

裁判所がどの程度の心証を形成すれば証明の対象となる事実が存在するものと扱ってよいかに関する程度を証明度というが、これについては、見解が分かれている。

通説・判例は、「通常人が疑いをさしはさまない程度の高度の蓋然性」が必要であるとする（最判昭和50・10・24民集29巻9号1417頁、百選5版57事件〔ルンバール事件〕。もっとも、この判決の読み方は必ずしも一様ではなく〔高橋下42頁の注(18)〕、また、この事案では実際には相当程度の蓋然性が満足されているにすぎないという見方もある〔松本＝上野440〜441頁。なお、私も同様に考える〕）。

これに対し、証拠の優越性で足りるとする考え方も学説では有力である（新堂571〜573頁等）。新堂説は、根拠として、刑事訴訟とは異なる民事訴訟の性格、高度の蓋然性説では誤判率が高まること、基準としての明確性、立証活動の活性化の各視点を挙げる。

英米法系の国々では証拠の優越性説が採られており、その理論的根拠としては、高度の蓋然性説では誤判率が高まるということが最も大きいのかと思われる（大村雅彦＝三木浩一編『アメリカ民事訴訟法の理論』〔商事法務〕142〜174頁）。

もっとも、実際に法廷を傍聴してみると、日本のそれとアメリカのそれに極端な差までは感じられず（なお、日本の実務でも証拠の優越性によっている場合があるのではないかとの指摘もある〔クエスト250頁〕）、上記の相違は、英米法における訴訟手続の根幹が陪審制を念頭に置いて形作られていることと関係があるのではないかというのが、私の推測である（陪審制の下では、基準の明確性が重要であるところ、「高度の蓋然性」といったいささかあいまいな説明がなされると陪審員が過度に慎重になることは、考えられるように思う）。

また、日本を含め大陸法系の国々でも、後記のとおり証明責任の転換ないし証明度の軽減のためにさまざまな規定・概念・理論が存在し（［330］以下）、これらにより、高度の蓋然性説を採った場合の問題は相当に緩和されているともいえる。

もっとも、日本の裁判官には、広い意味での社会的な価値にかかわる事案、ことにその結果が社会に与える影響が大きい事案で、認容というドラスティ

ックな結果を嫌って原告に過度の立証を要求する（そうした事案について、意識的、無意識的に通常よりも高い証明度を設定しがちになる）傾向が強く（これは、司法官僚としての性格が強い日本の裁判官の1特性といえる）、証拠の優越性説にも相当の根拠がある民事訴訟で過度の立証を要求することの問題を指摘することは、こうした観点からは有効であろう。

　結論としては、私は、中間的見解を採りたい。証明度については、新堂説のいうとおり、過度に高いものを要求するのは正しくないと考える。平易な言葉を使えば、「まずは原告の言い分が正しいだろうという程度」で足りるというのが、裁判官経験に基づく内省を経た上での、私見である。その意味で、「証拠の優越性よりは高いが、通常人が疑いをさしはさまない程度の高度の蓋然性よりは低い、相当程度の蓋然性説」を提唱しておきたい。

　なお、証明度に関連して、「解明度」という概念が提唱されている。それまでの事実認定が新たな証拠によってくつがえされることがない確実さの程度、証拠が調べ尽くされた程度、等の説明がなされている。

　一般論としてこのような概念を立てることの意味については、証明度の概念を脇から照らすという側面から理解できる。しかし、この概念の根底にあると推測される「証拠は多いほど、調べるほど、心証が確実になる」という考え方には、疑問がある。精選された証拠に基づく事実認定がおそらく最も心証度が高いのであり、事案との関連性が低いものまで含めて膨大な証拠を提出するのは、被告側の、引き延ばし、審理攪乱のための常套手段であるからだ。

　もっとも、あくまで「調べるべき証拠を調べ尽くした程度」という趣旨であるというのなら、解明度という概念にも一定の意味はあると考える（以上につき、新堂575～576頁、条解1364頁、コンメⅤ70～71頁各参照）。

[301]　第2　厳格な証明と自由な証明

　これは、証明度ではなく、証明の方法に関する概念である。

　訴訟法上の法定の方式に従って行われる証明が厳格な証明、そうでない証明が自由な証明ということである。

　もっとも、厳格な証明は、元々は、証明に関する規制が厳格な刑事訴訟法学から出てきた概念であり、証拠能力の制限が限られている民事訴訟では、大きな意味のある概念ではない。

また、法定の方式から解放されているといっても、双方対席審尋等の実質的手続保障は、当然確保されなければならない。

したがって、自由な証明で緩和される事柄は、証人尋問の順序（202条1項、2項）、証人尋問と当事者尋問の先後（207条2項）、文書の成立の証明（228条1項）等に限られるといわれる（伊藤356～357頁）。

決定手続で判断される事項については、自由な証明の妥当する領域が相対的に広いであろう。判決手続については、職権調査事項全般（争いのある法規や経験則も含む）について自由な証明で足りるとする説もあるが、経験則については、専門的経験則はまさに主要な争点にかかわる例が多いことからみて、疑問である。争いのある法規、訴訟要件の調査（新堂579頁参照）については、自由な証明で足りると思われる。もっとも、実務では、争いのある訴訟要件、ことに訴えの利益や当事者適格については本案の審理と並行して審理が進む場合が多いので、訴訟要件については、弁論の制限（152条1項）によってこの点に審理が限定された場合くらいにしかこのことは問題にならない。

[302]　第3　本証と反証

本証とは、ある事実について証明責任を負う側が行う立証であり、裁判官に前記**第1**のような意味での（要求される証明度に達したとの）確信を抱かせる必要がある。反証とは、証明責任を負わない側が行う立証であり、先の確信を揺るがせ、真偽不明（ノンリケット〔ラテン語〕）の状態に持ち込めば足りる。

実際には、民事訴訟というのは、先にも述べたとおり（[280]）、原告の提示するストーリーと被告の提示するストーリーのぶつかり合いだが、そのストーリーがどれほど確からしい必要があるかという点については、やはり、原告と被告では、一定の差がある。原告は基本的にそのストーリー（その要点は、多くの場合、請求原因およびこれに関連する事実）について裁判官に確信を抱かせなければならないが、被告のストーリー（その要点は、多くの場合、請求原因に対する積極否認の内容）は基本的にこれをぐらつかせる程度の信憑性があれば足りるわけであり、被告勝訴の場合でも、裁判官が被告のストーリーに沿った心証を得ており、それが判決書に記されるとは限らない（もっとも、実際には、「原告主張の事実は認めることができない。かえって、○○の証拠によれば被告主張の事実が認められる」としてこれが判決書に記されることが多い〔瀬

木・要論 [113]]。私は、これを「かえって認定」と名付けている。そのほうが判決の説得力が増すからである。瀬木・ケースの棄却事案でも、これを行っている場合が相当にある。しかし、裁判官が、いずれの主張するストーリーとも異なった事実認定を行う場合も、ごくまれにはありうる。こうした裁判官の事実認定の実際にかんがみても、証明度は、前記第1に記したとおり、「相当程度の蓋然性」、つまり、「原告のストーリーのほうが正しいと相当の蓋然性をもっていえる程度」というのが適切ではないだろうか）。

以上のような意味で、本証と反証の区別は、立証や審理の指針としては、非常に重要である。

また、本証という場合、それが、本証そのものではなく、「本証のレヴェルの立証」を意味している場合もある。後記の間接反証（[334]）における「間接反証の場合の立証のレヴェルは本証のレヴェルに達している必要がある」という場合の「本証」という言葉の使い方がそれである。

第3節　証明の対象と証明を要しない事実

第1項　証明の対象

[303]　第1　概説

証明の対象となるのは「事実」、ことに主要事実である。間接事実や補助事実は、主要事実の証明に関係する限度で証明の対象となるにすぎない。もちろん、間接事実ないしはその総合による主要事実の推認は重要であり、実際の実務では、重要な間接事実の存否が重要な争点となることは確かにある（直接証拠が乏しいか、その証明力が低い場合）が、近年の学説が論じるほどにそれが多いか否かは、やや疑問である（直接証拠が存在する事案のほうが多いと思われる）。

この項では、後記第2項で論じる事柄（証明を要しない事実）に先んじて、まず、証明の対象となるか否かについて争いのあるものについて論じる。

[304]　第2　経験則

　経験則についてはすでに何度もふれている。経験から帰納された事物に関する知識や法則のことであり、およそ人が論理的に物事を判断する場合には常にこの助けを借りているといわれる。裁判官の判断についても同様であり、その推認の基礎となる。もっとも、私自身は、事実認定の本質につき、実際には、直感的総合的な推測、判断という性格が強く、経験則は、裁判官がそうした直感による認定を検証する際の道具の1つとして利用されていると考えている（[325]）。

　経験則のうち一般的なものについては、常識の範囲に属する事柄であり、公知の事実（179条にいう「顕著な事実」の1つ。**第2項第7の2**〔[319]〕）に準じるものとして、証明の必要はないであろう。しかし、専門的経験則については、証明の必要があり、たまたま裁判官が私的にこれを知っていても、その私知を利用して裁判をすることは、客観的な公正さや検証可能性の観点から不適切である（[298]。なお、新堂581～582頁は、鑑定人と当事者が同一であってはならないという法の趣旨〔23条1項4号〕をも理由に挙げる。私知の利用の禁止という趣旨は、確かに共通である）。

[305]　第3　法　規

　通常の法規については、これを知ることが裁判官の職務であるから、証明の問題は生じない。しかし、外国法やこれに準じるような一般に知られていない法（後者の例としては、現在の民事訴訟ではもはやそれが問題になることは少ないであろうが、たとえば地方の慣習法がそれに当たる）については、証明の対象となる。

　正確にいえば、裁判官には、これを探知する義務、責任があるが、職権による探知には限界がある（外務省に調査を依頼しても〔実務ではそのような例も皆無ではない〕、外交官は一般法の専門家ではなく、外務省の職責の範囲をも超える事柄であるから、正確な回答が早急に得られるとは考えにくい）。したがって、裁判所はその立証（正確にはこれに関する法律上の主張、立証）を当事者に求めることができる、ということである（伊藤357～358頁）。

　その立証については、前記（[301]）のとおり、自由な証明で足りる。また、これについては、まずはないことだが、外国法等の内容がどうしても明らか

にならない場合には、裁判官は、証明責任でこれを解決することはできず、これに代わる何らかの法規ないし規範を適用しなければならない（伊藤358頁、条解1015頁、コンメⅣ14頁。なお、コンメⅣ14頁は証明責任の適用があるともいうが、疑問である）。

第2項　証明を要しない事実──自白、裁判所に顕著な事実

[306]　第1　概説

証明を要しない事実としては、裁判所で当事者が自白した事実と裁判所に顕著な事実（公知の事実および裁判所が職務上知りえた事実）がある（179条）。また、権利ないし権利関係についても、権利自白が問題となる。これらについてはさまざまな論点があり、ことに権利自白は、その効力、対象からして見解が一致していない。現在の理論状況を含め、よく理解しておく必要がある。

[307]　第2　裁判上の自白概説

裁判上の自白とは、一方当事者が口頭弁論または弁論準備手続においてする、相手方の主張するところの自己に不利益な事実を認める陳述である。前記のとおり、事実上の主張の一態様である。したがって、その法的性質は、観念の通知ないし事実行為と解される（[232]、[236]）。

もっとも、自白の法的効力（裁判所拘束力、当事者拘束力）の基礎になり、これを正当化するのは、自白によって不利益を受ける当事者の意思であり、その意味で、また、自白が当事者による事実の（一種の）処分であるという点からみても、自白については、意思的要素が重要、本質的である。つまり、自白の成立や自白につき錯誤があったか否かの判断に当たっては、そのような意思的要素が考慮されるべきである（新堂584頁、高橋上475〜476頁等。実務の考え方も同様であると思う）。

もっとも、学説上は、なお、自白は事実認識の表明、観念の表示にすぎないとして意思的な要素を考慮しない考え方が有力である（条解1032〜1033頁、コンメⅣ58〜59頁）。しかし、行為の性質論からそのように割り切るのは疑問であろう。元々、訴訟行為について私法行為の分類を当てはめて考えることには、限界があるからだ。自白の性質論については有力説の強調するところ

も理解できる（自白を意思表示であると考える必要まではない）が、だからといって、事実についての主張が一致しさえすれば自白を認めるべきだ、ということにはならない。いいかえれば、自白について意思的要素を考慮してはならないとまではいえず、逆に、これを考慮すべきであると考える。

この点をより具体的に説明すれば、「結果的にこの事実は自白が成立している」という事態を認めるか否かということである。私は、こうした事態を認めるべきではなく、「この事実は当事者が自己に不利益な事項であることを認識しつつ認めたのだから自白が成立している」というように、その意思的要素を考慮すべきだと考える。ある事項について自白が成立しているか否かが争いになることは、現在の実務ではほとんどない（口頭弁論で準備書面の交換のみをしていた時代には、それらが堆積した後になってから当事者の一方がある事実について相手方の自白を主張し、相手方が、それは認めていない、あるいは、自白になることなど認識していなかったと主張して争いになることが、まれにはあった）が、それは、自白が成立しているか否かが明らかでないような場合には裁判所あるいは相手方がその点について適宜問いただしているからであろう。この「自白の意思的要素」については、よく認識しておく必要がある（新堂584頁も、このことを強調している）[3]。

第3　自白の成立とその対象

[308]　1　概　説

裁判上の自白とは、前記**第2**で述べたとおり、「一方当事者が口頭弁論または弁論準備手続においてする、相手方の主張するところの自己に不利益な事実を認める陳述（事実上の主張の一態様）」である。

これについては、自白の対象となる事実は何か、不利益性を決する基準は何か、裁判外の事実についてどう考えるべきか、事実主張の一致に関連する問題、といった論点がある。

以下、順次解説する。

---

(3)　なお、高橋上477〜478頁の注(2)は、「自白の意思的要素」を考慮する理由として、当事者が自白をする場合につき、相手方の主張が真実であると思うからという場合のほかに、より重要な事実に主張立証のエネルギーを集中するために自白をする場合もありうることを挙げている。現実にはこうした「戦略的自白」の例が多いとは思わないが、これも、付随的な理由にはなるであろう。

なお、要件事実論の基礎が一定程度に常識となった今日ではもはやそれほど意味のある概念とはいえないが、「理由付否認」と「制限付自白」について、ここでまずふれておく。

　「理由付否認」は、相手方の主張の全体を争いながらもその主要事実の一部は認めるものであり、たとえば、貸金返還請求に対してこれを争い、金は受け取ったが贈与であるなどと主張するものである。この場合、貸金返還請求の主要事実のうち金銭の交付については自白が成立するが、消費貸借の合意については否認しているから、これについては相手方に証明責任がある。つまり、理由を付けつつも全体としては否認しているので、「理由付否認」というわけである。

　「制限付自白」は、金は借りたが返したと主張する場合であり、請求原因事実は認めているが、これと両立しかつ請求原因事実から生じる法律効果をくつがえす別の事実（抗弁）をも主張している。自白しつつも抗弁をも主張しているので、「制限付自白」というわけである

[309]　**2　自白の対象たる事実**

　自白の対象となる事実は主要事実であるとするのが従来の通説である。弁論主義の対象が主要事実であること（[259]）の帰結である。判例も同様である（最判昭和31・5・25民集10巻5号577頁、最判昭和41・9・22民集20巻7号1392頁。後者は百選5版54事件）。

　この点については、弁論主義の部分（[259]）で論じたとおり、重要な間接事実も自白の対象となる（新堂587頁、高橋上493～494頁、クエスト234～236頁）、あるいは、より広く、間接事実一般が自白の対象となる（松本＝上野333～334頁）とする考え方もある。しかし、そこで述べた理由と同様の理由（自由心証主義の制約、主要事実に対象を限定することの合理性・明確性）により、本書では、これらの考え方は採らない。

　補助事実については、証拠の証拠能力や証明力にかかわる事実、すなわち証拠の評価にかかわる事実であり、自由心証にゆだねるべき領域といえるから、一般論としては自白の対象とはならない。判例も、一般論としてこのことを述べる（最判昭和52・4・15民集31巻3号371頁）。

　もっとも、補助事実のうち文書の成立の真正（[374]）については、これが認められなければ実質的証拠力、すなわち証明力も否定されてしまうというものであって、他の補助事実とはその性質がかなり異なる（質的な相違がある）。

ことに、処分証書（[372]）については、その成立の真正が認められれば特段の事情がない限りその処分証書によってなされた法律行為、主要事実（たとえば処分証書が契約書であれば当該契約）が認められるべきであるとされるという意味で、主要事実を認めたのとおおむね等しい効果が生じ、当事者もそのことは十分に理解して認否を行うのが通常であるから、例外的に、主要事実に準じて自白の対象としてよいであろう（同旨、クエスト237頁）。

この点については、実務でも、場合によっては補助事実の自白であることを十分に認識しないまま、自白の対象として取り扱っている例が少なくないと思われる。

なお、報告証書についても、領収書のようにその証拠力が経験則上高い場合もあることなどを理由に、文書の成立の真正について全面的に自白の対象となるとする説もある（松本＝上野334～335頁）。

後記第7の裁判所に顕著な事実（公知の事実および職務上顕著な事実）に反する自白に自白の拘束力を認めるかについては、自白はそもそも証明の対象となる事実について成立するものであること、これらの事実は証明の対象から外されるような客観的事実であること、したがって、これらの事実に反する自白を裁判の基礎とすると裁判の信用をそこなうことから、否定すべきであろう（新堂588頁、伊藤362～363頁、高橋上498頁。もっとも、新堂は、公知性の程度にもよるとする）。反対説は、私的自治の要請をより重視するものである（兼子248頁、クエスト237～238頁）が、上記のような理由から、疑問である。もっとも、公知の事実が主要事実となる例は、あまり多くはないであろう（不法行為訴訟等で歴史的事件や災害に関する事実が主要事実の一部となる場合くらいであろうか。こうした場合に、公知の事実に反する自白を認めるのは、適切ではないと思われる）。

なお、経験則は、証明の対象にはなる（前記**第1項第2**〔[304]〕）が、事実ではないし、当事者の意思によって左右できる事柄でもないから、自白の対象にはならない。

[310] **3 不利益性**

自白は、「相手方の主張するところの自己に不利益な事実」について成立する。

この不利益性については、一方が証明責任を負う事実についてその相手方に成立するとする考え方（証明責任説）と、自己の敗訴につながる事実につ

いて成立するとする考え方（敗訴可能性説）とがある。
　証明責任説は、証明責任を負う者がその負担から解放されたことがその相手方にとっての不利益であるとするものであり、敗訴可能性説は、自白が相手方に与える「自白をした者の敗訴に対する期待」が自白をした者にとっての不利益であるとするものである。
　この相違は、たとえば、次のような事案について典型的に生じる。
　『貸金返還請求をした原告が弁済期をＡ日であると主張した。被告が原告主張の事実を認めてこれを前提とした消滅時効を主張したところ、原告は、弁済期の主張を消滅時効の成立しない時点であるＢ日（当然Ａ日よりは後の日である）に変更した』
　この場合、証明責任説によれば、弁済期については貸金返還請求の主要事実の一部であるから、自白は被告について生じ、原告については生じず、原告の主張の変更は許される（自由になしうる）ことになる（もっとも、この主張の変更が不自然であれば、そのことが弁論の全趣旨として考慮されることはありうる）。
　敗訴可能性説によれば、弁済期の主張は原告の敗訴につながる事実と評価できるから、原告には（原告にも）これについて自白が成立し、弁済期の主張の変更のためには自白の撤回の要件を満たすことが必要になる。
　これについては、基準の明確性という観点から、基本的には、証明責任説を採るべきであろう。敗訴可能性説は、その基準が明確でなく、当事者の主張いかんによって自白の成否が異なってくるので、これを広く考えれば、口頭弁論終結の時点を待って自白の成否を決するということにもなりかねない。しかし、それではおよそ基準になりえない。敗訴可能性説が典型的に問題とする、証明責任を負う当事者が後に証明責任を負う事実と矛盾する主張をした場合（上記の事例もそのような場合である）の処理については、弁論の全趣旨として考慮すれば足りよう（伊藤365頁は、さらに、時機に後れた攻撃防御方法としての制限や信義則による制限も考えられるとする。極端なケースでは、それらも考えられるであろう）。
　もっとも、実務においては、基本は証明責任説によりながらも（判例は、一般的には証明責任説を説く〔大判昭和8・2・9民集12巻397頁等〕）、証明責任を負う当事者が後に証明責任を負う事実と矛盾する主張をした場合（敗訴可能性説が問題にする典型的な場合）についても、やはり、場合により上記のよう

な論点をはっきり認識しないまま、自白の成立を認めている例があると思う。私も、当事者にとっても裁判所にとってもその適用の可否が明確であるような事実については、補充的に敗訴可能性説による自白を認めてもよいかと考える(4)。

[311]　4　裁判外の自白等

　裁判上の自白は、口頭弁論または弁論準備手続においてのみ成立する。

　それ以外の場所（他の事件の口頭弁論を含む）でした自白は、裁判外の自白といわれ、その事実の存在に関する1つの資料（事実認定の対象となる過去の事実）として扱われるにどまる（実際には、裁判外の自白が援用されその存在が認められる例は稀有である。しかし、もしも訴訟に近接した時点における裁判外の自白の存在が明確に認められれば、それは、事実認定についての重要な資料になりうるであろう）。

　準備書面に記載されただけでは自白にならない。もっとも、その陳述が擬制される場合（158条、277条）には自白が成立すると認めてよいと思われる（コンメⅢ399頁。陳述の擬制は欠席者に有利な取扱いをするものであるから、この場合にも自白は成立せず、単に擬制自白〔欠席の場合の159条3項〕が認められうるにとどまるとする考え方がある〔条解1031〜1032頁〕が、自白のみをあえて陳述の擬制の例外とすることができるのか、疑問を感じる）。

　また、当事者尋問における供述も、自白とはならない（それに沿った事実認定の証拠にはなりうる）。

　なお、関連して付言すれば、訴訟代理人の自白については、当事者本人がただちにこれを取り消せば自白とはならない（57条の事実に関する当事者の更正権〔[150]〕の結果）。

[312]　5　事実主張の一致

　自白が成立するためには双方の主張が一致する必要があることは当然だが、時間的先後は問わない。通常は、証明責任、主張責任を負う当事者の主張があってから相手方がこれを認めて自白が成立することになるが、この順序が逆になるいわゆる先行自白（[256]）の場合にも、相手方がこれを援用した時

---

(4)　なお、不利益性については、広く自白を認める立場から不利益性を要件としない考え方（松本＝上野331頁）、これを自白の撤回制限効の要件としてとらえ、かつそのような要件としても否定する考え方（クエスト240〜241頁）もある。

点で自白が成立する。相手方が援用するまでは、先行自白となるべき陳述を撤回することは自由である。

第4　自白の効力とその撤回

[313]　**1　概説**

　自白の効力については、審判排除効、証明不要効、不可撤回効がある。

　審判排除効は、弁論主義の第二原則のいいかえである。

　証明不要効（179条）については、弁論主義の結果である（条解1029頁）、あるいはその要求に基づく（コンメⅣ54頁）といった説明がされるのが通常だが、より正確にいえば、当事者の主張が一致している事柄だからもはや証拠調べでその客観性を担保する必要がない（その意味で弁論主義とも関連している）というべきであろうか（同旨、クエスト241頁）。

　ただし、証明不要効は、主要事実のみならず間接事実、補助事実についても認められるという意味では、弁論主義の範囲を超えている。

　もっとも、間接事実、補助事実については審判排除効ははたらかないから、裁判所は、証拠によりこれと異なった事実を認定することももちろんできる。しかし、実際には、そのような例は少ない（なお、判決書の「当事者間に争いのない事実」の中には争いのない重要な間接事実も含めて記載されることが多い）。以上、要するに、間接事実、補助事実について認められる証明不要効は暫定的なものである。

　審判排除効と証明不要効とは、裁判所と当事者の関係を規律しているので、自白の裁判所拘束力ともいわれる。

　これに対し、不可撤回効は、当事者に対する拘束力である。不可撤回効の根拠については、主としては相手方の利益保護にある（審判排除効や証明不要効のある自白を信頼した相手方はもはやこれを証明しなくてもよいという期待をもつし、そのための証拠確保もしなくなるであろう。そのような相手方の期待、利益は保護されるべきである）が、副次的には、争点整理に資するという公益的な理由も挙げられる。つまり、自白の当事者拘束力は、主としては、その裁判所拘束力から導かれるということである。

　なお、やや思弁的な議論という感はあるが、不可撤回効の根拠に関するその他の学説としては、自白は真実である可能性が高いからであるという考え方、禁反言にその根拠を認める考え方がある。しかし、前者については、当

事者は自白が真実であると認めて自白をするとは限らない（前記**第2**の注(3)のとおり、戦略上の理由から、重要でないと考える事実については自白をするという場合も考えられる）、後者については、事実や法律に関する主張・陳述の撤回は原則として自由である（**[239]**）のになぜこの場合だけ撤回が制限されるのかの説明がつかない、という批判があり（クエスト243～244頁）、この批判が当たっていよう。

[314] **2 自白の撤回**

自白の撤回は、明示的になされることもあるが、前記**第3の3**（**[310]**）でふれた例（敗訴可能性説によれば自白の撤回に当たると解説した）のように、従前の主張と矛盾する主張をすることによって黙示的になされることもある。

自白の撤回の要件については、①相手方の同意がある場合、②自白が相手方または第三者の刑事上罰すべき行為によってなされた場合、③自白が錯誤に基づいてなされた場合あるいは真実に反する場合、が挙げられる。判例は、自白が真実に合致せずかつ錯誤に基づいたことが証明されたときは撤回できるとし（大判大正4・9・29民録21輯1520頁、百選5版56事件）、また、反真実の証明があれば錯誤を認めてよいとしている（最判昭和25・7・11民集4巻7号316頁）。

①については不可撤回効の根拠が主として相手方の保護にあることに根拠があり、②については338条1項5号の趣旨に照らして撤回を認めるべきであることに根拠がある（ただし、再審事由の場合と異なり338条2項の要件までは必要とされない〔最判昭和36・10・5民集15巻9号2271頁〕）。

③の点については、学説上争いがある。不可撤回効の根拠として自白は真実である可能性が高いことや禁反言に根拠を認める説は反真実を要件とするが、自白の意思的要素を重視すれば、錯誤を要件とすることが適切であり、判例の趣旨は、反真実であれば錯誤があったとの事実上の推定がはたらくという趣旨に解すべきであろう。

なお、前記**第2**でもふれたとおり、裁判官が口頭弁論あるいは弁論準備手続等で早期から争点整理を行うようになった今日では、自白の撤回の当否がシリアスな問題になるような例は、滅多にない（口頭弁論で準備書面の交換だけを続けていた時代には、自白の成立やその撤回が争いになることが、現在よりは多かった）。

[315] 第5　擬制自白

　　当事者が口頭弁論で相手方の主張事実を明らかに争わず（争う趣旨を明確にしないという趣旨。沈黙の場合を含む）、弁論の全趣旨からも争っていると認められない場合には、その事実について自白が成立したものとみなされる（159条1項）。これを擬制自白という。これは、審理における争点を決定するための方法として肯認的争点決定主義を採り、当事者に、相手方の陳述に対応すべき責任を負わせたものといわれている（肯認的争点決定主義は、沈黙を否認として取り扱う否認的争点決定主義と対立する概念である〔注釈旧版(3)292頁〕）。

　　被告が原告の請求を本格的に争っている場合には、主要事実の一部について「相手方の主張事実を明らかに争わず弁論の全趣旨からも争っていると認められない」場合はあまり多くない（自白する事実以外は否認ないし不知の認否を行うのが通常である）。したがって、擬制自白が認められる典型的な場合は、被告が原告の請求を争うとしながらも請求原因事実ないしその主要部分について認否をしないような場合である。

　　擬制自白の成立基準時は、口頭弁論の一体性（[228]）から、口頭弁論終結時である。したがって、自白の不可撤回効は問題にならない（クエスト243頁は、審判排除効も問題にならないという。審判排除効が審理終結前の時点における拘束力であることを理由とする）。もっとも、否認の主張が時機に後れた攻撃防御方法に該当するような場合には、その時点で擬制自白が成立する（実際上は、そのような場合は稀有であると思われるが）。

　　また、当事者が口頭弁論期日に欠席した場合にも159条1項が準用される（同条3項）。

　　実務では、被告が最初の口頭弁論期日に答弁書を提出しないまま欠席した場合が、この条文が適用される典型的な例である（被告欠席でも、被告が原告の請求を争う場合には、158条により擬制陳述される答弁書に原告の請求を争う旨〔および請求原因事実に対する認否〕が記載されているのが通常である）。

　　なお、一方当事者が欠席の場合、相手方が主張しうる事実は準備書面に記載された事実に限定される（161条3項）ので、擬制自白の対象となりうる事実も、これらの事実に限定される（もっとも、上記のとおり、本格的に争われる事件では、最終的には、主要事実の一部についてでも擬制自白の認められる例は、多くはない）。

第6　権利自白

[316]　**1　概説および権利自白の効力**

　権利自白とは、相手方の主張する自己に不利益な権利や権利関係に関する自白であるが、その概念には混乱があり、対象についても見解が分かれている。実務経験や要件事実論をも踏まえ、私の考えを整理して述べたい。

　権利自白の効力については争いがあり、かつては、法律関係を認める陳述があれば相手方はその権利主張を理由付ける必要がなくなるが、それと異なる裁判所の判断は排除されないという考え方が強かった（コンメⅣ59〜60頁）。これは、通説（本書も）の認める間接事実の自白の効力（暫定的証明不要効だけは認める〔前記**第4の1**〔[**313**]〕〕）に近い。

　もっとも、その根拠は異なる。間接事実の場合には、前記のとおり、審判排除効がはたらかないということが理由だが、権利自白の場合には、法律関係事項は裁判所の専権事項だからその判断は排除されないということがその理由となると思われる（伊藤361〜362頁等）。

　しかし、当事者は、自白（[307]）という形で事実の処分ができ、請求の放棄・認諾（[502]、[521]）という形で訴訟物の処分もできる（両者の関係につき[251]）ことを考えると、その中間の事項であるところの、訴訟物の先決問題となる権利・権利関係についても、当事者の処分を認めてよいと考えられる。

　権利自白についてこのように考えるならば、その裁判所拘束力は審判排除効、全面的な証明不要効とも認められることになり、したがって、裁判所拘束力から導き出される（前記**第4の1**〔[**313**]〕〕）ところの当事者拘束力（不可撤回効）も認められることになる。本書はこの考え方を採る（同旨、クエスト247頁）。

[317]　**2　権利自白の対象**

　それでは、権利自白の対象としてはどのようなものが考えられるか。

　これについては考え方が細かく分かれる。

　実務で権利自白がなされるのは、ほとんどの場合所有権についてである。そして、所有権については、権利自白を認めないと、原始取得の場合でない限り、最初の原始取得までの承継取得の経過を延々とさかのぼって主張立証していかなければならないことになるが、これは、実際上不可能である（だから、権利自白を認める必要性が高い）。実務でこのことが問題になるのは土地の場合であり、したがって、土地の場合には、原告あるいは第三者の「もと

所有」（ある時点における所有権）を認めるという形で権利自白がなされるのが通常である。この権利自白と異なる事実を裁判所が認定することは、まずないといってよいであろう。要するに、所有権に関する権利自白については、少なくとも現在の実務は、これを当然のものとして認めている。

　それ以外の先決的権利関係については、所有権のような特殊な問題はない。権利の内容さえ正確に特定されていれば権利自白を認めてよいであろう。しかし、その例はあまり思い出せない。

　これは、①所有権以外の権利関係については、請求原因事実の一部、つまりほかの訴訟物の先決的な権利となる例があまりなく、その権利をそのまま認める場合には請求原因事実を認めて認容判決を受けるという結果になるのが普通であること、②たとえば無名契約や特殊な内容の請負契約から生じる権利、また非典型担保権のような非定型的な権利については、権利の存在自体を認める場合でもその内容は争う、つまり請求原因事実の一部は争うという形になる例が多いのでやはり権利自白にはならないこと、などが考えられる。

　また、①に関連することだが、③売買、賃貸借等の典型契約に関する主張を認める陳述が権利自白に当たるという考え方もある。しかし、これらについてその主要事実の主張がないままそれらを認めるという陳述がなされることはやはりありにくく、売買や賃貸借を認めるといってもその趣旨は主要事実の一括自白の趣旨なのが通例である。

　次に、権利自白に関して解釈上問題となる事柄をいくつか挙げておく。

　第一に、権利自白と法律上の意見陳述の区別の微妙な場合があることに注意すべきである。その一例として、たとえば、利息の天引が行われた事案の消費貸借の成立した金額に関する債務者の陳述は、法律上の意見にすぎず、自白とは認められないとした判例がある（最判昭和30・7・5民集9巻9号985頁、百選5版55事件）。

　第二に、権利自白の対象については、当事者がその内容をよく理解している権利や権利関係に限るという考え方がある（条解1039頁等）。具体的には、当事者本人の場合にこのことが問題になる。自白の意思的要素を重視する観点から、妥当と考える（当事者本人については撤回の要件である錯誤を容易に認めるという方法もありうるとは思うが、権利自白の性質からすれば、成立要件で考えるのが適切であろう）。つまり、訴訟代理人であれば権利自白が成立する場合に、当事者本人ではそうならないことがある、ということだ。

第三に、法律上許されない権利関係、公序良俗や強行法規に反する権利関係についての権利自白は、その効力を生じない。この点については、異論はないであろう。
　最後に、過失、正当な理由（民110条）、正当の事由（借地借家6条、28条）等の「規範的要件」が問題となる。
　これについては、それ自体が主要事実であるとする考え方を採るならば、通常の自白を認めるということになろう。
　現在の通説（本書も）のように規範的要件を基礎付ける事実が主要事実（ないし本書でいうところの準主要事実。[260] 参照）であるとする考え方を採る場合には、基礎付け事実について自白が認められることになるが、これと並んで、規範的要件自体についても権利自白を認めることができるであろうか。
　規範的要件も当事者の意思による処分の認められる私的自治の領域に属する事柄であるとしてこれを肯定する考え方もある（クエスト247頁）。
　しかし、規範的要件は、権利関係それ自体ではなく、法的評価である。法的評価は裁判所にゆだねられた事柄、当事者の処分にゆだねられてはいない事柄ではないだろうか（同旨、条解1039頁）。
　また、規範的要件を権利自白の対象に含めるか否かという論点を実際の例で考えると、一方当事者が過失、正当な理由、正当の事由等について基礎付け事実の主張を伴わない主張をした場合、あるいは基礎付け事実の主張はあるがそれが不十分な場合に、相手方がその規範的要件を認めると答えたら権利自白を認めてよいか、という問題になると思われる。しかし、規範的要件の外延が相当にあいまいなものである、ありうる（これは、必ずしも当事者本人についてのみいえることではない）ことを考えると、こうした権利自白を認めることは、手続保障的観点からしても、問題ではないだろうか。
　以上により、規範的要件それ自体についての権利自白は否定すべきであると考える（主要事実であるところのその基礎付け事実についての自白を考えれば十分である。なお、規範的要件の法的評価としての特異な性格については、[260]、[265] も併せて読むと理解しやすいと思う）。

第7　裁判所に顕著な事実

[318]　**1　概説**
　証明を要しない事実としては、裁判所で当事者が自白した事実のほかに裁

判所に顕著な事実（179条）がある。公知の事実および裁判所が職務上知りえた事実（職務上顕著な事実）がこれに当たる。

　これらの事実について証明が不要とされているのは、その客観性が担保されているからである。したがって、どのような事実がこれらに該当するかについては、この観点から検討しなければならない。

　なお、裁判所に顕著な事実についてももちろん弁論主義の適用はあるので、これが主要事実となる場合には、当事者の主張が必要である。

[319]　2　公知の事実

　公知の事実とは、その名のとおり、一定の場所、時点（具体的には、日本あるいは裁判所の所在する地域、現在、ということになる場合が多いであろう）において世間一般の人々が知っている事実である。歴史的な事件や出来事、災害等がその例であるが、その外延にはあいまいさが残る。したがって、公知性に関する判断の誤りは、法律問題（179条違反）として上告受理申立事由、上告理由（高等裁判所に対する上告の場合。312条3項）となると解すべきである（最判昭和25・7・14民集4巻8号353頁は反対〔事実問題だから上告理由にならないという〕だが、学説はそろって疑問を呈する）。

　また、公知の事実であっても真実と異なることはありうるのであって（中世の公知の事実の多くが、現在では真実ではないとされていることを考えてみよ）、当事者はその点の主張立証をすることができる（新堂593頁）。

　なお、公知の事実に関する自白に自白の拘束力を認めるべきではない。裁判の信用をそこなうからである（前記**第3の2**〔[309]〕）。

[320]　3　職務上顕著な事実

　職務上顕著な事実とは、当該裁判所（官署としての裁判所）の裁判官の職務上の経験から明白な事実をいう。当該訴訟内で行われた当事者の意思表示とその具体的な日時、期日（たとえば「解除の意思表示が○年○月○日の第2回口頭弁論期日に行われたこと」など）、当該訴訟記録から判明する訴状送達日（訴状送達日の翌日が遅延損害金の起算日とされる例が多い）、当該裁判官自身の行った他の裁判の内容（もっとも、実際上は、別件の裁判は参考書面〔記憶確認のための〕として提出されることが多い。当該裁判官自身も内容を細かく記憶しているとは限らないからである。また、手続保障の観点からもそのほうが適切であろう）、裁判官が職務上注意すべき公告事項（破産手続開始決定の公告〔破32条1項〕が典型例である。実際には、当事者の主張があってから確認してみる例が多い）等である。以

以上を要するに、ポイントは、個々の裁判官が現実に明確かつ具体的に記憶しているかどうかではなく、証明の不要な程度の客観性のある職務上の事実といえるか、また、必要に応じての公的、客観的資料の調査により裁判官の記憶との同一性を確認することのできる保障があるか、という点にあると考える。記憶については概括的なもので足りよう（同旨、条解1041頁）[5]。いずれにせよ、その範囲については限定的に考えるべきである。

　これと異なり、裁判官が職務を離れてたまたま知りえた事実は私知といわれ、前記のとおり、裁判官は、私知に基づく裁判をしてはならないとされる。判断の客観性が担保されず、上級審や国民がこれを客観的に検証することもできないからである（[298]）。

---

[5]　もっとも、裁判官に明確な記憶が残っていなければならないとするのがむしろ多数説である。そのような考え方も、記憶の正確を期するために記録等を調査して補充することは許されるとする（コンメIV72頁等）ので、実際にはニュアンスの置き方の相違にとどまるのかもしれない。しかし、上記のような事項の多くについては、特殊な能力をもつ人間でない限り明確かつ具体的に記憶するのが容易ではないことは、付言しておきたい。

　なお、合議体の場合には過半数の裁判官に顕著であれば足りるとするのが判例である（最判昭和31・7・20民集10巻8号947頁）。この判例は、2か月前に言い渡された別件において特定の事実認定をしたことを職務上顕著な事実としている。このような事例についても、明確な記憶が残っているとは必ずしもいえない（重要な事件か否かにもよる）ことを考えると、私見のような考え方のほうが顕著事実性を肯定しやすいのではないかと思う。もっとも、実務上は、上記のとおり、別件の裁判が参考書面として提出されるのが通例であり、そのほうがより望ましいとは考える（なお、私見のような考え方によれば、たとえ当事者が提出しなくとも、裁判官の行為規範としては、以前の裁判の記憶が一応あるならみずからそれについて確認すべきであるとすることが可能になる）。

　なお、当然のことではあるが、別件の裁判について顕著とされるのは「別件において特定の内容の裁判をしたこと」であって「その裁判で認定された事実自体」ではない（伊藤眞「補助参加の利益再考」民事訴訟雑誌41号11～12頁、15頁の注(26)、伊藤371頁）。たとえば、上記昭和31年最判は、自白の撤回について判断する際に、「別件で特定の事実認定をしたこと」を考慮すべきであるとしたものである。別件の裁判（事実認定）の内容それ自体の影響については、他の裁判所の裁判の場合と同様、証明効（[445]）にとどまるものというべきであろう（自分の裁判を1つの参考にするということにすぎない）。

第4節　事実認定の方法

第1項　自由心証主義

[321]　第1　概説

　　自由心証主義（247条）とは、裁判所の行う事実認定について、証拠方法の選択や証明力の評価に関する何らの拘束を設けず、裁判官の自由な判断にゆだねる原則である。これに対する法定証拠主義とは、たとえば、特定の事実を認定するためには複数の証言の一致を要する、特定の契約の成立を認めるには書証を要する（実体法上の効力要件の面からであるが、民法446条2項は、保証契約について書面ですることを要するとしている）、といったように、証拠方法や証明力について法的な制限を設ける原則である。かつては、裁判官の恣意を抑制するなどの観点から法定証拠主義が採られた例もあったが、近代の民事訴訟法は、裁判官の判断力を信頼して証拠方法の選択や証明力の評価をこれにゆだねるのが真実発見のために適切であるとして、自由心証主義を採っている（なお、刑事訴訟では、伝聞証拠は原則として排除され〔刑訴320条〕、被告人は自己に不利益な唯一の証拠が自白である場合には有罪とされない〔憲38条3項、刑訴319条2項〕という自由心証主義の大きな制約がある）。

　　もっとも、これにも一定の例外はある。

　　うち、証拠能力の制限については、すでに論じたとおりである（[299]）。

　　また、当事者の一方が証明妨害的行動をとった場合については、信義則に基づく訴訟上の協力義務違反に対する制裁的観点から、それだけでその者に不利な証拠資料の存在を擬制することができる（その証拠に関する相手方の主張〔たとえば書証ならその作成者や記載内容〕を真実と認めることができる）とする規定（208条、224条1項、2項、229条4項、232条1項）、その証拠によって証明すべき事実自体に関する相手方の主張も真実と認めることができるとする規定（224条3項、232条1項）がある。これらの規定は、裁判官の裁量を認めている（「することができる」としているだけであり、「しなければならない」とはして

いない）ので、裁判官を絶対的に拘束するわけではないが、証拠に基づかない事実認定を認めているという点では自由心証主義の例外であるといえる（[396]。なお、クエスト271〜273頁は、一般的に、「証明妨害の法理」として、故意または重過失による証明妨害があった場合には、裁判官による裁量評価によって相手方の主張を真実と認めることができると説く）。

　また、文書の形式的証拠力については、推定規定がある（228条2項、4項）。推定規定一般の場合と同様確度の高い経験則を法定化したものといえる。これらはその限度で裁判官の自由心証による認定を縛っているので、法定証拠法則（[336]）の一種である。

　証拠契約（自白契約、仲裁鑑定契約、証明責任契約、証拠制限契約。[238]）についても、自由心証主義との関係が問題になる。

　自白契約については、弁論主義の第二原則から問題がない。事実認定を裁判所以外の第三者にゆだねる仲裁鑑定契約も、自白が当事者の自由処分にゆだねられていることからして事実認定を第三者にゆだねることにも問題がないと解される。証明責任契約についても、証明責任は当事者間の公平を考慮して定められるものであるから、これを変更することも当事者の自由であると解される。証拠制限契約についても、証拠の提出が当事者の責任、権限にゆだねられていることを考えれば、これを認めても差し支えない。

　以上のとおり、証拠契約の有効性を広く認める考え方が有力である。もっとも、実際には、証拠契約の例はほぼ絶無である（なお、一般的な仲裁の合意はもちろん存在する）。

[322]　第2　証拠共通の原則

　自由心証主義の帰結として、証拠共通の原則がある（同じ言葉が用いられているが、後記通常共同訴訟における証拠共通の原則〔[530]〕とはその意味が異なる）。これは、証拠調べの結果は、いずれの当事者が申し出たものであるかにかかわらずいずれの当事者の利益のためにも事実認定の資料とすることができるということである。当事者からみると、みずからの提出した証拠によって不利な認定をされることもありうるということになる。

　弁論主義の第三原則は証拠の提出を当事者の責任、権限とするものであり、提出された証拠をどう評価するかは自由心証主義の問題であるから、両者は矛盾するものではない。

355

[323] 第3　弁論の全趣旨

　　弁論の全趣旨とは、口頭弁論に現れた一切の資料から証拠調べの結果を除いたものである。247条は、証拠調べの結果と並んで弁論の全趣旨が事実認定に用いられることを認める。当事者や代理人の陳述のあり方、攻撃防御方法提出のあり方や時期がその主なものである。たとえば、重要な契約（あるいは特約）が行われたという時期についての主張がなかなか明らかにされなかったり何度も大きく変わったりしたという事実は、その典型的なものである（契約、特約の存在を疑わしめる事情となる）。

　　それでは、弁論の全趣旨のみによって特定の事実認定を行うことができるか。最判昭和27・10・21（民集6巻9号841頁）は、不知と認否された第三者作成の文書（手紙）の成立の真正については弁論の全趣旨のみによって認めてよいとしている。この判例自体の結論は肯定できるが、通常は、書証、ことに重要なそれの成立を弁論の全趣旨のみによって認めることはほとんどない。主要事実や重要な間接事実についても、同様に、弁論の全趣旨のみによって認めることはほとんどない（弁論の全趣旨は、上記のとおり、むしろ、それらの存在を疑わしめる事情として考慮されることが多い。積極的には、重要性の低いごく小さな事実を認定する場合に使われることがある程度である）。

[324] 第2項　**損害額の認定**

　　損害額の認定について設けられた248条については、その性質について考え方が分かれている。①損害額に関する証明度を軽減したものであるとする証明度軽減説、②損害額の認定について裁判官に裁量評価によることを許したものであるとする裁量評価説、③双方を認めたものであるとする折衷説である。①説と②説では結果に差はないとする考え方もあるが、常識的にみても②説のほうが条文の適用される範囲は広いであろう（後記の「将来の不確実な予測に基づく損害額」が、範囲の異なってくる典型である）。

　　条文の表現としては、損害額の認定につき証拠がない場合にも適用されうる規定ぶりとなっていることは、裁量評価説の根拠になりうる。各説の相違は、根本的には損害額の認定が事実の認定なのか事実としてある損害についての裁判官の評価なのかという問題にかかわってくるが、民事訴訟における

損害額の算定がかなりの程度にフィクションであること（たとえば、交通事故損害賠償額算定のあり方や金額には国により時代によって大きな相違があることを考えてみよ）を考慮するならば、損害額の算定には事実認定のみならず一定の限度で裁量評価が関係していることは明らかであり、248条の根拠についても、折衷説で考えてゆくのが穏当であろう。

それでは、具体的にはどのような場合に本条が適用されるか。

①慰謝料、②火災等により滅失した家屋内の動産の金額、③幼児の逸失利益、④将来の不確実な予測に基づく損害額（仮定的な損害額）等が議論の対象になっている。

①については、元々証明によるものではなく事実認定の領域外の作用である（精神的苦痛そのものの塡補ではなく精神的苦痛をやわらげるために裁判官によって算定されるものにすぎない。損害の金銭的価値への転換ではない）という観点から本条の問題ではないとする考え方が比較的有力である（伊藤379～380頁等）。また、本条の適用があるか否かで慰謝料の算定が異なってくる場合は、いずれにせよ考えにくい。

②については、確実な証拠に基づく証明がほとんど不可能な場合であり、証明度軽減、裁量評価の両面から、本条の適用があると考えてよいであろう[6]。

③については、判例は、従来から、諸種の統計その他の証拠資料に基づき、経験則と良識を活用して、できる限り客観性のある額を算定すべきである（最判昭和39・6・24民集18巻5号874頁）としている。証明度軽減、裁量評価の両面から、本条の適用があると考えてよいであろう。また、本条の適用によって、より柔軟な損害額の認定が可能になりうるであろう。

④については、独占禁止法違反の価格協定によって消費者の被る損害について価格協定がなかったと仮定した場合の想定購入価格の証明がないとして

---

[6] 私は、実際に、解体業者が間違えて別の家を壊してしまったという事案を経験しており、動産の損害額については、被告が十分な立証がないと主張して原告の怒りを買っていたが、結局、判決では、原告の生活程度に見合った家財の金額を認めた。しかし、理論的には、本条のような規定がなければ、正義と公平に反する感は強いものの、証明不十分としてこの損害は認めないという判断をすべきであったのかもしれない（したがって、本条のような規定の創設には意味があるといえる）。なお、このような事案について本条を適用する場合、中古の家財の金額は非常に低いからということでそのような金額を認定することは、適切ではないであろう。

原告の請求を棄却したいわゆる鶴岡灯油訴訟（最判平成元・12・8民集43巻11号1259頁）のような例である。この事案は、本条制定の1つのきっかけとなっている。このような場合には損害額認定のための最低限の証拠もないことがありうるから、裁量評価という観点から、本条の適用があると考えられる（証明度軽減説では、この場合に本条の適用を認めることは難しいであろう。なお、東京高判平成21・5・28判時2060号65頁、百選5版58事件は、談合による損害額について本条の適用を肯定している〔この点は第一審判決も同様だが、損害額算定の具体的な方法は異なっている〕）[7]。

第3項 事実認定の実際

[325]　第1　事実認定の本質等

　抽象的に法理を論じるだけでは実務は理解できず、したがって、学生は、大学では主としてかなりの程度に観念的な理屈を記憶ないし操作するだけで（もっとも、それがきちんとできる学生は、実は、相当ハイレヴェルの学生である）、実務に入るとそれらを忘れてしまう。それが、日本あるいは大陸法系の法学教育の大きな問題点であろう（なお、アメリカの法学教育の問題点は、恣意に流れやすいこと、体系的に教え理解させるという観点に乏しいことであろう。まさに一長一短なのである）。

　そこで、この項では、事実認定とはどのようなものかについて、かいつまんで論じておきたい（詳しくは、瀬木・要論第1部第10章、第13章、瀬木・民事裁判第9章参照）。

　なお、この項の記述は、あくまで私の個人的な見解であり、その意味でほかの部分とは記述の性格が異なることを前提として、1つの参考としてお読

---

(7)　なお、最判平成30・10・11民集72巻5号477頁は、金融商品取引法18条1項に基づく損害賠償請求訴訟において、請求権者の受けた損害につき、同法19条2項の「賠償責任者がその責めに任じない損害（控除される損害）」を算定するにつき248条を類推適用することができるとしている。この点については、肯定説、否定説があり、肯定説の中にも適用説と類推適用説があったところ、その中の類推適用説を採ることを明らかにしたものである。減額の抗弁を認める条項に248条を直接認めることは難しいが、当事者間の衡平という同条の趣旨からすればその類推適用は認めることができるとしたものと解される。

みいただきたい。

　民事事実認定については、これをリアリズムでみるならば、①演繹的なものなのであろうか（経験則を大前提とする推論の積み重ね）、②帰納的なものなのであろうか（直感的総合的な推測、判断）。

　教科書の記述は、まず間違いなく、①を前提として書かれている。しかし、実際には、私は、その本質は、②の直感的総合的判断作用であると考える。また、私が話したことのある裁判官の先輩の多くも、そういう意見だった。

　裁判官としての経験が長くなるにつれて、人証調べが終えられた段階では、書かれるべき判決の大要（正確にいえば大要についての感触というべきもの）が頭の中に形成されるようになってくるものだが、この「感触」は、演繹的な推論によってではなく、複雑で微妙な直感的総合的認識としてやってくる。

　論文や書物を書くときに、「これはもう書けるな」という感触が得られる時期までそのテーマが発酵するのを待っていると、文章（となるべきある観念）は割合容易に頭の中から流れ出してくる。そして、その瞬間には頭の中で激しい反応が起こっているように感じられる。そこにある声に耳を澄まして書き取ることに集中していると、自然に文章の形が整ってくる（こうした経験は私だけのことではなく、多くの著者、研究者が書いている。創造的思考と直観や無意識の関連については、脳神経科学者や精神医学者もしばしば言及しているところである）。

　判決の場合にはそこまでの興奮、頭の中に何かが発酵しているような複雑な印象を感じることは少なく、せいぜい、頭の中にできあがった審理の結果についての判断とその根拠を淡々と書き下ろしてゆくというところなのだが、その本質は変わらないように思われる。人間の頭脳のはたらき方自体が、非線形的なもの、コンピューターの演算とは全く異なったタイプのものであるというのは、今日では、脳神経科学の定説である（瀬木・本質第3章参照）。

　つまり、事実認定自体は直感的総合的判断作用だが、それを後から検証する（頭の中で検討し直してみる、ことに判決書を書くという作業としてこれを行ってみる）時点では、直感による認定について、演繹的、三段論法的な検証が行われているとみてよいと思う。したがって、判決になったものを読むと、いかにも演繹的な論理によって書かれているように感じられるのは、当然のことなのである。

　また、事実認定は、心証形成過程と連続的なものである。暫定的な心証形

成の過程がその時々で揺れ動きながら、最終的には定まった形に収斂(しゅうれん)してゆく。つまり、民事裁判における審理の過程は、裁判官の頭の中では、最終的な事実認定に向けての心証形成過程である。その意味では、事実認定は、静態的にではなくむしろ動態的にとらえることが正しいであろう。

[326]　第2　民事事実認定と刑事事実認定、事実認定論

　事実認定については、民事でも刑事でも多数の研究があるが、私の目からみると、民事のそれは一般論、技術論に終始する感が強く、刑事のそれ、ことに心理学者の研究（一例を挙げれば、目撃証言の信用性の研究）等に比べると、実際の事実認定に当たって参考になる部分はそれほど大きくないように感じられる。それは、民事事実認定の評価的、政策的性格によるのではないかと考える。

　刑事事実認定は、認定の対象たる事実の「事実的要素」が、民事の場合より純度においてはるかに高く、反面、評価的要素の混在の度合は低い。ピンポイントに絞った綿密な認定が要求される度合は民事より高いけれども、その認定の対象は、比較的裸の事実の要素が強い人間の行動であるし、その認定の作用は、民事の場合よりは論理的証明に近く、一般的な認識論、ことに心理学的な認識論の有用性は、民事の場合よりも高いと思われる。

　また、法廷における人証の占める証拠方法としての重みが、刑事では、民事に比べ相当に大きいのは、その性質上当然のことである。

　これに対し、現在の民事の事実認定については、書証の重要性がより高く、人証は、多くの事件では、これを検証あるいは補足するための証拠調べという感が強くなってきている。

　もっとも、決定的な書証に乏しい心証のとりにくい事案では、人証を聴くまで判断がつかないということもかなりの割合で存在するのであって、人証の重要性を否定するものではない[8]。

　近年は、むしろ、裁判官が、行ってしかるべき人証調べを行わないという傾向が問題視されており、この点に関する批判は多い。その背景には、裁判官の、早期の事件処理を過度に意識する傾向や、判断に関する自己過信、謙虚さの不足という問題がある。

　事実認定論に戻ると、民事における証言や当事者本人の供述は、評価的要素、主観的要素が非常に大きいものであるため、認識論的、心理学的テスト

にも、刑事の場合よりなじみにくいといえる。

　以上をまとめると、民事事実認定は、刑事事実認定に比較して、①要求される証明度が刑事ほど高くはない、②立証の対象となる事実の評価的要素が大きく、また、それらの事実によって構成される事実関係が相当に長期間のものや広範にわたるものとなる場合が多い、③したがって、大筋、概要を的確に押さえることが何よりも重要であり、反面、枝葉の事実はある程度捨象せざるをえず、そうした意味での政策的性格が強い、といった特色があると思われる。

　アメリカにおいては、刑事裁判では陪審制がなお相当程度用いられているが、民事陪審についてはそれほど用いられておらず、また、その判断に疑問の呈されることが刑事陪審よりも多くなってきていることの背景には、こうした、民事事実認定と刑事事実認定の性質の相違があると思われる。刑事事実認定には一般の人々の常識が生きるが、民事事実認定になると、法的知識、センスに乏しい一般の人々には手に余る部分が、どうしても出てきやすい。

[327]　第3　ストーリーのぶつかり合いとしての民事訴訟

　以下は前に述べたこと（[280]、[302]）の繰り返し、まとめになるが、民事訴訟は、法社会学的にみれば、原告と被告がそれぞれのストーリー（法的な評価、枠組みにおける事実の集合体が1つのストーリーとなる）を掲げての争いであり、その食い違う部分、ことに重要な部分が、主要な争点となる。

　そのストーリーがどれほど確からしい必要があるかという点については、やはり、原告と被告では一定の差がある。原告は基本的にそのストーリー（その要点は、多くの場合、請求原因およびこれに関連する事実）について裁判官に確信を抱かせなければならないが、被告のストーリー（その要点は、多くの場合、請求原因に対する積極否認の内容）は基本的にそれをぐらつかせる程度の

---

(8)　これは私の印象になるが、人証を聴くまではっきりした心証がとれない（人証を聴いてそれまでの心証が明確に定まる）事件は、本格的に争われる事件、相対的に重要な事件（全事件の25パーセント程度〔[502] 参照〕）のうち3割くらいを占めるし、人証を聴いてそれまでの心証がくつがえる事件も、本格的に争われる事件の1割弱程度はある。これらを合わせるとそのような事件の4割弱になるのであり、そう考えるならば、やはり、人証は、書証と並ぶ重要な証拠方法なのであり、ことに、当然のことながら、「決定的な書証に乏しい事案では人証の重要性が非常に大きい」といえよう。

信憑性があれば足りるわけであり、被告勝訴の場合でも、裁判官が被告のストーリーに沿った心証を得ており、それが判決書に記されるとは限らない（もっとも、実際には、「原告主張の事実は認めることができない。かえって、○○の証拠によれば被告主張の事実が認められる」としてこれが判決書に記されることが多いが、裁判官が、いずれの主張するストーリーとも異なった事実認定を行う場合も、ごくまれにはありうる〔[302]〕）。

　証明責任の分配は、審理、すなわち争点整理、事実認定、判断に当たっての重要な指針（いわば審理の背骨）となるといわれるが、これをリアリズムでみれば、上記のようなことになるのではないかというのが、元裁判官である民事訴訟法学者としての、私の実感である。

第5節　証明責任とその分配、転換

[328] 第1項　概説

　法律効果が発生するため、法律が適用されるためには、その前提となる事実が確定される必要がある。しかし、証拠調べの結果事実の存否が不確定、真偽不明（ノンリケット）の場合が出てくる。

　このような場合にも裁判所は判断を拒否するわけにはゆかないので、これを可能にするための仕組み、概念が必要である。これが証明責任である。

　通説、実務は、証明責任を、法適用の前提となる事実が真偽不明のときにその法適用に基づく法律効果が発生しないとされる、そのような当事者の負担とみる。事実の真偽不明が直接法規不適用に結び付くと考えるので、「法規不適用説」と呼ばれる。

　これに対し、「証明責任規範説」は、法適用の前提となる事実が存在するときに法が適用されるのであり、その存否が不明の場合には、法（実体法）が適用とされるか不適用とされるかを決定するための規範としての証明責任規範がこれを指示するとみる（松本＝上野450〜451頁、新堂604頁、高橋上519〜520頁。もっとも、そのニュアンスには若干の相違がある）。

第11章　証明と証明責任、自白

　証明責任規範説は、本来、法適用の前提となる事実が存在するときに法が適用される（訴訟上の証明を離れても権利は実在するのだが）のであるにもかかわらず、「事実の証明」を法の適用に結びつけているとして法規不適用説を批判し、実体法規のほかに証明責任規範という規範の存在を措定するわけである（「証明責任規範が実体法の裏側に存在すると考えると理論的に通りがよい」と高橋上519～520頁はいう）。

　しかし、法規不適用説は実体法規を裁判の場面における裁判規範としての機能からとらえていると考えれば、これが、訴訟上の証明を離れても権利は実在するという原則と矛盾するということはできないこと、証明責任規範説は、明文の証明責任規定や法律上の推定規定が存在しない場合には真偽不明の事実は不存在として扱うというが、明文の証明責任規定とされるものはわずかであり（たとえば、新堂613頁は、民117条１項、自賠３条ただし書を挙げるが、いずれにせよまれである）、実際上、証明責任規範説適用の結果は法規不適用説と（さほど）異ならないことを考えると、現時点では、あえて観念的かつ難解な証明責任規範説を採る意味は乏しいのではないかと考える（同旨、伊藤381～382頁、クエスト263～264頁）。理論的な説明の方法の相違という感が強い議論と思われる（新堂604頁、高橋上519～520頁は、証明責任規範説を採ったほうが証明責任論をより弾力的、発展的にとらえうるというが、具体的にどのような意味においてなのかは、今一つ定かでない）。

　証明責任は結果責任だが、普通の民事訴訟では、真偽不明の状態のままで終わる事実は多くはなく（原告本人訴訟で証拠に乏しい事案だとそういう事態が増えるが〔瀬木・ケース542～543頁〕。もっとも、日本の裁判官が社会的価値にかかわる事案で原告に過度の立証を要求する〔証明度としてことさらに高いものを設定する〕結果としてそのような請求が証明責任の観点から棄却される傾向があるのは、大きな問題といえよう〔[300]〕）、むしろ、証明責任の所在が当事者、裁判所にとっての主張立証や審理の進め方の基準、行為規範となるという側面のほうが、機能としてははるかに大きい。この行為規範としての側面を、結果責任としての証明責任（客観的証明責任）と区別して、主観的証明責任と呼ぶことがある。

　なお、関連して、本証と反証の区別につき、[302]参照。

[329] 第2項　証明責任の分配

　証明責任の分配については、基本的に実体法規の定め方によって決まるとする法律要件分類説と、証拠との距離、立証の難易、事実の存在・不存在の蓋然性等の要素を総合考慮して決定すべきであるとする利益衡量説がある。
　実体法が常に証明責任の分配を考慮しながら規定されているとは限らない（ことに日本の実体法の場合にはそういえる）ことを考えると利益衡量説の説くところにも理はあるが、諸般の事情の総合考慮ということになると、基準としては著しく不安定である。
　そこで、現在の通説、実務は、実体法規の定め方を第一の指針としながらも、利益衡量説の説くような諸事情をも考慮して証明責任の分配を決定している（こうした考え方を、「修正された法律要件分類説」ともいう。要件事実論も、「修正された法律要件分類説」を採る）。
　要するに、証明責任の分配は、基本的には実体法規の解釈問題であり、その訴訟法における反映であるといえる。
　法律要件分類説（具体的には要件事実論のいうそれ）については、**第12章で**まとめて論じる（なお、証明責任に関する裁判例をまとめたものとして松本＝上野458～463頁、判例による法律要件分類説の修正の具体例としてクエスト269～271頁各参照）。

[330] 第3項　証明責任の転換、証明負担の軽減等

　この項では、事実上の推定、証明負担軽減のためのさまざまな理論、実体法の規定によって証明責任が転換されている場合、また、関連して、その他の各種の推定規定について論じる。
　なお、すでにふれた証明妨害的行動に対する制裁規定（[321]）についても、証明度の軽減規定の一種であるとみる考え方もある（伊藤386～387頁）。

　第1　事実上の推定、一応の推定（表見証明）、証明主題の転換、間接反証

[331] 　1　事実上の推定
　まず、法律上の推定と区別される事実上の推定について述べる。

これは、経験則を用いてある事実から別個の事実を推認することをいう。広くいえば、人間の思考活動は事実上の推定の積み重ねで成り立っているともいわれる（[325]において、私見では事実認定は直感的総合的判断であると述べたが、民事訴訟法学では、通常、演繹的な論理の積み重ねで事実認定がなされると説明される）。

事実上の推定は、誰もが日常行っているものである。たとえば、いつも熱心な学生がゼミに欠席した場合には、教授やほかの学生は、かぜでもひいたのだろう、と考えるが、これも事実上の推定の一種である（もしも、「今日は好きなアイドルのサイン会に行くから出られない」という彼のEメールをある学生がほかの学生に見せると、この事実上の推定はくつがえされることになる〔教授には見せないだろうけれども〕）。猫や犬に人間と同様の意識があるかどうかは微妙だが、もしもあるとすれば、彼らも、飼主が起きた音がしたから、（特別な事情がない限り）ごはんがもらえるはずである、という事実上の推定は行っていることになる。

ほかの重要な例を挙げておくと、たとえば、私文書の成立の真正に関するいわゆる「２段の推定」（後記**第3**）の第１段目、「ある文書にある人物の印章による印影があること」から、「当該印影はその人物の意思によって作出されたこと」を推定する（最判昭和39・5・12民集18巻４号597頁、百選５版70事件）のは、事実上の推定の一種である。

日本では、通常、印章（ことに実印）は厳重に保管されておりその所有者以外の者が勝手にこれを使用することは難しい、という経験則がこの推定の基礎にある。

しかし、事実上の推定は証明責任に関係するものではない（そもそも、文書の成立の真正自体が補助事実であるから証明責任に関係がないが）から、これを争う者は、反証によってこれをくつがえすことができる。

上記の推定をくつがえす反証の典型例は、「印章の盗捺」である。実務においてよく行われる主張は、「偽造者が印章の所在場所を知っており、また、これにアクセスする機会があった」というものであり、この事実の証明は反証で足りる。実際にも、この立証は、合理的にみてその可能性がありうるという程度に行われれば、反証として成功したとみられるのが通常である（なお、前提事実である「ある文書にある人物の印章による印影があること」を争う場合なら、たとえば、「よく似ているが、コンピューターを用いて偽造されたものであり、

本人の印章によるものではない」旨などを反証することになる)。

　また、仮処分命令が取り消されたか原告敗訴の本案判決が確定した場合には、特段の事情がない限り仮処分債権者に仮処分申請について過失があったものと推定するとの判例（最判昭和43・12・24民集22巻13号3428頁、百選5版60事件）における「推定」についても、事実上の推定と解すべきであろう（瀬木・民保[069]。実務もそのように解していると思われる）。

[332]　2　一応の推定（表見証明）

　一応の推定ないしは表見証明（後者はドイツの概念、用語であるが、趣旨はおおむね同様）というのは、事実上の推定に関連する概念であり、不法行為訴訟において、一連の事実の流れから過失等が認められる蓋然性が経験則上非常に高いと思われるような場合（たとえば、ドイツの例では、定められた場所に停泊していた船舶に他の船舶が衝突した船舶事故では、他の船舶運航者について過失の表見証明が認められる）には、過失等に関する具体的な主張がなくてもこれを認定してよく、逆に相手方のほうで過失に該当するような行為を行ったことはない旨を立証する必要がある（その意味で証明責任の転換を認めたことになる）という理論である（高橋上564～566頁。初期の議論として中野・過失1頁以下の「過失の『一応の推定』について——自由心証と証明責任の境界」）。

　最判昭和32・5・10（民集11巻5号715頁）は、医師による皮下注射の直後に発熱疼痛を訴え、その後化膿して切開手術を行ったが機能障害を残したという事案について、原審が、注射液の不良または注射器の消毒不完全のいずれかの過失があった旨を認定した（なお、「注射液の不良」については当事者の主張もない事実である）ことを適法としているが、これは一応の推定（表見証明）を認めた例と解されている。本来なら過失の内容は当然特定されるべきであるにもかかわらず択一的認定を許している（つまり過失の特定はしなくてよいとしている）からである（最判昭和39・7・28民集18巻6号1241頁、百選5版59事件も、同様の判断をしている）[9]。

　もっとも、一応の推定（表見証明）の概念は、その外延が不明確であり（上記の判例もおそらく意識的にこの理論を採用したわけではない。「学説からみれば、

---

(9)　なお、択一的認定については、弁論主義における「事実の同一性ないしふくらみ」（[263]以下）の問題として解説されることもあるが、証明負担の軽減の問題として考えるのがより適切であろう。

理論的にはそう解するほかない」ということにすぎない)、安易に採用すべきものではない。先の事案についても、「注射行為に際して細菌などを体内に侵入させた」ことを過失の主要事実としてとらえれば足りるとする意見がある（伊藤393頁の注(273)）が、そのとおりであろう（審理の過程で裁判所が釈明を行ってそのように過失の内容を特定しておけば足りるということである）。いいかえれば、実体法の解釈問題としての証明主題（主要事実）の選択の問題だということである。つまり、一応の推定（表見証明)、は択一的認定をも含め、後記3の証明主題の転換の一場合として考えればよいと思われる（同旨、クエスト278～280頁)。

したがって、一応の推定（表見証明）が成り立つと思われるような事案では、争点整理に当たって過失等の内容が正確に特定されることがまずは必要だということになる。

もっとも、一応の推定（表見証明）が成り立つと思われるような事案では実際上は被告側に過失がないというに等しい反証が要求されるという意味では、実務にとって一定の指針となる概念である。

[333]　3　証明主題の転換

これは、前記2でもすでにふれたとおり、証明負担の軽減という観点から証明主題を本来のものからより証明の容易なものに転換するものである。前記2の一応の推定（表見証明）は、択一的認定をも含め、証明主題の転換の一場合として考えることができる。

ほかにも、たとえば、公害事件等で使われた疫学的証明（松本＝上野472～474頁）は、本来の病理学的な因果関係の証明に代えて集団的医学現象である疫学的証明を許すものであるという点で、証明主題の転換の一例といえよう（公害事件における因果関係の証明は難しく、原発事故による放射能被曝の場合などには、疫学的証明すら容易ではなくなる)。

また、判例は、医師の不作為と患者の死亡との間の因果関係について、適切な診療行為があれば患者がその死亡の時点においてなお生存していたであろうことの立証があれば足り、患者がその診療行為を受けていたならば生存しえた期間の認定までは必要でないとしている（最判平成11・2・25民集53巻2号235頁）が、これも、因果関係に関しては、延命期間の証明に代えて「患者がその死亡の時点においてなお生存していたであろうこと」の証明で足りるとしている点で、証明主題の転換を図ったものとみることができよう（も

っとも、この法理によって実務上認められている損害額は少額である）。

なお、すでにふれた、宗教的問題にかかわる紛争についての宗教団体内部の自律的決定尊重説（[172]）も、その一例である。

[334]　4　間接反証

いくつかの間接事実から主要事実の存在が強く推認される場合に、その主要事実について証明責任を負わない側が、先の間接事実と両立し先の推認を妨げる別の間接事実を立証して推認を妨げる立証活動を間接反証といい、証明責任を負わない側による後者の間接事実の立証は本証のレヴェルである必要があるとされる（その意味で、後者の間接事実については証明責任の転換を認めたことになる）。

具体的な例を挙げると、たとえば、公害事件で、①原因物質が特定され、②その汚染経路（たとえば河川）も特定されている場合に、被告であるところのその川に接して工場を設置している企業は、③自己は汚染物質を排出していない（汚染源になりえない）事実について本証のレヴェルの立証をしなければ責任を免れないということである（新堂622～623頁の例に従い敷衍した）。

しかし、これも、一応の推定の場合と同様に実体法の解釈問題であるということができる。つまり、先の事例の場合についていえば、①、②の事実が証明されれば③の事実について本証のレヴェルの証明がない限り法的因果関係を認めてよい、というように法を解釈すべき場合がある、ということである。本来の証明主題たる主要事実についての証明責任の分配を一部修正する理論といってもよい（新堂622頁）。

間接反証については、「いくつかの間接事実から主要事実の存在が強く推認される場合」の「強く」という定義が重要である。通常であればこれらの間接事実が認められれば主要事実が当然推認されてよいといった場合には、推認を妨げる間接事実の立証は本証のレヴェルのそれが要求される、そういう意味では、やはり、実務にとって一定の指針となる概念である（なお、間接反証という形での「概念化」を強く否定する見解として、高橋上551～556頁がある）。

[335]　第2　法律上の推定、暫定真実

法律上の推定は、事実上の推定と異なり、証明責任を転換するものである。これには、法律上の事実推定と法律上の権利推定とがある。

法律上の事実推定は、前提事実の証明があれば、主要事実である推定事実が推定されるべきことを定めるものである。推定事実をくつがえす側は推定事実の反対事実を証明しなければならないことになる。この意味で証明責任が転換される（もちろん、前提事実自体を争う場合には反証で足りるが、実際の事案では、この反証は困難な場合が多い）。

　占有の継続に関する推定（民186条2項）、賃貸借の更新に関する推定（同619条1項）等がその例である。たとえば、20年間、10年間の取得時効（同162条1項、2項）を主張する者は、その最初の時点と最後の時点で占有をしていたことを主張立証すれば、その間の占有の継続が推定されるから、相手方において、その間に先の占有のなかった時期があること（占有の不継続）を主張立証することが必要になる。賃貸借の更新の場合には、貸主の側において、たとえば、賃貸借の更新はしない旨の合意があったなどの事実を主張立証することが必要になる。

　法律上の権利推定は、前提事実の証明があれば、直接に権利関係を推定するものである。共有持分の割合の推定（同250条）、占有物について行使する権利の適法の推定（同188条）等がその例である。たとえば、共有物について2分の1の権利を主張しようとする者は、その物の共有の事実のみを主張立証すれば足りる。相手側はこれとは異なった持分の割合（たとえば自分の持分が8割であること）を主張立証しなければならない。つまり、推定される権利状態と相容れない権利状態の主張立証が必要になる。民法188条の場合には、推定される本権を別の者が有することなどを主張立証することになろうか（本来は権利発生事実の不存在またはその権利の消滅原因事実を主張立証することになるが、この証明は困難であるから、これに代えて、推定される権利状態と相容れない権利状態の主張立証があればよいと解されている）。

　もっとも、民法188条の合理性にはかなりの疑問もあり、最判昭和35・3・1（民集14巻3号327頁）は、他人の不動産を占有する正権原があるとの主張については、その主張をする者に証明責任があるとしている（30講341～342頁も参照）。

　以上のような法律上の推定は、経験則のうちで特に確度が高いものについて、当該事項の立証の困難性や当事者間の公平等をも考慮して定められたものと解されるが、その合理性、有用性の程度はさまざまであり、実務上も、法律上の事実推定規定はよく用いられるが、法律上の権利推定規定が用いら

れる例は少ない（私が経験した例は、共有持分の割合の推定規定くらいである）。

　法律上の事実推定に関連して、暫定真実と呼ばれるものがある。占有の態様に関する推定（同186条１項）等がその例である。たとえば、20年間の取得時効に関する規定である民法162条１項をみると、民法186条１項によって、その主要事実の一部である占有の事実から、それが所有の意思をもって平穏にかつ公然と行われたというそれ以外の事実が推定される構造になっている。つまり、主要事実の一部が他の主要事実を推定させる構造になっている。したがって、民法186条１項は、民法162条１項を「20年間他人の物を占有した者はその所有権を取得する。ただし、占有が所有の意思をもって平穏にかつ公然と行われたのではない場合には、この限りでない」と書き換えるのと同じ機能を有していることになる（上記ただし書に当たる部分について証明責任を転換している）。法律上の事実推定の一種だが、前提事実と推定事実が同一の規定の中に存在する場合、ということもできる。

[336]　**第３　意思推定規定、擬制規定、法定証拠法則**

　これらは、証明責任の転換にかかわるものではないが、法律上の推定規定に類した政策上の観点から定められた規定である。

　まず、意思推定規定は、意思表示の内容について一定の内容を推定するものである。期限の利益に関する民法136条１項、違約金の定めに関する同420条３項等がその例である。これらの規定は、「推定」という言葉は用いているが、期限の定め、違約金の定めという当事者の意思表示の解釈を法定しているものであって、法律上の推定とは全く性質の異なるものである。ただ、この解釈とは異なる合意をいう者はこれを主張立証しなければならなくなるという意味で、証明にかかわる概念ではある。

　擬制規定は、その名のとおりみなし規定である。失踪宣告の効力に関する民法31条等がその例である。擬制された事実に関する反証は許されない。民法31条の例でいえば、死亡を争う者は、失踪宣告の取消しを求めるほかない。

　法定証拠法則については、前にもふれている（[321]）。自由心証主義の例外として裁判官の事実認定に関する法則を法定したものである（文書の形式的証拠力に関する228条２項、４項等）。つまり、これらの規定に該当する事実がある場合には、裁判所は、特段の反証がない限り文書（書証）の真正な成立（当該文書が挙証者の主張する者によって作成されたこと〔[374]〕）を認定しな

ければならない。

たとえば、私文書の成立の真正に関するいわゆる「２段の推定」の第１段目、「ある文書にある人物の印章による印影があること」から、「当該印影はその人物の意思によって作出されたこと」を推定するのは、前記**第１の１**（[**331**]）で論じたとおり事実上の推定の一種だが、その第２段目、「当該印影はその人物の意思によって作出されたこと」から「当該文書の成立の真正」を推定するのは228条４項である。署名については228条４項の推定がはたらくだけだが、押印については２段の推定がはたらくことになる（最判昭和39・5・12民集18巻４号597頁、百選５版70事件）。

この推定も補助事実にかかわるものであって証明責任には関係がないから、これを争う者は、反証によってこれをくつがえすことができる。上記の第２段目の推定の場合には、たとえば、「押印自体は自分の意思でしたが、この文書だという認識はなかった（たとえば、消費貸借の連帯保証に関する書類の一部だと思って押印したのであり、抵当権設定契約書だとは思わなかった）」あるいは「後に文書の趣旨が書き換えられた」などといった反証が行われることになる（なお、前提事実である「当該印影はその人物の意思によって作出されたこと」を争う場合なら、たとえば、「この文書が作成されたという当時、自分は海外におり、一方印章自体は自宅に保管されていた」旨などを反証することになる〔第１段目の推定を争う方法については、前記**第１の１**〔[**331**]〕でふれた〕）。２段の推定については、今一度まとめて理解しておいてほしい。

【確認問題】
1　民事訴訟における証明度について論じよ。
2　本証と反証について説明せよ。
3　裁判上の自白に関し、その対象、不利益性について説明せよ。
4　裁判上の自白の効力（裁判所・当事者拘束力）と自白の撤回の要件について説明せよ。
5　権利自白の対象およびその効力について具体的に論じよ。
6　弁論の全趣旨とはどのような概念か。
7　248条はどのような性質の規定であり、どのような場合に適用されるか。

8　証明責任の概念と分配の基準について述べよ。
9　事実上の推定、表見証明（一応の推定）、間接反証、証明主題の転換について、例を挙げて具体的に説明せよ。
10　法律上の事実推定、法律上の権利推定、暫定真実について、例を挙げて具体的に説明せよ。
11　意思推定規定、擬制規定、法定証拠法則について、例を挙げて具体的に説明せよ。
12　私文書の成立の真正に関するいわゆる2段の推定およびこれを争う方法について述べよ。

[337] 第12章
要件事実論

本章では、証明責任の分配に関する体系的な考え方の1つとして司法研修所を中心として論じられている要件事実論（前記の修正された法律要件分類説〔**329**〕に属する考え方）について、その基本を、そして、民事訴訟法学の理解にとって、また、実務との関連において、有用と思われる部分を、簡潔に解説する。「はしがき」でも述べたとおり、要件事実論を、その弱点をも含めて客観的に理解しておくことは、学生のみならず実務家にとっても、民事訴訟法学や実務の理解のために、一定の意味があると考える。

第1節　概　説

[338] ### 第1項　要件事実論とは何か

判決は、口頭弁論終結時における権利または権利関係の存否について判断するものである。しかし、権利の存否は観念的なものであるから、その権利の発生、障害、消滅等の法律効果を発生させる事実の存在を証明することによってしか明らかにされない。

主要事実とは、こうした法律効果の発生等に直接必要な事実である。要件事実が主要事実であるとするのが要件事実論の考え方だが、学説においては、要件事実をその事案に応じて具体化したものが主要事実であるとするのが通説である（〔**259**〕）。

373

準備書面で明らかにされる請求原因事実、抗弁事実等の主要事実は、要件事実をその事案に応じて具体化したものである。
　要件事実論は、前記（[329]）のとおり修正された法律要件分類説に属する考え方であり、要件事実を、権利根拠規定、権利障害規定、権利消滅規定、権利阻止規定の4つに分類する。権利根拠規定は権利の発生にかかわるもの、権利障害規定はその発生の障害にかかわるもの（無効、取消事由等）、権利消滅規定はその消滅にかかわるもの（弁済等）、権利阻止規定はその行使を一時的に阻止するもの（同時履行の抗弁権等）である。
　もっとも、ある要件事実が上記の4つのどれに属するかは、必ずしも一義的に明確なわけではない。
　権利根拠規定と権利障害規定の区別は、実体法の定め方によって定まる。たとえば、錯誤による意思表示は取り消すことができるという規定の仕方をすれば錯誤は権利障害規定だが、錯誤のない意思表示のみが有効であるという規定の仕方をすれば、錯誤のないことが権利根拠規定（あるいは権利根拠事実）になる。ただ、民法あるいは近代法一般の規定の仕方によれば錯誤は権利障害規定だということにすぎない。
　権利障害規定と権利消滅規定の区別は、何を基準としてこれを行うかによって異なってくる。たとえば、消滅時効は、権利の発生後に生じた事由か否かでこれらを区別すれば権利消滅規定となるが、権利消滅の効果が権利の発生時にさかのぼるか否かでこれらを区別すれば権利障害規定となる（30講27〜28頁）。もっとも、いずれにせよこれらは抗弁事項に属することになるので、その区別には、機能的には大きな意味はない。
　以上をまとめ直すと、要件事実論とは、民法等の実体法の条文の内容を、証明責任の負担を考えながら再構成し、権利の発生、障害、消滅、阻止という法律効果を発生させる事実として何を主張したらよいかを、最小限の構成要素に分解して整理したものである、ということになる。
　証明責任帰属振り分けの基準としては、実体法の各法条の定め方を基本としながらも、たとえば、証拠との距離、立証の難易、事実の存在・不存在の蓋然性（これらは利益衡量説の掲げる要素）等の諸要素をも総合考慮して決定することとなる。この意味で、「修正された法律要件分類説（法律要件分類説については前記[329]）」ということになる。実際上は、民法の解釈学が、この振り分けに大きな影響を与えている。

要件事実論を専門に論じる人々は、概してこれをきわめてわかりにくい特殊な言葉で語る傾向が強い（概念法学やドイツ観念論と同じ）が、こうして整理してみると明らかなとおり、要件事実論とは、「実体法学の訴訟法学（証明責任論）への反映」であり、きわめて技術的ではあるものの、特別に難しい高尚な理論というわけではない。

　また、非常に論理的かつ一義的なものというわけでもない。なぜなら、（修正された）法律要件分類説による要件事実の振り分けのための技術、約束事、基準は、通常の法解釈学の場合ほど明確に定まってはおらず、したがって、個々の条文の要件事実に関する具体的な議論が通説的に定まっている分野も、細かくみてゆけば、必ずしもそれほど多くはないからである。

　したがって、あたかもそれらが厳密に定まっていてほかの考え方がありえないかのような要件事実論の教授法は、適切ではない。また、学ぶほうとしても、常に、要件事実論を客観的、相対的に見詰める視点を失わないようにしておく必要がある。そうでないと、要件事実教育は丸暗記教育となり、それに基づく準備書面や判決の内容も、概念的でわかりにくく、必ずしも正確でもないということになりかねない。

第2項　要件事実論の問題点とその機能

[339]　第1　要件事実論の問題点

　要件事実論が日本で隆盛となった背景には、おそらく、民法を始めとする主要実体法の成立年代が比較的古く、また、その後の改正も限られており、したがって、解釈によってこれを補わなければならない場合が多く、また、実体法が必ずしも証明責任を念頭に置いて起草されているわけでもないので、条文を見ただけでは、主要事実が何か、その証明責任はいずれの当事者が負担するのかが必ずしも明確ではない、という事実があると思われる。

　このような理由から成立した要件事実論には、証明責任の分配に関する実務における1つの、かなりの程度に確立された基準として有用ではあるが、反面、きわめて概念的、観念的であり、かつ、その根拠がわかりにくい、あるいは根拠が疑わしい場合があるという欠点も、存在する。ことに、要件事実論には、それをほころびのない絶対的な体系として構成しようとする指向

が強いことから、論理に無理が出ている部分がある。要件事実論については、民事訴訟法学者、民法学者の双方からの批判もかなり出るようになってきているが、それらの批判は、こうした部分に集中している。

　たとえば、「要件事実はどのような場面でも常に同一だ」というドグマがある。しかし、たとえば、賃貸借でも、その終了に基づく返還請求であれば賃貸借期間とその経過が要件事実となるのは当然だが、所有権に基づく引渡・明渡請求に対して抗弁として賃貸借を主張する際に、賃貸借期間についての合意まで被告が主張立証する必要はないはずである。期間の定めがあり、それが経過したことは再抗弁に回ると考えるのが常識的だろう。この点は、司法研修所の採っていた「貸借型理論」（貸借型の典型契約では、一定の期間貸借させることが契約の「本質的要素」なのだから、貸借型契約の成立を主張する者は常に返還時期に関する合意を主張する必要があるとする考え方）について問題にされ、司法研修所も、ある時期から、「貸借型理論」を公式見解とすることは控え、考え方の１つとして紹介するという姿勢に転じたようである（瀬木・要論［057］の(3)）。

　ほかにも、たとえば、代物弁済の要件事実に関する要物契約説、諾成契約説の対立の例がある。基本的には、対抗要件の具備等が代物弁済の要件事実に含まれるか否かという対立なのだが、判例は、いずれの考え方に立つかを明らかにせず、「所有権の取得原因としては意思表示で足り（最判昭和40・３・11判タ175号110頁、最判昭和57・６・４判時1048号97頁、判タ474号107頁）、債務の消滅原因としては対抗要件の具備が必要（最判昭和39・11・26民集18巻９号1984頁、最判昭和40・４・30民集19巻３号768頁）」と単に場合によって分けており、これでよいのではないだろうか（平成29年〔2017年〕債権関係改正後の民法482条もこうした判例の考え方を取り入れている〔一問一答債権関係187頁〕）。

　なお、先の「貸借型理論」の定義の中にも出てきた「本質的」という理由付けは、司法研修所が頻用するものだ。たとえば、「民法における典型契約の冒頭規定は当該契約の成立要件としての本質的要素を定めたものである」（30講37頁、106頁）などといった理由付けだが、これは、典型的な同義反復（トートロジー）であろう（幼い子どもが、「それ、やだ。だって、やだから」というのと基本的には同じことである）。法曹を育成する教育機関の中でこういう同義反復（トートロジー）の議論を堂々とやっていることの弊害は、おそらく、意外に大きい（司法修習生たちが、要件事実論の議論において、安易にかつ頻繁に、先のようなトートロジーを援用する

ことになる。瀬木・要論［**154**］の事例20㋐参照）。

　私が、個人的に現在の要件事実論の考え方に疑問をもって指摘してきている部分を挙げると、1つは、規範的要件の基礎付け事実を主張者に証明責任のある評価根拠事実と相手方に証明責任のある評価障害事実とに分けることが適切かという問題がある（［**260**］）。

　もう1つは、要件事実論の必要最小限ルール、ミニマムルール、また、全体としてほころびのない体系を作りたいという指向の問題点が如実に現れていると感じられる、相続に関する要件事実である（瀬木・要論［**057**］の(4)）。

　この要件事実が典型的に問題になるのは、たとえば、AのYに対する1000万円の債権を子Xが相続し、XがYに対して給付の訴えを提起する場合に、Xは相続について何を主張すればよいのか、という形においてである。

　これについては、要件事実論は、「非のみ説」を採るので、「A死亡。XはAの子」といえば足りるという。ほかに相続人がいることなどそれ以外の事実はすべて抗弁に回るということであろう。そして、「非のみ説」は、「のみ説」、すなわち、「A死亡。XはAの唯一の相続人」が要件事実であるとする説を、ほかに相続人がいることは抗弁に回るべきであるとして批判する（30講485〜487頁。なお、「非のみ説」、「のみ説」は、いささか奇妙な呼称だが、要件事実論には、こうした奇妙な呼称も、かなりある。専門用語ならわかるが、特殊なグループ内でのみ通用するところのそれ、ジャーガンがいささか多いのである〔［**272**］〕。これもまた、悪影響が大きい）。

　では、実務はどうしているか。私の知る限り、このような場合には、Xに対し、Xの法定相続分を、Aの戸籍（原則としてAの誕生から死亡までの）によって立証させている。弁護士は、併せて、相続人とその法定相続分の一覧表を作成提出することが多い（30講485〜486頁は、実務は「非のみ説」を採っているというが、判決でどのように整理されているかはおくとして、訴状審査の段階で上記のような釈明を必ず行っていることを考えれば、実質的にみれば、実務が「非のみ説」を採っているとはいいにくいと考える）。

　それでは、上記の実務は誤っているのか。

　私はそうは思わない。たとえば、上記の事例でAの相続人がX、Zの2人の子であるにもかかわらずXが1000万円を請求してきている可能性を考えるならば、実務の取扱いは妥当である。ことに、Yが「判決は、結局の

ところ最後は民法に従うはずだから、500万円支払え、という結論だろう」と考えて答弁書も出さずに欠席し、控訴もしなかったような場合を考えると、XのYに対する1000万円の債権の存在が既判力をもって確定されてしまうことの問題は大きい（こうした思い違いや法的無知は、実際にもありうる）。

机上の議論からはそれはもちろんYの責任ということになるのだが、実務としては、「裁判所がろくに調べもしないで不当判決を出した」というYの非難を一蹴することは、容易ではない。だから、実務は、訴状審査の段階で上記のような釈明を必ず行っている。社会一般の裁判所に対する見方や信頼の問題を考えても、実務の採っているやり方は穏当であろう（もっとも、Aの誕生から死亡までの戸籍をそろえるのは意外に大変な場合があり、私は、この点については、事案により柔軟に考慮する余地があるのではないかと考えていた）。

以上は実際的な理由だが、証明責任論における一般的な理屈からしても、実務の取扱いは肯定されると考える。「修正された法律要件分類説」の「修正された」という原理を機能させればよい。戸籍に記載がある相続人についてはその調査を容易に行いうるXに主張立証させ、それ以外の相続人の存在等戸籍に現れていないような事実関係についてはYに主張立証させるという実務の考え方（多くの裁判官、裁判所書記官には、必ずしもそのような証明責任の分配がきちんと認識されてはいないにせよ）は、民法の考え方が明確ではないこの要件事実について「修正された法律要件分類説」によって導かれうる妥当な結論なのではないだろうか。

以上を要するに、当然のように「のみ説」と「非のみ説」の2つの選択肢しか立てない要件事実論の前提それ自体に問題があるといえよう。

また、要件事実論は「非のみ説」の根拠として民法896条本文を挙げる（30講486頁）が、そもそも日本の民法の起草者は証明責任よりも条文のわかりやすさを重視していたし、そうするように促されてもいたというのが定説であって、ことに、この条文についてみると、起草者たちが、この条文が「非のみ説」の根拠となることを意識していたとは、私には思えない。それは、この条文が、一見して証明責任の帰属にかかわることが明らかなものとは考えにくいことにもよる。

以上のとおり、要件事実論の説明には、未だ訴訟法的・実体法的にこなれていない部分も、少なくとも一定程度は存在するのであって、絶対視すべきものではない。

また、大学における要件事実教育のあり方についても、同様に、これを絶対的なものとして鵜呑みにさせるのではなく、証明責任の分配に関する１つの技術と位置付けた上で、客観的、批判的に教え、かつ学ばせる必要があるのではないかと考える。

[340]　第2　要件事実論と争点整理

　要件事実論の概念的な考え方が抱えている問題についてはこのくらいにして（詳細については瀬木・要論［057］の全体を参照）、争点整理における要件事実論の機能に移りたい。

　要件事実論者は、争点整理は要件事実論に従って行うべきものであるという言い方をすることが多いが、はたしてそうだろうか。

　実務では、むしろ、ヴェテラン裁判官は、要件事実論を、あくまでも争点整理のための１つの方法として位置付けており、むしろ、若手裁判官のほうが要件事実論の細かな部分に拘泥しやすいともいわれる。

　私の裁判官としての経験からすれば、要件事実については、争点整理あるいは判決書作成の前に考えておき、実際にそれらを行う際には、要件事実は頭の隅にとどめる程度にして、事案の全体をありのままに見詰めることが必要ではないかと考える。

　民事訴訟のリアルな争点は、法的に構成、評価されているとはいえ、基本的には、生の、ひとつながりの事実である。これを最初から要件事実によって細切れにすると、きわめてわかりにくいのみならず、誤りも多い準備書面ができやすい。たとえば、ごく普通の交通事故について、故意・過失、違法性、因果関係と項目を分けて論じるようなことをすると、そうした奇妙な準備書面ができやすい。

　私は、事案全体の要件事実的な整理は、意識的にこれを行う必要があるような事案については、争点整理に入る前に、あるいは争点整理のための各期日の前に、頭の中で、あるいは紙の上で行っておくべきものであろうと考える。

　実際に争点整理を行う際には、主要事実を要件事実的に細かく分断してその各要素ごとに整理を進めるようなやり方は、むしろ、「本来１つの有機体である紛争の全体や本質をみる目」、また、「真の争点を明らかにするという争点整理の目的」を忘れさせ、若手の裁判官についてよくいわれることだが、

いたずらに重箱の隅をつくような釈明に終始する結果を招くことになるという弊害が大きいのではないだろうか。

争点整理の過程で要件事実について厳密に考えてみる必要が生じるのは、①ある法的主張・主要事実の証明責任の帰属が必ずしも明らかではない（よくわからない）という印象をもった場合、そして、それよりは少ないが、②ある法的主張・主要事実の内容としてどのようなものが要求されるのかが必ずしも明らかではないという印象をもった場合、の2つであろう。しかし、このようなことが起こるのは、定型的な要件事実の場合には、ほとんどない（少なくとも、要件事実に関する書物をみれば、争いのあることも多い細部についてはともかく、議論の概要、大筋はすぐにわかることが多い）。

このようなことが起こるとすれば、たとえば各種保険事故に関する請求のそれのように、判例、学説を調べないとその詳細が明らかにならないような場合だが、そのような場合には、やはり、争点整理の前に上記の点を確認しておくことが望ましい。

[341] 第2節 民事訴訟法学、民事訴訟実務の理解のために有用な若干のポイント

この項目では、読者が、要件事実論を学び、あるいは学び直す、また客観的に検討する際の参考として、要件事実論のうち、民事訴訟法学や実務との関係で有用と思われる若干の事項について、アトランダムに論じてみたい。

要件事実論ないしこれに関連する議論が民事訴訟法学上の論点分析に役立つ例、本書でそのような分析を行った例としては、弁論主義違反の有無に関する検討（[267]、[268]。これを考えるについては要件事実論的検討がきわめて有用）が典型的だが、ほかに、先行自白と相手方の援用しない自己に不利益な事実の陳述に関する検討（[256]）、規範的要件の主要事実に関する検討（[260]。これについては、私自身は、要件事実論の主張の一部に反対しているが）、既判力の主観的範囲の拡張によって拡張される既判力の内容に関する検討（[489]の(エ)）、訴訟告知による参加的効力に関する検討（[570]の注(11)）等についても、程度の差はあれ同様のことがいえると考える。

以下では、上記のような論点よりもさらに要件事実論プロパーの要素が強

第12章　要件事実論

いもの、したがって、本書のほかの章ではふれていないもののうちから、重要と思われるものをいくつか選んで、付け加えておきたい。

①　特定の請求原因事実にこれに対する抗弁事項が含まれることになる場合には、当事者は、その再抗弁事実をも同時に主張しなければならない。

たとえば、売主が売買代金債務の支払を請求する場合の要件事実は、(i)ある物をある日に特定の金額で売り渡したこと、であるが、売買代金債務の支払に加えて履行遅滞に基づく損害賠償を請求する場合には、(ii)支払期の経過、(iii)損害の発生と金額はもちろんだが、さらに、(iv)その物の引渡しないし引渡しの提供、の事実をも主張しなければならない。

売買契約は双務契約であり、したがって相手方は同時履行の抗弁権を主張することができるところ、売買代金債務の支払に加えて履行遅滞に基づく損害賠償を請求する場合には、その主張自体の論理的な帰結として、本来は相手方の同時履行の抗弁権の主張（抗弁）を待って主張すれば足りるはずの(iv)の事実（上記の抗弁に対する再抗弁）をも主張しなければならなくなるのである。

同時履行の抗弁権は通常は権利抗弁（[261]）であるが、このように、原告の主張中にその主要事実が含まれてしまう場合には、原告においてこれに対する再抗弁をも主張立証すべきであると解されている。根拠は信義則的なものに求められようか。

②　ある攻撃防御方法の法的位置付けが、要件事実論による検討によって明らかになる場合がある。

たとえば、次のような事例（教室設例になるが）の場合である。

『Xは、Yに対しある物を2015年5月1日に売り渡したとして、Yに対し売買代金100万円の支払を請求した。

(i) Yは、2020年5月1日の経過をもって消滅時効が完成したと主張した（抗弁）。

(ii) Xは、この売買契約については代金支払時期につき2015年10月1日との定めがあったと主張した。

(iii) Yは、2020年10月1日の経過をもって消滅時効が完成したと主張した。

(ii)、(iii)の主張の法的位置付けはどのようになるか』

まず、抗弁、再抗弁、再々抗弁の定義を考える。

抗弁とは、請求原因と両立し、その効果をくつがえすことによって、原告

の請求が認容されるのを妨げる（請求原因から生じる法律効果の発生を妨げる）主張である。

再抗弁とは、抗弁と両立し、その効果をくつがえすことによって、請求原因から生じる法律効果を復活させる主張である。

再々抗弁とは、再抗弁と両立し、その効果をくつがえすことによって、抗弁から生じる法律効果を復活させる主張である。

そうすると、(ii)の、この売買契約には代金支払時期の定めがあったとの主張は、抗弁と両立し、その効果をくつがえすことによって、請求原因から生じる法律効果を復活させるから、再抗弁であるとわかる。

では、(iii)については、再々抗弁であろうか。

これは、実は、再々抗弁ではなく、予備的抗弁なのである。

なぜなら、この主張は、抗弁から生じる法律効果（2020年5月1日の経過による消滅時効の完成）を復活させるのではなく、(i)の抗弁、(ii)の再抗弁を前提とした上で、しかし、(ii)の代金支払時期からも5年が経過しましたよ、として、抗弁から生じる法律効果とは別の法律効果（2020年10月1日の経過による消滅時効の完成。しかし、やはり、請求原因と両立し、その効果をくつがえす）をもたらすものだからである（先の抗弁およびこれに対する再抗弁を前提とした主張であり、したがって、先の抗弁は功を奏しないことを前提としているから、「予備的抗弁」となる）。

③　取得時効が争点となる事案に関する典型的な主張の応酬

たとえば、請求原因として、土地の20年間の取得時効（民162条1項）を主張する者は、その最初の時点と最後の時点で占有をしていたことを主張立証すれば足りる。その間の占有の継続は推定され（同186条2項）、また、「所有の意思をもって、平穏に、公然と」との点については同条1項の推定がはたらくからである（なお、自己の物についても取得時効は主張できるので、「他人の物」であることは要件事実にならない〔民法162条の同文言は、通常の場合について示したものにすぎないと解される。最判昭和42・7・21民集21巻6号1643頁〕）。

相手方は、抗弁として、その間に先の占有のなかった時期があること（占有の不継続）を主張立証してもよいが、通常は、この事実の立証は難しい。

実際に相手方が抗弁として主張することが多いのは、他主占有権原あるいは他主占有事情の抗弁である。所有の意思をもって占有することも上記のとおり推定されるため、相手方は、その反対事実として、他主占有権原（占有

が、所有の意思をもってするのではない権原〔たとえば使用貸借〕によってされたこと）あるいは他主占有事情（占有者が、自主占有者であればとらないような行動をとったこと、あるいは、自主占有者であれば当然とるべき行動に出なかったこと）を主張する必要があるのである。

そして、判例は、自己への所有権移転登記手続を求めなかったことおよび固定資産税を払わなかったことだけでは、原則として他主占有事情を認めるに足りないとしている（最判平成7・12・15民集49巻10号3088頁。以上につき、詳しくは、瀬木・ケース207～209頁参照）。

この、他主占有権原あるいは他主占有事情の抗弁は、要件事実に関する以上のような知識をもっていないと適切に構成することが難しい。上記の最高裁判例の位置付けの理解についても同様である。

③については、実務でも混乱した主張がなされることが多いので、よく理解しておく必要がある。

【確認問題】
（3以下についてはかなり難しいため、要件事実論を学んだ後に答えられれば十分である）
1　要件事実論とはどのようなものか。
2　要件事実論と争点整理の関係についてはどのように考えるべきか。
3　相続の要件事実についてのいわゆる「非のみ説」とはどのようなものか。その問題点について考えよ。
4　売主が売買代金債務の支払に加えて履行遅滞に基づく損害賠償を請求する場合の要件事実について述べよ。
5　[**341**] ②の設例について答えよ（設問だけを見て答えること）
6　抗弁、再抗弁、再々抗弁について、正確に定義せよ。
7　取得時効が争点となる事案に関する典型的な主張の応酬について述べよ。

[342] 第13章
証拠調べ

本章では、法の定める証拠調べの方法について具体的に論じる。現在の実務では人証に加えて書証の重要性も大きく、論じるべき事柄も多い。ことに文書提出命令の関係については、重要な事項であるが、立法のあり方の問題もあって、非常にわかりにくくなっている。現状とその問題点についての正確かつ詳細な理解が必要である。

第1節　証拠調べ総論

第1項　証拠の申出

[343] **第1　概説**

証拠の申出は、当事者が、具体的な証拠を示してその証拠調べを裁判所に要求するもので、性質としては申立ての一種である。

証拠調べは当事者の申出によるのが原則である（弁論主義の第三原則）がこれにはかなりの例外がある。たとえば、管轄に関する事項の証拠調べ（14条）、調査の嘱託（186条）、当事者尋問（207条1項）、鑑定の嘱託（218条）、公文書の認否に関する照会（228条3項）、検証の際の鑑定（233条）訴訟係属中の証拠保全としての証拠調べ（237条）、商業帳簿の提出命令（会社434条）等は職権ですることができる。

証拠の申出は、証明すべき事実を特定し、これと証拠との関係を具体的に明示してしなければならない（180条1項、規99条1項）。この証拠ではこのような事実を立証したいという説明を証拠説明書（書証の場合。規137条1項）のような形ですることになる。証拠説明書は、裁判官に立証趣旨を正確に理解してもらうためにきわめて有用な書面である。証拠申出書は相手方に直送される（規99条2項、83条）。

証拠の申出の具体的な方法については、証拠方法の種類に応じて適宜規定されている（規106条〔証人尋問〕、規127条〔当事者尋問〕、規129条〔鑑定〕、219条、規137条〔書証〕、232条1項、規150条〔検証〕）。

[344]　第2　証拠の申出の時期等

証拠の申出は、期日においても、期日前においてもすることができる（180条2項）。訴訟の迅速化を図るための規定である（ただし、書証の申出の方法については［375］参照）。

裁判長は、特定の事項に関する証拠の申出をすべき期間を定めることができる（162条。個々の準備書面の提出期限までに関連の証拠も提出されるのが通例である）。

証人等に対する報酬、裁判官・裁判所書記官の旅費・宿泊料等の費用についてはその予納が必要である（民訴費11条1項、12条1項）。予納がないときは、裁判所はその証拠調べを行わないことができる（同12条2項）。

証拠申出については、実質的手続保障の見地から相手方に意見を述べる機会が与えられる（証拠調べの必要性や証拠の信用性、証明力について意見が述べられることが多い）。

[345]　第3　証拠の申出の撤回

証拠の申出の撤回については、申立ての性質をもつ訴訟行為一般の原則に従い、証拠調べが開始されるまでは撤回が可能である（[239]）が、証拠調べ終了後は裁判官が心証を形成してしまっているから撤回できないとするのが多数説である（最判昭和32・6・25民集11巻6号1143頁、百選5版A21事件は、証人尋問について撤回を否定した）。もっとも、証拠調べの結果が除去されるのは、すでになされた証拠調べの結果の排除を求める証拠抗弁が理由ありと認められる場合、証拠調べの方式違背等を理由として責問権が行使された場合等は

かにもありうることなどから撤回を肯定する考え方もあり（注釈旧版(6)145～146頁等）、実務も書証の撤回については認める場合がある。判決の結果に影響しない（重要でない）書証については、相手方の同意があれば認める余地があろうか。

証拠調べ中については、証拠共通の原則にかんがみ相手方の同意があれば撤回が可能であるとするのがむしろ多数説だが、心証が逐次形成されてゆくことを考えるならば、証拠調べ開始後は原則としてもはや撤回できない（証拠調べ終了後と同様の規律となる）と解すべきであろう（同旨、伊藤396～397頁。なお、実際にも、証拠調べ中の撤回はまず例がないであろう）。

[346]　第4　証拠の申出に対する裁判所の判断

証拠の申出に対しては、裁判所は、採否の裁判をする。もっとも、これは必ずしも明示でされる必要はない。書証の場合には、証拠能力に問題のあるような例外的な場合（却下する）を除き、採用する場合にはそのまま証拠調べを行っているが、これは、黙示の採用の裁判があるとみるべきであろう。

人証の申出、鑑定・検証の申出、また文書提出命令の申立てについては、裁判所が結局採否の判断をしないまま口頭弁論の終結に至る場合がある。こうした場合にはどのように考えるべきであろうか。

まず、人証の申出についてみると、最判昭和27・12・25（民集6巻12号1240頁）は、黙示的に却下の裁判があったとみる（ただし、後記の「唯一の証拠方法」である場合を除く、としている）。

また、最判昭和26・3・29（民集5巻5号177頁）は、申出をした当事者が口頭弁論終結に際して「他に主張立証はない」と述べた場合には、その申出を放棄したものと認めるとする。

人証については、とりあえず必要なものだけを採用し、残りは採否の判断を保留しておくことに相当の合理性があるのが一般的なので、裁判所が採否の判断をしないまま口頭弁論の終結に至るという事態もやむをえず、そのような場合には、上記の判例のように解してよいであろう。

次に、鑑定の申出についてみると、最判昭和27・11・20（民集6巻10号1015頁）は、証拠の申出（なお、判示事項は鑑定に限定されていない）につき採否を決定しないで口頭弁論を終結した場合、当事者が異議を述べないときはその証拠方法を放棄したものと認めるとする。

しかし、この判例は、裁判所が申立てに応答しないことの不利益を当事者に負わせるものであり、疑問が大きい。少なくとも、口頭弁論終結前に異議がないかを確認すべきであろう。

また、一般論としても、鑑定の申出や文書提出命令の申立てについては、できる限りすみやかに、そうでない場合にも少なくとも合理的な時期には判断を行うべきであり、裁判所が判断を下すことを嫌って（シリアスな争いになる場合があるからである）上記のような処理に持ち込むことは、適切ではない。検証の申出については重要性がさまざまなので一概にはいえないが、基本的には、これらに準じて考えることが相当であろう。

裁判所は、証拠の申出が不適式であったり、時機に後れたものである場合（157条）はもちろん、そうでない場合であっても、必要性や要証事項との関連性のないものは取り調べないことができる（181条1項）。ただし、反証については、必要性がないとの判断は慎重に行うべきである。また、裁判所は、証拠調べにつき不定期間の障害があるときにもこれを行わないことができる（同条2項。証人が意識不明で回復が定かでない場合等）。

なお、判例は、事実審を通じての唯一の証拠方法は合理的な理由がない限り取り調べるべきであるとの原則を採っているといわれる。多くの判例があるが、概して古い時代のものであり、「唯一」の基準も争点ごとなのか事件全体を通じてなのかはっきりせず、また、その大きな部分は唯一の証拠方法であっても取り調べなくてよいという例外の場合を規定するものである。いずれにせよ、今日では、この原則が問題になることはあまりない。

もっとも、「原則として、争点ごとに、申出があれば、唯一の証拠方法は取り調べるべきである」というように定式化すれば、手続保障のための1つの行為規範として意味があるかもしれない。

第2項　証拠調べの実施

[347]　第1　口頭弁論との関係

証拠調べ期日も広義の口頭弁論期日だが、裁判所は、同一の期日に、証拠調べとは別に狭義の口頭弁論（主張・争点整理）を行うこともできる（最初に口頭弁論をしてから人証調べを行うなど。なお、狭義の口頭弁論期日と証拠調べ期日

を段階的に分離しないシステムを証拠結合主義といい、主張段階と証拠調べ段階を截然と区別する証拠分離主義〔[226]〕と対比される）。もちろん、証拠調べだけを行うことを目的とする期日を設けることもできる（人証調べの場合に多い。以上につき、[220]参照）。

　それでは、証拠調べ、たとえば人証の尋問を行っている最中にこれを中止して狭義の口頭弁論を行うことができるか。これについては、証拠調べの終了まではできないとする説もあるが、証拠結合主義の趣旨から、できると解すべきであろう（伊藤398頁）。実務上も、裁判官が、証人尋問の内容に関連して忘れないうちに当事者の主張を確かめて調書に記録しておきたいような場合に、一時証拠調べを中断して口頭弁論を行う例はある。

[348]　第2　証拠調べの実施とその援用

　証拠調べは、直接主義、公開主義の要請から、受訴裁判所の法廷で行われるのが原則だが、裁判所が相当と認めるときは裁判所外で行うこともできる。重要な証人が病気で出廷できない場合等である。これは、受命・受託裁判官に行わせることもできる（185条1項）。

　外国において証拠調べをすべき場合には、その国の裁判所または日本の大使、公使、領事に嘱託して行う（184条1項）。

　外国の裁判所が証拠調べを行う場合、手続は法廷地法によるから、外国法上適法であれば、日本の民事訴訟法に違反していても有効である（たとえば、日本法が認める証言拒絶権をその外国法が認めていない場合など）。これとは逆に、外国法上違法であっても、日本の民事訴訟法に違反していなければ有効という規律も、こちらは明文で存在する（同条2項）。日本の外交官が証拠調べを行う場合には、手続は日本法による。

　証拠調べへの立会いは当事者の重要な権利である。この機会を保障するために、裁判所は、証拠調べの期日および場所を当事者に告知して呼び出さなければならない（240条、94条。なお、185条2項、規104条も参照）。しかし、それでも当事者が出頭しない場合には、裁判所は、証拠調べを行うことができる（183条）。証人等の負担や訴訟手続の遅延を避ける趣旨である。もっとも、実際には、当事者が不出頭のまま証拠調べを行う例は、一方当事者が訴訟追行の意欲を失って出頭しなくなっているような場合くらいであり、双方当事者不出頭のまま証拠調べを行う例は、稀有である。

裁判所外での証拠調べ、受命・受託裁判官による証拠調べ、外国で行われた証拠調べの結果については、判例は、口頭弁論において当事者が援用しなければ証拠資料とならないとする考え方を採っている（最判昭和28・5・14民集7巻5号565頁、最判昭和35・2・9民集14巻1号84頁）。直接主義・口頭主義・公開主義の要請によるものといわれる。しかし、すでに証拠調べが行われてしまった以上、**第1項第3**（[345]）のとおり当事者に撤回の自由はなく、にもかかわらず当事者に援用の自由を認めるのは背理であり、この点を重視して、受訴裁判所が証拠調べの結果を口頭弁論に顕出すれば証拠資料となると解すべきであろう（伊藤400頁、コンメⅣ120～122頁）。

第2節　証人尋問

[349]　第1項　意義

証人尋問（190条以下）とは、証人、すなわち「みずからが過去に知りえた事実を裁判所で報告する、当事者およびその法定代理人以外の第三者」に対する尋問の形で行われる証拠調べである。

特別な学識経験をもつために知りえた事実を裁判所で報告する者を鑑定証人というが、性質としては証人であるから証人尋問の規定によって尋問される（217条。たとえば、交通事故の受傷者をたまたま通りかかった医師が治療し、その受傷状況について尋問するような場合）。

[350]　第2項　証人能力および証人の義務

当事者およびその法定代理人以外の自然人であれば、誰でも証人となることができる。もっとも、心理学者、精神医学者らによれば、幼児、児童の証言の場合には、大人の誘導によって比較的容易に虚偽の記憶が植え付けられうるといわれているので、その証明力については、慎重に評価すべきであろう。

証人の義務としては、出頭・宣誓・証言義務がある。

不出頭に対する制裁としては、これによって生じた訴訟費用の負担、過料、罰金、拘留があり、また、裁判所は、正当な理由なく出頭しない証人の勾引を命じることができる（193条、194条、規111条）。実務上は、重大事件について勾引が命じられる例がごくまれにある程度である。

宣誓は、日本の法廷では、「良心に従って真実を述べ、何事も隠さず、偽りを述べないことを誓います」という宣誓書を読み上げ、かつ、署名押印をするという形によって行っている（201条1項。規112条3項、4項）。また、宣誓は、起立して厳粛に行うこととされている（規112条2項）。宣誓の趣旨を理解できない者や16歳未満の者を尋問する場合には、宣誓をさせることができない（201条2項。年少者については、誤って宣誓をさせてしまう例がときにあるので注意が必要）。また、196条の規定に該当する者については、裁判所は宣誓を免除できる（201条3項）。宣誓拒絶権者については同条4項が規定し、また、宣誓拒絶については証言拒絶に関する規定が準用されている（同条5項）。宣誓した証人が虚偽の陳述を行うと、偽証罪となる（刑169条。もっとも、民事訴訟における偽証で訴追される例はほとんどない。これは1つの問題だが、どのような場合には起訴に値するほど悪質といえるかの線引きが難しいことが1つの理由であろう。もっとも、実務上、私文書偽造〔刑159条〕か偽証〔同169条〕のいずれかには当たるはずという例は、証人尋問で時にある〔瀬木・要論 **[083]** の(9)、瀬木・民事裁判195頁〕）。宣誓は尋問の前にさせるのが原則だが、特別の事由があれば尋問後にさせることもできる（規112条1項）。宣誓能力を有するか否かが不明な場合や、宣誓拒絶権がある場合には、尋問を聴いた上で宣誓をさせるか否かの判断を行うほうが相当な場合があることによる（条解1110頁）。

証言義務については、一定の範囲で例外（後記**第3項**の証言拒絶権）が認められる。証言拒絶に対する制裁については出頭拒絶に対する制裁の規定が準用される（200条、192条、193条）。

第3項　証言拒絶権

[351]　第1　審理と判断

証言拒絶をしようとする者は、その理由を疎明しなければならない（198

条)。公務員の職務上の秘密の場合を除き、裁判所は、当事者を審尋した上で、証言拒絶の当否について決定で裁判をする（199条1項）。この裁判については、当事者および証人は、即時抗告ができる（同条2項）。証言拒絶を理由がないとする裁判が確定した後に証人が正当な理由なく証言を拒む場合には、前記**第2項**のとおり、証人の不出頭の場合と同様の制裁を受ける（200条）。

証言拒絶権に関する解釈は、それ自体としても、また、後記文書提出命令の当否の解釈（[382]以下）に影響を与えているという意味でも、重要である。

[352]　第2　自己負罪等拒否

証言が、証人または証人と一定の近い身分関係にある者が、刑事訴追を受けまたは有罪判決を受けるおそれがある事項およびこれらの者の名誉を害すべき事項に関する場合の証言拒絶権である（196条）。

前者については、その証言が手がかりになって犯罪が発覚しうるような場合も含まれるが、その蓋然性はかなり高いものでなければならないと、また、後者については、社会的評価の低下により社会的地位の保持が困難になる程度の場合をいうと、それぞれ解されている。

[353]　第3　公務員の職務上の秘密

公務員または公務員であった者に職務上の秘密について尋問する場合には、裁判所は、監督官庁の承認を得なければならない。この承認は、公共の利益を害しまたは公務の遂行に著しい支障をきたすおそれがある場合を除き拒むことができない（191条）。承認がない事項については証人は証言を拒むことができる（197条1項1号）。この監督官庁については、公務員の現在の、元公務員の退職時の、所轄庁の長をいうとするのが明確であろう（国公100条2項、地公34条2項参照。条解1087頁、コンメⅣ181頁）。なお、この秘密には公務員が職務上知ることができた私人の秘密の一部も含むと解される（[383]参照）。

この秘密については、行政官庁によって秘密として取り扱われているものをいうとする形式秘説、実質的に秘密として保護に値するものをいうとする実質秘説があるが、実質秘説が相当であろう。判例も実質秘説を採ると解される（文書提出命令に関する最決平成17・10・14民集59巻8号2265頁、百選5版A22事件）。

具体的には、裁判所が当事者提出の尋問事項書に示された事項について職務上の秘密にかかわると判断した場合、あるいは証人がそのように主張して証言を拒んだ場合に、監督官庁に承認を求めることになろう。

　198条（証言拒絶の理由の疎明の必要性）と199条1項（証言拒絶の当否については受訴裁判所が当事者を審尋して決定するとされているがその対象から197条1項1号の場合が除かれていること）との間には齟齬があるため、この点については、2つの解釈がある。

　1つの考え方は、職務上の秘密該当性については監督官庁が判断権をもち、裁判所には判断権はないとするものである。裁判所は証言拒絶の理由の当否については判断せず、ただ監督官庁の承認を求めることになる。

　しかし、職務上の秘密の該当性については解釈に争いがあること、証言義務という司法上の問題について裁判所の判断権を排除するのは不当であること、198条の趣旨を重くみるべきことから、裁判所に判断権を認めることが相当であろう。

　したがって、裁判所は、職務上の秘密該当性の疎明がないと認められる場合には承認を求める手続をとらないことができる。疎明があったと認められれば、ほかの場合と異なり、証言拒絶の当否についての裁判をするのではなく、監督官庁の承認を求めることになる（199条1項の上記の部分はこの限りで意味をもつことになる）。

　監督官庁が承認を拒絶した場合に裁判所がこれをくつがえして証言をさせることができるかどうかについては、文書提出命令の場合の223条4項のような規定がないことからみて、法はこれを予定していない（その点の判断は監督官庁の裁量にゆだねるという趣旨）とみるほかないであろう（クエスト295～296頁は反対〔裁量権の逸脱または濫用がある場合には裁判所が承認拒絶をくつがえして証言をさせることができる、という趣旨と思われる〕）。

[354]　第4　法定専門職の守秘義務

　197条1項2号は法定専門職にある者が職務上知りえた他人の秘密について証言拒絶を認める。こうした専門職に対する信頼を確保するという政策的判断がその背景にあるが、目的は秘密主体である他人の保護にあるから、これらの者が黙秘の義務を免除した場合には証言拒絶は認められない（同条2項）。

197条1項2号は、法令上守秘義務が課せられている職業（公認会計士〔会計士27条〕、司法書士〔司書24条〕等。その他の例については条解1101頁）にのみ類推されると解されている。

この秘密については、単に主観的な利益があるだけでは足りず、その秘密が知られることによって社会的、経済的損失が生じるものである必要がある（客観的利益も必要）[1]。

[355]　第5　技術または職業の秘密

197条1項3号は、技術または職業の秘密についての証言拒絶を認める。

2号と異なり定義がややあいまいだが、技術の秘密とはその公開によってその技術の有する社会的価値が下落しこれによる活動が困難になるものをいい（最決平成12・3・10民集54巻3号1073頁、百選5版A24事件）、製造、工芸、芸術、運動等に関して認められる。

職業の秘密とはその公開によってその職業が深刻な影響を受け以後その遂行が困難になるものをいい（上記最決平成12・3・10、最決平成18・10・3民集60巻8号2647頁。後者は百選5版67事件）、具体的には、報道関係者の取材源（上記最決平成18・10・3）、製造販売業における原料、その仕入先や仕入価格、製品の原価、販売先、販売数量、顧客リスト、証券会社や人事興信所の情報入手経路、会社の希望退職被慰留者の氏名、労働組合の匿名組合員の氏名等の事柄が、判例、学説によって挙げられている（条解1103頁、コンメⅣ211～212頁）。

---

(1) 最決令和3・3・18民集75巻3号822頁は、電気通信事業に従事する者及びその職を退いた者は、197条1項2号の類推適用により、職務上知り得た事実で黙秘すべきものについて証言を拒むことができ（職業の種類に関する類推）、また、電気通信事業者は、その管理する電気通信設備を用いて送信された通信の送信者の特定に資する氏名、住所等の情報で黙秘の義務が免除されていないものが記載され又は記録された文書又は準文書について、当該通信の内容にかかわらず検証の目的として提示する義務を負わないとした（検証物提示義務についての証言拒絶権の類推）。
　事案は、脅迫的表現を含む電子メールの送信者情報の開示についてのものである。インターネットにおける不特定多数への匿名発信についてはいわゆるプロバイダ責任制限法5条以下により発信者情報の開示請求が可能であるが、本件のような1対1の通信については、そのような立法がない以上、先の判断はやむをえないものといえよう。もっとも、この判断は、そうした立法の可能性までをも否定するものではないと解される。

要するに、この秘密の性質も、形式秘（関係者が秘密として取り扱っているということ）ではなく実質秘であるということになる。そして、判例は、秘密のうちでも要保護性のあるもの（保護に値する秘密）のみについて証言拒絶が認められるとし、また、要保護性については、秘密の公表によって生じる不利益と証言拒絶によって犠牲になる真実発見および裁判の公正との比較衡量により決せられるとする（上記最決平成18・10・3）。

　要保護性を要件として上記のような比較衡量を行うことは証言拒絶権の本質になじまないとの考え方もある（伊藤409～410頁）が、技術または職業の秘密の外延があいまいであることを考慮すれば、他の社会的価値との比較衡量を行って最終的にこれを決することは妥当であろう。

　上記最決平成18・10・3の事案は、報道関係者の取材源の秘匿に関するものであり、証言によって報道関係者が被る将来の不利益と証言によって得られる真実発見等の公的利益、また当事者の利益とが鋭く対立する事案であったが、判例は、①当該報道が公共の利益に関するものであって、②その取材の手段、方法が一般の刑罰法令にふれるとか、取材源となった者が取材源の秘密の開示を承諾しているなどの事情がなく、③当該民事事件が社会的意義や影響のある重大な民事事件であるため、当該取材源の秘密の社会的価値を考慮してもなお公正な裁判を実現すべき必要性が高く、そのために当該証言を得ることが必要不可欠であるといった事情が認められない場合には、当該取材源の秘密は保護に値するとし、結論としては証言拒絶を認めている。

　おおむね妥当なメルクマールといえるのではないかと考えるが、取材源の秘匿は、表現の自由や報道責任の基盤となるものであり、その要保護性はきわめて高いということを原則として、判断を行うべきものであろう[2]（技術または職業の秘密に関する最高裁判例全般を厳しく批判するものとして松本＝上野527～529頁がある）。

---

[2]　なお、名誉毀損損害賠償請求においても、被告側のいわゆる「真実性、相当性の抗弁」について判断するに当たっては、被告側の立証が取材源の秘匿の要請によって相当に制限されるものであることを考慮すべきである。さらにいえば、本来は、原告側に「非真実性」の証明責任を課することが適切であろう（瀬木比呂志「スラップ訴訟、名誉毀損損害賠償請求訴訟の現状・問題点とそのあるべき対策（立法論）」法学セミナー741号30頁、32～33頁）。

第4項　証人尋問の手続

[356]　**第1　証人尋問の申出**

　　証人尋問の申出は、証人を指定し、かつ、尋問に要する見込み時間を明らかにしてする（規106条）。申出の際には、尋問事項書2通を提出し、また、相手方にも直送する（規107条1項、3項）。尋問事項書は、できる限り個別的かつ具体的に記載しなければならない（同条2項）。

　　実際には、証人尋問で最も重要なのはその証人によって証明すべき事項の記載（180条1項）であり、これを具体的かつ正確に記すことが必要である。尋問事項自体は、個別具体的といっても限度があり、箇条書きで数項から10項程度を掲げる程度である（後記**第5**の陳述書の提出が一般的になっているため、尋問事項の記載自体は、相手方に対する手続保障よりも証人採否の判断のための資料という意味が大きくなっている）。

[357]　**第2　証人の出頭確保**

　　証人に対しては呼出状（規108条）が発せられる。不出頭に対しては制裁が課される（192条、193条。もっとも、実際に制裁が課される例は稀有である）。

　　しかし、民事訴訟においては、証人の多くは当事者の一方との関係が深いことが多いため、証人尋問の申出をした当事者が事実上同行する例が多い（「同行を予定するが、呼出状も出してください」という例もかなりある）。

[358]　**第3　宣誓**

　　宣誓は、証人の同一性の確認（人違いでないかの確認）の後、尋問の前に行わせるのが原則であるが、前記**第2項**のとおり、特別の事由があるときは尋問の後にさせることもできる（規112条1項）。

　　裁判長は、宣誓の前に、宣誓の趣旨を説明し、偽証の罰を告げる（同条5項）。証人が宣誓書を朗読できないときは、裁判長は、裁判所書記官にこれを代読させる（同条3項後段）。

[359]　第4　証人尋問の実施

　　尋問は、尋問の申出をした当事者（主尋問）、他の当事者（反対尋問）、申出をした当事者（再主尋問）、裁判官の順序で行うのを原則とする（交互尋問。202条、規113条1項。それぞれの内容とこれに関する質問の制限につき規114条）。日本の法廷では、ごく普通の証人の場合、主尋問30分前後、反対尋問同程度、再主尋問があれば5分前後、という程度の時間配分が通常である。実際には反対尋問のうち効果的な部分はそれほど多くはなく、本当はもっと短くてもよいのかもしれないが、主尋問が重要な点のみに絞った尋問ではなく陳述書に沿って物語的に行われるのが通例であるため、反対尋問もこれに沿って長くなりがちである。再主尋問は、行われないことも多い。反対尋問を踏まえて、どうしても尋ねておきたい点や不明確な点を尋ねるということである。当事者は、さらに尋問の必要があれば、裁判長の許可を得て行う（規113条2項）。実際には、裁判官の尋問後にこれに関連して補足的に行われることが多い（なお、事件は生き物なので、尋問時間が長引く例はある。必然性があって長くなっている場合には、裁判官は、あまり予定時間にこだわるべきではない。私の場合には、長くなる可能性のある事案では、予定時間のあとに1時間程度は時間をとり、あるいは尋問のために午後一杯をとっておき、超過した場合でもこの枠内では終えるようにと要請していた。そして、この要請が守られないことはほとんどなかった）。

　　規則113条4項は、陪席裁判官は裁判長に告げて尋問をすることができるとしているが、これは後記の介入尋問の場合であり、当事者の尋問後に裁判官がまとまった尋問を行う場合には、裁判長の促しに応じて、まず左陪席、次いで右陪席が質問し、その後に裁判長が行う例が多い（この尋問〔補充尋問といわれる〕は、ほとんどないときから10分以上にわたるときまでさまざまである）。

　　裁判長は、適当と認めるときは、当事者の意見を聴いて、以上の尋問の順序を変更することができる（202条2項）。当事者がこの変更について異議を述べたときは、裁判所がこれについて決定で裁判をする（同条3項）。いずれも、実際にはあまり例がない。

　　また、裁判長は、必要があればいつでもみずから尋問を行うことができる（介入尋問といわれる）し、当事者の尋問を許すことができる（規113条3項）。もっとも、介入尋問は尋問の流れを阻害しやすいので、その時点でどうしても確認しておきたい事項にとどめ、それ以外のことは当事者の尋問後に尋ね

ることが望ましい。

　ここで反対尋問の要諦について少しだけ述べておくと、正面から攻めてもまずはよい結果は得られないのであって（単なる言い合いになることが多い）、脇から淡々と事実を固めた上でぐさりと焦点に入ることが大切である。ただし、「脇から淡々と事実を固める」部分も、なるべくてきぱきと進めるほうが効果的である（瀬木・要論［082］、［088］、瀬木・民事裁判176〜179頁。なお、瀬木・要論［088］、瀬木・入門179〜186頁ではその具体例を示している）。

　尋問はできる限り個別的かつ具体的にすることになっている（規115条１項）が、極端にぶつぶつと切る必要はないのであって、自然なやりとりであればよい。当事者本人訴訟の尋問では、やたらに質問が長く、また、問いに答えを含ませてしまうことが多いが、そのようなことがなければよいのである。

　規則115条２項は、原則として適切ではない尋問の例を挙げている。この中で比較的問題になりやすいのは、２号の誘導質問、５号の意見の陳述を求める質問、６号の伝聞証言である。

　誘導質問は問いに答えを含ませるかその方向での誘導をするもので、証人が迎合的な証言をすることから適切でないとされるが、反対尋問では迎合的な証言がされるおそれはないから、誘導尋問も一定程度は許されよう（同旨、コンメⅣ250〜251頁）。意見の陳述を求める尋問は、民事訴訟において問題となる事実には評価的事実が相当に含まれるため、ある程度はやむをえないと考える。伝聞証言は、これについての反対尋問ができないこと、類型的に証明力が低いことから、適切でないとされるが、判例は、伝聞証言の証拠能力も認め、裁判官の自由心証による判断にゆだねるとしており（最判昭和27・12・5民集6巻11号1117頁）、これも民事訴訟では程度問題である。ただし、伝聞の情報源等については明確にされる必要があろう。なお、反対尋問を経ない証言の証拠能力については、判例は、やむをえない事由がある場合に限り証拠能力を認めている（最判昭和32・2・8民集11巻2号258頁、百選5版65事件。当事者本人の臨床尋問が医師の勧告により中途で打ち切られた事案）。

　複数の証人を尋問する場合、後に尋問すべき証人は法廷外の場所で待ってもらうのが原則である（隔離尋問）が、裁判長は、必要があると認めるときは後に尋問すべき証人の在廷を許すことができる（規120条）。

　隔離尋問は、証人が前の証人の証言の内容から何らかの影響を受けることを防ぐ趣旨の制度だが、日本の民事訴訟では当事者（代理人）と証人が事前

に接触をしている場合が多く（後記**第5**の陳述書の作成もこれを前提としている）、したがって、隔離尋問の趣旨は、相手方の証人との間でしか問題とならないことが多い。また、ほかの証人が在廷している場合のほうが、かえって緊張感があって虚偽の事実を述べにくくなったり、前の証人の尋問を踏まえての後の証人の尋問が効果的になったりすることも多い。

　以上のような理由から、私自身は、双方当事者が反対しない限り、むしろ、後に尋問する証人の在廷を原則として許す形で、尋問を行っていた。

　対質は、複数の証人を同時に尋問するものである（規118条）が、尋問のやり方がかなり難しくなる。その例は少ない。対質によって得られるよい効果の大部分は、後に尋問すべき証人の在廷を許すことでより容易に達成できるのではないかと考える。

[360]　第5　陳述書

　主尋問の内容を、当事者代理人が接触可能な証人（同行できるような証人）と本人については原則として陳述書という形で事前に提出させているのが現在の実務である（明示的な法的根拠があるわけではないから、作成提出を強制できないことはもちろんである。もっとも、当事者の一方だけが提出するという形は、陳述書の実質的な事前証拠開示的機能を考えるならばアンフェアであり〔他方が当事者本人訴訟である場合にはやむをえない〕、一方が提出しないという場合には、他方の提出も、自発的にするものでない限り、強く促さないのが適切であろう）。

　陳述書の位置付けについては、争点整理の補助として用いる方法も提案されたことがあるが、あまり賛成できない。ありうるとすれば専門的な事項を内容とする陳述書の場合であろうけれども、基本的に準備書面で説明すればすむことである。

　また、早い時点で提出される陳述書は、人証調べの段階で作成し直さなければならないことが少なくないと思われるし、相手方が細かく手の内を知ってしまうという結果をももたらす。提出させるなら少なくとも双方同時が望ましいであろう。

　私は、以上のような観点から、陳述書については、性質も実質も純然たる証拠（書証）であり、主尋問の内容を尋問前に明らかにして裁判官の理解に資するとともに相手方の攻撃防御のための準備にも資する書面ととらえ、人証採用後、尋問の一定期間前に、必ず同時に提出してもらうようにしていた。

なお、陳述書をもって主尋問に代えることは適切ではない。証人尋問という証拠調べの性格に反する上、陳述書だけで反対尋問を行うことは難しいし、双方代理人からの質問に対する口頭の陳述を聴くことによって心証が立体的に明確になるからである。
　また、陳述書についても、弁護士による関与、整理は、おそらく不可欠である。
　これも、陳述書の性格をどう考えるかと関連するが、主尋問を簡潔にする機能と並んで、上記のとおり、尋問（これは、主尋問、反対尋問を含めて）における攻防の対象を明確化し、効率のよい人証調べを可能にする機能を有するものであると考えるならば、法的な観点を踏まえた弁護士の整理が必要なことは明らかであろう。
　弁護士が関与すると内容が加工されるのではないかという問題については、民事訴訟の人証は大半が本人またはこれと関係の深い証人であり、また、いずれにせよ、弁護士による事前準備の過程である程度供述が整序されることは避けられないことを考えれば、大きな問題ではないというべきであろう。
　むしろ、供述の内容が弁護士も関与した陳述書という形で1つのストーリーとしてまとめられることによって、供述の説得力、信用性、書証や経験則との整合性等が先鋭にあらわにされることのメリットのほうが大きいと考える（ことに最後の点は重要である。書証等のほかの証拠やそれらによって認められる間接事実との整合性を欠く陳述書は、非常に苦しいものになることが多い）。
　なお、陳述書の適切な長さについては、通常の事案では、おおよそ、4、5頁から長くて10頁くらい、複雑な事案であっても20頁くらいまでと考えてよいであろう。準備書面同様、長すぎるのは禁物である（陳述書については、詳しくは、瀬木・要論[081]参照）。

[361]　第6　口頭陳述の例外

　証言は口頭で行われる。原則として、書面に基づいて陳述することはできない（203条本文）。他から影響されない証人の現在の記憶に基づいて行われるべきものだからである。
　ただし、いくつかの例外がある。
　第一に、証人は、裁判長の許可を受けたときは、書面を見ながら陳述することが許される（同条ただし書）。複雑な細かい事項について、記憶喚起のた

めに、かつ、偽証のおそれがない場合に許される（会計、財政に関する書面等）。この書面は必ずしも書証として提出される必要はないが、少なくとも、書証として提出されていないものについては、利用の前に相手方にも閲覧の機会が与えられる必要があり、また、証人尋問調書の末尾にその写しが参考として添付されることが適切であろう（規116条2項および3項の準用）。

実際には、代理人が証人に代わって許可を求め、書面（多くの場合には書証としてすでに提出されている書面や陳述書）を示しながら尋問する例が多いので、次に述べる規則116条1項の場合との区別があいまいになっているところがある。

第二に、当事者は、裁判長の許可を得て、文書、図面、写真、模型等を利用しながら尋問を行うことができる（規116条1項）。これは、証言の内容を明確にかつわかりやすくする観点からの規定である。交通事故関係の事案等で図面を示しながら証人にそこに文字や番号を記入させる例が多い。

これらの文書等が証拠調べをしていないものであるときは、利用の前に相手方にも閲覧の機会が与えられる必要があり（ただし相手方に異議のない場合を除く）、また、証人尋問調書の末尾にその写しが参考として添付されることが適切であろう（同条2項、3項。3項には、裁判長は調書添付等のために文書等の写しの提出を求めることができるとあるが、利用された文書等がそのまま添付される例が多い）。

第三に、障害がある証人についての書面による質問または回答の朗読の制度がある（規122条）。

第四に、裁判所は、相当と認める場合には、証人の尋問に代えてその書面を提出させることができる（205条、規124条。書面尋問）。これは、反対尋問を経ないものになるから、当事者に異議がないときに限る。

遠隔地に住んでいるなどの理由から出頭が困難な証人について、書面で客観的な陳述が得られる可能性が高い場合に、相手方当事者にも異議がなければ、これを許可する例がある。たとえば、当事者を治療した遠方在住の医師にその病状や治療経過等を尋ねるような場合である。重要性の高い証人について用いられることは少ない。代理人が聴取書を作成して書証として提出することも可能だがそれよりは書面尋問のほうが客観性も証明力も高いと思われるような場合、あるいは相手方も質問をしたい場合等に利用が考えられようか。

[362] 第7　受訴裁判所の法廷以外の場所での尋問

　　　公開主義、直接主義の例外となる場合である。
　　　第一は、195条が定める場合であり、裁判所は、受命裁判官または受託裁判官に裁判所外で証人の尋問をさせることができる。実務上例があるのは、重病の証人について自宅や病院で尋問を行う場合（1号後段該当。受命裁判官によることが多い。なお、同号前段に該当するのは治外法権を有する外国人が尋問には応じるが出廷は拒む場合くらいであろう〔コンメⅣ195頁〕）、複雑な境界確定事件の現場で尋問を行うような場合（3号該当。受命裁判官によることが多い）、遠方在住の証人について当事者に異議がない場合（4号該当。受託裁判官による例が多い）くらいである（なお、2号の該当性のうち費用の点は主として証人ではなく当事者の立場から判断されると解される。実際に2号該当性が認められるのはあまり重要でない証人の遠方在住の場合くらいであろう。もっとも、そのような場合には当事者にも異議がなく4号にも該当することが多いであろう〔コンメⅣ195〜196頁参照〕）。
　　　第二は、268条が定める、大規模訴訟で当事者に異議がない場合であり、裁判所は、受命裁判官にその裁判所内で証人、当事者本人の尋問をさせることができる。これは、審理の効率化のための規定（裁判官が手分けして尋問を行うことができる）であり、たとえば、公害・薬害・労働災害等の集団訴訟における原告ら本人尋問等で用いられうる。
　　　第三は、204条、規則123条が定める場合であり、裁判所は、映像と音声の送受信により相手の状態を相互に認識しながら通話をする方法によるいわゆるテレビ会議システム（204条1号、規123条1項。他の裁判所〔証人の住所地に近い裁判所〕に出頭した証人を尋問する。遠隔地の証人について用いられる）やビデオリンク方式（204条2号、規123条2項。同じ裁判所の別室にいる証人を尋問する例が多い。精神的観点から保護の要請が高い証人について用いられる）による証人の尋問をすることができる。

[363] 第8　証人の保護に関する措置

　　　精神的観点から保護の要請が高い証人（犯罪の被害者、ことに年少のそれなど）については、①付添い（203条の2、規122条の2）、②当事者本人またはその法定代理人との間、傍聴人との間の遮蔽（203条の3、規122条の3）、③前

401

記第7のビデオリンク方式、④当事者本人またはその法定代理人との間の遮蔽と、ビデオリンク方式の組み合わせ（203条の3第1項かっこ書）、⑤傍聴人の退廷（規121条）の措置がとられうる。措置をとる主体は、以上のうちビデオリンク方式によることの決定を除き、裁判長である。

[364] 第3節　当事者尋問

　当事者尋問（207条以下）とは、当事者およびその法定代理人（211条、規128条。正確には準用）に対する尋問の形で行われる証拠調べである。

　共同訴訟人の場合は、すべての共同訴訟人に利害関係のある事項については他の共同訴訟人に対する関係でも当事者として、そうでない場合は他の共同訴訟人に対する関係では証人として尋問されるべきであるとの考え方がある（条解1136頁等）。共同訴訟人間の利害の対立が鮮明な事案ではそうした取扱いも考えられるかもしれないが、実務ではそこまでのことはしていない（当事者尋問を行っている）。

　当事者尋問を受ける場合には、訴訟資料を提供するわけではないから、訴訟能力を備えている必要はない。

　207条2項は、従来の当事者尋問の補充性の原則を修正し、裁判所は、適当と認めるときは当事者の意見を聴いて証人に先立ち当事者の尋問をすることができるとした。当事者尋問の補充性の原則は、当事者は事件に対する利害関係が深いので証明力において劣るという考え方に立つが、実際には、事案を最もよく知っているのは当事者であることも多いし、また、日本の民事訴訟における証人は多くが当事者の一方との関係が深い者であるため、証明力に有意の差があるとまではいえない場合が多いことからすると、この修正は、妥当であるといえる。実際には、当事者の意見を尊重し、当事者が本人を先に聴いてほしいという場合には当事者尋問を先に行っている例が多いと思われる。これはまさに事案によるのであって、一般論は立てにくいが、たとえば、当事者尋問で事案の概要がつかめないと証言の意味が明らかになってこないような証人（比較的限定的な事項についての証人等）の場合には、あとから尋問するほうがよいであろう。

職権探知主義をとる人事訴訟では、真実発見の要請に重きが置かれるため、当事者尋問の補充性は採用されていない（人訴19条による207条2項の不適用）。少額訴訟手続においては、臨機応変な審理という観点から、証人・当事者尋問の順序の判断は、裁判官にゆだねられている（372条2項。なお、372条の位置付けにつき、クエスト306頁参照）。

当事者尋問は職権によっても行うことができる（207条1項）。当事者本人訴訟の場合等に職権で行われる例がある。

宣誓については、不利益、不名誉な事実まで制裁を伴う宣誓をさせて当事者に陳述させることは酷であるという配慮（コンメⅣ281頁）から、裁判所の裁量にゆだねられている（207条1項後段）。実際には、ほぼ例外なく宣誓をさせている。

不出頭等の場合には、過料、罰金、勾引の手段がとられる証人と異なり、証明妨害（[321]）的行動として、裁判所は、当該尋問事項に関する相手方の主張を真実と認めることができる（208条）。もっとも、人事訴訟では、真実発見の要請が高いことから、裁判所による出頭命令の制度があり、また、証人に関する民事訴訟法192条から194条の規定が準用されている（人訴21条）。

宣誓した当事者が虚偽の陳述をしたときは、偽証罪（刑169条）にはならないが、過料の制裁がある（209条）。

対質は、他の当事者または証人との間で行われうる（規126条）。

その他の点については、証人尋問の規定が準用されている（210条、規127条）。

第4節　鑑　定

[365]　第1項　概　説

鑑定（212条以下）とは、専門的経験則、また、専門知識あるいは事実に専門的経験則を適用して得た鑑定人の判断を報告させる形で行われる証拠調べである（この意味で、鑑定人には、事実を報告する証人と異なり、代替性がある）。

一般的経験則については、裁判官はこれを知っていることが期待されるが、専門的経験則については、これを期待することはできないし、たとえ裁判官に私知があっても、これを利用することは適切ではない。判断の客観性が担保されず、上級審や国民がこれを客観的に検証することもできないからである（[298]）。

　鑑定については、職権ではできないが、裁判所の知識を補い、専門的経験則やその適用の結果を示す制度であることを考えるならば、適切な審理判断のために、本来は、職権でできることとするのが適切であろう（鑑定の嘱託〔218条。[292]〕は職権でできるとされていることとの不整合という問題もある）。実務においても、鑑定に関しては、裁判所がその必要性を示唆して申出をさせる例は存在する。

　鑑定の対象となるのは多くが科学的事項であり、医療関係訴訟で最も多く用いられてきた。ほかに比較的例が多いものとしては、不動産の適正賃料、建築の瑕疵、筆跡や押印の真否等がある。

[366] 第2項　鑑定人

　鑑定人は、鑑定に必要な学識経験を有する者の中から、裁判所によって指定される（212条1項、213条）。自然人のみならず、官公署等に対する鑑定嘱託も認められる（218条。[292]）。実際には、一方または双方の当事者が適切な候補者を場合により複数挙げたり、人選について意見を述べる例も多い。

　鑑定人には中立性が要求され、また、代替性があることから、証言や宣誓を拒むことができる者や宣誓無能力者は除外され（212条2項）、また、忌避の制度がある（214条、規130条）。

　鑑定人の義務は、出頭・宣誓・鑑定意見報告義務である。制裁としては過料等、罰金等の規定が準用されている（216条、192条、193条）が、代替性があるから、勾引までは認められない。実際には制裁が発動される例はまずない。なお、鑑定義務についてはかつては医師等専門家の間にその自覚が薄かった（公共的意識の不足。なお、後記**第4項**のとおり尋問のあり方にも問題があった）が、近年は裁判所の努力もあって協力を得られる例が多くなっている。

第13章　証拠調べ

[367]　第3項　鑑定の手続

　　鑑定の申出は、鑑定事項を記載した書面を同時に提出して行う。鑑定事項については、裁判所が、この書面に基づき、相手方に意見があるときはそれをも考慮して定める（規129条）。裁判所は、必要があれば当事者および鑑定人と協議もできる（規129条の2）。

　　鑑定に際して裁判所および当事者が最も気を付けるべき事項は、鑑定事項の確定である。これに問題があると適切な鑑定結果も得られないからである。

　　避けるべき鑑定事項の例としては、①直接に法的判断（たとえば過失の有無）を求める質問や問いの中に法的評価（たとえば医療水準など）を含んだ質問、②科学的に意味のない（回答不能な）質問（たとえば生命現象についてその確率をパーセンテージで問うような質問）、③鑑定事項についての条件付けを含む質問（たとえばある時点である症状があったことを仮定しての質問）、④内容が多岐にわたって整理されていない質問、などが挙げられている（もっとも、以上のうち①あるいは③については、事案によってはそのような要素を含んだ鑑定事項を採用せざるをえない場合もあるとは思う。以上につき、瀬木・要論[084]）。

　　実際には、当事者の提出した鑑定事項そのままでは不適切な場合も多く、私は、これを練り直した上、弁論準備手続で双方代理人の意見も聴いて、最終的に確定していた。裁判官の基本的な論理的能力が試される場面の1つである。

　　鑑定人の宣誓については、宣誓書を裁判所に提出する方式によることもできる（規131条2項）。宣誓のために出頭する手間を省くための規定である。

　　鑑定人は、必要があるときは、審理に立ち会い、裁判長に証人等に対する尋問を求め、または裁判長の許可を得て直接問いを発することができる（規133条）。専門委員の場合（92条の2第2項。[088]）と同趣旨の規定だが、実際の例はあまりない。なお、原告本人を診察する例はある。

　　鑑定意見の提出方法については、書面または口頭による（215条1項）。鑑定は、費用がかかることもあり、相当に争いのある複雑な事項について用いられる例が多いため、ほとんどの場合は書面（鑑定書）によっている。当事者に十分な検討の機会を与えるという観点からも、書面のほうが適切であろう（口頭で簡単な説明を得れば十分な場合には、専門委員の利用によればよいという

405

事情もある)。鑑定人に口頭で意見を述べさせる場合には、テレビ会議システムによることもできる（215条の3、規132条の5）。

鑑定書の場合、鑑定意見は結論の部分のみか理由の部分をも含むかについては、古くからの多数説は結論の部分のみであるという考え方だが、鑑定という証拠方法の性格からして、主文だけでは意味をなさず、理由の部分をも含むと考えるべきであろう（伊藤426頁の注(346)、クエスト309頁）。実務上もその前提で鑑定書の検討が行われていると思う。

裁判所は、鑑定意見の内容を明瞭にし、またはその根拠を確認するため、必要があれば、申立てによりまたは職権で、鑑定人にさらに意見を述べさせることができる（215条2項〔令和4年改正後215条3項〕、規132条の2）。補足的、説明的な意見を述べさせることができる旨を明文で明らかにしたものである。

[368] 第4項　鑑定人質問

鑑定人に口頭で意見を述べさせる場合一般（215条の2は最初から口頭で意見を述べさせる場合の規定のように読めるが、鑑定書が提出された場合に当事者からこれについて質問を行いたい旨の申出があって鑑定人の質問を行う場合にも適用ないし準用されると考えるべきである。実際には、後者の場合がほとんどである）の質問方法については、かつては証人尋問と同様の形式によっていたが、鑑定人が敵対的な尋問にさらされる場合が多く、そのことが適切な鑑定人を得られにくくする事情ともなっていたので、215条の2の規定が設けられた。

鑑定人質問においては、まず鑑定人が意見の陳述を行い（鑑定書がすでに提出されている場合の質問であれば、この部分は省略される）、その後に、裁判官、鑑定申出当事者、他の当事者の順序で行うことが原則とされている（215条の2第1項、第2項、規132条の3）。尋問の順序の変更については、証人尋問の場合と同様であり、また、受命・受託裁判官が鑑定人に意見を述べさせる場合については、尋問の順序の変更に関する異議についての裁判は受訴裁判所が行うとの規定がある（215条の2第3項、第4項、215条の4）。

質問の方法については、証人の場合（できる限り、個別的かつ具体的に。規115条1項）と異なり、「できる限り、具体的に」（規132条の4第2項）行うこととされている。鑑定の性格から、ある程度まとまった内容についての質問

がなされることが適切だからである。

実際にも、この改正後、鑑定人質問は、鑑定人の専門性を尊重しつつ、よく整理された質問を行うという形で行われるようになっている。

その他の点については、証人尋問の規定が準用されている（216条、規134条）。

なお、科学的な事項については、当事者が鑑定書を提出する場合も多く、私鑑定といわれる。こうした鑑定書の精度はまちまちだが、医学、自然科学等関係の場合には、高いこともままあるので、十分な検討が必要である。こうした鑑定書の性格については、正式な鑑定の場合のような制度的保障がないから双方当事者の合意がない限り主張として扱うべきであるとの考え方もある（コンメⅣ308頁参照）が、実務では、書証として扱い、その作成者を尋問する場合には証人尋問によっている。

第5節　書証

第1項　書証の意義

[369]　第1　文書および準文書

書証（219条以下）とは、文書の意味内容を証拠資料として取得する形で行われる証拠調べであるが、そのような文書自体もまた書証と呼ばれる（実際に「書証」という言葉が使われる場合には、多くが後者の趣旨である。「書証の取調べ」という表現が典型的である）。

文書とは、文字等の記号によって作成者の思想（表現したい精神作用、意味内容）を表現した紙片その他の有形物をいう。

図面、写真、地図、境界標等は思想の表現ではないが情報を表すものではあるから、準文書として書証の対象となる（231条、規147条）。

[370]　第2　新種証拠

思想記録媒体のうち紙以外のものについては、どのように取り扱うかが問

題になる。

　これらのうち、図面、写真、録音テープ、ビデオテープ等の法廷で再生し裁判官が直接その内容を認識できるようなものについては、準文書として取り扱うこととされている（231条）。

　その内容を直接には認識できず紙に印刷（プリントアウト）するほかない電磁文書のような媒体については、プリントアウトされたものを書証として取り扱うのが適切であろう。実務もそうしている。もしも媒体との同一性に疑問が呈されたような場合には、その点について検証や鑑定を行うことになろう。

　いずれにせよ、新種証拠については、その形式的証拠力（後記**第2項**）について文書の場合のように定型的に考えることができないのが特色である。

　実際に証拠として提出されることが比較的多いのは、図面、写真、録音テープ、ビデオテープ、Eメールをプリントアウトしたものである。録音テープ等については相手方または裁判所の求めがあれば、その反訳を含めその内容を説明した書面を提出、直送しなければならない（規149条1項、2項）。また、反訳文書自体を書証として提出する場合には、相手方がその録音テープ等の複製の交付を求めたときは、これを交付しなければならない（規144条）。

　こうした証拠が加工されているのではないかということが問題になった例は、私の経験では、かなり昔のことだが、録音テープの反訳書面について都合のよい部分だけ編集されているのではないかという意見が相手方から出たことが一度あるだけである（現在であれば、規則144条により、相手方が、その録音テープの複製の交付を受けてそれを検証することになる）。

第3　文書の種類

[371]　**1　公文書、私文書**

　作成者による分類である。

　公文書とは、公務員がその権限に基づいて職務上作成した文書であり、私文書とはそれ以外の文書である。成立の真正に関する推定の方法に相違がある（228条）。

[372]　**2　処分証書、報告証書**

　記載内容による分類である。

　処分証書とは、その文書によって法律行為が行われた文書であり、契約書、手形、遺言書、契約解除の通知書等がその例である。処分証書は、その形式

的証拠力が認められればその法律行為が行われたことが証明されるという意味で、証明力が高い文書といえる（たとえば、契約書では、特定の主要事実の全体が認められることが多い）。

報告証書とは、それ以外の文書であり、作成者の経験、意見、感想等が記されたものである。手紙、日記、各種の帳簿、診断書、受取証、領収書等がその例である（領収書については処分証書と誤解する学生が多い。証明力は高いが、性質は報告証書である）。これらについては、形式的証拠力が認められても、その実質的証拠力はまちまちである（以上につき、詳しくはコンメⅣ374～376頁等）。

[373]　3　原本、副本、謄本、正本、抄本、写し

同一内容の文書をその作成者を基準として区別した分類である。

これについては、すでにふれた（[205]）。

[374]　第2項　**文書の証拠力**

文書については、書証の申出をした者が作成者であると主張する者の意思に基づいて作成されたものでなければ、およそ証明力がない。この点は証明力にかかわる事実なので補助事実だが、定型化されている点で特殊である。

そこで、文書については、形式的証拠力と実質的証拠力が問題になるといわれる。形式的証拠力とは、その文書が、挙証者の主張する作成者の意思に基づいて作成されたか否かということであり、これが認められることが、文書の真正な成立が認められることである。実質的証拠力は、普通の意味での証明力である。

なお、文書は思想の表現でなければならないから、習字の目的で作成されたような文書には形式的証拠力がない（もしもこの点まで正確に表現するならば、形式的証拠力は、「挙証者の主張する作成者の意思に基づいてその思想が表現された文書であるか」という問題になる）。

文書の成立については、認否が行われる。かつては、全部について行っていたが、成立が争われる書証はわずかなので、今では、そのような書証のみについて明示的な認否が行われている。認否が否認であるときは、その理由を明らかにしなければならない（規145条）。「Aによって（あるいは、何者かによって）偽造されたものである」という理由が大半である。故意、過失により真実に反して文書の成立を争ったときは過料に処せられる（230条1項）。

文書の成立の真正（228条1項）の立証は、多くの場合は人証によって行うが、偽造の主張があった場合には、署名や押印について筆跡または印影の対照によって行うのが通常である（229条1項）。
　筆跡の対照のためには、作成者とされている者の過去の手紙やはがき等が用いられることが多い（作成時点が明らかなため）。押印については、コンピューターを用いた精巧な偽造が行われうるようになっているので注意が必要である。いずれにせよ、偽造か否かの解析は技術の進歩により容易になっていると思われる。なお、近年は、署名や押印の偽造はまれになってきている（押印の盗用は相変わらず多い）。
　筆跡対照用文書の入手については文書提出命令や文書送付嘱託を用いることができ（同条2項、5項、6項）、対照をするのに適当な筆跡がないときは、裁判所は、対照のための文字の筆記を命じることができる（同条3項。実際にはあまり例がない）。相手方がこれに従わずあるいは書体を変えて筆記したときは、裁判所は、文書の成立の真否に関する挙証者の主張を真実と認めることができる（同条4項）。
　形式的証拠力については、挙証者の負担の軽減の観点から、法定証拠法則の定めがある。
　まず、公文書については、その方式および趣旨により公務員が職上作成したものと認めるべきときは、真正に成立したものと推定される（228条2項）。
　その成立の真否について疑いがあるときは、裁判所は、職権で、当該官公署に照会をすることができる（同条3項）。以上は外国の公文書についても同様である（同条5項）。
　私文書は、本人またはその代理人の署名または押印があるときは、真正に成立したものと推定される（同条4項）。
　署名があるときは本条がそのまま適用されるが、氏名が印字され（「記名」という）、押印だけがあるような場合には、前記の2段の推定の問題になる（[**331**]、[**336**]）。
　法定証拠法則による推定（同条2項、4項）も2段の推定の第1段目（事実上の推定）も、一定の反証があればくつがえされるものであるから、これを過信すべきではない（一時、簡易裁判所の判決で、2段の推定からごく簡単に争いのある処分証書の成立を認めて判断を行った例が相次ぎ、2段の推定を過信することへの反省が説かれるようになった）。

[375]　第3項　**書証の申出と実施**

　書証の手続はその申出によって始まるが、その方法（提出方法）としては、3つのものが定められている。

　第一に、挙証者がみずから裁判所に文書を提出する方法である（219条）。これについては、裁判所外における証拠調べ（185条、規142条）の場合を除き、口頭弁論期日または弁論準備手続期日に行わなければならない（最判昭和37・9・21民集16巻9号2052頁。書証を控訴状とともに裁判所に郵送し、口頭弁論に出頭しなかった事案）。

　最も例が多い第一の方法の場合には、挙証者は、申出の前に、文書の写し2通（相手方の数が2以上であるときはその数に1を加えた数。1通は訴訟記録に綴られることになる）を、文書の標目、作成者および立証趣旨を明らかにした証拠説明書2通（同前）とともに提出しなければならない（規137条、148条）ので、裁判所も相手方も文書の内容、立証趣旨は了知しているが、実際に書証の申出がされ、文書の原本が提出され、これを裁判所が閲読するのは、後記のとおり法廷においてである（もっとも、日本の民事訴訟では書証の数と量が比較的多いため、裁判官が実際にその内容を詳細に閲読するのは事後に写しによってという場合も多い。法廷では、原本を確認し、重要なものに目を通しているという程度が実態であろう）。

　なお、証拠の申出自体は期日前でもできる（180条2項。[344]）のが原則であるが、書証については、第一の方法による場合には、申出と提出は期日に行われ、それ以前の行為はその準備行為と解されている（コンメⅣ82頁）。規則137条の「申出をする時までに」という文言からはそう解することになろうか。

　期日において書証の申出があると、裁判官は、当事者が裁判官にその場で提出したその原本を閲読することによって書証の取調べを行う。民事訴訟では、相手方が違法収集証拠であるなどとして証拠能力を争う（[299]）ようなことがない限り、裁判官は、明示の書証採否の裁判をせず、そのまま原本を閲読することが多いが、これは、黙示で採用の裁判を行ったものと解すべきであろう。

　裁判官は、原本を閲読した後、相手方にもそれを確認する必要があるかを問う。相手方は、重要な書証のうちその成立に疑義があるようなものについ

て、成立に関する認否を行うための前提として原本を確認することが多い。

原本は、その後提出者に返される。例外は、後記のとおりそれが裁判所に留置される場合であるが、その例は少ない。

第二に、相手方または第三者が所持する文書について後記**第4項**の文書提出命令の申立てをする方法である（219条）。

第三に、相手方または第三者が所持する文書について後記**第5項**の文書送付嘱託の申立てをする方法である（226条）。

文書提出命令・送付嘱託は、いずれも、申立てをするだけ（提出を伴わない）なので、期日前でもできる（180条2項）。

文書提出命令・送付嘱託に応じて提出された文書については、条文の規定ぶりからみれば、あらためて当事者による書証の申出がなくとも当然に取調べの対象となることが予定されていると読むべきだと思われる（同旨、伊藤468頁）が、実務上は、当事者が、必要なものを選別し、整理して、書証として、証拠説明書とともに提出し直している。

実際上は、不要な書類が混じっていたり未整理のまま大量の文書が送られてきたりする場合がある（ことに文書送付嘱託の場合）し、いずれにせよ証拠説明書（ないしはその実質をもった準備書面）は提出の必要があるので、実務の取扱いは妥当であると思うが、理論的にいえば、この提出は、整理のために事実上行っているということになろう。

さて、結局当事者から提出されなかった文書については、書証の申出の撤回があったものとみるべきであるとの見解がある（コンメⅣ523頁）。

しかし、文書提出命令・送付嘱託の趣旨と異なるような文書は、元々送られるべきではなかったことを考えるならば、あえて撤回を擬制するまでの必要もないように思う。むしろ、当事者が、送られたものの内容を検討した結果、申立ての趣旨に沿うものであるのにみずからに不利なものであるために提出しなかったり、選別においてえり好みをしたりした場合（そのような例は少ないと思うが）にどう考えるべきかが問題であろう。このような場合を考えるならば、潜在的には取調べの対象となることが予定されているという考え方が正当であると思う（こうした場合、裁判所は、当事者が提出しなかった文書で先の趣旨に沿うものをも取り調べることになるからである）。

文書の提出、取調べは、原本、正本、認証謄本によって行われうる（原則は原本によって行うが、発送した内容証明郵便の場合のように原本自体は手中にない

とか、戸籍謄本のように原本でなくとも心証形成に問題がないような場合には、原本以外によることが許される）が、裁判所は、特に原本の提出を命じることもできる（規143条2項。原本を取り調べないと文書の成立の真正や文書の内容を明確に判断できないような場合）。実際に提出されるのは、ほとんどが原本か認証謄本（公文書の場合）である。

原本が存在しない場合（写ししか発見できない場合。これは時としてありうる）の処理については、ことに実務家は、正確な理解が必要である。

まず、原本の存在と成立に争いがない場合には、「原本の提出に代えて」写しを提出することが可能である（この場合、写しの取調べによって原本を取り調べたことになるのだから、規則143条の例外となる）。

次に、それ以外の場合には、「写し自体を原本として」提出が行われることになる。この場合の証拠調べの対象はあくまでも写しだが、作成者の特定、成立の認否は、写しのみならず原本についても行われる（認否としては、たとえば、「写し自体の成立は認める。原本の成立は否認する。A（あるいは何者か）によって偽造されたものである」といったものとなる。以上につき、詳しくはコンメⅣ529〜530頁）。

裁判所は、必要があるときは、提出または送付にかかる文書を留め置くことができる（227条）。大部の文書の原本自体を詳細に閲読する必要がある場合、写しと原本の同一性を綿密に調査する必要がある場合等を想定した規定である。実際には留置の例はまれである。

法廷での提出および証拠調べが困難な事情がある場合には、受命・受託裁判官に裁判所外で証拠調べをさせることができる（規142条）。

証人尋問等で使用する予定の文書については、弾劾証拠（供述の信用性を争うための証拠）を除き、証人尋問等の相当期間前までに提出しなければならない（規102条）。相手方に十分な検討の機会を与えるためである。

第4項　文書提出命令

[376]　**第1　概説**

文書提出命令（文書を証拠として使用するために所持者にその提出を命じる決定。220条以下）は、当事者の証拠収集手段が限られている日本の民事訴訟手続

（広範なディスカヴァリーの弊害も相当に指摘されているアメリカとは対照的）においては、ほとんど唯一の、実質的な制裁（後記**第4**）を伴った、実効性の高い証拠収集手続である。

　今日の民事訴訟においては、書証の重要性がますます高まっており、ことに、当事者間の情報収集力に格段の差があり、重要な証拠が被告側に偏在しているような事案では、重要な書証が提出されるかどうかが、訴訟の趨勢に決定的な影響を及ぼしうる。

　しかし、日本の裁判所は、一般的にいえば、文書提出命令を発することについては、消極的な傾向が強かった。これは、日本の裁判官が上記のような文書提出命令の意味、機能を十分に理解していないところに（さらに、あえていえば、広い意味における権力と個人の対立事案における、一定割合の裁判官の及び腰の姿勢に）よるところが大きい。私が、あえて、教科書にこのような記述をさしはさむのは、裁判所のこうした傾向が早期にあらためられてほしいと願うからにほかならない[3]。

　文書提出命令の対象については、旧法（312条）時代には、限定列挙であった（現在の220条1号ないし3号と同趣旨の規定であった）。文書の所持者の処分の自由や公開による不利益に対する配慮の結果であるといわれる。

　その中で、判例は、全体としてみれば、①利益文書および法律関係文書（現在の220条3号）の拡張解釈を行うとともに、②拡張解釈の歯止めとして、証言拒絶権に該当する事項が記載された文書を除外する方向をとり、③特に、自己利用文書（所持者の自己利用のために作成された文書）や技術・職業上の秘密が記載された文書は法律関係文書から除外した（新堂395～396頁）。

　旧法下の判例の傾向は上記のとおりであり、文書提出義務が原則的に一般義務化された新法の規定も、そのような旧法下の判例学説から大きな影響を受けている。しかし、「文書の所持者の処分の自由や公開による不利益に対

---

[3]　こうした傾向は、判例になっている事案だけの検討では理解しにくいであろう。また、文書提出命令が一般義務化された現行民事訴訟法の下では、事情が異なってきている可能性もある。しかし、日本の裁判所は、ともかくドラスティックな判断を下すことに消極的であり、ことに重大な事案や申立てについては、棄却、却下、あるいは和解にかたむきがちである。文書提出命令の申立てについても、少なくとも、かつては、棚ざらしのまま延々と放置される例がかなりあったし、却下例も多かった。弁護士・弁護士会も、以上のような傾向改善に向けた努力をもっと行うべきことはもちろんである。

する配慮」よりも「当事者間の情報収集力に格段の差があり、重要な証拠が被告側に偏在しているような事案における原告の情報収集の必要性と合理性」、あるいは、「真実発見、公正かつフェアな裁判の必要性」のほうがより重要であると解される今日、たとえば、公務員が組織的に用いるものを除いた自己利用文書（220条4号ニ）や刑事訴訟等関係文書（同号ホ）を文書提出命令の対象から定型的に除外することが本当に適切なのかどうかには疑問がある。文書提出命令については、上記のような規定をも含め、条文の理解、解釈に当たっても、「制度本来のあるべき姿」が念頭に置かれることが重要であると考える（その意味で、民事訴訟法の中でも、価値に関係するため非常に動態的で解釈も多岐に分かれうる分野であるといえる）。

また、文書提出命令は原則的に一般義務化されたとはいえ、4号には多数の除外事由があり、ことにホの刑事訴訟等関係文書については、一律に対象から除外されている。さらに、規定のあり方も、限定列挙であった旧法の条文にはほとんど手を付けずに（1号ないし3号）、新たに4号の一般義務規定を付加するという形をとったため、その解釈には、かなりわかりにくい部分が出てくる結果となった。後記**第2の8**（[**391**]）のとおり、4号ホで除外されている刑事関係文書の一部について法律関係文書（3号）として提出義務が認められているのは、その典型的な例の1つである。

第2　文書提出命令の対象

[377]　**1　引用文書**

　当事者が訴訟において引用した文書をみずから所持するときにはその提出義務を負う（220条1号）。引用した以上相手方との関係では秘匿の意思はないと考えられるし、引用を行った主張は弁論の全趣旨として裁判所の心証に影響を与えうるから、相手方当事者に文書についての反論、立証の機会を与えることが公平であるというのが根拠である。

　引用の方法は、非常に広い。口頭弁論等における主張はもちろん、陳述されていない準備書面における言及、本人の陳述書や本人尋問における陳述であってもよい。

　ただし、みずから積極的に援用する必要があり、相手方の照会や裁判所の釈明に答えて文書の所持を認めた場合を含まない。

[378]　2　引渡しまたは閲覧の対象となる文書

　挙証者が文書の所持者に対しその引渡しまたは閲覧を求めることができるときには所持者はその提出義務を負う（220条2号）。

　この場合には、挙証者にも文書の記載内容に対する支配権が認められることが根拠である。

　引渡し・閲覧請求権が私法上のものである場合には、法令の規定による場合（民487条、503条1項、646条1項等）、契約による場合とも対象となることはもちろんである。

　公法上の交付・閲覧請求権がある場合（91条、不登119条、戸10条、10条の2等）については、訴訟外で交付を受ければ足りるから必要がないとの考え方もあるが、法の趣旨からすれば特にこれを除外する理由はなく、また、原本の提出を求める必要性のある場合もありうることを考慮すると、積極説を採るべきであろう。

[379]　3　利益文書

　文書が挙証者の利益のために作成されたときには所持者はその提出義務を負う（220条3号前段）。

　挙証書の利益のために作成された文書である以上、提出義務を認めるのが相当だということが根拠である。

　必ずしも挙証者の利益のみを目的とする必要はなく同時に第三者の利益をも目的としているものでもよいが、その文書によって挙証者の権利や法的地位が直接明らかにされるものである（文書作成の目的や動機に挙証者の利益が含まれている）ことを要すると解するのが通説である。

　挙証者を受遺者とする遺言書、挙証者のための契約の契約書、挙証者の代理権を証明する委任状、身分証明書、領収書等である。

　これに対し、文書作成の目的が挙証者の権利や法的地位を基礎付けるものであればよいとし、患者にとっての診療録、労働者にとっての賃金台帳等をも広く利益文書に含ませる考え方もある（伊藤444～446頁）。

　もっとも、4号が設けられた現在では、利益文書を拡張解釈することに旧法時代ほどの意味はないと思われる。

[380]　4　法律関係文書

　文書が挙証者と文書の所持者との間の法律関係について作成されたときには所持者はその提出義務を負う（220条3号後段）。

このような文書については、挙証者も大きな利害関係を有しているのであるから、所持者にはこれに協力する義務があると考えられることが根拠である。

契約書、契約解除通知書（これらは処分証書）等のほか、家賃通帳、契約の際に授受された印鑑証明書のように契約等に関連して作成された書面（法律関係を基礎付ける書面）も含む。また、後記8の例のとおり、公法上の法律関係にかかる文書であってもよい。

法律関係文書については、①もっぱら自己利用のために作成した内部文書はこれに該当しないとし、また、②4号ニの自己利用文書の場合には所持者にとっての不利益性が要件とされる（後記7⑶〔[388]〕）が、法律関係文書における自己利用文書ではこれは要件とされないから除外される文書の範囲はより広い、とするのが判例（最決平成12・3・10判時1711号55頁、判タ1031号165頁）、多数説である（条解1197頁は、4号ニ該当性が認められれば、それによって必然的に法律関係文書性が否定されるとする）。

これに対し、少数説ではあるが、「法律関係について作成された」という条文の文言は作成者の主観的目的を考慮するものようには読めないのであって、あくまで法律関係について作成されたかどうかだけを客観的に判断すればよい、したがって、自己利用文書であることによって法律関係文書該当性は否定されない（自己利用文書であっても法律関係文書に当たることはありうる）、とする考え方（伊藤447～449頁）もある。

どう考えるべきか。

まず、「220条1号ないし3号と4号との関係」についてみると、前者は後者の例示ではなく、独立した規定であると解するのが多数説、判例である。つまり、1号ないし3号については、4号イないしホの除外事由が当然に適用されるわけではないということになる（だからこそ、後記8のとおり、4号ホで一律除外されている刑事訴訟等関係文書の一部について3号後段の法律関係文書〔公法上の法律関係文書〕あるいは1号の引用文書として提出義務を認めることも可能になる）。つまり、1号ないし3号と4号との関係に関する多数説の理解からすると、法律関係文書に関する先の少数説の成り立つ余地はある（法律関係文書にも4号ニが適用されるなら、少数説は成り立つ余地がない）。

そうすると、4号でニの自己利用文書が除外事由とされている趣旨をどのように理解するか（また、これを肯定的にみるか否定的にみるか）が解釈の実質

的な分かれ目になると考えられるが、自己利用文書が除外事由とされる理由としての個人のプライヴァシー侵害、個人や団体の自由な意思形成の阻害のうち、後者についてはそれほど重きを置く必要があるのか疑問である（後記7(1)〔386〕）こと、また、法律関係文書については自己利用文書であってもプライヴァシー侵害のおそれは低いことを考えると、少数説に賛成したい。

したがって、たとえば会社内部の稟議書、各種審議会の議事録等の自己利用文書については、そこに挙証者と所持者の法律関係またはこれを基礎付ける事項が記載されている部分については文書提出義務が肯定されると解する。

通説によれば、3号の法律関係文書の規定には、4号創設により、刑事関係文書の一部について法律関係文書として提出義務を認めるという意味しかなくなる（それ以外は、4号で認められなければ3号でも認められない）が、上記のような考え方によれば、ニの自己利用文書の一部についても提出義務を認めるという意味をももつこととなる⁽⁴⁾。

[381]　5　4号概説（一般義務文書）

4号は、前記4のとおり、1号ないし3号と並立する形で、文書の一般提出義務を定める。ただし、かなりの除外事由がある。

除外事由については後記6以下で論じるが、イないしハが証言拒絶事項（[351]ないし[355]）と同様の目的をもつ規定、ニが自己利用文書、ホが刑事訴訟等関係文書である。

条文の規定ぶりから、除外事由の不存在については、申立人の側が主張立証することになるが、証言拒絶権の場合（[351]）と異なった規律とすることの合理性は、本来は乏しいであろう。こうした部分にも、一般提出義務に強

---

(4)　1号ないし3号文書に4号イないしホの除外事由の類推適用があるかについては、上記のとおり当然にそれがあるとはいえないが、具体的にまとめておくと、3号の法律関係文書に関しては、ホについては判例も否定しており（後記8）、ニについても否定すべきである（本書も採る上記少数説はそれを前提としている。なお、多数説は肯定）が、イないしハについては肯定してよいであろう。また、前記3の利益文書に関しては、ニについては法律関係文書同様に否定してよいと考える（この点については必ずしも肯定説が多数説というわけではない）が、それ以外については肯定してよいであろう（最決平成16・2・20判時1862号154頁、判タ1156号122頁は、4号ロに該当する文書については3号に基づく申立ては理由がないとする）。1号・2号文書については、否定してよいと思われる（もっとも、以上につき、見解は細かく分かれうる。伊藤449頁、クエスト323頁、条解1197〜1199頁、コンメⅣ411〜415頁各参照）。

く絞りをかけたいという立法者（およびその圧力団体的な人々）の意図が表れている感はある。

6　証言拒絶事項と同様の目的をもつ規定

[382]　(1)　自己負罪等拒否

所持者または所持者と一定の近い身分関係にある者が刑事訴追を受けまたは有罪判決を受けるおそれのある事項およびこれらの者の名誉を害すべき事項が記載された文書について、除外事由としたものである（220条4号イ）。

その解釈については、[352]参照。

[383]　(2)　公務秘密文書

公務員の職務上の秘密に関する文書でその提出により公共の利益を害し、または公務の遂行に著しい支障を生じるおそれがあるものについて、除外事由としたものである（220条4号ロ）。なお、ここにいう「公務員」には、国立大学法人の役員および職員も含まれる（最決平成25・12・19民集67巻9号1938頁。その役員および職員は刑法等の罰則の適用につき法令により公務に従事する職員とみなされる〔国大法人19条〕ことなどを理由とする）。その他のみなし公務員についても同様に解されよう。

公務員または公務員であった者に職務上の秘密について尋問する場合（[353]）に対応する規定である。

証言拒絶の場合と同じく、この秘密の性質は実質秘である

判例は、この公務員の職務上の秘密には、公務員が職務遂行上知ることのできた私人の秘密であって、それが公にされることにより、私人との信頼関係がそこなわれ、結果として公務の公正、円滑な運営に支障をきたすこととなるものを含むとしている（最決平成17・10・14民集59巻8号2265頁、百選5版A22事件。なお、これは、証言拒絶の場合についても同様であろう）。

公務秘密文書に関する手続は、証言拒絶の場合に似ているが、証言拒絶の場合には監督官庁が承認するか否かの最終判断権をもつ（[353]）のに対し、公務秘密文書の場合には監督官庁の意見を聴いて裁判所が最終的に判断する形になっている（文書の証拠としての重要性、客観性を重くみての相違といえよう）ほか、細かな点も異なる。

裁判所は、公務秘密文書（その該当性の判断は証言拒絶の場合と同様裁判所が行う）について4号文書としての文書提出命令の申立てがあった場合には、その申立てに理由がないことが明らかな場合（却下が当然の場合）を除き、そ

の文書の公務秘密文書該当性について、当該監督官庁の意見を聴かなければならない（223条3項前段）。

この監督官庁は、その文書に記載された職務上の秘密に関する事項を所掌している所轄庁の長であって（国公100条2項、地公34条2項参照）、文書の所持者（当該文書の単なる保管者ではなく、その管理処分権を有する法主体。国または地方公共団体〔最決平成29・10・4民集71巻8号1221頁〕）[5]とは異なる（所持者の内部機関ということになる）。

監督官庁は、その文書が公務秘密文書に該当する旨の意見を述べるときは、その理由を示さなければならない（223条3項後段）。公務秘密文書に該当するというためには、単に文書の性格から公共の利益を害しまたは公務の遂行に著しい支障を生じる抽象的なおそれがあるというだけでは足りず、その記載内容からみてそのおそれの存在が具体的に認められることが必要である（上記最決平成17・10・14）。

監督官庁が、安全保障・外交関係事項や犯罪捜査・予防・刑事関係事項にかかわる公務秘密文書該当性をいう場合には、裁判所は、その意見に相当の理由があると認めるに足りない場合に限り、文書提出命令を発することができる（223条4項柱書、同項1号、2号）。これらの事項については、その高度の公益性、政策性を考慮し、監督官庁の第一次的判断権を尊重して、裁判所はその判断の相当性のみを審査するという趣旨である。しかし、安全保障・外交関係事項はともかく、犯罪捜査・予防・刑事関係事項についても裁判所の判断権に大きな絞りをかけているのは、220条4号ホで刑事訴訟等関係文書が一律に一般提出義務の除外事由とされているのと同様、その合理性にいささか疑問を感じる。

監督官庁が、その文書に第三者の技術または職業の秘密が記載されている文書について意見を述べる場合には、公務秘密文書に該当する旨の意見を述べようとするときを除き、あらかじめ、その第三者の意見を聴かなければな

---

(5) なお、最決平成31・1・22民集73巻1号39頁は、公務秘密文書と同種の性格をもつ後記8の刑事訴訟等関係文書につき、その写し（それ自体もその原本も刑事事件公判に提出されなかったもの）をその捜査を担当した都道府県警察を置く都道府県が所持し、これについて文書提出命令の申立てがされた場合には、当該原本を検察官が保管しているときであっても、その都道府県が文書の所持者に当たり、また刑事訴訟法47条ただし書該当性の判断を行う権限を有するとしている。

らない（223条5項）。上記のとおり、公務員の職務上の秘密には、公務員が職務遂行上知ることのできた私人の秘密であって、それが公にされることにより、私人との信頼関係がそこなわれ、結果として公務の運営に支障をきたすこととなるものも含まれるので、監督官庁がこの点を考慮して適切な判断ができるようにするための規定であり、第三者自体の秘密保護の利益は反射的なものであるから、第三者に文書提出命令についての即時抗告権はない（条解1240～1241頁）。

後記(3)の法定専門職にある者が職務上知りえた他人の秘密についても同様の考慮は必要であるが、これについては判断が容易であるためあえて意見聴取までする必要はないとの考え方から、規定は設けられていない（条解1241～1242頁）。

なお、公務秘密文書の所持者が当事者以外の第三者である場合には、文書の提出を命じようとする場合には、223条2項による審尋（後記**第3の2**〔**394**〕のとおり通常は書面による審尋）も行う必要がある。

[384]　(3)　法定専門職秘密文書

法定専門職にある者が職務上知りえた他人の秘密であって黙秘の義務が免除されていないものが記載された文書について、除外事由としたものである（220条4号ハ）。

その基本的解釈については、[**354**]参照。

証言拒絶の場合と同じく、この秘密については、主観的利益のみならず客観的利益も必要である。

また、黙秘すべきものに当たるか否かの判断についても、判例は、同様に、秘密主体がそのように考えているというだけでは足りず、客観的にみても黙秘すべきと認められる必要があるとしている（最決平成16・11・26民集58巻8号2393頁。弁護士、公認会計士等の第三者を委員とする調査委員会が作成した、破綻保険会社に関する調査報告書について、法令上の根拠を有する命令に基づく調査の結果を記載した文書であり、経営責任とは無関係なプライヴァシー等に関する事項が記載されたものではなく、弁護士・公認会計士はその委員として公益のための調査に加わったにすぎないことを理由に、黙秘すべき秘密が記載された文書に当たらないとした）。

なお、法定専門職秘密文書については、法定専門職にある者の依頼者等の信頼を保護する観点から、法定専門職にある者以外の者が所持している文書についてもその対象になる。

[385]　(4)　技術・職業秘密文書

　技術または職業の秘密であって黙秘の義務が免除されていないものが記載された文書について、除外事由としたものである（220条4号ハ）。
　その基本的解釈については、[355]を参照されたい。
　証言拒絶の場合と同じく、この秘密の性質は実質秘である。
　また、判例が、秘密のうちでも要保護性のあるもの（保護に値する秘密）が記載された文書のみについて除外事由に当たるとしている（最決平成20・11・25民集62巻10号2507頁、百選5版68事件）点も、証言拒絶の場合と同様である。
　なお、判例は、秘密の主体（金融機関の顧客）自体が訴訟当事者として文書提出義務を負う場合には、これに対してその秘密を保持する義務を負う者（金融機関）は、これにつき職業の秘密として保護に値する正当な利益を有するとはいえず、文書提出義務を免れないとしている（最決平成19・12・11民集61巻9号3364頁）。

7　自己利用文書

[386]　(1)　概　説

　自己利用文書（220条4号ニ）とは、もっぱら文書の所持者の利用に供するための文書であり、典型的には日記や備忘録等であるが、これが除外事由に加えられたことについては、稟議書（官庁や会社において会議を開く手続をとらずに係が文案を作り関係者に回覧して承認を得る手続を稟議といい、その結果が記載された書面が稟議書である）等外部に開示することの予定されていない文書が公開されると経済活動の妨げになるという経済界の声が大きな理由であった。
　そうしたこともあり、この除外事由は、ほかの除外事由とは異なり文書の作成目的という主観的なものが指標になっており、解釈によって左右される余地が大きく、判例も多い。
　この除外事由によって保護される利益は、次の判例のいうとおり、①個人のプライヴァシーの侵害、②個人ないし団体の自由な意思形成の阻害のおそれということかと思われるが、①はよいとして、②をこの除外事由によって保護される利益と考えることについては、現代社会では、真実発見や裁判の公正、また、情報流通の透明性という観点からも疑問がある。純粋な個人の文書について文書提出命令が申し立てられる例はほとんどないし、団体についていえば、「意思形成の阻害のおそれ」などということは情報公開一般についてもいえることであって、今の世の中ではそのような可能性をも織り込

んだ上で自由に意思形成を行う、というのが常識的であろう（松本＝上野520〜523頁は、こうした点を詳しく敷衍している）。

　判断のメルクマールについては、最決平成11・11・12（民集53巻8号1787頁、百選5版69事件）が、ある文書が、①その作成目的、記載内容、現在の所持者が所持するに至るまでの経緯等の事情から判断して、もっぱら内部の利用に供する目的で作成され、外部の者に開示することが予定されていない文書であって、②開示されると個人のプライヴァシーが侵害されたり個人ないし団体の自由な意思形成が阻害されたりするなど、所持者の側に看過しがたい不利益が生じるおそれがある場合には、③特段の事情がない限り、当該文書は自己利用文書に当たる、としている。

　上記のとおり、メルクマールは、①内部文書性、②不利益性、③特段の事情の不存在、である。②は、条文からは直接出てこない要件だが、学説の影響を受けて定立されたといわれる。

　以下、順に解説する。

[387]　(2)　内部文書性

　内部文書性は、自己利用文書の定義に近い要件である。具体的には以下のとおりである。

　①　もっぱら内部の利用に供する目的で作成された文書（内部文書）であるかどうかを判断する基準は、文書それ自体ではなくその文書に記載された情報である（最決平成19・8・23判時1985号63頁、判タ1252号163頁）。

　この判例は、介護サーヴィス事業者が作成する「サーヴィス種類別利用チェックリスト」（介護サーヴィスについて、利用者名、サーヴィス内容およびその回数、介護保険請求額、利用者請求額等を一覧表の形式にまとめて記載した文書）について、内部文書とした原審の判断をくつがえし、「本件リストは、サーヴィス事業者が介護給付費等を審査支払機関に請求するために必要な情報をコンピューターに入力することに伴って自動的に作成されるものであり、その内容も、介護給付費等の請求のために審査支払機関に伝送される情報から利用者の生年月日、性別等の個人情報を除いたものにすぎず、審査支払機関に伝送された情報とは別の新たな情報が付加されているものではなく、介護給付費等の請求のために審査支払機関に伝送した情報の請求者側の控えというべき性質のものにほかならない」旨を述べて、つまり、文書に記載された情報を基準として、内部文書性を否定した。

② また、判例は、法令上の作成義務がある文書、作成義務まではなくとも法令上の根拠を有する命令に基づき作成された文書、あるいは法令により義務付けられた行為の前提として作成された文書については、内部文書性を否定している。こうした文書は、内部利用にとどまらず、外部の目にさらされることが予定あるいは予想されているものといえるからであろう。

まず、前記(1)に掲げた最決平成11・11・12は、銀行の貸出稟議書について内部文書性を肯定したが、銀行内部の意思形成過程で作成される文書であることと法令によってその作成が義務付けられていないことを判断の根拠として挙げている。

また、前記6(3)に掲げた最決平成16・11・26（民集58巻8号2393頁）は、弁護士、公認会計士等の第三者を委員とする調査委員会が作成した、破綻保険会社に関する調査報告書について、法令上の根拠を有する命令に基づく調査の結果を記載した文書であることなどを理由に内部文書性を否定し、最決平成19・11・30（民集61巻8号3186頁）は、銀行が、法令により義務付けられた資産査定の前提として、監督官庁の検査マニュアルに沿って債務者区分を行うために作成された文書について内部文書性を否定している。

なお、文書について法令上の作成義務等がない場合であっても、それだけで内部文書性が肯定されるわけではないことはもちろんである。

③ 文書についてその作成時に提出や利用が予定されていた外部機関（監督官庁等）が当該文書について守秘義務を負っている場合であっても、そのことは内部文書性の否定に影響しない（そのことが内部文書性を肯定すべき理由にはならない。上記最決平成19・8・23、上記最決平成19・11・30は、このことを前提としている）。外部機関による利用が予定されている場合であることに変わりはないからである[6]。

[388]　(3) 不利益性

不利益性については、判例が挙げている中核的なものは、前記(1)のとおり、①個人のプライヴァシーの侵害、②団体の自由な意思形成の阻害のおそれであろう（前記(1)に掲げた最決平成11・11・12、前記(2)に掲げた最決平成16・11・26。

---

[6] なお、コンメⅣ439～442頁は、以上のほかに、「文書の作成目的について、その外部利用が含まれているならば、主観的には内部利用を目的としていても、内部文書性は否定される」というメルクマールを掲げる。

この不利益性をかなり広く解した判例として、市議会議員が所属会派に交付された政務調査費によって行った調査研究報告書およびその添付書類に関する最決平成17・11・10民集59巻9号2503頁がある）。

　もっとも、前記(1)のとおり、①はよいとして、②をこの除外事由によって保護される利益と考えることについては疑問があり、この点を批判する学説も多い。

　また、不利益性については、銀行の貸出稟議書に関する上記最決平成11・11・12が文書の記載内容に言及しないで一般的な説示を行っており、これは、文書の種類により定型的な判断を行う姿勢を示したものといわれている。この点は、たとえば銀行の貸出稟議書については後記(4)の特段の事情を非常に狭く解する判例の姿勢からしてそのとおりなのかと思われるが、判断のあり方としては疑問を感じる。不利益性についても、内部文書性についてと同じく、具体的かつ柔軟な判断を行う方向が望ましいといえよう（松本＝上野522～523頁は、銀行の貸出稟議書を自己利用文書とみることはできないとする。なお、本書は、前記〔[380]〕のとおり、法律関係文書として文書提出命令の対象となりうるという考え方である）。

　不利益性に関する注目すべき判例としては、ほかに、次のようなものがある。
　最決平成18・2・17（民集60巻2号496頁）は、銀行本部の担当部署から各営業店長等に宛てて発出されたいわゆる社内通達文書であって一般的な業務遂行上の指針等が記載されたもの（変額保険に関する）について、意思形成過程で作成された書面ではなく、「意思形成後に作成された書面」であることに重きを置いて、不利益性を否定している。内部文書ではあるが不利益性は否定された例となる。
　東京高決平成15・7・15（判時1842号57頁、判タ1145号298頁）は、大学病院部内における医療事故経過報告書について、報告提言部分については不利益性を否定し、関係者からの事情聴取部分については不利益性を肯定した。
　こうした内部的な事故調査報告書については、全体が開示されることによる萎縮効果（内部的な事故調査が適切かつ十分に行われなくなりうるという意味での）という、当事者にとっての不利益性とはやや異なった問題もあるが、客観的な報告書であるから、判例のいう団体の自由な意思形成の阻害という側面は希薄であり、全体について不利益性を否定するのが相当であろう（同旨の松本＝上野525～526頁は、所持者側の情報独占が許される性質の文書ではないこと

をも、根拠に挙げる）。

[389]　(4)　特段の事情の不存在

　特段の事情については、金融機関の貸出稟議書について2つの重要な判例がある。

　まず、最決平成12・12・14（民集54巻9号2709頁）は、信用金庫の会員が会員代表訴訟において信用金庫の貸出稟議書につき行った文書提出命令の申立てについて、この場合の特段の事情とは、文書提出命令の申立人がその対象である貸出稟議書の利用関係において所持者である信用金庫と同一視することができる立場に立つ場合をいうものと解されるとした上、特段の事情を否定した。

　また、最決平成13・12・7（民集55巻7号1411頁）は、経営の破綻した信用組合からその資産を買い取り、その管理および処分を行うことを主な業務とする株式会社（整理回収機構）が所持するその信用組合の貸出稟議書について、その信用組合は清算中で、将来においても貸付業務等をみずから行うことはないこと、所持者は法律の規定に基づいてその信用組合の貸し付けた債権等の回収に当たっているものであって、当該貸出稟議書の提出を命じられることによってその自由な意思形成が阻害されるおそれがあるものとは考えられないことを理由として、特段の事情を肯定した。

　要するに、内部文書性との関係では申立人を文書所持者と同一視できるような事情がある場合、不利益性については、およそそれが考えられないような場合に特段の事情があるということになる。つまり、きわめて例外的な場合である。

　また、最高裁の姿勢が、金融機関の貸出稟議書については、開示についてきわめて消極的であることも、これらの判例から明らかである。ことに、前者の判例については、かなり形式的な判断方法であり、代表訴訟の制度趣旨からしても疑問を感じる。

[390]　(5)　その他

　220条4号ニには、「国又は地方公共団体が所持する文書にあっては、公務員が組織的に用いるものを除く」とのかっこ書がある。

　これは、公務員が組織的に用いるものとして保管している文書は行政情報公開法（行政機関の保有する情報の公開に関する法律）による開示の対象となる（同法2条2項）ので、自己利用文書からも除くこととされたものである。し

たがって、公務員が個人的に使用する目的で作成された手控え等についてはなお自己利用文書に該当する余地があることになる（条解1208〜1209頁）。純然たる個人の手控えが長期間保管されていることはあまりないであろうから、長期間保管されているようなものは、「組織的に用いるものとして保管」されているとみるのが原則であろう。なお、国立大学法人が所持し、その役員または職員が組織的に用いる文書についての文書提出命令の申立てには、このかっこ書部分が類推適用される（最決平成25・12・19民集67巻9号1938頁。前記6(2)参照）。公務員と同様の情報公開制度を有する他のみなし公務員についても同様に解されよう。

　また、アメリカでは、弁護士等が訴訟準備のために活動する過程で作成された文書については限定的な非開示特権が認められている。ワークプロダクトの法理といわれる。訴訟が切迫していることが予期される時点以降に作成された文書のみが対象となる。もっとも、「限定的」非開示特権とはいいながら、実際には、こうしたワークプロダクトはほとんどディスカヴァリーの対象にならないといわれる（モリソン・フォースター外国法事務弁護士事務所『アメリカの民事訴訟〔第2版〕』〔有斐閣〕76〜77頁）。

　その根拠は、対立当事者の訴訟準備活動にただ乗りすることの防止にあるとされる（高橋下177〜178頁）。

　ディスカヴァリーが広範に認められるアメリカでも非開示特権が認められていることに照らせば、日本でも、自己利用文書の趣旨を類推してこれを認めることに問題はないであろう（当事者ないし弁護士のプライヴァシーの保護ないしは訴訟活動の充実公正が根拠となるので、自己利用文書とはやや趣旨が異なり、「類推」となる〔高橋下178頁参照〕）。

　もっとも、実際には、日本でこうした文書について文書提出命令の申立てがなされることは考えにくい[7]。

---

(7)　なお、ワークプロダクトの法理と類似の制度である弁護士・依頼者間の秘匿特権については、企業の証拠隠しに利用されているとの批判があることを付記しておきたい（リチャード・ズィトリン、キャロル・ラングフォード著、村岡啓一訳『アメリカの危ないロイヤーたち——弁護士の道徳指針』〔現代人文社〕第5章参照。この書物は、ディスカヴァリーやクラスアクションの影の側面をも含め、アメリカ的当事者主義のゆきすぎを包括的に批判する内容となっている）。拙著『裁判官・学者の哲学と意見』〔現代書館〕にも記したが、2018年度の35年ぶりの滞米在外研究では、アメリカ社会が傾くにつれ、アメリカ司法の問題も非常に大きくなってきているという印象を抱いた。

[391] 8 刑事訴訟等関係文書

　刑事訴訟に関する書類、少年保護事件の記録、これらの事件で押収されている文書は、一律に文書の一般提出義務の除外事由とされている（220条4号ホ）[8]。

　これらの文書については、関係者の名誉やプライヴァシーにかかわる事項が記載されていること、開示による捜査・公判等への悪影響のおそれ、刑事訴訟法、少年法等において開示による弊害と開示により得られる公益との調整を考慮した上で、開示の要件・手続等について独自の規律が設けられていることなどが理由とされている。しかし、4号ロの除外事由で対応することも可能であるのにあえてそれとは別にこうした除外事由を設けることが相当かという問題があり、また、たとえ設けるとしてもより具体的な限定を行うべきであろう。疑問の大きい条文である[9]。

　判例は、220条1号ないし3号と4号の関係について、前者は、後者の例示ではなく、独立した規定であるという理解（前記4）を前提に、これらの文書が3号の「法律関係文書」あるいは1号の「引用文書」に当たり、また、刑事訴訟法47条（訴訟に関する書類の公判開廷前の原則公開禁止）該当書面（その範囲は、刑事実務においては、相当に広く解されているようである〔判例解説平成16年度353～354頁〕）については、同条ただし書のいう「公益上の必要その他の事由があって相当と認められる場合」という要件をも満たす場合には、提出義務を認める。

　具体的には、最決平成16・5・25（民集58巻5号1135頁、百選5版A23事件）は、刑事訴訟法47条所定の文書について文書提出命令の申立てがなされた場合であっても、当該文書が3号の法律関係文書に当たり、かつ、当該文書の保管者によるその提出の拒否が、民事訴訟における当該文書を取り調べる必要性の有無、程度、当該文書が開示されることによる被告人、被疑者等の名誉、プライヴァシーの侵害等の弊害発生のおそれの有無等の諸般の事情に照

---

(8) 最決令和2・3・24判時2474号46頁、判タ1480号144頁①事件（検察官等から鑑定の嘱託を受けた者がその鑑定に関して作成しもしくは受領した文書等またはその写しの刑事訴訟等関係文書該当性を認めた）も、刑事訴訟等関係文書該当性の判断に当たっては、その文書が民事訴訟に提出された場合の弊害の有無や程度を個別に検討すべきではないとして、このことを確認している。

(9) 教科書本文に記載するような事柄ではないので、注に落とすが、背景には、法務省、検察、警察等の強い意向も推察されるところである。

らし、当該保管者の有する裁量権の範囲を逸脱しまたは濫用するものであるときは、裁判所は、その提出を命ずることができる、とした。また、最決平成31・1・22（民集73巻1号39頁）は、1号の引用文書に当たるものについても文書提出命令を認めたが、引用されたことにより当該文書自体が公開されないことによって保護される利益のすべてが当然に放棄されたものとはいえないと述べた上で、提出の可否の判断基準については、3号の場合と同様であるとした。つまり、1号該当文書についても、文書の保管者の裁量権を第一次的に尊重し、その逸脱や濫用が認められる場合にのみ提出義務を認める、ということである。

こうした観点から、上記平成16年最決は、申立人の有罪判決が確定した刑事事件の公判に提出されなかった共犯者の捜査段階における供述調書につき提出を認めず（申立人主張事実の立証に必要不可欠なものとはいえないこと、当該供述調書が開示されることによって当該共犯者や第三者の名誉、プライヴァシーが侵害されるおそれがないとはいえないことを理由とする）、最決平成17・7・22（民集59巻6号1837頁）は、捜索差押許可状（令状であるから記載事項は限られている）については提出義務を認めたが捜索差押令状請求書については認めなかった（被疑者未検挙であり捜査継続中であって、同請求書には捜査の秘密にかかわる事項や被害者等のプライヴァシーに属する事項が記載されている蓋然性が高いことを理由とする）。

また、最決平成19・12・12（民集61巻9号3400頁）は、強姦の被疑事実に基づき勾留された被疑者が勾留請求の違法を主張して提起した国家賠償請求訴訟において、告訴状および被害者の供述調書につき申立てがなされた事案であるが、これらの文書が法律関係文書に当たるとした上で、①勾留の裁判が準抗告審で取り消されており、検察官が被疑者には罪を犯したことを疑うに足りる相当な理由があると判断するに際し最も基本的な資料となった上記各文書には取調べの必要性があること、②被害者は被疑者に対する損害賠償請求訴訟を提起しており、その審理に必要な範囲でプライヴァシーが明らかにされることを容認していたということができ、また、被害者の供述内容として被害の態様が詳細に記載された検察官の陳述書がすでに書証として提出されていること、③被疑事件についてはすでに不起訴処分がされていること、などを理由に提出義務を認めた。

さらに、最決令和2・3・24（民集74巻3号455頁。注(8)に掲げた同日の判例

と同じ事案についての判例）は、入院者が転倒死亡したことを理由に遺族が病院経営者に対して提起した損害賠償請求訴訟において、司法警察職員から嘱託を受けた者が鑑定のために裁判官の許可を受けてした死体司法解剖写真にかかる情報が記録された電磁的記録媒体（準文書。刑事手続につき公訴時効完成のため、解剖写真等の電磁的記録以外はすでに廃棄されていた）につき申立てがなされた事案であるが、こうした準文書で当該司法警察職員が所属する地方公共団体が所持するものは、その地方公共団体と申立人との間において法律関係文書に当たるとしてその提出義務を認めた（その理由としては、遺族は、死体が不当に傷付けられないことについて法的な利益を有するが司法解剖によってこれが害されうること、司法解剖写真は、司法解剖が適正に行われたことを示す資料にもなりうることからすれば上記法的利益侵害の有無等にかかる法律関係を明らかにする面もあるといえること、を挙げる）。

　以上によれば、法律関係文書、引用文書として提出が認められる場合も現在のところかなり狭く（上記令和2年最決については、すでに公訴時効が完成し、刑事手続に対する支障を全く考慮する必要がない事案について、法律関係文書の趣旨をかなりゆるやかに認めた例外的な判断という印象が強い）、220条4号ホについては、適切な改正が望まれるところといえよう。たとえば、①その審査に当たっては、例外的な場合に当たるか否かの審査のためにインカメラ手続（223条6項。後記**第3の3**〔**[395]**〕）の利用を可能にすること、②刑事訴訟法47条が公判手続を前提とした規定と解されることに鑑みるならばその終了後については開示を原則とすること、がとりあえず必要であろう。

第3　文書提出命令に関する手続

1　文書提出命令の申立てと文書の特定

[392]　(1)　文書提出命令の申立て

　文書提出命令の申立ては、文書の表示（文書の種別、作成名義人、作成日付、標題等形式面における文書の特定情報）・趣旨（文書の記載事項の概略ないし要点）・所持者、証明すべき事実、文書提出義務の原因を明らかにしてしなければならない（221条1項）。

　220条4号による申立てについては、書証の申出を文書提出命令によってする必要がある場合でなければ、することができない（221条2項）。これは、4号については、同条1号ないし3号の場合と異なり、当事者が文書と特別

な関係にあることが要求されていないことから、必要性を要件として加えたものであり、挙証者が他の方法で入手できる文書（不動産登記記録の登記事項証明書〔不登119条1項〕等誰でも官公庁で容易に入手できる文書、公刊されている文書、文書送付嘱託を用いることが可能と思われる文書等）を省く趣旨である。もっとも、文書送付嘱託については、必ず送付されるとは限らないから、文書送付嘱託によりうる可能性が高いからといって文書提出命令の申立てを却下するのではなく、とりあえず判断を留保して文書送付嘱託の申立てをさせ、その結果を待つのが相当であろう。

[393]　(2)　文書特定のための手続

文書の表示・趣旨については、申立人には十分な情報のない場合がありうる。

そこで、これらを明らかにすることが著しく困難であるときは、その申立ての時点では、文書の所持者がその申立てにかかる文書を識別することができる事項（文書の所持者が当該文書をほかの文書から区別することができるような事項〔一問一答262頁〕。文書識別情報）を明らかにすれば足りることとされている（222条1項前段）。

この場合、申立人は、裁判所に対し、文書の所持者に当該文書の表示・趣旨を明らかにすることを求めるよう申し出なければならない（同項後段）。そして、裁判所は、上記の要件が満たされる場合、所持者にこれを求めなければならない。この「求め」の性質は裁判所の判断（決定）であると解され、文書の所持者はこれに応じる公法上の義務があると解される。

もっとも、文書の所持者がこれに応じない場合の制裁は規定されていない。そこで、所持者がこれに応じない結果文書の表示・趣旨が明らかにならない場合にどうすべきかが問題になる。

裁判所の求めにもかかわらず所持者がこれに応じないのに制裁の規定がないのはそもそも問題である（一種の法の不備）し、また、このような所持者は文書が特定されることによるみずからの側の利益（十分な特定のないままに文書の提出を命じられることはないという利益）を放棄しているとみられるから、こうした場合には、当該文書に証拠としての価値が乏しくその証拠調べの必要がないと考えられるような場合（181条1項参照）を除き、文書識別情報のみによって文書提出命令を発令できると解したい（この点に関する議論については、条解1227～1228頁、コンメIV470～471頁参照。文理解釈からすれば、こうした場合であっても特定が不十分である以上申立てを却下するという解釈もありうるが、そ

れでは何のために文書特定のための手続規定を設けたのか、ということになろう。なお、申立てに文書識別情報すら記載されていないような場合には、却下せざるをえない)。

　なお、近年、事案解明義務の理論([257])の展開を受けて、一定の限度で模索的証明(証明主題を一般的、抽象的なものとしたままでの証拠申出。事実関係についての情報を十分にもたない、また、もてない当事者がそのような情報を得ることを目的として行う)を認める考え方が有力となってきており、文書提出命令の申立てにおける文書の趣旨、証明すべき事実の特定については、これを是認する判例も現れている(大阪地決昭和61・5・28判時1209号16頁①事件、判タ601号85頁①事件、百選5版71事件)。また、最決平成13・2・22(判時1742号89頁、判タ1057号144頁)は、省令に基づき公認会計士または監査法人が事務所に備え置くべきものとされている監査調書については、「特定の会計監査に関する監査調書」との記載だけで文書の表示・趣旨の記載に欠けるところはない(個々の文書の表示・趣旨まで明示される必要はない)としているが、これも、同一の方向性(こうした事項の特定緩和の方向性)を示しているといえよう[10]。

[394]　2　裁判所の判断等

　裁判所は、文書提出命令の申立てを理由があると認めるとき(証拠調べの必要性〔181条1項〕、文書提出義務の双方が認められる場合)には、決定で所持者に対してその提出を命じる(223条1項前段)。文書に上記の要件のいずれかを欠く部分があるときは、その部分を除く形で提出を命じることができる(同項後段。前記1末尾に掲げた最決平成13・2・22は、監査調書として整理された記録または資料のうち貸付先の一部の氏名、会社名等の部分を除いて文書提出命令を発することができるとする)。

　申立てが上記の要件のいずれかを欠くときには、却下する。証拠調べの必要性を欠くことを理由とする却下については、証拠調べの必要性は受訴裁判所の裁量に任せられる事項であるから、後記即時抗告はできないと解される(最決平成12・3・10民集54巻3号1073頁、百選5版A24事件)。

──────────

[10]　なお、模索的証明一般についても、情報や証拠がもっぱら相手方の支配領域内にあって挙証者がこれらから隔絶されており、かつ、挙証者が自己の主張を裏付ける一定の手がかりを示している場合には、当事者間の実質的平等を確保するために、一定の限度でこれが認められると解してよいであろう(中野・現在問題129～131頁、クエスト282～283頁)。もっとも、概念化、一般化できるような議論ではないとして否定的に考えるものとして、高橋下89～91頁がある。

所持者が当事者である場合には、口頭弁論や弁論準備手続で申立ての当否について争うことになる。所持者が第三者である場合には、提出を命じようとするときには、これを審尋しなければならない（同条2項）。実際上は、裁判所は、上記の要件が一応備わっていると考える場合に審尋を行うことになるが、最終的な判断は、その審尋の結果をも参酌して行う。この審尋は、通常は書面で行われる（なお、前記**第2の6(2)**〔**383**〕の公務秘密文書に関する監督官庁への意見聴取〔同条3項前段〕との区別に注意。また、〔**383**〕の末尾部分も参照）。

　文書提出命令の申立てについての決定に対しては、即時抗告をすることができる（同条7項）。即時抗告をすることができる者は、申立てを却下された申立人、文書提出を命じられた所持者である。それ以外の者は、本案事件の当事者であっても即時抗告はできないとするのが判例（最決平成12・12・14民集54巻9号2743頁）だが、学説は分かれている。文書提出命令は書証申出の一方法であるところ、一般的に、相手方当事者は自己に不利となる文書を証拠調べの対象から排除する正当な利益をもたないことなどからすると、消極説が適切であろう（条解1249頁、コンメⅣ509頁）。

　なお、却下決定に対する口頭弁論終結後の即時抗告については、もはや申立てにかかる文書についてその審級で証拠調べをする余地がないから、不適法であるとするのが判例（最決平成13・4・26判時1750号101頁、判タ1061号70頁。この場合、文書提出命令申立却下決定は終局判決前の裁判として控訴審の判断を受ける〔283条本文〕ことになるから、当事者は、控訴審でその当否を争うことができる）、多数説だが、反対説もある（条解1248頁、コンメⅣ506〜507頁各参照）。

　判例・多数説が適切と思われるが、これを前提とすれば、文書提出命令の申立てに対する裁判所の判断は、できる限りすみやかに、遅くとも口頭弁論終結前に、明示的に行い、当事者に不服申立ての機会を与えるべきであろう（この点については〔**346**〕も参照）。

[**395**]　**3　インカメラ手続**

　裁判所は、文書提出命令の申立てにかかる文書が220条4号イないしニの文書のいずれかに該当するか否かの判断をするために必要があると認めるときは、文書の所持者にこれを提示させ（223条6項）、裁判所のみがこれを閲読して、また、判断のために必要があれば一時保管して（規141条）、除外事由該当性を判断することができる。

　この手続をインカメラ手続という（「イン・カメラ」は「密室で」を意味する

ラテン語）。

　対象文書に220条4号ホの文書が含まれていないのは、一律に除外事由とされており、文書の内容を閲読しなくてもその該当性の判断が可能と解されているからである（なお、一律に除外事由とすることの当否については、**第2の8〔[391]〕**参照）。

　インカメラ手続の対象とされた文書については、当事者も含め何人もその文書の開示を求めることはできない。

　インカメラ手続は本案の証拠調べではないから、その結果提出義務が認められれば、あらためて書証の取調べが行われることになる（もっとも、インカメラ手続で証拠調べの必要性がないことが明らかになった場合には、文書提出命令の申立ては却下される）。

　除外事由該当性が認められれば文書提出命令の申立ては却下されるが、その場合、裁判所は、インカメラ手続で得た心証を切り捨てて以後の審理を行うことになる。

　一度得た心証を切り捨てることは本当に可能かという問題を考えるならば、受訴裁判所外の裁判官にインカメラ手続をゆだねることも考えられるが、事案を知らない裁判官に適切な判断ができるかには疑問があり、またその負担も大きいこと、除外事由の判断のためだけにする閲読であるから、心証としても限られ、その切り捨ても難しくないことなどが考慮されて、こうした制度になったものかと思われる[11]。

[396]　第4　文書提出命令に従わない場合の効果

　当事者が文書提出命令に従わない場合には、裁判所は、当該文書に関する相手方の主張（文書の性質・内容・成立の真正に関する主張。誰が作成したどのよ

---

(11)　なお、特別法上の同種手続には、当事者、訴訟代理人等の意見を聴くことが必要と認められる場合にはこれらの者にもその文書を開示することができるとされているものがある（特許105条3項）。この場合、裁判所は、一定の事由が疎明されればこれらの者に当該訴訟追行の目的以外の目的での使用を禁じる秘密保持命令を発することができる（同105条の4）。秘密保持命令違反については罰則がある（同200条の3）。当事者等開示が認められているのは、文書の専門性が高く、当事者等の説明を聴かないと、インカメラ手続で判断すべき「提出を拒むことについての正当な理由」（同105条1項ただし書）の判断が難しいからである。同種の規定は、各種の知的財産権法、不正競争防止法にもある。

うな文書で何が書かれているかといった主張）を真実と認めることができる（224条1項）。当事者が相手方の使用を妨げる目的で提出義務ある文書を滅失させ、その他これを使用することができないようにした場合も同様である（224条2項）。

224条3項は、さらに踏み込んで、前2項に規定する場合において、相手方が、当該文書の記載に関して具体的な主張をすることおよび当該文書により証明すべき事実を他の証拠により証明することが著しく困難であるときは、裁判所は、その事実に関する相手方の主張を真実と認めることができると規定する。

つまり、その証拠によって証明すべき事実自体に関する相手方の主張（たとえば、証拠が契約書なら契約の成立、存在）自体を真実と認めることができるとする。

裁判所は、他の証拠や弁論の全趣旨との総合判断で真実擬制を行うか否かを決めることになるが、当該文書の記載内容が想定される中で申立人に最も有利であると仮定したとしてもなお申立人の主張を真実と認めることができない場合には、真実擬制を行うべきではなく、それ以外の場合には、判断は裁判所の裁量に任せられる。

以上の規定の性格については、前記（[321]）のとおり、当事者の一方が証明妨害的行動をとった場合の、信義則に基づく訴訟上の協力義務違反に対する制裁的規定であり、自由心証主義の例外であるといえる。そして、224条1項、2項は、その証拠に関する相手方の主張を真実と認めることができるという意味で証明妨害的行動をとった者に不利な証拠資料の存在を擬制するものであるのに対し、同条3項は、その証拠によって証明すべき事実自体に関する相手方の主張も真実と認めることができるという意味で真実擬制を認めるが、他の証拠や弁論の全趣旨との総合判断は必要とされるから、結局、一種の法定証拠法則でありかつ証明度の軽減規定でもあるといえよう（弁論の全趣旨などによって立証事項を真実とみなすことが無理であると判断すれば、裁判所はこの規定を適用しなくともよい〔条解1253～1254頁〕）[12]。

---

[12] なお、新堂412頁は、224条3項について、事案解明義務の存在とその義務違反の場合には要証事実を推認することができるという原則の実定法的基礎を提供するものとみる。

第三者が文書提出命令に従わない場合には、裁判所は、決定で20万円以下の過料に処する。この決定に対しては、即時抗告をすることができる（225条）。なお、国や地方公共団体はこの制裁は受けない。過料は、国や地方公共団体が、私人や法人を相手方として科すことが予定されている制度だからである（注釈旧版(7)136頁、注釈(4)679〜680頁）。

[397] 第5項　文書送付嘱託

　文書送付嘱託とは、当事者が、裁判所に対し、文書の所持者にその送付を嘱託するよう申し立てるものである（226条本文）。

　これは、きわめて多くの事件で利用されている。文書の所持者が文書提出義務を負う場合であっても、文書送付嘱託によりうる可能性が高ければ、とりあえず文書送付嘱託の申立てを行い、送付がされない場合にはさらに文書提出命令の申立てを行うという例もある（文書提出命令との関係については、前記第4項第3の1(1)〔[392]〕）。

　当事者が法令により文書の正本または謄本の交付を求めることができる場合（不動産登記記録の登記事項証明書〔不登119条〕、戸籍謄本〔戸10条、10条の2〕等）については、文書送付嘱託の申出はできない（226条ただし書）。

　申立てについては、221条1項1号ないし4号が類推適用される。文書送付嘱託が申し立てられるような文書についてはその特定は比較的容易だが、特定はなるべく正確になされることが望ましい（文書送付嘱託の場合、おおまかな特定で嘱託がなされがちだが、所持者が送付すべき文書の特定判別に困ることになるし、また、必要な文書以外に不要な文書が大量に送られてくる結果にもなりやすい）。

　裁判所は、申立てを認める場合には、送付嘱託の決定をする。嘱託の手続自体は、裁判所書記官によって行われる（規31条2項）。

　文書送付嘱託については、強制力はないが、ほとんどの場合所持者はこれに応じているのが実情である。

　他事件の訴訟記録については、受訴裁判所およびこれが属する官署としての裁判所の保管するものは受訴裁判所に記録の提出を請求すればよく（「記録の取寄せ」と呼ばれている）、これは、送付嘱託と異なり、送付費用の予納を要しない。他の裁判所の訴訟記録については、文書送付嘱託の申立てによる（コンメⅣ525頁）。

第6節　検　証

[398]　第1項　概　説

　検証（232条以下）とは、裁判官が、その五感の作用（補助的に機器を用いる場合をも含む）により、事物（物、場所、人）の存在、性質、作用等を感得する形で行われる証拠調べである。

　裁判官が、他者の認識や判断を介することなく、直接に、証拠方法から自己の認識を獲得するという点が、ほかの証拠調べと異なる。

　たとえば、文書についても、その記載内容ではなく、作成年代という観点から紙質や傷み具合を調べたり、文書の成立の真正を判断するために、その署名等を、間違いなく本人作成にかかる文書の筆跡と対照したりする場合、裁判官が行っていることの性質は、検証である。

　もっとも、実務で実際に検証の申立てがある場合といえば、境界確定訴訟の現場（ことに、山林の境界は現場を見ないとわからないということが、かつては、よくいわれていたし、それは事実である）、公害訴訟における被害状況（たとえば現地で騒音の測定を行う）等が典型的なものである。

　検証については、抽象的な記述だけではその重要性を理解することが難しいと思われるため、実務の実際あるいはその問題点についてある程度具体的に記しておく。

　過去の実務では、検証は、主として検証調書を作成するのが大変であることから、裁判所、ことに裁判所書記官からいやがられることが多かった。そのため、境界確定訴訟や事故の現場を見る、公害等の具体的被害状況等を知るなどの本来であれば検証としての証拠調べが行われることが適切な場合に、裁判官と裁判所書記官が事実上現場に行って双方当事者の説明を聴きながら「事実上の検証」ですませる例がかなり多かった。現行民事訴訟法の下でも、裁判所外における進行協議期日（規95条ないし98条。[279]）という形でこれが行われることはままあると考える。

　もっとも、調書の作成が面倒だからという理由はおよそ正当化が難しく、

むしろ、検証の結果についても規則68条1項を類推適用して、ビデオテープ等の引用による簡略化を図る方向がベターであろう。

ただ、文字によるにせよ、ビデオテープ等の引用によるにせよ、ほかの（前任の）裁判官が行った検証の結果は、実際上は、検証調書だけでは十分に感得しにくい。

その意味では（つまり、検証調書は記録を残すという観点からは意味があるが、心証形成上はあまり役に立たないのだから）、裁判所外における進行協議期日という形で事実上検証に代えるというのも、実務の知恵かもしれない。もっとも、その場合には、裁判所外における進行協議期日で何を行ったかだけは最低限調書上明らかにしておくべきであり、また、当事者の一方が機器を用いて測定を行った場合には、その正確性について裁判所や他方当事者も確認の上、その結果を書証として提出させるのが適切であろう。

いずれにせよ、判決をする裁判官は、現場の検証がふさわしい事案（ことに公害事案）では、どのような形にせよ現場を見ておくのが適切であるというのが、私の経験から得た認識である。

[399] 第2項　**検証の手続等**

検証の手続は書証に準じる（232条1項）。

検証の申出は、証明すべき事実、検証の目的、検証物の提示を内容とする（規150条参照）。

具体的な申出の方法も書証の場合に準じ、みずから検証物を提示する（219条前段の準用）、検証物提示命令（あるいは検証受任命令）の申立てをする（219条後段、223条の準用）、検証物送付嘱託の申立てをする（226条の準用）の3種類となる。

検証物提示命令（あるいは検証受任命令）に対応する検証協力義務（検証物提示義務および検証受忍義務）については、文書提出義務に関する220条が準用されていないこと、検証は事物（物、場所、人）の存在、性質、作用等に関する証拠調べであって書証のように人の精神作用やプライヴァシーに直接ふれるようなものではないこと、文書提出義務が限定的であった旧法時代にも検証協力義務については一般義務と解されていたことから、一般義務と解するのが通説である。もっとも、人の身体を対象とするような場合には、証言

拒絶権に関する規定が類推適用されよう（条解1275頁）。
　検証は、法廷で行うことが可能な場合は法廷で行うが、それ以外の場合には検証物の所在地で行う。検証のために専門知識等が必要な場合には、そのための鑑定を命じることができる（233条）。
　検証の結果は調書に記載される（規67条1項5号）。検証によって裁判官が感得した内容を裁判所書記官が調書に記載するということである。

【確認問題】
1　証拠調べ終了後の証拠の申出の撤回は許されるか。
2　公務員の職務上の秘密について尋問する場合の手続を述べよ。
3　証人尋問の実施に関する規定について、規則をも含め、おおまかに説明せよ。
4　証人や当事者本人の陳述書とはどのような性格のものか。また、訴訟代理人弁護士がその作成に関与することは相当か。
5　鑑定事項の作成に当たって注意すべき事柄（避けるべき鑑定事項）について述べよ。
6　処分証書、報告証書について説明せよ。
7　形式的証拠力と実質的証拠力について説明せよ。
8　文書の表示・趣旨が明らかでない場合についての規定とその解釈を述べよ。
9　利益文書、法律関係文書について説明せよ。
10　公務秘密文書の取調べを行う場合の手続を述べよ。
11　自己利用文書該当性判断のメルクマールについて、なるべく具体的に述べよ。
12　大学病院部内における医療事故経過報告書について、文書提出命令は認められるか。
13　金融機関の貸出稟議書について、文書提出命令は認められるか。
14　刑事訴訟等関係文書について、文書提出命令は認められるか。

[400] 第14章
判決とその確定、仮執行宣言、訴訟費用の負担と訴訟救助

　本章では、裁判の意義と種類、判決の種類、終局判決と中間判決、判決の成立とその確定といった裁判・判決にかかわる基本的事項についてまとめて論じ、関連して、仮執行宣言、訴訟費用とその負担（以上の裁判は判決主文中に掲げられる）、訴訟救助等についても解説する。概念的な事項が多いが、概念の正確な把握は訴訟法的な考え方の基礎をなすものであるから、正確に論理を追う訓練をしてほしい。

第1節　裁判の意義と種類

[401] 第1項　訴訟の終了

　訴訟の終了の形態としては、①終局判決がされ、これが確定する、②当事者の意思（処分）により訴訟が終了する（訴えの取下げ、訴訟上の和解、請求の放棄・認諾）、③2当事者対立構造が消滅する（当事者の一方が死亡し、訴訟を受継する者がいない場合、相続や合併によって当事者の地位に混同が生じた場合等。[117]）の3つがある。うち①については本章で、②については**第16章**で、それぞれ論じる。

　訴訟の終了について争いがある場合（実務で時々あるのは、当事者が訴訟上の和解の無効を主張してその訴訟について期日指定の申立てを行う場合）には、もしもそれが終了していれば、訴訟終了宣言判決がされる。「本件訴訟は〇年〇

月○日に行われた訴訟上の和解により終了した」といった主文となり、理由において訴訟上の和解の無効をいう当事者の主張について判断することになる。訴訟がすでに終了したことを確認する裁判という特殊なものであり、明文の規定はないが、実務慣行として認められている。これに不服のある当事者は、上訴ができる。

第2項　裁判の意義と種類

[402]　**第1　裁判の意義**

　裁判とは、広義では、争訟の解決を目的としてされる公権的な法的判断全般をいう（特許審判、海難審判等をも含む。もっとも、行政機関は終審として裁判を行うことができない〔憲76条2項後段〕）。しかし、狭義では、裁判機関（裁判所、裁判官〔ここでいう裁判官は、官署としての裁判所の職員という意味ではなく、裁判機関としてのそれ〕）がその法的判断を法定の方式で表示する訴訟行為である。

　裁判所書記官の行為にも機能からすれば裁判に類するものがある（訴訟費用額確定手続〔71条〕、訴訟記録閲覧等の請求についての判断〔91条〕）が、これらについては処分と呼ばれる（121条は、裁判所書記官の処分に対するその所属裁判所への異議について定める。この異議を却下した決定に対しては異議を申し立てた者が、異議を理由ありとする決定に対しては異議申立人の相手方当事者がその権利を害される場合にはその者が、それぞれ通常抗告〔328条1項〕をすることができる〔条解649頁〕。この異議は、実務でも時々申し立てられるので、知っておく必要がある）。

第2　裁判の種類

1　判決、決定、命令

[403]　(1)　裁判機関

　判決および決定は、裁判所による裁判であり、命令は、裁判官による裁判（裁判長または受命・受託裁判官という資格において行う裁判。前者の例としては訴状却下命令〔137条2項〕、期日指定の裁判〔93条1項、139条〕等が、後者の例としては、受命・受託裁判官が証人尋問を行う場合の各種の裁判〔206条本文等〕等がある）である。

　決定、命令には、その性質に反しない限り、判決に関する規定が準用される（122条）。

単独体裁判では、1人の裁判官が裁判所の権限と裁判長の権限を行使するが、その裁判は、合議体裁判であれば裁判所がするものについては決定により、合議体裁判であれば裁判長がするものについては命令による。

　判事補は原則として単独で裁判をすることができない（裁27条1項）が、決定、命令については単独ですることができる（123条）。

　なお、文書提出命令、保全命令、差押命令等の用語における「命令」は裁判の内容という観点からのものであり、裁判の性質としては、いずれも決定である（223条1項、民保3条、民執4条）。

[404]　(2)　成立手続および不服申立て

　審理（裁判資料取得手続）については、判決は原則として口頭弁論に基づく（例外については[220]）のに対し、決定および命令については、口頭弁論は必要的ではない（87条1項ただし書。なお、民事保全法3条、民事執行法4条において、民事保全手続に関する裁判、執行裁判所のする裁判は、それぞれ「口頭弁論を経ないですることができる」とされている）。

　判決の成立には言渡しが必要である（250条）が、決定・命令については、相当と認める方法で告知すれば足りる（119条、規50条2項。もっとも、重要なものについては、送達を要するとされていることも多い。更正決定〔規160条〕、保全命令〔民保17条〕、差押命令〔民執145条3項〕等）。

　また、判決書には裁判官の署名押印が必要である（規157条）のに対し、決定および命令については記名押印で足りる（規50条1項）。

　判決書の原本に基づかない判決の言渡しは例外的である（254条。いわゆる調書判決〔[427]〕）が、決定および命令については調書の記載をもって裁判書に代えることが一般的に認められている（規67条1項7号。証拠申出の採否に関する裁判が典型）。

　不服申立ては、判決については控訴、上告であるのに対し、決定および命令については抗告、再抗告である。また、決定および命令については不服申立てが認められない場合もある（[651]）。

[405]　(3)　裁判事項

　訴えまたは上訴については判決による。権利義務の終局的確定をもたらす場合ということである。

　これに対し、訴訟指揮に関する裁判、訴訟手続に関する付随的裁判、保全・執行手続における裁判等は決定および命令による。

[406] 2 その他の分類

その審級における手続を終結させる裁判を終局的裁判といい、そのような効果をもたない裁判を中間的裁判という。前者の例としては終局判決、訴状却下命令等があり、後者の例としては中間判決等がある。

また、裁判の効力からする分類に、給付的・確認的・形成的裁判の別がある。

[407] 第2節 判決の種類

前記（[406]）のとおり、その審級における手続を終結させる判決が終局判決であり、そのような効果をもたない判決が中間判決である。

[408] 第1項 終局判決

裁判所は、訴訟が裁判をするのに熟したとき、つまり終局的な判断をすることが可能な状態に達したときは、終局判決をする（243条1項）。

終局判決には、審判の範囲による区別として全部判決と一部判決、原告の請求について判断をするか否かによる区別として本案判決と訴訟判決がある。

第1 全部判決、一部判決

[409] 1 概　説

同一の訴訟手続で審理されている事件の全部についてされる判決が全部判決であり、一部についてされる判決が一部判決である。一部判決がされた場合の残部についての判決を残部判決という。

裁判所は、訴訟の一部が裁判をするのに熟したときには、その一部について終局判決をすることができる（243条2項）。また、弁論の併合を命じた数個の訴訟中その1つが裁判をするのに熟したとき、本訴または反訴が裁判をするのに熟したときについても同様である（同条3項）。一部判決の効用は、その部分について迅速な判断が可能になり、また、以後の審理を残部に集中できるという点にある。しかし、一部判決をすることが適切か否かは微妙な場合があるので、その判断は裁判所の裁量にゆだねられている。

一部判決の前提として弁論の分離が必要であるとするのが通説である（コンメV19頁）が、反対説もある（条解1321頁）。実務においては、弁論の分離を行っている。

[410] 　2　複数請求訴訟の場合

　まず、単純併合の場合には、一部判決をすることに問題はない。もっとも、各請求の主要な争点が共通であるなど（基準は論者により異なる）の場合には、別個に訴えが提起されたならば「拡大された重複起訴」（[068]）に該当する場合であるから、重複審理や審判の不統一を避けるという観点から、一部判決はできないと解すべきである（新堂663頁）。また、主要な争点が共通でなくとも、関連性の高い請求の場合には、一部判決は適切ではないであろう。

　予備的併合の場合には、請求相互の関係が主位的請求棄却の場合に予備的請求についての審判を求めるという条件関係にあり、かつ、相互に両立しない請求であるため、一部判決をすると残部判決と矛盾抵触するおそれがあるから、一部判決は許されない。すなわち、主たる請求を排斥する裁判をするときは、同時に予備的請求についても裁判をすることを要し、これらについて各別に判決をすることは許されない（最判昭和38・3・8民集17巻2号304頁）。なお、主たる請求を認容する場合には、これは全部判決であるから、問題がない。

　選択的併合の場合には、当事者がいずれかの請求について認容判決が得られれば他の請求についての審判は求めないとして請求を立てているのに双方について認容判決をする結果になりうることはやはり適切ではなく、実務でも一部判決をする例はない。

[411] 　3　多数当事者訴訟の場合

　通常共同訴訟の場合には一部判決が可能であると説明されることが多いが、通常共同訴訟では、各当事者に上訴を行うか否かの自由があり（39条）、上訴がなされた訴訟関係についてだけ確定が遮断されるから、1つの判決がされた場合にも、各当事者ごとに判決は別個とみるべきであり、したがって、一部の訴訟関係だけについて判決がされた場合にも、性質上は全部判決とみるのが正しいであろう（条解1315頁、1319頁）。いずれにせよ、通常共同訴訟の場合であっても、争点を共通にする訴訟については安易にその一部について判決をすべきではない。

　また、通常共同訴訟の1類型である同時審判申出共同訴訟の場合には、一部判決は許されない（41条1項）。

必要的共同訴訟（40条1項）の場合には、合一確定が要求されるから、一部判決は許されない。独立当事者参加（47条）の場合も同様である。

[412]　4　1個の請求の場合

1個の請求の一部（たとえば500万円の請求のうちの当事者に争いのない200万円の部分）について一部判決ができるかについては、一部請求を否定する考え方からすればできないということになる（伊藤518頁）。本書のように一部請求を肯定する考え方からしても、一部請求をするか否かは当事者の意思にゆだねられていること（処分権主義）および判断の矛盾抵触のおそれという観点から、できないということになろう。

[413]　5　裁判の脱漏

数個の請求について全部判決としてされた判決が結果的に一部判決であった場合、すなわち、一部の請求について判断を行わなかった場合を、裁判の脱漏という（これに対し、攻撃防御方法についての判断を行わなかった場合は、再審事由である判断の遺脱〔338条1項9号〕となる）。

脱漏のあった請求についてはなお訴訟が係属することになる（258条1項）から、裁判所は、これについて判決をしなければならない。これを追加判決という。追加判決はすでにされた判決とは別個の判決であり、独立して上訴の対象となる。

なお、判決理由中で判断が示されているが、これに対応する主文が欠けている場合には、判断自体はされているわけであるから、裁判の脱漏としては扱わず、更正決定（257条1項）によって処理する。

訴訟費用の裁判の脱漏については、裁判所は、申立てによりまたは職権で、決定で裁判をする（258条2項）。

[414]　第2　本案判決、訴訟判決

訴訟物についての判断を行う判決が本案判決であり、それ以外の判決（訴訟要件や上訴の要件を欠くことを理由として訴えや上訴を却下する判決、訴訟終了宣言判決）を訴訟判決という。

本案判決には、原告の請求を認める請求認容判決、原告の請求を棄却する請求棄却判決、一部認容・一部棄却判決がある。請求認容判決は、請求の内容（訴えの3類型）に応じて、給付判決、確認判決、形成判決に分かれ、裁判の効力が異なる。給付判決には既判力と執行力、確認判決には既判力、形成判決

には既判力と形成力がある。請求棄却判決の性質は、すべて確認判決である。

訴訟判決の既判力は、訴訟要件の欠缺等その裁判の根拠となる判断について生じる（[465]）。

なお、訴訟費用の裁判（67条2項、258条4項）や仮執行宣言（260条）との関係で「本案の裁判」、「本案判決」という言葉が使われる場合、これには訴訟判決も含まれる。

第2項　中間判決

[415]　第1　概説

中間判決（245条）は、前記（[406]）のとおり、その審級における手続を終結させる効果をもたない判決であり、裁判所が、審理を整序するために行うものである。したがって、当事者に申立権はない。

実務においては、中間判決はさほど利用されていない。比較的多いのは、ある訴訟要件の存否が大きな争点となっている場合であり、後記②に当たるものである。中間判決がさほど利用されていないのは、独立した上訴ができない（終局判決前の裁判として、上訴裁判所の判断を受けるにとどまる〔283条本文〕）ので、その判断について早期に確定させることができない点にあると思われる。しかし、独立した上訴を認めると訴訟全体が遅延することにもなるので、立法のあり方としては難しいところである。実際には、当事者の一方または双方が中間判決を求める場合にこれがされる例が比較的多いと思われることからすれば、立法論としては、独立した上訴を認めるという方向性も考えられないではないであろう。

中間判決の対象となる事項には、①独立した攻撃防御方法、②中間の争い、③請求の原因、がある（245条）。

①は、独立して権利関係の発生や消滅をもたらしうる攻撃防御方法であり、売買、取得時効、弁済、相殺等をいう。もっとも、これについての判断がただちに訴訟物についての判断を導くときには終局判決がされる。

②は、訴訟手続に関する争いのうち口頭弁論に基づいて判断すべきものである。訴訟要件の存否、訴訟上の和解や訴えの取下げの効力等がこれに当たる。実務において中間判決がされる例が多いのは、この場合であろう。国際

裁判管轄を認めるものが典型的である（[694]にその例がある）。

これに対し、口頭弁論を要しない中間の争いについては、決定で裁判される。補助参加（44条1項）、受継（128条）、訴えの変更（143条4項）、証言拒絶（199条1項）、文書提出命令（223条1項）等である。

③は、請求権の存否に関する争いから数額を除いたものをいう。「請求の原因」といっても、訴訟物特定のためのそれとも、原告の請求を理由あらしめるためのそれとも意味が異なる（[235]の注(5)参照）。公害訴訟等において、非常に多数の原告が数額のみが異なる請求をしているときなどに利用されうる（たとえば、ここでいう「請求の原因」が認められれば訴訟上の和解が可能な場合等）。原因の存在を認める判決を原因判決という（「請求の原因は理由がある」と判断するものである）。

原因判決をするに当たっては、各種の抗弁についても判断することになる。したがって、被告は、原因判決の口頭弁論終結時までにそれらを主張しておかないと、以後主張できなくなる。もっとも、いくつかの抗弁については争いがある。

過失相殺については、損害の数額のみならず責任にもかかわるから、中間判決前に提出すべきであろう。

相殺の抗弁については、原因判決の口頭弁論終結時前に相殺の意思表示がなされていれば考慮すべきであるが、そうでなければ、原因判決によって相殺の抗弁の提出が遮断されることはないと考えるべきであろう（既判力の基準時後の相殺権行使の場合〔[472]〕と同様）。そして、前者の場合には、自働債権が存在しないか相殺適状にない場合にはその旨の原因判決（相殺の抗弁を排斥し、受働債権の存在を認める判断）をし、自働債権が存在しかつ相殺適状にある場合には、受働債権の数額が確定されない限り相殺の効果を判断することはできないから、相殺の可能性を留保した上で受働債権の存在について原因判決をすることになる。

限定承認等の物的有限責任の抗弁は、執行の問題であるから、請求の原因には属しないと考えるべきであろう（以上③につき、伊藤520～522頁、条解1329～1333頁、コンメⅤ38～41頁）。

以上のとおりであるが、抗弁についてまで審理判断を行わなければならないことを考えると、実際上、③についてあえて中間判決を行うことが本当に審理の適正迅速にかなうかは、いささか疑問である（適するのは、上記のとお

り、数額の算定にきわめて手数がかかるが「請求の原因」が認められれば和解の成立する見通しの高い事件くらいであろう）。

[416] **第2　中間判決の効力**

中間判決は、審理を整序するためのものであるから、当該裁判所に対して自縛力（[446]）をもち、裁判所は、中間判決で示した判断を前提にして判断をしなければならない。そのため、当事者も、中間判決の基本となる口頭弁論終結前に生じていた事由（攻撃防御方法）を主張して中間判決の判断を争うことは許されなくなる（なお、具体的な個々の攻撃防御方法については、前記**第1**のとおり、細かな議論がある）。したがって、裁判所は、弁論の制限（152条1項）等適宜の方法によって当事者に中間判決を予知させ、その点についての攻撃防御を尽くさせる必要がある。

中間判決には既判力等の効力は生じない。前記**第1**のとおり、これに対する独立の上訴は認められず、終局判決に対する上訴によって控訴審の判断を受けることになる（283条本文）。中間判決の効力は上級審に及ばない。しかし、もしも上級審が終局判決のみを取り消して事件を原審に差し戻したときには、原審は、なお、中間判決に拘束される。

第3節　判決の成立とその確定

第1項　判決の成立

[417] **第1　判決の内容の確定時点**

判決の内容は、判決の基礎になる口頭弁論に関与した裁判官によって構成される裁判所が確定する（249条1項）。つまり、裁判官が判決のための評議を終えた時点である（単独体裁判官の場合には、その頭の中で判決の内容が定まったときということになるが、これは、外部からはうかがい知れない）。

口頭弁論終結後判決内容確定前に裁判官が替わったときは、弁論を再開し、

弁論を更新した上で判決をする。結局、最終口頭弁論期日に関与した裁判官が、判決のための評議に携わることになる。

　上記のようにして判決の内容が確定した後に合議体の裁判官の一部が異動、退官、死亡等した場合にも、判決（判決書）の作成に問題はなく、他の裁判官（判決の基本たる口頭弁論に関与した他の裁判官）が判決書にその事由を付記して署名押印すれば足りる（規157条2項。この条文が使われる例はかなり多い）。

　評議については裁判所法に詳しい定めがある（75条ないし77条。新堂668頁等）が、実際には、争点ごとに評議を重ねてゆき、たとえば損害額等については自由な議論の中で決めているのが普通であり、また、そのような方法が違法であるとはいえないと考える（具体的には、瀬木・要論[119]の(2)。なお、結論については、裁判長の意見が重いともいわれるが、もちろん、多数決には従うべきである）。

[418]　第2　判決書

　判決書については、訴訟の結果を裁判官が記した重要な書面であるから、現在一般的に用いられている様式（いわゆる新様式判決書）について、ある程度具体的な理解が可能になるような説明をしておく（より詳しくは、また、設問と解答・解説を伴った判決書の実例については、瀬木・ケース参照）[1]。

[419]　1　概説

　判決書の内容面についての最低限の要請は、主文、請求、訴訟物、そして、当事者の主張とこれに対する判断が示されること、また、判断の部分については、主文を導くために必要な記述が尽くされていることである。

　判決書の必要的記載事項については253条（令和4年改正後252条）に定められているとおりだが、実際には、まず、「○年第○号○○請求事件」として事件名が特定され、また、「口頭弁論終結日」が示され（同条1項4号。既判力の基準時を明らかにするために表示される）、次に、「判決」の表題が入り、次いで、「当事者」、「主文」、「事実及び理由」と続き、最後に、裁判所名と所属の部を冒頭に付した裁判官の署名押印があって終わる。

---

(1)　なお、新様式判決書に対し、それ以前から用いられていた様式（旧様式・在来様式判決書）は、当事者の主張部分を、請求原因、これに対する認否、抗弁、これに対する認否、などといった形で主張責任の原則に従って段階的に記していた。これは、事実の見落としがなくなるという点ではすぐれているが、具体的な争点やそれに関する事実関係が一見して明らかにならない、法律家以外にとっては非常に読みにくいという欠点があった。もっとも、新様式の普及後も旧様式を用いている裁判官もいた。

当事者欄には、「当事者及び法定代理人」(同条1項5号。法定代理人は、当事者が訴訟無能力者や法人である場合の実際の訴訟追行者であり、送達もこれに対してなされる〔102条1項〔上記改正後99条1項〕〕ため、必要的記載事項とされている)のほか、補助参加人(42条。従たる当事者)、脱退者(48条)、選定者(30条。選定者については、給付判決では主文にも表示されることになる〔[164]〕)等も(主たる)当事者に準じて記載されるし、訴訟担当における被担当者についても判決効を受けるので、たとえば、破産者〇〇破産管財人弁護士〇〇といったように、訴訟担当者の肩書きの中に表示される(選定者の場合は上記のとおり別に表示されるが、これは、数が多い場合があることと主文にも表示される場合が多いからであろう)。また、訴訟代理人も記載される。

　主文は、当事者の申立てに応じて判決の結論を示す部分である。

　主文には、このほかに、職権でされる訴訟費用の裁判(67条)、申立てまたは職権でされる仮執行宣言、仮執行免脱宣言(259条)、仮執行失効による原状回復命令(260条2項、3項。上訴審判決)、上訴権の濫用に対する制裁としての金銭納付命令(303条、313条、327条2項。同)が記載される(以上のうち訴訟費用の裁判以外では、仮執行宣言はよくみられるが、それ以外はまれである)。

　事実については、請求と主文が正当であることを示すのに必要な主張(事実)を摘示することとされている(253条2項〔上記改正後252条2項〕)。しかし、実際には、主文を導くために必要な事実のみならず、当事者の主張した事実がすべて摘示されるのが普通である。

　理由については、主文を導くために必要なものを示せば足りることはもちろんである。

　判決書には、最終口頭弁論に関与した裁判官が署名押印する(前記**第1**に記したとおり、口頭弁論終結後判決内容確定前に裁判官が替わったときは、弁論を再開し、弁論を更新した上で判決をするから、いずれにせよ、最終口頭弁論に関与した裁判官が署名押印することとなる。249条1項、規157条1項)。

　以下においては、判決書の内容的中核部分である「事実及び理由」の部分について、私のとっていたスタイルを簡潔に解説してゆきたい。基本的には普通の新様式判決とそれほど変わりはないが、その枠組みの中で独自の工夫を行っていた部分も若干ある。

[420]　**2　事案の概要**

　通常は、表題のない前置き部分、「争いのない事実」、「争点」の3つの部

分に分けるが、私は、うち最初の部分を「事案の要旨」としていた。

[**421**]　(1)　事案の要旨

「事案の要旨」では、請求の概要を、訴訟物と請求原因が明らかになる形でなるべく簡潔に記載する。訴訟物については、附帯請求をも含めて明確に記載する（附帯請求については、遅延損害金の起算日と元金に対する割合の根拠を示す程度である）。また、予備的・選択的請求がある場合にはその旨も明らかにする。

請求原因については、簡単なものは一文の中に書き切ってしまうが、項を分けたほうがわかりやすい場合には、「請求原因は下記のとおりである」としてこの欄の末尾に記すこともある。

このように内容的に独立した「事案の要旨」の欄を設けるのは、訴訟物と請求原因が最初に読み取れるようにするためである（通常の例による場合の前置き部分の記述あるいは判決書の全体からそれらが読み取れればよいというのが普通の新様式の記載方法だが、それでは、肝心の訴訟物や請求原因がわかりにくくなる場合がある）。

[**422**]　(2)　争いのない事実ないし前提事実

私は、単独事件（単独体事件）判決では、「争いのない事実」の部分には、主要事実とこれに関連する重要な間接事実のうち争いのないものについてのみ記載していた。せいぜい数項であることが多い（なお、裁判所に顕著な事実、具体的には口頭弁論期日における消滅時効の援用や解除等については、関連する当事者の主張の部分に記していた）。

もっとも、この部分の標題を「前提事実」とし、当事者が不知として一応争う程度の事実でこの部分において認定してしまったほうが後の記述がわかりやすくなる事実を、争いのない事実とともに記載する方法もある。①こうした事実がかなり多い場合、②主要な争点が法的なものである場合等において「争点についての判断」では主要な争点だけを集中的に論じたほうがわかりやすいときに用いる。その場合には、「前提事実」という標題の後に、「（末尾に証拠を掲げた事実以外は当事者間に争いがない）」といったかっこ書の記述を行って、争いのない事実と証拠により認定した事実との区別を明らかにすべきであろう。

私は、単独事件判決では、「前提事実」の記載方法はほとんど用いず、事実認定はすべて「争点についての判断」のほうで行うようにしていた。しかし、前提的な事実関係の複雑な合議事件（合議体事件）判決では、「前提事

実」の記載方法を用いるほうがわかりやすい場合もある程度存在する。

[423]　(3)　争　点

「争点」の記載は、これに対応する理由の中核部分の説示と相まって、新様式判決の核心、心臓部である。

私の場合、単独事件判決では、この記載は、各争点について、その内容を示す見出しの後に、①主張・証明責任を負う当事者の主張、あるいは、②その主張に沿う具体的な争点の内容、を記載する形式で行っていた。すなわち、主張・証明責任を負う当事者の主張の概要をそのまま記載すれば足りる場合には、①の形式により（たとえば、「以下に記載する被告の錯誤の主張の当否」といった見出しの後に当該主張の概要を正確かつ具体的に記載する）、この主張に対する積極否認や反論が争点の内容として重要であるなど①の形式によるのでは争点が具体的に明らかにならない場合には、②の形式によっていた（たとえば、「上記連帯保証契約の成否」といった見出しの後に、どのような態様、内容でその争点が争われているのかを具体的に記載する）。

複雑な争点については、以上のような記載の後に、①の場合には相手方の主張を、②の場合には双方の主張を併記する（「原告の主張」、「被告の主張」といった形で併記する）と、よりわかりやすくなる。合議事件判決ではむしろこれが普通のようである。ただし、その場合に気を付けるべきことは、この記載はあくまで補充的なものとし、先のような部分までの記載で争点の内容自体はとりあえず書き切っておくことであろう。

時に、「争点」の見出しないし概要部分の記述と「これに関する双方の主張」と題された部分の記述を読んでもなお何が争点なのかが今一つ明らかにならない判決がある。これでは、長く書くことによってかえって争点の内容があいまいになっているわけであって、長く書く意味がない。

なお、各主張の位置付けがわかりにくい場合には、それぞれの記載の末尾に、「（請求原因の一部についての積極否認）」、「（再抗弁）」などといった形でその位置付けを記しておくのが適切である。

[424]　3　争点についての判断

通常は「争点に対する判断」の標題を用いることが多いのだが、「争点に関する当事者の主張に対する判断」というならともかく、ストレートに「争点に対する判断」というのはどうも日本語としてぴんとこないので、私は、「争点についての判断」としていた。

452

新様式判決のメリットは、前記「争いのない事実」、「争点」（前記2(2)、(3)）の記載とこの部分とが直接的に呼応し合って当事者の問いに答える形が浮き立つようになっていることであるから、そのような流れを意識しながら書くことが大切である。

[425]　**4　まとめ**

　以上に述べた私の判決起案の方法の要諦を示すと、①判決を読むだけで事案の全容が理解できるように書く（そうした意味での説明とわかりやすさに留意する）、②なるべく凝縮した記述の中に大きな情報量を盛り込むようにする（同じことを何度も繰り返したり、形式的でフラットな記述、無意味な記述部分〔たとえば、判断に何らかかわりのない事実認定を長々と行ったりするなど〕を作らないようにする）、③全体として、わかりやすく書く（ことに、事実認定に当たっては、そのストーリー的な要素に留意し、事柄の意味や因果関係を意識して書く。また、個々の事実認定になるべくまとまりをもたせる）、④法律論については、問題、結論、根拠を明確かつ論理的に記述する、といったところであろうか。

第3　判決の言渡しとその送達

[426]　**1　判決の言渡し**

　判決は、言渡しによってその効力を生じる（250条）。つまり、その言渡しによって判決の成立が確定する。たとえ判決書原本が作成されていても、言渡しがなければ、判決はあったことにならない（「非判決」であって「無効な判決」ではない〔[451]〕）[2]。言渡しの性質については、判決の内容を宣言する事実行為であるとする考え方が有力である（新堂672頁等）が、法律効果の発生を目的とするから意思表示に類するとする考え方もある（伊藤530頁の注(119)）。

　判決の言渡しは、口頭弁論期日においてされることを要する（言渡期日も最広義の口頭弁論期日に含まれる〔[220]〕）。言渡しは、原則として、口頭弁論終結日から2か月以内にしなければならない（251条本文。もっとも、ただし書があり、また、いずれにせよ、本条は訓示規定であると解されている）。

　言渡期日の指定がないまま言い渡された判決、指定された期日と異なる日

---

[2]　かつては、当事者が法廷にいないと事実上判決の言渡しを省略してしまう裁判官もいたが、これは、訴訟法的には大問題になりかねない。160条3項（令和4年改正後160条4項）との関係については、調書の偽造（虚偽記載も一種の偽造である）の問題となる（コンメⅢ416〜417頁）。

時に言い渡された判決は違法である（判決成立手続の違法〔306条〕となる）が、その違法を上告理由とするためには、当事者の権利関係に具体的な不利益が生じたことを要する（大判昭和18・6・1民集22巻426頁）。

判決言渡期日の日時は、あらかじめ、裁判所書記官が当事者に通知することとされている（規156条本文。上記の「言渡期日の指定」とその「当事者への通知」は異なる概念であることに注意）。ただし、口頭弁論期日（通常は最終口頭弁論期日であろう）においてすでに告知した場合、また、口頭弁論を経ないで不適法な訴えを却下する場合には、通知を要しない（同条ただし書）。この規定は、旧法時代に争いのあった点を明確にしたものである（実際にこの点が問題になることが多いのは、上告審で口頭弁論を経ないで判決を言い渡す場合であった〔[641]〕）。もっとも、訓示規定であると解されているので、通知を怠っても、言渡しの手続が違法となるわけではない（判決の内容に影響はないので、上告理由にならない。コンメⅤ168〜169頁、最判昭和50・10・24判時824号65頁〔口頭弁論終結時に判決言渡期日を追って指定とし、後に指定した期日を当事者に告知せず呼出しもしないまま判決を言い渡した事案〕）。

判決の言渡しは、当事者が在廷しなくてもできる（251条2項）。裁判所の単独行為にすぎず、当事者の関与を要しないからである。訴訟手続の中断中でもできる（132条1項）のも、同趣旨である。もっとも、後者の場合には、判決が当事者に送達されても、訴訟手続の中断中は、上訴期間は進行しない（同条2項）。

判決の言渡しの方法については、公開の法廷で（憲82条1項）、裁判長が、判決書の原本に基づき（252条〔令和4年改正後253条1項〕。ただし、後記2の「判決書の原本に基づかない判決の言渡し」の例外がある）、主文を朗読してする（規155条1項）。理由については、相当と認めるときに、朗読し、または口頭でその要領を告げれば足りる（同条2項）。実務においては、重大事件の場合等に、事実上判決要旨を作成して、これを配布する（なお、報道機関にも配布されることが多い）とともに、読み上げ、あるいは敷衍して告げるなどのことがされている。

判決の言渡しについては、判決の基本たる口頭弁論に関与し、判決のための評議と判決書の作成に携わった裁判官が行う必要はない。実際にも、異動した前任者の作成した判決の言渡しを後任の裁判官が行う例は多い。

判決書は、言渡し後遅滞なく裁判所書記官に交付し、裁判所書記官は、これに言渡しおよび裁判所書記官への交付の日を付記して、押印しなければならない（規158条）。

[427]　2　判決書に代わる調書（調書判決）

　①被告が原告の主張を争わない場合、②被告が口頭弁論期日に出頭せず、陳述擬制（158条）のされる答弁書等も提出しない場合、③公示送達による呼出しを受けた被告が口頭弁論期日に出頭しない場合、には、判決書の原本に基づかない判決の言渡しがなされうる（254条1項）。①、②の場合には被告は請求原因を自白したものとみなされる（159条1項、3項本文）のに対し、③の場合には証拠による認定が必要である（同条3項ただし書）。もっとも、③の場合にも、理由は、「甲各号証および原告本人尋問の結果によれば請求原因事実を認めることができる」といった簡潔なもので足りるので、調書判決でよいとされているのである。

　これは、裁判長が、主文および理由の要旨を告げてする（規155条3項。通常の場合と異なり、理由の要旨を告げることが必要的とされている）。

　以上がいわゆる「調書判決」であるが、調書判決といっても、調書の記載をもって判決書の作成に代える（254条2項）にすぎず、調書が判決書になるわけではないし、言渡しの時点ではそのような調書が作成されているわけでもない（言渡し後に作成される）。この点誤解のあることが多いので付言しておく。

　また、254条2項は通常の判決書の必要的記載事項である口頭弁論終結日（253条1項4号〔令和4年改正後252条1項4号〕）を上記のような調書の必要的記載事項としていない。これは、第1回口頭弁論期日に弁論を終結してただちに調書判決をすることを可能にする趣旨と解されている（コンメⅤ201頁）。

　しかし、これをすると、被告が、言渡し後に弁論再開の申請をすることが一定の割合でありうる（たとえば、言渡しの直後に被告が法廷に到着した場合等）ので、実務では、言渡しについては別の期日を指定して行う例が多い。

[428]　3　判決の送達

　判決書または判決書に代わる調書は、当事者に送達される（255条1項）。判決書については正本によってするとの定めがある（同条2項）。調書についても、同項では謄本によってするとしているが、規則159条2項は、正本によってすることができるとしており、強制執行を行うには正本が必要であることを考えると、ここは正本によるべきであろう（コンメⅤ204～205頁）。

　この送達は、裁判所書記官が判決書の交付を受けた日あるいは調書判決言渡しの日から2週間以内にしなければならない（規159条1項）。2週間の控訴期間は、当事者が上記の送達を受けた日から起算する（285条）。当事者が

言渡しに立ち会っていても、そこで交付送達（100条〔令和4年改正後102条〕の裁判所書記官送達）を受けなければ、後に送達された日から起算することになる（弁護士が控訴の準備期間を長くとりたいときにそうする例がある。書記官に「事務所に送達していただけますか」と頼むことになる）。判決の内容を正確に知った時点を起算点とするということである。

第2項　判決の確定

[429]　**第1　概説**

判決は、これに対する通常の不服申立ての余地がなくなったときにその手続内では取り消される余地がなくなる（再審はまた別の問題である）。こうした状態になることを判決の確定といい、こうした状態を、判決の効力とみて、形式的確定力ともいう。既判力（形式的確定力との対比から実質的確定力あるいは実体的確定力ともいう）、執行力、形成力といった一般的な判決の効力は、判決の確定を待って生じる。

[430]　**第2　確定の時期**

判決の確定時期については、以下のとおりである。

不服申立てができない判決（上告審判決、少額訴訟の判決に対する異議後の判決〔380条1項〕）は言渡しと同時に確定する。不上訴の合意がある場合にも同様である。

上訴、異議申立てが許される判決の場合には、①上訴等の提起がないまま上訴等の期間が満了した時（116条1項）、②上訴等の期間満了前に上訴権等が放棄された時、③上訴等の提起後上訴等の期間満了後に上訴等を取り下げた時、④上訴等の提起後上訴等の期間満了前に上訴等を取り下げた場合には上訴等の期間が満了した時（それまでは再度の上訴が可能であるため）、⑤上訴等が棄却または却下された時、に確定する。

[431]　**第3　確定の範囲**

数個の請求について1つの判決がされ、一部の請求についてのみ不服申立てがなされた場合であっても、確定遮断効は、判決全体について生じる。こ

れを上訴不可分の原則という（[607]）。

例外としては、以下のようなものがある。

通常共同訴訟の場合には、各当事者に上訴を行うか否かの自由があり、上訴がなされた訴訟関係についてだけ確定が遮断される（[529]）。

一部認容・一部棄却判決について、上訴をしなかった当事者が附帯上訴権を放棄した場合には、その当事者の敗訴部分についてのみ判決が確定する。

[432] 第4 確定の証明

当事者等が確定判決の効力（前記第1）を主張して何らかの行為（確定判決に基づく登記や戸籍の記載等）を行うためには、確定証明書が必要である。既判力、形成力等の判決の効力は、確定によって生じるからである。ただし、強制執行の申立ては執行文の付された債務名義の正本に基づいて実施される（民執25条）ので、確定証明書は不要である。

第一審裁判所の裁判所書記官は、当事者または利害関係を疎明した第三者（115条により既判力の拡張を受ける者など）の請求により、訴訟記録に基づいて判決確定証明書を交付する（規48条1項）。訴訟がなお上訴審に係属中であるときは、上訴裁判所の裁判所書記官が判決の確定した部分のみについて判決確定証明書を交付する（同条2項）。以上は、訴訟が完結したときには訴訟記録が第一審裁判所の裁判所書記官に送付されそこで保存されることによる（規185条、186条）。

第4節　仮執行宣言等

[433] 第1項　要件等

仮執行宣言とは、未確定の終局判決に執行力を付与する裁判である。

敗訴者の上訴についての利益とのバランスを図るために仮執行宣言が認められ、さらに、敗訴者には、これとのバランスを図る制度として仮執行免脱宣言が認められている。仮執行宣言は、性質としては形成の裁判である。

仮執行宣言は、財産権上の請求に関する判決について、必要性が認められる場合に、付することができる（259条1項）。財産権上の請求に関する判決であれば、後に上級審で請求が棄却されても原状回復が比較的容易であるというのがその理由である。
　強制執行によらないところの判決の結果の実現（広義の執行）を早期に実現させる必要がある場合もありうるので、その対象は、給付判決に限らない。たとえば、執行の停止・取消し・変更・認可をする判決にも付することができる（民執37条1項、38条4項。請求異議の訴え〔民執35条〕等の執行関係訴訟では、多くは訴えの提起とともに、当事者が強制執行の停止等の裁判を求めるのが普通であり〔そうでないと強制執行がなされてしまい、訴え提起の意味がなくなるから〕、したがって、執行関係訴訟の終局判決では、こうした裁判をし、あるいはそれについての後始末をする必要が出てくる。そのような、執行の停止・取消し・変更・認可をする判決には、仮執行宣言を付することが必要的とされている）。控訴を棄却・却下する判決については、これを付することができるかについて争いがある（肯定説は、そのような判決に仮執行宣言を付することによってそれが確定したのと同様になり、反射的に執行力を有することになるという）が、消極に解すべきであろう。控訴審がみずからその主文で第一審判決に仮執行宣言を付するのが明確、適切である。なお、上告審の場合はただちに確定するから仮執行宣言は問題にならない（条解1422〜1423頁、コンメⅤ228〜229頁）。
　また、給付判決のうち意思表示を命じる判決に仮執行宣言を付することができるかという問題がある。たとえば登記手続請求に関する判決等である。意思表示を命じる判決に仮執行宣言を付すると、それにより実体的な法律効果が確定的に生じてしまい、その原状回復は困難であるから、これを否定すべきであろう。もっとも、他の区分所有者の専有部分等の使用権（建物区分6条2項）等の他人の不動産についての使用請求権に関しては、仮処分（仮の地位を定める仮処分）についてはこれを認めるのが私見であり、また、実務でもある。権利の早期実現の必要性が高いこと、これによる損害が比較的限られかつ軽微であることを考えると、仮処分については、本案の権利関係の仮の規整というその機能にかんがみ、これを認めてよいと考える（瀬木・民保[**347**]）。同内容の判決の場合には、原則に戻り、否定すべきであろう。
　次に、仮執行宣言のもう1つの要件である必要性については、相対的概念

であり、裁判所の裁量にゆだねられている。権利の早期実現の必要性が最も大きなファクターであろうが、これと併せて、判決が上級審で取り消される可能性、被告が被る損害の重大性、また、立担保を仮執行宣言の条件とするか、仮執行免脱宣言（担保提供を条件として仮執行を免れうる旨の宣言。申立てまたは職権による。259条3項）を付するかをも、総合的に考慮して決定すべきである。

現在の実務では、金銭請求はもちろん、たとえば不動産の明渡請求についても仮執行宣言が付されることが普通になっている（もっとも、実際に仮執行宣言に基づく執行が行われるか否かについては事案により相違がある〔[011]〕）が、財産権上の請求については原状回復が比較的容易であるというのは理屈の上の話で、実際にはそうでもない場合も多いのだから、必要性の判断は、個々の事件の特質をみながら行われるべきであろう。また、仮執行免脱宣言については、申立てがある（この申立てをするのは、国や大企業等資力のある当事者が多い）とこれが付されることが多いが、これについても、個々の事件の特質をみるべきであろう。

手形または小切手による金銭支払請求およびこれに附帯する法定利率による損害賠償の支払請求（259条2項）、少額訴訟（376条1項）の各請求認容判決については、仮執行宣言は必要的であり（権利の早期実現の必要性が高いからである。前者は原則として無担保）、控訴審における金銭支払請求認容判決については、申立てがあれば、不必要と認める場合を除き、仮執行宣言を付さなければならない（310条。権利の早期実現の必要性と上告審で結論が変わる可能性が低いのを考慮してのことであろう。これも原則として無担保）。

[434] ## 第2項　仮執行宣言の手続

判決主文中に掲げられるのが通常だが（259条4項）、終局判決とは別の決定で行われる場合もある（同条5項、294条、323条）。

仮執行宣言は、申立てまたは職権によって、申立てのみによって、あるいは職権で、される（条文によって異なる）。立担保を要求するか否かについては、多くは裁判所の裁量にゆだねられる（259条1項、2項、310条、376条1項）が、上級審が原判決中不服申立てのない部分について付する場合には無担保である（294条、323条）。

担保は、相手方当事者の被る損害（仮執行免脱宣言の場合には執行が遅れること

による損害）を担保するためのものであり、相手方当事者は、これについて他の債権者に先立って弁済を受ける権利（優先弁済権）を有する（259条6項、77条）。

[435] 第3項　仮執行の効果

　仮執行宣言に基づく仮執行は、その言葉とは異なり、性質としては本執行である。ただ、請求の存否が仮定的だというだけである。もっとも、上級審がその請求について判断を行う場合には、仮執行の結果は度外視される。仮執行は、原判決が上級審で取り消されることを解除条件にして発されるものだからである。仮執行宣言がされた結果として被告が任意に弁済等をした場合にも同様に考えるべきであろう。

　仮執行宣言は、その宣言または本案判決を変更する判決の言渡しにより、変更の限度でその効力を失う（260条1項）。しかし、すでに完結した執行処分はこれによって無効にならないと解されている（たとえば、強制競売における競落人の所有権取得の効果はくつがえらない。大判昭和4・6・1民集8巻565頁）。

　裁判所は、本案判決を変更する場合には、被告の申立てにより、その判決で、仮執行宣言に基づき被告が給付したもの（仮執行宣言によって履行を命じられた債務につきその弁済としてした給付は、それが全くの任意弁済であると認められる特別の事情がない限り、「仮執行宣言に基づき被告が給付したもの」に当たる〔最判昭和47・6・15民集26巻5号1000頁〕）の返還および仮執行によりまたはこれを免れるために被告が受けた損害の賠償を原告に命じなければならない（同条2項、3項）。もちろん被告はこの目的のために別訴を提起することもできるが、被告の利益のために簡易な債務名義を与えることとしたものである。

　上記のうち損害賠償責任については、無過失責任とするのが判例（大判昭和12・2・23民集16巻133頁）、多数説であるが、不法行為の成立が著しく限定されている不当提訴の場合（最判昭和63・1・26民集42巻1号1頁、百選5版36事件。訴えの提起は、提訴者の主張した権利または法律関係が事実的、法律的根拠を欠くものである上、同人がそのことを知りながらまたは通常人であれば容易にそのことを知りえたのにあえて提起したなど、裁判制度の趣旨、目的に照らして著しく相当性を欠く場合に限り、不法行為となるとしている）、過失責任説が判例である保全命令が取り消された場合の損害賠償責任の場合（最判昭和43・12・24民集22巻13号3428頁、百選5版60事件。なお、学説には無過失責任説が多いが、私見は、判例

同様過失責任説である〔瀬木・民保[069]〕）とのバランスが悪く、また、裁判所の判断のリスクをそのまま原告に負わせるのは疑問であることからしても、過失責任説が相当であると考える（同旨、伊藤623〜624頁）。そして、結局のところ原告の請求が認められなかったことを考慮し、保全命令についての判例同様に、過失について事実上の推定がはたらくと考えれば十分であろう。

[436] 第5節　**訴訟費用とその負担、訴訟救助、法律扶助**

訴訟費用の裁判は必ず判決主文中に掲げられるので、この章で訴訟費用とその負担一般について論じ、併せて、訴訟救助、法律扶助についても解説する。

[437] 第1項　**概説**

訴訟費用とその負担、また、これに関する、資力に乏しい当事者についての訴訟救助・法律扶助制度のあり方は、民事訴訟法理論としては枝葉の部分になるが、提訴のインセンティヴに大きく影響するという意味で、法社会学的な観点からすれば重要な分野であり、社会に与える影響も大きい。

しかし、日本では、弁護士費用（弁護士報酬）の敗訴者負担を原則として認めるかという基本的な問題からして十分な議論や検討が行われてきておらず（判例は、不法行為請求〔最判昭和44・2・27民集23巻2号441頁〕および使用者の安全配慮義務違反を理由とする債務不履行に基づく損害賠償請求〔最判平成24・2・24判時2144号89頁、判タ1368号63頁〕についてのみ、諸般の事情を斟酌して相当と認められる範囲内のものに限り、敗訴者負担を認めている）、また、原告の資力や事件の種類に応じて費用負担や訴訟救助のあり方を調整する方向についても、同様の状況である。法律扶助については、後記**第7項**のとおり、近年、ようやく国家レヴェルの制度が整備された。

[438] 第2項　**訴訟費用の種類**

訴訟費用には、訴訟救助の基準となる「訴訟の準備および追行に必要な費

用」（広義の訴訟費用。82条本文）と、民事訴訟費用等に関する法律が定めるところの、その負担が訴訟費用の裁判で定められる訴訟費用（狭義の訴訟費用）とがある。

弁護士費用は、前記**第１項**のとおり狭義の訴訟費用には含まれていないが、これには、勝訴者の権利の完全な実現が全うされない、安易な上訴を招きやすいなどの問題があり、本来は、弁護士費用を狭義の訴訟費用に含め、その敗訴者負担の原則を実現するとともに、原告の資力や事件の種類に応じて費用負担や訴訟救助のあり方を調整する方向（場合により費用負担の免除までをも含めて）を考えてゆくべきであろう。しかし、弁護士会等の反対があり（訴えの提起を阻害するなどの理由による）、こうした議論は進捗していない。弁護士集団の利益にこだわる議論ではなく、未来の訴訟のあるべき姿を踏まえた建設的な議論が必要であろう。

狭義の訴訟費用は、大きく、当事者が裁判所を通じて国庫に納付する「裁判費用」と、当事者がみずから支出する「当事者費用」とに分けられる。

「裁判費用」は、当事者が訴えの提起等各種の申立てに当たって納付する申立手数料と、それ以外の費用とに分けられる。

申立手数料は、訴訟の目的の価額等を基準にして定められ（民訴費３条１項、同別表第１）、原則として収入印紙貼付の方法によって納付される（同８条）。

それ以外の費用は、裁判所が送達や証拠調べなどの訴訟行為を行うために必要な費用であり、郵便の送達による場合の郵便料金、証人・鑑定人の旅費・日当・宿泊料、裁判所外における証拠調べの場合の裁判官等の出張費等が含まれる（同11条、18条ないし28条）。これらの費用については、その概算額を当事者に予納させる（同12条１項）。予納がないときには、裁判所は、その費用を要する行為を行わないことができる（同条２項）。

以上のうち比較的大きな金額となることがあるのは、申立手数料と鑑定人の報酬である。

「当事者費用」は、当事者や代理人が期日に出頭するための旅費・日当・宿泊料、訴状等の書面・書類の作成・提出費用（民訴費２条４号ないし６号）等である。弁護士費用は、裁判所がその付添いを命じた場合（155条２項、民訴費２条10号）にのみ当事者費用に含まれる。

[439] 第3項　訴訟費用の負担

　訴訟費用（狭義のそれ）は、原則として敗訴者の負担とされる（61条）。これを「訴訟費用敗訴者負担の原則」という。勝訴者が訴訟費用を負担させられるのでは、権利の完全な実現が事実上妨げられるからである。

　一部敗訴の場合には、裁判所がその裁量で各当事者の負担を定める（64条本文）。金銭請求の場合はおよその勝訴割合によって負担を定めるのが通常である。ただし、裁判所は、事情により、当事者の一方に訴訟費用の全部を負担させることができる（同条ただし書）。敗訴部分が全体のごく一部である場合に敗訴者に費用を全部負担させる例が多い。

　勝訴当事者が、不必要な行為をした場合や訴訟を遅滞させた場合には、裁判所は、これによって生じた訴訟費用の全部または一部を勝訴当事者に負担させることができる（62条、63条）。

　共同訴訟人は、等しい割合で訴訟費用を負担するのが原則だが、裁判所は、事情により、連帯してこれを負担させ、あるいは、他の方法により負担させ（65条1項。たとえば、共同訴訟人にかかわる請求の訴額が異なる場合に、これに応じて負担を定めるなどである。なお、共同訴訟人のうち一部の者が勝訴し、他の者が敗訴した場合の訴訟費用の負担については、条解318頁参照）、また、不必要な行為をした当事者にその行為によって生じた訴訟費用を負担させることができる（同条2項）。

　相手方は、訴訟費用負担者に対して自己が支出した訴訟費用の償還請求権を取得するが、これは、後記**第4項**の手続によって発生するものであり、これとは別に給付の訴えを提起することはできない。

　法定代理人、訴訟代理人、裁判所書記官、執行官が故意重過失により無益な訴訟費用を生じさせた場合、あるいは、法定代理人、訴訟代理人が必要な授権を証明することができずかつ追認を得ることができなかった場合においてその訴訟行為によって生じた費用については、裁判所は、申立てまたは職権により、これらの者に費用負担者への償還を命じることができる（69条）。この第三者の費用償還義務は、当事者の費用償還義務とは別個のものである（69条の費用償還命令により費用支出者が償還を得ればその支出はなかったことになるが、それまでは、2種の費用償還義務が併存することになる〔条解325～326頁〕）。

[440] 第4項　訴訟費用負担の裁判と訴訟費用額の確定手続

　裁判所は、終局判決において、職権で、その審級における訴訟費用の負担に関する裁判をする（67条1項本文）。

　上級審裁判所が原審の本案の裁判を変更する場合には、原判決中の訴訟費用の負担に関する裁判は当然効力を失うと解されるので、上級審裁判所は、複数の審級を通じた訴訟の総費用について負担の裁判をする。上級審裁判所が原判決を取り消した上で差戻しまたは移送の裁判をする場合も同様である（同条2項）。これに対し、上訴棄却または却下の場合には、その審級における訴訟費用の負担に関する裁判を行えば足りる。

　訴訟費用負担の裁判に対しては、独立の上訴は認められない（282条、313条）。付随的な裁判である訴訟費用の負担の裁判に対する不服を理由に濫上訴がされることを防ぐ趣旨である。

　これに対し、本案の裁判に対する上訴の中で訴訟費用の負担の裁判に対する不服を申し立てることは許される。それでは、その場合に、上訴が棄却されるときに、訴訟費用の負担の裁判に対する不服申立ては不適法となるか。判例は、訴訟費用の負担の裁判に対しては独立の上訴は認められないことを理由にこれを不適法とする（最判昭和29・1・28民集8巻1号308頁等）。しかし、原判決がその理由によれば不当である場合にも他の理由により正当であるときは上訴が棄却される（302条2項、313条）場合等があることを考えると、明らかに理由のない上訴であったとはいえないことになるから、原判決の訴訟費用の負担の裁判に対する不服申立てを適法としてこれを見直す余地を認めるべきであろう（新堂994頁、伊藤628～629頁等）。

　訴訟費用負担の裁判は負担者とその割合を定めるだけなので、具体的な金額については、負担の裁判が執行力を生じた後に、申立てに基づいて裁判所書記官が定める（71条1項ないし3項）。この処分に対しては異議の申立てが認められ、裁判所は、異議の申立てに理由があると認める場合において、訴訟費用の負担の額を定めるべきときは、みずからその額を定めなければならない（71条4項ないし6項。詳しくは一問一答71～72頁参照）。異議の申立てについての決定に対しては、即時抗告をすることができる（同条7項）。

　裁判上の和解において和解の費用または訴訟費用の負担を定めその額を定

めなかったときは、申立てにより、裁判所書記官がその額を定める（72条。もっとも、訴訟上の和解においては、「訴訟費用および和解費用は各自弁とする」という条項で処理するのが通例である。なお、裁判上の和解、訴訟上の和解の相違については、[510]参照）。訴訟が裁判および和解によらないで完結した場合（訴えの取下げ、請求の放棄・認諾等の場合）については、申立てにより、第一審裁判所が決定で訴訟費用の負担を命じ、裁判所書記官がその額を定める（73条)[3]。

[441]　第5項　訴訟費用の担保

　原告が日本国内に住所や事務所・営業所をもたない場合には、訴訟費用の償還義務が履行されないおそれがあるので、法は、訴訟費用の担保の制度を置き、被告に対し、担保の提供がなければ応訴しないとの訴訟手続上の抗弁（応訴を拒めるので、「妨訴抗弁」という〔[170]の注(2)〕）を認めている。

　原告が日本国内に住所や事務所・営業所をもたない場合には、裁判所は、被告の申立てにより、決定で、訴訟費用の担保を立てるべきことを原告に命じなければならない（75条1項）。担保の額は、被告が全審級において支出すべき訴訟費用の総額を標準として定める（同条6項）。被告は、原告が担保を立てるまで応訴を拒むことができる（同条4項）。原告が担保を立てるべき期間内にこれを立てないときは、裁判所は、口頭弁論を経ないで、判決で、訴えを却下する（78条）。

---

(3)　なお、強制執行の費用のうち民事執行法42条2項の規定により執行手続において同時に取り立てられたもの以外の費用については、その額を定める執行裁判所書記官の費用額確定処分を経て、強制執行により取り立てうることとされている（同条4項ないし9項、同22条4号の2）ところ、この費用について費用額確定手続によらずに不法行為に基づく損害賠償請求ができるかという問題がある。

　これについては、最判令和2・4・7民集74巻3号646頁が否定説を採り、その理由として、同法42条1項にいう強制執行の費用の費目及び額の範囲は民事訴訟費用等に関する法律2条で法定されているが、その趣旨は、手続当事者（費用負担者）に予測できない負担が生じることを防ぐとともに、費用額の確定を容易にしその簡易迅速な取立てを可能にすることにあるところ、上記の問題について肯定説を採るとこのような制度趣旨がそこなわれると述べている。

　そして、民事訴訟費用についても同条により費目及び額の範囲が定められていることに照らすと、以上の理は、民事訴訟費用額確定処分の対象となる費用についても同様に当てはまると考えられる。

ただし、被告が、担保を立てるべき事由があることを知った後に本案について弁論等をしたときは、もはや、担保提供の申立てはできない（75条3項）。また、原告の金銭請求の一部について争いがなくその額が担保として十分である場合には、被告は、これと費用償還請求権との相殺によって満足を受けられるから、原告に担保の提供を命じる必要はない（75条2項）。

担保の提供は、金銭や有価証券の供託、あるいは銀行等との支配保証委託契約の締結の方法によって行われる（76条、規29条）。

被告は、担保について、原告に対する他の債権者に先立って弁済を受ける権利（優先弁済権）を有する（77条）。具体的には、訴訟費用額確定処分を添えて供託金還付請求を行うことになる。

これに対し、原告が担保を取り戻すには、担保取消決定を得る必要がある。担保取消決定は、①担保の事由が消滅した場合（79条1項。たとえば、原告が日本国内に住所等をもつようになった、原告勝訴判決確定により原告が訴訟費用償還義務を負わないことが確定されたなどの場合）、②担保権利者の同意を得た場合（同条2項。訴訟上の和解等で同意をする場合が多い）、③訴訟完結後裁判所が担保提供者の申立てにより担保権利者に対し一定の期間内にその権利を行使すべき旨を催告したにもかかわらず担保権利者がその権利を行使しなかった場合（同条3項。原告敗訴判決が確定したのに催告があっても被告が権利行使〔損害賠償請求訴訟の提起等〕をしないなどの場合。担保権利者の同意があったものとみなされ、2項の規定により担保取消決定がされる）、にされる。担保取消決定に対しては、即時抗告ができる（同条4項）。

訴訟費用に関する担保の手続規定は、他の法令（たとえば会社824条2項、836条1項、2項）により訴えの提起について立てるべき担保について準用される（81条）。また、一般に、法が担保提供を要求するときには、これが準用されることが多い。仮執行宣言の担保（259条6項）、執行停止の担保（405条2項）、民事保全法上の担保（民保4条2項）、民事執行法上の担保（民執15条2項）等の場合である。ことに、執行停止の担保、民事保全法上の担保については、弁護士が日常的に関係することが多いので、実務家はよく理解しておく必要がある。

実際には、訴訟費用に関する担保提供の申立てがあることは稀有であり、むしろ、以上のような準用手続のほうがはるかに重要だということである。

[442] **第6項　訴訟救助**

　　裁判所は、訴訟の準備および追行に必要な費用（広義の訴訟費用。狭義の訴訟費用に限らず、弁護士費用、事前の調査費用等訴訟のために必要な費用を広く含める〔伊藤632〜633頁等〕）を支払う資力がない者またはその支払により生活に著しい支障を生じる者に対して、勝訴の見込みがないとはいえない場合に、審級ごとに訴訟救助の決定をすることができる。救助の決定を受けた者は、裁判費用等一定の費用の支払を猶予される（82条、83条1項）。ただし、救助の効力は一身専属的であり（83条2項）、訴訟承継人には及ばないから、承継人に資力があれば、猶予されていた費用の支払が命じられる（同条3項）。実務においては、訴え提起の手数料に限定して訴訟救助決定がされる場合が多い（この点は、勝訴の見込みの程度いかんによるであろう）。

　　訴訟救助を受けた者の相手方に訴訟費用の負担を命じる裁判が確定した場合には、国が支払を受けるべき費用については、国が、敗訴者から訴訟費用を直接取り立てることができる（85条前段。民訴費16条2項、15条の手続による）。83条1項2号の弁護士報酬等（155条2項の場合）、83条1項1号の執行官手数料等については、弁護士および執行官が、訴訟救助を受けた者に代わって、訴訟費用額確定の申立てをした上で相手方からそれを取り立てる（85条後段）。

　　訴訟救助を受けた者の全部敗訴判決が確定し、かつ、その者に訴訟費用を全部負担させる旨の裁判が確定した場合には、救助決定は当然にその効力を失い、裁判所は、同決定を84条により取り消すことなく、同決定を受けた者に対し、猶予した費用の支払を命じることができる（最決平成19・12・4民集61巻9号3274頁。上記の場合以外の救助決定の効力、猶予した費用の支払命令については、コンメⅡ143〜144頁参照）。

　　以上のとおり、訴訟救助を受けた者は、最終的に訴訟費用の負担を命じられれば、猶予された費用を支払わなければならない。つまり、訴訟救助は、訴訟費用の支払猶予の制度にすぎず、これを免除するものではない。

[443] **第7項　法律扶助**

　　訴訟救助は訴訟費用の支払を猶予をするにとどまるが、法律扶助は、より

広く、その対象を、たとえば、弁護士費用、書類作成費用、法律相談等にまで拡大するものである。

日本では、財団法人法律扶助協会が一部国費の補助を受けながら法律扶助事業を運営していたが、法律扶助制度は、本来国家が行うべきものであり、その対象についても拡充整備の必要性があったことから、2000年（平成12年）に民事法律扶助法が制定され、さらに、2004年（平成16年）には、総合法律支援法が制定される（これに伴い民事法律扶助法は廃止）とともに、法律扶助制度が、国民が法律専門職のサーヴィスをより身近に受けられるようにするための総合的な支援（総合法律支援法1条）の一環として位置付けられ、かつ、整備された。そして、かつての法律扶助協会の事業は、日本司法支援センター（法テラス）に継承された。

弁護士費用、書類作成費用（弁護士に依頼する書類作成のための費用）は国が立て替えるが、法律相談は無料である。もっとも、これらについては、収入等による制限がある[4]。

---

(4) 法律扶助制度は、市民の権利確保のためにきわめて重要でありながら、従来の民事訴訟法学ではあまり顧慮されてこなかった分野である（提訴手数料の問題〔[101]〕もそうだが、それよりもはるかに重要）。

普通の市民の身近な紛争の大部分は、弁護士の採算ベースに合わない。そうした紛争についてもきちんとした法的解決を図りたい、ケアをしたいというのであれば、その条件として、①弁護士数の増加、だけでは足りず、②国家の関与するリーガルエイド、法律扶助制度の充実（単なる立て替えではなく）、③家族・子ども、ことに社会的・経済的困窮状況にあるそれらのケアを図る各種のシステムと法的システムの密接な連携、が前提条件として欠かせない（瀬木・民事裁判第2章）。

いいかえれば、報酬の取りにくい紛争でも適切に処理、解決できれば弁護士にそれなりのお金が入る、また、社会の弱者保護をも含めた予防法学的な業務によっても弁護士にお金が入る、そうした制度的な手当てが前提として必要だということである。そして、上記のような条件が整えば、若手弁護士であっても、一定の能力を備えてさえいれば、仕事がなくて経済的に困窮するような事態はなくなるし、彼らの能力を社会のために生かすことも可能になるのである。

先の3つの条件が相当程度に充足されているのは、ヨーロッパ諸国の一部など限られた国々にすぎない。それは事実だが、日本が、先進国といいながら、こうした側面で著しく立ち後れていることは、事実である。実質的にみればようやくその第一歩を踏み出した段階といってもよい日本の法律扶助制度の、今後のすみやかな充実が望まれる。

【確認問題】

1　訴訟終了の形態にはどのようなものがあるか。
2　一部判決が許されるのはどのような場合か。
3　中間判決の対象となる事項について具体的に述べよ。
4　弁護士費用を狭義の訴訟費用に含めることの当否について述べよ。

[444] 第15章
判決の効力

　本章では、判決の効力全般について論じる。具体的には、判決の効力全般について概説した後、判決の一般的な拘束力である自縛力（自己拘束力）と覊束力（手続内拘束力）、判決の瑕疵（判決の無効等）と確定判決の騙取、既判力と反射効、争点効と信義則の順に論じてゆく。執行力の主観的範囲等についても関連してふれる。これらの中でも重要なのは既判力である。

　日本は判例法国ではないから、先例拘束性の原理（判決の同種の事案に対する拘束力）はなく、既判力は、基本的に同一当事者間の後訴に対する規制にすぎない（例外はその主観的範囲の拡張の場合）。そして、実務において既判力が問題になることは、実際には、既判力の主観的範囲の拡張の場合をも含めまれである。そういう観点からすると、既判力が民事訴訟法学の中できわめて大きな比重を占めてきたことには若干の違和感も感じるのだが、ドイツ型、大陸法型民事訴訟法学の純理の精華という部分も確かにあるので、本書でも、なるべく詳細、明確に、かつ、可能な限りわかりやすく論じてみたい。

[445] 第1節　**概説および証明効**

　自縛力（自己拘束力）と覊束力（手続内拘束力）は判決の一般的な拘束力であり、前者の例外が、判決の更正・変更である。判決の更正はきわめて例が多いが、変更は稀有である。

　判決の効力に関連して、非判決（判決の不存在）、判決の無効、確定判決の騙取が問題になる。非判決は、判決ではないものであり、訴訟終了効を含め

一切の効力がない。無効判決は、判決ではあるが無効なものであり、確定すれば、訴訟終了効はあるが、既判力等の内容的な効力はない。確定判決の騙取については、どのような争い方ができるかの検討が重要である。以上はいずれもまれな事柄ではあるが、判決の効力というものについて考える手がかりを提供している。

　確定判決の効力としては、内容面の効力として、既判力、執行力、形成力がある。また、確定判決には、上記でもふれたとおり一般的には訴訟終了効（手続面の効力）がある[1]。執行力、形成力については訴えの3類型に関連して論じた（[**031**]、[**033**]）ので、この章では、主として既判力について論じる（執行力については、その主観的範囲についてのみ、既判力のそれとともに論じる）。

　既判力とは、判決が確定した場合に生じる、そこで判断された事項に以後当事者も裁判所も拘束されるという効力である。すでにふれた形式的確定力（[**429**]）との対比で、実質的確定力あるいは実体的確定力ともいう。

　既判力の目的は紛争解決基準の安定（紛争の蒸し返しを防ぐこと）にあるとし、その根拠（正当化根拠）としては手続保障を挙げる（つまり、前訴で手続保障、争う機会が与えられたのだから後訴では既判力の拘束を受けてもやむをえないと考える）のが、現在の多数説である（伊藤546頁等）。

　既判力の性質については、現在では、訴訟法説（既判力を、後訴裁判所に対する前訴判決の訴訟法上の拘束力ととらえる）が通説である。

　既判力については、その一般的な作用（同一当事者間で既判力がどのように後訴で作用するかという問題）について理解した上で、既判力の時的限界（既判力の基準時以前に存在した事項の主張を後訴で許すかという問題。なお、既判力の縮小、確定判決変更の訴えの問題もこの一環となる）、既判力の客観的範囲（主文に包含するものに限るという原則と相殺の場合の例外）、既判力の主観的範囲（既判力が同一当事者間のみならず第三者にも拡張されるのはどのような場合かという問題〔対世効は、これが第三者一般に拡張されるものである〕。上記のとおり、執行力の主観的範囲の拡張と併せて理解しておくことが望ましい）について、それぞれ、基

---

(1) 例外として、上告審の破棄差戻判決はこれに対する上訴の余地がないからただちに確定し、控訴審の差戻し判決も上告期間の経過等によって確定するが、これらの場合、その事件についての審理はなお続行されるから、これらの判決（確定差戻判決）には、訴訟終了効は生じない（クエスト414頁）。

本から正確に押さえてゆく必要がある。反射効は、当事者と実体法上特定の関係にある第三者に及ぶ判決の効力であり、多くの学説が認めてきたものだが、これが訴訟法上の効力か実体法上の効力かについては、争いがある。本書では、これを、既判力の主観的範囲の明文によらない拡張としてとらえた上で、消極説を採る。

争点効と信義則は、理由中の判断についても後訴に対する拘束力を認めるか、認めるとすればどのような場合に認めるのが相当か、という問題についての解決方法を示すものである。争点効は、学説が認めてきたものである。既判力の客観的範囲と関連するが、理由中の判断の拘束力という別の次元の問題なので、最後に論じることとした。

以上が本章の論述事項だが、判決の効力については、これらの概説的事項の理解から必ずしも十分ではない学生が、かなり多い。逆にいえば、以上の事柄だけでも正確に理解した上で判決の効力について学び、考えてゆくならば、理解は確実に深まるはずである。

なお、本章で論じるもの以外の判決の効力のおもなものとしては、補助参加や訴訟告知によって生じる参加的効力（46条）、人事訴訟判決の別訴禁止効（人訴25条。[683]）がある。

また、実体法が確定判決に一定の法律効果の発生を結び付けている場合がある（判決の法律要件的効力）。消滅時効期間の長期化（民169条1項）、供託物取戻請求権の消滅（民496条）等である。しかし、これらは、実体法に基づく効果であって、上記のような判決の本来の効力とは異なる。広義の執行（[175]）といわれるものも、これに類するものが多いとみてよいかもしれない（たとえば、登記や戸籍の記載の実現は、確定判決があればこれに応じた登記や戸籍を行うという手続が他の法律によって定められているから可能になる。新堂743頁）。

最後に、判決の証明効あるいは単に証明効といわれるものについて、ここで論じておきたい。この言葉は、あいまいな使われ方をしているが、ある裁判の事実認定が争点を共通にする他の裁判の事実認定に対して与える影響力と解される。具体的には、書証として提出された他の判決や決定を事実認定のための証拠として許容するかという問題になる。

これについては、証拠裁判主義や手続保障の観点から否定する考え方もある（伊藤眞「補助参加の利益再考」民事訴訟雑誌41号8〜13頁、伊藤374頁、クエスト414頁等）。しかし、実務では、関連事件（主要な争点ないしその一部を共通に

する事件）の判決や決定（仮の地位を定める仮処分関係の決定等）が書証として提出されることが多く（ことに、蒸し返し的な性格の強い訴訟では関連前訴の判決が提出されるのはごく普通のことである）、当事者がこれに異議を述べたり証拠能力を争うこともまずないし、裁判所も、特段の問題意識をもたないまま書証の1つとしてこれを事実認定に用いている例がままあると思う。もっとも、その事実認定をそのまま引き写しているという趣旨ではなく、ほかの証拠と併せて補完的に用いている、あるいは、事実認定に当たっての1つの参考にしているということかと思われる。最後のような形での利用（事実認定に当たっての1つの参考）であれば、許される余地はあろう。たとえば、補助参加の利益があると解されてきた類型の中にも、そのような意味での証明効を前提としたと解しうるものがある（[560]）。もっとも、特定の争点に関する事実認定を先のような書証のみによって行うことは、事実認定を他の事実認定によって代替することになるから、許されない。

　なお、法社会学的にみれば、裁判官の心証が、その当否はおくとしても、関連事件の判決や決定から一定の、場合によっては大きな、影響を受ける場合があることは否定できない。証明効については、以上のような事実を直視した上で、その限界を見極めてゆくことが望ましいのではないだろうか。

　最後に私見をまとめておくと、上記のような判決、決定は、書証としてではなく、参考書面としての提出を認めるとともに、相手方にこれについての反論の機会を与えることが相当かと考える。「事実認定上の1つの参考（あくまでも1つの参考であり、その性格からすれば、裁判官が過去の同種事件の判例における事実認定ないしその手法、あるいは法的判断を1つの参考にする場合と異ならない。もちろん、いかなる意味でも裁判官を拘束するものではない）」としての裁判所に対する影響力についても、「裁判所自身による慎重な吟味」を前提として、認めてよいと考える。名称としては、とりあえず従来の用語法に従い証明効と呼んでおくが、性質からすれば、法的な効力ではなく、事実上の影響力であろう。あるいは、法的なものに引き付けるなら、弁論の全趣旨としての謙抑的な利用（私見は、弁論の全趣旨の利用については謙抑的であるべきだというものである〔[323]〕）を認めるという考え方も、ありうるかもしれない（しかし、当事者としては、事実認定に用いられうる弁論の全趣旨よりも、1つの参考という位置付けのほうが、より安心できるのではないかとは感じる）。いずれにせよ、従来の実務のようなあいまいな利用の仕方よりはこのような利用の仕方のほ

うが、手続保障上の問題が小さいであろう。以上の私の見解は、私見が補助参加の利益を比較的広く認める（[560]、[564]）こととも関連している（証明効を私見とほぼ同様の意味で肯定する見解としては、高橋下438～439頁、445～446頁の注(22)〔学説の分布についてもふれている〕、496頁がある。なお、本書で証明効に言及したほかの主要項目は、[180]〔即時確定の利益〕、[320]〔職務上顕著な事実〕、[497]〔反射効〕、[560]〔補助参加の利益〕、[572]〔独立当事者参加の意義〕である）。

第2節　判決の自縛力・羈束力

第1項　判決の自縛力（自己拘束力）と判決の更正・変更

[446]　第1　概説

　判決には、いったん言い渡された以上これを変更してはならないという拘束力（自縛力、自己拘束力）がある。これは、判決を行った裁判所自身に対する拘束力である。

　これに対し、決定・命令の場合には、抗告に際して原裁判所の更正が認められる（333条。これを再度の考案という）し、また、たとえば、訴訟指揮に関するものはいつでも取り消しうる（120条）など、自縛力が弱められている。

　自縛力の例外として、判決の更正と変更の制度がある

第2　判決の更正

[447]　1　更正の要件

　判決の更正は、判決に、計算違い、誤記その他これらに類する明白な誤りがある場合に、申立てによりまたは職権で、更正決定の形でされる（257条1項）。

　その限界については、更正に名を借りて判断の実質的内容に変更を加えること（自縛力を破ること）は許されないという観点から考えればよい。

　「計算違い」とは、計算方法自体は判決から明らかだが、計算の結果が異

なっている場合である。「誤記その他これらに類する明白な誤り」とは、用語等とその意味内容とが一致しない場合（書き間違い）である。

いずれも、明白な誤りでなければならない。

もっとも、誤りであることの判断については、判決だけではなく、訴訟記録をも参照してよく、また、一般的な経験則の助けを借りることも許されると解されている。

以上によれば、更正の外延は一定程度広いものとも思われるが、実際には、明白な誤記以外の更正はきわめて少ない。

実務で例のある比較的目立った更正としては、別紙物件目録等の別紙を付け忘れた、一部認容一部棄却なのに主文中に「原告のその余の請求を棄却する」という主文を入れ忘れた、などのものがある。

また、更正は、職権よりも、当事者の申立てによるもののほうが多く、その大半は、当事者の表示や別紙物件目録に関するものである（当事者の提出した書類自体が誤っていた場合）。

[448]　2　更正の手続と不服申立て

更正は、判決言渡し後いつでも可能であり、判決確定後でもできる。

また、事件が上級審に係属するときは、上級審も更正ができる（事件が現在または過去に係属していた裁判所であればできる）と解されている（最判昭和32・7・2民集11巻7号1186頁。控訴審が判決の理由中にその理由を示した上、主文で誤謬を更正した例）。

更正決定は、判決書の原本および正本に付記することによってするのが原則だが、これに代えて決定書を作成し、当事者に対してはその正本を送達する方法によることもできる（規160条1項）。実務では、後者の方法が通例である（なぜか。当事者にいちいち正本を持参させて付記するのは大変だからである。このように、訴訟法規には、小さな条文でも必ずその機能的な根拠があることに留意してほしい）。

更正決定に対しては、即時抗告をすることができる（257条2項本文）。ただし、控訴がされているときにはできない（同項ただし書）。控訴審で更正決定に対する不服を主張させれば足りるからである。

当事者による更正の申立てを理由がないとして却下した決定に対しては即時抗告は許されないとするのが判例（大決昭和13・11・19民集17巻2238頁）、多数説である（判決をした裁判所が誤りがないとする以上他からそれを強制すること

はできず、また、それに不服があるとすれば、それはもはや判決の判断内容に対する不服といわざるをえないからだという〔新堂677頁〕）。しかし、更正の要件に該当するか否かの判断は微妙な場合があり、また、当事者にとっても大きな意味のある場合がありうること、判決が確定しているような場合には上訴においてこれを主張することもできないことを考えると、即時抗告を肯定すべきであろう（同旨、伊藤535頁。なお、令和4年改正後257条3項は肯定している）。

[449] 第3　判決の変更

判決の変更は、①判決に法令違反がある場合に、②その言渡し後1週間以内に限って、することができる。ただし、③判決が確定したとき、または、④判決変更のためにさらに口頭弁論をする必要があるときは、この限りでない（256条1項）。

①については、法令違反の結果結論が変わる場合に限ると解されている。経験則違反については、ここでいう法令違反に含まれるとする考え方もあるが、これを許すと、変更を行う裁判所が事実認定の問題にまで再度立ち入るのを許すことになるから、経験則違反はここでいう法令違反には含まれないと解すべきであろう（なお、上告理由・上告受理申立理由の関係では、法令違反に含まれると解されてきている〔[635]〕）。

④については、新たな事実認定が必要な場合を除くという趣旨である。

この制度は英米法のニュートライアルの制度（明らかな誤りがあった場合に裁判所がトライアルのやり直しを決定する）を参考にしたものといわれるが、英米法のこの制度は陪審制度にかかわる事柄を問題にしており、そのまま日本法に移植しても活用は難しいし、明々白々な法令違反があった場合であればともかく、法解釈自体に争いがあるような場合には、判決の自縛力の観点からこれを許すべきでないことも当然であり、ほとんど利用されない制度となっている。

[450] 第2項　判決の覊束力（手続内拘束力）

判決の覊束力（手続内拘束力）とは、判決の判断内容の、当該事件の手続内における他の裁判所に対する拘束力のことである。

第一に、事実審において適法に確定した事実認定は、上告審を拘束する

（321条1項）。これは、法律審としての上告審の本質による。いいかえれば、上告審を法律審として機能させるための拘束ということである。

　第二に、上級審における原判決の取消しまたは破棄の理由となった判断は、差戻しまたは移送を受けた下級裁判所を拘束する（裁4条、法325条3項後段）。これは、事件が下級審と上級審の間を同じ理由で往復するのを避けるためであり、審級制度の維持を目的とする特殊な手続内拘束力である。

　法325条3項後段の破棄判決の拘束力については、破棄判決を一種の形成判決とみてその既判力の作用であるとする考え方や中間判決の拘束力と同一視する考え方もあるが、この拘束力は理由中の判断について生じる拘束力であること、後訴に対する拘束力ではなく当該訴訟手続内で作用する拘束力であること、破棄判決は上告審の終局判決であると解されることから、およそ採りにくいものといわざるをえない（同旨、伊藤768頁、条解1658頁）。

　なお、関連して、①控訴審が第一審裁判所に差戻しを行った場合（裁4条）の差戻審に対する控訴審、上告審も、控訴審の取消しの理由に関する判断に拘束されると解される（クエスト619頁等）。

　また、②上告審が、破棄差戻しを行った後の控訴審判決に対する上告について再び審判する場合には、先に上告審が行った破棄の理由に関する判断に拘束される（最判昭和28・5・7民集7巻5号489頁、最判昭和46・10・19民集25巻7号952頁）。

　これらの拘束力は、事件の終局的な解決を保障するための特殊な手続内拘束力として、羈束力の一種であると考えられるのである。なお、差戻しを行った裁判所自身については、一種の自縛力と解する考え方もある（伊藤769頁、条解1658頁）が、①の場合についての上告審に対する拘束力は、自縛力では説明できない。

　なお、②については、その間に法令が変更された場合には、当然新法令を適用すべきであり、この拘束力は及ばないとされる。他の事件における判例変更の場合には、種々の考え方があるが、適正な判断の確保という観点から、法令の場合と同様にこの拘束力は及ばないとみるべきであろう（高橋下752頁、コンメⅥ390頁）。

　第三に、確定した移送の裁判は、移送を受けた裁判所を拘束する（22条1項）。これは、事件が転々とするのを避けるためである。

第3節　非判決、判決の無効、確定判決の騙取

[451]　第1項　非判決（判決の不存在）

　非判決は、判決としての形はあるが、判決とは認められないものをいう。つまり、判決の不存在ということである。

　判決とは、裁判官が、裁判官としての職務遂行上作成し、言渡しという形で対外的に示したものである。そうではない判決は、非判決ということになる。

　例としては、たとえば、①裁判官でない者が作成した判決、②裁判官が司法修習生用の教材として作成した判決、③通常の判決として作成されたが言渡しがなされていないもの、などが挙げられる。

　①は主体の面から、②は内容の面から、③は手続の面から、判決としての条件を満たさないというわけである（クエスト468～469頁）。

　②については教室事例だが、①については、たとえば、退官した元裁判官が退官の翌日に作成して後任の裁判官が言い渡したことが後に明らかになった場合、③については、法廷に当事者がいなかったため裁判官が言渡しを省略してしまった（[426]の注(2)）ところ、当事者がそこに録音機能のあるディヴァイスを置いていたために言渡しがなされなかったことが明らかになってしまった場合など、実際の事案を考えることも可能である。

　これらの場合（いずれも、判決原本にも口頭弁論調書にも言渡しの記載があり、当事者にも正本が送達されてしまったと考えてみよう）についても、非判決である（判決はない）以上、訴訟終了効を含め一切の効力はないから、裁判所はあらためて判決をする必要があるし、当事者は、上訴をする必要はなく、任意の方法でその効力を争うことができることとなる。

　しかし、こうした判決によって強制執行の申立てがされた場合には、当事者としては、執行文の付与等に関する異議の申立て（民執32条）で争うほかない。また、場合によっては請求異議の訴え（同35条）や上訴で争うことも認めざるをえないであろう。任意の方法でその効力を争うことができるとい

っても、当事者が争う時点で非判決であることが明々白々であればともかく、その点については何らかの審理を行わなければ明らかにならないということも、十分ありうるからである。

これらは、いわば、非判決事案に対する上訴等の転用ということになる。

また、さらに突っ込んで考えると、そもそも、非判決と無効判決を概念的に切り分ける考え方自体が大陸法型の観念的な理論の立て方であり、一定の無理を含んでいるのではないか、ともいえるかもしれない。

[452] **第2項　判決の無効**

無効な判決とは、判決としては存在し、確定すれば訴訟終了効だけはあるが、既判力等の内容的な効力はもたないものをいう。

具体的には、実在しない当事者に対する判決、裁判権の及ばない者に対する判決、当事者能力のない者に対してされた判決、対世効のある判決が当事者適格を有しない者に対して下された場合、固有必要的共同訴訟の当事者となるべき者の一部が欠けていた場合（合一確定の要請に照らして無効とされる）、判決の内容が法律上許されない権利関係にかかり、あるいは公序良俗や強行法規に違反する場合、主文が不明確であり既判力の範囲を特定できない場合（例として、最判昭和32・7・30民集11巻7号1424頁。これは、土地の所有権確認判決において、主文と判決理由等を対照しても、所有権の確定された土地の範囲が現地のいかなる地域に当たるかが特定できない事案である）等が挙げられる。

無効な判決については、当事者は上訴によってその効力を争うことができ、また、既判力がないから、再審の訴えによらずとも任意の方法でその効力を争うことができるし、新たな訴えを提起することもできる（たとえば主文が不明確であり既判力の範囲を特定できない判決の場合）ことになる。

[453] **第3項　確定判決の騙取**

確定判決の騙取とは、当事者が相手方や裁判所を故意にあざむいて確定判決を得た場合に、判決無効の主張を認めるか、あるいは、確定判決に基づく強制執行後に、判決無効を前提とする不法行為に基づく損害賠償請求を認めるか、という問題である。

伝統的な通説は、このような場合には上訴の追完あるいは再審の訴えによって救済を図るべきであり（もちろん、これらの要件を満たす必要がある）、当然無効の主張や不法行為請求は認めるべきではないとしていた（兼子333頁等）。

　判例も、請求異議の訴え（民執35条）によって確定判決の効力を争うことについては消極的である（最判昭和40・12・21民集19巻9号2270頁。確定判決が第三者を害する意図の下に当事者の通謀により取得されたといういわゆる詐害訴訟的な事案）。

　しかし、その後、不法行為請求については、「確定判決に基づいて強制執行がされた場合でも、同判決の成立過程において、原告が被告の権利を害する意図の下に、作為または不作為によって被告の訴訟手続に対する関与を妨げ、あるいは虚偽の事実を主張して裁判所を欺罔するなどの不正な行為を行い、その結果、本来ありうべからざる内容の確定判決を取得してこれを執行し、被告に損害を与えたものであるときは、原告の行為は不法行為を構成する」とのメルクマールの下にこれを認めた（最判昭和44・7・8民集23巻8号1407頁、百選5版86事件。請求債権の一部免除により訴えを取り下げる旨の和解がなされ、約旨に従った弁済があったにもかかわらず、原告は、訴えの取下げを行わず、被告が口証弁論期日に欠席して判決がされ、被告はこれを難詰したが、心配には及ばないというので控訴はせず、その結果確定した判決に基づいて原告が強制執行をしたという事案）。

　けれども、近年の最判平成10・9・10（判時1661号81頁①・②事件、判タ990号138頁①・②事件、百選5版39①・②事件。甲乙間の前訴において、甲が受訴裁判所の裁判所書記官からの照会に対して、重過失により乙の就業場所が不明である旨の誤った回答をしたことにより、乙に対して訴状等の付郵便送達がなされたため、乙が前訴の訴訟手続に関与する機会のないまま判決が確定した事案。甲に乙の権利を害する意図があったとは認められないとしている。なお、①事件は、国家賠償請求事案について、上記のような事情があっても付郵便送達自体は適法であるとしたものであり、②事件が当事者間の不法行為損害賠償請求事案である）、最判平成22・4・13（裁判集民234号31頁。不法行為請求において、前訴判決と基本的には同一の証拠関係の下における信用性判断その他の証拠の評価が異なった結果、前訴判決と異なる事実を認定するに至ったにすぎない事案）は、いずれも、不法行為の成立を否定している。

判例の全体としての意図はやや不明確だが、3件を総合してみると、審理の過程、判決の成立過程で、相手方を欺罔して手続関与を妨げ、かつ、その欺罔行為がきわめて明確かつ悪質である場合にのみこれを認めるという趣旨であろう。

なお、公示送達に瑕疵があった場合の救済については、学説は上訴の追完と再審を認め、判例は上訴の追完のみを認めている（[218]）が、上記の検討からすると、判例がこのような場合について不法行為を認める可能性は低いと思われる。

結局、上記昭和44年最判は、先のような限られた事案についての孤立した判例とみるべきであろう。

以上が過去の学説判例であるが、私見としては、原告が被告の住所を知っていながら公示送達の申立てをした場合のように故意に被告の手続関与権を奪って勝訴判決を得たときには、手続保障を欠く以上既判力が否定され、かつそのような状態が原告の故意によって作出されたのであるから、不法行為に基づく損害賠償請求を認めてよいのではないかと考える（同旨、条解561〜563頁）[2]。昭和44年最判の事案についても、こうした観点から、これらに近い事情があるとして、ぎりぎり不法行為を認める余地があろうか。

---

(2) なお、最判昭和43・2・27（民集22巻2号316頁）は、通謀のうえ、債務者の全く知らないままに取得された仮執行宣言付支払督促（現行民事訴訟法の支払督促）の効力は債務者に及ばないから、これに基づく強制競売も債務者に対する関係では効力を生じず、支払督促発令前に債務者から不動産を買い受けていた者は、競落人に対し所有権移転登記の抹消登記手続等の請求ができるとしたが、同様の発想に立つ判例といえよう。

第4節　既判力、執行力（主観的範囲）、対世効等、反射効

第1項　既判力概説

[454]　第1　既判力の定義・目的・根拠

既判力とは、判決が確定した場合に生じる、そこで判断された事項に以後当事者も裁判所も拘束されるという効力である。すでにふれた形式的確定力（[**429**]）との対比で、実質的確定力あるいは実体的確定力ともいう。

既判力の目的は、紛争解決基準の安定にある。既判力を認めなければ、同一当事者間の特定の権利関係について、いつまでも紛争が蒸し返されることになるからである。

既判力の根拠は、手続保障である。当事者は、前訴において特定の権利関係について裁判資料を提出して十分に争う機会を与えられたからこそ、後訴においては、既判力に拘束されてもやむをえないのだといえる（既判力の目的・根拠を以上のように考えるのが現在の多数説である〔伊藤545〜547頁〕）。

[455]　第2　既判力の性質

既判力の性質については、実体法説と訴訟法説がある。

実体法説は、既判力を実体法的にとらえるものであり、判決に基づいて実体的権利関係が変更され、あるいは実在化され、そうである以上、当事者も後訴裁判所もこれを前提として判断をせざるをえなくなるという。

これに対して、訴訟法説は、既判力を、前記**第1**のような目的と根拠の下に認められるところの、前訴判決の後訴裁判所に対する訴訟法上の拘束力であるととらえ、当事者については、この拘束力の反射的効果として拘束力が及ぶとする。

そこで考えるに、まず、現代の法体系においては実体法と手続法は峻別されており、手続法上の効力である既判力によって実体的法律関係が変更され、あるいは実在化されるという考え方は採りにくい。

また、実体法説は、既判力の範囲が原則として当事者に限定されていること、訴訟判決にもそこで却下の理由とされた訴訟要件には既判力が生じるとされることとも調和しない。

以上から、訴訟法説を採るべきであり、これが現在の通説である（既判力の性質論については、詳しくは、新堂684〜689頁、松本＝上野612〜615頁、条解508〜514頁、コンメⅡ481〜483頁各参照）。

[456] ## 第3　既判力の作用

ここでは、既判力の基本的なはたらき、同一当事者間の後訴でどのように作用するかについて、解説する。

[457] ### 1　消極的作用と積極的作用

まず、既判力には、基準時がある。判決によって確定される権利関係は事実審の最終口頭弁論終結時のものであるから、既判力によって確定される権利関係もこの時点（これを、既判力の「基準時」という）のものである。

そして、後訴においては、当事者は、前訴の基準時前に生じていた事由（事実）に基づいて基準時の権利関係を争うことができない。なぜなら、これを許すことは、既判力によって確定された基準時の権利関係を、前訴においても主張可能であった基準時以前の事由で再度争うことを認める（蒸し返しを許す）ことになるからである。

このように、後訴において、前訴における既判力ある基準時の判断と矛盾する権利関係を基礎付ける主張が当事者に許されず（そのような主張が遮断され）、裁判所もそれについて判断ができなくなること（既判力の作用のそのような側面）を「既判力の消極的作用（遮断効）」という。

また、前訴で確定された権利関係（訴訟物）が後訴訴訟物の先決問題となる場合には、後訴裁判所は、基準時における前訴の権利関係の存在を前提として後訴について判断しなければならない。その意味で、前訴の判断に拘束される。

このように、後訴の論理的先決問題となる前訴の訴訟物についての判断を前提として後訴裁判所がその訴訟物について判断しなければならないことを「既判力の積極的作用」という。

以上のとおり、既判力の消極的作用と積極的作用は、前訴の既判力が後訴において作用する形態を2つの側面から分析しているものといえる。

[458]　2　訴訟物が同一・矛盾・先決関係にある場合

　以上の消極的作用と積極的作用が作用する類型については、3つのものがあると解されている。(1)と(2)が消極的作用の作用する類型、(3)が積極的作用の作用する類型である。個々の事例の各類型への当てはめについては、一般的な考え方によっている。

[459]　(1)　訴訟物が同一の場合

　所有権確認の訴えで敗訴した原告が再度所有権確認の訴えを提起した場合、原告は、前訴の基準時前の事由に基づく主張はできないから、基準時後の新たな所有権取得の事実を主張しない限り、既判力の消極的作用によって請求が棄却される。

　貸金返還請求訴訟で敗訴した被告がその貸金についての債務不存在確認の訴えを提起した場合にも、訴訟物は同一であり、原告（前訴被告）は、前訴の基準時前の事由に基づく主張はできないから、基準時後の新たな抗弁事実（弁済等）を主張しない限り、既判力の消極的作用によって請求が棄却される。

　なお、貸金返還請求訴訟で勝訴した原告が再び同一の貸金について訴えを提起した場合には、既判力のある判断と矛盾する主張をしているわけではないから既判力ははたらかないが、時効完成を阻止するための新たな訴え提起の必要性等の特別な事情がない限り、訴えの利益を欠くことになる。

[460]　(2)　訴訟物が矛盾関係にある場合

　訴訟物が矛盾関係にある場合にも、蒸し返しに当たることは前記(1)と同様である。

　貸金返還請求訴訟で敗訴した被告が、強制執行後に、貸金債務が不存在であるにもかかわらず強制執行がなされたことを理由として不当利得返還請求訴訟を提起した場合、原告（前訴被告）は、貸金債務の不存在を基礎付ける事由（すなわち、被告〔前訴原告〕の不当利得を基礎付ける事由）のうち前訴基準時前のものに基づく主張はできないから、基準時後の新たな事実（通常はそのような場合には請求異議の訴え〔民執35条〕を提起するので、きわめて教室設例的な事由となるが、たとえば敗訴後強制執行までの間に弁済を行ったなど）を主張しない限り、既判力の消極的作用によって請求が棄却される。

　XがYに対してある土地の所有権確認の訴えを提起して勝訴した後に、YがXに対して同じ土地の所有権確認の訴えを提起した場合、2つの訴訟の訴訟物（これらの訴訟物は異なる〔[066]〕）の間には実体法上の一物一権主

義を媒介とした矛盾関係が成立する。すなわち、前訴の基準時においてX が土地所有権を有するという判断に既判力がある以上、Yは基準時において土地所有権を有していなかったことになる。そして、Yは、前訴の基準時前の事由に基づいてこの点を争うことはできないから、基準時後の新たな所有権取得の事実を主張しない限り、既判力の消極的作用によって請求が棄却される。

[461]　(3)　訴訟物が先決関係にある場合

　　原告が土地所有権確認の訴えで勝訴した後、所有権に基づく土地明渡請求・所有権移転登記手続請求・基準時後の賃料相当損害金請求等の訴訟を提起した場合、前訴の訴訟物は後訴のそれの先決問題となるから、後訴裁判所は、基準時における原告の所有権の存在を前提として後訴について判断しなければならない。したがって、被告が基準時後の原告の所有権喪失を主張立証しない限り、原告は後訴でも勝訴する。原告が前訴で敗訴した場合には、逆に、原告に不利な方向での先決関係が成り立つ。

　　なお、これとは逆に、前訴が所有権に基づく土地明渡等請求訴訟であり、後訴が土地所有権確認の訴えである場合には、先決関係にはならない。前訴においては、所有権の存否に関する判断は、理由中の判断にすぎないからである（後記**第3項**で詳しく論じるとおり、既判力は、原則として、主文に包含するものに限り生じ、理由中の判断には生じない）。所有権について既判力のある判断を得るためには、いずれかの当事者が、中間確認の訴え（145条。[084]）として、土地所有権確認の訴えを提起しておくほかない。

　　では、XがYに対してある土地の所有権確認の訴えを提起して勝訴した後に、YがXに対して同じ土地の所有権に基づく土地明渡等請求訴訟を提起した場合には、どう考えるべきか。

　　Yは、前訴の既判力により、前訴の基準時においてXが土地所有権を有することを争えず（すなわち、基準時前の事由に基づいて基準時におけるXの所有権を争えず）、また、一物一権主義の帰結として、前訴の基準時においてYが土地所有権を有しなかったことを争えない（すなわち、基準時前の事由に基づいて基準時におけるYの所有権を根拠付けられない）。そして、一物一権主義の帰結としての「前訴の基準時においてYが土地所有権を有しなかった」という法律関係は、Yの所有権に基づく土地明渡等請求訴訟の訴訟物の先決問題となるから、後訴は、既判力にふれることになる。つまり、この事例では、前訴

訴訟物との矛盾関係と、「一物一権主義の帰結として否定できない法律関係との先決関係」の、双方がはたらくわけである（この場合については、前訴訴訟物との矛盾関係だけを挙げて説明するのが通例であり、基本はそのとおりだが、詳しくいえば上記のような関係になるのではないかと考える）。

[461-2] 　3　以上についての補足

　以上についての補足（私見）として、まず、既判力の作用形態とその作用類型について注意すべき事柄を記しておきたい。

　それは、「既判力の作用形態は、前記1のとおり、既判力の作用を2つの側面から分析しているものである」（前記2で説明したいずれの例でも、後訴においては、基準時前の事由を持ち出して既判力のある権利関係を争うことはできないが、基準時後の事由を主張することは妨げられない、という点は変わらない。消極的作用は、遮断効の側面に注目しており〔その意味で、既判力の作用のより本質的な部分にかかわる〕、積極的作用は、既判力を有する前訴の権利関係〔訴訟物〕が後訴のそれの先決問題となる場合の訴訟物間の論理的関係という側面に注目している、という点に違いがあるにすぎない）ところ、「その作用類型については、前記2の3つのものが典型的だが、その当てはめには争いもあり、また、それらの類型には当てはまらない事例もありうる」ということである。「いずれも既判力のはたらき方に関する説明であるが、後者は、よりカテゴリー的、便宜的なものである」ともいえようか。

　たとえば、前記2(2)（[460]）のとおり、貸金返還請求訴訟で敗訴した被告が強制執行後に貸金の不存在を理由とする不当利得返還請求訴訟を提起した場合、原告（前訴被告）は、貸金債務の不存在を基礎付ける事由のうち前訴基準時前のものに基づく主張はできないから、基準時後の新たな事実（たとえば敗訴後強制執行までの間に弁済を行ったなど）を主張しない限り、「既判力の消極的作用」によって請求が棄却される。そして、このような場合を既判力の作用類型という観点から分類すれば「訴訟物が矛盾関係にある場合」に当たるとする考え方が一般的である、ということなのである（なお、既判力の作用について通説とはやや異なった考え方を採る松本＝上野621頁は、この場合を先決関係にある場合に分類する）。

　いわんとするところがわかりにくいかもしれないが、次のような事例を考えてもらうと、より理解しやすいであろう。

　『Xは、土地所有者Yに対して賃借権確認の訴えを提起し、勝訴した。そ

の後、Yが、Xに対して所有権に基づく土地明渡請求訴訟を提起した』

この場合、既判力はどのようにはたらくだろうか。

答えは、Xが抗弁として賃借権を主張した場合、Yは、既判力（その消極的作用）により基準時前の事由に基づいてこれを争うことができない、ということである。これだけのことだ。

ところが、学生には、これについて最初から同一・矛盾・先決関係のカテゴリーに当てはめようとして混乱する例が非常に多い。しかし、この事案は、これらのカテゴリーには当てはまらないのである。訴訟物は同一ではなく先決関係にもない。その間に矛盾があるわけでもない（なお、Xが賃借権の抗弁を提出した場合にYの訴訟物とこの抗弁の間に「矛盾」が生じるというわけでもない）。したがって、この場合には、先の答えのとおり、「Xが抗弁として賃借権を主張した場合、Yは、既判力の消極的作用により基準時前の事由に基づいてこれを争うことができない」といえば十分なのであって、無理に同一・矛盾・先決関係のカテゴリーに当てはめようとすると混乱が起きるのである（もっとも、次に述べるとおり、「前訴の訴訟物が後訴の抗弁となっている類型である」ということには意味があろう）。

いいかえれば、同一・矛盾・先決関係のカテゴリーは、前訴と後訴が訴訟物どうしの関係であれば成り立つ（従来検討されてきたところによれば基本的にそういえると思われる）が、たとえば前訴の訴訟物が後訴の抗弁となるような場合には成り立たない、ということになる。

次に、前記2(3)（[461]）の第2段落でふれた「理由中の判断には既判力が生じない」という点（後記**第3項第1の1**〔[482]〕）についても、具体的な事例になると学生が混乱しやすいので、ここでもう1つの事例を挙げてさらに説明しておきたい。

次の事例で、既判力はどのようにはたらくだろうか。

『Xは、Yに対し貸金返還請求訴訟を提起した。Yは弁済の抗弁を提出した。裁判所は、請求原因、抗弁をいずれも認めた上で、Xの請求を棄却した』

Xに対しては、基準時前の事由に基づいて基準時における貸金債権の不存在を争うことはできない（基準時前の事由に基づいて基準時における貸金債権の存在を主張することはできない）という形で作用する。この点は問題ないであろう。

それでは、たとえば、Yが、Xに対し、消費貸借契約の無効事由の存在が

明らかになったと主張して、弁済した金銭についての不当利得返還請求訴訟を提起した場合にはどうだろうか（なお、非債弁済〔民705条〕の点は考慮しなくてよいものとする）。

これについては、前記2(2)（[460]）の第2段落の事例と混同して「既判力にふれるから棄却される」と答える学生がいるのだが、それは誤りである。

前訴裁判所は、確かに、消費貸借契約が有効に成立したことやそれに基づく債務が弁済によって消滅したこと（したがって弁済は法律上の原因に基づいていたこと）を認定判断しているが、それらはいずれも理由中の判断にすぎない。既判力が生じるのは結論としての「基準時におけるＸの貸金債権の不存在」に限られるのである。この既判力がＹに対して不利に作用することは考えにくい（後記4の「既判力の双面性」がはたらくことは考えにくい事案である）。

なお、理由中の判断についての後訴に対する拘束力を認めるには、争点効や信義則といった考え方（後記第5節）によることが必要になる（上記の例からもわかるとおり、既判力の効果は、蒸し返し的な訴訟や争い方を防止するという面からみると、それだけで十分なものとはいいにくい）。

最後に、既判力の作用について論じる学生のレポートや答案には不備が目立つので、これについても簡潔にふれておきたい。

既判力の作用が問題になる以上、まず、①前訴と後訴の各訴訟物は明らかにしておくべきであろう。その上で、前訴の既判力が後訴にどう作用するか、あるいはしないかを論じてゆく。私なら、まず、②既判力の作用について、消極的・積極的作用という作用形態の側面から考え、その上で、③既判力が作用する場合には、訴訟物どうしの同一・矛盾・先決関係、あるいは前訴の訴訟物が後訴の抗弁となっているなどの作用類型についてふれる。

学生の答案には、①を明らかにしていないので考察の前提がはっきりしない、②について考えずにいきなり③の類型論に入り誤った結論を出す、などのものがままみられる。

これは、1つには、既判力の意味と作用についての理解が不十分であることによる。もう1つの問題は、論理的文章記述の技術が身についていないということであろう。論理的文章は、結論とその根拠を明確にし、根拠については論理の流れに従って的確に展開してゆかなければならない（ことに、民事訴訟法学については、論理学的な要素が強いから、書く際の方法、ことに正確さに留意すべきである）。

[462]　4　既判力の双面性

　既判力の双面性とは、既判力が同一当事者に対して有利にも不利にもはたらくということである。

　たとえば、土地所有権確認の訴えで勝訴した原告は、後に被告からこの土地により生じた公害について不法行為請求訴訟を提起された場合には、基準時前の事由に基づいて自己の土地所有権を否認することはできない。

　これは前記2(3)（[461]）の訴訟物が先決関係にある場合に当たるが、既判力は前訴原告に不利にはたらいている。

[463]　第4　既判力の調査

　既判力は、訴訟要件ではなく、特定の主張についてはたらくもの、当事者の攻撃防御方法の範囲を制限するものである（したがって、既判力にふれる後訴は、却下ではなく、特定の主張が許されなくなる結果棄却されることになる。この点を誤解している学生が多い）。

　しかし、既判力は、紛争解決基準の安定、その実効性の確保という民事訴訟制度の根幹的要請にかかわるものであるから、公益性の高い訴訟要件の場合と同様に、職権調査事項であり、職権探知事項でもあると解されている。

　後訴において裁判所がこれを見落とし、当事者もこれを指摘しなかった（以上は、実際にはきわめてありにくいことである）ため、裁判所が前訴の既判力にふれる判決をした場合には、後訴は、上訴および再審（338条1項10号）で取り消される（なお、再審事由の上告・上告受理申立理由該当性については、[636]参照）。

　もっとも、再審の訴えで取り消されるまでの間は、基準時が後であってより新しい事情を反映した後訴判決のほうが優先すると解するのが多数説である。また、再審の訴えについても、338条1項ただし書の再審の補充性（[665]）により、当事者がこれを知りながら主張しなかったものとして、結局、再審は開始されず、後訴判決が優先する形で決着をみる場合が多いであろう（[661]）。

　以上は、上告、再審に関係する難しい論点なので、それらの部分を読んでからもう一度読み返してほしい。

[464]　第5　既判力を有する裁判

既判力を有する裁判には、以下のようなものがある。

[465]　1　確定した終局判決

本案判決[3]のほか、訴訟判決についても、却下の理由とされ、存在が否定された訴訟要件の基準時における欠缺等その裁判の根拠となる判断について既判力が生じると解される（最判平成22・7・16民集64巻5号1450頁）[4]。もっとも、起訴行為の有効要件である訴訟能力や訴訟上の代理権については、後訴が提起された時点で再度判断せざるをえない事柄であるから、既判力ははたらかない（あるいは、これらは常に基準時後の新事由になると考えてもよい）。また、訴訟終了宣言判決も訴訟判決であるが、その既判力はその請求に関し訴訟が終了したことのみについて生じる（最判平成27・11・30民集69巻7号2154頁参照）。

外国裁判所の確定判決も、118条の承認の要件（[691]）を満たす場合には、既判力が認められる（承認の効果については[693]参照）。

[466]　2　確定判決と同一の効力を有するもの

当事者の意思を基礎とする処分、また一部の裁判等について、法が確定判決と同一の効力、また、裁判上の和解と同一の効力を認めている場合がある（訴訟上の和解〔ないしは裁判上の和解〕の効果について制限的既判力説〔[518]〕を採る限り、確定判決と同一の効力、裁判上の和解と同一の効力は、条文の趣旨としてはほぼ同様になる）。

前者の例としては、裁判上の和解、請求の放棄・認諾の調書（267条）、債権表等の記載（破124条3項、民再104条3項、会更150条3項）、家事調停の調書（家事268条1項）、家事調停に代わる審判（同287条）仲裁判断（仲裁45条1項）等が、後者の例としては、和解に代わる決定（275条の2第5項）、民事調停の

---

[3]　形成判決については既判力を否定する見解もあるが、基準時における形成権の存在について既判力を認めるのが通説である。そうでないと、たとえば、形成権がないのに形成判決がされたとして提起される損害賠償請求を封じることができないなどの問題が生じる。

[4]　なお、訴訟判決については、一度は保証されるべき本案の審理を（十分には）していない手続によるものだから、基準時前の事由をもちだすことをある程度ゆるやかに認めてよいとの考え方がある（高橋上731頁）。

調書（民調16条）、民事調停に代わる決定（同18条5項）等がある。

　もっとも、「確定判決と同一の効力」に既判力を含むかについては、条文により解釈が異なる。たとえば、債権表等の記載、仲裁判断等については肯定できよう（裁判上の和解、請求の放棄・認諾については、**第16章**で論じる）。

　しかしながら、これらについての既判力の有無が訴訟上問題になる例は多くない。

[467]　**3　決　定**

　決定については、判決より簡易な手続に服するものであるから、原則として既判力はない（たとえば、保全命令につき、瀬木・民保［**270**］）。

　もっとも、当事者間に争いのある事項を終局的に解決することを目的とする決定（訴訟費用に関する決定〔69条1項、71条6項〕、文書提出命令〔223条1項〕）については、蒸し返しを防ぐ必要性は判決の場合と変わらないから、既判力を認めるべきであろう（クエスト427〜428頁。ただし、文書提出命令の申立てについては、証拠調べの必要性がないとして却下された場合には、その後必要性が具備すれば再申立てを認めるべきであろう）。

第2項　既判力の時的限界、既判力の縮小、確定判決変更の訴え

[468]　**第1　既判力の時的限界**

　この項目の表題である「既判力の時的限界」という言葉の表現はややあいまいだが、既判力によって確定されるのが事実審の最終口頭弁論終結時（既判力の基準時）における権利関係であり、基準時前の事由により基準時の権利関係を争うことはできないが、基準時後の事由を主張することは妨げられず、その意味で既判力の範囲は時的に限定されている、という趣旨である。

　上記のとおり、既判力の基準時は、事実審の最終口頭弁論終結時である。当事者が主張と証拠を提出できるのはこの時点までであり、裁判所が判決によって確定する権利関係もこの時点のものだからである（当然のことながら、それ以前、以後の権利関係が確定されるわけではない）。

　事実審の最終口頭弁論終結時までに発生していた事実については当事者に主張立証の機会があったのだから、既判力の基準時をこの時点にとることは、既判力の根拠である手続保障の観点からも、正当化される。

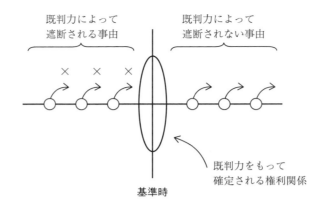

　そして、このことの結果として、当事者は、後訴において、基準時前に存在していた事由（事実）に基づく主張をもって基準時の権利関係を争うことはできなくなる（既判力の消極的作用、遮断効）。これを認めれば、蒸し返しを許すことになるからである（裁判所が判決によって確定する権利関係が「基準時のものである」ことと、既判力によって提出を妨げられるのが「基準時前に存在していた事由に基づく主張」であることを混同し、混乱する学生が、結構存在する。注意してほしい〔上の図を参照〕）。

　以上は、既判力の消極的作用に関して前記**第１項第３の１**（[457]）ですでにした説明を、この項目との関連で繰り返し、さらに敷衍したものである。

　また、当事者は、後訴において、基準時後に新たに発生した事由に基づく主張をすることは妨げられない。すでに例に用いた所有権確認の訴えや貸金返還請求について繰り返せば、たとえば、所有権確認の訴えの敗訴者（原告でも被告でも）は、判決確定後の後訴で、基準時後に新たに所有権を取得した旨の主張をすることができ、また、貸金返還請求の敗訴者（被告）は、請求異議の訴え（民執35条。これは、既判力が問題になりうる後訴の中で最も例の多いものである）を提起して、基準時後に弁済等の事由によって貸金返還請求権が消滅したことを主張することができる。

　なお、民事執行法35条２項が、「確定判決についての異議の事由は、口頭弁論終結後に生じたものに限る」と規定しているのは、既判力の時的限界の「帰結」である（「根拠」というのは正しくないであろう）。

第2　基準時後の形成権行使

[469] 1　概　説

　既判力の時的限界に関連して、基準時後の形成権行使が問題になる。

　これは、形成権にかかる主要事実のうち形成権行使の意思表示以外の事実は基準時前の事実であった場合に後訴において形成権の行使は可能か（基準時前の事由により基準時の権利関係を争ってはならないという既判力の消極的作用にふれないか）、という問題である。形成権行使の意思表示も形成権にかかる主要事実の１つなので、その主要事実の一部でも基準時後のものであれば形成権を基準時後に行使できるとすれば無条件にこれを許すことになるが、信義則的な観点、期待可能性的な観点からこれを許すべきでない場合もあるのではないか、ということである。学説は区々に分かれており、一部の形成権については判例がある。

　実際上は、実務でこうした点が問題になる例は少ない。まず、後訴自体が少ないし、当事者は、行使したほうがよいと思われる形成権は、まずは前訴で行使しているからである。こうした実務の状況も考慮に入れた立論をすべきであろう。

　学説には、①既判力による遮断を全面的に肯定するもの、②全面的に否定するもの、③場合により個別的に考えてゆくもの、があり、最後のグループについても、(i)固定的な基準を立てて判断するもの（たとえば、伊藤554～561頁は、「形成権行使の効果が既判力ある判断と矛盾・抵触するものであれば、その要件事実の一部が基準時後のものであっても、他の一部が基準時前のものであれば、後者の主張は既判力によって遮断されるから、結局形成権行使の効果を主張することは許されない」とのテーゼを立て、以下そのテーゼに従って判断をしている）、(ii)個々の形成権の性質と効果を中心にさまざまな要素を総合考慮して決定するものがある。

　③(ii)以外のグループの考え方は、既判力の「硬い」性格、形式的・一義的な基準であることが重視される性格から、この場合の判断も一律に、あるいは一義的な基準で、決定されるべきだと考えるものかと思われる。

　しかし、この問題は、個別的な形成権の性質と効果、当事者の利害状況、ことに、それらについて考えた結果として基準時前に主張をすることの期待可能性が大きいか（それなら遮断を認めるべきである）、小さいか（それなら遮断

すべきでない）によって決定するのが相当な、実際的な要請を考える必要性も大きい問題ではないかと考える。つまり、私見は、③(ii)のグループに属するが、総合考慮の軸を先のような「期待可能性」とするものである。

以下、個別的に検討してゆくが、最初に私見をまとめておくと、相殺権と建物買取請求権以外は遮断を肯定するのが相当と考える。現在の多数説も同様であると思われる。

判例についてもここでまとめておくと、取消権（最判昭和55・10・23民集34巻5号747頁、百選5版77事件）と白地手形補充（最判昭和57・3・30民集36巻3号501頁、百選5版A26事件）については遮断を肯定し、建物買取請求権（最判平成7・12・15民集49巻10号3051頁、百選5版78事件）については否定している。

取消権については特段の理由は示されていない。白地手形補充については、訴訟物が同一であることが指摘されている（同一である以上遮断されるべきだとの趣旨であろう）。建物買取請求権については、建物収去土地明渡請求権の発生原因に内在する瑕疵に基づく権利ではなくそれとは別個の制度目的および原因に基づいて発生する権利であることを理由としている（なお、建物買取請求権の行使があった場合の判決については、[056] 参照）。

なお、白地手形の補充については、法的性質としては形成権の行使とは異なるのではないかと思うが、問題としては共通しているので、従来からここで取り上げられてきたのであろう。

[470]　**2　取消権**

取消権については、取消原因は訴訟物たる権利に内在する瑕疵であるから法的安定性を本質とする既判力により洗い流される（遮断される）べき性格のものであること、より重大なはずの無効の主張は遮断されるのに取消しの主張が遮断されないのはバランスを欠くこと、取消権については基準時前の行使を当事者に期待しても酷ではないこと、などを理由に遮断を肯定すべきであろう。

遮断を否定する見解は、遮断を肯定すると実体法（民126条）が保障している取消権の5年間の行使期間が否定される結果になること、既判力によって確定されるのは、取消権行使によってくつがえされる可能性のある権利にすぎないにもかかわらず、遮断を肯定するとその瑕疵が洗い流されることになり、実体法を無視する結果になること、などを根拠に挙げる。

取消権と訴訟物たる権利の関係についてはいずれの議論も成り立つと思わ

れるが、ほかの点では遮断肯定説に説得力があり（取消権の5年間の行使期間については一般的な原則にすぎず、訴訟の場合までをも規制する原理とは考えにくい）[5]、何よりも、期待可能性の観点からは、債務負担行為の効力が主要な争点となっているはずである以上、その有効性を主張する側はその点について最終的な決着を求める正当な期待を有しており、にもかかわらずこの点を争う側が取消権の行使を別訴に留保するのは不適切である（新堂696頁）と考える。

[471]　3　解除権

解除権については、基本的に取消権と同様に考えることができる。

訴訟物たる権利に内在する瑕疵ではないという点では取消権とは異なるが、債務負担行為の効力が主要な争点となっているはずである以上、その有効性を主張する側はその点について最終的な決着を求める正当な期待を有しているという基本的な状況は、取消権と変わらないからである。

原告が債権者である場合とりあえず本来の債務の履行を請求し解除権の行使は後訴に留保することが許されるなどの理由から遮断を否定する考え方もある。しかし、訴訟物が前訴では本来の債務の履行請求権、後訴では解除権の行使に基づく損害賠償請求権となる場合、後訴での解除権行使が前訴の既判力によって遮断されることは考えにくい。そして、実際には、この論点に関して既判力が問題となるのは前訴、後訴の訴訟物が同一の場合であると考えられる（矛盾・先決関係に立つ場合は考えにくい）ところ、そのような場合に遮断を肯定すべきなのは、取消権と同様であろう（条解556～557頁〔竹下守夫〕）。

なお、基準時後にも債務不履行等の解除原因が継続する場合には、これを基準時後の事由として主張すればよいことはもちろんである（実際にはこの場合が多いであろう）。

[472]　4　相殺権

相殺権については、訴訟物たる権利とは別個の権利を主張するものであり、

---

[5]　確かに、一般論としては、訴訟法は実体権の内容を変更すべきものではない、というのが原則である。しかし、それも場合によることであり、この場合についていえば、「訴訟で、債務負担行為の効力が中心的争点になった場合にそれらの権利を行使するかどうかの判断を迫られても、実体法上取消権行使の存続期間を定めた趣旨に反するとは考えにくい」（新堂696頁）というべきであろう。

したがって、前訴の争点を蒸し返すものとはいえないし、前訴の勝訴当事者の地位が無に帰するものともいえない、自働債権を犠牲に供するものである以上相殺権者にこれをいつ行使するかの自由を与えることが適切である（相殺の担保的機能〔[067]〕についても考慮すべきであろう）、たとえ遮断したとしても自働債権を別訴で請求することは許されるから遮断する意味に乏しい、などの理由から、遮断を否定すべきであろう。

[473]　5　建物買取請求権

建物買取請求権については、訴訟物たる権利とは別個の権利を主張するものであり、また、土地賃借人の投下資本の保護という制度趣旨からしても、遮断を否定すべきであろう。

[474]　6　白地手形の補充

手形所持者が白地手形を補充しなかったため請求棄却になりその判決が確定した後に白地を補充して後訴を提起することを認めるか、という問題である。

補充しようと思えば簡単にできた（権利行使への期待可能性はきわめて高い）のにこれをしなかった原告の不利益よりも前訴の勝訴当事者である被告の利益を重視するのが相当であり、遮断を肯定すべきであろう。

第3　既判力の縮小

[475]　1　概　説

既判力の縮小とは、基準時前の事由であっても、当事者がこれを提出することをおよそ期待できなかった（期待可能性がなかった）場合には、既判力の根拠である手続保障を欠くのだから、例外的に基準時後の提出を認めてよいとする考え方である。

そして、これには、事実の提出に関する既判力の縮小と、法的観点の提出に関する既判力の縮小とがある。

[476]　2　事実の提出に関する既判力の縮小

事実の提出に関する既判力の縮小を認めてよいとする考え方が挙げる例は、たとえば、以下のような場合である。

①　第三者がした基準時前の弁済を被告が知ったのが基準時後であるが、前訴で主張できなかったことに無理もないといった事情がある場合（高橋上609頁）

②　交通事故等において基準時後に新たな後遺症が発生した場合

これについては、訴訟物が異なると考える、既判力の基準時後の新事由として認める、一部請求後の残部請求として認める（伝統的にはこの考え方が多数である〔[061]〕）等の考え方があったが、既判力の縮小で処理するのが理論的には最もすっきりしているであろう。

　③　前訴において限定承認が認められた（限定承認が認められるとその事実が主文に記載される〔「相続財産の存する限度において支払え」という形の主文になる〕ため、これに既判力に準じる効力を認めるのが判例である〔最判昭和49・4・26民集28巻3号503頁、百選5版85事件。後記**第3項第1の2**〔[483]〕）が、原告が相続財産の隠匿等の法定単純承認（民921条）の根拠となる事実を基準時後に知った場合

　上記の判例は、この事実は遮断されるとしているが、既判力の縮小を認める学説は、財産隠匿等の事実は被告相続人側の事情であり原告には簡単に知りうることではないから、上記の判例を前提とするとしても、場合により既判力に準じる効力の縮小を認めてよいとする（原告はあらためて無条件の給付判決を求めることができることになる）。私見も同様である。

　以上については、既判力の「硬い」性格からしてこうした例外を認めるべきではないとする考え方もある（伊藤553〜554頁、クエスト429〜430頁等。後者は、338条1項5号が前訴で提出できなかった攻撃防御方法を主張するための再審を刑事上罰すべき他人の行為による場合に限って認めていること、当事者の知・不知のような主観的事情によって既判力を左右するのは法的安定性の観点から問題があること、を理由として挙げる）。

　しかし、期待可能性の有無の判断はそれほど難しくはないと思われること、期待可能性がなかった以上手続保障という既判力の根拠が欠けること、338条1項5号がこうした場合の既判力の縮小を許さない趣旨の規定とまでは考えにくいことから、これを認めてよいと考える。もっとも、上記の例からもわかるとおり、これが認められるのは、実際には限られた場合であると思われる（したがって、法的安定性の観点からも問題はないであろう）。

3　法的観点の提出に関する既判力の縮小

[477]　(1)　学　説

　これは難しい論点であるため、学説判例を具体的に検討しながら解説する。

　法的観点の提出に関する既判力の縮小は、元々は、新訴訟物理論による研究者によって提唱された。

新訴訟物理論の下では、給付・形成訴訟の請求棄却判決が確定したときには、原告が被告に対して当該一定の給付・形成を求める法的地位がないという判断が既判力によって確定されるから、その請求を基礎付ける実体法上の法的観点（実体法上の請求権）の主張は既判力で遮断されることを前提としての立論である。
　２つの考え方を紹介しておく。
　①　前訴の審理過程において全く問題とならずまた問題となることを期待することもできなかったため、その法的観点からする請求の当否をめぐっては当事者に手続保障がなかったと認められる法的観点には、既判力の遮断効は及ばない（簡単にいえば、「当事者に手続保障がなかったと認められる法的観点には既判力の遮断効は及ばない」ということ。具体的には、前訴で審理された法的観点と別個独立の事実関係に基づく法的観点については、これに当たることが多いであろう）。
　もっとも、同一事実関係から発生し、前訴において主張しておくことに何の支障もなく、原告にこれを主張することを期待できた法的観点は、原則どおり、既判力で遮断される。このような法的観点については、実質的には前訴で審理済みであり原告には実質的な手続保障があったと認められるのであって、前訴判決による紛争解決に対する相手方の信頼を優先すべきだからである（条解550〜551頁〔竹下守夫〕）。
　②　裁判所が法的観点指摘義務に違反してある法的観点を指摘しなかった場合には、その法的観点には既判力の遮断効は及ばない。ただし、勝訴した相手方との利益衡量の必要性から、敗訴当事者が前訴においてその法的観点を主張しなかったことにつき無過失であり、かつ、その法的観点の指摘によって判決の結果に影響を及ぼす蓋然性があったことを要する（山本和彦「法律問題指摘義務違反による既判力の縮小」判タ968号82頁、山本・課題294〜295頁）。

[478]　(2)　判　例
　ところが、その後、旧訴訟物理論の下でも法的観点の提出に関する既判力の縮小が問題となりうることが、以下のような判例から明らかになった。
　①　最判平成９・３・14（判時1600号89頁①事件、判タ937号104頁①事件、百選５版A27事件）
　(i)　事案（論点関係部分のみを抽出）
　Ａが死亡した後、妻Ｘと子Ｙとの間で紛争が生じた。本件土地については、Ａの生前に、ＢからＹに対して売買を原因とする所有権移転登記がな

第15章　判決の効力

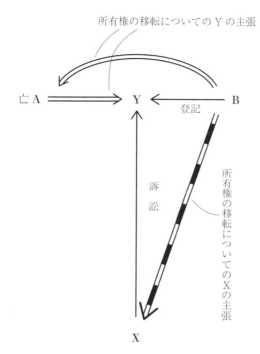

されていた。

　前訴は、XのYに対する土地所有権確認および所有権移転登記手続請求訴訟である。Xは、XがBから土地を買い受けたこと、予備的に時効取得したことを主張した。これに対し、Yは、AがBから土地を買い受け（積極否認）、AはさらにYに土地を贈与したと主張した（上の図参照）。

　前訴では、Bから土地を買い受けたのはAであるが、AY間の贈与は認められないとの判断の下にXの請求は棄却され、確定した。

　ところが、その後の遺産分割調停において、またしてもYが同土地についての自己の所有権（単独所有）を主張したため、Xは、Yに対し、本件土地がAの遺産であることの確認および相続による遺産共有持分に応じた所有権移転登記手続請求訴訟を提起した（後訴）。これに対し、Yは、Xが共有持分権をもたないことの確認の反訴を提起した。

　(ii)　検討（後訴のうち遺産確認の訴えは除外して考える）

　前訴では、XとYは、いずれも自己の単独所有の主張をしており、共有

499

持分権の主張はしていなかった。

前訴判決は、本件土地はAがBから買い受けたと判断している（Yの積極否認に沿う理由中の判断）。

前訴判決確定後にYが単独所有を主張したため、Xは後訴を提起した（後訴におけるXの主張は前訴判決の理由中の判断〔AがBから土地を買い受けた〕に沿うものであり、むしろYのほうが自己の単独所有の主張を蒸し返しているといえる）。

なお、前訴においても、BからAへの本件土地売買、XのA相続という後訴の請求原因事実は当事者のいずれかから出ているから、前訴裁判所は、一部認容判決をすることが可能であった。

以上を前提として、どう考えるべきか。

(iii) 判旨

多数意見は、Xの所有権確認訴訟において請求棄却の判決が確定したので、Xが前訴基準時において土地の所有権を有していないという判断に既判力が生じるから、Xが、それ以前に生じたところの、所有権の一部たる共有持分の取得原因事実（Aからの相続）を後訴において主張することは、(ii)の「検討」に記されたような事情があるとしても、既判力に抵触し許されないとした（既判力の原則論に従えばこうなる。後訴の訴訟物は前訴の訴訟物の一部にすぎないと考えられるからである〔訴訟物同一〕）。

反対意見は、既判力の根拠は、紛争の一回的解決、同一紛争の蒸し返し防止にあるとし、後訴における当事者の主張が前訴判決との関係で許容されるか否かを判断するに当たっては、既判力との抵触の有無だけではなく、当事者が一般的に期待する判決の紛争解決機能に照らし、当該主張が前訴判決によって解決されたはずの紛争を蒸し返すものであるか否かという観点からの検討も必要であり、前訴における紛争の態様、当事者の主張および判決の内容、判決後の当事者の対応および後訴が提起されるに至った経緯等の具体的事情によっては、既判力に抵触しない主張であっても信義則等に照らして制限すべき場合がある反面、既判力に抵触する主張であっても例外的にこれを許容すべき場合がありうるとする。そして、本件では、Yが信義則に反する紛争蒸し返しの主張をしたこと、また、それによってXが後訴を提起することを余儀なくされたことに照らせば、Xの主張を許容することは、既判力制度の趣旨目的に反しないという。

第15章　判決の効力

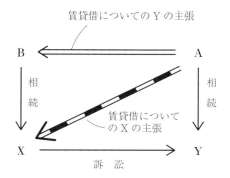

　要するに、反対意見は、信義則による既判力の縮小（法的観点の提出についての）を認めるものといえる。
　②　最判平成9・7・17（判時1614号72頁、判タ950号113頁）
　(ⅰ)　事案
　Xは、Yに対し、土地賃借権および同土地上の建物所有権確認訴訟を提起した。
　Xの主張は、XがYの先代Aから土地を賃借して建物を建築したというものである。
　Yは、Aから本件土地を賃借して建物を建てたのはXの先代Bであると主張した（上の図参照）。
　原審は、本件土地を賃借して建物を建てたのはXの先代Bであると認定してXの請求を棄却した。
　(ⅱ)　検討
　Yの主張は、Xの主張に対する積極否認であり、Yの主張が認められれば、Xには、Xの相続分に応じた土地賃借権および建物所有権取得が認められ、その限度で一部認容判決をすることが可能となる。
　なぜなら、Xが予備的に相続による遺産共有持分に応じた確認を請求すれば、Yの主張はその請求原因となる（Bの借り受け、Bの死亡、Xの相続という主要事実はYの主張に出ている。Bの借り受けについては、「相手方の援用しない自己に不利益な事実の陳述」〔**256**〕である。なお、①の事案にも同様の陳述はあった）し、本件の訴訟物はX単独の土地賃借権および建物所有権であり、これと同権利の共有持分との間には訴訟物の同一性が認められるからである。
　にもかかわらず本件原審のように全部棄却判決をしてしまうと、Xは後

501

訴で共有持分権を主張することができなくなる（この点において①の事案とパラレルな状況と考えることができる）。

　(iii)　判旨

　裁判所としては、適切に釈明権を行使するなどした上で先のような事実（Yの主張）を斟酌し、Xの請求の一部を認容すべきであるかどうかについて審理判断すべきものと解するのが相当であるとして、原判決の一部を破棄し、原審に差し戻した。

　①の判決を前提に、処分権主義にかかわる裁判所の釈明義務（あるいは法的観点指摘義務）を認めたのが本判決の意義であるといえる（具体的には、当事者にとっての不意打ちを避けるために争点を顕在化させるべきであるということ）。なお、この判決によれば、①の判決の事案でも、もしもXが前訴で釈明義務違反を理由に上告していれば破棄差戻しになったものと推測される。

　要するに、最高裁は、既判力の縮小（法的観点の提出についての）を認めない反面、審理の過程においては処分権主義にかかわる裁判所の釈明義務（あるいは法的観点指摘義務）を肯定するものといえよう。

[479]　(3)　前記判例の事案の学説への当てはめ

　(1)の、既判力の縮小（法的観点の提出についての）を認める学説は、前記①の判例の事案について、どう考えることになるであろうか。

　竹下守夫教授は、前訴において裁判所が相続による所有権（持分権）取得の点を釈明すべきだったとコメントしている（条解548頁）ことからみて、この事案では、既判力の縮小までは認めないという考え方かもしれない。

　山本和彦教授は、「前訴の審理過程に問題があり、その原審が一部認容判決可能であるにもかかわらずこれをしなかったことからみると、原審自身がそのような事柄（これまでの検討の中で記したような事柄）の法的な意味を見逃した、つまり、法的観点指摘義務を負っているのにこれに違反したといえるし、遺産共有まで主張しておかなければ後にその主張が排斥されるということにXが思い至ることができるとはいいがたいからXに過失があったとはいえない」（山本前掲論文90～91頁、山本・課題311～315頁）旨を述べて既判力の縮小を肯定する。

[480]　(4)　評　価

　法的観点の提出に関する既判力の縮小については、事実の提出に関する既判力の縮小を認める学説の中にも、前訴で法的観点（法的主張）を提出する

ための事実は出ていたがそれに気付かなかったという場合にまで既判力の縮小を認めるのは適切ではないとして、これを否定するものがある（高橋上737～739頁）。

確かに、新訴訟物理論を前提とする限り、そのように考えるのが適切であるかもしれない。気付かなかったから別の法的観点による請求をするということを認めると、新訴訟物理論の意味を大きく減殺する結果になりかねない。

しかし、旧訴訟物理論を採る場合には、法的観点の提出に関する既判力の縮小が考えられるのは、たとえば前記の判例のようなごく限られた場合であり、裁判所の釈明義務・法的観点指摘義務違反が明確である（にもかかわらず前訴ではこの点が指摘されず確定してしまった）ような場合には、これを認めてもよいのではないだろうか。その場合、①の判例の少数意見のように信義則の適用により既判力の縮小を認めるよりは、前記の学説のような基準によってこれを認めるほうがより明確であると考える。

[481]　第4　確定判決変更の訴え

確定判決変更の訴え（117条）は現行法で採り入れられた制度の1つである。基準時前の事由についての基準時後の変動を考慮するという点で前記**第2**や**第3**（基準時前の事実や法的観点の提出を認める）とは異なるが、広くみれば既判力の時的限界に関係する論点といえる（期待可能性の観点から既判力による遮断効をゆるめるという点では共通するところがある）ので、ここで解説する。

損害賠償の算定については、日本では、一時金によるのが普通である。つまり、将来発生する損害については、基準時に引き直し、中間利息を控除して算定することになる[6]。

しかし、後遺障害による介護費、また、将来の逸失利益については、原告が定期金賠償を求めた場合には、裁判所も、これを認める場合がある（たとえば、年100万円ずつを基準時に引き直して請求するのではなく、毎年100万円ずつを特定の日に支払え、といった形で請求する。介護費についての例が比較的多く、逸失利益については下級審の見解が分かれていたが、最判令和2・7・9民集74巻4号

---

(6)　なお、不法行為損害についての年5パーセントもの法定利率（2017年〔平成29年〕債権関係改正前）による中間利息の控除はおよそ正義にかなうものではなかった（多数者の利益において少数者にリスクを引き受けさせていることになっていた）と考える（瀬木・裁判所124～125頁）が、ここではこの問題は指摘するのみにとどめる。

1204頁は、「不法行為損害賠償制度の目的および理念に照らし相当と認められるとき」との限定の下にこれを認めた〔幼児が交通事故で労働能力の全部を喪失した事案〕）。

こうした定期金賠償を認めた場合でも、損害賠償請求権の存在と内容は既判力によって確定しているから、たとえば物価の著しい変動等の事情があったとしても、そのことを理由とする定期金の増額や減額の請求は、既判力によって封じられるはずである。

しかし、このような場合には確定判決の内容を事後的に修正することを認めるのが公平の要請にかなう（定期金賠償の方法を選んだ趣旨には、中間利息の控除を避けるということのほかに、損害の顕在化する時期における適切な金額の賠償を求めるということも含まれているであろう）ことから、この制度が作られたものである。

要件は、①口頭弁論終結結前に生じた損害につき、②定期金による賠償を命じた確定判決について、③口頭弁論終結後に、後遺障害の程度、賃金水準その他の損害額算定の基礎となった事情に著しい変更が生じた場合に、④訴え提起日以後に支払期限が到来する定期金にかかる部分に限って確定判決の変更を求めることができる、というものである。

それでは、①に関連して、口頭弁論終結後に定期的に生じる損害についてはどうか。たとえば、土地・建物明渡請求の場合の明渡済みまでの月ごとの賃料相当損害金のような場合である。基準時前の事由が基準時後に変動するのを考慮するという意味では同様であるから、類推適用を認めてよいのではないだろうか（最判昭和61・7・17民集40巻5号941頁、百選5版83事件は、土地明渡しの事案につき、一部請求後の残部請求として差額分の請求を認めるが、前訴が一部請求であるとはいえないので理論としては非常に無理が大きく、現在であれば117条の類推適用によるべきものといえよう）。

③の著しい変更がどの程度のものを意味するかは判例の蓄積に待つしかないであろう。④で定期金の範囲を限定しているのは、法的安定性や当事者間の公平を考慮してのことであろう。

この訴えの法的性質については、既判力の遮断効を消滅させる訴訟法上の形成の訴えに、追加的給付訴訟（増額の場合）、原判決の内容変更に基づく判決効の一部消滅を目的とする形成訴訟（減額の場合）が付加された形となる（伊藤543頁）。要するに、基本的には訴訟法上の形成の訴えの1つである。

なお、既判力の縮小のところでもふれた（前記**第3の2**〔**[476]**〕②）後遺症

の後発発生の場合も、基準時後の事情というよりは基準時前の事由が基準時後に変動するのを考慮するというほうが正しい、という見方もありうるかもしれない。基準時後に債務が消滅した場合について権利濫用により請求異議の訴え（民執35条）を認めた判例（最判昭和37・5・24民集16巻5号1157頁。交通事故により就業不能となったことを前提とした損害賠償請求判決確定後に負傷が快癒した事案）についても、その法的構成については同様に考える余地があるかもしれない（クエスト430頁）。もっとも、こうした場合にまで117条の類推適用の範囲に含めて考えるのは文理を大きく離れるので、いささか無理が大きいように思われる。前者は、一部請求後の残部請求あるいは既判力の縮小、後者は既判力の縮小の類推あるいは権利濫用の枠組みで考えるほうがよいと考える（なお、後者は、特異なケースについてのいささか大岡裁き的な判断とみるべきであろう）。

第3項　既判力の客観的範囲（対象たる客体の範囲）

第1　主文中の判断

[482]　**1　概　説**

　既判力の客観的範囲については、基本は単純であり、主文に包含するものに限るとされている（114条1項。いいかえれば、理由中の判断には既判力が生じない。このことについては、前記**第1項第3の2**(3)〔**[461]**〕、同**第3の3**〔**[461-2]**〕で具体的に説明した）。もっとも、その内容については、理由を参照しないと確定できない場合も多い（給付の訴えの認容判決、各種の棄却・却下判決等）。

　既判力の内容については、期限未到来や条件未成就を理由として請求を棄却する場合には、請求権の不存在が確定されるわけではなく、基準時において現在の給付を命じるべき請求権の不存在が確定されるだけである、と解するのが相当であろう（そう考えないと期限到来後の再訴が既判力により困難になるからである。上記の棄却は、こうした特殊な性格から、一時的棄却といわれる。一時的棄却の場合には、既判力の基準時後の期限到来や条件成就を主張して再訴をすることが許されることになる〔伊藤562頁、クエスト430〜431頁〕）。もっとも、現在の給付の訴えの一部認容として将来の給付判決をすることが許されると解するなら、一時的棄却判決は、将来の訴えの利益（**[176]**）が認められない場合に

のみすることになる（[052]）。

なお、訴訟判決の既判力は、訴訟要件の欠缺等その裁判の根拠となる判断について生じる（前記**第1項第5の1**〔[465]〕）。

では、なぜ、既判力は主文についてのみ生じるとされるのか。

これについては、当事者の直接の関心事は当該訴訟の訴訟物ないしは請求であって、これを基礎付ける理由中の判断は当事者にとっては二次的、派生的なものだから、後者については既判力が生じないこととし、もって、当事者に対しては、攻撃防御方法たる事実についてはこれを自由に処分することを可能にする（主張し、あるいはしない自由を与える）とともに争点を絞った主張立証活動を可能にしていると説明される。また、裁判所としても、論理的な順序にこだわらず結論を導くために最短のやり方で審理判断を行うことが可能になる、と説明される（もっとも、実際には、裁判官は、「請求原因はともかくとして抗弁が成立することは間違いないから棄却する」という判決は、あまり書かない〔考えられるとすれば、消滅時効が一見明白な場合くらいであろうか〕。普通の常識人である当事者をそれで納得させられるか、ということを考えるならば、やはり、簡潔にではあってもまずは請求原因について判断することが穏当であろう）。

しかし、理由中の判断には一切の後訴拘束力はない、ということになると、訴訟物は異なるけれども主要な争点は（ほとんど）同一という後訴の提起を規制することはできなくなる。そこで、理由中の判断についても、既判力とは異なる何らかの規制を認めようという議論が生じる。これが、**第5節**で述べる争点効と信義則による規制の問題である。

[483]　**2　強制執行にかかわる文言**

それでは、強制執行との関係で、これにかかわる文言が主文中に表示される場合にはどのように考えるべきかる。

たとえば、同時履行の抗弁権が認められる場合や、立退料との引換給付が命じられるなどの引換給付判決の場合、「被告は、原告が100万円を支払うのと引換えに物を引き渡せ（家屋を明け渡せ）」といった主文になる（なお、この場合には一部認容判決ということになるから、「原告のその余の請求を棄却する」という主文が付加されることになる）。

この場合については、100万円の支払は執行の条件（執行開始の要件。民執31項1項）になるにすぎず、引換給付の100万円の債権については、訴訟物にはなっていないから、既判力は生じないと解されている（「物の引渡請求権に

ついて100万円の支払との引換えに、という執行の条件が付いている」ことに既判力が生じているにすぎない〔コンメⅡ496〜497頁〕）。

しかし、判例は、①前訴で限定承認が主張されこれが認められた事案については、限定承認の存在および効力についても訴訟物に準じるものとして審理判断され、限定承認が認められた場合には、主文にそのことが明示される（「相続財産の存する限度において支払え」という形の主文になる）のであるから、これについては、既判力に準じる効力があるとしている（最判昭和49・4・26民集28巻3号503頁、百選5版85事件）。

また、②当事者間に不執行の合意があり、これが主張されて認められた場合については、主文にそのことを明示すべきである（「前項については強制執行をすることができない」という形の主文になる）としている（最判平成5・11・11民集47巻9号5255頁）ところ、その判示中で、先のような主張があった場合には、訴訟物に準じるものとして審判の対象となると述べているので、これについても、①と同様に既判力に準じる効力を認める趣旨と解される（なお、以上の場合については、給付請求権は全部認められ、ただその執行に制限がかかっているだけなので、全部認容判決ということになる〔**[057]**〕）。

①、②については、まず、被告が前訴でこれを主張しなかった場合に「既判力に準じる効力」によってこれが遮断されるかが問題になるが、②判決からすると、これらの主張があった場合にはその判断に既判力に準じる効力が生じるから遮断されるが、主張がなかった場合には遮断されない（債務者には給付訴訟でそれを主張するか執行段階まで留保するかの選択の自由がある）ということになりそうである（判例解説平成5年度984頁参照）。

つまり、限定承認は執行に関する抗弁なので執行段階でも主張できるということである。強制執行を受けた債務者が、その請求債権につき強制執行を行う権利の放棄または不執行の合意があったことを主張して裁判所に強制執行の排除を求める場合には、執行抗告または執行異議の方法によることはできず、請求異議の訴え（民執35条）によるべきであるとの判例（最決平成18・9・11民集60巻7号2622頁）も、このことを前提とするものと解される。

次に、これらの主張があり、前訴でこれが認められた場合に後訴（再訴）で原告がそれを争うことができるか（あらためて無条件の給付判決を求めることができるか）については、基本的には争えないが、①については既判力に準じる効力の縮小を認めるべき場合がある（前記**第2項第3の2**〔**[476]**〕の③）、

といえよう。

　要するに、判例は限定承認（ないし不執行の合意）の主張について既判力に準じる効力を認めるというものの、それは、被告に対しては「限定承認（ないし不執行の合意）について前訴で提出し判断がなされた場合にはそれを争えない」という意味にとどまるということに注意すべきである。

　以上について、私見に基づくまとめの考察をしておきたい。

　まず、限定承認や不執行の合意については、執行に関する抗弁なので、債務名義作成の段階（給付訴訟段階）でも執行段階でも出すことができる。

　判例がこのような抗弁（本来は理由中の判断の対象）に既判力に準じる効力を認めたことにはそれなりの実際的根拠があると考える。しかし、その結果は、原告側については通常の遮断効がはたらき、被告側については、抗弁を提出すればその結果については争えなくなるものの抗弁を上記のどの段階で提出するかは自由であるということになり、ややバランスが悪くなっている。したがって、原告側について既判力に準じる効力の縮小の主張を認める（限定承認の場合）ことの意味は大きいといえよう。また、「既判力に準じる効力といいながら被告側については基準時後でもその主張は持ち出せる」という点も、「準じる効力」だからかまわないということなのかもしれないが、説明としてはすっきりしない。

　私見としては、これらの抗弁についても争点効を認めればそれで十分ではないかと考える。争点効の基礎には当事者間の公平（信義則）があるので、期待可能性による調整はより柔軟、容易になるであろう。

　判例のような考え方を採ると、上記の引換給付としての立退料の金額や所有権に基づく建物収去土地明渡請求訴訟（この訴訟物については考え方が分かれるが、所有権に基づく返還請求権としての土地明渡請求権である〔建物収去は執行方法を明示する必要性から主文に掲げられているにすぎない〕とする考え方が有力である〔30講264～265頁〕）における建物収去義務やその一部認容としての建物退去義務にも既判力に準じる効力を認める余地が出てくるが、これらの場合についても、やはり、争点効による調節を図るほうがより適切であろう。

　以上をまとめると、執行との関係で主文に表示される訴訟物以外の事項については争点効で処理するほうが、いささか不明確な「既判力に準じる効力」をそれらの一部に認めるよりも、統一的でかつ適切な結果が得られるのではないかと考える。

第2　相殺の抗弁

[484]　1　概　説

　相殺の抗弁については、前記**第1の1**の例外として、相殺をもって対抗した額について、自働債権の不存在につき既判力が生じる（114条2項。同項の「請求の成立又は不成立」という表現には沿革的な理由があるが、その趣旨は今日このように解されている〔中野・論点Ⅱ151〜154頁、コンメⅡ506〜507頁〕）。

　具体的には、たとえば、100万円の請求に対して30万円の相殺の抗弁が主張された場合、訴求債権全額が存在するとの認定であることを前提とすると、自働債権30万円が存在するとの認定であれば70万円が認容されることになるが、この場合、基準時における自働債権30万円の不存在（相殺の結果不存在となった）に既判力が生じることになる。また、自働債権30万円が存在しないとの認定であれば100万円が認容されることになるが、この場合にも、基準時における自働債権30万円の不存在に既判力が生じることになる。

　相殺の抗弁については、理由中の判断であるのに、例外的に既判力が生じるとされているわけである。その理由は、相殺の抗弁が、訴訟物とは別個の債権を主張するものだからであり、したがって、これに既判力を認めないと、被告が自働債権を訴訟物とする別訴を提起してこの点に関する紛争を蒸し返すのを防げないからである。

　なお、以上につき、自働債権が存在するとして相殺の抗弁が認められた場合については、「請求債権と自働債権がともに存在し、それが相殺によって消滅した」との判断に既判力が生じるとする見解もある（兼子344頁、松本＝上野627〜629頁〔ただし、114条2項の類推適用という〕）。これは、原告が自働債権は当初から不存在であったと主張し、被告が請求債権の支払を理由なく免れたとして請求債権について不当利得返還請求をし、また、被告が請求債権は別の理由で不存在であったと主張し、原告が自働債権の支払を理由なく免れたとして不当利得返還請求をするのを防止することを目的とするという。しかし、これらの後訴における主張は、いずれも、基準時におけるみずからの債権の不存在の判断（これは既判力によって確定されている）と矛盾するものであるから、上記のような見解を採らずとも既判力により遮断されるし、また、上記の見解が、基準時よりも前の時点の権利関係について既判力を認めようとする点も正当ではないから、この見解は採れない（中野・論点Ⅱ

152～156頁)。

　既判力の範囲は、「相殺をもって対抗した金額」に限定される。たとえば、60万円の請求に対して100万円の自働債権による相殺の抗弁が主張された場合、この抗弁が認められても認められなくても、相殺をもって対抗した金額60万円についてのみ既判力が生じ、残部である40万円については生じないということである（つまり、被告は、残部40万円を別訴で主張する〔訴訟物とする、あるいは自働債権として相殺の抗弁を主張する〕ことができ、これは既判力によって妨げられない)。

　これは、一見不合理なように感じられるかもしれない（なぜなら、実務においては、裁判所は、通常は、上記の残部をも含め、自働債権のうちどれだけが存在するかを確定的に認定した上で、相殺の抗弁について判断するであろうから）が、その理由は、裁判所としては、訴訟物との関係では、自働債権の金額が60万円を下らないか否かについてのみ判断すれば足り、その余については本来判断する必要がないからであり、また、理由中の判断について既判力を認めるのはあくまで例外的な処理ゆえ、その範囲は訴訟物との関係で必要な範囲内に限られるのが相当だからである[7]。

　以上の理解は難しくないと思われるが、実務ではよくありうるような設例を立てると、学生はまま混乱する。その例を示しておく。

　たとえば、100万円の請求に対して150万円の自働債権による相殺が主張され、裁判所が、請求債権のうち60万円が存在すると認定した場合について、①裁判所が、自働債権は150万円存在すると認定した場合、また、②自働債権は20万円存在すると認定した場合、既判力が生じるのはどの部分だろうか。

　答えは、いずれの場合にも60万円である（わかりにくくなるのでこれまでの説明ではその点にふれていないが、「原告の請求について裁判所が認定した金額」について「相殺をもって対抗した金額」を考えることに注意。原告の請求債権のうち裁判所が不存在と認定した金額、すなわち請求原因のうち認められなかった部分については抗弁を考える必要はないからである）。後者については、被告が主張し存在が認められた20万円については相殺が認められた結果としての基準時におけ

---

[7] なお、裁判所が請求債権額を超えて自働債権の不存在を確定した場合には請求債権額を超える部分についても既判力が生じるとする見解もある（松本＝上野628～629頁）。

るその不存在に、被告が主張したが存在が認められなかった40万円については基準時におけるその不存在に、それぞれ既判力が生じるということである。また、いずれの場合にも、残部90万円については既判力は生じない。

では、残部について既判力を生じさせたければどうすべきか。

残部に当たる部分につき、被告の側からは反訴、原告の側からは債務不存在確認の訴えの追加的変更をすればよい。

なお、争点効を認める考え方は、自働債権の成否の判断につきこれを認める余地があるとする（新堂704頁）が、争点効を認めるなら自働債権の総額についてもこれを認めてよいのではないだろうか。

さて、一部請求と相殺に関して外側説を採った最判平成6・11・22（民集48巻7号1355頁、百選5版113事件。[063]）は、外側説を前提として、その場合の既判力についても判示している。この点に関する判文の表現はかなりわかりにくいが、「相殺の自働債権のうち一部請求部分に対応する部分」のみにつき「相殺をもって対抗した金額」となって自働債権不存在の既判力が生じ、「自働債権のうち、裁判所の認定した請求債権額から一部請求額を控除した残額部分に対応する部分」については既判力（具体的に問題となるのは自働債権不存在の既判力）は生じないとしたものと解されている[8]。

[485]　**2　そのほかの解釈問題**

相殺の抗弁に既判力が生じるのは、これが実質的に審理された場合に限られる。そうでない場合にまで特別な既判力を生じさせる必要はないからである。具体的には、相殺の抗弁が時機に後れた攻撃防御方法（157条1項）として却下された場合、相殺適状の要件（民505条）を満たさない場合、受働債権が民法509条所定の債権である場合等である。

相殺の抗弁に既判力が生じる結果、裁判所は、ほかの抗弁について判断した後に（それでもなお請求債権が存在することが確定した後に）、相殺の抗弁について判断することになる（なお、このことは、相殺の抗弁が被告の出捐を伴うという意味からも、妥当である）。

なお、ほかの抗弁が排斥され、相殺の抗弁が認められて請求棄却判決を得た被告には、控訴の利益が認められる（[610]）。

訴訟上の相殺の抗弁に対し訴訟上の相殺を再抗弁として主張することはできないとするのが判例である（最判平成10・4・30民集52巻3号930頁、百選5版44事件）。①訴訟上の相殺の意思表示は、これがなされたことにより確定的

にその効果を生じるものではなく、その訴訟において裁判所により相殺の判断がなされることを条件として実体法上の効果が生じるものであるから、相殺の再抗弁を主張することが許されるものとすると、仮定の上に仮定が積み

---

(8) 以下、具体例を挙げて説明しておこう（下の図も参照）。

裁判所の認定した請求債権額が1000万円、一部請求額が600万円、被告主張の反対債権（相殺の自働債権）額が700万円であるとして、裁判所の認定した反対債権額が700万円あるいは600万円である場合（認容額はそれぞれ300万円、400万円。相殺が認容額に影響する場合）でも、反対債権額が100万円あるいは0である場合（認容額は一部請求全部認容で600万円。相殺が認容額に影響しない場合）でも、反対債権について（相殺の結果として、あるいは元々不存在であるとして）基準時において不存在の既判力が生じるのは、図における斜線部分のみである、ということになる。

なお、「相殺が認容額に影響しない場合」が、判文のいう「当該債権の総額（この具体例では1000万円）から自働債権の額（たとえば先の反対債権額100万円）を控除した結果残存額（900万円）が一部請求の額（600万円）を超えるとき」であろう。つまり、判文は、この場合だけを例に挙げた表現となっている。しかも、この事案の類型は、実は、「相殺が認容額に影響する場合」に属するのに、判文は、その場合については直接ふれていないのである。以上により、この判文はきわめてわかりにくくなっており、また、厳密にいえば射程にも曖昧さが残るのである（同旨、百選5版解説〔八田卓也〕236頁の2）。私は、この判文を一読してその意味を正確に理解することのできた法律家はごくわずかではないかと考える。日本の最高裁判例に時にある「表現のわかりにくさ（ないし不正確さ）」の一例といえる（なお、この事案については、難しい論点を複数含むこともあって混乱が生じた可能性もある〔ことに不利益変更禁止の原則関連説示は問題が大きい〔**[620]** の注(6)〕〕）。

本文に記した判示は、判例の考え方（基本的に、一部請求についての「訴訟物一部説」。**[059]** 参照）によるなら、請求債権のうち一部請求額を超える部分には既判力が生じないのだから、反対債権（自働債権）についても一部請求額を超える部分に対応する部分には既判力は生じさせない、という趣旨と解される。

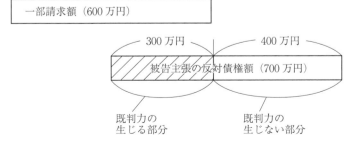

重ねられて法律関係を不安定にし、審理の錯雑を招くこと、②原告は、訴えの追加的変更か別訴の提起により、この債権を行使することができること、③114条2項は理由中の判断に既判力を生じさせる唯一の例外を定めたものであるからその適用範囲の拡大には慎重であるべきであること、を理由としている。

なお、同判例も、訴訟外で相殺の意思表示がされた場合には、これにより確定的に相殺の効果が発生するから、これを再抗弁として主張することは妨げないとしている。

第4項　既判力・執行力の主観的範囲（対象たる主体の範囲）、対世効等、反射効

[486]　**第1　概説**

　既判力の根拠が手続保障にあることを考えるならば、その主観的範囲も、原則としては、手続保障を与えられて争った当事者に限られるということになる。そこで、115条1項は、まず、その1号で、当事者には既判力が及ぶと規定している。

　このように、既判力は、前訴の当事者にのみ及ぶのが原則である（このことは、「判決の相対効」の原則ともいわれる〔クエスト449～450頁〕。わかりやすい表現なので、本書でも使用する）(9)。

　しかし、それだけでは、紛争解決基準の安定という既判力の目的にそぐわない結果が生じることがある。たとえば、敗訴当事者が第三者に訴訟物およびこれに関連する権利を譲り渡してしまえば、その第三者は何ら既判力の拘束を受けないことになるが、これでは、既判力は実際上容易に潜脱されることとなり、紛争解決基準の安定は図れない。また、勝訴当事者が第三者に訴訟物およびこれに関連する権利を譲り渡した場合についても、その第三者を既判力によって保護しなくてよいかという問題がある。以上のような場合に対処する規定が同項3号である。

　また、既判力の根拠が手続保障にあることからすれば、ある者の手続保障が第三者によってすでに尽くされている場合や、ある者について手続保障を尽くす必要がないと認められる場合にも、その者に対して既判力の拡張を認めてもよいのではないかと考えられる。これらの場合についての規定が、そ

れぞれ、同項2号、4号である。

執行力についても、同様に、その主観的範囲の拡張を考える必要がある。これについては民事執行法の論点となるが、既判力の主観的範囲の拡張の問題をよく理解するためには、執行力の主観的範囲の拡張の問題についても、最小限の知識を得ておくことが適切である。そこで、本書では、この問題についても解説しておくこととした。

法人格否認の法理と既判力・執行力の拡張については、解釈問題なので、以上について論じた後に解説する。

また、対世効についても、既判力が第三者に広く拡張される場合といえるから、ここであらためてふれておくこととする。

最後に、反射効は、その性質およびこれを認めるか否かについて争いがあるが、いずれにせよ、解釈によって既判力ないしそれに類した効力を第三者に拡張することができるかという問題なので、ここで論じる。

---

(9) なお、この「判決の相対効」の含む問題を典型的に示したのが、いわゆる諫早湾干拓訴訟である。この訴訟(以下においては、関係訴訟のうち一部を単純化して示す)では、異なる当事者(いずれも複数であるが、以下、便宜上まとめて A、B と表示する)が、国に対し、内容の異なる判断を得た(A〔漁業者〕は「国は排水門の開放を一定期間継続せよ」との判断を、B〔営農者中心〕は「国は排水門の開門をしてはならない」との判断を得た。まず、A と国との間の判決〔福岡高判平成22・12・6判時2102号55頁、判タ1342号80頁〕が確定し、その後、B が国に対して仮処分〔長崎地決平成25・11・12 LLI/DB 判例秘書〕を得たのである)。そして、最高裁は、いずれの裁判についても間接強制を命じることを肯定した(いずれも最決平成27・1・22判時2252号33頁、判タ1410号55頁)。判決の相対効の原則からすれば、これには特に問題はないことになる。A と国との間の確定判決の効力は B に及ばないし、B が国に対して得た仮処分の効力も A に及ばないからである。しかし、この事案では、被告がいずれも国であることから、国としてはいずれの判断に従うべきか、また、強制執行手続はどうなるのか、ということが、大きな社会的問題として議論されることになった。そして、法律家ではない人々の間では、「一連の判断はどこかがおかしいと感じられるが、どこがどうおかしいのかがよくわからない」という意見が強く、判決の相対効の問題だから仕方がない(最初の確定判決は開門を求める給付の訴えに対する判決にすぎず、これは対世効の認められる類型の判決ではないのだから後に別の当事者がこれと異なる内容の仮処分を得てもおかしくない)という説明にも、納得できないという声が強かった。結局、この訴訟は、その後も複雑な形で続き、判決(裁判)の相対効の含みうる問題を象徴的な形で示すことになったわけである。

第2　既判力の主観的範囲の拡張

1　口頭弁論終結後の承継人

[487]　(1)　既判力拡張の根拠

　当事者・訴訟担当の被担当者（後記2）の口頭弁論終結後の承継人である（115条1項3号）。前記第1のとおり、基準時後の、訴訟物およびこれに関連する権利の譲渡により訴訟の結果が無になり紛争解決基準の安定が図れなくなることを防ぐために、拡張が正当化される。

　繰り返せば、敗訴当事者が第三者に訴訟物等を譲り渡してしまえば、その第三者は何ら既判力の拘束を受けないことになるが、それでは、既判力は実際上容易に潜脱されることとなるし、また、勝訴当事者が第三者に訴訟物等を譲り渡した場合についても、敗訴者がこれによって既判力を免れることになるのは適切ではないと考えられる、ということである。

　敗訴当事者の承継の場合についていえば、承継人は敗訴当事者の手続保障をもって満足すべきであるといえるし、また、公平の観点から、承継人よりも勝訴当事者の地位を保護すべき要請があるといえる。

　勝訴当事者の承継の場合についていえば、敗訴当事者についてはすでに手続保障は尽くされたといえるし、また、公平の観点から、敗訴当事者よりも承継人の地位を保護すべき要請があるといえる。

　いずれにせよ、手続保障と関係者間の公平（勝訴者の既得的地位の保護）とが拡張を正当化する根拠であるといえるだろう。

　なお、上記のとおり、訴訟担当の被担当者（利益帰属主体）からの口頭弁論終結後の承継人についても、既判力が拡張される（115条1項3号は、「前2号に掲げる者の口頭弁論終結後の承継人」と規定している）。

[488]　(2)　承継人の範囲を定める基準と具体例

　この場合の既判力拡張の対象については、上記のような制度趣旨、その根拠、また実際的要請に照らし、訴訟物の枠を一定程度超えて認める（拡張を受ける主体を訴訟物を承継した者に限定しない）のが通例であり、それを前提として、口頭弁論終結後の承継人の範囲を定める基準（何を承継した場合に既判力の拡張を受けるのか）が考えられてきた。

　まず、ここでいう承継には、包括承継と特定承継が含まれるところ、包括承継人については、当事者の権利義務のすべてを承継する者であるから、こ

こでいう承継人に当たるとすることに問題はない。

　特定承継については、考え方が分かれている。

　まず、①承継の対象を訴訟法上の地位と考えるものがある。当事者適格の承継であるとする考え方が典型的だが、②紛争の主体たる地位を引き継いだ者とする考え方（新堂705～706頁等）もこれに含まれるであろう。

　次に、③承継の対象を、実体法上の権利、すなわち、訴訟物およびこれに関連する権利（訴訟物の基礎たる権利および訴訟物から派生する権利）と考えるものがある。

　①説は本来特定の訴訟物についての訴訟追行権者を決定する基準であり、口頭弁論終結後の承継人を画する基準としては適切とはいえないであろう。

　②説、③説については、適用の結果はそれほど変わらないとも考えられるが、拡張の根拠との適切な整合性を考えるならば、訴訟物およびこれに関連する権利を譲り受けた者は、その意味で前者の地位に依存するといえ、前記のような手続保障と関係者間の公平によって既判力が拡張されるにふさわしいものといえるから、③説（「依存関係説」ともいわれる）が基準としては適切であろう（学説の推移については、伊藤577～580頁、条解570～572頁等。学説の分布としては、②説を採るものが比較的多かったが、近年は③説も有力である〔伊藤581頁、クエスト454頁等〕）。

　なお、②説の根拠の1つとされている最判昭和41・3・22（民集20巻3号484頁、百選5版109事件。「口頭弁論終結後の承継人に対する既判力の主観的範囲の拡張の場合と同様の基準による。あるいはそれに準じる」とされている「訴訟承継」に関する事案）には、確かに「紛争の主体たる地位の承継」という文言がある。しかし、それが「訴訟承継」を認めることの根拠として掲げるところの、紛争の一部が移行する、証拠資料が共通であるといった事柄は、「既判力の主観的範囲の拡張」ではなく、訴訟承継を念頭に置いたものであろう。

　学生のレポートや答案においても、②説による（と解される）ものには、その根拠付けがあいまいで同義反復に陥っている例がままある。これは、②説のいう「紛争の主体たる地位」という言葉の外延も、既判力の主観的範囲の拡張を認める根拠との結び付きも、必ずしも明確でないことに1つの原因があるようにも思われる（なお、学生の答案には、訴訟承継の場合についての先の判例の根拠付けを口頭弁論終結後の承継人に対する既判力の主観的範囲の拡張の場合の根拠付けとしてそのまま用いている例も目立つ）。

なお、口頭弁論終結前の承継の場合には**第20章**で論じる訴訟承継の問題となるが、口頭弁論終結後の承継の場合と考え方には連続性があるため、両者の基準は共通に考えるのが通常である（[592]）。

訴訟物の基礎たる権利の承継としては、たとえば、抵当権確認の訴えの当事者から所有権を譲り受けた者、所有権移転登記に関する訴えの当事者から所有権を譲り受けた者等が考えられ、訴訟物から派生する権利の承継としては、たとえば、建物収去土地明渡しの訴えの被告から建物を譲り受けた者や建物を賃借した者等が考えられる。

最後に、承継人の該当性が問題となる具体例について若干ふれておく。

金銭請求に関しては、その被告が破産した場合の破産管財人は承継人に当たる。一般財産の帰属主体たる地位にかかわるからである。金銭請求被告の個々の財産の譲受人については、一般財産の帰属主体たる地位にかかわるものではないから、原則として承継人に当たらない（条解580～581頁）。

債務引受けの場合については、免責的債務引受け、重畳的債務引受けで区々に考え方が分かれているが、いずれについても債務の承継人として既判力を受けるとする考え方が有力であり、これに従いたい。債務の内容としては同一であり、関係者間の公平のみならず手続保障の観点からしても、再度争わせることは適切ではないと考えられるからである。

[489]　(3)　関連する論点

(ｱ)　訴訟物の性質

かつては、訴訟物が物権的請求権である場合にのみ口頭弁論終結後の承継人に既判力が及び、訴訟物が債権的請求権である場合には及ばないとする考え方もあった（兼子345頁）。しかし、物権的請求権と債権的請求権の相違は、実体法上その権利を第三者に対して主張できるか否かという実体法上の相違にすぎず、そのことをもって既判力の及ぶ口頭弁論終結後の承継人の範囲を限定するのは適切ではなく、今日の通説は、訴訟物の性質いかんにかかわらず口頭弁論終結後の承継人に対する既判力の拡張を認めている。

(ｲ)　固有の防御方法、実質説と形式説

口頭弁論終結後の承継人には既判力が及ぶが、その者も、自己に固有の防御方法がある場合には、後訴でそれを主張することが可能である。

たとえば、XからYに対する虚偽表示による売買の無効を理由とする所有権移転登記抹消登記手続請求において敗訴したYから基準時後に所有権

の移転を受けたZ（Xが抹消登記手続をとらないうちに所有権の移転を受けたという趣旨）は、YのXに対する所有権移転登記抹消義務は既判力により争えないが、自己が善意の第三者である（民94条2項）旨の主張は固有の防御方法（抗弁）として主張することができる（その立証に成功すれば勝訴できる。最判昭和48・6・21民集27巻6号712頁、百選5版87事件は、このような事案についての承継執行文の付与、執行力の拡張を否定するが、既判力の拡張についても同様になる。なお、そのほかの実例については、新堂706～707頁参照）。

これは当然のことと考えられる（承継人にも、既判力によって妨げられない主張の提出が可能であることは当然であろう）が、これについては、かつて、いわゆる実質説が主張され、これに対して形式説が主張されるという経緯で議論が進んできた。

簡単にいえば、実質説は、上記のZのように固有の防御方法をもつ者は口頭弁論終結後の承継人に当たらないとし、形式説は、固有の防御方法をもつ者も承継人には当たるが、そのこととは別に固有の防御方法の提出は許されるとするものである（新堂707～708頁等）。

しかし、形式説が主張することは既判力の作用の原則からして当然のことであり（その意味で、実質説の考え方には疑問がある）、これについて、承継人の範囲の問題に関する2つの考え方の当否という形で議論を立てる意味は乏しいといえよう。いいかえれば、形式説は、実質説に対する批判という趣旨から1つの説として立つことに意味はあったが、その説くところは既判力の作用の原則からして当然のことだから、現時点では、あえてこれを「形式説」と呼ぶ意味は乏しいということである。

要するに、この点は、基本的には、㋐と同じく、歴史的議論に近くなったといってよいかと思われる（同旨、伊藤585～588頁）。

　㋒　承継の時期、登記（対抗要件）との関係

承継の時期は、基本的には、訴訟物等の移転時期をもって判断する。たとえば、売買契約が口頭弁論終結前であっても、所有権移転の時期が口頭弁論終結後であった場合には、口頭弁論終結後の承継人とみることに問題はない。

また、口頭弁論終結後に所有権が移転されたが、登記は未だなされていない場合についても、承継人とみることに問題はない。登記は、所有者が所有権の取得を第三者に主張するための対抗要件にすぎないからである。

それでは、口頭弁論終結前に所有権が移転したが、登記がなされたのは口

頭弁論終結後であった場合はどうか。

　登記がなされていないのに他方当事者が受継の申立て（126条）をするのは困難であることを考えると、権利取得が基準時前であっても登記が基準時後になされた場合には、例外的に登記を基準に考えて、口頭弁論終結後の承継人とみるべきであろう。これが多数説である（条解572〜573頁。コンメⅡ523〜524頁。反対の趣旨の判例もある〔最判昭和49・10・24判時760号56頁〕が、民集判例ではなく、裁判官2名の反対意見もあり、あまり重みのある判例とはいえない）。

　(ェ)　拡張される既判力の内容

　口頭弁論終結後の承継人に対して拡張される既判力の内容については、難しい問題の生じる場合がある。

　訴訟物自体が承継される場合には、前訴の訴訟物が後訴の訴訟物に対して先決関係にある（その先決問題となる）ため、この意味は理解しやすい。

　たとえば、ＸがＹに対する土地所有権確認の訴えで勝訴し、その口頭弁論終結後にＹから土地を譲り受けたＺに対してＸが所有権確認の訴えを提起するような場合が典型的である。

　この場合、前訴の訴訟物は後訴の訴訟物に対して先決関係にある。すなわち、Ｚは、基準時においてＸが土地所有権を有していた（したがって一物一権主義によりＹは土地所有権を有していなかった）ことは争えず、それを前提として、たとえば基準時後ＺがＹから土地を譲り受けた時点までの間にＹが新たに所有権を取得したなどの主張をするほかなくなる（既判力は、同一当事者間の場合の「訴訟物が先決関係にある場合」〔前記**第1項第3の2(3)**〔**461**〕〕と同じようなはたらき方をする）。

　しかし、訴訟物に関連する権利の承継の場合には、上記のような先決関係の成り立たない場合がある。たとえば、ＸがＹに対する所有権に基づく建物収去土地明渡請求訴訟（この訴訟物については考え方が分かれるが、前記**第3項第1の2**〔**483**〕でもふれたとおり、所有権に基づく返還請求権としての土地明渡請求権である〔建物収去は執行方法を明示する必要性から主文に掲げられているにすぎない〕とする考え方が有力である〔30講264〜265頁〕。もっとも、ほかの考え方でも要件事実自体に変わりはない）で勝訴した場合、その口頭弁論終結後にＹから建物を譲り受けたＺに対してＸが所有権に基づく建物収去土地明渡請求訴訟を提起したときには、前訴の訴訟物は後訴の訴訟物に対して先決関係にはな

く（Zは、Yの建物収去土地明渡義務自体を承継しているわけではなく、ZがXに対する建物収去土地明渡義務を負うとすれば、それは、Zが、建物の譲受けに伴い土地の占有を取得したことによって、Yの建物収去土地明渡義務とは無関係に、新たに生じた義務にすぎない）、したがって、基準時においてXがYに対する所有権に基づく返還請求権としての土地明渡請求権を有していたことをZは争えない、といってみても、そのことがXにとって有利に作用するということにはならない（クエスト457～458頁等）。

また、要件事実の面からみても、XのZに対する後訴の請求原因事実は、①Xの土地所有、②Zの建物所有による土地占有であるところ、争点となる①（②については、通常争われない）については、前訴の理由中の判断にすぎないから、そもそもXとYの間においても既判力の対象とはならない（なお、以上は、上記の場合に限らず、前訴、承継後の後訴の双方が所有権に基づく不動産の明渡請求訴訟である場合一般についていえることである。そして、同一当事者間では理由中の判断である所有権について蒸し返して争われることはまずないが、口頭弁論終結後の承継人については事情が異なりうるであろう）。

こうした場合における解決については、Zは基準時におけるXの土地所有権（前訴理由中の判断）についても争えなくなると解すべきであり、そのためには、(i)争点効や信義則による拘束力を認める、あるいは、(ii)Zの受ける既判力拡張の内容を、XY間における「訴訟物同一の場合の後訴」においてYが受ける既判力の遮断効と同様に理解する、といった理論構成が必要になる、とされる（クエスト458頁。なお、「シンポジウム 第三者に対する判決効の拡張」民事訴訟雑誌66号89頁以下も参照）。

私見としては、こうした場合には、争点効の主観的範囲の拡張（新堂729～730頁）を認めることが適切かと考える[10]。

2　訴訟担当の被担当者（利益帰属主体）

[490]　(1)　既判力拡張の根拠

当事者が他人のために原告または被告となった者（訴訟担当者）である場合のその他人（被担当者、利益帰属主体）である（115条1項2号）。これらの者については、①訴訟担当者が敗訴した場合には、手続保障が訴訟担当者によってすでに尽くされているとみることができるし、また、公平の観点からも、被担当者よりも、訴訟担当者に対して勝訴した当事者の地位を保護すべき要請がある（こうした当事者が再度の訴訟を強いられるのは相当ではない）といえる

し、②訴訟担当者が勝訴した場合には、その相手方については手続保障は尽くされたといえるし、また、公平の観点からも、被担当者に有利な判決の拡張を行うことに問題はないといえることが、拡張の根拠である。

基本的には以上のとおりであるが、その該当性等については、法定訴訟担当の場合について、議論がある。これについては、以下のとおりである。

[491]　(2)　具体例

まず、任意的訴訟担当の場合には、被担当者の授権に基づく訴訟担当であるから、前記(1)に掲げたいずれの根拠からしても、既判力の拡張に問題はないであろう。

これに対し、法定訴訟担当（[159]）については、前記(1)のとおり、議論がある。具体的には、債権者代位訴訟（民423条）と差押債権者の取立訴訟（民執155条1項、157条）の場合である（以下につき、詳しくは、伊藤593〜597頁、条解566〜570頁参照。なお、後記のとおり、債権者代位訴訟については、問題が立法的に解決された）。

　(ア)　債権者代位訴訟

これについては、まず、法定訴訟担当を対立型（訴訟担当者と被担当者の間に利害関係の対立がある場合。代位債権者等）と吸収型（訴訟担当者と被担当者の間に利害関係の対立がなく、被担当者の権能が訴訟担当者に吸収されてしまう場合。破産管財人等）に分け、対立型の場合については被担当者に不利な既判力の拡張を否定する考え方があった。

しかし、法定訴訟担当を対立型と吸収型に2分することは難しい。利害関係の対立という要素は法定訴訟担当のどの場合にも程度の差はあれありうる

---

(10)　既判力の主観的範囲の拡張を認める根拠に照らして考えれば、争点効の場合についても拡張を肯定できよう。

口頭弁論終結後の承継人に対する既判力の拡張につき訴訟物の枠を超えて認めること自体は理由があるが、その結果として生じることのあるこうした問題（訴訟物に関連する権利の承継の場合に常に生じるというわけではない）については、既判力の枠組みだけの中で無理をして解決する（上記(ii)については、結論正当化のための理由付けという感が強い）よりも、争点効で対処するほうがよいと考える。

なお、以上の問題については、占有移転禁止の仮処分や建物収去土地明渡請求権を保全するための建物の処分禁止の仮処分を得ておくことによって対処できる（実務では、占有移転の危険性が多少なりともある場合には、原告は、まずはそうしている）のであり、その意味では、相当程度に制度的な手当てがなされているともいえる（民保62条、55条、64条。[587]）。

と考えられるからである。

　次に、代位債権者の当事者適格はその固有適格（代位債権者独自の法的利益に基づく固有の当事者適格）であるとする（つまり、代位債権者は法定訴訟担当者ではないとする）考え方があった。

　しかし、これは、債権者代位権が行使されると債務者の管理処分権が排斥されるとする判例（大判昭和14・5・16民集18巻557頁。債権者代位権が行使されている場合、債務者が権利行使の通知を受けまたはこれを知ったときにはもはや訴えの提起はできない〔不適法になる〕としていた）[11]と背馳していたし、固有適格であるとすれば既判力の拡張の余地はなくなる（被担当者の有利にも不利にも拡張されない）と解するのが自然であることからしても、採りにくい考え方であった。

　第三に、債権者代位訴訟の場合に被担当者に不利に既判力を拡張されるのが問題視されるのは被担当者の知らないままに債権者代位訴訟が進行することがありうるのが理由であることに着目して、代位債権者の債権の期限前に裁判上の代位により債権者代位権を行使する場合の規定である非訟事件手続法88条2項の債務者（被担当者）への告知の規定（2017年〔平成29年〕の債権関係改正に伴う改正で削除された〔一問一答債権関係91〜92頁〕）を通常の代位の場合にも類推適用し、これを条件として被担当者に不利に既判力が拡張されることも認める（新堂295頁）、会社法849条4項、5項を類推して、代位債権者に債務者に対する訴訟告知を義務付け、この義務が履行されるまでは第三債務者は応訴を拒むことができる（条解567〜568頁〔竹下守夫〕）、などとする考え方があった。

　第三の考え方は最も理にかなっていたが、条文の解釈上類推適用は難しくないかという問題があり、結局、前記(1)に掲げたいずれの根拠からしても、被担当者への既判力の拡張を一般的に認めることが相当とするのが多数説であった。

　しかし、2017年（平成29年）債権法改正後の民法423条の6は、代位債権者に、訴え提起後遅滞なく債務者に対し訴訟告知をすることを義務付けた。すなわち、この問題については、第三の考え方に沿う方向で立法的な解決がな

---

[11]　なお、2017年（平成29年）債権関係改正後の民法423条の5はこの判例の考え方を否定した（一問一答債権関係93〜94頁）。

されたことになる。

(イ) 差押債権者の取立訴訟

これ（民執155条1項、157条）については、直接的には民事執行法の論点だが、固有適格説を前提として、既判力の拡張、ことに債務者（差し押さえられた債権の債権者）に不利な既判力の拡張を否定する考え方も有力である。

しかし、この場合には、債務者の手続関与の機会は差押命令がこれに送達される（同145条3項）ことによって保障されていること、関係者間の公平の観点からすれば債務者の利益よりも第三債務者の利益（債務者から再度の訴え提起を受けないですむという利益）を重視すべきであること、などからすれば、この場合も通常の訴訟担当の場合と同様であるとみて既判力の拡張を一般的に認める考え方が相当であると考えられる（伊藤597～598頁。松本＝上野262～264頁も結論は同様）。

3 請求の目的物の所持者

[492] (1) 概 説

当事者・訴訟担当の被担当者・これらの者の口頭弁論終結後の承継人のために請求の目的物を所持する者である（115条1項4号）。このような者については、所持について自己固有の利益が認められないため、これらの者のために新たに手続保障を尽くす必要がないと考えられるからである（なお、当然のことながら、これらの者については、基準時後に所持を開始した場合には限られない。この点を誤解する学生が時々存在するので付言しておく）。

その具体例については明確に理解しておく必要がある。

「請求の目的物の所持者」とは、典型的には、①明渡・引渡請求訴訟の目的物の所持者である。被告が明渡・引渡請求訴訟で敗訴した場合、請求の目的物の所持者に対しては後記**第3**のとおり執行力も拡張される（後記**第3**でふれる民事執行法27条2項の執行文が付与される）ところ、この者の請求異議の訴え（民執35条）における主張を封じることに、この場合の既判力拡張の主たる意味があることになる。つまり、たとえこの者が請求異議の訴え（既判力拡張の関係における後訴）を提起しても、既判力を及ぼされれば、目的物について自己固有の利益を有していない以上、請求異議の訴えはまずは請求棄却となるということである。

これに対し、②単なる「占有機関」については、当事者等に対する債務名義でそのまま執行ができる（民事執行法27条2項の執行文自体不要）ので、ここ

でいう「請求の目的物の所持者」には当たらない。被用者、法人の機関、法定代理人等がこれに当たると解されている。

また、③賃借人、質権者のように自己固有の利益のために目的物を占有する者については、別訴（別個の手続保障）、別個の債務名義が必要であるから、やはり、ここでいう「請求の目的物の所持者」には当たらない（もっとも、民事執行においては、執行対象財産の帰属についての外観主義が採られているから、これらの者の占有する物についても執行が行われてしまうことはありえ、そのような場合には、これらの者が第三者異議の訴え〔民執38条。執行の目的物について執行の排除を求めうる実体法上の権利を主張する者が執行債権者に対して執行の不許を求める訴え〕を提起して執行を排除するしかない）。

結局、ここでいう「請求の目的物の所持者」（上記①）に当たるのは、受寄者、管理人等ということになる（管理人は単なる占有機関とはみないというのが通説である）。

さて、それでは、家族や同居者は上記のどれに当たるのか。これについては、従来は、①に分類する考え方がほとんどであった（こうした考え方については、あるいは三ヶ月175頁〔管理人、受寄者とともに同居者を挙げている〕あたりが出発点であろうか）。しかし、たとえば、不動産を賃借している者の家族や同居者については、占有補助者、すなわち独立の占有が認められない者として、賃借人に対する債務名義で執行を行うことができるとするのが民事執行法の実務であり通説でもあると思われる（中野＝下村834頁、845～846頁の注(3)）。そのような者について別個の債務名義が必要であるとはおよそ考えにくい（それでは原告としてはたえがたいことになる）。

家族や同居者は原則としては②に当たると解すべきであろう（特別な事情があれば、すなわち、これらの者が管理人に近くあるいは何らかの独立の占有権原を有すると認められるような場合には、それぞれ、①、③に当たることもありうる。こうした特別な事情が認められる場合には、実務では、執行官は、被告に対する債務名義でこれらの者に対する執行は行わない。以上につき、詳しくは瀬木・民保[**681**]参照）。

[**493**]　(2)　その類推適用

「所持について自己固有の利益が認められないため、これらの者のために新たに手続保障を尽くす必要がないと考えられる者」に既判力を及ぼすという115条1項4号の趣旨からすれば、「所持等について正当な利益が認められ

ない者」についても同号を類推適用する余地がある。

　具体的には、たとえば、①執行妨害のために当事者と相通じて権利の移転、設定を受け、目的物を占有している第三者、②虚偽表示に基づき当事者から不動産の登記の移転を受けた第三者（大阪高判昭和46・4・8判時633号73頁、判タ263号229頁、百選5版A28事件）等の者である。

　もっとも、これらの者の場合には、後訴における審理の中でこうした者に当たるか否かが争われた上で既判力の拡張が決められるので、通常の既判力の拡張の場合のようにほとんど実質的な審理がないまま後訴が封じられるということにはならないであろうけれども。

[494]　第3　執行力の主観的範囲の拡張

　執行力の主観的範囲の拡張については、民事執行法23条が法115条1項とほぼ同様の規定を設けている。

　給付の訴えの債務名義の場合、原告は、既判力・執行力が拡張される者に対しては、ただちに執行を行うのが通常であるから、直接的には執行力の拡張が問題になり、既判力拡張の主たる意義は、執行力の拡張される者による請求異議の訴え（民執35条）について既判力が及ぶという点にあることになる。

　民事執行法23条に基づいて、債務名義に表示された当事者以外の者が、あるいは者に対して強制執行を行うには、裁判所書記官または公証人にいわゆる承継執行文（民事執行法23条の規定する者のうち当事者以外の者に対して、あるいはそのような者が、執行を行う場合に必要な執行文なので、正確には民事執行法27条2項の執行文というべきだが、通常これを承継執行文と呼んでいる）を付与してもらうことが必要である。

　そして、この執行文のうち債務名義成立後の承継人に対するそれ（以下この項目で「承継執行文」というときはこの執行文を意味する）の付与については、起訴責任転換説と権利確認説の対立がある。

　これは、承継執行文の付与において、前記**第2の1(3)**（[489]）(イ)でふれた固有の防御方法をどう取り扱うかという問題である。

　まず、執行力の拡張にあっては、「とりあえず執行はなされるが、その後固有の防御方法は提出できる」ということにはならない。つまり、既判力の拡張と同様の意味でいうところの形式説的な考え方はありえない。

しかし、承継執行文の付与における固有の防御方法の取扱いについては、形式説と実質説とのアナロジーで考えることのできる部分がある。

つまり、承継人の固有の防御方法の有無について執行文付与機関が審査しないとするのが起訴責任転換説（形式説的。起訴責任が承継人に転換されることになる）であり、審査するとする（債権者に、承継人の固有の防御方法の不存在の蓋然的な証明を要求する）のが権利確認説（実質説的）である。

前記第2の1(3)（[489]）(イ)で論じたとおり、既判力の拡張については、形式説、実質説という区別を立てることに意味は乏しいが、この区別は、承継執行文の付与における上記のアナロジーにあっては、起訴責任の分配という実質的な意味をもってくることになる。

そして、承継執行文の付与における固有の防御方法の取扱いについては、承継人保護の見地から、権利確認説（実質説的）がむしろ有力である。

権利確認説の配慮にはうなずける部分もあるが、執行文付与機関が上記のような審査（その実質は裁判そのものである）を行うことはおよそ無理であり、不適当でもあり、また、民事執行法がそのようなことを予定しているとは考えにくく（そのようなことを前提とする何らかの手続的な規定もなく）、さらに、執行手続における債権者の地位の一般的な優位の原則からしても、起訴責任転換説が相当であろう（中野＝下村144〜145頁の注(5)参照）。実務もこれによっていると思われる。

以上をまとめると、承継人の固有の防御方法は、承継執行文の付与に当たっては考慮されない（起訴責任転換説、実務）が、承継人は請求異議の訴えを提起してそこでこれを主張できる、ということになる。

既判力・執行力の主観的範囲の拡張については、これらを混同して混乱する学生が多いので、正確に理解しておいてほしい。

[495]　第4　法人格否認の法理と既判力および執行力の拡張

法人格否認の法理が当てはまる場合の既判力および執行力の拡張については、判例は、権利関係の公権的な確定およびその迅速確実な実現をはかるため手続の明確、安定を重んじる訴訟手続ないし強制執行手続の性格を理由に、これを認めない（最判昭和53・9・14判時906号88頁、百選5版88事件）。

しかし、法人格否認の法理という、要件が相当程度に明確であり、その適用される場合も限られている法理について既判力・執行力の拡張をすること

によって、判例のいうような利益が害されるかはかなり疑問であり、学説には、これを肯定するものも多い（独立した法人格自体が否認されるという点を除けば、前記**第2の3(2)**〔**493**〕の場合に近いといえる。なお、否定説としては、高橋上711〜716頁等がある）。もっとも、肯定説の中にも、法人格形骸化と法人格濫用のうち後者については、これを否定し（中野＝下村128〜129頁）、あるいは否定しつつ信義則の適用によって濫用法人格者による主張を排斥する考え方（伊藤612頁）もある。これらの考え方は、濫用事例においては濫用主体とは別個に新会社の実質が確固として存在するので、濫用に関係のない出資者・融資者の利益を無視しえないことを理由とする（中野＝下村128〜129頁）。

確かに、濫用の場合には形骸化の場合と異なり濫用法人格者に関係している第三者が多い場合も考えられ、したがってこれらの者の利益が害されるといった側面もあるかもしれないが、当事者と同一視することのできるような者であるという点では2つの場合で基本的に違いはないと思われ、形骸化・濫用の双方を含め、拡張を認めることが相当ではないかと考える（現実の事案では、上記の2類型の境界領域に位置するような例も存在するという事情もある）。

ただし、上記肯定説を採る場合であっても、後訴（執行関係訴訟を含む）の中でこの点に関する主張立証が必要になることは、前記**第2の3(2)**〔**493**〕の場合と同様である。

なお、判例は、法人格濫用者による第三者異議の訴え（民執38条）については、実体的法律関係を主張するものであることを理由に、既判力の拡張を認めている（最判平成17・7・15民集59巻6号1742頁）。

また、訴訟の審理中についても、法人格否認の法理が該当する新会社の主張について信義則に反するとして排斥したものがある（最判昭和48・10・26民集27巻9号1240頁、百選5版7事件。当事者の確定に関連して前記〔**123**〕でもふれた判例である）。

こうした判例の傾向の中においてみた場合にも、上記昭和53年最判には疑問を感じる。

第5　第三者に対する判決効の拡張

1　形成判決の第三者効等

形成判決の第三者効については考え方が分かれる。かつては、①形成力の性質上当然一般第三者に及ぶとする考え方も有力であった（コンメⅡ473頁参

照）が、現在では、②第三者は、形成判決の形成力により実体的権利変動が生じたことは承認しなければならないが、その「不可争性」自体は既判力の結果であり、法律上の規定（人訴24条1項、会社838条、一般法人273条等）によって既判力が拡張される場合でない限り、第三者は、形成原因の不存在を主張して形成の効果を争うことができるとする考え方（兼子351～352頁等、伊藤599～600頁、条解596～599頁等）がより一般的となった。理論的な面からも（訴訟という場面における「不可争性」は、既判力の効果と考えるべきであろう。また、形成の訴えの概念・外延自体が不明確である〔[034]、[035]〕という問題もある）、第三者にとっての明確性という観点からも、②説が相当と思われる。もっとも、実際には、不可争性を認めることが相当な場合の多くについては上記のような法律上の規定が置かれているため、①説と②説の相違（そのような規定がない場合についても不可争性を認めるか否か）が生じるのは、そのような規定の存在しない場合（株式会社役員解任の訴え〔会社854条〕、持分会社社員除名の訴え〔同859条〕等）に限られる。

　次に、確認判決については、法律関係安定の要請が強い場合にのみ既判力拡張の規定が設けられている（人事訴訟法24条1項は、確認判決の場合をも含め既判力を拡張している）。

[496-2]　**2　対世効等**

　現在一般にいわれるところの対世効とは、第三者一般に判決の効力としての既判力が及ぶことを意味し、すでにふれてきたとおり、人事訴訟、団体関係訴訟等（これらの多くは形成の訴えであるが、確認の訴えと解される場合もある〔[034]、[035]〕）について認められる（人訴24条1項、会社838条、一般法人273条等）。これらの場合には、既判力の画一的拡張によって法律関係の安定を図り、考えられる関連紛争を封じる必要性が大きいからである（たとえば、当事者間では離婚したことになるが、ほかの者との間ではならないという判決の相対効の原則〔前記**第1**〕では、不都合な結果が生じる）。

　ただし、団体関係訴訟の場合には、対世効が認められるのは、請求認容判決の場合のみである（会社838条、一般法人273条。会社や一般社団法人等の「組織に関する訴え」について生じる）。これは、他の当事者適格者の訴権、手続保障を保護する観点からである。

　また、既判力が第三者に及ぶ場合の中には、これの及ぶ第三者の範囲が法規により限定されている場合もある（取立訴訟の判決の効力を受ける差押債権者

についての民事執行法157条3項、破産債権確定訴訟についての破産法131条1項等）。

[496-3]　**3　判決効を受ける第三者の保護**

　第三者に対する判決効（既判力）の拡張については、そのような第三者をどのように保護すべきかが問題になる。

　これについては、①訴訟物たる法律関係に最も密接な利害関係をもち、その者に対する手続保障をもって第三者を拘束するに足りるような者を当事者として法定する（人訴12条、41条ないし43条。会社828条2項、831条、834条、一般法人264条2項、266条1項、269条等）、あるいはそのような者を当事者とする、②利害関係人に対する訴訟係属の通知とその参加の制度を設ける（人訴28条、15条。15条は強制参加制度について定める。共同訴訟的補助参加となる）、③処分権主義・弁論主義の制限と職権探知主義の採用（同19条、20条）、④詐害的な判決についての第三者の再審の訴えを認める（行訴34条、会社853条、一般法人283条。なお、[666]も参照）、⑤認容判決についてのみ対世効を認める（対世効のある団体関係訴訟一般〔前記2〕）、などの方策が採られている。

　実際には、判決効を受ける第三者を含め訴訟に大きな利害関係をもつ第三者は、訴訟係属について情報を得ていることが比較的多いとはいうものの、上記の方策は、必ずしも十分とはいえない（ことに団体関係訴訟の場合）。こうした訴訟にかかわる裁判所や当事者はこの点留意する必要がある。

　これらの第三者は、必要があれば、共同訴訟的補助参加を行うことによって自己の利益を守ることになる。

　なお、株式会社役員の解任の訴えについては、手続保障の観点から、取締役解任の訴えは、会社と取締役の双方を被告とすべき固有必要的共同訴訟であるとの判例（最判平成10・3・27民集52巻2号661頁）が出た後に、当該役員をも被告とする定めが置かれた（会社855条）。

[497]　**第6　反射効**

　反射効とは、当事者と実体法上依存・従属関係にある第三者に判決の効力（その性質には争いがある）が有利または不利に拡張されるというものである。

　具体的には、たとえば、①保証債務の附従性（民448条1項）を根拠として主債務者についての請求棄却判決の効力が保証人に有利に及ぶ、②連帯債務者の1人が債権者に対して債権を有する場合にこの者が相殺の抗弁（同439条1項）を主張して得た請求（一部）棄却判決の効力が他の連帯債務者に有利

に及ぶ、③会社法580条1項を根拠として持分会社に対する債務履行請求の請求認容・棄却判決の効力が社員に不利にも有利にも及ぶ、④賃貸人と賃借人の間の賃借権確認判決の効力が転借人に有利に及ぶ、などの例が挙げられる（ほかの例としては伊藤606～607頁等。上記とは異なり、不利にのみ及ぶ場合もある。また、反射効肯定説の間でも、個々の場合については、考え方が分かれうる）。

反射効は、既判力とは異なり、上記のとおり常に双面的に生じるものではない（むしろ片面的な場合が多い）ほか、職権調査事項ではなく当事者の援用を要する、前訴が馴れ合い訴訟の場合には生じない、将来反射効を受けるべき者が補助参加をしても共同訴訟的補助参加（[567]）にはならない、とされるのが通例である（このことは、後記①説によればより説明がつけやすいが、②説でも、実体法的考慮が反射効の基礎にあることから、同様に考えるものが多い）。

反射効を認めることの実際的なメリットは、実体法上強い関連性のある紛争の間で判断がまちまちになることを防ぎ、また、これによる訴訟の循環を防ぐことにある。

訴訟の循環について実務上ありうるような例を挙げれば、たとえば、債権者が主債務者に対しては何らかの抗弁により敗訴したが、後に保証人に対して保証債務の履行を請求し、そこでは上記の抗弁に関する裁判所の認定判断が異なったことから勝訴し、その結果、保証債務を履行した保証人が主債務者に対して求償請求を行う、といった事態である（この求償請求訴訟では主債務者が敗訴する可能性が高いと思われるが、主債務者が債権者に不当利得返還請求を行うことはできない。保証人に勝訴して保証債務の弁済を受けたことによって債権者が法律上の原因に基づかない利得を得たとはいえないからである。結局、主債務者の債権者に対する勝訴の結果は実質的に無に帰することになる）。

学説は、かつては反射効を認めるものが多数であったが、近年はこれを否定するものも増えてきている。

反射効に関する学説は多岐に分かれるが、その発想からおおまかに類型化すれば、①実体法的な反射効肯定説（比較的古い考え方）、②訴訟法的な反射効肯定説（既判力の拡張として反射効を肯定する考え方）、③反射効否定説、に分類できるであろう。

①説は、反射効を、既判力とは異なる実体法的な効力（実体法上の依存関係に基づく効力）として理解するものである。

既判力の性質（**第1項第2**〔[455]〕）に関する実体法説によるなら、判決に

基づいて実体的権利関係が変更されるということになるから、比較的反射効を認めやすいであろう。

しかし、現在の通説である既判力の性質に関する訴訟法説によるなら、反射効は、性質上、明文の規定によらない既判力拡張の一形態とみるのが自然であろう。そうすると、そうした形の既判力の拡張を認めるのは適切か否か、また、その根拠は何か、という問題になる。

そこで、②説は、実体法上の依存・従属関係の結果として115条1項2号ないし4号の既判力拡張根拠（利益主張の当事者による代行、権利関係安定の強い要求、手続保障をするだけの実質的利益の欠缺〔高橋下751～752頁〕）があると認めうるような場合に反射効を認めるとする。認めることが適切か、その根拠の双方につき、個々的に考察してゆくことになる（高橋下748頁以下〔ただし、既判力か否かの性質決定にはこだわらないとする〕、争点242～243頁〔堤龍弥〕等）。

②説の説くところにも一定の意味と根拠はある。しかし、既判力に関する訴訟法説を前提とするならば、(i)手続保障は訴訟物ごとに与えられるのが大原則であること、(ii)民事訴訟法上、実体法上の密接な関係を理由として既判力の拡張が認められるのは口頭弁論終結後の承継人の場合に限定されているにもかかわらずこれを承継のない場合にまで明文の規定なく拡張するのは相当とは思われないこと、(iii)訴訟の循環はその法律関係について必要的共同訴訟としないで個別訴訟を認めることと判決の相対効の原則（[486]）との帰結であり、やむをえないものと考えられること、(iv)積極説は反射効を第三者の有利にのみ認める場合が多いが、これは前訴の敗訴当事者について一方的な不利益を認めることであって相当とは思われないこと、などから、反射効については否定説（③説）を採るほうが理にかなっていると思われる（同旨、伊藤607～611頁、クエスト462～463頁等。なお、私見は、既判力やその内容の拡張については、全般的に消極的である〔前記**第3項第1の2**〔**[483]**〕、**第4項第2の1**(3)〔**[489]**〕の(エ)。既判力の縮小〔前記**第2項第3**〕の場合ほどの必然性や合理性を必ずしも見出しがたいと考えるからである。もっとも、反射効についていえば、実体法的なものの訴訟法への反映として、理論構成いかんによっては認める余地がありうるのかもしれないとは思う〕）。

なお、実際上も、反射効が問題になるような事案では、原告は、債務名義を取得しておきたいと考えるような者については、最初から通常共同訴訟で全員を訴えるので、訴訟の循環が生じるような例は稀有である。もっとも、

こうした通常共同訴訟で、中断・中止事由の生じた者がいるなど何らかの理由から安易に弁論を分離して判決をしてしまうと、上記の例と同じような問題が生じうる。したがって、当事者も、裁判官も、こうした点にはよく注意しておく必要がある[12]。

判例は、不真正連帯債務者の相殺の抗弁について、反射効を否定している（最判昭和53・3・23判時886号35頁、百選5版89事件。不真正連帯債務者の1人と債権者の間の訴訟で相殺の抗弁が採用され、請求債権の一部消滅を肯定した判決が確定した場合でも、他の債務者と債権者の間の訴訟において上記債権の消滅を認めて判決の基礎とするためには、上記相殺が実体法上有効であるのを認定判断することを要するとしている）[13]。

第5節　争点効と信義則

[498]　第1項　争点効とその根拠

争点効とは、主要な争点（前訴で当事者が主要な争点として争い、裁判所がそれについて判断を下した争点）に関する判断についての後訴における拘束力（その判断と矛盾する主張立証を許さず、矛盾する判断を禁止する効力）であり、理由中の判断に関する拘束力として、解釈上主張されているものである。また、おおむね同様の機能を信義則に果たさせようとする考え方（信義則に基づく同様の拘束力を認める考え方）も有力である。

---

[12] なお、実務上は、こうした類型の事案が別々に審理判断される場合、前訴判断がいわゆる証明効（[445]。本書はこれを肯定する）という形で後訴に影響することがありうるが、これは、反射効とは異なり事実上の影響にすぎず、争点が共通であれば、各当事者に有利にも不利にも、また、いずれの訴訟が先であっても、はたらきうるものである。実務が反射効にあまり興味を示さない原因としては、それが現実に問題になる事案がまれであることのほか、その当否はおくとして、証明効により裁判所が前訴の裁判を1つの参考にすることで事足りるとする認識、感覚も、あるのかもしれない（なお、証明効の場合の前訴の裁判はあくまでも1つの参考であり、裁判官を縛らない。また、証拠でもない）。

争点効と信義則（より正確には、「信義則のうち争点効類似の機能を果たす側面」）については、理由中の判断に拘束力を認めるか否かという議論であるから内容的には既判力の客観的範囲（第4節第3項〔[482]〕以下）と関連するが、既判力とは異なる性質のものとなるから、本書では、本章の最後の部分で別に論じることとした。

既判力の客観的範囲が主文（訴訟物）の範囲に限られるのは、二次的、派生的なものについては拘束力を認めないほうが当事者にとっても裁判所にとっても訴訟追行上好都合だからというのが一般的な説明である（[482]）。

しかし、当事者が十分に争った主要な争点については本当にそうなのか、という疑問は立てることができよう。そこに、理由中の判断に関する拘束力（争点効）の理論や同様の目的を意図しての訴訟上の信義則による規制論が生じる根拠がある。

実際にも、既判力にふれる後訴は稀有だが、訴訟物は異なるものの主要な争点はほぼ同様という別訴は一定程度ある。これは実質上は紛争の蒸し返しであり、相手方にとっても裁判所にとっても負担は大きく、その規制の必要

---

(13) この判例以前に反射効を否定した判例として挙げられるものに最判昭和31・7・20民集10巻8号965頁があるが、これは、賃貸人の賃借人に対する勝訴判決の効果が転借人に不利に及ばないとしたものであり、賃貸人が賃借人との間で合意解除を行っても転借人に対抗できない（大判昭和9・3・7民集13巻278頁）という実体法理論に沿い、「反射効肯定説もそれを認めない場合」についてのものであるため、大きな意味はない。

　また、最判昭和51・10・21（民集30巻9号903頁、百選5版90事件）も否定判例であるが、債権者が主債務者と保証人を通常共同訴訟で訴え、保証人が請求を認めたため弁論分離の上判決がされて確定した後に主債務者が勝訴したので、保証人が請求異議の訴え（民執35条）において反射効を援用した事案であり、既判力と反射効が抵触するため、「反射効肯定説を採ってもその例外となりうる場合」についてのものであった。この判例は、そのような事案の特殊性を理由として挙げているため、反射効肯定説がそれを認める類型の通常の事案ではそれを認める余地を残していると読めないでもない。しかし、上記の説示は、特殊な事案だったため第一審と控訴審で結論が分かれた点についてふれているにすぎないものであろう（判例解説昭和51年度383頁も、本判決は結局のところ仮定論を展開しているにすぎず、その趣旨は、反射効については「この時点では未だ態度を決めていない」ことを示したものにすぎない、としている）。

　上記昭和53年最判は、これらの判例を踏まえつつ、上記のとおり、「反射効肯定説がそれを認める類型、場合」についてそれを（少なくとも当面は）否定したものと解してよいと思われる（同旨、注釈旧版(4)450～451頁〔伊藤眞〕）。

性も大きい（こうした別訴は、普通は起こさないものであり、これを提起するような当事者、弁護士は非常に「執念深い」人々である場合が多いから、何度も同じような訴訟が提起され続ける例もある。なお、同様の問題は、縦の関係のみならず横の関係でも生じうる。主要な争点の共通な複数の訴えの提起の規制の必要性という問題であり、こちらは拡大された重複起訴で対処することになる〔[068]〕）。

これに対処するために考えられたのが、英米法のコラテラルエストッペル（collateral estoppel）の理論を参考にした争点効の理論である（新堂718〜732頁。これは、「行為規範と評価既判の区別」[098]とともに、新堂理論のうち最も独創的でありかつ今日的な意味をももった部分、概念構成であると思う）。

争点効の要件については、①主要な争点についての判断であること、②当事者が真剣に争ったこと（自白、擬制自白等の場合を除く趣旨）、③裁判所が実質的な判断を行ったこと、④係争利益がほぼ同等であること、⑤当事者が援用すること（争点効は、既判力のように職権調査事項ではなく、当事者が援用しなければならない）、である（高橋上647〜648頁）。また、⑥上訴で争う機会のなかった判断には生じない（理由中の判断に関する不服だけを理由とする上訴を認めない〔[610]、[618]参照〕ことの裏返しであり、全部勝訴者について問題となりうる。具体的には、新堂731〜732頁、条解542〜543頁各参照）ということも加えてよいであろう（⑥は消極的な要件となる）。

争点効については、①理由中の判断に拘束力を認めないという法の建前、また、②理由中の判断に既判力を認めるために中間確認の訴え（145条）が存在することと矛盾するのではないか、という疑問が立てられうる。

しかし、①については、争点効は当事者が主要な争点として実際に争った場合に認められるのだから、二次的、派生的なものについては拘束力を認めない（当事者の争点処分の自由や裁判所の柔軟な審理判断の確保がその根拠）という、既判力の対象を主文に限定する理由と必ずしも矛盾するものではないともいえるし、②については、中間確認の訴えは、その対象が訴訟物の先決問題となる権利関係に限られることやその使いにくさなどの問題点が多く（実際、中間確認の訴えは現在の実務ではほとんど利用されていない〔[084]〕）、これがあるからといって争点効が否定されるということにはならないということができよう（なお、この点については、後記**第2項第2**〔[500]〕も参照）。

第2項　争点効理論と信義則による規制論

[499]　**第1　概　説**

　判例は、争点効を否定している（最判昭和44・6・24判時569号48頁、判タ239号143頁、百選5版84事件等。なお、下級審をも含めた判例につき、コンメⅡ513～515頁参照）。

　一方、争点効と類似の機能は、信義則によっても果たさせることができるといわれる。

　そのような学説は、この場面では、信義則を大きく訴訟上の禁反言（矛盾挙動禁止）と権利失効の原則（蒸し返し禁止）に分類し、これによって理由中の判断の拘束力を認めようとする（こうした考え方の代表的なものとして、条解538～543頁〔竹下守夫〕。ほかに、伊藤570～573頁、クエスト441～442頁、コンメⅡ513～517頁等。なお、こうした学説のいう、この場面における信義則類型と、訴訟行為と信義則の箇所〔[241]以下〕で挙げたような一般的な信義則類型とは、それを問題にする観点の相違からくるずれがあり、たとえば、両者でほぼ重なり合う「訴訟上の禁反言」についても、ニュアンスや重点の置き所が異なる〔たとえば、伊藤570～573頁と同348～351頁参照〕）。

　ここでいう訴訟上の禁反言（矛盾挙動禁止）については、前訴で勝訴した（利益を得た）当事者が、後訴で前訴判断の前提となった理由中の判断と矛盾する主張をして前訴で得た利益と両立しない利益を得ようなどとすることが信義則にふれるとするものである。

　また、権利失効の原則（蒸し返し禁止）については、前訴で特定の主張をして認められずに敗訴した当事者が訴訟以前の社会生活上同一の紛争に起因する後訴で同じ主張をすることが信義則にふれるとするものである。もっとも、上訴で争う機会のなかった主張については対象から除くとされる。

　後者は争点効と類似しているが、前者については、問題とされる主張が前訴で争われず自白や擬制自白で認められた場合でも認められるし、上訴で争う機会がなかった場合でも認められるという点では、より適用範囲が広いといえる。

　判例も信義則による規制を認めるが、その基準は学説の場合のように定型

化されてはいない。しかし、おおむね上記の権利失効の原則に近く、後訴が前訴と社会生活上同一の紛争に起因し内容上の関連性が高く、後訴における主張や請求を前訴でも提出することが期待でき、かつ前訴の相手方当事者の紛争解決に対する期待を保護すべき必要性が高い場合（加藤新太郎ほか編『新基本法コンメンタール 民事訴訟法1』〔日本評論社〕308頁〔垣内秀介〕。[242]でふれた最判昭和51・9・30民集30巻8号799頁、百選5版79事件における判断のメルクマールを洗練したものともいえる）に信義則を適用しているといえる。

また、判例は、上記最判のように、主張ではなく、後訴自体を排斥して却下する例のほうが多く、その意味では、適用の次元を学説とはかなり異にしているともいえる（理由中の判断に拘束力を認めるよりも、問題のある後訴自体の提起を規制することに主眼がある。なお、私見としては、後訴自体の信義則による却下については、前記[242]でも述べたとおり、慎重であるべきかと考える）[14]。

いずれにせよ、信義則による規制の場合、要件の明確な争点効の場合と比べると、その実際的な適用対象は論者によってまちまちでありうるし、それが実務において用いられる場合には、そうした傾向がことに強まりやすい。

---

[14] この点につき、最判令和3・4・16判時2499号8頁、判タ1488号121頁は、Aの相続人Yが、Aの遺産について相続分を有することを前提として、他の相続人Xに対し、Aの所有していた不動産についての所有権移転登記抹消登記手続、不当利得返還等を求めて提起した前訴本訴の一部認容判決が確定し、また、前訴で、Xが、AのXに対する立替金債務をYが法定相続分の割合により相続したと主張してYに対しその支払を求める反訴を提起していた場合に、Xが自己に遺産全部を相続させる旨のAの遺言が有効であることの確認をYに対して求める後訴を提起することは、①前訴では上記遺言の有効性は判断されなかったこと、②前訴本訴請求はAの遺産の一部を問題とするものにすぎなかったこと、③前訴本訴請求についての抗弁等として取り上げられることはなかったものの、Xは、前訴で、上記遺言が有効であると主張しており、また、反訴については上記遺言の無効を前提とする本訴に対応して提起したにすぎない旨を述べていたこと、④前訴反訴請求は棄却されたことに照らせば、信義則に反するとはいえないとした。

本件では、前訴と後訴とは争点や係争利益が異なり、また遺言の有効性については前訴では問題にされていなかったことからすると上記学説のいう権利失効の原則（蒸し返し禁止）にふれるとは考えにくいし、訴訟上の禁反言（矛盾挙動禁止）についても、③、④の事情に照らせば該当しないというべきであろう。

後訴自体の信義則による却下については、信義則に関して学説の提示したような枠組みをも考慮に入れつつ慎重に判断すべきであることを示唆し、上記昭和51年最判の枠組みに一定の歯止めをかけた判例と評価できよう。

[500]　第2　評価と展望

　さて、それでは、前記のような蒸し返しを争点効で規制するか信義則で規制するかであるが、私の知る限り、実務家は多くが後者を支持し、争点効の理論に消極的な傾向が強い。

　しかし、その理由は、話してみてもよくわからないことが多い。つまり、かなりの程度に感覚的な嗜好の問題と感じられる。また、信義則のほうが融通無碍であるため、裁判官にとっても、援用する当事者にとっても、使いやすい（都合がいい）という理由は推測されるところである（なお、最高裁が前者を退け後者を容れているという事情も大きい）。

　しかし、信義則は典型的な一般条項であり、学説の行っているような類型化は可能であるとしても、結局のところその外延はかなりあいまいであって、こうした大きな問題を解決するための道具として使われる場合には、裁判官に恣意を許す理論ともなりうる（もっとも、たとえば一部請求後の残部請求の場合のように限定された局面で用いられる場合〔[059]、[060]〕には、信義則は、使いやすい概念、装置であるが）。

　また、逆に、信義則は、これのはたらく場合を厳密に特定、限定しようとすれば、争点効のはたらく領域のすべてをカヴァーすることは難しくなるであろう。さらに、争点効の機能しうる場合一般の中には、その機能を信義則では代替しにくい場合もあるように思われる（本書で言及、提言した場合の中では[045]、[483]、[489]の㈣等）。

　したがって、私見としては、争点効のほうを支持したい。

　もっとも、それを実務で受け入れやすくするための方法（要件の再構成）については、考える余地があるようにも思うので、以下、その点について述べておきたい。

　第一の再構成の方法としては、前訴の中で確認しておいた主要な争点について争点効を生じさせるという方法が考えられる。

　実務家（弁護士をも含む）が争点効理論を容易に受け入れない大きな理由は、その要件が多く、その帰結として適用範囲が狭く、使いにくいと感じられることにあるのではないだろうか。実務家が実務の指標になるべき原理について求める第一の要請は、そのメルクマールの明確さとわかりやすさであることが多いからである。

争点効の要件をもう一度掲げると、①主要な争点についての判断であること、②当事者が真剣に争ったこと（自白、擬制自白等の場合を除く趣旨）、③裁判所が実質的な判断を行ったこと、④係争利益がほぼ同等であること、⑤当事者が援用すること、⑥上訴で争う機会のなかった判断には生じないこと、である。

　確かに、こうして整理してみると、このメルクマールは、明確性の点になお問題があり、また、例外がかなり多い。例外が多いことについては、そうすると、争点効の外側に信義則の適用領域をかなり広く認めなければならないことになり、それなら信義則で一元的に考えるほうが使いやすくわかりやすいと実務家は考えやすい。

　先のメルクマールについては、まず、①について、主要な争点とそうでない争点はどのように区別するのかという大きな問題がある。これは、弁論主義や自白の対象となる事実に関していわれる「重要な間接事実」という概念についてもいえることである（[259]、[309]）が、「主要な」とか「重要な」という言葉は、ほかの文脈ではともかく、こうした文脈では、指標としての意味をもちにくい。この点が争われた場合、水掛け論になってしまって決着が付けられない可能性がありえよう。

　次に、例外が多いということもある。②については、自白の場合であっても、十分に考慮した上でのことであれば（現実には、裁判所は、重要な主要事実に関する限り、そのような場合でなければ自白の成立は認めない。つまり、当事者の意思的な要素を重視している〔[307]〕）拘束力を認めたいところであるし、④については、前訴の係争利益が小さくても、当事者が後訴のありうることを認識して十分に争った場合であれば、後訴に対する拘束力を認めるのが正当であろう。

　また、自白については、範囲の問題もある。特定の攻撃防御方法を構成する主要事実のうち一部について自白が成立する場合はままあるが、当該部分については再度争えるということになると、争点効の機能はかなり限定されてしまう（なお、特定の攻撃防御方法を構成する主要事実の全部について自白が成立する例は、本格的に争われる事案では稀有であろう）。

　以上を踏まえ、たとえば、「当事者双方が『主要な争点』であることを確認した争点」（合意したということでもかまわないが、あえて訴訟契約〔[238]〕的な考え方を採らずとも、単に裁判所に対して確認したことで足りよう）、あるいは

「当事者の一方が『主要な争点』であることを主張し、裁判所がそれを承認した争点」、また、「実質的にこれらと同一と認められる争点（この「実質的同一」の判断は、おそらくそれほど難しくはない）」については争点効が生じるという考え方を採ることは、どうであろうか（要件の①ないし④を以上のように再構成する。もっとも、④については、係争利益の差が前訴の時点で予測できなかったほど極端である場合には、例外を認めて考慮する余地があるかもしれない[15]。なお、⑤の援用についてはそのままとする）。

　当事者に対する告知と手続保障を与えた主要な争点について争点効を認めるという趣旨である。これに理論上の困難があるならば、訴訟契約的な考え方に立ち、「当事者双方が『主要な争点』であることを合意した争点、また、実質的にこれと同一と認められる争点」という限定にすることも考えられる。

　いわば、争点効の信義則への歩み寄りともいえるような要件の再構成だが、基準としてはおそらくより明快であり手続保障的な側面からも手厚いといえるのではないかと考える。もっとも、争点効という枠組みの拡張として考えられうる範囲を超えた議論ということになるのかもしれない。しかし、争点効が当事者間の公平（信義則）に基づく一種の制度的効力であることを考えるならば、成り立ちえない立論ではないと考える。また、争点整理手続において争点ないし主要事実が確認される（[285]）現行民事訴訟法の構造に見合った要件ともいえるのではないだろうか（その際に、「主要な争点」についての確認・合意も行えばよい）。

　以上に記してきたような考え方による場合には、「主要な争点」の確認・合意についても、たとえば、「主文を導き出すために必要な主要事実にかかる争点」といったように包括的に行うことも可能であろう（実務において時にみかけられる蒸し返し訴訟のほとんどは、相手方当事者の負担という観点からも、裁判所の負担という公益的な観点からも、問題が大きいものであるが、こうした包括的な争点効の網でもかけないと、実際上防止することは難しい面がある〔こうした問題につき中間確認の訴えでは対処が難しいことについては [084] 参照〕。なお付言すれ

---

[15] 具体的には、上記のとおり、当事者が係争利益の大きな後訴のありうることをも認識して十分に争った場合（私は、実務においては、そのような関連後訴の可能性の有無は、前訴の段階で予測できる場合が多いと考える）であれば、係争利益の差は大きくても許容してよいが、係争利益の大きな後訴が被告にとっての不意打ち的な性格の強いものである例外的な場合には、争点効を認めないことが考えられよう。

539

ば、先の特定は1つの例にすぎず、争点効の対象をそこで示したような争点に限る趣旨ではない)。

　最後に、⑥の、上訴で争う機会のなかった判断には生じないという限定については、とりあえず、残してよいであろう(この消極的要件については、前記**第1**でふれたとおり、信義則のうち権利失効の原則による規制についても、同様に認めるべきであるとされている)。

　第二の再構成の方法としては、争点効の生じる判断を「主文を導き出すために必要な主要事実にかかる認定判断」(その意味については[**564**]参照)に明確化かつ限定し、かつ、そのような場合には、争点効を援用された相手方が前記争点効の要件のうち②、③、④の各反対事情や⑥の事情、あるいは⑦前訴ではその争点が重要なものではなかったこと(①の裏返しである)を主張立証しない限り争点効が生じるとする、ことが考えられる。先にふれたような現行民事訴訟法の構造に照らせば、こうした構成を採っても、相手方にとって不利であり、手続保障を欠くということにはならないと思われるからである。実際にも、蒸し返し訴訟(近年はかつてに比べれば減少しているが、なお存在する)であればこうした規制を行って問題はないし、後訴が前訴とは紛争の実質を異にし、ただ争点の一部だけが共通であるような場合(これはむしろまれである)には、上記のような事情のいずれかが認められるであろうから、やはり、被援用者にとって酷にはならないと思われる。

　理由中の判断の主要部分すべてについて原則として拘束力を生じさせることに抵抗があるかもしれないが、基準自体は明確であるし、また、拘束力とはいっても既判力の場合とは異なり柔軟な適用と調整が可能なことに、既判力との相違を見出すこともできよう。

　以上のような要件による争点効であるならば、信義則の適用範囲は争点効がカヴァーし切れないごく例外的な部分に限定されることになり、理由中の判断に関する蒸し返しについての対処が、より適切に行われるようになるのではないだろうか。

第15章　判決の効力

【確認問題】
1　非判決と判決の無効について、その争い方を含め、実例を挙げて説明せよ。
2　確定判決の騙取とその争い方について、直接に不法行為請求をすることができるかをも含め、実例を挙げて説明せよ。
3　既判力の定義、目的、根拠、性質について説明せよ。
4　既判力の基本的な作用形態と作用類型（消極的作用と積極的作用、訴訟物が同一・矛盾・先決関係にある場合、前訴の訴訟物が後訴の抗弁となっている場合、双面性）について、具体的な例を挙げながら正確に説明せよ。
5　既判力の時的限界について説明せよ。
6　基準時後の形成権行使等につき、取消権、解除権、相殺権、建物買取請求権、白地手形の補充の順に、みずからの見解と判例について述べよ。
7　事実の提出に関する既判力の縮小について、例を挙げて説明せよ。
8　法的観点の提出に関する既判力の縮小について、例を挙げて説明せよ（相続が関係している事案である）。
9　確定判決変更の訴え（117条）について具体的に説明せよ。
10　既判力の客観的範囲が主文中の判断に限られるのはなぜか。
11　主文中の強制執行にかかわる文言に既判力に準じる効力を認めてよい場合があるか、具体的に、どのような場合にどのような主張が遮断されうるのか。
　　また、そのような場合について争点効を認めることの当否については、どう考えるか。
12　100万円の請求に対して150万円の自働債権による相殺が主張され、裁判所が、請求債権のうち60万円が存在すると認定した場合について、①裁判所が、自働債権は150万円存在すると認定した場合、また、②自働債権は20万円存在すると認定した場合、既判力が生じるのはどの部分か。
13　口頭弁論終結後の承継人に対する既判力拡張の根拠、また、拡張の基準と具体例について述べよ。承継の時期、登記との関係についても述べよ。
14　口頭弁論終結後の承継人が固有の防御方法を有する場合の処理について具体的な例を挙げて説明せよ。
15　訴訟担当の被担当者に対する既判力拡張（債権者代位権と差押債権者の

取立訴訟に関するもの）について述べよ。
16 請求の目的物の所持者とはどのような者か。また、その類推適用が考えられる場合についても述べよ。
17 執行力の主観的範囲の拡張につき、承継執行文付与に関する考え方の相違を含め、説明せよ。
18 法人格否認の法理と既判力・執行力の拡張について述べよ。
19 反射効を認めるべきか否かについて、具体例を挙げながら私見を述べよ。
20 争点効と信義則による理由中の判断に対する拘束力について私見を述べよ。

[501] 第16章
当事者の意思による訴訟の終了

　本章では、訴えの取下げ、訴訟上の和解、請求の放棄・認諾について論じる（なお、通常は請求の放棄・認諾を訴訟上の和解よりも先に論じることが多いが、両者の論点には共通する部分があり、また、訴訟上の和解のほうが訴訟の終局区分に占める割合も大きく、より重要であることから、本書では、訴訟上の和解のほうを先に論じる）。理論的には（純理としては）それほど大きな論点はないが、訴訟上の和解は、訴訟、ことに本格的に争われるそれの終局区分において大きな割合を占めており、そのあり方については、今後、法社会学的観点をも含めての踏み込んだ検討や分析が必要であろう。

[502] 第1節　概　説

　訴訟の終了には、①通常の判決による場合、②当事者の意思による場合（前記のとおり、訴えの取下げ、訴訟上の和解、請求の放棄・認諾）、③2当事者対立構造が消滅した場合（[117]）、がある。
　うち本章で論じるのは、②の場合である。処分権主義とは、前記のとおり、当事者に訴訟の開始、審判対象（訴訟物）の設定、判決によらない訴訟の終了に関する決定権があることを意味するが、うち前2者についてはすでに論じた（[051]以下）。本章では、残された部分、すなわち開始された訴訟の処分に関する処分権主義について論じる。
　訴訟のうち、当事者に争いのない事件については、実務にいう「欠席判決」（[186]）、「調書判決」（254条、[427]）。もっとも、これには公示送達不出頭の

543

場合も含まれる）によって終局するのが普通である。また、訴えの取下げについては、原告が訴えの維持をあきらめてこれをする場合もまれにはあるが、多くは、訴え提起後（第１回口頭弁論期日前の例が多い）訴訟外で履行や和解がなされるなどにより訴え維持の必要がなくなった場合にされる。以上が訴訟の終局区分の約３分の１を占めるというのが、私が裁判官であった当時の一般的な数字であった。

　残り約３分の２が争いのある事件ということになるが、うちほぼ半分程度が判決で、半分程度が訴訟上の和解で終局する。もっとも、これらの中にも、たとえば賃料不払による家屋明渡請求事件のように一応争点整理や証拠調べがなされるとしても実際上は被告にあまり争う余地のない事件も含まれるので、それらを除いた本格的に争われる事件、相対的に重要な事件[1]だけについて考えると、訴訟上の和解による終局は、おそらくその60パーセント余りを占めるであろう。

　このように、訴訟上の和解は、実務においては非常に重要なものであり、また、そのあり方は、司法に対する人々の信頼に大きな影響を与える。研究者ももちろんだが、実務家や実務家をめざす人々も、この問題については注意を払い続けることが必要である。

　請求の放棄・認諾については、その例はごくわずかである。

---

(1) これらは、かつては全体の中で30パーセントくらいを占めていたが、私が裁判官であった最後の５年間、2000年代の終わりから2010年代の初めころには、その割合が、それ以前に比べて、有意に、おそらく30パーセント中５パーセント程度は、減っていたことを記憶している。そして、そのことの原因の１つには、裁判所による紛争解決に対する人々の期待、信頼度が低くなってきていたことがあるように感じられた。民事紛争処理、解決手続の中核を成す民事訴訟制度の役割、その今後を考えるに当たっては、こうした事柄（重要な、また本格的に争われる民事紛争の解決において民事訴訟が果たすべき役割、またそこにおいて民事訴訟が占める割合）も、新受事件数の推移と並んで、重要であると考える（なお、併せて［278］後半の記述も参照）。

第2節　訴えの取下げ

[503] **第1項　概説**

　訴えの取下げとは、原告が、訴えによる裁判所に対する審判の申立ての全部または一部を撤回する訴訟行為である。

　訴えの一部取下げは、併合されている複数の請求の一部を取り下げたり、請求金額を減額する場合になされる（請求の減縮。もっとも、一部請求の場合でも訴訟物は債権全体であるとする考え方によれば、請求金額の減額は、原告が訴訟物のうち給付命令を求める範囲を減縮するものにすぎず、取下げではないことになる〔伊藤484～485頁〕。また、一部請求を認めずかつ一律に後訴を許さない考え方によれば、請求の一部の放棄、したがって被告の同意も不要、とみることになる〔新堂350～351頁〕。以上については、[060] も参照）。

　訴えの取下げにより、訴訟係属の効果は遡及的に消滅する（262条1項）。

　なお、上訴の取下げ（292、313条）には、訴えの取下げの方式、効果、擬制（[185]）の規定が準用されているが、訴えの取下げとは異なり、上訴を撤回する行為にすぎないから、その結果、原判決が確定することになる。

[504] **第2項　訴えの取下げの一般的な要件**

　訴えの取下げは、判決確定までの間はすることができる（261条1項）。もっとも、終局判決後の訴えの取下げについては、後記の再訴禁止効がはたらく（262条2項）。

　訴えの取下げは、被告（相手方）が本案について準備書面を提出し、弁論準備手続において申述をし、または口頭弁論をした後においては、被告の同意がなければその効力を生じない（261条2項本文）。被告が本案の権利関係について防御のための何らかの行為を行った場合には、被告に本案判決を求める利益が生じるとの考え方によるものである（口頭弁論を行った場合に限定されないことに注意）。

ただし、本訴の取下げがあった場合の反訴の取下げについてはこの同意は不要である（同項ただし書）。反訴は、本訴の手続を利用してこれと関連する訴えを提起するものだから、本訴を取り下げた本訴原告に反訴取下げを拒絶する自由を認めるのは当事者間の公平に反するとの考え方による（このような拒絶は、正当な理由のないいやがらせ的なものである場合もありうるから、これを認めるのは適切ではない、ということもいえるかもしれない）。

　取下げには、訴訟行為一般についてと同様、訴訟能力、代理権が要求される。法定代理人、訴訟代理人が取下げを行うには特別の授権が必要であり、これは、放棄・認諾、訴訟上の和解についても同様である（32条2項1号、55条2項2号〔同条4項の例外あり〕。なお、後記**第3節**、**第4節**では、この点に関する記述は省略する）。

　訴え取下げの合意の効果については［**246**］をもう一度読み返しておいてほしい。

[505] 第3項 **訴えの取下げの手続等**

　訴えの取下げは、書面でしなければならないが、口頭弁論、弁論準備手続または和解の期日には、口頭ですることができる（261条3項〔令和4年改正後261条3項、4項〕。口頭弁論調書にその旨が記載される〔規67条1項1号〕）。もっとも、実務上は、明確性の観点から、期日における取下げについても取下書の提出によっている例も多い（当事者が期日に取下書を持参する）。

　訴えの取下げに被告の同意が必要とされる場合には、取下げが書面でなされたときには取下書の副本（規162条1項）を、取下げが口頭でなされたときには、被告が期日に出頭していた場合を除き上記の口頭弁論調書の謄本を、被告に対し、それぞれ送達する（261条4項〔上記改正後261条5項〕）。

　被告が、取下書または上記の口頭弁論調書の送達を受けた日から2週間以内に異議を述べないときは、訴えの取下げに同意したものとみなされる。被告が取下げのなされた期日に出頭していた場合には、多くはその時点で同意の有無が明らかにされるであろうが、そうでないときには、同様に、その日から2週間以内に異議を述べないときは、訴えの取下げに同意したものとみなされる（261条5項〔上記改正後261条6項〕）。

　この送達は、被告に対し取下げに同意するか否かの考慮を促すとともに、

第16章　当事者の意思による訴訟の終了

同意する場合にはそれ以上の訴訟行為をさせないように注意を促すという意味をもっている（実務では、前記［502］でふれたような理由により訴えの取下げがなされることになった後には、被告は、それ以上の出頭に意味を見出さず、出頭しなくなる場合がままある。261条4項、5項〔上記改正後261条5項、6項〕は、主としてこのような場合に対処するための規定であるといえる）。

訴えの取下げに被告の同意が必要とされない場合には、取下げの効果は即時に生じる。この場合には、裁判所書記官は被告にその旨を通知すれば足りる（規162条2項）。

なお、当事者双方の欠席等の場合等の訴えの取下げ擬制については前記［185］を参照されたい。

第4項　訴えの取下げの効果

［506］　第1　訴訟係属の遡及的消滅

訴えの取下げにより、訴訟係属の効果は遡及的に消滅する（262条1項）。

もっとも、関連裁判籍や訴訟中の訴え（7条、47条、146条等）には影響がない。

訴訟行為に基づく実体法上の効果については、まず、訴えの提起に伴う時効完成猶予の効果（147条、民147条1項1号。［045］。また、訴えの交換的変更の場合につき［077］）は、本来失われるはずであるが、民法147条1項柱書中のかっこ書部分により、訴えの取下げ後6か月を経過するまでの間は引き続き時効の完成が猶予される。

出訴期間遵守の効果については失われる。

形成権行使等の効果についても原則として同様であるが、当事者の合理的意思解釈により維持すべきものと考えられる場合には存続すると解される。たとえば、履行の請求や相殺については原則として失われ、解除については原則として存続すると解される（当事者の合理的意思解釈によるため、事案によって異なりうる〔［248］も参照］）。

訴訟費用の負担については、当事者の申立てがあれば、73条によって処理される。これは、請求の放棄・認諾の場合も同様である（なお、原則として、訴えを取り下げた者、請求の放棄・認諾をした者が訴訟費用を負担することになる）。

[507]　第2　再訴の禁止

　本案について終局判決があった後に訴えを取り下げた場合には、再訴は許されない（262条2項）。

　これは、本案判決まで得ながらその効力を消滅させた者に対する制裁の趣旨と解されている（最判昭和52・7・19民集31巻4号693頁、百選5版A29事件の判示参照。多数説でもある）。しかし、訴えの取下げには種々の動機がありうることを考えると、制裁という趣旨を正面からもちだすことが適当であるかには疑問を感じる。むしろ、不利な判決を得た原告が取下げ後再訴を提起することを防止する必要性が大きいから（再訴の濫用防止の必要性）、というのが適切ではないだろうか（条解1451～1452頁参照）。

　したがって、当事者、訴訟物が同一でも、新たな訴えの利益または必要性が認められる場合には、再訴が許される（上記昭和52年最判の趣旨はこの点にある）。

　立法論としては、ほかに、終局判決後の訴えの取下げの禁止も考えられる。しかし、訴えの取下げは実際上は訴訟外の和解に基づく場合が多いところ、訴訟外の和解をするにはそれなりの理由がある場合も多いことを考えると、現在の制度のほうがよいであろう（終局判決後の訴えの取下げを禁止してしまうと、当事者としては、終局判決後に和解をする場合には訴訟外の和解ではなく訴訟上の和解を行うしかなくなる）。

　第一審の本案の終局判決が控訴審で取り消され事件が第一審に差し戻された場合については、終局判決は存在しないことになるから、再訴禁止効も生じない（最判昭和38・10・1民集17巻9号1128頁）。

　同一の訴えであるか否かは訴訟物が同一であるか否かにより決する。取り下げた訴えの訴訟物にかかる権利関係を前提とする関連請求（前訴の訴訟物から生じる利息やその不履行に基づく損害賠償請求等）もできなくなるとする考え方が有力であるが、既判力の場合と異なり原告の訴訟行為を基礎とする再訴禁止効は限定的に解釈すべきであるから、このような訴えについては再訴禁止効ははたらかないと解するのが適切であろう（伊藤487～488頁、コンメV275頁等）。

　再訴禁止効の主観的範囲も、既判力の場合とは異なり原則として包括承継人に限定される。ただし、任意的訴訟担当の場合には、授権に基づくもので

あるから、再訴禁止効を肯定すべきである（伊藤488〜489頁）。

また、訴えの利益が変化した場合には同一の訴えであっても再訴が許される。確認の訴えの利益が変化した場合、給付の訴えについて履行の猶予等に基づき取り下げたが後に履行期が到来した場合等である。

以上のとおり、再訴禁止効は、それほど厳格なものではない。もっとも、実務においては、上記のような例外として許容される再訴も稀有である。

第5項　意思表示の瑕疵に関する規定の類推、訴えの取下げの効力を争う方法

[508]　第1　意思表示の瑕疵に関する規定の類推

意思表示の性質をもつ訴訟行為については、民法の詐欺・強迫・錯誤等の意思表示の瑕疵に関する規定が類推適用されうるか否かが問題になることについては、すでにふれた（[247]）。

そこでもふれたとおり、このような行為の性質を訴訟行為であると解すれば（訴訟行為説）、適用を否定する（再審事由に該当する場合以外にはこれを認めない〔再審規定の類推適用。338条1項3号、5号等。ただし同条2項の有罪判決等の確定の要件については不要とする〕）ことになりやすいであろうし、行為の性質についての私法行為説や併存説、両性説によれば、適用を肯定することになりやすいであろう。もっとも、行為の性質論から一義的、直接的に結論を導き出すことには無理がある（訴訟上の和解に関して後記[518]で述べるとおり、行為の性質論を基本にしつつも、手続の安定性等をも考慮して考えるのが相当である）。

そして、判決によらない訴訟の終了を目的とする各種の行為、訴え取下げの合意、不起訴の合意については、これにより訴訟が終了する、あるいは訴えが提起できないということであるから、それ以上訴訟行為が積み重ねられる心配はなく（この点で、管轄の合意、仲裁合意、証拠契約等の訴訟契約とは異なる）、また、訴訟の終了ないし不起訴という重大な効果が生じることを考慮して、類推適用を肯定することが相当であろう（[247]）。

判例は、訴えの取下げについては、おそらくは訴訟行為説により、再審事由に該当する場合以外にはこれを認めないとし、ただし338条2項の有罪判決等の確定の要件については不要とする（最判昭和46・6・25民集25巻4号640

頁、百選 5 版91事件）が、訴訟上の和解については、要素の錯誤がある場合には実質的確定力がないとして、和解無効の主張を認めている（最判昭和33・6・14民集12巻 9 号1492頁、百選 5 版93事件）。

　これらの判例の間の整合性には疑問がある。上記のとおり、判決によらない訴訟の終了を目的とする各種の行為全般につき、併存説に立ちつつ、民法上の意思表示の瑕疵に関する規定が類推適用されると解すべきであろう（訴訟上の和解の場合については、上記のとおり、詳しくは、[518]で論じる）。もっとも、意思表示の瑕疵の認定については、民法の場合よりも厳格であるべきだろう。

　実務においては、訴訟上の和解の場合を除き、意思表示の瑕疵が主張される例はあまりない。

[509]　第2　訴えの取下げの効力を争う方法

　前記**第1**に該当するような場合を含め、訴訟係属を主張する当事者は、期日指定の申立てをする。なお、訴訟係属の有無は訴訟法律関係の基本として職権調査事項に該当するから、裁判所も職権で調査できると解されるが、実際上は、訴えの取下げに疑問をもつことがありうるのは当事者であろう。

　上記のとおり重要な事柄であるから、裁判所は、期日を指定し、口頭弁論を開いた上で、この点について判断すべきである。

　裁判所は、訴えがその取下げによって終了していると判断する場合には、訴訟終了宣言判決をする。訴えの取下げが認められない場合には、審理を続行し、訴えの取下げの点については、中間判決、あるいは終局判決の理由中で判断を示すことになる（こうした争いがある場合には、中間判決をしておくことがより適切であろう）。

　終局判決後に、実は訴えの取下げがそれ以前になされていたと当事者が主張する場合には、上訴またはその追完（97条 1 項）によって終局判決の取消しを求めることになる（伊藤489頁）。

第3節　訴訟上の和解

[510]　第1項　和解の種類

　和解には、訴訟外で行われるもの（民法695条、696条によって規律される）と、裁判所で行われる「裁判上の和解」とがあり、後者には、本節の記述の主な対象である「訴訟上の和解」と簡易裁判所で行われる「訴え提起前の和解」（275条。「起訴前の和解」、「即決和解」）とがある。

　「訴え提起前の和解」とは、その名称のとおり訴訟係属を前提としない和解であり、当事者が相手方の普通裁判籍の所在地を管轄する簡易裁判所に申立てをすることによって行われる。この申立てに先立って双方当事者間で和解の内容は詰められているのが通常であり、したがって、この制度の意味は、和解に執行力を与え債務名義とすることにある（267条、民執22条7号）。

　当事者にとっては、執行証書（民執22条5号）と並ぶ、簡易な債務名義作出の手段ということになる。

　訴え提起前の和解については、後記**第2項第1**（[511]）の264条、265条の規定は適用されない（275条4項）。

　後記**第2項**以下では、主として訴訟上の和解について論じる。

第2項　訴訟上の和解の意義・手続・あり方

[511]　第1　訴訟上の和解の意義・手続

　訴訟上の和解とは、訴訟の係属中に、受訴裁判所または受命・受託裁判官が関与して行われる、双方当事者が互いに譲歩して訴訟を終了させる旨の合意、また、そのための協議をいう。

　裁判所は、訴訟のどの段階でも和解を試み、または、受命・受託裁判官に和解を試みさせることができる（89条〔令和4年改正後89条1項〕）。受命・受託裁判官に和解を試みさせる旨の決定は、訴訟指揮に関する決定であり、口

頭弁論でしても、期日外に書面でしてもよい。後者の場合は当事者への告知を要する（コンメⅡ229〜230頁。実務も同様の考え方によっている。なお、口頭弁論ですべきだとの考え方もある〔条解371頁〕が、あえて限定する意味は乏しいであろう）。

　裁判所または受命・受託裁判官は、必要があれば当事者本人またはその法定代理人の出頭を命じることができる（規32条1項）。当事者本人の言い分を直接聴いたほうがよい場合もあることを考慮しての規定である。

　多くの場合には、訴訟代理人は、和解期日に当事者本人を同行している。私自身は、最初の期日には当事者本人の話を留保なく聴き、その後は、原則として、当事者には外で待ってもらって、訴訟代理人と話していた。これは、当事者を同席させると、事実認定や法律論についてくだいた説明をしなければならないために、どうしても時間が長くなりがちだからである。もっとも、訴訟代理人が当事者本人の同席を求める場合には、もちろんそうしていた。

　また、裁判所または受命・受託裁判官は、相当と認めるときは、裁判所外で和解をすることもできる（同条2項）。和解が行われるのは、和解のために指定された和解期日の場合が多い（なお、弁論準備期日と和解の関係については[283]）が、それ以外の期日にもすることができる。しかし、裁判所外（紛争の現地等）で和解期日を開けるかには疑問もあったので、本条は、明文でこれを認めたものである。

　現行法は、訴訟上の和解について、和解条項案の書面による受諾（264条）と裁判所等が定める和解条項（265条）の2つの制度を設けた。

　前者は、一方当事者が遠隔地に居住しているなどの事由により出頭困難である場合に、その当事者があらかじめ裁判所または受命・受託裁判官から提示された和解条項案を受諾する旨の書面を提出し、他の当事者が期日に出頭してその和解条項案を受諾したときは、当事者間に和解が成立したとみなすものである。

　この制度は、多くは、訴訟係属中に当事者の間に和解についての意向の一致があり、しかし、被告は遠方に居住しているために期日への出頭が難しい場合に利用される（被告側は元々勝ち目がなく訴訟追行にあまり熱意のなかった事案が多い）。具体的な手続については、264条、規則163条が定めるが、先のような場合には、原告（訴訟代理人）が提示されるべき和解条項を作成して裁判所等に提出し、裁判所等がその内容に問題がないかを確認した上、裁判所

書記官がこれを被告（訴訟代理人）に送付するという形になる。真意の確認については、訴訟代理人の職印を押捺した代理人名義の受諾書面、本人の実印を押捺した受諾書面と添付の印鑑証明書等によって行い、疑問がある場合には、裁判所書記官が電話で確認するのが相当であろう（コンメⅤ289頁）。出頭するほうの当事者に訴訟代理人が付いている場合がほとんどであるが、そうでない場合には、真意の確認はより慎重に行うべきである。

後者は、当事者の共同の申立てがある場合に裁判所等が適切な和解条項を定める制度であり、裁定和解ともいわれる[2]。

[512] **第2　訴訟上の和解のあり方**

訴訟上の和解による紛争の解決については、積極的であるべきか、謙抑的であるべきか。

これに対する答えは、「適切な和解であれば積極的に行われてもよいが、いずれにせよ、裁判官（および弁護士）は、和解に当たっては節度を守るべきであり、その権力を背景に和解を無理強いしてはならない」ということであろう。

こうした観点からみるとき、日本の訴訟上の和解のあり方には、相当に問題が大きい。

訴訟の見通しというのは不透明なものであり、ことに、激しく争われる事件においてはそうである。この点のリスクを避けるための手段として、和解には一定のメリットがある。また、判決と異なり、関連紛争を含めての一挙、早期の解決を図りうること、柔軟で詳細な内容とするのが可能なこと、任意の確実な履行が期待できること、などのメリットも大きい。和解による解決の望ましい事案があるのは事実だ。

しかし、また、訴訟を提起する人々、ことに、日本のように比較的争いご

---

[2] この手続は、かつてはほとんど利用されていなかったが、近年は、2020年以降の新型コロナウイルス禍の影響も手伝って、書面による準備手続等の手続を利用したいわゆるウェブ会議（[287]）において利用される例が出てきているようである。具体的な手続については、265条、規則164条が定めるが、先のような例では、裁判所が、当事者の意見を聴いた上で和解条項を作成し、これをウェブ会議において告知し、あるいはウェブ会議終了後にファクシミリ等適宜の方法により告知して、和解を成立させているようである。実務の新しい傾向を示す動きといえよう。

とを好まない社会風土であえて訴訟を提起する人々は、裁判所の公平な判断（判決）を望んでいる場合も多いことも事実である（企業の場合はともかく、個人についてはそういえると思う）。また、原告の立場からすると、金銭的なものについてはあまり期待できないが勝つことが重要であるという訴訟もかなり存在する。

　さて、以上を総合考慮した上で日本の訴訟上の和解について考えると、その１つの問題は、裁判官が比較法的にも類をみないほど強力に主導する日本の和解が本当に当事者のために行われているのか、実は、裁判官のために（早期の「事件処理」のメリット、判決を書かなくてよいというメリット。なお、判決の手間はおくとしても、証拠を精査して最終的な結論を決めるのは、それ自体が、時としてつらい、気力を要する作業である）、あるいは弁護士のために（早期の「事件処理」のメリット、強制執行の手間が省けるというメリット。なお、弁護士報酬の確保もよりできやすくなるし、全面的敗訴によって当事者との信頼関係が決定的にそこなわれる可能性も回避できる）行われているという面のあることも否定しにくいのではないか、ということであろう。ことに、裁判官については、この隠された動機が実は和解成立に向けての強い誘因になっている場合が、かなりあるのではないかと思う（ほかの誘因としては、より小さなものだが、「何事も話合いで解決するのが一番」という「和こそ至上に尊し」思想も考えられる。この思想〔その本質は、パターナリズム、家父長制的干渉主義であろう〕は、家庭裁判所では、より顕著な問題として表れる〔[**680**]〕）。その結果として、裁判官が当事者に和解を無理強いする傾向がどうしても出やすいのである[3]。

　日本の和解のもう１つの大きな問題は、不透明な、裁判官交互面接型和解・非対席和解である。日本の和解の実際をリアリスティックに見据えるなら、それは、当事者の間で行われるのではなく、裁判官と当事者の間で行われているとみるのがより正しいといえるくらいなのである。そして、この方法は、裁判官の和解無理強い傾向をさらに生じやすくさせがちでもある。

　ここには、実質的手続保障の根本原則（[**005**]）の軽視、裁判官を「お上」ととらえてこれに依存しやすい法曹界全体の体質、当事者の知性や尊厳を軽視し、法律家主導でことを運ぶことへの内省の欠如があるのではないだろうか。少なくとも、実質的手続保障の根本原則からすれば、対席の場所で相手の言い分を聴き、反論しながらあるべき和解の内容を詰めてゆくというのが、望ましい姿であろう。また、そこにおける裁判官の説得の程度についても、

仲介者としてのそれを踏み越えないように注意すべきであろう[4]。

なお、和解勧試の時期については、双方の主張立証（ことに書証の提出）が一通り終えられた時点以降が望ましい。手続保障的観点からしても、和解に

---

(3) これは、個々の裁判官や弁護士の問題でもあるが、それだけではなく、後記のとおり、自己の利害と他者（ここでは当事者）の利害を客観的な目で見詰め、切り分ける醒めた認識が十分でなく、慣習の呪縛力にも弱い、という日本人の国民性の問題でもある。日本の和解のあり方について私見を述べると、良心的な（元）裁判官や弁護士でも、「確かに、そうおっしゃられると、耳の痛い部分はありますね」という感想を述べられる例は多いのである。

　この点については、アメリカにおける和解に関する弁護士倫理の原則が次のような趣旨のものであることが、1つの参考になると思われる。

　「和解の決定は、最終的には、常に、弁護士ではなく当事者が行う。弁護士は、合理的な和解案であっても当事者が受け入れない場合にはそれを拒否し、不合理な和解案であっても当事者が受け入れる場合にはその決定に従う義務がある」（モリソン・フォースター外国法事務弁護士事務所『アメリカの民事訴訟〔第2版〕』〔有斐閣〕179頁）。

　人間存在をリアリズムで見詰めるなら、また、訴訟が最終的には当事者のものであることを考えるなら、この原則は理にかなっていると思われる。

　しかし、日本の弁護士には、これとは異なり、「合理的な和解案ならたとえ当事者が反対していても強く説得するのが正しい弁護士のあり方」という考え方が強いと思われる。そうかもしれない。けれども、そのような考え方を正当とするためには、少なくとも、弁護士が、「自分自身の利害」をも突き放した眼できちんと客観的に認識できていることが条件になる。そして、これは、必ずしも容易なことではない。

(4) 訴訟経験者の訴訟に対する満足度が低い（瀬木・裁判7頁）ことの1つの原因は、おそらく、こうした日本型和解の形にあると私は考えている。

　もちろん、対席和解を行えば、和解率は一定程度低下するであろう。しかし、それは、おそらく、適切に「減る」のである。

　適正な判断を求めて手間と費用のかかる訴訟を起こしてみたが、結果は、裁判官による強引な説得を経ての和解であり、その内容にも納得できなかった、みずからの弁護士についても、本当に自分のことを考えてくれていたのかに疑問を禁じえない、という当事者の声はかなり多い。また、たとえ実際には適切な和解であったとしても、それに至るプロセスが不透明であると、当事者は、そのような感想をもちやすい。

　実務はなかなか変わらないものであり、非対席和解の習慣も、簡単に変えることは難しいであろう。しかし、これは明らかに現代の国際標準を外れており、また、昔であればともかく、現代の日本人を納得させうる習慣なのかどうかについても、疑問が大きい。少なくとも、対席を原則としてできる限り情報や前提を共有することにし、当事者の一方ずつとの面接は、最終的な詰めの局面において、特に必要性が高くかつ合理性もある場合に限り行うこととする、そうした方向に進むべきではないかと考える。

　個々の裁判官、弁護士が対席和解を試みることはそれほど簡単ではないと思われる（抵抗もあり、和解率も他の法廷に比べて下がるため）から、こうした問題については、何らかの建設的なプロジェクトによる実験と解決が望まれるところであろう（以上につき、詳しくは、瀬木・裁判第6章、また、同38〜40頁各参照）。

当たっては、裁判官は、それを表に出すか否か別として、暫定的な心証に基づく自分なりの和解案をもっているべきであると考えられることからしても、そのようにいえる（私自身は、和解による解決がふさわしい事案については、判決の方向についてそれなりの見通しがつく事案であれば先の時点で和解を勧試し、場合により人証調べ後にももう一度勧試する、人証調べを行わないと判決の方向について見通しがつきにくい事案であれば人証調べ後に勧試する、という方法を採っていた。また、和解の回数は原則として2、3回までとし、当事者本人が納得のいっていない和解を無理に進めることも、避けていた）。

第3項　訴訟上の和解の要件

[513]　第1　互譲

互譲があることが和解の要件である。この点で請求の放棄・認諾と区別されるからである。

ただし、この互譲については、実際上はかなりゆるやかに解されており、被告が訴訟物については全面的に原告の主張を認める場合であっても、原告が訴訟費用の一部を負担する、原告が被告に対して訴訟物とは別の法律上の負担をするなどのことがあれば、互譲が認められると解されている（伊藤499頁等）。原告が訴訟物については全面的に被告の主張を認める場合についても、同様に考えることができよう（実務上も、訴訟費用の負担についてだけ互譲のある和解は、ごくまれにではあるが存在する。当事者が、請求の放棄・認諾はしたくないが、和解の形であれば応じる、という場合があるからである）。

[514]　第2　和解の対象

和解の対象については、訴訟物のほか、当事者間に係属する別個の訴訟の訴訟物、また、訴訟係属がない権利関係ないし紛争についても含まれると解される。別個の訴訟の訴訟物についても和解する場合には、その訴訟については取り下げる旨が和解中で約される（別個の訴訟については、訴え取下げの合意をすることになる〔それにもかかわらず別個の訴訟において訴えが取り下げられない場合の処理については、[246]で論じた]。なお、和解の成立により別個の訴訟も当然終了するとの考え方もあるが、その理論的な説明は難しいであろう）。

実務では、和解の対象となる事項以外にも当事者間に何らかの紛争がありうる場合や当事者間に法的な関係が和解以降も係属しうる場合には、「本件に関し、当事者間に、他に（本和解条項に定める以外に）一切の債権債務関係はない」旨を、それ以外の場合には、「当事者間に、他に（本和解条項に定める以外に）一切の債権債務関係はない」旨を、和解条項の末尾から2番目の条項として挿入し（本件に限定しての清算条項か、限定しない清算条項かの相違がある。この相違は大きな相違であり、弁護士は注意が必要である）、末尾の条項は、「訴訟費用および和解費用は各自弁とする」とする例が多い。

[515]　第3　和解の主体

和解に当事者以外の第三者が参加することがある。実務上多いのは和解成立時に被告の連帯保証人として入る例であるが、そのほかにもさまざまな形がありうる。通常は当事者が同行する。強制的に第三者を引き込むことはできないが、裁判所書記官が、当事者の依頼を受けて、もしも話合いに参加することが可能であれば参加してくださいとの通知を発することまでは許されようか。

このような第三者の地位については、第三者との関係では和解は訴え提起前の和解（275条）の性質を有するとの考え方もあるが、管轄の点、また、訴訟上の和解の第三者はあくまで任意に参加するものである点など、相違が大きい。訴訟上の和解の1つのメリットは関連する紛争の一挙解決にあり、そのために和解の対象、主体とも拡張が認められると解されるのだから、このような当事者も、訴訟係属はないが、端的に和解の当事者とみてよいであろう（同旨、伊藤502～503頁）。

[516]　第4　当事者の処分権限等

和解をするには、当事者が訴訟物を自由に処分する権限を有することが必要である。

したがって、当事者の自由な処分を認めず裁判所が真実を探知すべきであるとされる人事訴訟では、原則として、和解はできない。しかし、離婚・離縁訴訟については、協議離婚・離縁が認められていることから、一定の限定はあるものの、和解が認められている（人訴37条、44条）。

団体関係訴訟については、当事者には係争利益の処分権限がないから、和

解は許されないと解される（条解1477頁等。反対、伊藤500～501頁）。

訴訟担当者については、法定訴訟担当では原則としては訴訟物を自由に処分する権限までは与えられていないと解すべきであるから和解は許されない。ただし、包括的な管理処分権を与えられている者（前記[159]の②の類型に属する者）、たとえば、破産管財人の場合には、財産の管理処分権をも有するので、訴訟物の処分である和解も許されると解される（破産管財人は、和解の内容について裁判所の許可を得た上で和解をする〔破78条2項11号〕）。また、株主代表訴訟については、会社が和解の当事者となるか和解について承認することなどを要件として和解が可能である旨が規定されている（会社850条、849条の2。伊藤501～502頁）。

任意的訴訟担当では、授権の内容によるということになろう（伊藤501頁）。

また、内容の点では、法律上許されない権利関係、公序良俗や強行法規に反する権利関係を内容とする和解は許されない。

[517]　第5　訴訟要件

訴訟要件については、和解に確定判決と同一の効力が認められることから、原則として、ことに公益性の高い訴訟要件については、必要と解される。

具体的には、訴訟要件のところ（[170]）で分類したAグループのものについては具備が必要、B、Cグループのものについては不要、ということになると考える。

第4項　訴訟上の和解の法的性質・効果、訴訟上の和解の効力を争う方法等

[518]　第1　訴訟上の和解の法的性質・効果

まず、訴訟上の和解には、訴訟終了効がある。訴訟費用および和解費用の負担については、その負担が定められ額が定められなかった場合には、その額は、第一審裁判所の裁判所書記官が定める（72条）。もっとも、実務では、前記**第3項第2**（[514]）のとおり、「訴訟費用および和解費用は各自弁とする」という条項で処理するのが通例である。

確定判決と同一の効力（267条）のうち、執行力や形成力については争いがないが、既判力については考え方が分かれている。

これについては、まず、意思表示の瑕疵に関する規定の類推適用を認めるか否かと関連して、訴訟上の和解の性質が問題になる。訴訟行為に関する部分（[247]）や訴えの取下げについてふれたところ（[508]）と同様、私法行為説、訴訟行為説、併存説、両性説があり（詳しくは、クエスト484〜485頁、コンメⅡ220〜222頁等）、訴訟行為説によれば、意思表示の瑕疵に関する規定の適用を否定することになりやすいであろうし、私法行為説や併存説、両性説によれば、適用を肯定することになりやすいであろう。もっとも、訴えの取下げのところ（[508]）で論じたのと同様、行為の性質論から一義的、直接的に結論を導き出すことには無理がある（この点につき、新堂374〜375頁は、行為の性質論から直接的に結論を導き出すのは誤りであり、まずは訴訟上の和解にいかなる効果を与えるのが適切かを論じるのが先決であるとし、いずれにせよ性質論は実益のある議論ではないと言い切る。しかし、意思表示の瑕疵に関する規定の類推適用を認めるか否かと関連して、訴訟上の和解の性質が問題になる〔考察を行う上での基本的な基盤になる〕こと自体は、肯定できるのではないだろうか）。

いずれにせよ、私見としては、併存説に基づき、意思表示の瑕疵に関する規定の類推適用を認め、かつ、私法上の効力と訴訟上の効力を牽連させて、私法上の無効原因がある場合（取消しにより無効になる場合〔民121条〕を含む）には和解は私法上も訴訟上も無効となると考える。

以上を前提として、既判力についての議論に戻る。

既判力（完全）肯定説は、和解にも確定判決と同じ効力を認め、和解に再審事由に該当する事由がある場合にのみ再審の訴えを認める（再審規定一般の類推適用。338条1項3号、5号等。ただし同条2項の有罪判決等の確定の要件については不要とする）。したがって、単なる意思表示の瑕疵だけでは再審の訴えは認められないであろう。既判力否定説は、意思表示の瑕疵に関する規定の類推適用を認め、また、和解の拘束力については、民法696条でも確保できるから、あえて和解に既判力を肯定する必要はないという。さらに、「確定判決と同一の効力」と条文上規定されていても既判力が認められるとは限らないという（これはそのとおりである。[466]参照）。制限的既判力説は、意思表示の瑕疵に関する規定の類推適用を認め、その場合には既判力は覆滅されるという。

まず、和解が意思表示の合致であり（意思表示の性質をもつ行為であり）、そうである以上、意思表示に瑕疵があるににもかかわらずこれを争えないとするのは適切ではない。したがって、既判力（完全）肯定説は採りえない。

次に、和解の拘束力については、当事者間では民法696条でも確保できるというのは事実だが、既判力を認めないと、和解成立後の承継人にこれが拡張されず、和解の効力が容易に潜脱されるという問題があるので、既判力否定説も適切ではない。

　また、制限的既判力説は、上記の和解の性質論とも違和がない。

　以上によれば、制限的既判力説が適切であろう。これについては、絶対的拘束力であるべき既判力の概念に反するとの批判があるが、既判力の拘束力が例外を許さないものではないことは今日では既判力の縮小の理論（[475]以下）からも肯定されており、和解に既判力を認めるとしても、これに和解の特質による制限を加えることが許されないとはいえないであろう

　判例も、訴訟上の和解については、要素の錯誤がある場合には実質的確定力がないとして、和解無効の主張を認めており（最判昭和33・6・14民集12巻9号1492頁、百選5版93事件）、制限的既判力説を採っているとみてよいであろう。実務も同様に解される。

　なお、267条の和解には、訴え提起前の和解（275条）を含むと解されている。訴え提起前の和解についても、請求の趣旨・原因、争いの実情が表示され、裁判所が内容を確認することから、そのように考えることで問題はないであろう（クエスト493〜494頁、コンメⅤ304頁）。

　また、実務では、保全命令手続においても和解が成立することが多いが、そこでの和解の効力についても、通常の訴訟上の和解と同様の効力をもつと解されている。

　既判力が生じる範囲については、和解のうち訴訟物に関するものに既判力が認められるのは当然だが、具体的な和解条項についてみるとどこまでが訴訟物に関するものといえるかが明確ではない場合も多く、また、和解の対象について前記**第3項第2**（[514]）のとおり広く考える以上、紛争解決基準の安定という観点からも、和解の全体について既判力を認めるべきであろう[5]。

第2　訴訟上の和解の効力を争う方法、和解の解除

[519]　**1　和解に意思表示の瑕疵が認められる場合にその効力を争う方法**

　訴えの取下げの場合と同様、期日指定の申立てをするのが本則である。

　裁判所は、訴えが和解によって終了していると判断する場合には、訴訟終了宣言判決をする。和解に意思表示の瑕疵が認められる場合には、審理を続

第16章　当事者の意思による訴訟の終了

行し、和解の効力については、中間判決、あるいは終局判決の理由中で判断を示すことになる（こうした争いがある場合には、中間判決をしておくことがより適切であろう）。

　判例（大判大正14・4・24民集4巻195頁）、実務は、そのほかに、和解無効確認の訴え（別訴で争うこと）をも認めている。民事執行法39条1項にもこれを前提とする規定（2号）がある。

　実務がこの場合に和解無効確認の訴えという例外的な方法（[178] 参照）をも認めてきた理由については、当事者が和解について意思表示の瑕疵を主張したい場合、和解を成立させた裁判官では容易にこれを認めてくれないのではないかとの不安を抱きうること、また、そもそも当該裁判官の和解の（強引な）進め方が意思表示の瑕疵に関係していると考えている場合があること、などが考えられる（実際にも、和解を成立させた裁判官に不信をもつ場合にこの訴えの提起が選択される例はある）。

　すでに実務に定着している方法であり、実質的な根拠にも一理あり、併存的な方法として認めてよいであろう。

　また、和解調書に基づく強制執行阻止の必要上、請求異議の訴え（民執35条）についても、認めざるをえないであろう（判例も認める。大判昭和10・9・3民集14巻1886頁）。

　なお、最後の場合に強制執行の停止（民執36条1項）を認めることになる以上、ほかの2つの場合についても、この規定の類推適用を認めるべきであろう（クエスト495頁）。

(5)　なお、関連して、和解案作成に当たって注意しておくべき事柄としては、①執行力の生じる規定か否かを明確にすること、②和解条項に規定されている債務の不履行があった場合の事後措置を明確に規定しておくこと（そうでないと、後記第2の2［520］のとおり、和解が解除されるという事態が生じる）、が主要なものとして挙げられる。こうした観点から、弁護士がまずは和解案を作成し（原告側が作成する場合が多い）、裁判官がこれをチェックして和解を成立させるという手順を踏むことが適切である。なお、私の経験によれば、複雑な和解条項案には、②の点等を含め、論理的な詰めが甘く、不備のあることが結構多い。この点は、弁護士も裁判官も注意すべきである（ことに、弁護士は、和解を解除して新訴を提起しなければならないような事態に至った場合、当事者の不信を買いやすいことに留意しておくべきであろう）。
　　以上を含め、和解の実際については、瀬木・要論第1部第15章、瀬木・民事裁判第11章で詳しく解説している。

[520]　2　和解の解除

　和解条項上の債務の不履行があり、これに関する事後措置についての規定が設けられていないと、和解の解除という事態が生じる。

　この場合、訴訟終了効もなくなり旧訴が復活するかという問題があるが、併存説を前提とすれば、和解そのものについては瑕疵がないがこれについて別個の紛争が生じたといえるこのような場合には、私法上和解が解除されても旧訴の訴訟終了効には影響がない（旧訴訟は復活しない）と解することが可能であろう（最判昭和43・2・15民集22巻2号184頁、百選5版94事件も、訴訟終了効はなくならないとする）。

　したがって、解除を主張する者は、適宜の新訴を提起し、その中で解除を主張することになる（高橋上792〜794頁）。

第4節　請求の放棄・認諾

[521]　第1項　概説

　請求の放棄とは、口頭弁論・弁論準備手続・和解期日（以下、本節において、「口頭弁論等の期日」という）において、原告が、自己の請求にかかる権利関係（訴訟物）を否定する陳述であり、請求の認諾とは、口頭弁論等の期日において、被告が、請求にかかる権利関係（訴訟物）を認める陳述である（266条1項）[6]。

　これらが調書に記載されたときに確定判決と同一の効力が生じる（267条。ただし、既判力については後記**第3項**のとおり争いがある）。調書の記載は請求の放棄・認諾の効力発生要件と解される（伊藤494頁）。

　請求の放棄・認諾をする旨の書面を提出した当事者が口頭弁論等の期日に出頭しないときは、裁判所または受命・受託裁判官は、当事者がその旨の陳述をしたものとみなすことができる（266条2項）。請求の放棄・認諾をする意向の当事者は、このような書面を提出するだけで期日に出頭しない例がままあることから、現行法で設けられた規定である（上記のとおり、請求の放棄・認諾は期日において口頭でされるのが原則であることに注意）。

(6) 認諾は訴訟物自体を認める（処分する）ものなので、認諾を行っても請求原因事実を自白したことにはならない（訴訟物の処分は、事実の処分を伴わなくても可能である）と理論上はいえる。

しかし、国が、事案の事実関係やその背景を審理の中で明らかにされたくなく、また、その経過の報道もされたくない（であろうと思われる）国家賠償請求訴訟で請求の認諾を行う（①冤罪に問われた厚生労働省官僚を原告とする証拠改竄問題訴訟、2011年10月17日。②日米合同委員会議事録不開示問題訴訟、2019年6月27日。③いわゆる森友文書改竄問題訴訟、2021年12月15日〔なお、①では、請求の全部ではないが大半を認諾〕）ことについては、どのように考えるべきか。

上記のような理屈から、「認諾はしたが、請求原因事実を認めるものではない」というのが、おそらく、国の暗々裏の言い分であろう（実際、国は、これらの訴訟で、それまでは請求原因事実を争い〔②、③事件〕、あるいは認否を留保〔①事件〕していた）。

しかし、(i)これらの事件で国の行った認諾は、社会的意味や影響が大きく、かつ事実の究明が当事者や社会から強く望まれている国家賠償請求についての民主主義国家の訴訟行為として、適切なものであろうか。また、(ii)もしも適切ではないとしたら、どのような法的あるいは社会的規制、規整が望ましいであろうか。

上記の問題については私も取材を受けた（『東京新聞』2019年7月15日、2021年12月17日、各「こちら特報部」欄）が、(i)の点については適切とは思われないとしつつも、(ii)の点については、今後の問題とした上で一応の考え方を示すにとどめざるをえなかった。読者の方々も、(i)の点をも含め、早期の救済という観点から認諾も不当とはいえないという後記の考え方をも考慮に入れつつ、みずからの考え方を組み立ててみてはいかがであろうか。

たとえば、広い意味での訴訟法上の信義則（2条。[241]、[242]）や後記**第2項第1**（[522]）の当事者の処分権限等も問題になりうると思われる。なお、訴訟法は「適用された憲法」であり、民法、商法等の実体私法と異なり直接憲法に基礎をもつという考え方（中野・論点Ⅰ1～2頁）も、広い意味合いにおいてではあるが、こうした問題を考える際の1つの参考となりえよう。

国の表側の理屈は「被害のすみやかな救済」であり、確かにそれにも一理あるが、これらの事件で原告らが望んでいたのはむしろ証拠調べによる事実の究明なのであり、その期待にも一定の理由がある。また、国は、こうした訴訟において、上記のような形での処分権能、つまり事実の処分を伴わない訴訟物の処分権能を、国民から無条件で付与されているといえるだろうか。

こうした問題も、法学、ことに分野横断的なそれの問題としては重要なものなのであり、また、今後はそうした事柄が法学の領域でも問題になることが増えてゆくであろう。法学のカヴァーすべき問題は、概念的な理屈を組み立てることだけにとどまるものではない。それが現在の世界標準の認識であると考える。

第2項　請求の放棄・認諾の要件

[522]　第1　当事者の処分権限等

　　請求の放棄・認諾をするには、訴訟上の和解の場合と同様、当事者が訴訟物を自由に処分する権限を有することが必要である。
　　したがって、当事者の自由な処分を認めず裁判所が真実を探知すべきであるとされる人事訴訟では、原則として、請求の放棄・認諾はできない。しかし、離婚・離縁訴訟については、協議離婚・離縁が認められていることから、一定の要件の下に請求の放棄・認諾が認められている（人訴37条、44条）。
　　団体関係訴訟については、請求の放棄は許されるが、請求認容判決には通常対世効があるから、請求の認諾は許されないと解するのが通説である（条解1469頁等。反対、伊藤492頁）。
　　訴訟担当者については、法定訴訟担当では訴訟物を処分する権限までは与えられていないと解すべきであるから請求の放棄・認諾は許されず、任意的訴訟担当では授権の内容によるということになろう（伊藤492頁）。
　　また、内容の点では、法律上許されない権利関係、公序良俗や強行法規に反する権利関係を内容とする請求の認諾は許されない。

[523]　第2　訴訟要件

　　訴訟要件については、請求の放棄・認諾に確定判決と同一の効力が認められることから、原則として、ことに公益性の高い訴訟要件については、必要と解される。
　　具体的には、訴訟要件のところ（[170]）で分類したAグループのものについては具備が必要、Bグループのものについては不要、ということになると考える。抗弁事項であるCグループについては、請求の認諾との関係では問題にしなくてよいが、請求の放棄との関係では、抗弁事項である訴訟要件が主張されかつ認められる場合には、訴えの却下を求める被告の意思を尊重して、請求の放棄は効力を生じないとみるべきであろう（クエスト497頁）。

[524] 第3項　**請求の放棄・認諾の効果等**

まず、請求の放棄・認諾には、訴訟終了効がある。訴訟費用の負担については、当事者の申立てがあれば、73条によって処理される。

確定判決と同一の効力（267条）のうち、執行力や形成力については争いがないが、既判力ないし意思表示の瑕疵に関する規定の類推適用については考え方が分かれている。これについては、訴訟上の和解の場合（[518]）と同様に考えてよいであろう。

請求の放棄・認諾の効力を争う方法については、期日指定の申立てによる。請求の認諾の場合には、訴訟上の和解の場合（[519]）と同様に、執行停止の規定の類推を認めてよいであろう。

【確認問題】
1　訴えの取下げの再訴禁止効について述べよ。
2　裁判上の和解にはどのようなものがあるか。
3　日本における訴訟上の和解のあり方について、どのように考えるか。
4　訴訟担当者は訴訟上の和解、請求の放棄・認諾をすることができるか。
5　団体関係訴訟で、訴訟上の和解、請求の放棄・認諾は可能か。
6　訴訟上の和解の法的性質、効果について説明せよ。
7　訴訟上の和解の効力を争う方法について説明せよ。
8　和解条項上の債務の不履行があった場合、不履行の相手方当事者はどうすべきか。

[525] 第17章
共同訴訟

　本章から第20章までは、多数当事者訴訟について論じる。これらの中には、実務ではさほど例の多くないものもあるが、論点は豊富で、また、きわめて難しいものもあり、第21章の上訴等の不服申立てとともに本書の最後の大きな山となる。多数当事者訴訟については、各種の類型ごとに、実際の事例を考えながら、基本を正確に押さえてゆくことが大切である。

　本章では、多数当事者訴訟の意義と類型、通常共同訴訟と同時審判申出共同訴訟、必要的共同訴訟、共同訴訟参加、主観的追加的併合について解説する。

第1節　多数当事者訴訟・共同訴訟の意義と類型

[526] ### 第1項　多数当事者訴訟の意義と類型

　この項では、まず、多数当事者訴訟と共同訴訟の全体像について解説しておく。

　多数当事者訴訟とは、1つの訴訟手続に3名以上の者が関与する訴訟形態である。

　当事者の関与の仕方としては、おおまかに、共同訴訟と参加（訴訟参加）とがある。

　共同訴訟には、当初からの共同の場合と、後発的に共同訴訟となる場合と

がある。後者の原因としては、主観的追加的併合と弁論の併合とがある。

　主観的追加的併合（[**554**]）は、当事者から第三者、また、第三者から当事者に対する請求が新たに立てられることによって共同訴訟形態が生じるものである。弁論の併合（152条1項。[**230**]）は、裁判所の訴訟行為によって共同訴訟形態が生じる場合である（なお、法が合一確定の必要性等から弁論の併合を命じている場合として会社法837条がある）。

　参加・引受承継（[**592**]以下）、任意的当事者変更（[**119**]。当事者の確定と関連する場合が比較的多いので、**第5章**で論じた）においても主観的追加的併合が行われる。これらの場合には通常当事者が交代する（訴訟物等の承継を伴う交代か、明文の規定があるかの相違がある）。後記の共同訴訟参加も、法が参加申出の形で主観的追加的併合を認めたものといえる（[**553**]、[**554**]）。

　参加は、第三者が自己の利益のために既存の訴訟に参加するものであり、従たる当事者としての参加である補助参加、基本的に3面訴訟となる（3者間に共同関係がない）独立当事者参加、類似必要的共同訴訟の場合の参加形態である共同訴訟参加がある。なお、補助参加以外の参加は訴え提起の実質をももつので、訴訟中の訴え（[**030**]）に分類される。

　以上は概説的事項といっても初心者にとっては判決の効力の場合（[**445**]）以上に難しいが、少なくとも再読の時点では確実に理解しておいてほしい。頭の整理、概念の整理に役立つはずである。

　アメリカ法には伝統的に多数の特徴的な多数当事者訴訟形態があるが、そのほとんどは、日本法でも、弁論の併合、主観的追加的併合によって実現できるものである。日本法独自のユニークな多数当事者訴訟形態としては、3面訴訟となる先の独立当事者参加がある（なお、井上267頁以下の「独立当事者参加論の位相」、同307頁以下の「参加『形態』論の機能とその限界——再構成のための一視点」は、多数当事者訴訟相互間の連続性、流動性を提唱する刺激的な論文である）。

[**527**]　第2項　**共同訴訟の意義と類型**

　共同訴訟（1つの訴訟手続に数人の原告または被告が関与する訴訟形態）は、訴訟共同の必要性と合一確定の必要性という2つの基準によって分類される。訴訟共同の必要性とは、共同訴訟にしないと訴えが不適法になることをいう。

合一確定の必要性とは、判決の内容が統一的でなければならないことをいう。

通常共同訴訟は、共同訴訟人が相互に独立の関係にある共同訴訟であり、訴訟共同の必要性も合一確定の必要性もない。一般的、基本的な共同訴訟形態ということができる。

同時審判申出共同訴訟は、通常共同訴訟の一形態で原告の申出にかかるものであり、弁論および裁判の分離が禁止され、控訴審では弁論および裁判が当然に併合されるものである。法律上両立しない請求について原告がどの被告との関係でも敗訴するという事態を避けるための制度である。同時審判申出共同訴訟に関連して、主観的予備的併合が問題になる。

類似必要的共同訴訟は、訴訟共同の必要性はないが合一確定の必要性はあるという訴訟形態であり、したがって、当初の時点では単独で訴えの提起ができるが、すでに類似必要的共同訴訟に当たる訴訟が提起されている場合にはこれに共同訴訟参加をしなければならない（そうでないと合一確定が保証されないからである）。もっとも、訴訟共同の必要性はないのだから、単独で訴えの取下げが可能である。類似必要的共同訴訟は、判決の効力が相互に（あるいは被担当者に〔[547]〕）拡張される場合についてその矛盾抵触を防ぐための制度である。

固有必要的共同訴訟は、訴訟共同の必要性も合一確定の必要性もあるという訴訟形態であり、全員が共同原告とならなければ、また、全員を共同被告としなければ、当事者適格を欠く場合である。

こうしてみると、通常共同訴訟と固有必要的共同訴訟は反対の極を構成していることになるのだが、実際には、類似必要的共同訴訟に当たる場合は明確であって学説判例とも争いがなく、通常共同訴訟に当たるか固有必要的共同訴訟に当たるかが問題となる事例が多い（固有必要的共同訴訟に当たるとなると提訴がかなり難しくなるという問題があり、いずれに該当するかを決定するに当たっては、後記〔[535]以下〕に記すとおり、実体法的な権利の性格と、訴訟法的な考慮とがせめぎ合うことになる）。

第2節　通常共同訴訟と同時審判申出共同訴訟

[528]　第1項　通常共同訴訟の要件

　　通常共同訴訟の要件については、38条が規定する。
　　①　訴訟の目的である権利または義務が数人について共通であるとき
　　これは、共同訴訟人が主張し、またはこれに対して主張される権利の内容が同一である場合をいう。一方の義務の履行が他方の義務の消滅をもたらすような場合をも含む。
　　原告が所有権を主張する土地に関する数名の被告に対する所有権確認請求、同一の土地に関する数名の共有権者の被告に対する各持分確認請求、数名の連帯債務者・不可分債務者に対する請求、主債務者と連帯保証人に対する請求等がその例である。
　　②　訴訟の目的である権利または義務が同一の事実上および法律上の原因に基づくとき
　　これは、共同訴訟人と相手方の間の請求が主要な事実および法的根拠について共通である場合をいう。
　　同一の不法行為の複数被害者の各請求、売買の無効を理由とする買主と転得者に対する所有権移転登記抹消登記手続請求、土地所有者の土地賃借人に対する建物収去土地明渡請求と建物賃借人に対する建物退去土地明渡請求等である。
　　③　訴訟の目的である権利または義務が同種であって事実上および法律上同種の原因に基づくとき
　　これは、各請求の間に①、②の場合のような具体的な関連性はないが、同種の権利義務についての同種の原因に基づく抽象的な関連性はある場合をいう。
　　複数の貸金業者に対する過払金返還請求、貸金業者が複数の借主に対してする貸金請求等である。手形の振出人および裏書人に対する請求については、②、③のいずれに当たるか争いがあるが、③に当たるとするのが多数説である。

複数請求訴訟では、各請求に何らの関連性も要求されない（136条。[**071**]）が、通常共同訴訟では、当事者の異なる請求の併合を許す場合であるから、最低限の抽象的な関連性までは要求される。何の関連性もない請求を併合しても、審理の効率化や統一は図れず、かえって、審理が複雑になって、当事者にとっても裁判所にとっても弊害が大きいからである。

また、①と②の区別については、さまざまな考え方があり、解釈は必ずしも定まっていないが、いずれにせよその効果は変わらないので、厳密に区別する実益には乏しい。

しかし、①および②と③との区別は重要である。①、②の場合、すなわち38条前段の場合にのみ、関連裁判籍が認められるからである（7条ただし書）。これは、③の場合、38条後段の場合には、自己に関係の薄い場所での応訴を強いられる被告の不利益を考慮すべきだということが理由である（[**107**]）。

第2項　共同訴訟人独立の原則

[**529**]　**第1　概説**

通常共同訴訟では、共同訴訟人のまたはこれに対する請求が併合されているだけであって、それぞれの訴訟法律関係は、互いに影響を及ぼさないのが原則である。すなわち、共同訴訟人の1人の訴訟行為、共同訴訟人の1人に対する相手方の訴訟行為、共同訴訟人の1人について生じた事項は、原則として他の共同訴訟人に影響を及ぼさない（39条）。これを共同訴訟人独立の原則という。

これは、①訴訟の係属関係（和解、請求の放棄・認諾、訴えの取下げ、上訴の取下げ）、②訴訟の進行関係（中断、中止）、③事実上の主張関係（自白を含む）のいずれについてもいえることである。

①については、上訴が重要である。たとえば、Xが、Y、Zに対して訴えを提起し、双方に敗訴し、Yに対して控訴を提起した場合、確定が遮断されて移審するのはXのYに対する請求のみであり、XのZに対する請求については確定する。「それぞれの訴訟法律関係は互いに影響を及ぼさない」からである。

②については、理解は難しくないであろう。上記の例（Xが、Y、Zに訴え

提起）でYについて中断事由が生じてその解消までに時間がかかるような場合には、裁判所は、弁論を分離して、XのZに対する請求についてのみ審理を進め、判決をすることが多いと思われる（ただし、主債務者と保証人に対する請求のような例で安易にこれを行うと、後から訴訟の循環が起こりかねないことは、反射効の部分でふれた〔**497**〕）。

③については、通常共同訴訟人の間でも主張や自白は別個になりうるので、その結果判決の内容も異なってきうることが重要である（もっとも、実際には、そのような例はまれである。ありうるのは、たとえば、通常共同訴訟人間〔複数原告・被告間〕に何らかの事実上の利害の対立があるような場合〔たとえば後記**第3項**の同時審判申出共同訴訟の被告らの間等〕であろうか。なお付言しておくと、通常共同訴訟人間で主張や自白が区々になると、大変複雑で読みにくい判決になることがある）。

もっとも、証拠関係については、後記**第2**で論じるとおり、共同訴訟人独立の原則の例外として、証拠共通の原則が認められ、また、③については、後記**第3**で論じるとおり、一定限度で主張共通を認める考え方もある（もっとも、これは、他の共同訴訟人についても有利な主張についての考え方なので、自白には適用されない）。

[530]　**第2　証拠共通の原則**

通常共同訴訟人の間でも、証拠共通の原則は認められる（なお、自由心証主義との関係でいう証拠共通の原則〔原告と被告の間のそれ〔**322**〕〕とは意味が異なり、その意味では、「通常共同訴訟人間の証拠共通の原則」というのが正しいと思われるが、長くなるし、文脈上混乱は生じないので、いずれも、単に、「証拠共通の原則」と呼ばれている。もっとも、学生に双方の相違について説明させると、すぐには答えられない場合も多い。先の項目についてももう一度読み返しておいてほしい）。

これは、たとえば、XのY、Zに対する請求でYの提出した（申し出かつ採用された）証拠がZとの関係でも証拠資料となることを意味する（なお付言すれば、XがYとの関係についての証拠として提出した証拠がZとの関係でも証拠となるということももちろんいえるが、これについては、Xの提出した証拠が被告らのうち特定の者との関係の証拠であるか否か自体が明確でない場合も多いであろう）。

これは、常識からいうとあたりまえのことのように感じられるであろうが、共同訴訟人独立の原則からみると明白な例外となることに注意してほしい。

それでは、なぜこのような例外が認められるのか。これについては、証拠共通の原則を認めないと、1つの訴訟の中で、共同訴訟人の主張が共通である場合でも、共同訴訟人ごとに矛盾した事実認定がなされることになって不自然であり、また、裁判官の自由心証主義に対する制約ともなるからだと説明されている。
　もっとも、近年は、共同訴訟人間に利害の対立がありうることなどを理由に、ある共同訴訟人が提出した証拠を他の共同訴訟人との関係でも証拠とするには他の共同訴訟人がその証拠調べに関与した（あるいは、関与はしなかったとしても、当該期日に出頭する機会は与えられていた）ことが必要であるなどと主張する考え方もある（講義587～588頁等。高橋下377～379頁の注(61)参照）。
　この関係では、現行法が152条2項の規定（[**230**]）を設けたことをどう評価すべきが問題になるであろう。同項は、当事者を異にする事件の弁論が併合された後に、それ以前に尋問が行われた証人について尋問の機会のなかった当事者が尋問の申出をしたときは、その尋問をしなければならないと規定する。
　上記の考え方からすれば当然のことを規定したにすぎないと解することになるのであろうけれども、規定ぶりからみる限り、証人尋問についてのみ例外的な規定を設けたものであって、それ以外の証拠（主として考えられるのは書証）についてはその証拠調べに関与する機会のなかった当事者との関係でも証拠共通の原則がはたらくことを前提とした規定とみるのが自然であろう。
　私見としては、上記の考え方は採らないが、当事者を異にする事件の弁論が併合された場合には、ことに従来の証拠調べに関与する機会のなかった当事者に必ずしも有利とはいえない証拠調べの結果については、裁判官は、その点を指摘し、意見があれば主張するよう促す（その機会を当事者に与える）ことが適切であると考える。
　もっとも、訴訟代理人が選任されている場合には、記録の閲覧、謄写（91条）を行って注意深く検討するのが通常であること、証拠調べに関与する機会のなかったことによって当事者に大きな不利益が生じうる従前の証拠調べとしては通常は証人尋問くらいしか考えにくいことからすると、こうした釈明を行うべき事案がそれほど多いとは思われない。
　一例を挙げれば、自動車にはねられて負傷した原告Ｘが、相手方Ｙと、負傷について不適切な治療を行って後遺症の原因を作ったと考える医師Ｚ

とを時点を異にして別々に訴え、後にこれらの弁論が併合された場合のように、共同訴訟人間の利害が対立しうる場合（この例でいうと、YとZは、Xの後遺症の原因について対立する主張をする場合が多いであろう。同時審判申出共同訴訟の規定の類推適用がある場合〔[534]〕である）には、裁判官も当事者も、こうした点について注意深くあるべきだといえよう[1]。

[531]　第3　主張共通を認めることの是非

　前記のとおり、通常共同訴訟人間には証拠共通の原則が認められるが、通常共同訴訟人間については一定の限度で主張共通の原則をも認めるべきだとする考え方がある（なお、ここでも、弁論主義における主張共通の原則〔原告と被告の間のそれ〔[256]〕〕とは意味が異なることに注意）。

　これは、他の共同訴訟人がこれと抵触する行為を積極的にしていない場合には、他の共同訴訟人に有利なものである限り、主張共通が及ぶ（つまり、他の共同訴訟人もその主張をしたこととする）、というものである（新堂795〜796頁。争点整理段階の行為規範としては他の共同訴訟人の意思を確認しておくべきだが、判決書作成段階の評価規範としては、上記の限度で主張共通を認めてよいとする）。

　もっとも、他の共同訴訟人が口頭弁論期日や弁論準備手続期日に出頭している場合には、まず間違いなく、有利な主張は援用するであろうし、本人訴訟であっても裁判官が援用するか否かを釈明するであろうから、この考え方が威力を発揮するのは、他の共同訴訟人が訴訟追行に熱心でなく上記のような期日に必ずしも出頭していなかった場合、ことに、159条3項の擬制自白が成立してしまうような場合である（典型的な例は、ここでも、債権者Xが、主債務者Yと保証人Zに対して訴えを提起し、Yは争ったが、Zは一貫して欠席し、準備書面も提出しないという場合。この場合も、そのまま判決をすると、あとからZがYに対して求償請求をするという事態が生じうる）。

　しかし、そのように考えると、上記の例でいえば、主張共通の原則を認めるのは、Xにとって大きな不利益、不意打ちとなる（なお、争わないという選択をしているZにとっても不当な干渉になるという考え方もある〔クエスト542頁〕。

---

(1)　なお、私自身は、裁判官時代に、152条2項に基づく再尋問の申出を受けたことがなかったので、前記[230]にも記したとおり、弁護士の知人に尋ねてみたところ、「以前の証人尋問調書はよく検討しますが、再尋問をすればより有利な証言を引き出しうると思われるような例はあまりないからです」という答えであった。

もっとも、これについては、有利な主張の共通にすぎないのだから不当な干渉とまではいえない、との反論が考えられる）。また、より積極的な（あるいは常識的な）根拠のある証拠共通の場合はともかく、主張共通まで認めるとなると、共同訴訟人独立の原則は裁判資料のレヴェルではほぼ骨抜きになってしまうがそれでよいか、という疑問もある。

　以上によれば、魅力的な考え方ではあるものの、主張共通を解釈上認めることまでは、無理ではないかと考える。

　なお、この点については、より広く、請求相互の関係から補助参加の利益が認められる場合には、補助参加の申出がなくとも当然に補助参加がなされていると扱うべきだとの考え方もある（高橋下458～460頁等。当然の補助参加の理論）。しかし、判例はこれを否定している（最判昭和43・9・12民集22巻9号1896頁、百選5版95事件。いかなる関係があるときにこのような効果を認めるかについての明確な基準を欠き、いたずらに訴訟を混乱させることを理由とする）。

　上記に掲げた例のような場合には、通常は、YはZに対する補助参加の申出をする（通常共同訴訟人間でも補助参加の申出は可能である〔[558]〕）であろうし、裁判官もその点について釈明するであろうから、ここは、判例のいうとおり、当然の補助参加を認めることの問題のほうを重くみるべきであろう（混乱するので先の記述ではふれなかったが、Zが一貫して欠席し、準備書面も提出しない場合でも、YのZに対する補助参加は、もちろん可能である〔なお、これが可能であることは、上記主張共通説を採らない考え方の1つの根拠にもなりうる〕。高橋説は、釈明から漏れた場合の救済のために当然の補助参加を認めるべきであるとする。そこに掲げられた事案をみると、一理あると感じる。しかし、当然の補助参加の理論の一番の難点は、基準が明確でないため、裁判所も当事者もそのことを意識していないのに補助参加が成立していたと事後的に評価されうることが手続にもたらす不安定、当事者にもたらす不公平であり、これは、大きなマイナス要素である。そのような不安定、不公平によるリスクを許容してまで、限られた場合を救済することは、相当であろうか。少なくとも、適用の基準が明確にされる必要があると考える）。

第3項　同時審判申出共同訴訟等

[532]　第1　主観的予備的併合

　現行法が設けた同時審判申出共同訴訟（41条）について理解するには、その前提として、旧法時代に考えられていた主観的予備的併合という併合形態について考えておく必要がある。

　主観的予備的併合とは、複数の原告の請求または複数の被告に対する請求に順位を付け、主位的請求が認められることを解除条件として予備的請求について審理を求めるものであり、請求の客観的併合の場合の予備的併合に該当するものといえる。

　こうした併合形態は、実体法上両立しない請求について統一した審判を求め、かつ、複数の原告のうちいずれかが勝訴し、複数の被告のうちいずれかに勝訴しうる（法的に両立しないわけだから、一方の原告は、また、一方の被告に対しては勝てる。もちろん、立証が十分であることを前提としての話である）という当事者の地位を保護する（両方の請求で負けてしまうことを防止する）ために考えられたものであった（なお、わかりやすく「両負けを防ぐ」という言い方がされることがあるが、答案等ではこうした種類の表現〔各種の教科書でも時に用いられる〕を安易に多用しないほうがよい。よく考えて使うのでないと不正確になりやすい、幼稚な印象を与える場合があるなどの問題があるからである）。

　もしもこうした請求を単純併合の形で提起することを許容するならば、弁論の分離によって先のような当事者の地位は保障されなくなりうるし、また、法的に両立しない請求の双方について無条件の請求を求めることは勝訴判決を二重に求めることになり信義に反するのではないかという批判もありうるので、先のような併合形態が考えられたわけである。

　このうち、原告が複数となる主観的予備的併合（たとえば、債権の譲受人の債務者に対する請求を主位的請求とし、債権譲渡が無効である場合に備えて債権の譲渡人が予備的原告となる）については、特に問題がない。

　しかし、被告が複数となる主観的予備的併合（たとえば、買主Xが、売主Yに対する請求を主位的請求とし、売主Yの代理人として契約をしたZの代理権がなかった場合に備えてZに対して無権代理に基づく損害賠償請求〔民117条1項〕を予備

的請求とする。ほかに、工作物の占有者に対する損害賠償請求と所有者に対する損害賠償請求〔同717条１項〕等）については、判例はこれを否定した（最判昭和43・３・８民集22巻３号551頁、百選５版Ａ30事件）。

この判例自体はその理由を述べていないが、従来から、主観的予備的併合（被告複数の場合）に対する批判としては、①予備的被告の地位が不安定になる、ことに、主位的被告に対する請求が認容されると予備的被告に対する判断がなされないまま事件が終了してしまう、②通常共同訴訟であるため、上訴があった場合にはその部分だけが移審し、結果として、統一的判断が保障されなくなるからその目的を達しえない（上記の例でいうと、第一審でＸが主位的被告Ｙに敗訴し、予備的被告Ｚに勝訴し、Ｚのみが上訴した場合には、Ｘは、上訴審ではＺにも敗訴するという結果が生じうる）といったものがあり、判例も、おそらく同旨であろうと考えられる。

しかし、①については、本当に予備的被告の地位が不安定とまでいえるのかには疑問がある。実際の審理は、双方いずれかの責任の可能性を念頭に置きながら行われるのであって、主位的被告関係の審理が終わらない限り予備的被告関係の審理が行われないということはない（予備的被告は原告補助参加人としてではなく独立の当事者として訴訟活動を行いうると解される〔高橋下397～398頁〕し、実務においても、「予備的」というのは、判断のレヴェルでのことであって、審判のレヴェルでのことではないとの考え方に基づき、そのように解していたと思われる）し、主位的被告に対する請求が認容された場合には、後に予備的被告に対する蒸し返しの後訴が提起されるという事態は実際上稀有だからである（考えられるとすれば、原告の思惑とは異なり主位的被告が無資力であった場合くらいだが、たとえそのような場合であっても、証拠関係上、後訴を提起しても、勝訴できる可能性はまずないであろう）。②については、共同訴訟人独立の原則の帰結であって、この場合だけの問題ではなく、その意味で批判として適切ではないともいえる（後記**第２**の同時審判申出共同訴訟でもこの点は変わらない）し、いずれにせよ、大きな問題とまではいえない（同旨、井上186～191頁、421頁～434頁〔後者は上記昭和43年最判の判例研究〕。なお、高橋下396～397頁は、通常共同訴訟の枠内で考えず、独立当事者参加の場合〔**[580]**〕と同様に40条を準用することによって②の問題についても解決することを提言する）。

以上によれば、主観的予備的併合については、むしろ肯定説に分があったのではないかと思われる（実際、上記昭和43年最判後も、下級審判例にはこれを肯

定するものがかなりの数みられた〔井上治典『多数当事者の訴訟』〔信山社〕6頁〕)。

第2　同時審判申出共同訴訟

[533]　1　制度の趣旨

　現行法は、この問題について、同時審判申出共同訴訟の規定（41条）を設けることによって対応した。

　すなわち、同条1項は、法律上非両立の場合について、原告の申出があった場合には、弁論および裁判は、分離しないでしなければならないとしている（そのため、共同被告の1人について中断・中止事由があれば、訴訟は事実上進行を止めておく〔期日を「追って指定」とする〕ことになろう〔コンメⅠ555頁〕）。

　原告が申出をなしうる時期は、控訴審の口頭弁論終結時までである（同条2項）。したがって、訴え提起時のみならず、別訴が第一審で併合された場合に申出をすることも、また、当初から併合提起したが第一審では申出をせずに控訴審で申出をすることも、可能である（一問一答60頁）。また、この申出は、控訴審の口頭弁論終結時まではいつでも撤回できる（規19条1項）。申出および撤回は、期日においてする場合を除き、書面でしなければならない（同条2項）。

　原告の利益のための制度なので、原告の申出にかかることとし、また、撤回の自由も認められているわけである。

　41条3項は、控訴があった場合に、共同訴訟人独立の原則から控訴審では別個の裁判所に2つの事件が係属するという事態になる可能性がある（たとえば、XがY、Zに対して訴えを提起し、Yに敗訴、Zに勝訴した後、XとZが各別に控訴した場合）ことを踏まえ、各共同被告にかかる控訴事件が同一の控訴裁判所に各別に係属する場合には（なお、異なる控訴裁判所に各別に係属する事態は、通常は考えにくい）、弁論および裁判は、併合してしなければならないとしている。これにより、この限度で控訴審における審理裁判の統一も図られる。

　もっとも、同時審判申出共同訴訟は通常共同訴訟の1類型でありこれに特則が適用されたものにすぎないから、前記**第2項第1**（[529]）、また前記**第1**で論じたとおり、上訴関係は独立であり、したがって、たとえば、Xが、Y、Zに対して訴えを提起し、同時審判申出共同訴訟を申し出、Yに敗訴、Zに勝訴し、Zのみが控訴を提起した場合には、確定が遮断されて移審する

のはXのZに対する請求のみであるから、控訴審ではXがZに敗訴し、結果として「両負け」となる事態は生じうる。その意味では限界のある制度なので、Xはこの点に留意しておく必要がある[2]。

[534]　2　事実上非両立の場合

以上は法律上非両立の場合であるが、これは例が限られ、現実の訴訟でより多いのは、たとえば、Y、Zのいずれかが買主（等の契約の相手方）であるが、証拠関係上その点がはっきりしないので売主（等の契約の他方当事者）Xが双方を訴えるといった事実上非両立の場合である。

この場合にも原告が両方の請求で負けてしまうことを防止する必要性は存

---

[2]　なお、同時審判申出共同訴訟における各請求の併合は、疑問はあるものの、立法趣旨等から、単純併合であるとみるべきであろうか（伊藤667頁等）。しかし、証拠が十分であるとしても認容されるのは片方である以上、当事者としては請求および主張に順位を付けて考えているのが通常であろうし、裁判所としても、通常共同訴訟、単純併合であるから相互に無関係なはずとはいえ、1つの弁論で矛盾する請求、主張が並列的に繰り広げられても、原告の意図がわからなければ審理がしにくい。被告らの攻防、原告への補助参加（[560]の③類型。なお、[558]も参照）の見極めについても同様であろう。

したがって、実際上は、原告は、請求に順位を付することが望ましい、あるいは、少なくとも、付けることが許される、のではないだろうか（通常の単純併合では順位付けは認められない[[052]]が、この場合には「法律上非両立」という実質をみる。なお、後記2の、事実上非両立の場合に41条を準用するときにも、同様に考えてよいであろう）。そして、その場合、裁判所は、原則としてそれに拘束されると解してよいと考える（そう考えるならば、41条は、その「実質」からみるなら、「同時審判申出共同訴訟という形式によってのみ主観的予備的併合を許容することにしたもの」とみることも可能かもしれない）。

もっとも、以上のような点については、さまざまな考え方がありうる（高橋下405～411頁参照。たとえば、単純併合という建前を貫くなら双方被告が答弁書を提出せず欠席した場合には法律上非両立の双方請求を認容することになるがその是非、といったことも問題になりうる）。そして、条文自体になお詰め切っていない部分があるのではないか（議論は分かれるが、私は、法律上非両立の関係にある両請求の単純併合というのは、かなり無理のある考え方なのではないかと思う）、むしろ、主観的予備的併合を認めないとした判例に問題があったのであり、方向としてはそれを認めつつ規律をより洗練してゆくべきだったのではないか、との疑問もぬぐいがたい。

現行法下においても特別な事情があれば主観的予備的併合が許容されるという解釈論が存在する（コンメI557～558頁）のも、以上に述べたところと関係があるように思われる。私見としても、その余地は残しておきたい（たとえば、前記**第1**で述べた原告側のそれは、認めてもよいであろう。また、遺言がらみの訴訟についても、これを認めることが適切な場合がありうる[[160]の(1)]。なお、現行法下における主観的予備的併合の許容性については、第2版で見解を改めた）。

在すること、同時審判申出共同訴訟の効果は弁論・判決の分離の禁止という限られたものであることから、同時審判申出共同訴訟の規定を類推適用してよいと考える（もっとも、事実上非両立の場合、法律上非両立の場合とは異なり、原告の主張していない第三の可能性〔たとえば買主はAである〕もあるという相違が理屈の上ではあるが、現実の訴訟ではそうした事態は稀有であろう）。

第3節　必要的共同訴訟

第1項　固有必要的共同訴訟

[535]　**第1　概説**

前記（[527]）のとおり、通常共同訴訟と固有必要的共同訴訟は、訴訟共同・合一確定の必要性の有無において反対の極を構成しているにもかかわらず、実際には、通常共同訴訟に当たるか固有必要的共同訴訟に当たるかが問題となる事例が多い（類似必要的共同訴訟に当たる場合は明確であって学説判例とも争いがない）ことから、まず、固有必要的共同訴訟について論じることとする。

固有必要的共同訴訟のメルクマールについては、たとえば、「当事者適格の基礎となる管理処分権や法律上の利益が、多数人に共同で帰属し、その帰属の態様から判決内容の合一性が要請される場合」（伊藤669頁）といった事柄が掲げられることが多く（後記管理処分権説）、それは、間違いとはいえないが、固有必要的共同訴訟に当たる場合を総合してみるとおおむねそのような言葉でまとめられるといった意味合いでのものにすぎず（つまり、帰納的にそのようにまとめられるということであって、このメルクマールから演繹的に各場合の結論が引き出せるということではなく）、実際には**第18章**で論じる補助参加の場合同様、該当する場合を個別的に検討、理解してゆくことが重要である（学生の答案には、「管理処分権や法律上の利益が多数人に共同で帰属するか否か」ということだけを基準として強引に結論を導き出そうとする〔そして誤った結論に至っ

ている〕ものがかなりある）。

　理論的にみれば、管理処分権説（実体法的考慮に重きを置く説。「訴訟物である権利関係をめぐる各関与者の地位や法的関係」のような実体法的観点を重視する）と訴訟政策説（訴訟法的考慮に重きを置く説。「提訴の容易さ、紛争解決の実効性」等の訴訟法的観点を重視する）の主張する両要素（実体法的観点と訴訟法的観点）を考慮しつつ決定してゆくのが適切だということである（松本＝上野760〜761頁参照）。判例（たとえば、後記**第4の4**〔[545]〕の最判平成元・3・28民集43巻3号167頁、百選5版100事件等）もそうした方向性を採っている。

　以下においては、上記のような観点から、固有必要的共同訴訟に当たりうるとされる場合について順次論じてゆく。うち、**第2**、**第3**は明快だが、**第4**の広い意味での共同所有関係にかかわる場合については、学説判例が錯綜している。

[536]　**第2　管理処分権が共同で帰属する場合（共同の職務執行が必要とされる場合）**

　これはまさに管理処分権が多数人に共同で帰属する場合であり、1つの手続について複数の管理処分者が選任された場合がこれに当たる。この場合、訴訟担当者として訴訟に関与する場合（原告として、あるいは被告として）にも、訴訟共同の必要があるからである

　例としては、1つの倒産手続について複数の管財人が選任された場合（破76条1項本文、民再70条1項本文、会更69条1項本文。[159]の②の類型。もっとも、いずれの場合についても、ただし書により、裁判所の許可を得て単独で職務を行うことが認められている）、同一の多数者から複数の選定当事者が選定された場合、複数の信託財産管理者が選任された場合（信託66条2項。ただし書につき同前）等である。

[537]　**第3　他人間の法律関係に関する形成・確認訴訟の場合**

　この場合には、他人間の法律関係に関する形成・確認訴訟という訴訟の性質上、一方だけを被告とすることは、およそ無意味である。

　例としては、第三者の提起する婚姻取消し（民744条1項）・無効確認の訴え、養子縁組取消し・無効確認の訴え（同803条、802条）、認知取消し・無効確認の訴え等である。

　なお、株式会社役員の解任の訴えについては、当該役員をも被告とする定

めが置かれた（会社855条）。これは、主として、当事者ではないが判決効を受ける第三者（確認・形成の訴えの場合にありうる）の保護、手続保障という観点からの規定であって（[496-3]）、上記のような訴訟とは性格が異なる（このような訴えについては、会社のみを被告とするという考え方も存在した）が、先の規定が置かれた結果として、固有必要的共同訴訟ということになった。

第4　広い意味での共同所有関係にかかわる場合

[538] 　1　概　説

　　固有必要的共同訴訟であるとすると共同訴訟人全員が当事者となって初めて当事者適格があることになるため、原告側固有必要的共同訴訟の場合には提訴の自由がかなり制限されるし、被告側固有必要的共同訴訟の場合にも、被告探索の困難、争わない者をも被告にしなければならないなどの問題がある。また、いずれの場合にも、判決確定後に欠けている者がいることが判明した場合には合一確定の要請に照らして判決が無効になる（[452]）という重大な問題も生じる。

　　一方、単独の訴訟を認める（前記のとおり、反対の極の通常共同訴訟となる）と、当事者となりうる他の共有者等の手続保障に欠ける、複数の訴訟の間の矛盾が不都合を生み出す場合がある、などの問題が生じる。

　　実体法と訴訟法が交錯し、また、純理だけでは割り切れない実際上の要請に対する配慮も必要となってくるため、議論は、混沌としたものとなりやすい。こうした背景を踏まえながら、判例を中心として、「大局的に」理解してゆくことが必要である（この大局的な理解の欠けている学生が多い）。

　　以下、訴訟類型ごとに分析し、合有については、その性質に関し学説判例の基本的な考え方が異なるため、最後に別に論じる。

[539] 　2　原告側になる場合

　　持分権で根拠付けられる請求の場合には単独の提訴を認め、それが困難な場合には固有必要的共同訴訟とする、というのが大筋である。以下、具体的にみてゆく。

[540] 　(1)　確認・形成の訴え

　　共同所有権（共有権）の確認については、固有必要的共同訴訟となる。共有者全員の有する1個の所有権そのものが紛争の対象となっていることを理由とする（最判昭和46・10・7民集25巻7号885頁、百選5版A31事件）。

入会権（性質は総有と解されている）の確認についても同様である（最判昭和41・11・25民集20巻9号1921頁）。
　境界確定の訴えについても同様である（最判昭和46・12・9民集25巻9号1457頁）。
　ただし、提訴に同意しない者についてはこれを被告に加えての訴え提起が可能であるとの判例がある。形式的形成訴訟という境界確定の訴えの特質を理由とする（最判平成11・11・9民集53巻8号1421頁）。判例は、その後、入会権確認訴訟についてもこの法理を認めた（最判平成20・7・17民集62巻7号1994頁、百選5版97事件。特定の土地が入会地であるのか第三者の所有地であるのかについて争いがある事案）。
　理論的にみると、このように提訴不同意者を被告側に回してよいとするのは、形式的形成訴訟である境界確定の訴えについては判例のいうとおりその特殊性（裁判所は、当事者の主張にかかわらず適正な境界を確認する。実質非訟事件）を理由とすることができるが、入会権確認訴訟になると、便法という感が強い（全員の訴訟関与の下で合一確定を図ることができるという点にその根拠を求めることになろう）。また、この方法は、給付の訴えの場合には採りにくい。給付の訴えの被告適格は原告が給付義務を負うと主張する者にあるという原則（[118]、[154]）と背馳するからである（「被告に対して給付せよ」という主文は、いかにも奇妙であろう）。
　立法論としては、給付の訴えの場合をも含め、ほかの原告らとなるべき者らの申立てにより、裁判所が、それらの者による訴訟担当を認める、あるいは、提訴不同意者に対する参加命令を出す、などの方法が考えられてきた。判例では対応し切れない問題だからである（本来は法改正で対処することが適切な問題であろう）。
　なお、判例は、29条に該当するような場合には、入会団体自体に法定訴訟担当者としての訴訟追行をも認めている（[129]）。上記の判例と併せてみると、入会権に関する限り、提訴の自由が制限されるという問題は、事実上かなり解消したということもできる。
　以上に対し、共有持分権の確認については、各自が単独でできる（最判昭和40・5・20民集19巻4号859頁。土地の共有者は、その土地の一部が自己の所有に属すると主張する第三者に対し、各自単独で、係争地が自己の共有持分権に属することの確認を訴求することができる、とする）。

また、入会団体の構成員が有する使用収益権の確認についても同様である（最判昭和57・7・1民集36巻6号891頁）。

[541]　(2)　給付の訴え

共同所有権に基づく移転登記請求は、固有必要的共同訴訟となる（前記(1)に掲げた最判昭和46・10・7）。持分権を基礎としてできる請求ではなく、また、いかなる持分割合での移転登記をするかが原告の意思にかかっているから保存行為の範囲をも超えることが、根拠としては考えられる（クエスト550頁）。

しかし、共同所有権に基づく共有物引渡・明渡請求については、各自が単独でできる。共有者全員のために自己に対して求めうる（最判昭和42・8・25民集21巻7号1740頁。不可分債権であることを理由とする）。

共同所有の不動産に関する抹消登記請求も、各自が単独でできる（最判昭和31・5・10民集10巻5号487頁、最判昭和33・7・22民集12巻12号1805頁。妨害排除請求であるから、保存行為として単独で可能であるとする。もっとも、最判平成15・7・11民集57巻7号787頁、百選5版98事件は、「保存行為」という言葉を用いていないため、持分権は共有物全体に及ぶ権利だから持分権自体に基づいて妨害排除が可能であるという趣旨の判例と解する余地もある）。

入会団体の構成員が有する使用収益権に基づく妨害排除の請求については、原則として、各自が単独でできる。しかし、入会地について経由された地上権設定仮登記の抹消登記手続請求については、固有必要的共同訴訟である（前記(1)に掲げた最判昭和57・7・1。入会団体の構成員が有する使用収益権の行使は、特段の事情のない限り、地上権設定仮登記の存在によって格別の妨害を受けることはないこと、仮登記は入会権自体についての侵害であるがその妨害排除は入会権の管理処分に関する事項であり、持分権のある共有者の場合とは異なり、入会権者各自ではできないことを理由とする。使用収益権に基づく妨害排除請求については、一定の限界があることになる）。

[542]　3　被告側になる場合

判例は、ほとんどの場合は固有必要的共同訴訟ではないとする。

しかし、その理論的な理由付けは、原告側の場合に比べるとより弱く、おそらくは、被告探索の困難、争わない者をも被告にしなければならない、判決確定後に欠けている者がいることが判明した場合には合一確定の要請に照らして判決が無効になるといった事態が被告側ではより生じやすい、などの実際上の要請に対する配慮も大きいものと思われる。

学説には、訴え残された者の利益が執行段階で守られることも場合によっては十分とはいえない、全員一律に解決するほうが紛争解決として実効性が高いとして、全員を相手に訴えることにさしたる困難が予想されず、かつ、訴え残した共同所有者との間で共通の紛争が起こる可能性がかなり高い事件の場合には、全員を相手にしなければならないと取り扱うべき、とするものもある（新堂787～788頁）が、基準としてはいささか不明確であろう。
　固有必要的共同訴訟ではないことを原則としつつ、実務上は、上記のような事情がうかがわれる場合には釈明によりその者をも訴えることを促す（その上で弁論の併合をする）という訴訟運営を行うのが相当であろう（コンメⅠ536～537頁）。

[543]　(1)　確認の訴え
　共同所有者に対する確認の訴えについては、固有必要的共同訴訟とならない（最判昭和34・7・3民集13巻7号898頁は、家屋台帳上の共有名義人らに対する建物所有権確認請求事件につき合一確定の必要はないとし、最判昭和45・5・22民集24巻5号415頁は、賃貸人の共同相続人に対する賃借権確認請求事件につき賃貸借契約上の義務が不可分債務であることから、確認の訴えについても争いのある者のみを相手方とすれば足りるとする）。

[544]　(2)　給付の訴え
　所有権移転登記の共有名義人に対する抹消登記手続請求は、固有必要的共同訴訟となる（最判昭和38・3・12民集17巻2号310頁。判例が被告側について固有必要的共同訴訟を認めるほぼ唯一の例）。もっとも、以下の判例との整合性が明らかではなく、先例としての意義を失っているという意見もある（クエスト552～553頁）。
　上記に対し、契約上の義務の履行としての所有権移転登記の共同相続人に対する移転登記手続請求は固有必要的共同訴訟とならない（最判昭和36・12・15民集15巻11号2865頁、最判昭和44・4・17民集23巻4号785頁。不可分債務であることを理由とする）。また、農地の買主が、売主の共同相続人に対し、知事に対する許可申請手続協力義務の履行を求める訴訟も固有必要的共同訴訟とならない（最判昭和38・10・1民集17巻9号1106頁。不可分債務であることを理由とする）。建物の共同相続人に対する土地所有権に基づく建物収去土地明渡請求についても同様である（最判昭和43・3・15民集22巻3号607頁、百選5版99事件。不可分債務であること、また、固有必要的共同訴訟と解するときの実際上の不都合を

理由とする)。

　以上を総合して考えると、上記最判昭和38・3・12は、事案の特殊性を考慮した救済判例とみるのが相当であろう（第一審で敗訴した被告2名が控訴したが、1名については控訴期間を徒過していたため、通常共同訴訟とみるとその者の控訴は不適法とせざるをえない事案であったところ、この事案では控訴審でも共同訴訟を維持させることが相当との考慮により固有必要的共同訴訟と解した控訴審の判断を是認した、ということである。高橋下383〜384頁は、この事案では、訴訟政策的考慮に重きを置いたこの判断は是認できるとする。新堂789〜790頁も、政策的判断を含む判例とみる。確かに、通常共同訴訟と固有必要的共同訴訟の選択については、こうした政策的判断の許容される場合があろう）。

[545]　4　共有者間の訴訟の場合

　対象物件についての共有権の確認（共有者たる者の範囲の確認）の訴えは固有必要的共同訴訟である（大判大正2・7・11民録19輯662頁）。

　これに対し、共有持分権の確認の訴えは固有必要的共同訴訟ではない（大判大正13・5・19民集3巻211頁）。総有の場合の入会権者であることの確認についても同様である（最判昭和58・2・8判時1092号62頁、判タ538号112頁。入会権者であることを主張するほかの者との共同提訴の必要はないとする）。

　共有物分割の訴えについては、合一確定の必要性が高いから固有必要的共同訴訟である（大判大正12・12・17民集2巻684頁等）。

　共同相続人関係の訴訟については、結論が分かれている。

　遺産確認の訴え（ある財産が遺産に属することについての確認の訴え。最判昭和61・3・13民集40巻2号389頁、百選5版24事件が、その確認の利益を肯定している）については、当該財産が現に共同相続人による遺産分割前の共有関係にあることの確認を求める訴えであり、これに続く遺産分割審判の手続および審判の確定後において当該財産の遺産帰属性を争うことを許さないとすることによって共同相続人間の紛争の解決に資することを理由として、固有必要的共同訴訟であるとされる（最判平成元・3・28民集43巻3号167頁、百選5版100事件。遺産分割審判でこの点が問題となった場合には、次回期日は追って指定として手続は事実上止めておいた上で、遺産確認の訴えを提起してこの点を既判力をもって確定しておく必要がある〔[019]〕）。

　相続人地位不存在確認の訴え（共同相続人が、他の共同相続人に対し、その者が相続人の地位を有しないことの確認を求める訴え）についても、同様の理由か

ら固有必要的共同訴訟であるとされる（最判平成16・7・6民集58巻5号1319頁。原告が、相続人の1人である被告のみを訴えて民法891条5号の相続欠格事由を主張した事案）。

しかし、遺言無効確認の訴えについては、固有必要的共同訴訟ではないとされる（上記の2つの判例に先立つ最判昭和56・9・11民集35巻6号1013頁。「相続分及び遺産分割の方法を指定したにすぎない遺言」との限定は一応付いているものの、判例としての射程距離は広いと解されている）。

これに賛成する学説は、共有関係そのものにかかわる訴訟ではないこと、遺言の内容はさまざまであり共同相続人全員に関係するとは限らないこと、相手方となる者の単独所有権や共有持分権の不存在確認に近い実質を有すること、提訴の容易さを確保する必要性が高いことなどを根拠とする。

しかし、これらの理由はいずれも十分な説得力があるとはいいにくい。まず、提訴の容易さを確保する必要性についていえば、この訴えの場合、前2者の場合と同様、原告に加わりたくない者についてはこれを被告に加えて訴えを提起すればよい（通常の訴訟の場合のように原告側、被告側という区別が一義的にはっきりしているわけではないから前記2(1)〔**540**〕で論じたような問題はない）から、大きな問題にはならない。そのほかの理由についていえば、この訴えが遺産分割審判の前提となる訴訟であることは前2者と同様であるところ、個別の訴え提起を許すと法律関係が不安定になる（蒸し返しの余地が残されることになる）のみならず、判決の相対効（〔**486**〕）の結果として遺産分割をめぐる法律関係が複雑化するという問題に比べるならば、根拠付けとしては弱いであろう（なお、同一の遺言が、ある関係者らの間では有効であり、ある関係者らの間では無効であるという事態は、〔**486**〕でふれた事例の場合と同様に、非法律家にとっては非常に理解しにくいことであり、そのような事態が生じることはなるべく避けるほうがよい、ということも付随的にはいえよう）。

固有必要的共同訴訟と解するのが適切ではないかと思われる（結論同旨、高橋下333頁）。

〔546〕　5　合有の場合

判例は、組合財産が総組合員の共有に属すると解しているため、共有の場合と同様の結論になる。

学説は、これを合有と解するので、組合財産に関する積極訴訟は固有必要的共同訴訟になるとする。しかし、学説も、組合債務に関する訴訟について

は、不可分債務に関する規定が類推され、各組合員に対して全額の請求ができることをなどを根拠に、個別訴訟を肯定する。

組合の内部関係において組合関係の存否を争う場合には、学説、判例（大判昭和3・6・21民集7巻493頁）ともに、他の組合員全員を被告とする固有必要的共同訴訟であるとする（以上、松本＝上野766～767頁）。

[547] 第2項　類似必要的共同訴訟

類似必要的共同訴訟は、前記（[527]）のとおり訴訟共同の必要性はないが合一確定の必要性はあるという訴訟形態であり、したがって、当初の時点では単独で訴えの提起ができるが、すでに類似必要的共同訴訟に当たる訴訟が提起されている場合にはこれに共同訴訟参加（52条）をしなければならない（そうでないと合一確定が保証されないからである）。もっとも、訴訟共同の必要性はないのだから、単独で訴えの取下げは可能である。これは、判決の効力が相互に拡張される場合（あるいは、後記のとおり複数の法定訴訟担当者から被担当者に拡張される場合）についてその矛盾抵触を防ぐための制度である。

類似必要的共同訴訟となる場合は、まず、①対世効のある場合等第三者に既判力が拡張される場合（[496-2]）である。請求認容判決にのみ対世効がある片面的拡張の場合についても類似必要的共同訴訟となるとするのが通説である。

具体的には、数人の提起する株主総会決議取消しまたは無効確認の訴え（会社831条、830条2項）等の団体関係訴訟、数人の提起する第三者の婚姻取消しの訴え等の人事訴訟が挙げられる。

もっとも、団体関係訴訟の場合には、請求認容判決にのみ対世効があり、請求棄却判決と請求認容判決の双方が存在する場合にも対世効のある請求認容判決の効力が優先するから、片面的拡張の場合は類似必要的共同訴訟には当たらないとする考え方もある（コンメⅠ540頁参照）。しかし、請求棄却判決と請求認容判決の双方が存在する場合にも対世効のある請求認容判決の効力が優先する、とまで言い切れるかには疑問がある。

また、②数人の法定訴訟担当者（具体的には、「担当者たる第三者の利益保護を目的とする場合」の訴訟担当者〔[159]の①〕の類型）、たとえば、数人の債権者による債権者代位訴訟等の場合にも、類似必要的共同訴訟となる。

これについては、(i)直接の判決効の拡張はないが、被担当者に拡張される

効力がこれを介して反射的にほかの訴訟担当者にも拡張される（したがって矛盾抵触が生じる）、あるいは、(ii)複数の訴訟担当者による判決の効力が被担当者に拡張される結果矛盾抵触が生じる、という2とおりの説明が可能であるが、(i)の考え方については、ほかの訴訟担当者にも拡張される効力の内容が必ずしも明確ではない（既判力、あるいは既判力類似の効力等、あいまいである）。したがって、(ii)の説明のほうがより適切ではないかと考える（なお、②の場合について、固有必要的共同訴訟における、管理処分権が複数の訴訟担当者に共同で帰属する場合〔前記**第1項第2**〔[536]〕〕と混同しないよう注意）。

要するに、類似必要的共同訴訟となるのは、その制度趣旨からして、限られた場合であり、また、その基準も明確なため、固有必要的共同訴訟の場合のように通常共同訴訟との線引きについて難しい問題は生じない。

第3項　必要的共同訴訟の審理

[548]　第1　概説

必要的共同訴訟の審理については、合一確定のために、裁判資料の統一、訴訟進行の統一が必要である。

40条は、この点について3つの規律を定める。

①　共同訴訟人の1人の訴訟行為は、全員の利益においてのみ効力を生じる（40条1項）。

②　共同訴訟人の1人に対する相手型の訴訟行為は、全員に対してその効力を生じる（同条2項）。

③　共同訴訟人の1人について中断・中止事由があるときは、その中断・中止は全員についてその効力を生じる（同条3項）。

以下、順に論じる。

[549]　第2　40条1項

①（共同訴訟人の1人の訴訟行為は、全員の利益においてのみ効力を生じる）については、定型的に有利な行為（主張・証明責任を負う事実の主張立証、相手方主張の否認、上訴等）については1人がしても全員に効力が生じ、定型的に不利な行為（自白〔擬制自白も含むと解される〕、請求の放棄・認諾、和解、上訴の取下げ、

上訴権の放棄）については全員がしなければその効力を生じない（和解は、少なくとも一部については譲歩することになるので、定型的に不利な行為と評価される）。

　上訴については、共同訴訟人の1人が上訴した場合、全員について上訴の効力が生じる。したがって、全員について確定遮断・移審の効果が生じ、全員が上訴人としての地位を取得する（なお、必要的共同訴訟の場合にも、共同訴訟人ごとに請求は別であると解するのが多数説である〔1個の権利についての訴訟ではあるが、共同訴訟人を各別に当事者として取り扱わざるをえない以上、請求も共同訴訟人ごとに観念する必要がある〔クエスト540～541頁等。また、たとえば、伊藤669頁の記述も、このことを前提としている〕。もっとも、1個の権利についての訴訟なので、判決主文まで各別に記載するわけではない〕。したがって、上記は、1つの請求について上訴があれば全請求について確定遮断・移審の効果が生じるということをも意味する）。

　他の共同訴訟人が被保佐人・被補助人であるときでも保佐人・補助人の同意や特別の授権は不要であり、また、他の共同訴訟人が後見人等の法定代理人によって代理されているときでも、後見監督人の同意や特別の授権は不要である（他の共同訴訟人は、同意等がなくても上訴人の地位につく。40条4項、32条1項。なお、以上については、[133]、[141] と併せて読むと理解しやすいであろう）。

　なお、上訴権それ自体については、各人の固有の権能であり、したがって、自己の上訴期間経過後は上訴権を失うが、共同訴訟人の1人が上訴していればその効力を及ぼされるにすぎないと考えるのが多数説、判例（遺産分割審判に対する即時抗告の場合であるが、最決平成15・11・13民集57巻10号1531頁、百選5版A34②事件）であり、私見も同様である。しかし、1人に対する関係でも上訴期間が経過しない間は他の共同訴訟人は自己に対する上訴期間経過後も上訴できるとする考え方もある（コンメⅠ544～545頁参照）。少数説のほうが共同訴訟人に有利になるが、その場合は実際には限られており（高橋下319頁は、共同訴訟人は上訴の相談をするのが通常であるところ、AがBに上訴しようと説得していたがそれには失敗し、しかし、気がついたらみずからの上訴期間は経過していたという例を挙げている）、上訴権それ自体については、各人の固有の権能であるという原則どおりに考えることで、よいのではないだろうか。

　ただし、①については、固有必要的共同訴訟と類似必要的共同訴訟で規制が異なってくる場合がある。

　まず、(i)訴えの取下げについて。

固有必要的共同訴訟では、訴えの取下げも不利な行為である。1人の取下げを認めると他の共同訴訟人の訴えは当事者適格を欠くことになり却下されるからである（最判昭和46・10・7民集25巻7号885頁、百選5版A31事件）。相手方の訴えの取下げについての1人の同意も同様である。本案判決を得る機会が失われるからである。

　これに対し、類似必要的共同訴訟では、単独での訴えの取下げが可能であり、相手方の訴えの取下げについての単独での同意についても同様である。

　また、(ii)上訴と上訴人の地位について。

　一部の共同訴訟人が上訴を行った場合、この効力は他の共同訴訟人にも及ぶが、類似必要的共同訴訟については、判例は、学説の批判（ことに、住民訴訟について、訴えの取下げまではしないものの、もはや訴訟追行に関する積極的な意欲をもたず、したがって上訴をしなかった者にも期日の呼出しや訴訟書類の送達を行うことなどに対する批判）を容れて、住民訴訟と株主代表訴訟については、みずから上訴をしなかった者は上訴人にはならないとした（最大判平成9・4・2民集51巻4号1673頁、最判平成12・7・7民集54巻6号1767頁。後者は百選5版101事件）。つまり、全体について確定遮断・移審の効果は生じ、また、上訴審の判決の効力は上訴をしなかった者にも及ぶが、上訴の効果はその限度にとどまり、みずから上訴をしなかった者は上訴人の地位には就かないとして、訴訟共同の必要性はないが合一確定の必要性はあるという訴訟形態によりふさわしい規制とすることを認めたのである。

　もっとも、この規制は、住民訴訟と株主代表訴訟の特殊性を考慮してのものであって、類似必要的共同訴訟全体についての判例というわけではないと思われる（このような規制はかなり便宜的なものであってなお問題も含むことにつき、伊藤679頁の注(49)、髙橋下321〜323頁各参照）。

[550]　第3　40条2項

　②（共同訴訟人の1人に対する相手型の訴訟行為は、全員に対してその効力を生じる）の結果、共同訴訟人の一部が欠席していても、相手方は、準備書面に記載していない事実の主張ができ（161条3項の例外となる）、かつ、全員に対して主張したことになる。

　また、相手方が共同訴訟人の1人に対してした上訴も全員に対して効力が生じる。

なお、②は、当事者間の関係を規律するものにすぎないから、期日の呼出しや送達等の裁判所の訴訟行為については適用がない。

[551]　第4　40条3項

③（共同訴訟人の1人について中断・中止事由があるときは、その中断・中止は全員についてその効力を生じる）は訴訟進行の統一のための規定である。

また、訴訟進行の統一という観点から、明文の規定はないが、裁判所は、弁論の分離や一部判決をすることはできないと解されている。誤って一部判決をした場合には全部判決とみなされ、したがって、その名宛人となっていない共同訴訟人にも上訴が認められる。上訴があった場合には、上訴審は、原判決を取り消し、事件を原審に差し戻すことになる。

[552]　第5　まとめ

以上のとおりであるが、実際には、固有必要的共同訴訟については、複数の原告（あるいは被告）が同一の代理人を選任するのが通例なので、審理に関する特別な問題はあまり生じない。類似必要的共同訴訟の場合には、代理人も区々という場合もありうるし、共同訴訟人によって訴訟追行の熱意等が異なりうる場合もより多いであろうから、たとえば、住民訴訟と株主代表訴訟の場合における前記**第2**で掲げた判例のような特殊な対処も必要になってくるわけである。

[553]　第4節　共同訴訟参加

共同訴訟参加とは、訴訟の目的が当事者の一方と第三者の間で合一に確定すべき場合に、その第三者が原告または被告の共同訴訟人としてその訴訟に参加する訴訟形態である（52条1項）。

これについては、訴訟参加の一形態なので、補助参加、独立当事者参加の後に論じる教科書が多いが、必要的共同訴訟に関係し、法が認める主観的追加的併合の一種でもある（[554]）から、この箇所で解説しておく。

参加の結果類似必要的共同訴訟になる場合が通常である（いいかえれば、こ

のような場合、第三者は、合一確定の必要上別訴によることはできないのだから、この形で参加するしかない。もっとも、別訴によった当事者が併合を求めてきたような場合にはこれを許すことによって別訴提起の瑕疵の治癒を認めてよいであろう）。

また、固有必要的共同訴訟の共同訴訟人の一部を落として訴えが提起されたような場合についても本条の適用を認めてよいであろう（当事者適格の瑕疵が治癒される結果となる）。

参加人は、当事者適格をもつ者でなければならない。判決の効力の及ぶ者であっても、当事者適格がない場合には、共同訴訟的補助参加が認められるにとどまる（最判昭和36・11・24民集15巻10号2583頁、百選5版A33事件。取締役選任決議取消訴訟に当該取締役が参加する場合。なお、[155] も参照）。

参加の時期については、後記独立当事者参加の場合（[577]）と異なり、上告審係属中でもかまわないと解すべきであろう。新たに定立される請求の内容が従来のものと同一であり、新たな審理を必要としないからである（伊藤715頁、クエスト590頁等）。

参加の方式については、補助参加、独立当事者参加の規定が準用されている（52条2項、43条、47条2項、3項、規20条3項、2項）。

参加の申出は、参加の趣旨（どの訴訟のいずれの側に参加するか）および理由（合一確定の必要があることと当事者適格を有すること）を明らかにして（43条1項の準用）、書面で行う（47条2項の準用）。書面で行う必要があるのは、訴え提起の実質をもつからであり、したがって、申出書には、請求の趣旨および原因（133条2項2号〔令和4年改正後134条2項2号〕）あるいはそれらに対する申立てや認否も記載する必要があり（原告としての参加であれば、係属中の訴訟と同じ内容の請求を立て、被告としての参加であれば、これを否定する申立て〔棄却、却下の申立て〕をすることになる）、手数料（民訴費3条1項、同別表第1の項7）をも納付する必要がある。申出書の副本は、当事者双方に送達される（47条3項、規20条3項、2項の各準用）。

参加の申出がその要件を欠く場合には、参加申出の排斥は請求についての終局判断となるから、終局判決の形式で却下される（[579] 参照）。もっとも、補助参加または共同訴訟的補助参加の要件を満たす場合には、そのような申出として扱うべきであろう。なお、判例は、共同訴訟参加をすることの可能な者が補助参加を選択した場合には共同訴訟的補助参加人としての地位を認めることができないとする（最判昭和63・2・25民集42巻2号120頁）が、多く

の学説がこれを疑問とする（伊藤695頁の注(78)、高橋下472〜473頁、クエスト571頁、条解275頁）。

第5節　主観的追加的併合

[554] 第1項　概説とその適否

　前記（[526]）のとおり、後発的に共同訴訟関係が生じる場合としては、裁判所の訴訟行為による弁論の併合（もっとも、多くの場合は当事者の上申に基づく）のほかに、当事者の訴訟行為による場合がある。

　後者の場合を主観的追加的併合といい、そのうちには明文の規定で認められているものもある。

　具体的には、第三者の意思に基づくものとして、権利承継人（49条）、義務承継人（51条）の訴訟参加、共同訴訟参加（52条。[553]）。以上は、法が参加申出の形で主観的追加的併合を認めたものといえる）、当事者の意思に基づくものとして、義務承継人（50条）、権利承継人（51条）に対する訴訟引受けの申立て（[595]）、民事執行法157条1項の参加命令に基づく取立訴訟への参加（被告が、第三者に対する参加命令を求めて第三者を訴訟に引き込む。参加は共同訴訟参加による〔中野・民執718頁〕）等がある。また、第三者による選定当事者の追加的選定の場合（30条3項）には、請求の追加が行われる（144条）ので、これを潜在的な主観的追加的併合とみることもできる。後に選定が取り消された場合には、選定者が当事者となるからである（伊藤681頁）。

　以下においては、明文の規定のない場合について解説する。

　明文の規定のない主観的追加的併合については、判例は否定している（最判昭和62・7・17民集41巻5号1402頁、百選5版96事件）。その理由としては、明文の規定がない、新訴につき旧訴の訴訟状態を利用できるとは限らず、したがって訴訟経済にかなうとは限らない、訴訟が複雑化する、軽率な提訴や濫訴が増える、ということが挙げられている。

　もっとも、主観的追加的併合を肯定する学説は、本件の事案は、主観的追

加的併合を認める学説からみてもこれを認めるべき事案ではなかったのであり、その意味でこの判例で主観的追加的併合が一般的に否定されたとみるべきではない、とする（百選5版203頁の解説参照）。ただし、学説にも、主観的追加的併合を原則として否定するものがある（クエスト558〜559頁）。

別訴提起と弁論の併合に主観的追加的併合と同様の機能を果たさせることが可能であるというのが先の判例の前提であり、多くの場合にはそういえるかもしれない。

しかし、主観的追加的併合の余地を残しておくことの実際的なメリットがいくつかは考えられる。①まず、別訴の提起の場合には、手数料を納めなければならないが、主観的追加的併合によれば、訴えで主張する利益が共通の場合（9条1項ただし書）には手数料納付の必要がないとの措置がとれる（伊藤682頁。別訴提起でもただちに併合される場合には手数料不要という処理をすればよいとの考え方もある〔百選5版202〜203頁の解説参照〕が、多くの裁判官、裁判所書記官は、そのような処理を認めないであろう）。また、②別訴によれば別の（遠方の）裁判所に訴えを提起しなければならないような場合でも、主観的追加的併合を認めるなら、当初から通常共同訴訟として訴えを提起した場合に7条の関連裁判籍が認められた場合には、これを類推して同一の裁判所への訴え提起を認めることができる（伊藤682頁）。さらに、③別訴提起後の弁論の併合については、たとえこれが適切な場合であっても拒否する裁判官が一定の割合で存在するのも事実である（これについては、はっきりいえば、「審理が複雑になって面倒だし負担も重くなるから」である場合が多い。なお、弁論の併合といっても、実務では、小さな裁判所でない限り、同一の裁判官が担当している事件についてされることは少なく、ほかの裁判官に配てんされた事件についてされることが多いことに留意すべきである）。

また、最高裁判例が掲げる理由も、主観的追加的併合が適切ではない事案について当てはまる部分はあっても、これを全面的に否定する理由としては弱い。

したがって、①、②のようなメリット、あるいは関連紛争の効率的な解決のメリットが認められる事案で、かつ、主観的追加的併合を認めることによってほかの当事者の利益がそこなわれたり訴訟の遅延による弊害のほうが大きくなるといった事情がない限り、主観的追加的併合を認めるという考え方を採りたい。

相手方の審級の利益の関係上、主観的追加的併合が認められるのは第一審に限られる。

また、原則として共同訴訟（38条）の要件を満たす必要がある。

なお、固有必要的共同訴訟の共同訴訟人の一部を落として訴えが提起されたような場合の瑕疵の治癒のためには、共同訴訟参加（52条）によることもできる（[553]）が、通常の主観的追加的併合も認めてよいであろう。

ところで、学説には、上記の最高裁判例以来、主観的追加的併合のデメリットを強調し、これが認められる場合は限定すべきであるとの考慮を強調する傾向が強まっている（たとえば伊藤683頁）。しかし、実務においては、それがふさわしい事案であれば裁判官（少なくとも良識ある裁判官）は別訴提起後弁論の併合を適切と認めてこれを行う場合が多いのであって、そのことを考えるならば、主観的追加的併合を認めてよい場合もかなり存在すると思われる。

[555] 第2項 **具体的な類型**

以下、私見によれば明文の規定のない主観的追加的併合を認めてよいと思われる場合を挙げる。

第三者の意思に基づく場合としては、事故による被害者の加害者に対する不法行為損害賠償請求にかかる訴えに、同一事故に基づく被害者が被告に対する請求を追加する場合等が挙げられる。

当事者の意思に基づく場合（原告・被告が第三者に対する請求を追加し併合を求める場合）のうち原告からするものとしては、たとえば、主債務者に対する訴えを提起している原告が保証人に対する請求を追加する場合、連帯債務者に対する訴えを提起している原告がほかの連帯債務者に対する請求を追加する場合、不法行為損害賠償請求にかかる訴えを提起している事故被害者が被害の原因を作ったと考えられるほかの第三者に対する請求を追加する場合等が挙げられる。また、任意的当事者変更の場合の新当事者に対する新訴の提起（[119]）もこれに当たる。

被告からするものとしては、売買の目的物につきその所有者であると主張する者から返還請求の訴えを提起された買主が売主に対する担保責任（民561条）を追及する請求や損害賠償請求（一問一答債権関係272頁参照）を追加する場合、債権者から訴えを提起された保証人が主債務者に対する求償請求を

追加する場合等が挙げられる（第三者に対する被告の関連損害賠償請求、求償請求等について認める。統一的解決の必要性が高いからである）。

最後のグループ（前段落のもの）については38条該当性がないが、新たに被告とされる者の手続保障上の問題がない場合ならば、関連紛争の効率的な解決の観点から、主観的追加的併合を認めてもよいであろう。なお、このように従来の当事者と新たに当事者とされる者との間に共同関係が存在しない場合（被告が第三者を訴訟に引き込む場合）について、明文の規定のない主観的追加的併合の可能性をさらに広く認めようとする学説もある（伊藤683〜684頁、コンメⅠ509〜511頁各参照。いわゆる第三者の訴訟引込み）。

【確認問題】

1　多数当事者訴訟にはどのようなものがあるか。おおまかな分類を試みよ。
2　通常共同訴訟、同時審判申出共同訴訟、類似必要的共同訴訟、固有必要的共同訴訟について説明せよ。
3　38条の規定する3つの類型とその例、また、関連裁判籍との関係について説明せよ。
4　共同訴訟人独立の原則の内容について説明せよ。
5　証拠共通の原則、また、これと152条2項との関係について説明せよ。
6　通常共同訴訟人間に主張共通を認めることの是非について論じよ。
7　主観的予備的併合を認めることの是非について、同時審判申出共同訴訟の制度が設けられた前後に分けて考察せよ。
8　広い意味での共同所有関係にかかわる場合の固有必要的共同訴訟の是非について、原告側になる場合、被告側になる場合、共有者間の訴訟の場合の3つに分けて、例を挙げながら、基本的な考え方を述べよ。
9　類似必要的共同訴訟が認められる具体的な場合について、判決効の拡張による矛盾抵触の態様をも考えながら説明せよ。
10　必要的共同訴訟の審理について説明せよ。
11　共同訴訟参加はどのような場合に可能か。
12　明文の規定のない主観的追加的併合を認めることの是非について述べよ。

第18章
補助参加と訴訟告知

　本章では、訴訟参加のうち、補助参加（参加人は請求を定立しない従たる当事者となる）およびこれと関連する訴訟告知について論じる。

　多数当事者訴訟について一般にいえることだが、補助参加と訴訟告知についても、理解の浅い、あるいは基本的な事柄のよくわかっていない学生がままあり、実務家にも同様の傾向はみられる。これについては、学説の分析がいささか抽象的であったことにも一因があるように思われる。本書では、具体的な類型、事例を踏まえつつ、制度の意味と全体像を明らかにすることに努めたい。

第1節　概　説

　第三者が、当事者あるいは従たる当事者として係属中の訴訟に参加する行為を、訴訟参加という。うち共同訴訟参加（52条。参加後の訴訟形態は必要的共同訴訟）についてはすでに**第17章**でふれた。**第19章**で論じる独立当事者参加（47条）は、参加後の訴訟形態が共同訴訟ではなく、3面訴訟になるものをいう（もっとも、現行法は、47条1項の文言からも明らかなとおり、完全な3面訴訟にはならない片面的参加をも認めた）。

　補助参加（42条）は、係属中の訴訟の結果について法的な利害関係をもつ第三者が、当事者の一方を補助するためにする参加である。

　より正確にいえば、補助参加とは、被参加人（補助参加人がその側に参加しようとする当事者）が勝訴することによってみずからが何らかの法的な利益を

受ける関係にある（そのような意味で、訴訟に法律上の利害関係すなわち補助参加の利益を有する）補助参加人が、先のようなみずからの利益を守ることを目的として被参加人を補助するために、被参加人が当事者となっている訴訟に参加するという制度である。

補助参加人自身は請求を定立しない（その意味で真の意味で当事者とはいえない）が、判決書の当事者欄には「原告（被告）補助参加人」として表示され、訴訟費用の負担についても規定があり（66条。補助参加についての異議によって生じた訴訟費用と、補助参加によって生じた訴訟費用の双方について定めがある）、訴訟行為も行うことができ（ただし一定の制限もある）、既判力とは異なるが、被参加人との間に判決の効力（参加的効力）も発生する。また、請求を定立しないという違いはあるものの、係属中の訴訟に法的な利害関係をもつ者のする参加という機能面からみると、独立当事者参加のうちの詐害防止参加（47条1項）との間には、一定の連続性もある。

したがって、補助参加人については、「従たる当事者」（高橋下425頁）という位置付けをするのが適切であろう（これに対する意味で、被参加人を「主たる当事者」という）。

実務でも補助参加にはかなりの例があるが、私が日常的によくみかけたのは、中小企業の委託に基づき金融機関に対して保証を行った信用保証協会（中小企業が金融機関から融資を受ける際にその債務を保障することを業務とする）が、企業の返済が困難になった結果金融機関に対して代位弁済を行い、それによって企業に対する求償請求権を得て行う訴訟について、金融機関が原告側に補助参加するものであった。そして、こうした事案では、訴訟行為はもっぱら補助参加人が行っており、原告はただそれを援用するだけ、という例が多かった（こうした訴訟で保証人を含む被告らが争うのは元々の貸付けやそれについての保証であるところ、それらの契約を行ったのは補助参加人なので、争いのある事実に関する主張立証はもっぱら補助参加人が行うことになるから）。

このように、「従たる当事者」といっても、訴訟において実際に果たす役割は大きい場合がありうるし、補助参加人の地位の従属性についても、被参加人との間に利害の対立や緊張関係があるような場合はむしろ例外的である（そのような場合には補助参加はしないのが普通である）ため、実際に従属性（[**563**]）が補助参加人の訴訟行為の足かせとなる例はあまり多くないということである（なお、訴訟告知においては、上記のような「利害の対立」の主観的性

格が問題になりうる〔[**570**]〕）。

共同訴訟的補助参加については、明文の規定はなく、解釈上認められているものである。判決の効力が及ぶ者の補助参加であり、必要的共同訴訟人に準じた手続上の地位が認められる点が、通常の補助参加との大きな相違である。

訴訟告知（53条）とは、訴訟係属中に、当事者（告知者）が、「訴訟参加をすることができる第三者」（被告知者。主として補助参加をなしうる者だが、これに限らない。もっとも、参加的効力が生じるのは、その者に補助参加が可能であった場合、すなわち、訴訟の結果について42条の利害関係をもつ場合に限られる）に対して訴訟係属を知らせる行為である。これによっても参加的効力が生じるが、訴訟告知によって参加的効力が生じる場合は、補助参加によって参加的効力が生じる場合よりも狭いとするのが、今日の多数説である。

第2節　補助参加の要件

[558] 第1項　他人間の訴訟の係属

他人間に訴訟が係属中であることが補助参加の要件（前提）となる（もっとも、これはほかの参加形態でも同様である）。

補助参加人は請求を定立しないから、上告審でも参加が可能である。また、補助参加の申出をするとともに上訴や再審の訴えを提起することもできる（45条1項）。

訴訟担当の被担当者も担当者に補助参加することができる。通常共同訴訟人が他の通常共同訴訟人あるいはその相手方に補助参加することもでき、これは、共同訴訟人独立の原則を補完する意味がある（たとえば、債権者の主債務者と保証人に対する訴えにおける、主債務者の保証人への参加。また、共同不法行為事案において、被告の1人が原告に参加し、他の被告に対する請求棄却判決に対する控訴を提起することを認めた判例もある〔最判昭和51・3・30判時814号112頁、判タ336号216頁、百選5版A32事件。他の被告にも責任がある旨の判断を得ておくことが将来の求償請求に資するためである〕）。必要的共同訴訟では、合一確定となる

ので、補助参加を認める意味がない。

以上のとおり、補助参加の場合の「他人間の訴訟」については、その制度趣旨から、通常共同訴訟における他の共同訴訟人のそれをも含むと解される。

第2項　補助参加の利益

[559]　第1　概説

補助参加の要件としては、他人間の訴訟の結果について法律上の利害関係を有すること、それによってみずからの法律上の利益に事実上の影響を受けることが必要である。これが補助参加の利益である。

「他人間の訴訟の結果」については、判決主文中の判断によって影響を受ける場合に限るとする訴訟物限定説（訴訟物に関する判断が補助参加人の権利・法的地位の論理的前提となるような場合にのみ補助参加を認める）と理由中の判断によって影響を受ける場合をも含む（当該訴訟の争点についての判断によって補助参加人の権利・法的地位が影響を受ける場合に補助参加を認める）という訴訟物非限定説とがあり、かつては訴訟物限定説が有力であったが、現在の多数説は訴訟物非限定説であると思われる。

これは、補助参加の効力に関する考え方と深くかかわっている。もしもこの効力が既判力であれば、訴訟物限定説が相当であろう。しかし、補助参加の効力については、後記**第5節**で論じるとおり、参加人と被参加人との間の後訴で生じる特殊な効力（参加的効力）であって既判力とは異なるというのが通説であり、戦後の判例（最判昭和45・10・22民集24巻11号1583頁、百選5版103事件）も、既判力拡張説を採る大審院判例（大判昭和15・7・26民集19巻1395頁）を変更して、これを採用した。

そうであるならば、そもそも既判力に服しない第三者の法律上の利益が事実上影響を受けるのは前訴の主文に関する判断に限らず、理由中の判断をも含むと解するのが相当であろう[1]。なお、訴訟物限定説については、具体的にどのような場合に補助参加の利益を認めるのかがあいまいであるという問題もある。

また、利害見解、利益は、財産法上のものに限らず、組織法、身分法、刑事法関係のものであってもよい。つまり、私法、公法を含め広く法律上のそ

れであればよい（また、法律上の利害関係とはいっても、後記**第2**で論じるとおり、それはかなり広い意味合いのものであり、かつ、上記のとおり、法的効力を受ける場合だけではなく、法的利益について事実上の影響を受ける場合をも含む）。

一方、単なる感情的な、あるいは経済的なそれは含まれない（利益の性格が問題になる）。たとえば、当事者の一般債権者は経済的な利害関係をもつにすぎないから原則として補助参加は許されない。しかし、債権者代位権が成立する場合には、法律上の利害関係があるといえるから、補助参加の利益を認めてよいであろう（新堂814頁、松本＝上野804頁の注(90)、大決大正11・7・17民集1巻398頁。具体的には、自己の債権保全のために債務者〔当事者〕に属する権利を行使でき、法定訴訟担当者として訴訟をも行える〔[159]〕というのは、一般債権者との大きな相違であろう）。

この点については、取締役会の意思決定が違法であるとして取締役に対して提起された株主代表訴訟において、株式会社は、特段の事情がない限り、取締役を補助するために訴訟に補助参加することができるとした判例がある（最決平成13・1・30民集55巻1号30頁）。

判例は、「取締役の個人的な権限逸脱行為ではなく、取締役会の意思決定の違法を原因とする、株式会社の取締役に対する損害賠償請求が認められれば、その取締役会の意思決定を前提として形成された株式会社の私法上又は公法上の法的地位又は法的利益に影響を及ぼすおそれがある」というのだが、参加の対象となる訴訟の訴訟物との関連からすると、株式会社の被告への補助参加を認めるのはいささか疑問もある（会社は法定訴訟担当〔[159]の①の類型〕の被担当者で判決の効力が及ぶので、法定訴訟担当者である原告への共同訴訟的補助参加〔後記［567］〕なら問題なく認められる事案であることに注意。判旨は、「補助参加を認めたからといって、株主の利益を害するような補助参加がされ、公正妥当な訴訟運営が損なわれるとまではいえず」というが、はたしてそうだろうか。なお、この判決については、裁判官1名の反対意見もある）。

---

(1) この点につき、伊藤686頁は、事実上不利な影響を及ぼすのは理由中の判断以外ありえない、という。確かに、通常、参加的効力は、後記（[564]）のとおり理由中の判断について生じる。しかし、たとえば、やや教室設例的になるが、上記昭和45年最判の事案（具体的には後記**第2**、また［564］の③、④参照）でもしも前訴が所有権確認であったような場合には、参加的効力はXに所有権があるという主文の判断について生じるのではないかと思われる。また、後記［564］の①も参照。

結局、この問題は、会社法849条に補助参加を認める明文の規定が置かれることで決着したが、この規定の当否についてもやはり疑問は残る。

[560]　**第2　法律上の利害関係——主要な類型**

　補助参加および訴訟告知について具体的に考えてゆくためには、補助参加の利益（法律上の利害関係）の肯定されうる場合について、類型別の分析を行ってゆくことが重要である。そこで、以下、これについて解説する。これらの類型、事案については、後にも言及するので、①ないし⑥の符号で示しておく（以下の記述は、高橋下439～443頁を始め従来説かれてきたところに加えて、実務でありうる例をも考慮し、整理したものである）[2]。

　①　当事者の一方が敗訴すると第三者がその当事者から求償や損害賠償の請求をされる関係にある場合

　典型的には、債権者の保証人に対する請求について主債務者が被告に補助参加する場合、売買目的物についてその所有者であると主張する者から買主に対して提起された返還請求訴訟について売主が被告に補助参加する場合等である。

　なお、前記**第1**でふれた最判昭和45・10・22の事案は、XがYに所有権に基づく建物明渡請求を行った際に、Yに建物を賃貸しているZが、所有権は自己に属するとしてYに補助参加し、YがXに敗訴した後に、ZがYに対し賃料不払による契約解除に基づいて、未払賃料等の支払を求めた事案である。この事案については、後訴はZが提起しているが、むしろ、YがZに対して支払った賃料相当額について不当利得や損害賠償の請求をするのが普通であろう。したがって、この事実関係も実は①類型に属するといえよう。

　②　前訴が後訴の論理的前提をなす場合

　たとえば、債権者の主債務に対する請求について保証人が被告に補助参加

---

[2]　なお、これらはあくまでも従来の学説判例、また実務における主要な類型を整理したものにすぎないから、これらの類型には当てはまらないが法律上の利害関係が肯定される場合があること、また新しく現れうることはもちろんである（たとえば、共同不法行為事案において、被告の1人が原告に参加し、他の被告に対する請求棄却判決に対する控訴を提起することを認めた例〔前記**第1項**〕は、当事者の一方が敗訴すると補助参加人の他方当事者に対する求償請求が制限される事案であるが、以下の類型〔従来考えられてきたような類型〕には当てはまらない）。なお、判決の効力が及ぶ者のする共同訴訟的補助参加の場合については後記［567］参照。

する場合等である（なお、この場合に当面ありうる後訴は、債権者の保証人に対する請求であって被参加人と補助参加人の間のものではない）。

この場合、債権者の保証人に対する後訴で問題になりうるのは、反射効（［**497**］。本書は否定する。また、反射効の肯定される場合はいずれにせよ限られる）を別にすれば、判決の証明効（［**445**］）であり、証明効を肯定すれば（本書はこれを肯定する）、それが補助参加の利益を基礎付けると考えることができる（同旨、高橋下438〜439頁、440頁）[3]。

③、④　前訴と後訴が③法律上の択一的関係または④事実上の択一的関係にある場合

法律上の択一的（非両立）関係にある場合とは、同時審判申出共同訴訟（41条）の項目（［**533**］）で挙げたような請求が前訴と後訴という形で行われる場合である。たとえば、買主Ｘの売主Ｙに対する請求について、Ｘによって Ｙ の代理人であったと主張されている Ｚ（Ｚに代理権がなかったことになると、Ｘから後訴で無権代理人としての責任を追及されるおそれがある）がＸに補助参加するような場合である（なお、法律上の択一的関係にある場合については、第三者が敗訴当事者から損害賠償等の請求をされることが予想されるという意味では①に含めることも可能かもしれないが、後記［**570**］の訴訟告知だけによる参加的効力発生の有無について①の場合とは結論が異なること〔本書の見解〕、また、事実上の択一的関係の場合と対比して理解するのがより適切と考えられることから、本書では、固有の類型として④の前に挙げる）。

事実上の択一的関係にある場合とは、たとえば、Ｘから物を買った買主がＹかＺであることは明らかだが、いずれが買主であるかがはっきりしないような場合である。売主であるＸが、Ｙを買主として訴えている場合に、択一的な買主として考えられるＺがＸに補助参加することがありうる。Ｚとしては、Ｘが勝訴すれば、事実上Ｚに対する後訴が提起されなくなるし、逆に、Ｘが敗訴すれば、ＸのＺに対する後訴において、Ｙは買主ではない

---

(3)　反射効のみならず証明効をも否定する見解によれば、この場合の補助参加の利益は、保証人が裁判外あるいは裁判上保証債務の履行を請求される（可能性が高まる）ことに求めることになろうか（高橋下438〜439頁および445頁の注(22)参照。もっとも、これは、もはや、法的な不利益というよりは事実上の不利益であろう）。なお、保証人が債権者に敗訴した後の主債務者に対する求償請求訴訟で参加的効力がはたらくと考える（［**564**］の②）なら、これが補助参加の利益を基礎付けると考えることもできよう。

との判断により不利な影響を被る可能性があるからである。

⑤　当事者の一方と同様の地位・境遇にある者が補助参加を申し出る場合
同一事故の被害者どうしといった場合である。

主要な争点の一部が共通であるため、補助参加人の後訴に、証明効あるいは事実上の影響がはたらきうる（②の場合と基本的に同様）。

⑥　当事者の一方と社会生活上密接な地位・境遇にある者が補助参加を申し出る場合

転用型といえる。実質からみれば訴訟担当者に近いような場合である（高橋下442～443頁）。

たとえば、所在不明の夫が訴えられた金銭請求訴訟（公示送達で進行）について、妻が夫の側に補助参加するような場合（名古屋高決昭和43・9・30判時546号77頁、判タ232号121頁）である。また、前記の信用保証協会の事案（[557]）も実質的にはこれに近い部分がある（争いのある事実に関する主張立証はもっぱら補助参加人が行うという意味で）。前者は補助参加人の利益、後者は被参加人（金融機関）の補助に重点があるが、いずれも、広い意味における自己と被参加人の共通の利益（法的な利益としてはかなりゆるやかなもの）のために被参加人を助けるという意味合いにおける補助参加である。なお、前記第1に記した債権者代位権者の補助参加の場合は、まさに法定訴訟担当者となりうる者（[159]）が補助参加をも行いうる例であり、この類型に含めて考えることもできよう。

さて、私見は、以上のような類型について法律上の利害見解を肯定してよい、すなわち、補助参加を認めてよいというもの（訴訟物非限定説の中でも補助参加の利益を広く認める考え方）である。しかし、ここは、かなり見解が分かれる。訴訟物限定説を厳密に考えれば、①、②についてのみ補助参加を認めるということにもなりえよう。訴訟物非限定説では、それ以外についても認めうる、認める余地があるということになろう（そうしてみると、補助参加の制度趣旨、機能という観点からみても、訴訟物非限定説のほうが、より適切な規整を可能にするといえるように思う）。

訴訟物非限定説一般についていうと、①、②はもちろん、③、④についても補助参加を認めるものが多いであろう[4]。

⑤については、判例には消極的なものが比較的多く（高橋下440～442頁）、学説も必ずしも固まっていない。しかし、少なくとも、先行訴訟の判断によ

って後行訴訟が実際上大きな影響を被る可能性のある場合（⑤類型で補助参加の申出がある事案は、そうした傾向が強い場合が多いと思われる）には認めてよいと考える（同旨、高橋下440〜442頁）。

⑥については、まさに転用ということになるが、妻は夫に対する債務名義で強制執行を受ける可能性があり、金融機関は信義の観点等から信用保証協会の訴訟に協力する義務がありうることなどを考えると、事例として掲げたような事案では、認めてよいと考える[5]。

また、異議（44条1項。[561]）があまり出ないので判例は限られるものの、実務上は、分類すればこの類型に属する場合は、一定程度あると思われる。私見としては、メルクマールとして①、⑥類型に近い部分のある（高橋下448

---

[4] なお、後記[564]でもふれる最判平成14・1・22（判時1776号67頁、判タ1085号194頁、百選5版104事件）は、④の場合に補助参加の利益は認められないとしているが、学説の大勢とも実務とも異なる考え方であるにもかかわらず、特に根拠も示されておらず、疑問が大きい。率直にいえば、ミス、誤解の可能性があると思われる。この判例は、判文からすれば明らかにこの点で結論を出しているのに、判例集（裁判集民205号93頁）では、その後に続く付けたりの傍論であるはずの「参加的効力の及ぶ判決理由中の判断は主文を導き出すために論理的に必要な認定判断に限られる」という部分（なお、この判断自体は適切と思われる[[564]]）が判示事項、判決要旨とされていることも、それをうかがわせないではない。学説が指摘する疑問の大きい最高裁判決の結論、理由の中には、この例のように、ミスではないかと思われるもの、あるいはその疑いのあるものが、一定の割合で混じっている。これについては、戦後の判例の多数が実際には最高裁判所調査官の報告書に基づいて作られてきており、また、最高裁判所裁判官の法的知識・能力が、近年では、裁判官出身者についてさえ必ずしも十分ではない例が出てきていることもあって、調査官がミスをすると、裁判官レヴェルでそれを指摘できるような人は少ない、ということが1つの原因となっている可能性は、否定しにくい。

[5] なお、後者については、たとえば信用保証協会の行う求償請求についての金融機関の協力義務が契約条項中に明示されていれば、金融機関の非協力によって信用保証協会が敗訴した場合金融機関は損害賠償請求をなされうるから、むしろ①類型に属するとも考えられよう。

しかし、第2版のための改訂に当たり、人を介して事情を知る弁護士に尋ねてもらったところでは、そのような明確な条項は存在しないとのことであった。もっとも、信用保証協会が企業に対して求償できなくなると、その理由によっては、金融機関に対する代位弁済がさかのぼって無効となり、その結果金融機関が信用保証協会から代位弁済金について不当利得返還請求を受けるリスクは一応ありえ、そうした事情も手伝って補助参加しているというのが実態であろう、とのことであった。

以上によれば、実質的には⑥類型に近いが①類型的な事情もある、というところであろうか。いずれにせよ、法律上の利害関係は肯定できよう。

頁〔注(30)〕も参照）法令上の根拠のない場合の任意的訴訟担当については基本的に限定的に考え（[**165**]）、一方、補助参加の⑥類型は、それを補完する意味で、ある程度ゆるやかに認めてよいのではないかと考える。従たる当事者にすぎず訴訟行為に大きな制限もかかっている（後記**第4節**）補助参加のほうが制度濫用の危険性がより小さいと思われるし、実際上事案をよく知る訴訟担当者的な者の補助参加は、被参加人のみならず、その相手方にとっても隔靴掻痒の感を免れるメリットがままあるからである（もっとも、高橋下447～448頁の注(30)は、この類型を認める場合についてかなり限定的である）。

[561] 第3節　補助参加の手続

　補助参加の申出は、参加の趣旨（参加すべき訴訟とその側に参加したい当事者の特定）および理由（補助参加の利益）を明らかにして、補助参加により訴訟行為をすべき裁判所に、書面または口頭で行う（43条1項、規1条1項）。書面による申出がなされたときは、当事者双方にその副本が送達される（規20条1項、2項）。参加の申出は、補助参加人としてすることができる訴訟行為（たとえば上訴）とともにすることができる（43条2項）。

　補助参加の許否については、当事者が異議を述べたときにのみ、許否について決定で裁判されることになっており（もっとも、参加申出の有効要件である当事者能力、訴訟能力、代理権等は職権調査事項であるから、当事者の異議によって初めて判断されるのは補助参加の利益である）、参加の理由の立証についても、疎明で足りるとされている（44条1項）。その意味では、補助参加の利益は、要件といってもかなり弱い、ゆるいものになっている。

　これは、補助参加人の権能が限定されていることから、当事者に異議がない場合にまで職権で調査し判断する実益に乏しいという考え方によるものと思われる（クエスト561頁）が、補助参加の許否については、その後の審理のあり方にも影響するので、公益的な観点からする一定のチェックも行われたほうがよいと思われ、また、補助参加の許否については当事者の異議がない限り審査が行われないことは訴訟告知書の審査がほとんど行われないことの原因ともなっており（[**569**]）、立法論としては再考の余地があるかもしれない。

当事者は、異議を述べないで弁論または弁論準備手続における申述をした後は、異議権を失う（同条2項）。なお、実務においては、補助参加の申出があると、裁判所は一応当事者に異議がないかを尋ねているが、私の経験では、異議が述べられることはまれである。

参加拒否の決定については、補助参加人、当事者は即時抗告ができる（同条3項）。

補助参加人は、先の異議があった場合にも、補助参加を許さない裁判が確定するまでの間は、訴訟行為をすることができる（45条3項）。不許決定が確定すればその効力は失われるが、当事者が援用すればその効力を保持する（同条4項）。

補助参加の取下げについては、大きく分けると、①取下げに同意は不要だが参加的効力は受ける、②取下げには双方当事者の同意が必要であり、同意があれば参加的効力は受けない、の2つの考え方があるが、①説では取下げが事実上困難になり、ほかの取下げの場合とのバランスを失するので、②説が相当であろう（高橋下482～483頁の注(68)。この点については第2版で見解を改めた）。なお、補助参加人のした訴訟行為については、45条4項を準用して、当事者が援用すればその効力を保持すると解してよいであろう（注釈旧版(2) 133頁）。

なお、補助参加の申出については、当事者と参加人の利害関係が争点ごとに異なることを理由として、争点ごとの補助参加を認めるべきであるとする考え方もある（井上99～103頁、高橋下455～456頁）。しかし、現実の訴訟ではそのような例は稀有であり、また、争点ごとに訴訟行為、裁判資料が截然と分けられるかにもいささか疑問がある（伊藤688頁の注(65)も消極）。

第4節　補助参加人の地位

[562]　第1項　**概　説**

前記［557］で論じたとおり、補助参加人自身は請求を定立しない。その

意味で通常の当事者とは異なる。補助参加人は、証人や鑑定人にもなりうる。補助参加人に中断事由が生じても手続を中断する必要はなく、補助参加人独自の忌避事由を認める必要もない。

　しかし、訴訟行為については行いうるし、送達も被参加人とは別になされる。また、参加的効力も受ける。判決書の当事者欄にも「原告（被告）補助参加人」として表示され、訴訟費用の負担についても規定がある（66条）。したがって、「従たる当事者」という位置付けが適切である。

　補助参加人の訴訟行為については、攻撃防御方法の提出、上訴を含む不服申立て等一切の訴訟行為を行うことができるとの規定となっている（45条1項本文）。しかし、実際には、後記**第2項**で論じるとおり、一定の制限もある。

　上訴についても、被参加人の上訴期間内に限り可能であり、独自の上訴期間を認める余地はないとするのが通説、判例（最判昭和37・1・19民集16巻1号106頁、百選5版A34①事件）であるが、これを認めるべきであるとする考え方もある（井上38〜39頁等。補助参加人の訴訟追行についての独自の利益を強調する考え方）。しかし、次の項で論じる補助参加人の訴訟行為についての制限に現れている考え方は、「補助参加人は、被参加人の意思に反しない限り被参加人を助けることはできるが、訴訟追行についての独自の利益までをも有するものではない」というものであろう。

[563] 第2項　訴訟行為についての制限

　補助参加人の訴訟行為については、以下のような一定の制限が設けられている（補助参加人の地位の従属性。もっとも、これは、あくまで「制限」であって、「原則」は、前記**第1項**のとおり、一切の訴訟行為を行うことができる、というものであることに留意。また、前記[557]でもふれたとおり、実際の訴訟でこうした制限の結果が表立った問題になることも多くはない。なお、井上3頁以下の「補助参加人の訴訟上の地位について」は、補助参加人の地位の従属性に根本的な疑問を呈する、すぐれた論文である）。

　補助参加人は、以下のような行為をすることはできない。

　①　参加の時点においてすでに被参加人がなしえなくなっていた訴訟行為（45条1項ただし書。言葉をかえれば、参加時の訴訟状態を承認する義務がある。なお、この場合、参加的効力は生じない〔46条1号〕）

これができることになると、被参加人の相手方の地位が不当に害されるし、訴訟の遅延をも招くからである。

例としては、時機に後れた攻撃防御方法の提出、被参加人が撤回できない自白の撤回等である。また、上告審における参加の場合には、もはや事実関係は争えないから、参加的効力は生じない。

② 被参加人の訴訟行為と抵触する訴訟行為（45条2項。この場合も、参加的効力は生じない〔46条2号〕）

補助参加人は、あくまで被参加人を補助する者にすぎないから、被参加人の訴訟行為を優先させる趣旨である。

具体的には以下のとおりである。

補助参加人は、被参加人のした主張立証と抵触する主張立証はできないし、被参加人が自白した事項は争えない。

被参加人が上訴権を放棄した場合には、補助参加人は上訴できない（伊藤690〜691頁等。もっとも、新堂818頁は、反対であり、補助参加人による争点限りの独自の上訴権を認める。これも、同書が、相手方との関係でも既判力の拡張や争点効を認め、補助参加人と被参加人の間でも争点効の拡張を認める〔[**566**]〕ことの帰結であろう）。

逆に、被参加人は、補助参加人のした主張立証を撤回できる。

補助参加人のした自白については、(i)同様に撤回できる（もちろん通常の自白撤回の要件を満たす必要もない）とする考え方（クエスト566〜567頁等）、(ii)被参加人は単に当該事実を否認すれば足りる（これと抵触する補助参加人の自白は効力を失う）とする考え方（井上42〜43頁、伊藤691頁等）、(iii)補助参加人は単独で自白すること自体ができないとする考え方（被参加人に不利な行為であることと自白の意思的要素を根拠とする。新堂817〜818頁、高橋下428〜429頁、条解239頁等）、がある。

ほかの事実上の主張とはやや異なった、自白の性質論に関連する論点であり、自白の意思的要素を強調すれば(iii)の考え方もありえよう。しかし、この論点でそこまで意思的要素を強調し、45条1項本文の明文に反して自白のみを特別扱いする根拠があるのか、やや疑問を感じる。一方、(i)だと相手方の地位が害されすぎる。そこで、ここでは、「ほかの事実上の主張とはやや異なった自白の性質論」に最もフィットし、その結果も適切である(ii)によりたい。その結果も適切であるというのは、(ii)によれば、否認については、時機

に後れた攻撃防御方法による制限が課されることになるからである（伊藤691頁の注(72)）[6]。

最後に、ここでいう「抵触」とは明白な抵触を意味すると解されている。したがって、たとえば、被参加人がある事実を明らかには争っていない場合に、補助参加人がこれを争うことはできる。

③　処分権主義にかかわる行為

これらは、主たる当事者のみが権限を有する行為だからである。

訴えの変更、反訴の提起、訴えの取下げ、訴訟上の和解、請求の放棄・認諾等である。

これに対し、補助参加人自身が別個の請求を立てる主観的追加的併合や独立当事者参加は可能であると解してよいであろう（条解239頁）。関連紛争の統一的解決に資するからである。

④　被参加人の実体法上の権利の行使

実体法上の権利を行使するか否かは被参加人にゆだねられるべきだからである。

形成権（取消権、解除権、相殺権）の行使、また、時効の援用等である。

もっとも、実体法上の規定によって権利行使が認められている場合（民423条、457条2項等）は別である。

---

[6]　なお、「補助参加人の地位の従属性」の1つのカテゴリーとして「被参加人に不利な訴訟行為」を立て、その例として自白を挙げる考え方が有力だが、そのような考え方によっても、このカテゴリーを立てなければ説明できない場合は結局自白に尽きるようである。本書では、補助参加人の自白自体は認めた上で(ii)の考え方によるので、そのようなカテゴリーは立てていない（井上42～43頁参照）。なお、伊藤691頁も、一応このカテゴリーを立ててはいるものの、趣旨は(ii)説と変わらないように思われる。

第5節　補助参加人に対する判決の効力（参加的効力）

[564]　第1項　参加的効力の内容とこれが生じる判断

　補助参加人に対する判決の効力は、参加人と被参加人との間の後訴で生じる特殊な効力（参加的効力）であって、既判力とは異なる（[559]）。

　これは、被参加人が敗訴した場合に、ともに協力して訴訟を追行した被参加人と補助参加人の公平な責任分担を根拠として生じるものであり、後訴（被参加人の補助参加人に対する後訴が普通だが、補助参加人の被参加人に対する後訴の場合でも同様である。[559]、[560]でふれ、この項目でも後に論じる昭和45年最判は、そのことを前提としている。また、公平な責任分担という制度趣旨からすれば、参加人、被参加人のいずれにとっても有利にも不利にもはたらくと考えるべきであろう）において、補助参加人の法的地位の前提となる訴訟上の事項について生じる（より正確にいえば、補助参加の前提となっている補助参加人の法律上の地位と訴訟における裁判所の判断事項との関係で決定される〔伊藤693頁〕。したがって、事案ごとに具体的に考えてゆく必要がある）。

　以上のような効力であるから、こうした後訴が考えられない事案では、参加的効力を考える余地はない。

　以下、前記[560]で挙げた①ないし⑥の主要な類型中の事例について順に説明してゆく。

　①　当事者の一方が敗訴すると第三者が求償や損害賠償を請求される関係にある場合

　債権者の保証人に対する請求について主債務者が被告に補助参加した場合についていうと、保証人の主債務者に対する後訴である求償請求において、主債務者は、主債務と保証債務の存在を争えない（これに反する主張ができない。なお、新堂822頁、高橋下462頁は、この場合について、「主債務の存在を争えない」とするのみだが、この場合において争えない事柄から保証債務の存在をあえて除外する理由はないように思われる。本項で分析するとおり〔[559]の注(1)も参照〕、参加的効力は原則として理由中の判断に生じるが、主文の判断に生じる場合もあり、

これもその例の1つといえよう。つまり、主債務の存在〔理由中の判断〕と保証債務の存在〔主文の判断〕に参加的効力が生じる）。

②　前訴が後訴の論理的前提をなす場合

債権者の主債務に対する請求について保証人が被告に補助参加した場合についていうと、被参加人と補助参加人の間の当面の後訴は考えられないから、とりあえずは参加的効力を考える余地はない[7]。

③、④　前訴と後訴が③法律上の択一的関係または④事実上の択一的関係にある場合

買主Xの売主Yに対する請求について、XによってYの代理人であったと主張されているZがXに補助参加した場合についていうと、XがZに対して無権代理人としての責任を追及する後訴において、Zは、「Zに代理権がなかった」との判断に反する主張ができない。

物の売主であるXが、Yを買主として訴えている場合に、択一的な買主として考えられるZがXに補助参加した場合についていうと、XのZに対する後訴において、Zは、「Yは買主ではなかった」との判断に反する主張ができない。

なお、最判平成14・1・22（判時1776号67頁、判タ1085号194頁、百選5版104事件）は、参加的効力の及ぶ判決理由中の判断とは、判決の主文を導き出すために必要な主要事実にかかる認定および法律判断をいう（主文を導き出すために論理的に必要な認定判断のみに参加的効力が生じる）としており、これは、補助参加人が集中すればよい攻撃防御方法の範囲を明確にするという観点から、適切な限定と思われる。

たとえば、上記後者の事例において主文を導き出すために論理的に必要な認定判断とは、「Yは買主ではなかった」というものであり、それに加えて、裁判所が、Yが主張した積極否認の内容である「Zこそが買主であった」と

---

[7]　もっとも、後に債権者の保証人に対する訴訟で保証人が敗訴し、その後主債務者に求償請求訴訟を行う場合には、参加的効力により、主債務者は主債務の存在を争えなくなると考えてよいと思われる。上記のとおり参加的効力は相互的にはたらくと解されること、後訴との間に別訴が入ることで因果関係としては遠くなるものの、この別訴は主債務者にとっても予想されるものであること、保証人はみずからが先に訴えられれば訴訟告知だけによっても主債務者に参加的効力を及ぼせること（[**570**]）からすれば、この場合に参加的効力を発生させても主債務者にとって酷とはいえないと考えられるからである。

の認定判断を行っていたとしても、これは、主文を導き出すために論理的に必要なものではないから、参加的効力は生じない（裁判所が、「請求原因事実は認められない」とするとともに、「かえって、被告が積極否認で主張するとおりの事実が認められる」との判断を加えることは、よくある。私は、これを、「かえって認定」と呼んでいる〔**[302]**〕）。

つまり、Ｚは、後訴において、「Ｙが買主であった」とは主張はできないが、「Ｚは買主ではなかった」との主張はできる、ということになる（もし、後訴で、Ｚが、「Ｚは買主ではなかった」との主張〔Ｚが買主であったとの前訴理由中の判断に反する主張〕ができなくなるということになると、Ｚは、前訴でＹの積極否認の主張〔それは、判決理由中で判断が示されることが当然に予測されるような事実ではない〕について必死で争わなければならなくなる。それは、適切ではないであろう）。

なお、先の判例は、上記の例と同種の事案について、「Ｚに補助参加の利益はない」ともしているが、これは、前記のとおり、補助参加の利益に関する理解が十分でないことによるミス、誤解の可能性がある（**[560]** の注(4)）[8]。

---

(8) ここで、法社会学的観点から、1つの指摘をしておきたい。すなわち、日本では、研究者は、概して、「最高裁判例にミスはない」という前提に立ってその分析を行うことが多いが、私の、最高裁判所調査官経験を含む長年の裁判官経験および研究者経験からすれば、調査官が報告書中のミスをみずからチェックできずに見逃してしまった場合、最高裁判事がそれを漏れなくチェックできるとは限らず、裁判官出身者の最高裁判事がおおむね事務総局系の官僚裁判官ばかりとなってしまった近年は、ことにそういえると思う（そして、残念ながら、裁判官出身者以外の最高裁判事の法理チェック能力も、必ずしも高いとはいえない）。研究者出身最高裁判事の役割の1つは、こうしたミスを見逃さないことにあると思われる。学説の多くが批判している判例にも、実は、最高裁が意識的にそういう判断を選んだというよりは、論点に関する理解が不十分なためにそういう判断をしてしまったという例は、一定程度あると考える。

もっとも、以上のようなことは、日本の場合にことに目立つとはいえ、どの国でも、程度の差はあれ、ありうることである。したがって、むしろ、研究者が、また、実務家や学生も、時には、「最高裁判例にミスはない」という前提を疑ってみることが、適切なのである。

無謬の制度などというものはありえない。それは幻想である。しかし、元々神の代行的な役割をもって始まり、かつ、むき出しの力をもたない司法というシステムには、そうした幻想によって支えられている部分があることは否定できない（瀬木・裁判官第4章）。また、日本というシステム全般についても、2011年の福島第1原発事故の例が示したとおり、無謬性の神話に弱い傾向が否定できない。

システムを本当の意味で改善してゆくためには、まずは、無謬性の神話を疑い、客観的かつ正確にその問題点を認識することから始める必要があるのではないかと考える。

もっとも、所有権がらみの事案では、一物一権主義が関係してくる。たとえば、[559]、[560]でふれた最判昭和45・10・22（民集24巻11号1583頁、百選5版103事件）の事案（XがYに所有権に基づく建物明渡請求を行った際に、Yに建物を賃貸しているZが、所有権は自己に属するとしてYに補助参加した事案）についてみると、ZのYに対する後訴（この場合には補助参加人の被参加人に対する後訴である）でも、YのZに対する後訴でも、Zが直接的に争えなくなるのは、前訴理由中の「建物所有権はXに属していた」という判断だが、一物一権主義の結果、Zは、「建物所有権はZには属していなかった」ことをも争えなくなる（[460]）。つまり、Zは、建物所有権がZにあったとは主張できなくなる）ということになる。

　⑤　当事者の一方と同様の地位・境遇にある者が補助参加を申し出る場合
　被参加人と補助参加人の間の後訴は考えられない。
　⑥　当事者の一方と社会生活上密接な地位・境遇にある者が補助参加を申し出る場合
　被参加人と補助参加人の間の後訴は考えられない。
　こうしてみると、およそ参加的効力を考える余地のない⑤、⑥のような類型（⑤については証明効あるいは事実上の影響がはたらきうるだけであり、⑥については一方当事者を助けることがみずからの法的利益にもなるというにすぎない）について、法律上の利害見解を認めるか否かにつき、学説判例上争いがあることには、一定の根拠もある。しかし、上記のうち⑤の関係（証明効あるいは事実上の影響がはたらきうるだけ）については従来②について論じられてきたところ（[560]）でも変わりはないのであり、また、補助参加の利益に関する判例（コンメⅠ562～573頁）、学説を総合的にみても法律上の利害関係の外延はそれほど明確なものではないこと、補助参加人の訴訟行為については強力な制限もかかっていること（[563]）などをも考慮するならば、[560]でも論じたとおり、⑤、⑥類型についても、合理的な必要性が認められる場合にはある程度ゆるやかに補助参加の利益を認めてよいのではないかと考える。

第2項　参加的効力の要件、補助参加における既判力等の拡張

[565]　第1　参加的効力の要件

　参加的効力は、前記**第1項**のとおり、被参加人が敗訴した場合に、ともに協力して訴訟を追行した被参加人と補助参加人の公平な責任分担を根拠として生じる。したがって、補助参加人に十分に争う機会のなかった場合には、参加的効力は生じない。

　具体的には、補助参加の時期の関係からもはや訴訟行為を行うことができなかった場合（46条1号。例は前記［563］の①のとおり）、補助参加人の訴訟行為が被参加人のそれと抵触するため、その効力が生じなかった場合（同条2号。例は前記［563］の②のとおり）、被参加人が補助参加人の訴訟行為を妨げた場合（同条3号。補助参加人のした上訴の取下げ、補助参加人のした主張や証拠申出の撤回、補助参加人が否認した事実の自白等。実際には、2号とほぼ重なると思われる）、被参加人が補助参加人のすることができない訴訟行為を故意または過失によってしなかった場合（同条4号。実体法上の権利の不行使、補助参加人の知らなかった事実や証拠の提出の懈怠等）である。

　また、参加的効力は、当事者間の公平な責任分担が根拠であるから、既判力のように職権調査事項ではなく、当事者の援用を待って判断すれば足りる。

[566]　第2　補助参加における既判力等の拡張

　補助参加のあった場合について、補助参加人・被参加人と相手方当事者の間にも、46条の制限の範囲内で、既判力や争点効の拡張を考える説がある。これは、参加的効力ではないから、被参加人勝訴の場合にも生じるとされる。また、争点効の拡張は、補助参加人と被参加人の間でも生じるとされる（新堂819〜825頁、高橋下463〜464頁）。

　しかし、主たる当事者として争うのと、従たる当事者として、これを種々の法的制限の下で補助するのとでは、少なくとも、理論上は、法的なフレームワークとしては、大きな相違がある。また、本来硬いものである既判力について、46条のような、解釈問題のかかわりうる制限がかぶってくるのにも、いささか疑問を感じる。補助参加の場合の既判力の拡張については、慎重に

考えるべきではないだろうか。争点効についても、まずは、通常の訴訟形態の下でのそれの定着を考えるべきであろう。

以上のような理由から、本書では、この見解は採らない。

[567] 第6節　共同訴訟的補助参加

共同訴訟的補助参加とは、判決効の及ぶ者のする補助参加についての解釈上の概念であり、これについては、補助参加人の従属性が緩和され、40条が一定の限度で類推適用される。判例もこの概念を認めている（最判昭和45・1・22民集24巻1号1頁）。また、人事訴訟法15条は、一定の場合について明文でこれを認めた規定である（ほかにこれが認められる例については、条解241頁等）。

当事者は、補助参加の申出をする場合に共同訴訟的補助参加であることを明示する必要はなく、裁判所は、それが共同訴訟的補助参加の要件を満たす限りそのように取り扱う必要がある（最判昭和40・6・24民集19巻4号1001頁〔行政処分取消訴訟の事案〕）。なお、判例は、共同訴訟参加をすることの可能な者が補助参加を選択した場合についてはその例外としているが、この判例については疑問が大きい（[553]）。

共同訴訟的補助参加も補助参加の一種であるから、後記の点を除き、補助参加と同様であり、補助参加の利益も必要である[9]。

共同訴訟的補助参加については、45条2項（また、46条2号、3号）は適用されず、補助参加人は、被参加人の訴訟行為と抵触する訴訟行為をもすることができる。

そして、抵触する場合には、40条1項が類推適用される結果、被参加人に

---

[9] 具体的には、115条1項2号の被担当者等訴訟に実質的な利害関係のある者で既判力の及ぶ者については、原則として補助参加の利益があると考えてよいと思われる。しかし、任意的訴訟担当の場合については、みずから訴訟担当の授権をしている以上、一方で補助参加をも認める必要はなかろう（コンメⅠ573～574頁）。また、対世効のある判決について実際上は特に利害関係をもたない第三者が、ただ対世効を受けるというだけの理由から補助参加の利益をもつとも考えにくいであろう（クエスト570頁）。

定型的に有利な訴訟行為のみが効力を生じることになる（[549]参照）。

ただし、訴訟の処分行為である訴えの取下げ、訴訟上の和解、請求の放棄・認諾については、被参加人のみが行いうる。もっとも、被参加人による訴訟上の和解、請求の放棄・認諾については、定型的に不利な行為であるから、補助参加人とともに行う必要があり、そうでなければ効力を生じない（あるいは、少なくとも補助参加人が異議を述べる場合には効力を生じない）と解すべきであろう（[549]参照）。訴えの取下げについては、やや微妙である。訴訟係属の遡及的消滅（262条1項）というその効果からみる限り必ずしも定型的に不利な行為とはいえない（40条1項については、そのような考え方もありうる。条解221頁参照）、紛争解決内容にかかわるものではない、などの理由から補助参加人とともに行う必要はないとする考え方もありうるが、処分権主義にかかわる行為ではあり、また、訴えの取下げは訴訟外の和解の結果として行われることが多い（[502]）という実質論からしても、やはり、上記と同様に考えるべきであろう（結論同旨、伊藤696頁、松本＝上野781〜782頁）。

40条2項については、そのまま類推適用される（相手方は、被参加人または補助参加人のいずれかに対して訴訟行為をすれば、双方に対して効力を生じる）と解してよいであろう（なお、人事訴訟法15条4項は40条2項を準用している）。

40条3項については、補助参加人に当事者と全く同様の訴訟手続上の地位を認める必要はなく、地位の強化は判決効の拡張を正当化できる限度で足りるとの理由により、中断については類推せず、中止については、補助参加人を除外した手続の進行がその利益を害すると認められる場合には裁判所は手続の中止を命じうるとする考え方が有力である（コンメⅠ594頁参照。なお、人事訴訟法15条4項は40条3項のうち訴訟手続の中止に関する部分のみを準用している）。

上訴期間については、被参加人とは独立に計算されると解する考え方が有力である（新堂826〜827頁、伊藤696頁等。最判昭和50・7・3判時790号59頁は認知の訴えにつき反対説を採るが、疑問であった。その後の最決平成28・2・26判タ1422号66頁は有力説を採ることを明らかにした。もっとも、とりあえずは、「訴訟の結果により相続権を害される者（人事訴訟法15条の規定する補助参加人）」に限定しての判示となっている）。

なお、46条1号、45条1項ただし書の適用（共同訴訟的補助参加人が、参加時における訴訟状態に拘束されるか）についても考え方が分かれるが、46条1号は相手方との公平を重視した規定であるから適用があるとみる（伊藤696頁

の注(79)）のが適切であろうか。

　以上のとおりである（なお、第 2 版で一部見解を改めた）が、共同訴訟的補助参加については、必ずしも十分に詰められていない論点が多い（その特異、微妙な性格から、解釈論にも決め手を欠く場合が多いためであろう。この点につき、高橋下470～472頁参照）反面、それらが実務上問題となる場合はありうるので、実務家は注意が必要である。

第7節　訴訟告知とその効力

[568]　**第1項　概説**

　訴訟告知とは、訴訟の係属中に、当事者等が、訴訟参加をすることができる第三者（参加をすることができる者全般であり補助参加人に限られないが、以下のようなその機能からして、通常考えられるのは、補助参加人である）に対し、訴訟係属を知らせる行為である（53条 1 項）。

　その機能としては、①第三者に訴訟係属を知らせ、参加の機会を与える、②後訴における告知者の利益を保護する（ただし、この機能は、補助参加が可能で、参加的効力が生じる場合に限られる）、③第三者の参加と協力によって告知者の訴訟追行を容易にする（補助参加の場合）、が考えられる。

　このように、訴訟告知は、告知者にとってはおおむね利益が大きいが、被告知者にとっては、補助参加が可能な場合のうち一定の場合に参加的効力が生じるという不利益もある（参加的効力自体は補助参加人と被参加人の双方に生じるが、後訴が提起されるのは被参加人の側からの場合が多いので、実際に参加的効力を不利益な形で被るのも、補助参加人である場合が多い）。

　法は、訴訟告知自体はゆるやかに認め、また、訴訟告知だけで補助参加人に対する効力についても実際に補助参加がなされた場合と同様のものが生じるかのような規定を置いている（53条 4 項）が、この規定については、補助参加人保護の観点から、後記**第3項**で論じるとおり限定的な解釈をするのが、現在の多数説である。

[569] 第2項　訴訟告知の要件と手続

　要件としては、まず、訴訟係属が必要である。補助参加が想定される場合には、上告審でもかまわない（もっとも、参加的効力の発生については、参加の時期によって制限を受ける〔[565]〕）。

　告知は、当事者のほか、補助参加人や被告知者（53条2項）もすることができる。

　被告知者は、訴訟参加をなしうる者全般である。もっとも、実際には、補助参加の場合以外はまれである。通常共同訴訟における他の共同訴訟人、また、相手方に補助参加した者やすでに他の当事者等から告知を受けた者もその対象になる。なお、被告知者が参加を行いうる形態が複数存在する場合もある。

　訴訟告知は、その理由および訴訟の程度を記載した書面を裁判所に提出してする（同条3項）。告知書の副本が被告知者に送達され、また、その写しが相手方に送付される（規22条、47条1項）。

　告知の理由とは、被告知者が参加をすべき理由、主として補助参加の利益、法律上の利害関係の内容である。また、告知者の被告知者に対する後訴が考えられる場合にはそれについても記すべきであろう。以上については、被告知者がこれによって参加するか否かを決められる程度に正確、客観的、具体的に記すことが必要である（法律上の利害関係については、前記の類型〔[560]〕のどれに該当するかをまず考える必要があろう。もっとも、そこにも記したとおり、それらの主要な類型には当てはまらないが法律上の利害関係が肯定される場合もある）。補助参加以外の形態の参加の場合には、どのような参加が可能であるかとその理由を簡潔に示せば足りるであろう。訴訟の程度とは、その時点における訴訟の進行状況であり、次回期日の内容も具体的に記すべきであろう。

　以上のような制度趣旨からすれば、裁判所は、告知書ことにその告知の理由の記載が適切なものであるかを審査し、補正を促し、また、およそ補正の余地がないようなものであれば、却下すべきであろう（もっとも、訴訟告知の適法性自体は、参加的効力の問題になる後訴で判断される。以上につき、伊藤699〜700頁)。

　しかし、補助参加の許否については、当事者が異議を述べた場合にのみ許否について決定で裁判されることになっているため、補助参加の利益の審査

が行われるとは限らない（[561]）こと、また、法文上、訴訟告知が当事者サイドの訴訟行為として規定され、告知書についての裁判所の審査に関する明確な規定もないことから、裁判所による告知書の審査は、あまり行われていないのが実情である。

立法論としては、少なくとも、裁判所は、告知書を審査し、ことに参加的効力の発生する可能性の有無（単に告知を受けただけの場合と補助参加を行った場合の双方について、通説的な記述を行う程度で十分であろう）に関する記述を明確にさせる、との明文の規定を規則に置くことが望ましいであろう[10]。

[570] 第3項 訴訟告知の効果

訴訟告知を受けた者が補助参加した場合に参加的効力が生じるのはもちろんである（なお、法律上の利害関係の類型によってはこれが生じない場合もあることは、前記〔[564]〕のとおりである）が、単に訴訟告知が行われただけでも、参加的効力が生じる場合がある（53条4項。参加的効力の関係では、「参加することができた時」に参加したものとみなされる）。

それでは、訴訟告知だけで参加的効力が及ぶのはどのような場合か。

まず、補助参加の利益が存在する場合でなければならない。補助参加以外の参加しかできないような場合を含め、補助参加の利益がない場合には、参加的効力は生じない。

また、訴訟告知だけで補助参加がなかった場合には、被告知者は、手続保障の機会は与えられたがこれを行使してはいないのであるから、それでもなお参加的効力を及ぼすためには、告知者と被告知者との法律関係からみて被告

---

[10] 実際、私は、告知書を受け取った者が、その趣旨をよく理解できないまま放置する例が時にあるという話を、弁護士から聞いたことがある。このように、「日本では、法律家以外の人々は、大学教育まで受けていても、法律のことをほとんど知らず、制度的・手続的なリテラシーもないのが、ごく普通である」という事実については、法律家はもっとよく認識すべきであろう。こうした問題点については、瀬木＝清水で何度も具体的に言及しているので、参考にしていただきたい。なお、裁判所の審査に関する規定がないことから、裁判所が補正を促すことをためらう場合があるのも、事実であろう。最後に付け加えれば、弁護士自身の補助参加の法理に関する理解が十分でないために正確でわかりやすい記述ができていないという例も、一定程度存在したと思う。実務家の訴訟法理解の必要性を示す事柄でもあるわけだ。

知者の訴訟協力が定型的に期待できるような場合であることが必要であろう。

こうした観点から、現在の多数説は、前記**第1項**でふれたとおり、53条4項を限定的に解している。

具体的には、前記［560］で挙げた主要な類型のうち①の場合、すなわち、当事者の一方が敗訴すると第三者がその当事者から求償や損害賠償の請求をされる関係にある場合については、訴訟告知だけでも参加的効力が生じると解されている（伊藤700～701頁等）。被告知者が上記のような実体的法律関係を知っており、告知者に協力することが期待されてしかるべきであることを理由とする（高橋下478頁）。もっとも、細かくいえば、そのうち、告知者の敗訴を「直接の原因として」求償または賠償関係が成立する場合に限定するかのような表現もみられる（高橋下同頁）が、私見としては、①の場合には、原則として、訴訟告知だけでも参加的効力が生じると解してよいと考える（もっとも、前記**第2項**のような訴訟告知の実務の現状を考えると、訴訟告知だけで参加的効力が生じる場合は極力限定すべきであるとの考え方も理解できる。しかし、それは、本来、手続の規律や実務を改善することによって対処すべき問題であろう）。

③法律上の択一的関係、④事実上の択一的関係の各類型については、訴訟告知の「告知者の利益を図る制度という側面」を強調して、これらについても訴訟告知だけで参加的効力が生じるとする見解もある。

しかし、これらの類型については、告知者は、同時審判申出共同訴訟（41条）あるいはその類推適用（［533］、［534］）によって自己の権利の十全な確保（いわゆる「両負け」を防ぐ）が可能なのであり、そのような手段がある以上、あえてここで参加的効力を認めるまでの必要性はないとみるべきであろう。また、ことに④については、被告知者がそのような法律関係（たとえば、みずからが択一的な買主でありうるといったこと）を認識するのが必ずしも容易とは限らず、なぜ告知を受けたのかも十分に理解、認識できないという場合が一定の割合でありうることをも考慮すべきであろう（③についても、理解に相当の法律知識が必要という問題はある）。

さて、訴訟告知による参加的効力については、いくつか注意すべき点がある。

第一に、告知者と被告知者の認識が食い違っている場合にも参加的効力を認めてよいかという問題がある。つまり、被告知者が「自分は告知者との間でその主張するような法律関係にある者ではない」と考えて補助参加をしなかったような場合にも参加的効力を認めてよいか、ということである。

微妙な部分はある（被告知者保護という観点を強調すればそのような見解もありうるとは思う）が、このような場合について被告知者の主観を問題にして参加的効力否定説を採ると、被告知者が後訴でそのように主張しさえすれば参加的効力は否定されるということになりかねず（主観的な認識についての反証は容易ではない）、53条4項がほとんど有名無実なものとなってしまうから、ここは、参加的効力肯定説を採るべきであろう（同旨、新堂幸司「参加的効力の拡張と補助参加人の従属性——争点効の主観的範囲に関する試論（その一）」『訴訟物と争点効（上）』〔有斐閣〕265頁、クエスト575～576頁、注釈旧版(2)296頁〔上原敏夫〕。否定説として、新堂幸司ほか『演習民事訴訟法2』〔有斐閣〕326～330頁〔井上治典〕。なお、高橋下491～493頁は微妙である〔必ずしも意見を明確にしていない〕）。そして、被告知者による法律関係の認識それ自体が必ずしも容易ではない類型（たとえば上記③、④類型）では、訴訟告知による参加的効力の発生自体を定型的にあきらめるべきであろう。

　第二に、被告知者が告知者の相手方に補助参加した場合には、参加的効力は、現実に行われた補助参加について考えるべきである（高橋下478～479頁、クエスト576頁等。多数説といえよう）。この場合、被告知者は、告知者に協力せず、その相手方に協力する意思を法的な形で明確にしているのだから、もはや告知による効力を及ぼすべき根拠は失われているとみるべきである（訴訟告知は参加を促すものなのだから、現実に参加がなされた場合にはそれに基づく責任を考えるべきであり、告知に基づく責任は背後に退く）、このような場合にも訴訟告知の効果が残存するということになると、告知者の相手方の側への被告知者の補助参加を制約することになる、などの理由による。

　もっとも、それでは第一の場合に該当する被告知者が相手方に補助参加すれば第一の原則を潜脱できてしまうのではないかという疑問が生じるが、これについては、告知者がその補助参加に異議を述べることによって対処することになろう（相手方への補助参加の利益が肯定される場合には、第二の原則を第一の原則に優先させるほかないであろう）。

　なお、訴訟告知には、訴訟法的効力としての参加的効力以外に、実体法が、これに時効完成猶予および更新の効果を付与している場合がある（手86条、小73条）。また、そのような規定がない場合についても、催告（民150条）に類するものと解し、かつ訴訟終了まではその効果が継続していると解して、訴訟終了後6か月を経過するまでの間は時効は完成しないとするのが通説であ

第18章　補助参加と訴訟告知

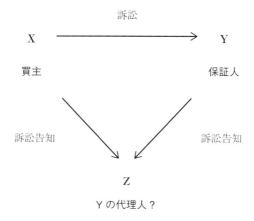

る（判例としては、大阪高判昭和56・1・30判時1005号120頁、判タ443号85頁）。

　さて、補助参加の利益、また、訴訟告知と参加的効力については、理解が難しいので、最後に、この章の総まとめとして、1つの例を挙げて検討しておきたい。

　たとえば、消費貸借契約の貸主XのYに対する同保証債務履行請求訴訟において、Xが、「Z（なお、主債務者ではない）はYの代理人であった。そうでないとしても表見代理が成立する」と主張し、裁判所が、代理権は認められないが表見代理は認められるとしてXの請求を認容した場合について考えてみよう（上の図を参照）。

　まず、補助参加の利益についてはどうか。

　Xは、Zに代理権がなかったとされてYに敗訴した場合には、Zに対して無権代理人の責任を追及できる（民117条1項）。したがって、Zには、Xに補助参加する利益がある（前記[560]の③類型）。なお、後訴における参加的効力は代理権がなかったとの判断について生じる（[564]）。

　Yは、表見代理が認められるとされてXに敗訴した場合には、Zに対して、不法行為に基づく損害賠償請求を行いうる。したがって、Zには、Yに補助参加する利益もある（前記[560]の①類型）。

　このように、Zは、XにもYにも補助参加することが可能である。したがって、XもYも、Zに対して訴訟告知を行いうる。

　それでは、この事案で、X、Yの双方がZに対して訴訟告知を行ったが、Zはいずれの側にも補助参加しなかったとしよう。YがZに対して損害賠償

623

請求の後訴を提起した場合、訴訟告知による参加的効力は生じるだろうか（以上、平成24年司法試験論文式試験問題の1つの設例である）。

まず、Zには代理権がなかったとの判断については、参加的効力は生じない。なぜなら、代理権が認められないとの点は表見代理の論理的前提ではある（実体法の講学上は、表見代理は無権代理を前提としている）ものの、表見代理の認められる判決において主文を導き出すために必要な判断（[**564**]）とはいえないからである[11][12]。

次に、表見代理に関する判断については、参加的効力が生じると考えるべきであろう（なお、この場合の参加的効力は、表見代理の類型、また事実関係によっては、Yに不利にも生じうるであろう）。

なお、これらの設例、判例のような事案については、「利害の対立」を理由に参加的効力を全面的に否定する見解も古くからある。そのような見解は、たとえば、設例に引き直していうと、Zにとっては自己に代理権があったほうが有利であり、代理権がないと主張していたYとの間には利害の対立があったから、協力して訴訟を追行することは困難であり、参加的効力は生じないという（たとえば、金融・商事判例604号16～18頁の判例評釈〔竹下守夫〕、伊藤701頁、判例百選〔第2版〕254～255頁の解説〔伊藤眞〕は、そのような趣旨に読める〔もっとも、いずれも、注(12)の判例に関してのものである〕。また、公表された上記試験問題「出題趣旨」の記述も、そのように読める）。

しかし、これに関しては、上記第一でふれた参加的効力否定説を前提とす

---

(11) 代理権がなかったことは表見代理の要件事実ではないからだ。表見代理の要件事実は、単純化すれば、基本的に、①表見代理人による意思表示、②同意思表示の際に表見代理人が本人のためにする旨を示したこと、③表見代理各類型に特有の要件事実、であって、代理権の不存在は含まれないのである。なお、表見代理の主張をする者は、代理の主張をするとは限らない（代理権の立証がおよそ困難な場合には、表見代理だけを主張することもある）。

(12) 仙台高判昭和55・1・28判時963号55頁、判タ409号115頁は、事実関係がやや複雑でわかりにくいので、上記の設例については、この事案ではなくより一般化されたものを引いたが、上記本文の第二の場合（被告知者が告知者の相手方に補助参加）に該当する（設例のZ〔に相当する者。以下同〕がXの側に補助参加した）のにYの訴訟告知による参加的効力を認めている点、また、主文を導き出すために必要ではない「代理権がなかったとの判断」について参加的効力を認めている点、の双方に問題があるといえよう（もっとも、訴訟告知に関する1つの見方を打ち出し、鋭利な問題提起を行った判例であることには間違いがない）。

るもの、あるいはそれと同様に被告知者の主観を問題にするものではないか、また、ZとXとの、またYとのこの争点に関する主観的な利害の対立自体、少なくとも訴訟告知の段階では不明なのではないか、という２点について疑問を感じる（この点については第２版で見解を改めた）[13]。

---

[13] まず、客観的な法律関係は、結局、裁判所の判断をまって事後的に決まる問題であろう。次に、代理権に関するZの主観的認識についていえば、Zがみずからに代理権があったと認識していればそれを争うYとの間にその争点について利害の対立があるが、ZがXY間の売買に全く関与していない、あるいは法的関与などしていない、と認識していれば（なお、設例では表見代理が認められているから、全く関与していないとの認識は比較的ありにくいが、法的関与はしていないとの認識ならありうる。また、いずれの例も、実務でも存在すると思う。代理と表見代理の双方が主要な争点となるこの種訴訟におけるZの当事者との利害関係については、微妙な場合も一定程度ある。高橋下484～485頁も、文脈は異なるがこの点にふれている）、その争点については逆にXとの間に利害の対立があることになる。そして、訴訟告知だけで補助参加がなければ、主観的認識もとりあえず不明なのではないか。

　つまり、上記の見解は、本文にも記したとおり、①Zの主観を隠れた前提として問題にするとともに、②その１つの場合だけを読み込んだ考え方なのではないか、ということである

　もっとも、注(12)の判例の事案についていえば、ZはXの側に補助参加しているから、代理権に関するZの主観的認識自体はおそらく定まっていよう。しかし、この場合には、Xの側に補助参加したことをもって参加的効力を否定すれば足りるのであり、あえて利害の対立を持ち出す必要はない。上記設例を引いた試験問題についてみると、出題中の当事者の主張と裁判所の判断からはZの主観的認識は必ずしも確定できず、上記①、②の点が問題となるのではないかと思われる（Zは、もしYとの間に利害の対立があると考えるのなら、Xの側に補助参加することによってYの訴訟告知による参加的効力の発生を免れうるのである。双方から告知され、双方に参加しなかったのであれば、むしろ、主観的な認識、利害自体定まっていなかったと考えるのが相当ではないだろうか）。

　また、上記のとおり、「代理権の存否」は、Yの訴訟告知によって参加的効力の生じる争点ではないことを考えると、「この事案でYの訴訟告知による参加的効力を否定するためのZとYの利害対立判断の基準」として適切なのか、という問題もある。

　なお、以上の点に関する従来の学説については、注釈旧版(2)294～296頁参照（上記の判例については批判が多いが、利害の対立を理由とする参加的効力の否定自体については、考え方は分かれているというのが正確であろう。最後に付言すれば、上記「出題趣旨」の記述については、「Zの立場から参加的効力が否定される方向での立論をせよ」という趣旨の設問を前提とするから、出題者の見解を示したものとまではいえないという余地もある。もっとも、上記学説に沿った方向の解答を期待するものとはいえよう。しかし、この設例におけるそのような解答が正しいものといえるかに上記のとおり疑義があるとすれば、そのような解答を期待することが適切かについても疑問はぬぐえない）。

【確認問題】

1　共同不法行為事案において、被告の1人が原告に補助参加し、他の被告に対する請求棄却判決に対する控訴を提起することができるか。

2　補助参加の利益に関する訴訟物限定説と訴訟物非限定説について、具体的な例を引きつつ説明せよ。

3　取締役会の意思決定が違法であるとして取締役に対し提起された株主代表訴訟において、株式会社は、取締役を補助するために訴訟に参加することができるか。

4　補助参加の利益（法律上の利害関係）について、具体的な類型を挙げながら説明し、また、各類型について、①補助参加をした場合に参加的効力が生じるか否か、②単に訴訟告知がなされただけでも参加的効力が生じるか否か、についても答えよ。

5　補助参加の許否については、当事者が異議を述べた場合にのみ許否について決定で裁判がされることになっていること、訴訟告知書についての裁判所の審査に関する規定がないことについて、立法論をも含めて、どのように考えるか。

6　補助参加人の地位の従属性について説明せよ（なしうる行為となしえない行為の説明が中心）。

7　共同訴訟的補助参加とはどのようなものか。補助参加との違いについても具体的に説明せよ。

8　被告知者が告知者の相手方に補助参加した場合、参加的効力は誰と誰との間に生じるか。

9　消費貸借契約の貸主XのYに対する同保証債務履行請求訴訟において、Xが、「Z（主債務者ではない者）はYの代理人であった。そうでないとしても表見代理が成立する」と主張している場合、Zは、X、Yのそれぞれに補助参加する利益があるか。

　上記の事案で、X、Yの双方がZに対して訴訟告知を行ったが、Zはいずれの側にも補助参加せず、裁判所が代理権は認められないが表見代理は認められるとしてXの請求を認容した後に、YがZに対して損害賠償請求訴訟を提起した場合、Yの訴訟告知による参加的効力は生じるか。

第19章 独立当事者参加

本章では、独立当事者参加について論じる。独立当事者参加は、基本的には相対立する当事者間の訴訟となるほかの多数当事者訴訟とは異なり、3者が鼎立しながら相互に牽制し合うという訴訟形態のため、特殊な論点が多数生じる。そのような構造の特異性に注意しながら、個々の論点の意味とその結論、根拠について、基本を正確に理解してゆくことが必要である。

第1節 独立当事者参加の意義と機能、訴訟の構造

独立当事者参加とは、係属中の訴訟について、第三者が、当事者の双方または一方に対する、原告の請求と関連する請求を定立して、当事者のいずれとも共同訴訟関係に立たない独立の地位をもつ当事者として参加し、統一的な審判を求める訴訟形態である。

うち詐害防止参加は、係属中の訴訟の結果によって自己の権利が害されると主張する参加人によるものであり、権利主張参加は、訴訟の目的たる権利の全部または一部が自己に帰属すると主張する参加人によるものである（以上、47条1項）。

独立当事者参加は、ほかの訴訟形態と異なり、3者がそれぞれ独立して相互に請求を定立するものであり、基本的に3面訴訟となる訴訟形態であって、日本法に独自のものであるといわれる[1]。

いわば、3者間で、円環構造に近い形で矢印が向き合う構造となるため、2当事者の間での矢印を基本として考える思考では、いろいろと解釈上の問

題が出てきてしまうことになる。その結果、未だに定説のない論点も多い。しかし、ここでも、ほかの多数当事者訴訟の場合と同じく、その意義と機能の「基本」を正確に押さえてゆくことが大切である[2]。

独立当事者参加の意義と機能については、次のようなことがいえる。

独立当事者参加においては、相互の訴訟物に関する判断が矛盾なくなされる必要があり、その意味で合一確定の必要はあるが、相互の訴訟の判決効が他に及んでゆくわけではないので、合一確定といっても、必要的共同訴訟の場合のそれとは意味が異なる。密接に関連する紛争の統一的解決、相互に整合性のある解決ということなのである[3]。

また、詐害防止参加にせよ、権利主張参加にせよ、既存の訴訟に関係の深い第三者に進行している訴訟を牽制する必要がある場合にそのための訴訟追

---

(1) もっとも、この点については、ドイツ（ないしはドイツ法系の国々）以外の国々をみるなら、独立当事者参加と同様の「機能」を果たす制度が存在することは多く、むしろ、このような機能をもった訴訟形態を認めないドイツのほうが特殊なのであって、「日本独自の制度」という見方は当たらないという意見（井上274～279頁）もあり、実際には、むしろこの見解のほうが正しいのかもしれない。

(2) 実際には、実務では、独立当事者参加の例は、多くない。私の場合、33年間の裁判官生活で、権利主張参加が3、4件、詐害防止参加が2件という程度であり、ほかの裁判官の場合もおおよそ同様の頻度であるようだ。もちろん、手続法は、レアケースに対しても備えをしておかなければならないものではあるが、独立当事者参加の場合には、その実際の重要性と議論の集中度は相関していないという印象はある。既判力の場合には、どの判決でも問題になりうるという意味では基本的な事柄なので、既判力にふれる事案はまれであるとしても、議論をしておく必要性は高いが、独立当事者参加の場合には、特殊かつまれな訴訟形態であることは確かなのだから、細部の議論を純理で精緻に詰めるのもさることながら、このような訴訟形態の機能を見据えつつ、各論点に常識的な解決を与えてゆくこと、また、そのさらなる活用を図りうるような解釈論を組み立ててゆくことが、まずは、望まれるのではないだろうか。もっとも、この点については、そもそも、概念的な建前中心の硬直した思考で独立当事者参加をとらえるから、結果として、その機能が十分に生かされていないのではないか、共同訴訟や補助参加との機能的連続性をこそみるべきである（井上276～279頁）という、より大きな視点からの批判もありえよう。

(3) 高橋下496頁は、この意味で、独立当事者参加制度は、ドイツ、日本の民事訴訟法における紛争の相対的解決の原則を修正するものであるという。たとえば、権利主張参加者は、参加をせずにあとから前訴の勝訴者に対して別訴を提起することもできるが、実際上それでは証明効（[**445**]）の問題を始め事実上不利であり、これを回避して統一的解決を行うことにこの制度の意味があるという。この指摘は当たっていると考える（なお、詐害防止参加については、実際上後訴ではまかなえないという部分がさらに大きいといえよう〔[**578**] 参照〕）。

行の地位と機会を与えるという機能もある（井上267頁以下の「独立当事者参加論の位相」は、この意味で示唆的である）。ことに、詐害防止参加では、この意味が大きいといえよう。

　そこで、本書では、独立当事者参加の意義と機能については、上記のような意味における合一確定の要請と参加人による訴訟牽制の必要性を並立的に考えたい。詐害防止参加と権利主張参加ではその機能は相当に異なるので、独立当事者参加の意義と機能について、これらのいずれか一方のみで説明することには無理があると考えるからである。

　旧法時代の判例は、合一確定の要請のほうに重きを置き、独立当事者参加を3面訴訟ととらえ、そのことを前提として、その申出は、常に原被告双方を相手方としなければならず、一方のみを相手方とすることは許されないとしていた（最大判昭和42・9・27民集21巻7号1925頁）。

　しかし、権利主張参加では、ことに独立当事者参加人と原告との間には、あえて独立当事者参加人が原告に対して請求を定立しなければならないほどの争いはない場合がありうる（詐害防止参加については、その性質上、片面的参加はより考えにくいと思うが、たとえば、伊藤707頁は、移転登記請求訴訟の原告のみに対して参加人が被告の所有権確認請求を定立する例などが考えられるという）。

　たとえば、実務では、債権の譲受人が債務者に対して訴訟を提起したところ、被告が債権譲渡を争うので、債権の譲渡人が権利主張参加するような場合がある（この事実関係の場合、最初から譲渡人と譲受人が同一の訴訟代理人を選任して原告側の主観的予備的併合〔[532]〕で訴えを提起してもよいわけだが、実際には、そのような例はあまりない）。この場合、債権の譲渡人は譲受人に補助参加することもできるが、少なくともいずれかが債務者に対して債権を有することを既判力をもって確定するには、権利主張参加をするほうがよい。また、権利主張参加であれば、譲渡人は、譲受人の訴訟行為を牽制することもできる。そして、譲渡人と譲受人の間に深刻な争いがないなら、譲渡人は、とりあえずは譲受人に対して請求を定立する必要はないが、訴訟の進行いかんによっては（たとえば、譲渡人としては、譲受人による債権譲渡の立証はどうやら困難なようだ、と考えるようになった場合）、請求を定立する場合も出てこよう（なお、譲渡人と譲受人の間の清算問題については、2者間ではさほどの対立がないのであれば、判決確定後に訴訟外の和解で解決すれば十分だが、場合により、譲受人が譲渡人に対して、予備的な〔債権譲渡が無効である場合についての〕不当利得返還

請求を立てておくこともできるであろう。以上につき、もっぱら理論的側面から説明している新堂834〜835頁も併せて参照）。

また、権利主張参加の形式で参加承継をする場合（49条。[**594**]）には、あえて双方に対して請求を定立するまでもない場合がむしろ多いであろう（承継人と被承継人の訴訟代理人が同一である場合には、この間で請求を定立すると、双方代理の問題も生じてしまう〔クエスト578頁〕）。

学説も、以上のような問題を指摘していた。

そこで、新法は、既存当事者のいずれか一方のみに対して請求を定立する片面的参加をも認めた（47条1項）。

これにより、独立当事者参加の意義と機能ないし訴訟の構造について、3面訴訟の合一確定のためのものであるという説明（3面訴訟説）を行うことは困難になった。

そこで、現在においては、上記のとおり、その意義・機能については、①密接に関連する紛争の統一的解決という意味での合一確定を図る、②既存の訴訟に関係の深い第三者に進行している訴訟を牽制する必要がある場合にそのための訴訟追行の地位と機会を与える、という2点に求め、その訴訟の構造については、顕在的あるいは潜在的な3面訴訟と考えることが適切であろう[4]。

[573] 第2節　独立当事者参加の要件

独立当事者参加には、詐害防止参加と権利主張参加の2類型があるが、その機能は、あえてくくれば前記（[**572**]）のようにまとめられるものの、これら2類型の沿革が異なる（条解249頁）ことから、適用の要件は、大きく異なる。

---

[4]　独立当事者参加についてこのような比較的概念的な説明を最初に詳細に行っておくのは、独立当事者参加の場合、この機能論ないし構造論が、個々の解釈論の前提となるので、この点を十分に理解しておかないと、個々の解釈論の趣旨もよく理解できないからである。

第1項　詐害防止参加

[574]

　詐害防止参加の要件は、訴訟の結果によって参加人の権利が害されることである（47条1項）。

　これについては、かつては、判決効が及ぶ場合である、とする判決効説も有力であった（兼子412〜413頁等）。

　しかし、判決効説では、共同訴訟的補助参加や共同訴訟参加との区別、つまり、これらの手段が存在するのにあえて詐害防止参加の制度を設ける意味が、明らかではなくなる。

　そこで、現在では、当事者の詐害訴訟あるいは馴れ合い訴訟的な訴訟追行を防止する必要のある場合である、とする詐害訴訟説が有力となっている。そして、詐害訴訟説の詐害意思については、①詐害の意思が客観的に判定される場合（三ヶ月225頁）、②当事者が詐害的な訴訟追行をしている場合（新堂838頁）、あるいは、詐害意思が当事者の訴訟行為に現れている場合（伊藤705頁。例として、主張・立証の懈怠、期日の欠席、合理的理由のない自白、請求の放棄・認諾等を挙げる。なお、新堂説、伊藤説の意味するところは実質的にはほぼ同一であろう）があり、②説の論者は、①説について、基準として抽象的すぎるとして批判する。

　しかし、これについては、実務にみられる事案からすれば、③詐害的な訴訟追行がされている場合および詐害訴訟の可能性が客観的な事案自体からうかがわれる場合、として、以上を総合した要件とすることが適切ではないかと考える（もっとも、詐害訴訟の可能性については、裁判所を納得させるに足りる主張が必要であろう）。

　詐害防止参加を行おうとする者の権利を害するような詐害的な訴訟行為が行われている場合にこの参加を認めてよいことはもちろんだが、実務では、訴訟が始まった段階で、詐害訴訟の可能性が客観的な事案自体からうかがわれるとして詐害防止参加の申立てが行われる例があり、その合理性が認められる場合もあるからである。

　たとえば、(ⅰ)((ⅰ)以下の符号は事案を意味する）同一交通事故で負傷した者どうしが本訴・反訴で相互に損害賠償請求を行っているところ、双方の保険会社が同一であり、この保険会社が詐害防止参加の申立てをするような場合

である（請求の趣旨の立て方が難しいが、原告に対しては、被告の原告に対する債務が参加者との関係では存在しないことの確認、被告に対しては、原告の被告に対する債務が参加者との関係では存在しないことの確認、であったと思う）。

　このような場合、客観的な事案自体から、たとえば、「お互いに相手の請求債権額（ないしそれに近い金額）の債務を認めましょう。どうせ支払うのは保険会社だから」といった馴れ合いが行われる可能性は一応うかがわれるところであり、また、詐害防止参加を行おうとする者の権利を害するような詐害的な訴訟行為が行われるのを待ち、かつ、それを立証せよと参加者に求めるのは、酷であろう。

　また、実際には、詐害的な訴訟行為が行われてしまってから参加したのではもう遅い、という場合も多い（たとえば、請求の認諾の場合）と思われるので、②説では要件として狭すぎるとも考える。

　なお、詐害防止参加を判例が認めた事案（最判昭和42・2・23民集21巻1号169頁。(ii)原告が被告に対し不動産の所有権移転登記抹消登記手続請求を行っている訴訟に、被告の債権者でその不動産について強制競売開始決定を得た第三者が参加した事案である）は、確かに、詐害的な訴訟行為が行われた事案ではあるが、判旨は、「詐害的な訴訟行為が行われたこと」を要件として掲げてはいない。

　具体的な事案としては、ほかに、(iii)上記判例の事案に類するものとして、同種の訴訟について、被告の債権者でその不動産について抵当権設定登記を得ている者の参加も考えられよう。

　以上いずれについても、既判力は及んでこないにもかかわらず、詐害訴訟が行われるとこれによって事実上大きなダメージを被る場合であることに留意してほしい。

第2項　権利主張参加

[575]　第1　2つの考え方とその評価（二重譲渡をめぐって）

　権利主張参加の要件は、訴訟の目的の全部または一部について参加人が自己の権利を主張することである（47条1項）。これは、原告と参加人の被告に対する請求、また原告と参加人の主張する権利が論理的に両立しないことを意味すると解されている（ただし、後記のとおり、この「非両立」の意味について

は考え方が分かれる)。

　これについては、実務で接する多くの例は、わかりやすいものである。債権の給付請求訴訟に自己が債権者であると主張する者が参加する、物の所有権確認の訴えに自己が所有権者であると主張する者が参加する、などである。要するに、原告と参加人の被告に対する請求、また原告と参加人の主張する権利が論理的に非両立(したがって、原告と参加人の被告に対する請求は、いずれか一方しか認容できない)の場合である。

　おそらく、法が本来想定していたのは、こうした場合なのではないかと思われる。

　それでは、不動産の譲受人Xの売主Yに対する所有権移転登記手続請求訴訟に、これを二重に譲り受けたZが権利主張参加することはできるか。

　この場合、X、Zの請求はいずれも認容されうる(そして、登記を早く得た者が優先することになる)から、訴訟物は両立する。

　だから、①権利主張参加は訴訟物非両立(被告に対する各請求の訴訟物非両立)の場合にのみ認められるのであって、このような場合に権利主張参加を認める必要はない、という考え方もある(伊藤706頁等)。

　しかし、これについては、権利主張参加を認める考え方がいずれかといえば多数説である(学説の状況については、伊藤706頁、百選5版221頁の解説等参照)。

　この考え方は、②権利主張参加における「非両立」は、被告に対する各請求についていえば、請求の趣旨のレヴェル、あるいは判決内容の実現のレヴェルにおける非両立で足りる、とする。上記の例でいえば、請求の趣旨双方の実現は不可能なのだから(登記はいずれかにしかできない)、非両立をこのようにとらえれば、二重譲渡事案でも権利主張参加が可能になる。

　では、なぜ、条文の素直な理解からはより遠いと思われる②説のような考え方が有力であるのか。これは、独立当事者参加の前記のような機能([572])、ことに、既存の訴訟に関係の深い第三者に進行している訴訟を牽制する必要がある場合にそのための訴訟追行の地位と機会を与える、という機能をこのような事案でも発揮させるべきだという考え方ないし価値観に基づくものと思われる。

　XY間の訴訟とZY間の訴訟が別個に進行する場合はもちろん、それらの弁論が併合された場合であっても、通常共同訴訟では、両者の訴訟法律関係は独立、無関係だから、ZはXの訴訟行為を牽制できないし、Xの権利を

633

否定するような主張立証もできない（たとえしても、XY間の訴訟に何らの影響も及ぼさないから無意味である）。

また、これは私見になるが、②説によれば、密接に関連する紛争の統一的解決あるいはベターな解決という結果も、もたらされる余地がある。二重譲渡の場合、実は、一方の譲渡については行われていない、少なくとも立証が十分にできない、といった場合がかなり多い（私の見聞きした範囲では、双方の請求が認容で確定し、法務局に早く駆け付けて登記を得たほうが優先という帰結になった例はない）ので、この点についてXZ間で争わせることにより、関連紛争についてより正義にかなった解決が可能になる。

もっとも、以上のような点については、①説から、独立当事者参加への40条の準用による相互の牽制は元々過剰であり、したがって、権利主張参加の適用場面を二重譲渡のような事案にまで広げるのは不適切である（適用場面は狭く限定すべきである）という反対意見がある。

私見としては、不動産の二重譲渡事案の適切な解決という観点からは、権利主張参加の適用を認めることがベターであると思う。もっとも、②説を採ることによって適切な解決が図りうる事案としてはこれくらいしか論じられていない現況からすると、この事案だけのためにいささか不自然な非両立の定義を採るまでの必要があるのかという疑問ももっている。基本的には①説によりつつ、二重譲渡の場合には権利主張参加の類推適用を認めるというほうが、考え方の枠組みとしては、より適切なのではないだろうか（一種の折衷説であるが、こうした考え方によれば、不動産の二重譲渡事案のような境界的事例が新たに生じた〔あるいは提案された〕場合には、独立当事者参加の意義と機能〔[572]〕を生かすことのメリットと権利主張参加の類推適用を認めることのデメリットを秤にかけつつ、類推適用の可否を柔軟に考えてゆくことができるのではないかと思う）[(5)]。

なお、二重譲渡であっても、一方が仮登記を備えている場合にはそちらのほうが最終的には優先するので、非両立とはいえず、権利主張参加ないしはその類推適用を認める必要はない（最判平成6・9・27判時1513号111頁、判タ867号175頁、百選5版105事件も、結論としては同旨。もっとも、この判決の理由付け自体は、独立当事者参加の意義・機能のうち合一確定の要請の点をいうのだが〔所有権の帰属が合一に確定されるような事案ではないから権利主張参加はできないという趣旨にとれる〕、正直にいえば、いささか意味がとりにくい。少なくとも、上記の

ような問題の所在を的確に理解したものとは思われない)。

[576]　第2　当事者適格非両立の場合（債権者代位訴訟の場合）

　債権者代位権に基づき代位債権者が第三債務者（代位される債権の債務者）に対して訴訟を提起している場合に債務者が同一債権について別訴を提起すれば、重複起訴の禁止にふれる（[**064**]）。

　一方、判例は、代位債権者の請求につき債務者が代位債権者の被保全債権を争って（すなわち代位債権者の当事者適格を争って）権利主張参加をすることを認めていた（最判昭和48・4・24民集27巻3号596頁、百選5版108事件。土地賃借人が所有権者を代位して提起した所有権に基づく建物収去土地明渡請求につき、所有権者が、土地賃貸借契約を解除したとして、原告である土地賃借人に対し賃借権不存在確認を、被告である第三債務者に対し所有権に基づく建物収去土地明渡しを求めた事案）[6]。

　この判例は、債権者代位権が行使されている場合、債務者が権利行使の通知を受けまたはこれを知ったときにはもはや訴えの提起はできない（不適法になる）とする判例（大判昭和14・5・16民集18巻557頁）を前提としていた。

---

(5)　なお関連して付け加えれば、二重譲渡事案で原告Ｘと参加人Ｚの被告Ｙに対する移転登記手続請求がいずれも認容される場合であっても、ＺのＸに対する所有権確認の訴えは（また、これに対してＸのＺに対する所有権確認の訴えが反訴として提起されている場合にはそれについても）、双方未登記であって、いずれの当事者も相手方の「対抗要件の抗弁」、すなわち、「相手方が対抗要件を備えるまでその所有権を認めないとの抗弁」（30講43頁）に応えることができないのであるから、棄却されることになる（双方認容だと内容が矛盾することに注意）。

　では、ＸとＺがそれぞれＹに対して所有権確認の訴えを提起していた場合にはどうなるだろうか。この場合には原被告は対抗関係にはなく、請求原因についてはいずれも満たされていることになろうから、双方を認容してもよいはずである。しかし、そうすると、三者間では合一確定にならないという問題が出てくる。したがって、合一確定の要請を貫くならこれらの請求も棄却することになろうか。

　しかし、二重譲渡事案が特殊な事案（私見では類推適用事案）であり、訴訟物は非両立ではないことを考えるならば、この場合には合一確定の要請を後退させて双方を認容するという解決がありえよう。所有権移転登記手続請求は認容、所有権確認の訴えは請求棄却と同一当事者間で結論を分けるのは不自然でありかつ紛争解決の実効性をもそぐので、この考え方を採りたい。類推適用説を採るなら、こうした柔軟な解決も可能になるのではないかと考える（福岡高判昭和30・10・10下民集6巻10号2102頁は、この場合には合一確定の必要がないとして双方を認容している。もっとも、その理由付けにはやや混乱がある）。

上記昭和48年最判の事案については、被告に対する請求の訴訟物自体は同一（債務者の被告に対する債権。なお、代位債権者は、動産の引渡請求権や金銭債権については自己への給付を求めうる〔民423条の3〕が、それは訴訟物が異なることを意味しない）であるから、通常の権利主張参加の要件を欠くが、当事者適格については、上記大審院判例を前提とすると、代位債権者の被保全債権の有無によっていずれかが有することに決まることになり、非両立となることから、判例は、権利主張参加を認めたのである。

　密接に関連する紛争の統一的解決、既存の訴訟に関係の深い第三者に訴訟牽制のための訴訟追行の地位と機会を与える、という独立当事者参加のいずれの機能からしてもこれを認めてよかったと思われる。もっとも、これは、明らかに類推適用であろう。

　しかし、2017年（平成29年）債権関係改正後の民法423条の5は債権者代位権の行使によって債務者の処分権限は妨げられないとして上記大審院判例の考え方を否定したので、昭和48年最判は、その前提を欠くこととなったと考えられる。

　そこで、債権者代位の場合の重複起訴の処理（債務者があとから第三債務者に対する別訴を提起した場合。訴訟担当の被担当者は重複起訴の関係では担当者と同一当事者とみなされる〔[064]〕）をどうするかが問題となる。

　代位債権者の訴訟への債務者の権利主張参加については、上記改正前とは異なり、当事者適格が代位債権者と債務者のいずれかにしかなく非両立という関係にはもはやない（債務者には常に当事者適格がある）ので、類推適用も難しいというのが原則的な考え方であろう。

　そこでどうするかだが、一般的には、債務者に代位債権者の訴訟への共同

---

(6)　なお、判文は、「この場合には重複起訴の禁止にふれないと解される」としてその理由を種々述べている。これは、被告に対する訴訟物が同一である（後記）ことから重複起訴をいう上告理由に答えたという意味では理解できるものの、独立当事者参加を認める（それがこの判例の意味のはずである）以上その制度趣旨から弁論の分離はありえず〔[230]〕、重複起訴禁止の問題は生じない〔[067]〕ので、本来、重複起訴については、以上の旨を最後に簡潔に述べておけば足りる事柄かと思われる（この点は、弁論の分離が許されず、したがって、重複起訴の問題は生じないはずの場合についてこれを仔細に論じる〔なお、判例集の判示事項、判決要旨も、重複起訴の点に重きを置いている〕という意味で、前記[067]で論じた相殺の抗弁と重複起訴に関する判例の問題につながっている可能性がある）。

訴訟参加（52条。［553］）を認めるという考え方が有力であり、代位債権者の請求の趣旨が債務者に対する給付を求めるものである場合には、この方法が最も適切であろう。しかし、代位債権者の請求の趣旨が自己への給付を求めるものである場合（実務でみられる債権者代位訴訟の多くがそうである。なお、上記改正後の民法423条の3はこれを明文で認めた）には、債務者の請求の趣旨との間に食い違いが生じるから、請求の趣旨をいずれかに統一する必要があるところ、明文の規定がないのにこれを行わせる、あるいは擬制する（たとえば、制度趣旨から、債務者への給付に擬制する）ことは、難しいのではないだろうか（少なくとも判例法の確立が必要であろう）。

　そこで、後者の場合については、債務者がすでにみずから権利を行使している場合、代位債権者は、債務者を排除しまたは債務者と重複して債権者代位権を行使することはできない（債務者がその権利を行使するに当たり不十分、不誠実、不適当な場合には、債権者は、補助参加、当事者参加等によって自己の権利保全をすれば足りる）とする判例（最判昭和28・12・14民集7巻12号1386頁。なお、内田貴『民法Ⅲ〔第4版〕』〔東京大学出版会〕337頁、340頁等も、債務者の権利不行使を債権者代位権行使の要件の1つとする）の趣旨を債務者があとから権利行使を行った場合についても推し及ぼし、代位債権者による先行訴訟を重複起訴として却下することが考えられる。債権者代位権は、債務者がみずからその責任財産の保全をしない場合にその債権者に訴訟担当によるその保全を認めた制度である（一問一答債権関係93～94頁は、民法423条の5の立法理由についてこの点を強調する）ことを考えるならば、債務者が訴えを提起した場合には、債権者はこれに共同訴訟的補助参加してそれを補助ないし牽制すれば足りるとも考えられるからである。なお、代位債権者が共同訴訟的補助参加を望む場合には、先行訴訟を却下することに代えて、債務者の訴訟に弁論の併合を行った上で共同訴訟的補助参加人として取り扱うことを認めてもよいであろう（共同訴訟的補助参加には訴えの実質はないものの、補助参加人の地位は当事者のそれに近いから、このような取扱いも許されると考える）。

　また、一種の便法として、権利主張参加の類推適用を上記改正後も認める、という選択もありうるかもしれない[7]。

第3項　共通の要件

[577]　第1　時期

　独立当事者参加の前提として、他人間の訴訟の係属が必要であることは、補助参加、共同訴訟参加の場合と同様である。

　もっとも、ほかの参加形態と異なり、独立当事者参加では参加人は独立した請求を定立するので、法律審である上告審についてはできないとする考え方が有力である（伊藤706頁等。最判昭和44・7・15民集23巻8号1532頁）。

　反対説は、破棄差戻しの可能性があることを理由とする。そして、参加の申出とともにされた上告を理由なしとして棄却する場合には、参加人の請求については、別訴として審判を行うために第一審裁判所に移送すべきであるという（新堂840～841頁）。

　しかし、通説により、破棄差戻しになった時点での参加を認めれば十分ではないかと思われる。

　なお、独立当事者参加の申出をするとともにとともに再審の訴えを提起することは可能であると解される（補助参加の場合〔[562]〕と同様。伊藤706～707頁）。

[578]　第2　請求の趣旨

　判例、多数説は、参加人は、原被告の双方または一方に対して請求を定立する必要があり、単に、原告の訴えの却下または請求の棄却を求めるだけでは足りないとする（最判昭和45・1・22民集24巻1号1頁、最決平成26・7・10判時2337号42頁、判タ1407号62頁。伊藤707頁等）。

---

(7)　なお、債権者代位については、金銭債権以外の債権の保全のためのいわゆる転用型まで含めるとさまざまな事例が考えられるので、重複起訴の処理を含めた手続法上の処理についても、1つの考え方だけで対処できない場合が出てきうる。その意味では、上記の考察も、基本的には、金銭債権保全を目的とする債権者代位の本来型に関する議論にとどまる面はある。実体法の法律関係に不定形な側面があると、それに対する手続法の対応にもそれが反映して議論が難しくなる。その例は倒産法に顕著である。そういう場合には、まず基本を考えた上でヴァリエーションに応じて考え方を修正、変形してゆくことが必要であろう。

権利主張参加の場合には、原告に対しては原告の請求と両立しない参加人の権利の確認を、被告に対しては、同様の権利の給付または確認を求めるのが通例である。ただし、当事者適格非両立の場合（**第2項第2**〔**576**〕の前半）には、原告に対しては、そこに記されているとおり代位債権者の債権の不存在確認を求めることになるであろう。これについては特に問題はない（権利主張参加の場合には、参加人が原告の権利と非両立の権利を主張する以上、請求の趣旨をいずれの当事者に対しても立てないということは考えにくい）。

　詐害防止参加の場合には、原告の請求と相容れない請求を立てることになる。前記**第1項**の例でいうと、(i)、(ii)、(iii)の順に、前記の箇所で掲げた請求、被告が不動産について所有権を有することの確認、同様の確認および参加人が被告土地上に抵当権を有することの確認、ということになるかと思われる。

　しかし、(i)のような場合には、あえてそのようないささか不自然でかつ正確性にも疑問のありうるものを考えなくとも、端的に、「本訴・反訴各請求を棄却する」で足りるのではないかと考える。この場合、参加人の求めることは正確にそれに尽きており、また、それで参加の目的も達成される。さらに、詐害防止参加では、実際上適切な請求の趣旨定立の困難な場合もありうる（上記平成26年最決における山浦善樹裁判官の反対意見は、当該事案につき、この点を強調する）。

　多数説の根拠は、①当事者の地位と請求の定立は不可分である、②請求の趣旨を立てなくてもよいとすると補助参加との区別が明確でなくなる、ということにある。

　確かに、詐害防止参加は、補助参加と連続する側面をもつ。そして、補助参加との区別については、独自の請求を定立できるか否かで分けられてきた（伊藤705頁）。しかし、この区別は、むしろ、原被告の一方の側に立ち、後訴で参加的効力（あるいは証明効や事実上の影響）を受ける（補助参加。〔**560**〕）か、原被告いずれの側にも立たず、また判決の効力も及ばないものの、実際には、訴訟の結果によって決定的な法的不利益を被る者であり、したがって訴訟の牽制を認める必要性がある（詐害防止参加）という点に求めるべきではないだろうか。

　つまり、②については上記のような点で区別できるし、①については詐害防止参加の中間的性格から例外を認めてよいのではないか、ということである。具体的には、適切な請求の趣旨が立てられる場合にはそうすべきである

が、それが困難な場合、あるいは単に原告の訴えの却下または請求の棄却を求めるほうがより的確である場合には、それが許容される、と考えたい（この点については、初版では留保を付けつつ多数説に従っていたが、第2版では見解を改めた）[8]。

[579] 第3節　独立当事者参加の手続

独立当事者参加の申出は、参加の趣旨（参加すべき訴訟の特定、47条による参加をすること）および理由（いずれかの参加の要件）を明らかにして、参加により訴訟行為をなすべき裁判所に、書面で行う（47条4項、43条1項。47条2項）。書面で行う必要があるのは、訴え提起の実質をもつからであり、したがって、申出書には、請求の趣旨および原因も記載する必要があり（133条2項2号〔令和4年改正後134条2項2号〕）、手数料（民訴費3条1項、同別表第1の項7）をも納付する必要がある。申出書の副本は、当事者双方に送達される（47条3項、規20条3項、2項）。

独立当事者参加の申出には上記のとおり訴えの提起と参加申出の双方の性格があるため、本案前の問題として、前者については訴訟要件が、後者については参加の要件が要求される。参加の要件については、補助参加の場合と異なり、訴訟要件と同様に、口頭弁論に基づき、判決によって判断される（44条の準用はない。大判昭和15・4・10民集19巻716頁）

そして、訴訟要件を欠く場合には、判決で訴えが却下される。

参加の要件を欠く場合には、主観的追加的併合の要件を満たせばそのように扱い、そうでなければ別訴として扱う（新堂844頁）。また、控訴審であれ

---

[8] 参加形態は実際には相互に流動的なものである（井上307頁以下の「参加『形態論』の機能とその限界——再構成のための一視点」）、独立当事者参加人が請求を立てる必要は必ずしもない（井上298〜302頁）とする井上説は、詐害防止参加については適切である。また、新堂842頁も、上記反対意見を受けて、第6版では、必ずしも請求の趣旨定立の必要はないとの見解に改説している。なお、詐害防止参加の請求の趣旨は、それを立てる場合にも必ずしも一義的には定まらないので、その実質的な意味がどこにあるのか（将来に向けての紛争防止という側面をも含めて）を考えることが必要であろう。

ば、審級の利益を保証する観点から、第一審の管轄裁判所に移送することになる（最判平成6・9・27判時1513号111頁、判タ867号175頁、百選5版105事件）。

なお、当事者が別訴としてなら訴訟追行する意思はないという場合には、判決によって参加申出を却下すべきであろう（伊藤708頁）。もっとも、そのような場合には、とりあえず訴えの取下げを促すことも考えられよう（クエスト583頁）。

いずれにせよ、裁判所は、参加の要件を欠く可能性があると考える場合には、早期にその点について審理、判断をすることが望ましいであろう。

第4節　独立当事者参加の審理・判決・上訴

[580] 第1項　独立当事者参加の審理（40条準用の意味）

独立当事者参加については、47条4項により必要的共同訴訟の規律である40条1項ないし3項が準用されているが、必要的共同訴訟の場合と異なり3者間に共同関係は存在しないから、準用される条文についても、ことに1項は、その意味合いが異なってくる（利害を共通にする者の間の規律を利害を共通にしない者の間の規律として準用する場合だからである。なお、以下については、必要的共同訴訟の場合の規律〔[548]以下〕をまず確認し直してから理解する必要がある）。

まず、1項の準用については、2当事者間の訴訟行為は、他の当事者に不利なものは効力を生じず、一方、他の当事者に有利なものについては他の当事者のためにも効力を生じるということになる。

不利な行為のうち自白（擬制自白も含むと解される）、上訴権の放棄については問題がないであろう。独立当事者参加の場合、2当事者間の自白ないし擬制自白についてはより行われやすい（あるいは生じやすい）から、これが効力を生じないことについては、裁判所も当事者も注意が必要である。

和解、請求の放棄・認諾については、より微妙であり、近年はさまざまな考え方がある（高橋下522〜526頁、クエスト584頁各参照）。基本的には、2当事

者間のこうした行為は、他の当事者の同意を得ない限り無効であると考えるか、他の当事者に不利益をもたらさない場合には有効であると考えるかであるが、上記のような準用の趣旨からして、必要的共同訴訟の場合と異なり、定型的に考えるのではなく、個々のケースごとに具体的に考えるのが相当と思われるから、後者の考え方に賛成したい。

訴えの取下げについては、被告のみならず参加人の同意も必要であると解されている（最判昭和60・3・15判時1168号66頁、判タ569号49頁）。参加人も訴訟の維持に利害関係を有するからである。

参加申出の取下げについても、双方に対する請求を取り下げる場合はもちろん、一方に対する請求を取り下げる場合にも、他方もそのことに利害関係を有するから、原告・被告双方の同意を必要とすると解すべきであろう（新堂849～850頁）。なお、双方に対する請求のうち一方を取り下げた場合でも、片面的参加としての独立当事者参加形態は残る。

有利な行為のうち、主張・証明責任を負う事実の主張立証、相手方主張の否認についても、やはり、必要的共同訴訟の場合と異なり、有利か否かはケースバイケースで判断することになろう（必要的共同訴訟の場合と比べれば、他の当事者にとっても有利になる場合は限られると思われる）。

2項の準用については、基本的には、当事者および参加人の、1人に対する訴訟行為の効力は他の者に対しても生じるということで問題はないであろう。

3項の準用についても、1人について中断・中止の原因が生じれば全員について効力が生じるということで問題はない。

以上に関係する論点のうち、上訴（1項あるいは2項関係）については、難しい解釈問題が生じるので、**第3項で別に論じる**。

[581] 第2項　独立当事者参加の判決

判決については、合一確定を確保する必要上、一部判決はできない。誤って一部判決がされた場合には、追加判決も許されず、原判決は上訴によって取り消され、事件は原審に差し戻される（最判昭和43・4・12民集22巻4号877頁）。

1個の判決で3つの請求（訴訟物）について判断がされ、これらは相互に

論理的に矛盾のない内容でなければならない（独立当事者参加における「合一確定」はこのことを意味する。固有必要的共同訴訟の場合との意味の違いに注意）。

しかし、各訴訟物の関係はそれに尽き、それ以外の点では相互に無関係である。たとえば、XのYに対する債権の給付の訴えにつき、Zが権利主張参加し、Xが勝訴した場合でも、XとYとの間でXが給付請求権を有することが、ZとX・Yとの間でそれぞれZが給付請求権を有しないことが、既判力をもって確定されるだけであって（これらは、3つの判決それぞれの効力）、3者の間で、Xが給付請求権を有し、Zが給付請求権を有しないことが統一的に確定されるわけではない。この点は、誤解しやすいので、注意が必要である。

訴訟費用の負担については、勝訴者に生じた費用は他の2者が分担し、他の2者の間で生じたものは、請求を定立したほうが負担する。たとえば、参加人が勝訴した場合、参加人に生じた費用は原被告が平等に負担し、また、原告は被告に生じた費用の半分を負担し、残りは各自の負担とする（被告に生じた費用の半分は参加人との間で生じたものとみて被告が負担する）（兼子419頁、新堂848〜849頁）。

[582] 第3項　独立当事者参加事案における上訴と上訴審の判断

独立当事者参加事案における上訴審の構造や判断については、敗訴当事者の一部のみが上訴した場合についてさまざまな考え方がありうるが、限られた場合についてのかなり技術的な論点になるので、現在の標準的な考え方を中心に解説しておく。

まず、1人が1人に対してのみ上訴しても、判決の全部について確定が防止され、事件の全部が上訴審に移審する。上訴しなかった敗訴当事者については、40条1項の準用により上訴人となるとする考え方、40条2項の準用により被上訴人となる考え方があるが、前者によると、現実に上訴を提起した者は単独で上訴の取下げができない（不利な行為なので単独でしても効力を生じない）などの問題が生じるため、現在では、後者が有力であり、判例もこの考え方によっている（新堂847〜848頁、条解257頁等。最判昭和50・3・13民集29巻3号233頁）。

そして、敗訴当事者の一部のみが上訴した場合、直接に不服申立て（上

訴）の対象となっていない請求について、合一確定に必要な限度で、ほかの当事者に有利な、あるいは不利な判決がなされうる（新堂848頁。上訴による不利益変更・利益変更禁止の原則についての合一確定の要請からする修正といわれる。もっとも、この場合には、「合一確定の要請からする、直接には上訴の対象となっていない請求についての、それらの当事者すなわち上訴をしなかった当事者にとっての利益なあるいは不利益な変更」ということであるから、2当事者間における不利益変更禁止の原則の例外の場合とは意味合いがかなり異なってくることに注意すべきである〔[**620**]の⑥〕。判例としては、最判昭和48・7・20民集27巻7号863頁、百選5版106事件）。

　以下、原告Xと参加人Zが同一の不動産の所有権確認を求める権利主張参加の典型的な事例（被告はYとする）について、次頁の図によりながら具体的に考えてゆく。理解を容易にするために、敗訴当事者の一部のみが上訴するすべての場合について記述しておく。

　まず、図の**1**（原告X勝訴の場合）についてみると、①Yのみが上訴し、上訴審判決でXのYに対する請求が棄却となる場合には、上訴の対象となっていないZのX・Yに対する各請求は棄却のままでよい。しかし、②Zのみが上訴し、上訴審判決でZのX・Yに対する各請求が認容となる場合には、上訴の対象となっていないXのYに対する請求は、合一確定の要請から、棄却に変更される。

　次に、図の**2**（参加人Z勝訴の場合）についてみると、③Xのみが上訴し、上訴審判決でXのYに対する請求が認められ、ZのXに対する請求が棄却される場合には、上訴の対象となっていないZのYに対する請求は、合一確定の要請から、棄却に変更される。また、④Yのみが上訴し、上訴審判決でZのYに対する請求が棄却となる場合には、上訴の対象となっていないXのYに対する請求は棄却のままでよいが、上訴の対象となっていないZのXに対する請求は、合一確定の要請から、棄却に変更される。

　最後に、図の**3**（被告Y勝訴の場合。これは単なる参考）についてみると、⑤Xのみが上訴し、上訴審判決でXのYに対する請求が認容となる場合には、上訴の対象となっていないZのX・Yに対する各請求は棄却のままでよい。また、⑥Zのみが上訴し、上訴審判決でZのX・Yに対する各請求が認容となる場合にも、上訴の対象となっていないXのYに対する請求は棄却のままでよい。

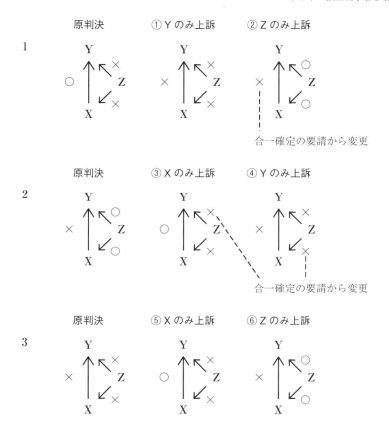

　実際的要請から導かれざるをえない以上のような処理につき、純理の面から詰めようとするならば、ほかの説明方法も考えられるが、かなりわかりにくくなる場合が多い（たとえば、伊藤709～711頁は、上訴しなかった当事者の地位を合一確定の要請に合うように調整することで不利益変更・利益変更禁止の原則の修正を避けようとするのだが、一読してその趣旨を正確に理解できる読者は、学生のみならず、実務家でも、それほど多くはないであろう）。

　以上のような問題は、2当事者間の規律を円環構造に近い3当事者間訴訟に当てはめようとすることから生じるので、その説明には、いずれにせよ、どこかで無理が生じる。つまり、どのような説明でもどこかに便宜的な側面が出てくる。それならばより理解しやすい説明のほうがベターである、というのが、新堂説、判例の考え方であろう。私も、ここは、それらに賛成した

い（なお、クエスト585〜587頁は、新堂説、判例の考え方を前提として、その理論的な合理化を図ろうとする記述といえる）。

[583] 第5節　訴訟脱退

　独立当事者参加のなされた訴訟が2当事者訴訟に還元される場合としては、独立当事者参加申出の全部取下げの場合のほか、原告または被告の脱退の場合がある。そして、これについても、敗訴当事者の一部のみの上訴の場合（[582]）と同様、複雑な解釈問題が生じる。

[584] 第1項　脱退の要件と手続

　脱退は、原告または被告が、将来に向かって訴訟関係から離脱する訴訟行為である。その者を当事者とする訴訟係属自体はなくなるが、脱退者の行った主張・立証は残存する（訴訟行為としては、**第8章**で分類したところ〔[232]〕のどれとも性質の異なる部分がある）。

　脱退は、書面または口頭ですることができる（規1条）。

　脱退には、相手方の承諾が必要であるとされる（48条前段）。これは、残存当事者の利益を尊重する趣旨の規定であるといわれるが、後記**第2項**のとおり、脱退の効果をどう考えるかにより、相手方のみならず参加人の承諾を要するとするか、いずれも要しないとするかに分かれると思われる。判決は、脱退した当事者に対してもその効力を有する（同条後段）。

　脱退は、訴訟承継（参加・引受承継）に伴って行われることが多いが、独立当事者参加の場合でもありうる（原告または被告がそれ以上の訴訟追行に意味を見出しえなくなった場合）。

　脱退の効果については、3者が鼎立する独立当事者参加の構造上、敗訴当事者の一部のみの上訴の場合（[582]）と同様、複雑な解釈問題が生じる。これについては、後記**第2項**で論じる。

[585] 第2項　脱退の効果

　これについては、①条件付きの放棄・認諾を擬制する考え方が最初に提唱され（兼子417頁）、現在でもなお1つの考え方としての地位を保っている。

　すなわち、下の図（原告X、被告Y、参加人Z）の1（Y脱退）の場合、Yは、XかZの勝ったほうに対して認諾したことになる（負けたほうとYの関係は定まらない）。

　また、図の2（X脱退）の場合、XのYに対する請求は放棄したことになり、ZとXの関係については、ZがYに勝訴する場合には、XはZに対して認諾したことになる（ZがYに敗訴する場合には、ZとXの関係は定まらない）。

　兼子説は、放棄・認諾を擬制する根拠が条文に求められず、また、上記のとおり、3者間の関係に確定されないまま残ってしまう部分が出てくるという問題がある。

　こうした問題を解決するための1つの考え方としての②新堂説（新堂850～852頁）は、(i)残存者間の勝敗の論理的帰結としての効果が脱退者に及ぶ、(ii)脱退者は訴訟追行権を放棄したのだから、その結果不利な判決を受けてもやむをえない、という2つの命題を立て（うち(ii)の命題は、兼子説の考え方を洗練した部分があるといえよう）、これを当てはめて、図の1（Y脱退）の場合には、ZがXに勝訴すれば、ZのYに対する請求認容、XのYに対する請求棄却の効果がもたらされ、ZがXに敗訴すれば、ZのYに対する請求棄却、XのYに対する請求認容の効果がもたらされるとする（最後の「XのYに対する請求認容」については、(i)の効果ではなく、(ii)の効果による〔原告の訴えの目的を達成させるため、XのYに対する請求を認容する。また、Yは脱退したの

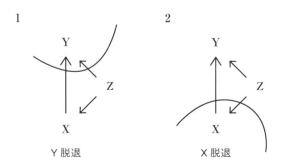

だから敗訴判決を受けてもやむをえない〕)。また、図の2（X脱退）の場合には、ZがYに勝訴すれば、ZのXに対する請求認容、XのYに対する請求棄却の効果がもたらされ、ZがYに敗訴すれば、ZのXに対する請求棄却、XのYに対する請求棄却の効果がもたらされるとする（最後の「XのYに対する請求棄却」については、(i)の効果ではなく、(ii)の効果による〔Xは脱退したのだから敗訴判決を受けてもやむをえない〕)。

比較的明快であり、論理的にも大きな問題はないと考えられるところから、これに従っておきたい。

また、新堂説は、判決主文中に、脱退者に対する給付命令をも掲げるべきであるとする。債務名義作出のために必要だからである（新堂852〜853頁）。新堂説による限り、ここは、解釈論として肯定できよう。

そのほかの考え方も含めて解説したものに、高橋下543〜548頁がある。高橋説は、「当事者なき請求」を認めた上で裁判所はこれについて判断するという井上説を採る。しかし、「当事者なき請求」を正面から認めるのは相当にドラスティックであろう（なお、「請求なき当事者」については、本書も認めている〔[**578**]])[9]。

脱退に相手方および参加人の承諾を必要とするかについては、脱退の効果をどう考えるかにより、相手方のみならず参加人の承諾を要するとするか、いずれも要しないとするかに分かれるであろう（クエスト589〜590頁。いずれにせよ、48条前段の文理からは外れることになる）。

新堂説による場合には、脱退により残存当事者に（また、参加人にも）不利益は生じないから、その承諾は不要と考えることになる（新堂852頁）。

もっとも、判例は、残存当事者の承諾を得れば足りるとする（大判昭和11・5・22民集15巻988頁）。

---

(9) なお、私見としては、高橋下543〜548頁に詳説されている各種の考え方の中に、論理的にみて他を圧倒するというほどのものがあるとは思えない。クエスト588〜589頁の結論も同旨のようである。したがって、現時点では、比較的明快で、論理的にも大きな問題はなく、実務にも受け入れられやすいと思われる新堂説に従っておきたい、ということである。

第19章　独立当事者参加

【確認問題】

1　独立当事者参加の意義と機能、訴訟の構造について説明せよ。併せて、片面的参加を認めることの当否についても述べよ。

2　詐害防止参加の要件とこれが認められる具体的な場合について述べよ。また、その場合の請求の趣旨についても述べよ。

3　権利主張参加の要件とこれが認められる具体的な場合について述べよ（二重譲渡の場合、当事者適格非両立の場合についてもふれること）。また、その場合の請求の趣旨についても述べよ。

4　独立当事者参加の申出について、訴訟要件を欠く場合、また、参加の要件を欠く場合、裁判所はどう対応すべきか。

5　独立当事者参加における40条1項ないし3項準用の意味について説明せよ（上訴関係を除く）。

6　独立当事者参加（たとえば、原告と参加人が同一の権利の帰属を争う権利主張参加）において、敗訴当事者の一部のみが上訴した場合、①上訴しなかった敗訴当事者の地位はどのようなものになると考えられるか。また、②上訴審判決の内容はどのようなものになると考えられるか。②については、敗訴当事者の一部のみが上訴するすべての場合について考えよ。

7　独立当事者参加（同前）において、被告または原告が脱退した場合の効果について説明せよ。

[586] 第20章
訴訟承継

本章では、訴訟承継について論じる。訴訟承継は、すでに論じた任意的当事者変更（[119]）同様、当事者が交代する形（従来の当事者も残存する例もあるが、割合としては少ない）の多数当事者訴訟形態である。任意的当事者変更は主として被告を誤っていた場合にこれを変更するもので、解釈上認められている（[119]）。訴訟承継は、訴訟物の基礎をなす実体法上の法律関係に変動があった場合に行われるもので、当然承継と参加・引受承継とがある。論点自体は限られるのだが、その理解は相当に難しいため、多数当事者訴訟に関するほかの章同様、相対的に大きな紙数をさいている。注意深く読んでいってほしい。

第1節　概　説

[587] **第1項　訴訟承継主義と当事者恒定主義**

　訴訟承継は、訴訟物の基礎をなす実体法上の権利関係に変動があった場合に行われるものであり、当然承継と参加・引受承継とがある。
　当然承継では承継人は特別な手続を経ることなく新当事者となる（後記第2項）。訴訟物等（係争にかかる権利）が譲渡された場合については、これに対処するために、日本法では、承継人を当事者とするための参加・引受承継の手続が必要になる。

しかし、後者の場合については、日本法の採る訴訟承継主義以外の対処方法もある（当事者恒定主義）ので、最初にこれについて解説しておく。

訴訟の進行中に訴訟物等（係争にかかる権利）が譲渡された場合に別訴によるということになると、訴訟経済上も無駄が大きいし、不利な形勢にある当事者（ことに被告）が訴訟物等を他に譲渡することによって不利益をぬぐい去ろうとするといった弊害も生じる。

このような事態に対処するには、単純化して述べると、基本的に、2つの方法が考えられる（以下、典型的な場合である被告側の訴訟物等の譲渡を念頭に置きながら論じる）。

1つは当事者恒定主義である（ドイツの制度は基本的にはこれによるといわれる）。当事者恒定主義の下では、原告は、被告による訴訟物等の第三者への譲渡を無視することができ、判決の効力は第三者にも及ぶ。

しかし、これは取引の安全をそこなう側面があり、善意の第三者の不利益を考慮する必要性が生じる。こうした問題に対処する方法としてはいろいろなものが考えられる（第三者のイニシアティヴによる訴訟承継を補完的に認める、不動産訴訟等特定類型の訴訟では訴訟の係属について不動産等のファイルに訴訟係属を登録して警告しておく、第三者の被る損害について保険制度の対象とする、など）が、いずれにせよ、被告による訴訟物等の第三者への譲渡によるリスクは基本的に第三者に負わせることになる。

もう1つは訴訟承継主義であり、日本の制度は基本的にはこれによっている。訴訟承継主義の下では、上記のリスクは、原告のほうが負うことになる。原告は、訴訟進行中に被告が訴訟物等を譲渡しないかについて常に注意を怠らないようにしなければならない。これを見逃したまま判決に至ってもその効力は第三者には及ばないから、第三者に対して新たに別訴を提起しなければならなくなる。

しかし、これは、原告にとって大きな負担であり、また、被告が原告を害する意図をもって第三者と通謀して譲渡を行うなどの可能性も生じ、やはり、こうした問題への対処が必要になる。

そこで、日本の場合には、係争物に関する仮処分の制度に訴訟承継主義を補完させている。原告は、物の引渡・明渡請求訴訟では占有移転禁止の仮処分（民保62条。この仮処分の定義については同25条の2第1項）を、登記手続に関する訴訟では処分禁止の仮処分（同53条、58条）を、建物収去土地明渡請求

において土地の占有を恒定するためには建物収去土地明渡請求権を保全するための建物の処分禁止の仮処分(同、55条、64条。この請求の場合には、建物の所有権が移転するとそれに伴い土地の占有も移転してしまうので、土地の占有を恒定するためには建物の処分を禁止する必要がある)を得ておけば、事実上、被告に対する判決の効力を第三者に及ぼすことが可能になる(より正確には、瀬木・民保[013]ないし[015]、[641]参照)。これ以外の訴訟では訴訟承継主義の原則がそのまま妥当することになるが、そのことによって、実際上、大きな不都合は生じていない。

その結果、原告訴訟代理人としては、上記のような訴えを提起する場合には係争物に関する仮処分を得ておく必要があることになるし、また、解釈論としても、係争物に関する仮処分における保全の必要性(民保23条1項)は一応のもので足りるということになる(瀬木・民保[309])。

以上のとおり、訴訟承継主義を採る日本法の下でも、実質的な当事者恒定は相当程度に果たされているということになる(もっとも、原告が、仮処分を得ておかなくてはならないという負担と、それが常に得られるとは限らないというリスクを負っていることは、否定できない)。

第2項　訴訟承継の種類と効果

[588]　第1　訴訟承継の種類

訴訟承継には、当然承継と参加・引受承継とがある。

当然承継は、当事者の地位が包括的に承継される場合であり、承継人は特別な手続を経ることなく新当事者となる、

参加・引受承継は、実体法上の権利、すなわち、訴訟物およびこれに関連する権利(訴訟物の基礎たる権利および訴訟物から派生する権利)の譲渡に伴う承継である。参加承継は、権利または義務の承継人のほうから承継のための手続がとられるもの(権利や義務を譲り受けた者が積極的に入ってゆく場合)であり、引受承継は、義務または権利の承継人に対してその相手方から訴訟承継のための手続をとるもの(相手方が義務や権利を譲り受けた者を引き込む場合)である。いずれについても、当然承継と異なり、承継のための法定の手続をとることが必要である。

[589]　第2　訴訟承継の効果

　　訴訟承継によって、承継人は前主の訴訟追行の結果としての訴訟状態上の地位をそのまま承継する（訴訟状態承認義務がある）と解するのが通説である。時効完成猶予、法律上の期間遵守の各効力が訴訟係属時にさかのぼって生じることについては定めがある（49条、50条3項、51条）が、これに限られない。既存の裁判資料は当然に承継人との間でも裁判資料となり、前主の訴訟行為の結果（自白、時機に後れた攻撃防御方法の制約等）もすべて引き継ぐこととなる。裁判所の行った訴訟行為、中間判決等も承認しなければならないし、裁判官の側からみても、証拠調べや弁論の全趣旨の結果としての心証がそのまま新当事者に及ぼされることになる。

　　もっとも、参加・引受承継の場合については、手続保障の観点から、時効完成猶予・法律上の期間遵守効以外の訴訟状態に関し、これらを引き継ぐ（利用する）かどうかは新当事者の選択にゆだねることを原則とし、ことに、引受承継の場合にはこの選択の自由をより広く認める（みずからの意思によらずに訴訟に引き込まれたからである）という考え方もある（もっとも、参加承継の場合には新たな手続保障付与の必要を欠く場合が多いとはする。新堂857～858頁）。

　　しかし、①訴訟係属中に訴訟物等の譲渡を受けた者とその相手方のいずれを保護すべきかといえば、公平の観点から相手方のほうであろう（訴訟状態承認義務を認めないと、たとえば、自白、時機に後れた攻撃防御方法の制約等も引き継がれないことになり、相手方は不測の不利益を被る）し、また、②後記（[592]）のとおり参加・引受承継の原因についても口頭弁論終結後の承継人の場合と同じく依存関係説によるとすれば、そのような承継人は実体法上の権利を引き継いだ以上すでに形成された訴訟状態をも承認すべきであり、かつその手続保障についても前主のそれによって一定程度は代替されているとみることができる（同旨、クエスト592～593頁）。

　　以上のような理由から、基本的には通説を採るべきであると思われる[1]。

　　なお、訴訟費用の負担の関係については、当然承継では承継されるが、参加・引受承継では承継されない（したがって、裁判所は、訴訟費用の負担については、前主をも含めて判断を行うことになる）。

第2節　当然承継

[590]　第1項　当然承継が生じる場合

　当然承継がどのような場合に生じるかについては、訴訟手続の中断に関する規定を参考にして決定される。当然承継が生じる場合には、新たな当事者が訴訟を承継するまで訴訟手続は中断するからである（以下の記述については、訴訟手続の中断に関する[**197**]を併せて参照のこと）。

　具体的には、以下のとおりである。
　①　当事者の死亡（124条1項1号）の場合
　相続人等が承継する。
　②　法人の合併による消滅（同項2号）の場合
　合併によって設立された法人または合併後存続する法人が承継する。
　③　信託財産に関する訴訟の係属中に当事者である受託者等の任務が終了した場合（124条1項4号）
　新受託者等が承継継する。
　④　訴訟担当者が死亡等によりその資格を失った場合（同項5号）
　新たな訴訟担当者が承継する。
　もっとも、法定訴訟担当者のうち、担当者たる第三者自身の利益保護を目

---

(1)　もっとも、たとえば時機に後れた攻撃防御方法や自白については、公平の観点からみても訴訟行為の結果の引き継ぎを否定することが許されるような特別な事情による調整の余地は残すべきであろう。たとえば、馴れ合い的な訴訟が行われてきたことを知らずに係争物の譲渡を受けた（注釈旧版(2)252頁〔池田辰夫〕）など。また、高橋下584〜585頁は、被承継人が慎重に行う必要のなかった自白については争わない意思の見直しの余地があるとする。ただし、以上についてもただちに一般化はできず、諸事情を総合考慮しながら考えるべきであろう（以上に掲げた文献のほか、上北武男「当事者の交替――訴訟の承継を中心として」講座③299頁以下、中野・論点Ⅰ162頁等、少なくとも、訴訟状態承認義務の「例外」を認めるべきであるとする学説はかなり存在する〔新堂説との間には、原則と例外についてのニュアンスの相違がある。なお、上北307頁は、全面的承認が原則の当然承継でも人事訴訟では例外がありうることを指摘する〕）。

的とする訴訟担当者（自己の利益保護や債権実現を目的とする訴訟担当者、たとえば、債権者代位訴訟を行う債権者〔民423条〕等〔**[159]**の①〕）については、その権利を失えば当事者適格を失って訴えが却下されることになり、訴訟手続の中断や当然承継はない（なお、これらの者が死亡した場合については、①の中断、承継の問題となる）。

⑤　選定当事者の全員がその資格を失った場合（同項6号）

選定者全員または新たな選定当事者が受継する（選定当事者の場合その一部の者の資格喪失は訴訟手続に影響がない〔30条5項〕ので、5号とは別に6号において規定されている）。

⑥　当事者が破産手続開始（広くいえば倒産手続開始）の決定を受けた場合

この場合、破産財団の管理処分権は破産管財人に移転するので、それに伴い、訴訟は中断し、破産管財人が破産者の承継人として訴訟手続を受継することになる。なお、破産手続が終了すれば、破産者の当事者適格が回復するので、再び訴訟は中断し、破産者が承継人として訴訟手続を承継する（破44条。同種の条文として、民再40条、会更52条、52条の2）。

[591]　第2項　当然承継の手続

中断が生じる通常の場合には、承継人もしくは相手方の受継申立て（124条1項、126条）と受継決定（128条）または裁判所の続行命令（129条）により手続が続行される（**[199]**。当然承継の場合、承継のために法定の手続をとることは必要ではないが、訴訟手続は中断するからその受継は必要であることに注意。当事者の側面の手続ではなく、訴訟手続の側面の手続がとられる必要がある、ということだ）。

僭称承継人について受継の手続が行われた場合でも、真の承継人は、さらに受継の申立てを行うことができ、これが認められれば、訴訟は、中断していた段階から再度進行することになる。

訴訟代理人がいるため訴訟手続が中断しない場合（124条2項）には、訴訟代理人は、中断事由の発生を裁判所に書面で届け出なければならない（規52条。**[198]**）。

なお、当然承継は訴訟係属を前提としているが、訴訟係属時に当事者の一方が死亡していた場合（死者を当事者とした訴訟）についても当然承継の手続

の類推によって処理してよいとするのが通説である（[122]）。

第3節 参加・引受承継

[592] 第1項 参加・引受承継の原因

　参加・引受承継の原因については、口頭弁論終結後の承継人に対する既判力の主観的範囲の拡張の場合と同様の基準によって考えるのが、通常である。基準時後の訴訟物等の譲渡に伴いどの範囲の者にまで既判力を及ぼすかという問題と基準時前の訴訟物等の譲渡に伴いどの範囲の者にまで参加・引受承継をさせるかという問題とは、いずれも、その争いについてすでに行われた訴訟活動あるいはその結果を新たな主体との間でも通用させ、紛争解決の実効性を図るとともに当事者間の公平を図ろうとするという趣旨において共通するからである（新堂866頁）。

　したがって、ここでも、承継の基準としては依存関係説（[488]）を採ることが適切である。たとえば、判例は、建物収去土地明渡請求の訴えの被告から建物を賃借した者（建物退去土地明渡義務を負うことになる）について訴訟承継を認めた（最判昭和41・3・22民集20巻3号484頁、百選5版109事件。なお、この判例については、[488] 参照）。

　もっとも、登記手続請求訴訟における訴訟承継については、学説上は肯定説が有力である（新堂866～867頁、条解267頁、コンメⅠ642頁）が、消極に解するのが相当ではないかと考える。この場合、訴訟物は別個であって併存することになり、こと登記請求権自体に関する限り、承継される「何か」があるとは考えにくく、訴訟承継を認めるといっても、要するに、異なる被告に対する、確かに争点には関連性があるものの相互の訴訟物には関連のない別訴が併合される状態になるだけのことではないかと思われるからである（瀬木・民保 [608]、『民事保全法の理論と実務（下）』〔ぎょうせい〕452頁の注(2)〔小池信行〕、『民事保全法の基本構造』〔西神田編集室〕383～386頁〔山崎潮〕）。

　実務上は、登記手続請求訴訟の場合であれば、原告は、新たに別訴を提起

（なお、主観的追加的併合〔[554]〕を肯定するならそれも可能であろう）した上で、必要があれば併合を求める例が多いのではないかと思われる（もっとも、通常は処分禁止の仮処分〔[587]〕により当事者恒定が図られているので、そのような事態自体、あまり生じない）。

　上記のとおり、登記手続請求訴訟についても参加・引受承継の申立てができるとする考え方が学説上は有力であるにもかかわらず、申立ての例はまずみられない。その理由については、実務家は、直感的にではあるが、上記のような考え方と同様に「登記手続請求訴訟で訴訟承継などありえない」と感じるからではないかと考える。

　なお、口頭弁論終結後の承継人に対する既判力の主観的範囲の拡張については、前記（[488]）のとおり、登記手続請求訴訟の場合についても積極に解することに問題はない。後訴において前訴の主文中の判断に反する主張ができなくなるというだけのことにすぎず、登記手続請求訴訟独特の登記手続請求権に関する承継という問題は生じないからである。

　一方、口頭弁論終結後の承継人に対して拡張される既判力の内容について困難な問題が生じる所有権に基づく建物収去土地明渡請求訴訟の被告から建物を譲り受けた者（[489]の(エ)）については、訴訟承継では何ら問題がない。

　さて、実務では、弁護士は、一般的に、訴訟物自体の譲渡の事案ではない場合には、訴訟引受けの申立てをするよりも別訴を提起して弁論の併合を求める例がかなり多い。その理由としては、弁護士が（また、場合によっては裁判官も）訴訟引受けの申立てに慣れていないということもあるかもしれない。しかし、訴訟引受けの申立てができる場合には、別訴提起の場合に比較して手数料がわずかで足りること（民訴費3条1項、同別表第1の項17により500円。なお、参加承継の場合には、同項、同別表第1の項7により訴えの提起の場合と同様の手数料の納付が必要である）、訴訟状態の承継等のメリットが存在する（また、弁論の併合は行われるとは限らない）のだから、それによることも検討してみるべきであろう（なお、別訴提起後の弁論の併合については、話のわからない裁判官だとしてくれない可能性もあるから、事前に、「別訴を提起すれば併合してくださいますか？」と確認しておくほうがよく、私も、何度か、そのような確認をされた記憶がある）。

第2項　参加・引受承継の手続

[593]　第1　概説

　確認のために繰り返しておくと、参加承継は、権利または義務の承継人のほうから承継のための手続がとられるもの（権利や義務を譲り受けた者が積極的に入ってゆく場合）であり、引受承継は、義務または権利の承継人に対してその相手方から訴訟承継のための手続をとるもの（相手方が義務や権利を譲り受けた者を引き込む場合）である（[588]）。義務承継人の参加承継や権利承継人の引受承継もあることを確実に理解しておいてほしい。

　いずれについても新たな請求が定立される必要があるから、事実審の口頭弁論終結時までになされる必要がある（最決昭和37・10・12民集16巻10号2128頁。それ以降は口頭弁論終結後の承継人の問題となる）。もっとも、参加承継については、独立当事者参加の場合（[577]）と同様、上告審でもできるとする考え方もある（新堂871頁等）。

　なお、これらの手続は、明文の規定のある主観的追加的併合である（[554]）。

[594]　第2　参加承継の手続

　参加承継の申出は、権利主張参加の方式によって行う（49条、51条）。

　承継人は、相手方に対し請求を定立し、また、参加の趣旨および原因を明らかにした参加申出書を裁判所に提出する。

　権利承継人は給付請求や積極的確認請求を、義務承継人は消極的確認請求（債務不存在確認請求等。より一般的には、相手方の請求権の不存在確認請求）を立てることになる。

　承継の事実について被承継人との間に争いがない場合には、これに対して請求を立てる必要はない（47条は片面的参加を認めているから）。争いがある場合には、権利義務の帰属に関する確認請求を立てることになろう（なお、承継につき争いのある場合でも、承継が主張されている以上は、参加承継であって、承継人は被承継人の訴訟状態を基本的に引き継ぐと考えるべきであろう〔高橋下569～570頁〕）。

参加承継の申出は訴えの実質をもつから、裁判所は、一般的な訴訟要件を欠くときにはこれを却下する。

参加の要件のみが欠けるとき（主張自体から参加の原因としての承継原因に該当する事実が存在しないとみられる場合。学説判例がおよそ認めていないような参加の原因〔承継の基準〕を主張する申立ての場合にありえようか）には、参加申出人の意思を確かめ、これが反対の趣旨を明らかにしない限りは、別個の独立の訴えとして扱い（なお、控訴審であれば、第一審に移送することになる）、そうでなければ判決によって参加申出を却下すべきであろう（[579] 参照）。適法な参加の要件の主張があれば、それが事実であるか否かは本案の問題、実体的な権利義務の帰属の問題であると考えられ（同旨、クエスト596頁。この点は、参加の要件が一義的でなくそれについて実質審理が行われうる権利主張参加の場合〔[579]〕と異なるといえよう。なお、高橋下566～567頁も参照）、後記**第3項第2**（[597]）のとおり、この事実が認められなければ承継人に関する請求が棄却されることになる。

被承継人は、参加承継後、48条により相手方の承諾を得て訴訟から脱退することができる。承継の事実について承継人と被承継人の間に争いがない場合には、相手方が承諾する限り、脱退するのが通常であろう。

[595] 第3 引受承継の手続

訴訟の係属中に第三者が訴訟の目的たる義務または権利の全部または一部を承継したときは、裁判所は、当事者の申立てに基づき、決定で、その第三者に訴訟を引き受けさせることができる（50条1項、51条）。

訴訟引受けの申立ては、期日においてする場合を除き書面でする必要がある（規21条）。

通常、引受申立人は、引受けの範囲と承継の原因を明らかにした引受申立書を裁判所に提出する。

引受申立てについては、義務または権利の被承継人の相手方である当事者がするのが通常だが、義務または権利の被承継人たる当事者も引受けの申立てができるかについては、争いがある。

50条1項には、「当事者の申立てにより」とあり、また、義務または権利の被承継人たる当事者も引受けの申立てができるとすることは結局その相手方の保護にもつながる（適切な当事者を相手に訴訟追行ができる結果になる〔相手

方が承継の事実を知らない場合を考えてみよ〕）から、積極説を採りたい（伊藤723頁等)[2]。

　請求の定立については、引受申立人が権利者である場合には、通常の請求の趣旨を立てればよい。

　引受申立人が義務者である場合については、争いがある。①引受申立人が消極的確認請求（債務不存在確認請求等。より一般的には、相手方の請求権の不存在確認請求）を立てる、②引受申立てには消極的確認請求の申立てが包含されているとみる、③引受決定によって引受人である権利承継人の引受申立人に対する請求の定立が擬制される（中野・論点Ⅰ166～167頁）、などの考え方がある。①説によるのが簡明であり、それで大きな問題もないと考える（同旨、伊藤723頁）。③説は確かに純理としては通っているところがあるが、どのような請求が擬制されるのかが常に明らかとはいえない点に難を感じる。明らかではないような場合には、裁判所が確認しておくということになるのであろうか（高橋下575頁は、定立を擬制された請求に不満であれば、権利承継人は訴えを変更すればよい、としているが、これは、裁判所による確認を前提とする含みの記述のようにも思われる）。引受人である権利承継人が給付判決、債務名義を欲するならば、反訴を提起すればよいし、そのほうが明確ではないだろうか（議論の詳細については、高橋下573～575頁、クエスト597頁、条解270～271頁等参照）。

　裁判所は、引受けの申立てにつき許否の決定をする前に、当事者および第三者を審尋しなければならない（50条2項、51条）。審尋の結果、承継原因が疎明されれば引受決定を、疎明されなければ引受申立却下決定をする。承継原因に該当する事実の主張だけでは足りない点が前記**第2**の参加承継の場合とは異なる。相違の根拠は、新たな当事者が訴訟に積極的に参加しようとする場合と、訴訟を引き受けさせられる場合の違いということに求められようか。

---

(2)　もっとも、反対説も有力であり、引受けの申立ては義務または権利の被承継人の相手方である当事者を保護するための制度であること、参加申出の場合に比べると引受申立てのほうが手数料が格段に低い（前記**第1項**）ため、承継人と被承継人が相通じた上で、手数料潜脱目的で被承継人たる当事者による引受けの申立てをする弊害も考えられることなどの理由が挙げられている（クエスト596～597頁）。なお、学説の分布については、条解270頁、コンメⅠ650～651頁各参照。

訴訟引受申立てを却下する決定に対しては通常抗告ができる（328条1項）。

引受決定（引受けを命じる決定）に対しては、①引受人である第三者は、抗告を含め、一切の不服申立てはできないという考え方と②引受人である第三者は、終局判決前の中間的裁判として終局判決とともに不服を申し立てることができる（283条）とする考え方（かつての通説であった〔コンメⅠ653頁参照〕）とがある。この点については、承継が認められない場合の引受人に関する判決（後記**第3項第2**〔**[597]**〕）について「承継の事実が認められない場合には引受人に関する請求を理由なしとして棄却する」という考え方（有力説である）を採るのであれば、この考え方は引受決定によって引受人は当事者の地位を確定的に取得したという理解を前提としていると考えられるから、こうした考え方を採る限り、引受決定に対する、引受人である第三者の不服申立てについては、①説を採り、できないと考えるのが相当であろう。また、参加承継の場合とのバランスや法的安定性の見地からも、引受決定について控訴審でまで争うのを認めることには疑問を感じる（同旨、高橋下575頁、クエスト597～598頁、条解271頁。コンメⅠ653～654頁も、第3版でこの考え方に改説している）。

被承継人は、引受承継後、相手方の承諾を得て訴訟から脱退することができる（50条3項、48条）。参加承継の場合同様、承継の事実について承継人と被承継人の間に争いがない場合には、相手方が承諾する限り、脱退するのが通常であろう。

第3項 参加・引受承継事案の審理、承継が認められない場合の判決

[596] **第1　参加・引受承継事案の審理**

参加承継は権利主張参加の方式によってなされるので、必要的共同訴訟に関する審理の規律が準用される（49条、51条、47条4項、40条1項ないし3項）。権利主張参加の方式を利用することから、審理の規律も基本的には同様になるが、参加承継人が参加時の訴訟状態に拘束される（[589]）点が、通常の独立当事者参加の場合とは異なる（たとえば40条1項についてみると、通常の独立当事者参加の場合〔[580]〕と異なり、参加承継における承継人は、被承継人が参加承継前にしていた自白に拘束される〔クエスト598頁〕）。

これに対し、引受承継では、同時審判申出共同訴訟の規律が準用される（50条3項、51条、41条1項、3項）。義務承継の場合の引受申立人となる原告の地位が同時審判申出共同訴訟の原告の地位に近いことがその根拠であろう。

　しかし、このように、同じような実体法上の関係にある者について、承継の方法により審理の規律が異なってくるのは、必ずしも合理性があるとはいいにくい。ことに、40条1項ないし3項の準用の有無の点は、効果としては大きい。この点を正当化するとすれば、積極的に参加する場合と消極的に引き込まれる場合の相違（伊藤723～724頁参照）というくらいしかいいようがないが、根本的には、訴訟承継の方法について統一的に考えず、既成の「似た制度」を引っ張ってくる、その形式を借りるという方法を採用している立法のあり方の問題ということになろう。

　参加・引受承継は、本来は比較的単純な事柄であるにもかかわらず、その理論がかなりわかりにくくなっている理由の1つも、この点にあると思われる。

　もっとも、実際には、審理については、通例被承継人がすぐに脱退して2当事者対立構造に戻るので、複雑なものとなる例はほとんどない。

[597]　第2　承継が認められない場合の判決

　これは比較的まれなことだが、審理の結果承継の事実が認められない場合の承継人に関する判決はどのようなものになるかについて考えておく必要がある。

　参加承継の場合、審理の結果もしも承継の事実が認められなければ、**第2項第2**（[594]）でもふれたとおり、承継人に権利義務が帰属していないということになるから、承継人に関する請求が棄却されることになる。

　引受承継の場合には、ここでもまた考え方に対立がある。①引受決定によって引受人が当事者の地位を確定的に取得したことを前提として、承継の事実が認められない場合には引受人に関する請求を棄却する（前記**第2項第3**[[595]]末尾の部分の議論参照）、②引受原因の有無を当事者適格の問題と考え、承継の事実が認められない場合には引受人に関する訴えを却下する、③引受けの要件を先決問題として重視し、承継の事実が認められない場合には「引受決定取消し、引受申立却下」の裁判をする（訴訟に正当に関与できる承継人を関与させる機会を保障することに目的がある）、の3説がある。

②説については、①説も前提とするとおり引受決定によって引受人は確定的に当事者の地位を取得したと解すべきであり、あとは本案の問題であると考えられる（前記**第2項第3**〔[**595**]〕。なお、参加・引受承継では当事者適格自体は承継人にも被承継人にもあるから、いずれに関する請求についても当事者適格を欠くことによる却下はありえないという高橋下566～567頁も参照）から、採ることができず、③説については、この段階で従前の審理を無駄にする、被承継人が脱退している場合の処理が問題となるという点に大きな難がある。①説が相当であり、有力説でもある（高橋下575～576頁、クエスト598～599頁、コンメⅠ653～654頁）。

【確認問題】
1　訴訟承継主義と当事者恒定主義について述べよ。
2　日本法において訴訟承継主義の欠点を補完する制度は何か。
3　参加・引受承継の原因について述べよ。
4　参加・引受承継の手続（申出、申立てに関するそれ）について述べよ。
5　参加・引受承継の審理について述べよ。
6　参加・引受承継後の本案の審理の結果、承継の事実が認められない場合、承継人に関する判決はどのようなものになるか。

[598] 第21章
上訴等の不服申立て

　本章では、上訴等の不服申立て全般、すなわち、上訴概論、控訴、上告と上告受理申立て、抗告、特別上告と特別抗告といった内容について論じる（不服申立てではあるがその構造がかなり特異な再審については、**第22章**で別に論じる）。不服申立制度全体の構造とその基本を正確に理解するとともに、控訴・上告関連の複雑な論点にも注意しておくことが必要である。

　不服申立ては、概念的に詰めてゆくと難しい部分が多いにもかかわらず、教科書では最後のほうに位置する（位置せざるをえない）し、授業でもあまり時間がさかれず、試験問題として出題されることも少ないなどの事情から、学生の理解は、制度の基本的な構造、個々の条文に関するそれから不十分なものになりがちである。そして、さらに問題なのは、実は、実務家の多くもその傾向を引きずっていて、不服申立て関係で大きなミスをしやすいということだ。

　そうしたこともあって、記述は、できる限り詳しく、かつ具体的にしてある。また、上訴制度とそのあり方について考えるための前提として、概論の部分で、日本の民事訴訟制度の問題点についても、今一度まとめて記述しておいた。

第1節　概　説

[599] 第1項　上訴の概念

　上訴とは、裁判が確定しない間に、上級の裁判所に対して、その取消し

たは変更を求める不服申立てである。確定遮断効と移審効をもつ。

具体的には、控訴、上告、抗告、再抗告が、上訴である。

上告受理申立て（318条）は、当然には移審効をもたないが確定遮断効があり（116条2項）、移審の効力は受理決定によって生じる（318条4項。受理決定があると上告があったものとみなされる）。したがって、上訴の一種とみてよい。

異議は、同一審級内の不服申立てであり、確定遮断効はある（116条2項）が、移審効はないので、上訴とは異なる（性格としては、不服申立てではあるが、従前の審理が続行され、同一の裁判官が担当する例も多い。その場合も、前審関与裁判官の除斥〔23条1項6号〕には当たらない〔[090]〕）。民事訴訟法に規定されているものに、手形・小切手訴訟の終局判決に対する異議（357条、367条2項）、少額訴訟の終局判決に対する異議（378条1項）がある。実務家がより多く経験するほかの例は、保全異議（民保26条）だろう（もっとも、保全命令手続の裁判はすべて決定なので〔同3条〕、厳密な意味での裁判の確定という観念自体がない）。

特別上告と特別抗告は、通常の上訴によっては最高裁判所の判断を受けられない終局判決について最高裁判所による違憲審査の判断を受ける機会を保障する制度であり、確定した裁判に対する不服申立てであって、確定遮断効はない（116条1項の最初のかっこ書、336条3項。その意味では再審に近い）。

許可抗告（337条。高等裁判所の決定・命令を対象とする）は、決定に関する法令解釈の統一を第一の目的として新法で設けられた制度であるが、特別抗告に関する規定が準用され（337条6項）、確定遮断効はないと解される（[655]）ので、不服申立ての性質上の分類としては、特別抗告に近いものと位置付けられる。

再審は、確定判決に重大な瑕疵がある場合に認められる非常の不服申立てである。特殊な不服申立てであり、固有の法律問題が多いことから、**第22章**で別に論じる。

第2項　上訴制度の組立て・目的、上訴審の審判の対象、事実審と法律審

[600]　**第1　上訴制度の組立て**

上訴制度の全体としての組立てやその構造は、国によって大きく異なっている。

たとえば、アメリカでは、民事訴訟手続も陪審制を前提としている（今では

実際に陪審裁判が選択される例はそれほど多くないが）ことから、事実審は第一審限りとならざるをえない。上訴で原判決をくつがえすことはどの国でも難しいが、アメリカの場合ことにその傾向は強く、したがって、第一審のレヴェルが下がるとその悪影響がより大きい。また、日本では、旧法においては、上告理由が事実上無制限に近い状態だったことから、およそ理由のない上告がかなりの割合であり、最高裁判所（具体的にはことにその調査官）のエネルギーの相当部分がそれにさかれざるをえないという問題があった。もっとも、現在の制度では、逆に、最高裁判所が、判断を回避したい事柄について恣意的に上告受理申立てを取り上げないという問題が生じうることも事実である（[625]）。

このように、司法制度や訴訟手続というものは、どこの国でも一長一短であり、また、制度の全体が緊密に関連しているため、海外の制度のよい部分だけを切り取って採り入れるには、かなり慎重な調査と準備が必要になる。これは、今後の日本の司法制度改革のためには、よく知られておいてよい事柄である。

しかし、すでにふれた（[012]）とおり、外国法を学ぶことには、学生にとっても実務家にとっても大きなメリットがあるのもまた事実だ。

外国法を本格的に学んだことのない法律家は、とかく、日本の制度を所与のものとして考えがちだが、司法制度、訴訟手続は、その国の法文化や法意識、そして歴史によって規定される部分が大きく、その意味で、かなりの程度に相対的なものでもある。

一定程度の経験を積んだ実務家は、もう一度いずれかの外国法を学び直してみると、日本の法、制度の長所短所、利害得失がより正確かつ客観的に把握できるようになると考える[1]。

さて、民事訴訟手続のうちでも、上訴制度の全体としての組立てについては、上記のような国ごとの考え方の相違が、非常にくっきりと現れている部分であるといえる（この点に関する最も基本的な文献の1つとして、書かれた時代は古いが、桜井孝一「上訴制限」〔講座⑦79頁以下〕を挙げておきたい。今日の学生、

---

[1] もっとも、海外の制度の長所短所やその直面する問題を深く理解することは、やはり、きわめて難しく、短期の在外調査では限界があるというのも事実であり、2000年代の司法制度改革には全体として成功した部分が小さかった理由の1つは、海外の制度の検討が不十分なままにそれにならった制度がいくつも作られたことにあるのではないかと考える。

実務家にとっても、なお一読の価値があるものと思う）。

[601]　第2　上訴制度の目的

　上訴制度の目的は、①当事者の救済、すなわち、よりよい判断を得たいという当事者の希望に応えることと、②法令解釈の統一を図ること、である。

　この2つの要請のそれぞれを、どこまで、どのように実現することをめざすかによって、前記**第1**で論じた上訴制度の組立ては、大きく変わってくる。

　なお、①については、迅速な裁判、迅速な正義の実現というこれまた基本的な民事訴訟制度の目的と表裏の関係にあるので、それらのバランスをどうとるのかが大きな問題となってくる。

　法律審のあり方についていえば、①と②の均衡点をどこに見出すかが大きな問題となる。ことに、法律審（のうち最上級審）については、そこでも①の要請を相当程度に重視すべきだという考え方もありうるし、もっぱら②をその目的とすればよいという考え方もありうる。ここは国によってかなりの相違がある部分といえる。

　いずれにせよ、上訴制度一般の第一の目的は①にあり、②は、適切な救済を求める当事者の上訴の集積、結果として達成されるものと解すべきであり、当事者の利益に優先して法令解釈の統一を図るのは正しくないというべきであろう。

　もっとも、上告受理制度は②に主眼があると解せざるをえないであろうし、許可抗告は、明らかに、②の要請を第一として設けられた制度である。したがって、現行法の下では、上記の均衡点が①から②の方向に一定程度動いたことは否定できない（もっとも、これによって①の要請や憲法的価値、社会的価値の司法による実現の要請が軽視される結果になりうる危険性については、十分に注意すべきである）[2]。

[602]　第3　上訴審の審判の対象

　上訴審（控訴審、上告審）の審判の対象は、現在の制度では、基本的には、原裁判に対する上訴人の不服申立て（原判決の取消し・変更の要求）であり、これが第一審における請求に相当する。

　上訴裁判所は、不服申立てに理由がないと認めれば上訴を棄却し、理由があると認めれば、原判決を取り消し（控訴審）、あるいは破棄し（上告審）、そ

の上で、事件についての適切な処置をとる（自判を行う場合には、審判の対象が請求の当否にまで及ぶことになる）。

　(2)　日本の司法の一番の問題点は、統治と支配の根幹にかかわる部分における裁判所の役割、権力チェック機構としての役割が十分でなく、逆に、それが権力補完機構的な機能さえ果たしている傾向がみられるということにあると思われる。これは、民事・行政・刑事各分野を通じていえることであり、ことに、行政・刑事訴訟、またいわゆる憲法訴訟において、その問題は大きい。また、日本の司法は、1歩先に立って社会の進むべき方向を示す、あるいは新たな社会的価値を創出するという機能についても、相対的に弱い。

　関連して、日本の最高裁判所の果たしている役割が、基本的に、「民事法令解釈統一裁判所」であり、また、実際にその機能を担っているのは統制された最高裁判所調査官集団であり、一方、最高裁判所が、憲法裁判所としての役割は十分に果たしてきていない、ということも、法社会学的事実であろう（以上の詳細については、私の一連の司法分析・批判書、ことにその集大成としての瀬木・裁判官をご参照いただきたい）。

　なお、日本の司法の長所は、その判断のきめ細かさ、また、均質性、統一性にあるといわれてきたが、近年では、そうした長所についても翳りが見え始めている印象はある。

　日本の司法が全面的にだめだなどというつもりはないし、今後の改革、ことに若手法律家による司法全般についての意識改革は期待されるところだ。しかし、司法の本質的な役割が、紛争の適切な解決、当事者の救済、人権の実質的・具体的な保障、そして「全体としての正義の実現」にあることの認識がその基礎になければ、どのような改革であれ大きな意味はもちにくい。結局のところ、どのような国家、体制の場合であろうとも、司法の基盤や質をその根底で支えるのは、正義の観念や感覚だからである。

　上記のような日本の司法制度の問題点も、今後の上訴制度のあり方を考えてゆくに当たって押さえておくべき重要な考慮要素といえよう。上告制度の改革自体が必要であったことは肯定できるとしても、だからといって、上記のような意味で重要な事案についてまで、恣意的な傾向が否定しにくい（[625]）にもかかわらず理由が実質上何ら示されない上告不受理決定（[639]）やほとんど例文に等しいような理由による上告棄却決定（317条2項。[641]の注(13)参照）によって対応している例の少なくない現在の最高裁上告審実務、その基盤にある考え方や法的感覚がはたして適切なものなのかは、考えてみる必要があると思う。

　再審無罪事件を素材に違法捜査とこれに関する検察官、裁判官の問題を検討した木谷明『違法捜査と冤罪——捜査官！　その行為は違法です。』〔日本評論社〕71～73頁、119～120頁は、現在の最高裁の審理方式がかつてとは大きく異なり弁論が短時間でセレモニー化していること、また、かつては弁護人が求めれば最高裁判所調査官は必ず面談に応じており、最高裁判所裁判官が弁護人と直接面談する例もあったが、現在では調査官は面談に応じないことなどを指摘している（なお、著者は、多数の無罪判決を確定させた刑事系裁判官であった。大学教授を経て現在弁護士）。現在の最高裁は、残念ながら、かつての最高裁と比較しても、個々の当事者の人権や人間性に対する配慮、関心が薄く、司法官僚的な姿勢が目立つようになってきているのではないだろうか。少なくとも、そのような傾向は否定しにくいように思われるのである。

こうした裁判が、上訴審の本案の裁判である。
　もっとも、本案の裁判をするためには、上訴が適法なものでなければならない。上訴の適法要件を欠く場合には、上訴は却下される。上訴の適法要件は、第一審における訴訟要件に相当する（性質としては訴訟要件の一種といえる）。
　これに対し、同一審級内の不服申立手続である異議審の審判の対象は、原告の請求それ自体であり、ただ、これに対する判断が、原判決の認可あるいは取消しという形で行われるにすぎない（手形・小切手訴訟の場合につき[**674**]、少額訴訟の場合につき[**675**]。なお、支払督促の場合には、異議前の手続は訴訟手続ではないという特殊性があるため、審判の対象についての考え方も分かれる〔新堂901～902頁〕。また、仮執行宣言の前後で裁判の形式が異なる[**679**]）。

[603]　第4　事実審と法律審

　日本の民事訴訟制度では、控訴審・抗告審までが、事実審（事実の存否に関する審理判断〔事実認定〕と法律問題に関する判断の双方を行う）であり、上告審・再抗告審が、法律問題のみを取り扱う法律審である（321条、331条ただし書）。
　ただし、上告審・再抗告審も、職権調査事項については、事実認定を行いうる（322条、331条ただし書）。
　日本の民事裁判官はかつてはよくもあしくも職人的な要素が強かった（視野はあまり広くないが、ていねいで緻密な仕事をしようという志向はあった）ため、最高裁判所が、審理不尽等の用語を用いつつ、実際上は原判決の事実認定を論難して破棄しているに等しい判断を行うことがままあった（原判決の事実認定がおかしいと思うと、我慢ができなくなってつい手が出る）。しかし、法律審がこれを行うのは、危険なことである。
　一方、ある時期以降、これは裁判官の司法官僚化傾向に伴うこととともいえるが、控訴審の審理が事後審的になり（なお、後記[[**614**]]のとおり、事後審は、控訴審の審理のあり方に関する概念である）、新たな証拠調べを行わず、第1回口頭弁論期日に弁論が終結されることがかなり多くなった（[**617**]）。
　これは、第一審の審理の充実を前提とする限りは1つのありうる方向、一定の合理性のある方向なのだが、第一審の審理が、審理期間を短くすることを第一の目標とし、和解の押し付け傾向や手間のかかる証拠調べ、ことに人証調べをしたがらない傾向がいささか強まっている近年の状況では、上記のようにいえるかは相当に疑問である。

訴訟の生命線は第一審にあるという基本が十分に認識、尊重されてこそ上訴制度も健全なものになることが、忘れられてはならない。

[604] 第3項 上訴の種類とその概要

上訴には、前記**第1項**でふれたとおり、控訴、上告（上告受理申立てを含めて考える）、抗告、再抗告がある。

判決に対する上訴が控訴と上告である

控訴は、地方・家庭・簡易裁判所が第一審としてした終局判決に対する控訴審（第二の事実審）への上訴である（281条1項、人訴29条2項）。

地方・家庭裁判所の終局判決に対する控訴は高等裁判所に対して提起し、簡易裁判所の終局判決に対する控訴は地方裁判所に対して提起する（281条1項、人訴29条2項、裁16条1号、24条3号）。

上告は、原則として控訴審の終局判決に対する上告審（法律審）への上訴であるが、高等裁判所が第一審として終局判決をする場合、飛越上告の合意（上告の権利は留保するが控訴はしない旨の当事者間の合意。281条1項ただし書）がなされた場合については、第一審の終局判決に対する上訴も上告となる（311条1項、2項）。

上告は、第一審裁判所が地方裁判所の場合、高等裁判所の場合には最高裁判所に、第一審裁判所が簡易裁判所の場合には高等裁判所に提起する（311条1項、裁7条1号、16条3号）。高等裁判所に対する上告の場合には、上告理由の範囲が異なってくる（312条3項。後記〔[625]〕のとおり、こちらのほうが上告理由の範囲が広いことに注意）。

以上のとおり、日本の制度は多数の国と同じく三審制であり、当事者は三審級を保障される（審級の利益）。控訴審における反訴や選定者にかかる請求の追加には相手方の同意が必要とされること（300条1項、3項）、訴えを却下した第一審判決を控訴審が取り消す場合には、事件につきさらに弁論をする必要がない場合を除き事件を第一審裁判所に差し戻さなければならないこと（307条）、任意的当事者変更が原則として第一審に限り許されると解されていること（[119]）などは、いずれも、審級の利益を保障するためである。

抗告は、判決以外の裁判（決定、命令）に対する独立の上訴であり、地方・家庭裁判所のそれに対するものは高等裁判所に対して、簡易裁判所のそれに

対するものは地方裁判所に対して提起する（裁16条2号、24条4号）。

後者に対しては、高等裁判所に再抗告を提起することができる（同16条2号）。

最高裁判所は、抗告については訴訟法で特に定めるもの（具体的には特別抗告と許可抗告）のみを取り扱うこととされている（同7条2号。これは、見落としがちだが重要な規定である）。

その結果、①高等裁判所の決定・命令については抗告は提起できないし、②高等裁判所が抗告審としてした決定についても再抗告は提起できない（許可抗告は、①、②のことから生じる、決定・命令について法令解釈の統一ができないという問題を解決するために現行法で設けられた制度である）。

第4項　上訴の要件と違式の上訴・裁判

[605]　第1　上訴の要件

上訴の要件（上訴の適法要件。前記**第2項第3**〔[602]〕）は、以下のとおりである。

①　原裁判が不服を申し立てることのできるものであること、また、上訴が原裁判に対する不服申立てとして適切なものであること（これが適切でない場合には、後記**第2**の「違式の上訴」の問題になる）

②　上訴が法定の方式に従って行われること

③　上訴期間内に提起されること（例外は上訴の追完の要件を備えた場合）

④　上訴人が原裁判に対して不服の利益（上訴の利益）をもつこと（具体的には控訴の利益の項目〔[610]〕で論じる）

⑤　当事者が不上訴の合意をしておらず、また、上訴権を放棄していないこと

上訴の要件は、性質としては訴訟要件の一種といえるから、その具備判断の基準時は、原則として上訴審の口頭弁論終結時だが、上訴提起行為自体にかかわるものについては、上訴提起時である。

なお、一般的な訴訟要件の具備は上訴審でも必要だが、原判決がその点を見過ごしていた場合を除けば、問題になるのは、上訴提起のための訴訟能力や法定代理権の存在くらいであろう。

上訴の要件を満たす上訴であっても、訴訟の完結を遅延させることのみを目的としてこれを提起したものと認められる場合には、裁判所は、制裁として、上訴提起手数料として納付すべき金額の10倍以下の金銭の納付を命じることができる（上訴権の濫用に対する制裁としての金銭納付命令。303条、313条、327条2項、331条）。

　もっとも、実際にこれが発せられることは、少なくとも現在では稀有ではないかと思われる。また、上訴、ことに控訴の濫用を抑制するには、たとえば、控訴審に限定してでも弁護士費用の敗訴者負担を原則化することのほうがはるかに効果的であろう（瀬木・要論 [125]。もっとも、現在の裁判所の状況を前提とする限り、これを行うことについては、悪影響のほうが大きいかもしれない）。

[606] 第2　違式の上訴・裁判

　当事者が誤った上訴の方法を選択することを違式の上訴という。もっとも、不服申立て全体の趣旨から当事者が単に上訴の名称の表示を誤っているにすぎないとみられる場合には、適法な上訴とみて手続を進めてよい（ありうるとすれば本人訴訟の場合であろう。本人訴訟の場合には、全体をみて適法な上訴として許容しうるものであればそう取り扱うのが適切であろう）。

　また、裁判所が誤った形式の裁判をすることを違式の裁判という。これについては、判決の形式で裁判をすべきであるのに決定・命令の形式で裁判がされた場合には、常に、つまり、そのこと自体を理由として、抗告が可能である（328条2項）。違式の裁判に対しては現にされたその裁判を基準とした方式による上訴をすべきだということである。抗告審は、原裁判を取り消して事件を原審に差し戻す。判決形式で再度裁判を行わせるためである。

　逆に、決定・命令の形式で裁判をすべきであるのに判決の形式で裁判がされた場合には、より手厚い方式で裁判がされたにすぎないから、そのこと自体を理由とする控訴・上告はできない。裁判の内容自体に問題がある場合には控訴・上告ができる。もっとも、原審が誤って判決の形式で裁判を行った場合でも、上訴審において審理の対象となる事項は、本来の決定・命令の形式で裁判がされたとすれば抗告審において審理の対象となる事項に限られる（以上につき、最判平成7・2・23判時1524号134頁、判タ875号95頁、百選5版A42事件。補助参加の申立てに対する判断〔44条により決定でされるべきもの〕が終局判

決の中でされてしまった事案。なるほどこういう形であればうっかりミスで違式の裁判も起こりうるのだと納得させられる事例である）。

　また、審級手続を誤った判決についても、そのこと自体を理由として上訴が可能である。最判昭和42・7・21（民集21巻6号1663頁）は、地方裁判所が控訴審としてした判決に対する再審事件について同裁判所が言い渡す判決は控訴審たる資格でするものであるから、これに対して高等裁判所になされるべき上訴は上告であり、かつ、再審原告たる上告人は高等裁判所に対して上告状を提出したにもかかわらず、同裁判所が誤ってこれを控訴状と解し、控訴審としての訴訟手続をした上で控訴審としての判決をした事案につき、上告を許容し、旧法423条（現行法341条に相当）の解釈適用を誤った違法により破棄差戻しをした事案である（こちらはちょっと理解しにくいミスであり、手続法知識の不足、手続法的感覚の欠如を感じさせる）(3)。

[607] 第5項　上訴の効果とその手続の概要

　上訴の効果は、前記**第1項**で論じたとおり、原裁判の確定遮断効と事件の移審効である。

　判決に対する上訴期間内の上訴によりその確定は遮断され（116条2項）、既判力等の確定判決の効力は発生しない。もっとも、仮執行宣言に基づく執行力は、確定遮断効の影響を受けない。

　これに対し、抗告については、即時抗告についてのみ執行停止効が認められ（334条1項）、通常抗告については、抗告裁判所が執行の停止等の処分を命じることができるとされているにすぎない（同条2項。すなわち、即時抗告が可能な場合を除いては、原則として、ただちに決定・命令の効力が生じる）。

　移審効とは、上訴審の審判の前提となる訴訟法律関係の移転をいう。原裁判所における訴訟係属が消滅し、これに代わって上訴裁判所における訴訟係属が発生すること、ともいわれる。移審効の発生時点は、裁判所書記官から裁判所書記官への訴訟記録の送付をもって行われる原裁判所から上訴裁判所

---

(3) なお、逆に、控訴審としての手続・判決がなされるべきであるのに誤って上告審としてのそれがなされた場合にも、審級の利益を保障するために上告が認められる（伊藤728〜729頁）。

673

への事件の送付時点である（規174条、197条、199条2項、205条。なお、上訴審における訴訟係属の発生については、厳密にいえば、控訴状・上告状の被控訴人・被上告人への送達が必要であろう〔[**613**]、[**638**]〕。もっとも、抗告状については、これがなされるとは限らない〔[**653**]〕。いずれにせよ、いつをもって移審効の発生時点とみるかについては考え方に食い違いがある〔コンメⅥ10～11頁〕。これは、「移審効」という言葉の定義の相違によるものかと思われる。もっとも、この相違が具体的な解釈論に影響してくるような論点はあまりない）。

　現行法では、控訴状、上告状、上告受理申立書はすべて原裁判所に提出される（286条1項、314条1項、318条5項）。

　原裁判所は、上訴の適法要件について審査し、上訴が不適法で補正不能である場合、また、上告および上告受理申立ての場合には、上告人が上告提起通知書の送達を受けた日から50日以内に上告理由書を提出せず、または上告の理由の記載が規則190条ないし193条に定められた方式に違反し、かつ相当の期間内に補正をしない場合にも、決定で上訴を却下する。この決定に対しては、上告受理申立ての場合を除き、即時抗告ができる（287条、316条、315条2項、規190条ないし194条、196条、法318条5項）。

　原裁判所による却下がない限り、上記のとおり、事件が上訴審に送付される。

　移審によって、当事者と上訴審の間に上訴法律関係が発生する。

　確定遮断効と移審効は、1つの請求に対する判断の場合はもちろん、複数請求訴訟の場合（複数の請求に対する判断が1つの裁判の中に含まれる場合）であっても、不服申立ての対象となっていない部分や請求についても、一律に生じる。これを「上訴不可分の原則」という。

　複数請求訴訟に関係する限りでの上訴不可分の原則の根拠については、複数請求訴訟の判断が認容と棄却に分かれた場合に関しては附帯控訴の余地を残すためということで説明がつくが、複数請求訴訟の判断がすべて認容か棄却である場合に関しては、被控訴人（第一審原告・被告）には附帯控訴の余地はないので、控訴人は控訴状に不服申立ての範囲を明示することを要求されておらず、明示したとしても口頭弁論終結までは変更が可能である（[**613**]）以上、とりあえず上訴の効果を全体に及ぼしておかざるをえないから、という説明をすることになろう（クエスト606頁）。

　多数当事者訴訟の場合にはどうか。

第21章　上訴等の不服申立て

まず、通常共同訴訟については、共同訴訟人独立の原則がはたらくため、不服申立ての対象となっていない請求については、確定することになる（[**529**]）。

次に、必要的共同訴訟については、一部の共同訴訟人の上訴によって全請求について確定遮断効、移審効が生じるが、これは、合一確定の要請からする40条1項によって導かれる帰結であって、上訴不可分の原則適用の結果といえるのかは疑問である（クエスト607頁は、この点を明確に否定する）[(4)]。

[608]　第6項　執行停止

仮執行宣言の付された判決等執行力のある裁判に対して不服申立てを行う当事者は、執行停止の申立てをすることができる（403条1項柱書。多くの場合、担保を立てることが要求される）。当事者が、執行停止の裁判の正本を執行裁判所に提出すれば、強制執行は停止される（民執39条1項7号）。執行停止決定、執行停止の申立てを却下する決定に対しては、不服申立てはできない（403条2項）。

執行停止の裁判は、訴訟記録が原裁判所にある間は、原裁判所が行う（404条）。

執行停止の要件は、原裁判の取消し・変更の可能性に関する事実と不服申立人に損害が発生する可能性に関する事実との各疎明に関する要件の組合せによって構成されている。

たとえば、仮執行宣言付判決に対する上告の提起または上告受理の申立てに伴う執行停止については、原判決の破棄の原因となるべき事情および執行により償うことができない損害（事後的な金銭賠償では補償できない損害。したがって、金銭給付を命じる判決については、基本的にこの要件が満たされることはないことになる）の生じるおそれがあることの疎明が必要であり（403条1項2号）、仮執行宣言付判決に対する控訴または仮執行宣言付支払督促に対する督促異議の申立てに伴う執行停止については、原判決等の取消し・変更の原

---

(4)　以上によれば、多数当事者訴訟についてあえて上訴不可分の原則をもちだす必要がないことには、おそらく、間違いがない。そうであるとすれば、多数当事者訴訟と上訴不可分の原則は関係がないと考えるほうが上訴不可分の原則の意味や根拠をはっきりさせやすい、とはいえるであろう。

因となるべき事情がないとはいえないことまたは執行により著しい損害が生じるおそれがあること（執行によって経済生活の基礎が破壊される、原告の資力からみて執行によって原告が得た金銭の返還等〔260条2項〕が期待しえないなどの事情がその例となる〔伊藤619頁の注(304)〕）の疎明が必要である（同項3号。なお、手形・小切手による金銭支払請求等を命じる判決等の場合には同項4号、5号が別に定める）。

仮執行宣言付判決に対する控訴等に伴う執行停止については、要件が明示的に規定されていなかった旧法と比較すると厳格化されたといわれるものの、要件が選択的となっており、かつ、その前者の定め方が非常にゆるやかであるため、実際上は、旧法時代と大差のない運用となっている。

第2節　控　訴

[609] 第1項　概　説

控訴とは、前記（[604]）のとおり、第一審の終局判決に対する控訴審（第二の事実審）への上訴である（もっとも、高等裁判所が第一審となる事件については、上訴は上告になる）。

終局判決前の裁判（中間判決や各種の中間的裁判）については、不服を申し立てることができないもの（管轄裁判所の指定〔10条3項〕、除斥・忌避を理由があるとする決定〔25条4項〕、証拠保全の決定〔238条〕等。なお、訴えの変更を許す決定についても、不服申立ては許されないと解される〔[080]〕）および抗告（328条1項の抗告、各種の即時抗告）が可能なものを除き、控訴審の審判の対象となる（283条）。

控訴で不服を申し立てうる中間的裁判の例としては、中間判決（245条）のほか、受継許可決定（128条2項。[199]）、訴え変更不許の決定（143条4項）、150条の異議に関する決定、その他の訴訟指揮上の決定、証拠決定（181条1項）等がある（注釈(5)48～51頁）。

もっとも、実際に控訴で不服が申し立てられる終局判決前裁判の例は、中

間判決を除けばまれである。

　控訴の対象になるのは、原則として、判決の効力が生じる主文中の判断であり、理由中の判断は不服の対象にならない（最判昭和31・4・3民集10巻4号297頁、百選5版110事件）。ただし、予備的相殺の抗弁を認められた被告については、自働債権の不存在が既判力をもって確定される（114条2項）という不利益があるから、控訴が許される。

　付随的裁判である訴訟費用の裁判については、独立の控訴は許されない（282条）。仮執行宣言・仮執行免脱宣言についても同様に解されよう（伊藤733頁等）。

[610] 第2項　控訴の利益

　控訴の適法要件として、控訴人が原裁判に対して不服の利益をもつこと（控訴の利益）が必要である（上訴の利益は上訴の要件の1つである〔[605]〕）。

　控訴の利益に関する考え方としては、①控訴審で当事者が原判決より有利な判決を得られる可能性があれば控訴を認める実体的不服説、②当事者の申立てと判決内容を比較して後者の方が小さければ（すなわち、申立ての全部または一部が排斥されていれば）控訴を認める形式的不服説、③原判決の判決効によって何らかの請求が封じられる（別訴による救済を受けられなくなる）場合に控訴を認める新実体的不服説がある。

　①説は第一審で全部勝訴した当事者にも訴えの変更や反訴でより有利な判決を求める利益があるとするものだが、実際上は不服不要説であり、今日ではこれを主張する学説はあまりないと思われる。

　②説は、現在の多数説であり、わかりやすい点が長所だが、多くの例外（形式的不服説によれば本来控訴の利益を否定すべき請求全部認容・棄却判決について控訴の利益を認めるという意味での例外）がある。

　具体的には、(i)被告が予備的相殺の抗弁を認められて請求棄却判決を得た場合（前記**第1項**）、(ii)離婚請求の棄却判決を得た被告が反訴を提起するために控訴する場合（人訴25条2項により別訴が禁止されるため。ただし、形式的不服説によりながら控訴の利益を認めない考え方〔伊藤734頁〕もある）、(iii)別訴による残部請求を認めない考え方によれば、明示の（つまり、通常の）一部請求が全部認容された場合、(iv)一部請求であることが明示されない一部請求が全部認

容された場合（この場合には、一部請求に関するどの考え方をとっても別訴による残部請求は許されないであろう〔[062]〕。なお、この場合についても、形式的不服説によりながら控訴の利益を認めない考え方〔伊藤734～735頁の注(22)〕もある）、(ⅴ)特定の事由を主張して取消差戻判決を求めていた控訴人が別の理由により取消差戻判決を得た場合（取消事由について覊束力〔裁4条。[450]〕が生じるためである。なお、この場合には上訴は控訴ではなく上告になる）、である。

③説によれば、以上の例外（いずれも、原判決の判決効によって何らかの請求が封じられる場合に当たる）を認める必要はなくなる。

②説については、これだけ例外が多いと判断基準として適切とはいいがたく、したがって、③説を採りたい（もっとも、②説には、形式的には勝訴判決を得た者にも控訴の利益のありうる場合についての考察を促したという意味での功績があったことは事実である）。

もっとも、訴え却下判決に対して被告が既判力をもって原告の請求を否定する請求棄却判決を求めて控訴することができると考えるのが通説判例（最判昭和40・3・19民集19巻2号484頁）だが、③説では、これは例外とならざるをえない。却下判決の判決効によって被告が別訴による救済を受けられなくなるわけではないからである。ただ、これは訴え却下判決の性質の特殊性によることであるから、例外とすることに一定の合理性は認められよう。

なお、逆に、被告が訴え却下判決を求めたのに請求棄却判決がされた場合については、控訴の利益は認められないとするのが通説である。抗弁事項を除く訴訟要件の具備は職権調査事項であり、被告が訴え却下を求めるのは職権発動を促しているにすぎないと考えられること、請求棄却判決のほうが被告にとってより有利であること、を理由とする。

しかし、補正不能な訴訟要件、ことに法律上の争訟性（[172]）等に関しては、被告はその訴訟要件の欠缺を主張することについて固有の利益を有するから、控訴の利益を認めるべきであろう（同旨、伊藤735頁。この点を主要な争点とする密接関連事案についての影響等も考えられるところである）。

第3項　附帯控訴

[611]　第1　概説

　　附帯控訴（293条1項）とは、控訴審手続における被控訴人による申立てで、請求についての原判決を自己に有利に変更するよう求めるものである。

　　典型的な場合は、一部認容判決についての被控訴人が行うものである（実務上行われる附帯控訴のほとんどがこれに当たる）。たとえば、500万円の請求のうち200万円を認容した判決に対して被告が控訴期間内に控訴した場合、控訴審の審判の対象となるのは200万円の請求認容部分だけだが、原告が附帯控訴を行い、棄却部分の全部または一部について不服申立てをすれば、その部分も控訴審の審判の対象となる。

　　附帯控訴の意義、目的は、①当事者間の公平を図ることと②訴訟経済上の考慮とにある。①については、控訴人は控訴審において請求の範囲内で不服申立ての範囲を拡張することができる（後記**第4項第1**〔**613**〕のとおり、不服申立ての範囲は控訴審の口頭弁論終結時までに特定すれば足りる）ことから、被控訴人にも同様の機会を与えるべきである、ということである。②については、附帯控訴を認めておかないと、相手方が控訴期間ぎりぎりの時点で控訴を行った場合にもはやみずからの控訴が間に合わなくなることを恐れる当事者による念のための控訴を誘発しやすい、ということである。

　　附帯控訴は、あくまで控訴に附帯するものであって独立してそれ自体が確定遮断効や移審効をもつものではないし、また、その意義、目的は以上のような点にあるから、控訴の取下げ、却下の場合には、これらの申立ても、独立して控訴の要件を備えるもの（独立附帯控訴）でない限り、その効力を失う（同条2項）。

[612]　第2　附帯控訴の性質

　　附帯控訴の性質については、2つの考え方がある。

　　①　附帯控訴は、性質としては控訴（不服申立て）ではなく、不利益変更禁止の原則（後記**第5項第2**〔**619**〕以下）を排除し、控訴審の審判の対象（範囲）を拡張し、被控訴人に有利な原判決の変更を求める被控訴人の特殊

な申立てであるとする。
　この説によれば、第一審で全部勝訴した当事者は、相手方が控訴を提起した場合には、附帯控訴によって訴えの変更や反訴の提起が可能になる。
　②　附帯控訴も控訴の一種であり、したがって、控訴の利益が必要であり、本来控訴の利益をもちながら控訴権を失った者に相手方の控訴に便乗する形で控訴することを認めたものであるとする。
　この説によれば、第一審で全部勝訴した当事者は、相手方が控訴を提起した場合には、控訴審における訴えの変更（297条、143条）や反訴（300条）の要件を満たしさえすればそれらが可能なのであり、附帯控訴という形式による必要はない。
　附帯控訴は控訴権消滅後もすることができるとの規定（293条1項）、293条2項ただし書が独立附帯控訴について、「独立した控訴とみなす」との表現をとっていることは、とりあえず、①説の根拠になりうる事柄であろう。また、①説は多数説（学説の推移についてはコンメⅥ121～122頁）、判例（最判昭和32・12・13民集11巻13号2143頁、百選5版A38事件）でもある。
　しかし、附帯控訴も「控訴」という言葉を使っている以上控訴の一種とみるのが自然であり、したがって、不服の利益がある場合にこれを認めるのが相当であり、また、第一審で全部勝訴した当事者が、相手方が控訴を提起した場合に訴えの変更や反訴の提起をするには、民事訴訟法の原則に従ってすれば足りると考えるのが合理的である（これを附帯控訴という器に入れなければならないという必然性は乏しい）。さらに、①説に従うと、控訴の取下げ、却下の場合には、訴えの変更や反訴の申立ても、附帯控訴という形式によっている以上、独立附帯控訴でない限りその効力を失うことになる（293条2項）が、これも合理性に乏しい帰結である。
　附帯控訴の性質が基本的に控訴であるとしても、確定遮断効や移審効をもつものではないという意味で本来の控訴とは異なるものなのであるから、「控訴権消滅後もすることができる」との表現がとられることは不思議ではないし、独立附帯控訴について、「独立した控訴とみなす」とされているのは、控訴としての効力を擬制するという意味なのであるから、これも②説の妨げにはならないといえるであろう。
　以上のとおり、私見としては②説を採りたい。なお、②説は近時の有力説といえる（伊藤741～742頁等）。

第4項　控訴の手続

[613]　第1　控訴・附帯控訴の提起

　控訴の提起は、判決書またはこれに代わる調書の送達を受けた日から2週間の不変期間内に、控訴状を第一審裁判所に提出して行なわなければならない（285条、286条1項）。ただし、判決言渡しによって控訴権は発生しているので、言渡し後送達前になされた控訴も適法である（285条ただし書。ことに、仮執行宣言の付された判決が言い渡された場合には、ただちに強制執行が開始される可能性があるから、当事者は、判決送達前に控訴を提起して執行停止決定〔403条〕を受ける利益がある）。

　それでは、判決言渡し前の控訴についてはどうか。これは、控訴の対象を欠くので、却下すべきである。もっとも、却下の裁判がある前に判決の言渡しがあれば、瑕疵が治癒するから控訴は適法になると解すべきであろう（多数説。もっとも、判例は反対であり〔最判昭和24・8・18民集3巻9号376頁〕、学説にも、反対説もある〔条解1542頁〕）。

　控訴状には、当事者および法定代理人、第一審判決の表示とこれに対し控訴を提起する旨が記載されていればよい（286条2項）。

　不服の範囲および理由については、控訴状に記載する必要はない。

　しかし、不服の範囲は、原判決の取消しまたは変更の限度を画するものであるから、控訴審の口頭弁論終結時までに確定している必要がある（実務上は、明示の特定がなされることは少ないが、控訴理由書や控訴審における準備書面に反対の意思が表示されていない限り、不服の利益の認められる部分全部と解されることになろう）。なお、口頭弁論終結までは不服の範囲の変更も可能である。

　不服の理由（控訴理由）については、控訴状に攻撃防御方法が記載されていれば準備書面を兼ねるものと扱われる（規175条）。控訴状に第一審判決の取消しまたは変更を求める事由の具体的な記載がないときは、控訴人は、控訴提起後50日以内にこれらを記載した控訴理由書を控訴裁判所に提出しなければならない（規182条）。控訴理由の主張は控訴の適法要件ではない（この点上告理由の主張〔[638]〕と異なる。続審主義の下で控訴理由書提出の規定が置かれたのは政策的な理由による）から、これが提出されなくてもそのこと自体を理

由として控訴を却下することはできない。すなわち、規則182条は訓示規定である。もっとも、控訴状に控訴理由の記載がなく、控訴理由書も提出されない場合には、上訴権の濫用に対する制裁としての金銭納付命令（[**605**]）がされる可能性は高まるであろう（コンメⅥ190頁）。

　控訴状の提出から事件の控訴審送付までの手続については、その概要を[**607**]で述べているが、詳細は以下のとおりである。

　控訴状の原裁判所提出（286条1項）後、原裁判所は、控訴期間の徒過または控訴の利益の不存在等の控訴の適法要件について審査し、控訴が不適法で補正不能である場合には、決定で控訴を却下する（287条1項。まず第一審で控訴の適法要件の審査がある）。この決定に対しては、即時抗告ができる（同条2項）。

　原裁判所による却下がない場合には、第一審裁判所の書記官から控訴裁判所の裁判所書記官に対する訴訟記録の送付をもって第一審裁判所から控訴裁判所への事件の送付が行われ（規174条）、これにより移審効が生じる。

　控訴審裁判所の裁判長は、控訴状を審査し、必要的記載事項、控訴提起の手数料納付、控訴状送達に必要な費用の納付に不備があれば、また、控訴状を被控訴人に送達することができない場合には、その補正を命じ、控訴人がこれに応じない場合には控訴状を却下する。控訴状却下命令に対しては、即時抗告ができる（288条、289条2項、137条〔令和4年改正後137条、137条の2〕。第一審における裁判長の訴状審査権の規定の準用）。

　控訴状が適式と認められればこれが被控訴人に送達され（289条1項）、控訴審における訴訟係属が発生する。

　なお、控訴審は、控訴が不適法でその不備を補正することができないときは、口頭弁論を経ないで判決で控訴を却下することができる（290条。第一審の場合の140条に相当する条文）。

　また、控訴審は、呼出費用の予納がなされないときには、決定で控訴を却下することができる（291条1項）。この決定に対しては、即時抗告ができる（同条2項）。

　附帯控訴は、口頭弁論終結時まで提起することができる。附帯控訴については、控訴に関する規定によるが、附帯控訴状の提出先については、控訴裁判所も含まれる（293条1項、3項、規178条）。

　附帯控訴は、通常の控訴とは別のものなので、みずからの控訴期間経過後

も、また、控訴権を放棄しているときでも、提起できる。手数料納付の必要性については見解が分かれるが、控訴の利益を主張する以上、手数料を納付すべきであろう（伊藤742頁等）。

　なお、前記**第３項第１**（[611]）のとおり、附帯控訴は控訴の取下げや却下によって失効するが、独立して控訴の要件を備えるもの（独立附帯控訴）については、控訴としての効力が擬制される（293条２項）。

[614]　第２　控訴審の構造

　控訴審の制度設計については、裁判資料の範囲・収集方法、また、関連して、控訴審における審判の対象をどう考えるかにより、覆審制、事後審制、続審制の３つの考え方がある。

　覆審制では、控訴審が別個独立に裁判資料を収集するので、審判の対象については請求それ自体であり、その当否について直接判断をするとみるのが自然である。

　事後審制は、第一審の裁判資料のみに基づいて判断を行うものであり、審判の対象は、原判決に対する上訴人の不服申立てであり、原判決の当否について判断することになる（現在の刑事訴訟法は基本的には事後審制である）。新たに裁判資料を収集しないので、原判決を取り消した場合には差戻しをすることが多くなる。

　続審制は、両者の中間であり、第一審の裁判資料に加えて控訴審でもその収集が可能であり、原判決の当否について判断することになる。新たな裁判資料の収集が可能なので、原判決を取り消した場合にも自判ができることが多くなる（自判をする場合には、審判の対象が請求の当否にまで及ぶことになる）。

　覆審制は、訴訟経済上問題が大きいし、第一審判決の当否を精査するという視点がなくなりがちになるであろう。事後審制と続審制については選択の問題だが、当事者のための裁判、手続保障という面からみれば、続審制のほうが保護が厚いといえよう。

　日本の制度は続審制である（たとえば、296条２項、298条１項の規定はそれを前提としている）。控訴審でも裁判資料の収集が可能なので、既判力の基準時は控訴審の口頭弁論終結時となる。

第3　控訴審の審理

[615]　1　概　説

　控訴審の審理は、控訴人が第一審判決の変更を求める限度、その不服申立ての範囲内で行われる（296条1項）。その手続については、特別の定めがない限り、第一審の訴訟手続の規定が準用される（297条、規179条）。

　控訴審の最初の期日については、陳述の擬制（158条）の準用がある。擬制自白（159条）については、第一審、控訴審を通じて判断される。また、目立った特則としては、反訴の提起に関する300条がある。

[616]　2　弁論の更新

　続審制においては、第一審の裁判資料を控訴審の裁判資料とするために、控訴審における第一審の口頭弁論の結果陳述（296条2項）が必要であり、弁論の更新と呼ばれる。同一審級における裁判官の交代の場合（249条2項）と同様に、直接主義、口頭主義の要請に関係する制度である。

　もっとも、その性質については、①形成行為説、②報告行為説がある。

　①説によれば、弁論の更新があって初めて第一審の裁判資料は控訴審の裁判資料となる。したがって、その違反は重大な手続違背として上告理由（すなわち破棄理由。312条2項1号〔法律に従って判決裁判所を構成しなかったこと〕）になる。これが多数説、判例である（最判昭和33・11・4民集12巻15号3247頁）。

　これに対し、②説によれば、違反は上告理由とはならず、また、責問権喪失の対象となる（以上、コンメⅥ150～151頁）。

　現実には形骸化している結果陳述に破棄理由となるという大きな意味をもたせるのは適切ではなく、②説によることでよいと思われる（なお、高橋下622～625頁は、歴史的な沿革〔裁判官が行っていた報告に代わるものである〕をも強調する）。

　①説によれば第一審の口頭弁論の結果は一体として陳述しなければならず、一部のみを陳述することは許されない（伊藤745頁等）とされる。②説では必ずしもその必要はないことになる。もっとも、①説も、結果陳述は当事者の一方がすれば足りるとする。

　実務では、この結果陳述は、「第一審判決事実摘示のとおり陳述する」という形で行うのが一般的であり、新様式判決でも、本書で紹介したような書き方（[418]以下）であれば、これで問題はない。もっとも、当事者は、第

一審判決の事実記載が不十分であると考える場合には、「第一審口頭弁論のとおり陳述する」という形で結果陳述を行った上で、不十分であると考える点を準備書面で明確に主張し、裁判官に注意を促しておくべきである（そうでないと、裁判官は、第一審判決に現れた事実を前提にして判断をしてしまいやすい。この点は、リアリズムの問題としてそうなりやすいということなので、弁論の更新の性質についていずれの説を採った場合でも、同じことである）。

[617]　3　弁論の更新権

　続審制の下では、当事者は、新たな裁判資料を提出することができる。このことを当事者の権能という面からみて、弁論の更新権という（前記2の「弁論の更新」との意味の相違に注意）。

　現行法は、第一審を中心とした審理の充実の観点から、第一審で争点整理手続を経た事案については167条、178条の説明義務の規定を準用し（298条2項）、また、裁判長に攻撃防御方法の提出等の期間を定める権限を認めた（301条1項。第一審における同種の規定〔162条、147条の3第3項〕と比べてより一般的な規定となっている。また、この違反に対しては、裁判所に対する説明義務が伴う〔147条の3第2項〕）。

　控訴審の審理の実際についてみると、①続審制の事後審的運営が行われ、控訴理由が実質的に問題とする部分に絞り込んだ集中審理が行われており（この意味で、「控訴理由書」に充実した記載を行うことは、当事者にとって非常に重要である）、②場合によってはそのことをめざして裁判所と当事者の間で第1回口頭弁論期日前の事前手続（進行協議期日や弁論準備手続期日、あるいは事実上の面接等）や和解が行われる、③事案は、さらなる弁論の続行や証拠調べが必要な事案（全体の2割程度）と早期結審が適切な事案とに大きく振り分けられ、後者については第1回口頭弁論期日における結審も考えられる、④判決書については、当事者が不服を申し立てている中心的な部分が明らかになるようにし、また、判断においても、たとえば、「控訴人の当審における新たな主張について」といった項目を設けることによってそれが明瞭になるようにする、といった運用となっている（瀬木・要論[123]。なお、司法研修所『司法研究報告書第56輯第1号 民事控訴審における審理の充実に関する研究』〔雛形要松ほか〕参照）。

　前記（[603]）のとおり、控訴審の事後審的運営自体は1つのありうる方向と思われるが、第一審の審理の充実、実質的手続保障の充実がその前提とな

ることが忘れられてはならない。

第5項　控訴審の判決

[618]　第1　概説

　控訴審判決には、控訴を不適法とする控訴却下判決と、控訴に対する本案判決である控訴認容・棄却判決がある。

　まず、控訴審は、第一審判決を相当とするとき（取り消されるべき原因がないとき）には、控訴を棄却する（302条1項）。原判決の理由は不当であるが異なる理由によって同一の結論に至ることができる場合にも同様である（同条2項。たとえば、原判決が請求原因が認められないとしていたのに対し、控訴審が請求原因は認められるものの弁済の抗弁が成立するとの心証をもった場合であっても、単に控訴を棄却すればよい）。理由中の判断には既判力が生じないため、理由の相違を判決に反映させる必要はないからである。

　もっとも、相殺の抗弁が関係してくる場合には、これについての判断に既判力が生じる（114条2項）関係上、上記の例外となる。

　すなわち、第一審において予備的相殺の抗弁で請求棄却判決を得た被告が控訴（この場合、控訴の利益はある〔[610]〕）し、控訴審が原告の請求債権は存在しない、あるいは他の抗弁が認められるとの心証をもった場合には、控訴に理由があると認めて、第一審判決を取り消し、あらためて請求を棄却しなければならない（既判力の関係上、後者の理由のほうが控訴した被告にとってより有利であるという意味で、控訴に理由があるからである）。

　同様に、第一審が原告の請求債権は存在しない、あるいは相殺以外の抗弁が認められるとして請求を棄却したのに対して原告が控訴し、控訴審が請求棄却だがその理由は相殺の抗弁によるとの心証をもった場合にも、控訴に理由があると認めて、第一審判決を取り消し、あらためて請求を棄却しなければならない（既判力の関係上、後者の理由のほうが控訴した原告にとってより有利であるという意味で、控訴に理由があるからである）。

　これらの場合には、相殺の抗弁の既判力との関係から、理由の変更が主文に反映されることになる（伊藤747頁等。通説といってよいと思われる。コンメⅥ205頁は主文にまで反映する必要はないとするが、疑問である）。

また、第一審判決がある訴訟要件の欠缺を理由に訴えを却下し、控訴審が結論は同様であるが欠けている訴訟要件は別のものであると判断する場合にも、第一審判決を取り消し、あらためて訴えを却下すべきである。訴訟判決の既判力は、特定の訴訟要件の欠缺等その裁判の根拠となる判断について生じる（[**414**]）ため、この場合には、既判力の生じる対象が第一審判決とは異なることになるからである。

　次に、控訴審は、控訴に理由があるときには、第一審判決を取り消す。これには、その内容が不当である場合（305条）と判決の手続が違法である場合（306条）とがある。前者は、典型的には、請求認容判決を取り消して原告の請求を棄却する、請求棄却判決を取り消して原告の請求を認容する、あるいは、一部認容の範囲が変わるために「原判決を次のとおり変更する」という主文を用いる、といったものである（なお、先に挙げた例では、第一審の請求棄却判決や訴え却下判決を取り消し、あらためて別の理由により請求棄却、訴え却下をしているが、これらは、302条2項の例外に当たる場合の取消判決であるために特異な主文となっている例である）。後者は、たとえば312条2項1号、2号に該当するような場合である。判決の手続が違法である場合以外の重要な訴訟手続の場合についてもこれに準じることになる（具体的には、条解1588～1589頁、コンメⅥ230～233頁各参照）。

　第一審判決を取り消す場合には、請求についても判断をしなければならないことになる。

　この場合、控訴審がとりうる措置には、①自判、②差戻し、③移送の3つがある。

　控訴審は続審であるため、前記**第4項第2**（[**614**]）に記したとおり、①が原則となる（いわば、第一審の立場に立って、第一審のなすべき裁判、第一審判決に代わる判断をすることになる）。また、控訴審における訴えの変更や反訴によって新たに生じた訴訟物については、自判をすることになる。具体的には、たとえば、控訴審で訴えの交換的変更があった場合、たとえ新請求に対する結論が旧請求に対する第一審判決の主文の文言（たとえば請求棄却）と合致する場合であっても、控訴棄却の裁判をすべきではなく、控訴審で新たな請求について判断していることが明確になるように、第一審判決を取り消した上であらためて新請求について判断をすべきである（最判昭和31・12・20民集10巻12号1573頁、最判昭和32・2・28民集11巻2号374頁。後者は百選5版33事件。こ

の場合、既判力の対象が異なってくるので、上記のとおり302条2項の規律は及ばないと考えるのが多数説であるが、反対説もある〔高橋下660～662頁参照〕）。たとえば、「原判決を取り消す。当審における原告の新たな請求を棄却する」といった内容の主文になる。

②は、請求についての審判を行うことを第一審に命じるものである。

これには、(i)必要的差戻しと(ii)任意的差戻しとがある。

(i)は、訴えを却下した第一審判決を取り消す場合の差戻しであり、当事者に第一審の審判を受ける機会（審級の利益）を保障するものである（307条本文）。もっとも、すでに第一審で本案の審理が尽くされている場合等には、自判をすれば足りる（同条ただし書。自判をすれば足りるほかの場合については、条解1590～1591頁参照）。

(ii)は、307条本文の場合以外の場合で、かつ、当事者に実質的な審級の利益を保障する観点から差戻しが相当と認められる場合の差戻しである。

第一審における弁論が著しく不十分であったために第一審の判断が不当なものになっている場合や第一審判決の手続に重大な瑕疵があった場合（いずれの場合にも、実質的な審級の利益がそこなわれているといえる）に行われる（308条1項。具体的には、条解1594～1595頁参照）。

実際には、(i)の例も多くはなく、(ii)はさらに少ないであろう。

差戻し後の第一審の審理は、控訴前の審理の続行として行われる。控訴審に提出された裁判資料については、当事者が援用した場合にのみ裁判資料となる。

控訴審が取消しの理由とした事実上・法律上の判断は、第一審を拘束する（覊束力。裁4条。なお、[450]も併せて参照）。

また、控訴審が訴訟手続の法律違反を理由として取消し、差戻しを行った場合のその訴訟手続は、差戻しによって取り消されたものとみなされる（308条2項）。

③は、専属管轄違背を理由として第一審判決を取り消す場合に行われる（309条。299条参照）。

なお、控訴審判決における仮執行宣言については、特則があり、金銭支払請求については、申立てがあれば、不必要と認める場合を除き、原則として無担保で、仮執行宣言を付することとされている（310条）。

また、控訴審の判決書については、第一審判決書等を引用できる（規184

条）が、それによってわかりにくくならないように注意することが必要である。

第2　不利益変更・利益変更禁止の原則

[619]　1　概説

　控訴審における第一審判決の取消し・変更は、不服申立ての限度においてのみこれをなしうる（304条）。すなわち、不服申立当事者が不服を申し立てている範囲を超えてこれに利益になる裁判をすることはできないし、不服を申し立てていない範囲についてこれに不利益になる裁判をすることもできない。これを、不利益変更・利益変更禁止の原則という。

　たとえば、下の図のとおりXがYに対して500万円の債権の給付を請求し、第一審判決が200万円を認容したのに対し、Xが棄却部分300万円のうち150万円について控訴を申し立てた場合（たとえば、Xが、Yの抗弁のうち150万円についてはもはや争う余地がないと考えた場合などには、こうした控訴もありえよう）、裁判所は、Xの債権は400万円であるとの心証をもったとしても、350万円を超える部分について請求を認容する判断をすることはできないし（利益変更禁止）、また、Xの債権は120万円であるとの心証をもったとしても、第一審の請求認容部分のうち80万円部分を新たに棄却する判断をすることはできない（不利益変更禁止。なお、もしもYが附帯控訴をしていれば、不利益変更禁止の原則は排除されるから、裁判所はそのような判断をすることができる）。

　不利益変更・利益変更禁止の原則は処分権主義の控訴審における現れであるとするのが一般的理解である（もっとも、後記2のとおり、処分権主義の要請とは区別された当事者間の公平のための不利益変更・利益変更禁止の原則の適用領域も考えるべきだとの見解もある）。

　また、不利益変更禁止の原則については、上訴によってより不利益な判決を得ることがないという地位を控訴人に保障することによって上訴をしやすくするものであるという考え方もある（コンメⅥ212頁参照）。この趣旨を敷衍すれば、逆に、利益変更禁止の原則については、控訴人が不服を申し立てていない範囲についてより不

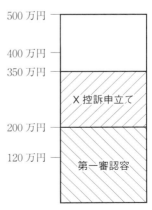

利益な判決を得ることがないという地位を被控訴人に保障しているともいえるであろう。

不利益変更の原則と利益変更禁止の原則は、以上のように、関連しているが別のものである。しかし、実際に問題になることが多いのは不利益変更禁止のほうであるためか、これらを併せる趣旨で、単に、「不利益変更禁止の原則」として言及されることも多い（たとえば、「形式的形成訴訟では不利益変更禁止の原則ははたらかない」といった形で）。

[620]　2　不利益変更・利益変更禁止の原則の例外

以下は、不利益変更・利益変更禁止の原則の例外が問題になる、なりうる場合である。その理由はさまざまだが、おおまかにいえば、①、②は非訟的事項、③は職権ですべき裁判、④は理由中の判断ないし相殺の抗弁、⑤は職権調査事項（訴訟要件等）、⑥は合一確定、⑦は予備的併合の各関係でそれが問題になる、なりうる場合といえる。

①　処分権主義が妥当しない領域、たとえば形式的形成訴訟では不利益変更・利益変更禁止の原則ははたらかない（[036]）。

②　離婚訴訟に伴う財産分与についても、その性質が非訟事件であることから、同様に解するのが多数説、判例である（最判平成2・7・20民集44巻5号975頁。なお、家事93条3項も、抗告審の手続に控訴の規定を準用するに際して、304条の準用を除外している）。

しかし、これについては、処分権主義の要請とは区別された当事者間の公平のための不利益変更・利益変更禁止の原則の適用領域を考えるべきである（同原則を肯定する）という少数説もある（コンメVI 222頁、高橋下641頁の注(49)各参照）。

訴訟と非訟の区別の相対性（[017]ないし[019]）からして、性質上非訟事件であるというだけで機械的に不利益変更・利益変更禁止の原則を外してしまうのは問題であり、個々の事項ごとにその当否を考えてゆくべきであろう。少数説のほうを採りたい。

③　訴訟費用の裁判や仮執行宣言のように職権ですべきもの、することができるものについても、不利益変更・利益変更禁止の原則の対象外となる（具体的には、コンメVI 221頁参照）。

④　不利益変更・利益変更禁止の原則は判決効を基準として訴訟物についての判断（主文）についてのみ問題となるものであるから、理由中の判断に

ははたらかない。したがって、前記第1で述べたとおり、控訴審が原判決とは異なる理由によって同一の結論に至ること（そのような判決をすること）は、不利益変更・利益変更禁止の原則にふれない。

しかし、ここでも、相殺の抗弁が関係してくる場合には、これについての判断に既判力が生じる関係上、上記の例外となり、この原則が適用される。

すなわち、第一審において予備的相殺の抗弁で請求棄却判決を受けた原告のみが控訴した場合、控訴審が原告の請求債権は存在しない、あるいは他の抗弁が認められるとの心証をもったとしても、第一審判決を取り消して先の理由であらためて請求を棄却すると、既判力の関係上控訴した原告にとってより不利な判断となって不利益変更禁止の原則にふれるから、控訴審は、控訴を棄却するにとどめなければならない（最判昭和61・9・4判時1215号47頁、判タ624号138頁、百選5版112事件。最高裁は、請求債権は存在しないとの心証で上告審が控訴審の立場で自判〔**647**〕をするにつき、控訴棄却にとどめるべきであるとした）[5]。

さて、前記第1で論じた場合とこの場合を混同しないように注意する必要がある。前者は相殺の抗弁がらみの控訴審における裁判官の心証の変更（理由の変更）を主文に反映させなければならない場合（302条2項の例外）であり、ここでの例は、相殺の抗弁がらみの控訴審における裁判官の心証の変更について、不利益変更禁止の原則により主文に反映させることができない場合である。

なお、第一審で予備的相殺の抗弁で請求棄却判決を得た被告のみが控訴した場合、控訴審が、請求債権はやはり認められ、かつ、他の抗弁が認められ

---

[5] なお、相殺の抗弁を認めて原告の請求を棄却した第一審判決に対し原告のみが控訴した場合、控訴審の審判の範囲は反対債権（相殺の自働債権）のみならず請求債権の存否にも及ぶ（不利益変更禁止の原則は控訴審の審理判断に枠をはめるものではない）と考えるのが多数説であり、上記の判例もこのことを前提としている。しかし、この点については、不利益変更禁止の原則が控訴審の審判の範囲を画し、したがって、控訴審の審判の範囲は原判決で控訴人が勝訴した部分、すなわち請求債権には及ばないとして、反対債権の存否のみが審理の対象となるとする少数説もある。少数説によると、控訴審は、原告の請求債権は存在しないとの心証をもったとしても、反対債権が存在しないとの心証をもった場合には、原判決を取り消して請求を認容することになる。しかし、これは、裁判官の心証と乖離した落ち着きの悪い結論である（高橋下632～633頁、コンメⅥ218～219頁、百選5版234～235頁の解説各参照）。

ないのみならず相殺の自働債権も不存在であるとの心証をもったとしても、第一審判決を取り消して請求を認容すると、被告にとってより不利な（被告の求めるところとは反対の）判断となって、不利益変更禁止の原則にふれるから、控訴審は、やはり、控訴を棄却するにとどめなければならない（結論同旨、高橋下630〜631頁。この場合には請求を認容しても相殺の抗弁の既判力は変わらないが、結論自体が被告により不利なのだから、不利益変更禁止の原則の問題にはなる。つまり、これは、裁判官の心証どおりの判決をすると控訴人により不利になる場合それはできないという不利益変更禁止の原則の一般的な場合の1つにすぎず、その例外ではない〔なお、この場合には相殺の抗弁はそもそも審理の対象にならないとする考え方もある〔注釈(5)202頁〔宮川聡〕〕が、疑問である〕)[6]。

(6) なお、不利益変更禁止の原則と相殺の抗弁の関係では、金額まで考えると、何を基準にして不利益を判断するかが問題になりうる。
　たとえば、請求債権1000万円、反対債権（相殺の自働債権）1000万円という主張を第一審がいずれも認めて請求を棄却し、原告が控訴を提起し、控訴審が請求債権800万円、反対債権700万円という心証をもった場合（設例は、後記のものも含め高橋下638〜639頁の注(44の2)による）、①認容額を基準に考えれば、原判決を取り消し、100万円を認容してよいことになる。しかし、そのようにした場合、相殺の抗弁（反対債権）に生じる既判力（[484]参照）で考えると、第一審判決では1000万円の不存在に生じたのに、控訴審判決では800万円の不存在にしか生じず、原告にとって200万円分不利益になる（認容額で有利、相殺の既判力で不利）から、②控訴審は控訴を棄却するにとどめるべきであろうか（認容額で不利、相殺の既判力で有利）。だが、被告が既判力の生じない200万円について後訴を提起しても、争点効あるいは信義則の規制を受ける可能性が高く、これが認容されることは考えにくい（本書の考え方ではそうなる。実務でも、一部請求の部分〔[059]、[063]〕等でふれた最判平成10・6・12民集52巻4号1147頁、百選5版80事件の考え方を推し及ぼせば、そういう結果になる可能性が高いだろう）。そうであれば、この場合には、認容額を基準に考えて①の結論を採ることでよいのではないだろうか（高橋下639頁は、原告は不利益変更禁止を放棄できると考えてもよいのではないか、とする。私見としては、この場合に原告が①の判決に不服を述べることはまずないと思うが、その可能性を考えるならば、裁判所が、原告に対し、「不利益に上記のような食い違いが生じる場合には認容額を基準にして判断することでよいか」を確認しておけばよいと考える〔法的な意味としては同じことになるが、よりわかりやすく、受け入れやすいとは思われる〕）。
　しかし、控訴審が請求債権800万円、反対債権1000万円という心証をもった場合には、原判決を取り消してあらためて請求を棄却すると、原告の請求が容れられないことに変わりはないものの、反対債権に生じる既判力が控訴審判決では800万円の不存在にしか生じず、第一審判決に比べて200万円減少して原告に不利になるから、控訴を棄却するにとどめなければならない（なお、以上については、注(5)で論じた多数説の考え方を前提としている）。

⑤　職権調査事項（たとえば抗弁事項を除く訴訟要件）については、当事者

　　それでは、被告が控訴した場合であればどうか。前者の例については、①の判断では被告にとって認容額で不利、相殺の既判力で有利になる。②の判断では逆である。こちらでは当事者（被告）の意向を問うておく必要性がより高いであろう（後記平成6年判例でも被告が相殺の既判力を理由に上告）。後者の例については、原判決を取り消してあらためて請求を棄却することになろう。
　　以上のように、不利益の判断基準については、場合により具体的に考えてゆくことが相当かと思われる（2つの基準が食い違う場合には、当事者に対し、いずれを優先するか〔放棄するか〕を確認すべきである〔確認しないと上告理由になりうるであろう〕）。
　　なお、一部請求（[**063**]）と相殺の抗弁の既判力（[**484**]）の部分でふれた最判平成6・11・22民集48巻7号1355頁、百選5版113事件は、「不利益変更禁止の原則と相殺の抗弁につき、認定された請求債権額から反対債権額を控除した金額の比較によって不利益を判断すればよい」とする（その結果として上告人である被告に不利益はないとしている）が、その前提として一部請求の場合に反対債権に生じる既判力の限定にもふれているので、不利益について何を基準にしているのかはやや微妙である。
　　しかし、そうした命題以前に、この判例の不利益変更禁止の原則関係部分には相当に問題がある。この事案では、第一審で主張されていた相殺のほかに控訴審で新たな相殺が主張されており、被告の上告理由は、(i)注(5)で論じた少数説を前提としつつ、原告の控訴、附帯控訴がないのに原判決が請求債権額を増額認定したことは不当であるとし、また、(ii)先の新たな相殺に既判力が生じる分だけ原判決は第一審判決より被告にとって不利益であると主張している。しかし、(i)については注(5)のとおり最高裁はこの説を採っていない。(ii)については、控訴審で訴えの変更や相殺の主張があった場合には、それらは既判力の範囲を動かす申立てなのだから、第一審との比較としての不利益変更禁止とは関係がないはずであり、それについて不利益変更を考えることは疑問である（この判例の評釈判タ890号27〜28頁、〔木川統一郎、北川友子〕、高橋下637頁の注(42)等）。また、そもそも原判決が控訴を棄却している以上既判力が生じるのは第一審判決であるのに、この判決が、上告理由（その点に誤解がある）に引きずられたのか、控訴審判決の既判力を問題にしているかのようにみえるのも、疑問である（高橋下637頁の注(42)、百選5版解説〔八田卓也〕237頁の3(1)前半等）。本来、本件では、不利益変更禁止の原則自体についていえば、「(i)のような考え方は採っていない。(ii)については、新たな相殺についての既判力は不利益変更禁止の問題にはならない。なお、本件ではそもそも原判決の既判力は問題にならないから、新たな相殺についての既判力をいうこと自体失当」と応答すればよかったのではないかと思われる。
　　率直にいえば、この判例の上記部分の整合的な理解は困難（誤解に基づく説示の可能性が否定しにくいため、整合的な解釈を試みてもどこかで破綻が生じる）だと思うが、もしもそれが何らかの先例的な意味をもつとすれば、2つ前の段落のかぎかっこ部分のような判断方法の是認と、認容額の比較に当たって先の新たな相殺をも考慮してよい（これは、新たな相殺についての既判力の問題とは別のことである。百選5版解説237頁の3(2)①）というきわめて漠然とした意味においてであろう（なお、一部請求という事案の特殊性からしても、不利益変更禁止の原則と相殺の抗弁に関する判例としての一般化は難しいケースと思われる）。

の申立てや主張に拘束されるものではないから、不利益変更・利益変更禁止の原則の対象外となる（コンメⅥ220頁）。たとえば、控訴審は、職権調査事項である訴訟要件が具備していないと認めれば、原判決（本案判決）の内容にかかわりなく、原判決を取り消して訴えを却下することができる。

　逆に、訴え却下の判決に対して原告が控訴し、控訴審が訴訟要件の具備を認め、かつ、第一審が本案審理を行っており控訴審はそれに基づき請求棄却の心証を得た場合（なお、第一審が本案審理を行っていない場合には取消し、差戻しでよい）については、上記の例（訴訟要件の欠缺を控訴審が積極的に取り上げる場合）のように訴訟要件の性格からこの原則を無視してよい場合には当たらない。したがって、控訴審が、第一審判決取消し・請求棄却の判断（本案判決）を行うと、控訴人により不利になるから、控訴棄却にとどめざるをえないとするのが通説である。

　しかし、これについては、そうすると、訴え却下判決が確定した後、原告が再訴をしてきた場合には、請求棄却判決をすることになって、二度手間となり訴訟経済上好ましくないから、控訴審は、第一審判決取消し・請求棄却の判断をしてよいとする少数説も有力である（高橋下633～634頁等。なお伊藤751～752頁も結論同様だが、本案判決を求めるという原告の控訴の趣旨を考えれば、第一審判決取消し・請求棄却の判断をしても不利益変更禁止の原則には反しない、と理由付ける）。

　訴訟経済、また、総合的にみて必ずしも原告に不利とまではいえないという点をも考慮して、少数説を採りたい。

　⑥　独立当事者参加については、敗訴当事者の一部のみが上訴した場合について、合一確定の要請から不利益変更・利益変更禁止の原則の例外となる場合が出てくる（[582]）。もっとも、そこで述べたとおり、2当事者間における不利益変更禁止の原則の例外の場合とは意味合いが異なってくる）。もう一度読み返しておいてほしい[7]。

　⑦　予備的併合請求に対する審判に関する議論（[075]）でも、不利益変更禁止の原則がはたらく場合のほか、不利益変更禁止の原則の例外となる場合があった（主位的請求が棄却され、予備的請求が認容され、これに対し被告のみが控訴した場合に、控訴審が主位的請求に理由があると判断するときには主位的請求を認容すべきだという少数有力説を採る場合）。この部分も含め、予備的・選択的併合請求に対する控訴審の判決について論じている[075]、[076]については、以上**第5項**の記述を踏まえて、もう一度よく読み返しておいてほしい。

第6項　当事者の意思による控訴権の処分

[621]　第1　控訴・独立附帯控訴の取下げ

　控訴人は、控訴審の終局判決があるまで控訴を取り下げることができる（292条1項）。終局判決後には許されないのは、これを許すと、控訴人に第一審判決と控訴審判決を比較してより有利なほうを選択することを認めることになって、相手方との関係で不公平だからである（訴えの取下げは判決確定まで可能なこと〔261条2項。[**504**]〕との相違に注意）。

　上訴不可分の原則により控訴によって数個の請求が移審している場合、控訴の効力はその全体について及んでいるから、控訴の一部取下げ（一部の請求についてのみの控訴の取下げ）はできない（もっとも、これと異なり、不服申立ての対象、範囲を一部に減縮することは可能である〔[**613**]〕）。

　控訴の取下げは、訴訟記録の存する裁判所に対して、原則として、書面でしなければならないが、口頭弁論・弁論準備手続・和解の各期日においては口頭ですることができる（292条2項、261条3項〔令和4年改正後261条3項、4項〕、規177条1項）。

　控訴の取下げについては、被控訴人の同意は不要である（292条2項は、261条2項を準用していない）。被控訴人が不服を述べていない第一審判決が確定

---

(7)　なお、やや特殊な事案ではあるが、やはり合一確定の要請から、固有必要的共同訴訟に関して不利益変更・利益変更禁止の原則の例外を認めた次のような判例がある（最判平成22・3・16民集64巻2号498頁）。

　　XのY$_1$、Y$_2$に対する請求について、第一審がXの請求を全部棄却、控訴審が、Y$_1$に対する請求については控訴の利益を欠くとして控訴を却下し、一方、Y$_2$に対する請求については原判決を取り消して認容（控訴審の誤った処理により、Y$_1$に対する請求棄却、Y$_2$に対する請求認容の形になった）、Y$_2$のみが上告した事案について、上告審が、40条1項によりY$_1$も上告人になる（[**549**]）との前提の下に、Xが上訴または附帯上訴をしていないときであっても、合一確定に必要な限度で、原判決のうちY$_1$に関する部分をY$_1$に不利益に変更することができるとした上で、原判決を破棄し、第一審判決を取り消して、Xの請求を全部認容した。

　　つまり、XのY$_1$に対する請求について、40条1項により上告人となるY$_1$の不利益に（不利益変更禁止の原則の例外）、上告をしていないXの利益に（不利益変更禁止の原則の裏としての上訴をしていない者の利益に原判決を変更しないという原則〔高橋下534頁の表現〕の例外）、原判決を変更したことになる

するので、被控訴人に不利益はないからである。被控訴人が附帯控訴をしている場合でも同様である。附帯控訴は通常はこれにより失効する（従属性がある）からであり、また、独立附帯控訴の場合には控訴の取下げにより影響を受けないからである。したがって、控訴取下書についても、被控訴人に対する送達ではなく、通知がなされるにとどまる（規177条2項。また、法292条2項は、261条4項〔上記改正後261条5項〕を準用していない）。

控訴の取下げによって控訴審の訴訟係属は遡及的に消滅する（292条2項、262条1項）。もっとも、控訴人は、控訴期間内であれば、再び控訴を提起することができる。

控訴の取下げの効力を争う者は、期日指定の申立てをする。裁判所は、口頭弁論を開いて審理を行い、控訴の取下げが有効でありかつ控訴期間が徒過していれば（通常徒過していよう）訴訟終了宣言判決をする。控訴の取下げが無効であれば審理を続行する。

なお、292条2項は、当事者の欠席等の場合の訴えの取下げ擬制の規定（263条。[185]）も準用している。

独立附帯控訴の取下げについても、以上と同様である。

なお、控訴の取下げについては、併せて、訴えの取下げに関する記述（[503]以下）をも参照。

[622]　第2　不控訴の合意

不控訴の合意は、訴訟行為のうちの訴訟契約の一種であり（[238]）、したがって、①訴訟能力等訴訟行為一般についての要件を満たす必要がある。

飛越上告の合意は不服申立てを上告に限定するという意味で不控訴の合意の一種である（281条1項ただし書）が、これについては、同条2項が11条2項、3項（管轄の合意の要件）を準用しており、これらは、以下のとおり、不控訴の合意一般にも当てはまると解される。

不控訴の合意の要件については、①のほか、②一定の法律関係に基づくものであること（11条2項）、③当事者の処分にゆだねられる法律関係についてのものであること（処分権主義の現れとしての制度ゆえ）、④当事者の一方ではなく双方が控訴をしないことが約されること（公平の観点、弱者が合意を押し付けられる危険を避ける観点から）、⑤書面ないし電磁的記録でされること（11条2項、3項。裁判所の期日において合意がされ、それが調書に記載されたとき

にも「書面による合意」と解してよい〔伊藤736～737頁〕）、が必要である。

　これをなしうる時期については、飛越上告の合意については、終局判決後との限定がある（281条1項ただし書）。しかし、これは、飛越上告の場合には第一審判決の内容を確認させた上でこれを行わせることが相当と考えられることを理由とするものと解される。通常の不控訴の合意については、仲裁の合意が許される範囲でならば、当事者が第一審裁判所を仲裁人同様に信頼して不控訴の合意をすることを禁じる理由はないであろう（したがって、終局判決後に限定する必要はない。多数説）。

　不控訴の合意の効果については、以下のとおりである。

　判決言渡し前に合意がなされれば、判決は言渡しと同時に確定する。

　判決言渡し後であれば、判決は合意成立と同時に確定する。

　不控訴の合意がないことが控訴の適法要件をなすから、これがあれば控訴は却下される。もっとも、不控訴の合意が解約されれば、控訴期間内である限り、新たな控訴の提起が可能である（もっとも、解約によって却下された控訴の効果が復活するものではない。また、解約によって当然に控訴の追完が可能になるものでもない）。

　不控訴の合意は、上記のとおり、判決によらない訴訟の終了を目的とする訴訟契約の一種であるから、意思表示の瑕疵に関する規定が類推適用される。これが認められる場合には、控訴の追完も認められやすいであろう。もっとも、飛越上告の合意の場合には、後からこれをくつがえすことは相当ではないから、再審事由に該当する場合以外にはこれを認めないという考え方を採るべきであろう（[247]）。

　なお、不控訴の合意は、実務上あまり例をみない。専門的な事項に関する紛争の早期解決を図るには、仲裁のほうが信頼度が高いからであろう。

[623]　第3　控訴権の放棄

　控訴権の放棄は、控訴権をもつ者がこれを放棄する旨を内容とする裁判所に対する意思表示（単独行為）であり、控訴提起前には第一審裁判所に、控訴提起後には訴訟記録の存する裁判所に対する申述によってしなければならない（規173条1項）。

　これをなしうる時期は、公平と当事者保護の観点から、控訴権発生後であると解されている。控訴提起後には、控訴の取下げとともにしなければなら

ない（同2項）。

　控訴権放棄の申述がなされた場合には、裁判所書記官は、その旨を相手方に通知しなければならない（同3項）。

　控訴権の放棄によって控訴権は消滅するので、控訴は不適法なものとなる。したがって、当事者が控訴を取り下げない場合には、裁判所はこれを却下する。

　なお、判決効が第三者に拡張される場合（人事訴訟、団体関係訴訟等〔[496]〕）については、第三者の参加の機会を保障する趣旨から、控訴権の放棄は許されない（伊藤737頁等）。

　控訴権の放棄も、実務上あまり例をみない。同種の訴訟行為としては、保全命令手続における債務者の同意による債権者の担保の取消手続で、即時抗告権放棄書やその旨を記した和解条項が提出される例があり、これは、担保取消手続のルーティーンとして、弁護士は必ずかかわるものである（民保4条2項、法79条2項、4項。即時抗告権放棄を証する書面が提出されないと、即時抗告期間内は、同意による担保取消しはできないことに注意）。

第3節　上告と上告受理申立て

[624] 第1項　概説

　上告とは、前記（[604]）のとおり、控訴審の終局判決に対する上告審（法律審）への上訴である（もっとも、高等裁判所が第一審となる場合、また、飛越上告の場合には、第一審判決に対する上告が認められる）。

　高等裁判所が上告審となる場合であっても、その意見が最高裁判所等の判例に反するときには、事件を最高裁判所に移送することが義務付けられる（324条、規203条）。

　上告審は法律審であるため、上告人は、原判決の事実認定の誤りを上告理由とすることはできない。上告で主張できるのは、原則として、法律判断の誤りのみである。

もっとも、上告審も、職権調査事項については事実認定を行いうる（322条、321条1項）[8]。

[625] 第2項　上告制度の改革

すでにふれたとおり、旧法は法律審に対する不服申立方法として上告のみを認めていたが、現行法は、新たに、上告受理申立ての制度を導入した。

その結果、上告理由は、①憲法違反（312条1項）、②絶対的上告理由（同条2項）、③判決に影響を及ぼすことが明らかな法令違反（同条3項）の3つに整理された。

そして、③については、高等裁判所が上告審となる場合にのみ認められることになった。

より軽微な事件についてより上告理由が広いのは一見奇妙に感じられるが、これは、最高裁判所の負担軽減を図る制度改正であったためである。

そして、最高裁判所については、③に代えて、判例違反等の法令の解釈に関する重要な事項を理由とする上告受理申立ての制度が認められ、最高裁判

---

(8) 実務家は、不服申立てについては基本的な知識や理解を欠いていることがときにあるが、上告については、上告理由と上告受理申立理由の違い（最高裁判所の場合の）だけは確実に押さえておく必要がある。これらの選択を誤ると弁護過誤になりかねないが、私がこれまでに見聞きしたところによれば意外にその例が多いように思われるからである（日本の弁護士の世界は、よい意味でも悪い意味でも、アメリカに比べればかなり甘く、また、当事者本人にはほとんど法的知識・感覚がない場合も多いこと、弁護士に対する不法行為損害賠償請求の立証が難しい〔選択を誤らなかったからといって、上告審で勝訴できたとは限らない〕ことから見過ごされているが、少なくとも、名目的損害賠償請求や懲戒申立ての理由にはなりうる事柄であろう）。

　ここで、とりあえず、焦点となる事柄だけ指摘しておくと、基本的に、実質的な法律論にかかわるような事柄は上告受理（上告理由は憲法違反と限られた絶対的上告理由しかない〔312条1項、2項〕ことに注意）、ただし、絶対的上告理由のうち理由に論理的欠落がある場合、すなわち、理由不備、理由齟齬（理由の食い違い。以下、本書では「理由齟齬」の用語も適宜用いる）の場合（312条2項6号）については上記の点に関する判断が微妙になる場合があるから要注意、ということである（なお、**第3項第2の7〔[634]〕**も参照）。

　そして、迷ったら、必ず双方の申立てをしておくべきである。双方の申立てを1通の書面ですることができること（規188条）、主張する利益が共通であるときは手数料を別個に納める必要はないこと（民訴費3条3項）も、記憶しておいてほしい（**第5項第2〔[639]〕**。瀬木・要論**[126]**）。

所が上告審として事件を受理する決定（受理決定）をした場合にのみ上告があったものとみなされる（上告の効果が擬制される）こととなった（318条1項、4項）。

この改正自体には一定の合理性、必要性があったのだが、問題は、不受理決定については不服申立てができないため、実際上は、法令の解釈に関する重要な事項（318条1項）を含む事案についても、最高裁判所が、判断を回避したい事件について不受理決定を行いうる可能性がさけがたくなったことである[9]。

第3項　上告理由

[626]　第1　憲法違反

憲法違反（312条1項）については、それが判決の結論に影響を及ぼすことを要するかについて、①判決に影響を及ぼすことが明らかであることを要する（法令違反一般の場合と同様に考える）、②判決に影響を及ぼす可能性が認められれば足りる、③判決への影響は不要である、の3説があるが、条文が判決への影響にふれていないこと、国家の基本法である憲法の解釈が問題とされている場合に上告審がこれを放置することは相当ではないこと、憲法違反に名を借りた濫上告に対しては決定による棄却（317条2項）で対処できるこ

---

[9] しかし、それは許されないことである。アメリカ連邦最高裁の場合には、すでに州最高裁の判断を経た事件についての選択なので最高裁が取り上げたいものを取り上げることも許されるが、これは、連邦制の二重司法システムを採っている国の特殊性によることであって、日本の場合には当てはまらない。

　もちろん、日本の最高裁判所はそのようなことはしない、と断言することができれば私もうれしいのだが、日本の司法に関する私の一連の専門書・一般書、民事訴訟法と法社会学の総合的分析をお読みいただければ、そう断言するのは難しいことがおわかりいただけるはずである。社会に大きな影響を与える重要な法律問題、一例を挙げれば、近年の名誉毀損損害賠償請求訴訟における被告の真実性・相当性の抗弁の扱い方やこれらに関する不当な立証制限といった問題（これには最高裁判所事務総局が関係。瀬木・裁判第4章1参照）について、最高裁判所に厳しく問う機会が実際上なくなってしまったことが社会に与えるダメージは大きい。今後の問題として指摘しておきたい（なお、この制度による不受理決定がされた現実の行政訴訟を素材に制度の問題点を具体的に指摘したものとして、濱秀和『最高裁上告不受理事件の諸相1』〔信山社〕、阿部泰隆『同2』〔同〕がある）。

とから、③説が相当と考える（伊藤754～755頁、条解1608頁、コンメⅥ280～281頁等）。

[627]　第2　絶対的上告理由

　　絶対的上告理由（312条2項）は、手続法違反については判決への影響が明らかでない場合が多いことにかんがみ、重大な手続法違反について、判決への影響を問うことなく、上告理由として認めたものである。したがって、その解釈は基本的に厳格であるべきであろう。

[628]　1　判決裁判所の構成の違法

　　312条2項1号。

　　裁判官の資格や任命手続を欠く裁判官が判決裁判所を構成した場合（憲79条1項、80条1項、裁39条ないし46条）、合議体を構成した裁判官の員数の不足（裁9条2項、18条2項、26条2項、3項、31条の4第2項、第3項）等である。

　　裁判官の交代の場合の結果陳述や控訴審における第一審の口頭弁論の結果陳述がなされなかった場合（直接主義違反）については、該当しないと考えるが、多数説、判例は、該当説である（[616]）。

[629]　2　判決に関与できない裁判官の判決関与

　　312条2項2号。

　　判決への関与とは、評決および判決原本の作成に関与することをいうと解されている（裁判官の除斥事由である前審関与の場合についての解釈〔[090]〕と同様。なお、判決の内容の確定は評議終了の時点であって、判決書の作成自体は他の裁判官が行ってもよいこと〔[417]〕に注意）。

　　具体的には、除斥原因のある裁判官、忌避の裁判がされた裁判官が関与した場合である。

[630]　3　日本の裁判所に専属的国際裁判管轄を認めた規定の違反

　　312条2項2号の2。

　　3条の5に規定する事件について国際裁判管轄を認めずに却下した場合である。

[631]　4　専属管轄規定違反

　　312条2項3号。

　　ただし、6条1項の場合は、かっこ書で除かれている。規定の趣旨からして破棄しなければならないほどの違法とは考えられないことによるのであろ

う（なお、控訴についても、299条2項に同旨の規定がある）。

　なお、専属的合意管轄は専属管轄とは別個の概念であり（[099]）、ここでいう専属管轄には含まれない。

[632]　5　代理権または代理人に対する授権の欠如等

　312条2項4号。

　当事者のために有効に訴訟行為が行われなかったからであり、当事者保護の観点からの規定である。「代理人に対する授権の欠如」とは、32条2項違反の場合である。

　法定代理人によらなければ訴訟行為をできない者がみずから訴訟行為をした場合にも準用されると解されている（コンメⅥ291頁）。

　また、本号については、当事者が適切な訴訟関与の機会を奪われた手続保障違反の場合一般にも準用されうる（実際には、同じ内容の再審事由〔338条1項3号〕で問題になることが多い）。

　たとえば、送達は適法になされたが本人はこれを知らなかった場合（[214]）、公示送達に瑕疵があった場合（[218]）などが、その例である。

　また、氏名冒用訴訟判決の被冒用者についても、当然無効の主張を許すとともに、本号の準用も認めてよいであろう（[121]、コンメⅥ292頁）。

[633]　6　口頭弁論公開規定違反

　312条2項5号。

　憲法82条、裁判所法70条違反の場合である。

　人事訴訟法22条等の公開停止の規定違反についても同様に考えるべきであろうか。もっとも、公開主義の要請もこれを上回る利益の保護のためには後退する場合があるとの考え方から近年人事訴訟法22条等の規定が設けられたこと（[225]）を考慮するならば、これらの規定違反についての上告審によるチェックは、基本的には、公開停止の決定をした裁判所の判断を尊重する方向で行われるべきであろう。

[634]　7　判決の理由不備・理由の食い違い（理由齟齬）

　312条2項6号。

　理由不備とは理由の一部または全部が欠けている場合をいい、理由の食い違い（旧法では理由齟齬といった）とは理由としての論理的一貫性を欠き主文の判断を正当化するに足りない場合をいう（たとえば理由中に明らかな矛盾がある場合等）。

旧法下では絶対的上告理由と法令違反が一律に上告理由であったことから、理由不備・齟齬と経験則違反等の法令違反（後記**第3**参照）が厳密に区別されず、理由不備・齟齬の範囲も広く解されていた（判断遺脱、審理不尽等の言葉がこれらを意味する場合も多かった）。しかし、現行法の下ではこれらをより厳密に解釈すべきであろう。

　最判平成11・6・29（判時1684号59頁、判タ1009号93頁）は、抗弁を容れながらこれに対する再抗弁事実を摘示せずその判断を遺脱した判決について、その理由自体は論理的に完結しており、主文を導き出すための理由の全部または一部が欠けているとはいえず、理由不備に当たらないとした（その上で、325条2項により破棄差戻しをしている。なお、もしも再抗弁事実の摘示があるのにこれについて判断しなければ、理由の一部である再抗弁についての判断が欠けているのだから、理由不備となる）。

　この判決については、このような場合には判断の遺脱という再審事由（338条1項9号）に該当する（したがって結局再審で争われうる）ことを考えると、疑問を感じるかもしれない。しかし、現行法の解釈としては、後記**第4**のとおり、上告理由と再審事由を峻別し、再審事由の上告理由該当性について消極説を採ることが相当と思われ、消極説によれば、再審事由は後から再審で主張させればよいと考えることになる。判例も消極説に親和的であり、したがって、理由不備・齟齬の概念についても、厳密に解釈すべきだという方向性を採るわけである（以上につき、後記**第4**、[665] 各参照）。

[635]　**第3　判決に影響を及ぼすことが明らかな法令違反**

　これは、高等裁判所に対する上告に限って認められる上告理由である（312条3項）。後記**第4項**の上告受理申立理由とは趣旨、表現が異なるが、内容は、実際には、かなりの程度に重なり合う。

　法令には、広く、政令、地方公共団体の条例・規則、最高裁判所規則、慣習法、条約、外国法（国際私法等によって準拠法とされる場合）等を含むと解されている。

　法令違反には、①法令の解釈の誤り、②法令の適用の誤り（事実に法を適用する際に適用すべき法を誤る）、③法令としての効力をもたない（廃止された、あるいは未施行の）法令の適用、④抵触法上の適用の誤り（国際私法の分野の問題）などが考えられる。ほとんどの例は①であり、ついで②が多いであろう。

「判決に影響を及ぼすことが明らか」であることについては、実体法違反であればその因果関係は多くの場合明らかだが、手続法違反の場合にはこれが問題となる（そこに、前記**第2**の絶対的上告理由の規定される意味がある）。蓋然性ではなく可能性のレヴェルの因果関係を示せばよいという考え方が適切であろうか（コンメⅥ307〜308頁）。

具体的には、裁判資料の範囲を直接に規律する手続法（弁論主義関係等）違反では因果関係が認められやすく、裁判資料形成の手続を規律する手続法（証拠調手続の細目等）違反ではこれが認められにくいであろう（伊藤758〜759頁）。

なお、原判決が確立した判例に抵触する場合には、上告審が判例を変更する場合でない限り、結果として法令の解釈の誤りとなる場合が多い（条解1613頁）。

経験則違反については、①高度の蓋然性のある経験則違反に限って法令違反に準じて直接上告理由になるとする考え方、②経験則違反があまりに不合理な場合には247条の自由心証主義違反（法令違反）として上告理由になるとする考え方があるが、高度の蓋然性があるか否かという基準は著しく不明確であり、経験則違反を法令違反と同一視することにも無理がある。②説が適切であろう（条解1613頁等）[10]。

[636]　第4　再審事由の上告・上告受理申立理由該当性

再審事由のうち絶対的上告理由と重ならない部分（338条1項4号以下）については、上告理由となるという考え方（積極説）とならないという考え方（消極説）がある。

この点は、現行法で上告制度の構造が大きく変わったことと関連している。

---

[10] 最判令和3・5・17民集75巻6号2303頁は、いわゆる建設アスベスト訴訟について、特定の建材メーカーの製造販売した石綿含有建材が特定の建設作業従事者の作業する建設現場に相当回数にわたり到達していたとの事実の立証につき、各メーカーのシェアおよび建設現場の数を踏まえた確率計算を考慮してその推認を行うことを一律に否定した原審の判断に経験則または採証法則に反する違法があるとした。高裁レヴェルで判断の分かれていた問題について「著しく合理性を欠く」ことを理由として原判決を破棄したものである。有害物質を含む商品の流通により被害の生じた事案について経験則に基づき上記のような推認を行いうる場合があるとした点に意義のある判例といえよう。

判例は、旧法時代には積極説を採っていたが、その内容をみると、「判決に影響を及ぼすことが明らかな法令違反」と解していた（絶対的上告理由とも、再審事由に基づく特別な上告理由とも解していなかった）と考えられる（コンメVI 283頁）。
　さて、消極説は、大要次のように説く。
　①現行法は、判決に影響を及ぼすことが明らかな法令違反を最高裁判所に対する上告理由としていないので、現行法の下で再審事由を上告理由と解する場合には、明文に規定されていない特別な上告理由とみるか、絶対的上告理由に準じるものとみるほかない。
　しかし、明文に規定されていない特別な上告理由を認めることも、その存在が判決に影響を与えることを要求していると解される338条1項5号ないし9号の再審事由を判決への影響を問わない絶対的上告理由に準じるものとみることも、無理が大きい。
　②該当性判断の前提として事実審理をしなければならない338条1項4号ないし7号の再審事由（同条2項の可罰行為の要件具備も必要）を法律審にさせるのは適切ではないし、最高裁判所の負担軽減という現行法による上告制度改正の趣旨にも沿わない。
　消極説は、その上で、再審事由は、正面から上告受理申立理由となると解する（新堂946頁は、そのような趣旨であろうか。しかし、この考え方は②の理由付けと矛盾するし、上告受理制度は法令解釈の統一を主眼とする制度であるとみられることとも整合しない）か、あるいは、再審事由は、325条2項の裁量的破棄理由（**第6項第3の2**〔**[647]**〕）となりうる、その前提として上告受理を認める（コンメVI 285頁は、判例の考え方をそのような消極説として分析する）、と結論付ける。
　これに対し、積極説は、大要次のように説く。
　①338条1項4号以下の再審事由がある場合にこれが上告理由とならずあらためて再審の訴えによらなければならないというのは、双方当事者にとって負担が大きい（再審事由を主張するほうのみでなく、主張されるほうも、早い時点での決着を望むであろう）し、訴訟経済上も好ましくない。
　②338条1項ただし書（いわゆる再審の補充性の規定。詳しくは［665］参照）の趣旨からして、再審事由は上告理由になると解すべきである（あるいは、少なくとも、この文言は、積極説と親和的であって、これと矛盾しない）。

705

③再審事由は職権調査事項であり公益にかかわるのだから、上告審としてもこれを調査しなければならない。職権調査事項である以上、上告審は、例外的に事実審理を行いうる。また、控訴審に差し戻して事実審理をさせてもよい。

　④再審事由が上告受理申立理由となると解するよりは、絶対的上告理由に準じるものとみるほうが、体系上は好ましい。

　以上のとおりである（なお、以上の記述については、高橋下712～715頁、クエスト627～629頁、条解1614～1615頁、コンメⅥ282～287頁各参照）。

　なお、現行法下の判例は、消極説にきわめて親和的であるといえる（前記第2の7〔**634**〕でふれた最判平成11・6・29判時1684号59頁、判タ1009号93頁は、上告理由を狭く解し、再審事由と峻別する方向性を示す。より直接的には、最判平成15・10・31判時1841号143頁、判タ1138号76頁、百選5版A39事件は、絶対的上告理由と重ならない再審事由のある事案について上告受理を認め、再審事由が認められる場合には判決に影響を及ぼすことが明らかな法令の違反〔325条2項〕があったものというべきである、としている）。

　この論点は、理論的には拮抗している。そして、積極説は、当事者からみればより望ましいものといえよう。しかし、上告受理制度の趣旨により整合的なのは、消極説であろう。

　議論は、結局、現行法の下での上告制度をどう考えるかという根本的な問題にかかわってくるが、上告受理制度という最高裁判所の負担軽減を大きな目的とする制度を採ってしまった以上、民事訴訟手続では刑事訴訟手続に比較すると重要性が小さく、また、それが認められる事例も多くないといわざるをえない再審事由の取扱いだけについてここで積極説を採る（明文のない上告理由を認め、その意味で最高裁判所の負担軽減とは反する結果となる）ことは、先のような現行法の趣旨を考えればややバランスが悪く、消極説（コンメⅥのいうそれ）が穏当とみるべきであろう。

第4項　上告受理申立理由

　上告受理申立理由は、最高裁判所判例等の上告審判例と相反する判断がある事件その他の法令の解釈に関する重要な事項を含む事件について認められる（318条1項）。

つまり、上告受理申立理由は、「法令の解釈に関する重要な事項を含む事件」ということであり、その例示として、「上告審判例と相反する判断がある事件」が挙げられているわけである。

日本は制定法国であり、判例法国である英米法系諸国のような先例拘束性の原理はなく、裁判官は、良心に従い独立してその職権を行い、この憲法および法律にのみ拘束される（憲76条3項）とされている。

つまり、下級審裁判官が、この憲法の趣旨により従来の上告審判例と異なった判断を行うことは制度的に保障されている[11]。

したがって、最高裁判所は、そのような場合には、法令解釈の統一の観点から、従来の上告審判例を維持すべきか否かを判断する必要がある。

上告受理申立理由の例示として、まず、「上告審判例と相反する判断がある事件」が挙げられているのは、このような理由による。

また、判例違反がない場合にも、最高裁判所が法令解釈について新たな判断を示すことが必要、適切と考えられる場合には、上告受理申立理由の存在が認められることになる。

もっとも、実際には、この制度では、最高裁判所が判断を回避したい場合には、法令の解釈に関する重要な事項を含む事件についても上告受理が認められないことがありうる（[**625**]）。この点については、最高裁判所裁判官、最高裁判所調査官は、良心と良識に従った適切な判断と補佐を行うことが求められているといえる。

上告受理に関する裁量については、原則として（事件の重要性を考慮しての一定の幅における微修正は別として）否定される、上告受理に当事者救済権能

---

[11] なお、実際には、判例法国でも、「判断の基礎となる事実が異なる」場合には新たな判断を行うことができ、また、アメリカ等では、先例拘束性の原理はさらにゆるめられている。つまり、下級審による判例の変更は、実際には行われているのである。これは当然のことであり、そうでなければ、判例は時代の新たな要請に対応できない。その意味では、先例拘束性といっても程度問題であり、また、日本の法制度について、実際には最高裁判例には法的な拘束力がある、などといった説明を行うことには問題が大きい（前記**第3項第3**［[**635**]］のとおり、原判決が上告審判例に抵触する場合には、上告審が判例を変更する場合でない限り、結果として破棄されるということにすぎない）。多くの日本人がそのような誤解をしている（瀬木＝清水316～320頁）ことの1つの原因は、専門家が先のような説明をしていることにある。もっとも、日本においても、判例、ことに最高裁判例には事実上の法源的機能があることは事実である（クエスト10～11頁）。

を含ませるとするならば広い裁量性を肯定するのは困難である、という考え方（高橋下716～717頁）が相当であろう。

第5項　上告の手続

[638]　第1　上告の提起

　上告状の提出から事件の上告審送付までの手続については、その概要を[607]で述べているが、詳細は以下のとおりである。

　上告の提起は、判決書の送達を受けた日から2週間の不変期間内に、上告状を原裁判所に提出して行わなければならない（314条1項、313条、285条）。

　上告状の原裁判所提出（314条1項）後、原裁判所の裁判長は、上告状を審査し、必要的記載事項、上告提起の手数料納付、上告状等の送達に必要な費用の納付に不備があれば、また、上告状を被上告人に送達することができない場合には、その補正を命じ、上告人がこれに応じない場合には、上告状を却下する。上告状却下命令に対しては、即時抗告ができる（314条2項、288条、289条2項、137条〔令和4年改正後137条、137条の2〕、規187条。上告審の負担軽減のため、裁判長の訴状審査は原裁判所で行われる）。

　また、原裁判所は、上告期間の徒過等の上告の適法要件について審査し、上告が不適法で補正不能である場合（上告期間経過後の上告、上告の許されない裁判に対する上告等〔コンメⅥ348頁〕）、上告人が上告提起通知書の送達を受けた日から50日以内に上告理由書を提出せず、または上告の理由の記載が規則190条ないし193条に定められた方式に違反し、かつ相当の期間内に補正をしない場合には、決定で上告を却下する（316条1項、315条、規190条ないし194条、196条。なお、上告理由については、315条1項のとおり、上告状に記載しておくこともできるが、その例は少ない）。この決定に対しては、即時抗告ができる（316条2項）。

　なお、最高裁判所に対しては訴訟法が特に定めた抗告しかできない（裁7条2号）ので、上記の即時抗告は、高等裁判所が上告裁判所である場合にのみなしうる。

　上告理由の記載または上告理由書の提出が上告の適法要件とされている（控訴理由書の場合〔[613]〕のように訓示規定ではない）のは、法律審である上告

審では申立ての当否を判断するためにこれが不可欠であること、上告審では口頭弁論が開かれるとは限らない（後記**第6項第1**〔**[641]**〕のとおり、むしろ開かれる場合は限定されている）ことによる。

　上告状却下命令または316条1項1号の規定による上告却下の決定があった場合を除き、原裁判所は、当事者に上告提起通知書を、被上告人には同時に上告状を送達する（規189条1項、2項）。

　また、原裁判所による却下がない場合には、控訴裁判所の書記官から上告裁判所の裁判所書記官に対する訴訟記録の送付をもって控訴裁判所から上告裁判所への事件の送付が行われ、これにより移審効が生じる。控訴裁判所は、事件を送付する際、上告人が上告理由中に示した訴訟手続に関する事実の有無について意見を付することができる。上告裁判所の裁判所書記官は、訴訟記録の送付を受けたときは、すみやかに、その旨を当事者に通知する（規197条）。

　それ以降の手続については、後記**第6項**（上告審の審理・判決）で解説する。

[639]　第2　上告受理申立て

　上告受理申立ての手続については、上告の提起に関する規定のうち、控訴の規定の準用、上告提起の方式等、上告の理由の記載、原裁判所による上告却下の規定（313条ないし315条、316条1項。なお、即時抗告に関する316条2項は除かれている）が準用される（318条5項。なお、規199条は、上告の提起に関する規定全般を広く準用している）。

　なお、当然のことながら、原裁判所は、318条1項の上告受理申立理由の要件を満たさないことを理由として、同条5項、316条1項により上告受理の申立てを却下することはできない（最決平成11・3・9判時1672号67頁、判タ1000号256頁）。この判断は、最高裁判所のみが行いうるものであり、この点に関しては316条1項準用の余地はないからである。

　上告受理申立ては上告の提起とは異なる訴訟行為であるから、上告受理申立てにおいては上告理由をその理由とすることはできない（318条2項）し、逆の場合も同様である。

　もっとも、当事者が1つの控訴審判決に対して双方の不服申立てを行うことはもちろん可能であり、1通の書面で行うこともできるが、その場合には、その旨を明らかにし、双方の理由も区別して記載しなければならない（規

188条)。手数料（民訴費3条1項、同別表第1の項3、項4）については、主張する利益が共通であるときは、重複して納める必要はない（同3条3項）。

事件が最高裁判所に送付されると、最高裁判所は、受理または不受理の決定をする（最高裁判所は不受理とする場合にも申立てに応答をすべき義務があると解される。もっとも、不受理決定には、「318条1項により受理すべきものとは認められない」との「理由」しか示されていないようである）。不受理の決定は、上告受理申立てがその適法要件を欠く場合、法令の解釈に関する重要な事項を含むものと認められない場合の双方についてされる（一問一答357頁）。不受理決定については不服申立てはできない。最高裁判所の裁判長は、決定をするに当たって、相手方に、相当の期間を定めて答弁書の提出を命じることができる（規201条）。

上告受理決定がされると、上告があったものとみなされる（318条4項前段）。ただし、最高裁判所は、上告受理申立ての理由中に重要でないと認めるものがあるときは、これを排除することができ、排除された理由は、上告理由とはみなされない（同条3項、4項後段）。

上告受理決定後、上告裁判所は、被上告人に対して上告理由書の副本を送達する（規199条2項、198条）。

[640]　第3　附帯上告等

控訴審同様、上告審でも、附帯上告、附帯上告受理申立てが認められる（313条、293条）。もっとも、上告に対し附帯上告受理申立て、上告受理申立てに対し附帯上告はできない（最決平成11・4・23判時1675号91頁、判タ1002号130頁）。以下、附帯上告受理申立てについては、附帯上告と同様の場合には、記述を省略する。

附帯上告をなしうる時期については、上告理由とは別個独立のものを主張する場合には、上告理由書提出期間内に附帯上告状と附帯上告理由書を提出しなければならない（最判昭和38・7・30民集17巻6号819頁。公平の観点からである）。

上告理由と同一理由を主張する場合（例は少ないと思われるが）には、口頭弁論が開かれる場合にはその終結まで（これは附帯控訴〔293条1項〕と同様）、口頭弁論が開かれない場合には上告審の判決があるまで提起することができると解されている（伊藤764頁等）。

独立附帯控訴に関する規定（293条2項）の独立附帯上告・附帯上告受理申立てへの準用関係については、非常にわかりにくいが、以下のように整理されようか。

　①附帯上告が上告理由と同一理由を主張する場合には、上告の取下げ・却下により失効し（新堂952頁）、②附帯上告が上告理由とは別個独立のものを主張する場合には、上記のとおり上告理由書提出期間内に附帯上告状と附帯上告理由書を提出しなければならない以上、独立して上告の要件を備えている場合が多いであろうから、原則として、上告の取下げ・却下によっては失効しない。

　次に、附帯上告受理申立てについては、上告受理申立理由と同一理由を主張する場合には上記①と同様に上告受理申立ての取下げ・不受理により失効し、上告受理申立理由とは別個独立のものを主張する場合には、上告受理申立ての取下げ・不受理によりその段階でそれに関する上告審としての審理判断がもはや一切行われないことに確定したのであるから、附帯上告受理申立てが独立して上告受理申立ての要件を備えるものでない限り、上告受理申立ての取下げ・不受理により失効する（最決平成11・4・8判時1675号93頁、判タ1002号132頁。独立して上告受理申立ての要件を備えれば、さらにこれについての受理・不受理の判断がなされることになろう〔もっとも、そのような場合には、上告受理申立てに対する判断と同時に附帯上告受理申立て対する判断もなされることになると思われるが〕)[12]。

---

[12]　なお、先の判例の趣旨はわかりにくいが、「上告受理の申立てがその要件を欠き不適法であると認められることを理由に不受理決定がされた場合のみならず、それが法令の解釈に関する重要な事項を含むものと認められないことを理由に不受理決定がされた場合にも、独立して上告受理申立ての要件を備えるものでない限り、上告受理申立ての取下げ・不受理により失効する」と判断し、「後者の場合には、附帯上告受理申立てが独立して上告受理申立ての要件を備えるものでないときについてもこれについて受理・不受理の判断がなされるべきである」との考え方を排除するものである（上記判例雑誌の解説参照）。

第6項　上告審の審理・判決

[641]　第1　口頭弁論の要否

　　上告審の審判の対象は、控訴審判決に対する不服申立ての当否であり、上告審は、原判決のうち不服申立ての対象となっていない部分については、申立てにより、仮執行宣言を付することができる（323条）。

　　上告審では、口頭弁論を経ないで裁判をすることができる場合（87条1項本文の例外）が多い。

　　①まず、上告審は、316条1項各号に当たる場合には、決定で上告を却下することができる（317条1項）。

　　また、②上告審が最高裁判所である場合には、上告理由が明らかに憲法違反、絶対的上告理由のいずれにも該当しない場合には、決定で上告を棄却することができる（317条2項。一応本案についての判断がなされているので、棄却となる）[13]。

　　さらに、③上告審は、上告状、上告理由書、答弁書その他の書類により、上告を理由がないと認めるときは、口頭弁論を経ないで、判決で、上告を棄却することができる（319条）。これは、訴訟経済と上告審の負担軽減の観点から、上告審が書面審理だけで上告を棄却することを認めたものである。なお、上告受理決定がされた場合についても、本条の適用はあると解される（コンメⅥ365頁）。

　　③の場合については、判決言渡期日を指定して判決の言渡しをする必要がある（憲82条1項）が、旧法下においては、当事者を言渡期日に呼び出す（呼出状を送達する）必要はないとするのが判例であった（最判昭和44・2・27民集23巻2号497頁）。もっとも、学説には反対もあった（条解1643頁。また、口頭弁論を経ないで判決をする場合一般につきコンメⅤ166～169頁）。

　　現行法の下では、この場合についても、裁判所書記官が判決言渡期日をあらかじめ当事者に通知する旨の規定が規則に置かれた（規156条。なお、同条は、140条の場合には通知不要としており、これは、290条、359条の場合ないしこれらに準じる場合にも同様と解されている〔コンメⅤ168頁〕）。

　　上告審は、①、②以外の場合には、被上告人に防御の機会を与える必要が

あるので、原則としてこれに対して上告理由書の副本を送達するが、防御の機会を与える必要がないような場合（③には、こうした場合が含まれよう）には、送達の必要はない（規198条）。また、最高裁判所の裁判長は、被上告人に、相当の期間を定めて答弁書の提出を命じることができる（規201条）。

上告棄却判決は、319条により口頭弁論を経ないでされることが多いが、事件の重要性等を考慮して、口頭弁論を経てされる場合もある（コンメⅤ365頁）。

以上に対し、上告を認容して原判決を破棄する場合には、破棄という裁判の重要性にかんがみ、手続保障の見地から、原則として、口頭弁論を開くことが必要である。

もっとも、判例は、職権調査事項の法令違反等を理由に原判決を破棄すべきものと判断した場合には、不適法な訴えについてその不備を補正することができないときに口頭弁論を経ないで判決で訴えを却下することができる旨を定めた140条（313条、297条により上告審に準用）の趣旨に照らし、口頭弁論

⒀　なお、317条2項の立法趣旨は最高裁判所の負担軽減ということであるが、後記のとおり、旧法401条（現行法では319条）によって口頭弁論を経ないで判決により上告を棄却することがすでに認められていたのだから、そこにあえて現行法で317条2項を加えることは、現行法が最高裁判所に対する上告理由を制限したことによる「上告理由に名を借りた上告の増加のおそれに対応する」という限度でのみ許容されるものといわなければならない。つまり、「明らかに憲法違反または絶対的上告理由に該当しないとき」ということである（一問一答353頁）。

　それにもかかわらず、現在の実務においては、下級審で憲法違反（312条1項）が本格的に争われそれについての詳細な判断が行われている事件についても、この条文によって、決定で、何らの実質的な理由も付することなく上告を棄却する（定型文言を用いており、理由は数行にすぎない）例がみられるようであり、これは、後記の319条の拡張解釈以上に大きな問題であろう（317条2項について書かれた解釈は裁判官によるものがほとんどであるが、いずれも、現在では上告事件の圧倒的多数あるいはほとんどがこの条文によって処理されているという〔注釈⑸310頁等〕。しかし、その中には上記のような事件が相当に含まれている可能性がある）。

　旧法時代にも、ごく普通の民事事件についての憲法違反に名を借りただけの上告についてはともかく、真摯に憲法違反が争われた事件では、それに対する判決中での応答は、的確に行われていたし、それが相当の分量に及ぶ場合もあったことを考えるべきである。

　この問題については、弁護士、弁護士会も何らかの調査、検討を行う必要があるのではないだろうか。上記のような問題は、弁護士の利害だけではなく、市民、国民の権利保障にも関係してくる事柄だからである。

を経ないで原判決を破棄することができるとの判断を、何度か行っている（原審が棄却判決をした請求にかかる訴えが不適法でその不備を補正することができないため原判決を破棄して訴えを却下する場合〔最判平成14・12・17判時1812号76頁、判タ1115号162頁〕、判決で訴訟終了宣言をする前提として原判決を破棄する場合〔最判平成18・9・4判時1948号81頁、判タ1223号122頁〕、職権探知事由に当たる中断事由が存在することを確認した上で、その時点に立ち戻って訴訟手続の受継をさせるために原判決を破棄する場合〔最判平成19・3・27民集61巻2号711頁〕、合一確定の要請に反した原判決を破棄し、第一審判決も取り消して請求を認容する場合〔最判平成22・3・16民集64巻2号498頁。[620]の注(7)参照〕等。それ以外の例として新堂954頁）。

しかし、これらの全体について140条の準用という趣旨で説明するのは明らかに無理があり、全体としてみると、要するに、「書面審理だけで破棄理由が明らかなときには口頭弁論を開く必要がない」という判例法を条文の根拠の乏しいままに打ち立てている感が強い。けれども、上記のような事案の中には、当事者が考えてもいなかった事由に基づいて破棄をしたような場合が含まれるところ、そのような場合に当事者の意見を聴かないというのは、手続保障に反するといわざるをえない。数が限られているこのような事案について、なぜそれほどまでして口頭弁論を開くのをいやがるのか、という印象はぬぐえない（上記平成19年最判の事案は、政治的判断の可能性を強く批判された光華寮事件〔瀬木・裁判252～253頁〕であり、当事者には、判断の前に主張しておきたいことが多々あったのではないかと思われる）。書面審理に固執し、口頭主義と手続保障を軽視する最高裁判所の姿勢が現れているといわざるをえない（同様の疑問を呈するものとしてクエスト631～632頁。なお、こうした取扱いを是認するコンメⅥ367～368頁の記述は、あたかも最高裁判所の見解を代弁しているかのような内容となっており、コンメンタールの記述のあり方としては、いささか疑問を感じる）。

[642]　第2　上告審における調査等

　　　　主として320条ないし322条の問題である。

[643]　　1　調査の範囲

　　　　上告審においても、裁判所は、不服申立ての範囲内においてのみ、調査（審理・判断）をする義務を負う。処分権主義の現れである。不服申立ての範

囲は上告状や上告受理申立状の必要的記載事項ではないが、実務上は、上告・上告受理申立ての趣旨としてこれらの書面に記載されている（コンメⅥ369頁）。

上告審が原判決を破棄することができるのも、附帯上告・附帯上告受理申立てをも含めての不服申立ての範囲に限られる（313条、304条）。

上告審が調査義務を負うのは原則として上告理由で主張された事項に限られる（320条）。

しかし、それ以外の事項についても、必ずしも上記の原則がそのまま貫かれているわけではない。

まず、判断の過誤（実体法違反）については、上告理由の範囲を超えて調査義務を認める考え方がある。しかし、最高裁判所に対する上告理由を限定した現行法の構造からみると、上告理由でもない事柄について調査義務を認めるのは無理があろう。

もっとも、上告審がたまたまこれを発見したときには、法の適用は裁判所の職責であるから、原判決を破棄することができる（325条2項。後記**第3の2**〔**[647]**〕）。

手続上の過誤（手続法違反）のうち職権調査事項に当たるもの（絶対的上告理由に該当する事項、職権調査事項に当たる訴訟要件、出訴期間の遵守等）については、322条が職権調査事項については320条は適用されないとしているので、調査義務があるとみるべきであろう。そうでないものについては、上告理由として主張された事項のみが調査される。後者のような手続上の過誤については、責問権の放棄もありえ、当事者の主張もないのに調査をすることは不適切だからである[14]。

[644] **2　事実審で確定した事実の拘束**

上告審は法律審であるから、原判決において適法に確定した事実に拘束される（321条1項）。これは、法律審としての上告審の本質による（**[450]**）。

法律問題と事実問題の区別については、以下のとおりである。

経験則違反については、前記**第3項第3**（**[635]**）のとおり、経験則違反が

---

[14] もっとも、以上につき、たとえ調査義務があるという場合でも、上告審が最終審である以上、当事者が調査義務違反を問う機会があるかは疑問である（再審事由〔338条1項1号ないし3号〕に当たる事由があれば再審は可能だが、それはまた別の問題である）。

あまりに不合理な場合（経験則の当てはめの不合理、その無視ないし誤用〔コンメⅤ120～122頁〕）には、247条の自由心証主義違反（法令違反）として上告理由（高等裁判所の場合）・上告受理申立理由（最高裁判所の場合）となる。しかし、経験則それ自体の存否に関する事実認定自体は、事実問題であって上告審を拘束すると解すべきであろう（もっとも、経験則違反については、当てはめの不合理と認定の不合理の区別が微妙な場合はありうるが、基本は上記のように解すべきであろう）。

規範的要件の基礎付け事実の存否は事実問題だが、その規範的要件該当性は法律問題である。

法律行為（意思表示）の解釈は法律問題である。

321条1項の反対解釈として、原判決の事実確定方法・手続自体が違法である（適法に事実を確定したとはいえない）場合には上告理由・上告受理申立理由となる。たとえば、弁論主義違反、自白していないのに自白を認めた違法、証拠調手続の重大な違反、釈明権の行使・不行使の不当等の場合である。

もっとも、飛越上告の合意があった場合には、第一審の事実認定には不服のないことがその前提となるから、先のような（手続法規違反のある）事実認定も上告審を拘束する（同条2項）。

[645]　3　職権調査事項の場合

職権調査事項については、公益的な事項であるから、上告審も、当事者の不服申立ての有無にかかわらず調査を行わなければならないし、原審が確定した事実に誤りがあると認めるときにはこれを理由として原判決を破棄すべきである（325条1項。後記**第3の2**〔〔**647**〕〕）。また、上告審も、職権調査事項については、職権で新たな証拠調べをすることができる（322条）。

第3　上告審の判決等

[646]　1　概説

上告の却下は、上告の適法要件を欠く場合しか考えられないので、317条1項の却下決定（前記**第1**）で処理されることになる（却下判決の場合はない）。

原判決が維持される場合には、上告は棄却される。決定で棄却できる場合についても、すでにふれた（前記**第1**）。

上告理由が認められても、他の理由によって原判決が維持できる場合には、上告は棄却される（313条、302条2項。もっとも、絶対的上告理由〔312条2項〕

が認められる場合には、判決への影響を問うことなく、破棄されることになる)。

　上告理由が認められる場合のうち他の理由によって原判決が維持できる場合以外については、原判決は破棄される（原判決の取消しであるが、上告審の場合には破棄という）。

[647]　**2　破棄判決**

　上告審は、当事者の主張する上告理由（最高裁判所の場合には312条1項、2項の事由。高等裁判所の場合にはさらに同条3項の事由）が認められる場合には、原判決を破棄しなければならない。また、前記**第2の3**（[645]）の職権調査事項については、当事者が上告理由としていない場合であっても同様である（325条1項。必要的破棄）。

　また、上告審である最高裁判所は、調査の結果、判決に影響を及ぼすことが明らかな法令違反が認められるときは、職権で原判決を破棄することができる（同条2項、裁量による破棄）。現行法は上告審が最高裁判所である場合に法令違反を上告理由から除外したが、実体法の適用は裁判所の当然の職責であることから、その職責を全うさせるために、このような規定を置いたものである（一問一答367頁）。

　なお、325条2項については、上告審に上記のような場合についての破棄の権限を与えただけであって、破棄するか否かの裁量までをも認めたものではない、とする考え方もある（高橋下717～718頁、クエスト634頁等）が、この点については、最高裁判所については法令違反を上告理由から外した現行法の趣旨からみれば、破棄の権限のみならず破棄するか否かの裁量をも認めたとみるのが自然であろう（伊藤766頁、条解1655～1656頁、コンメⅥ383～384頁等）。

　破棄の場合については、上告審は法律審であるから、さらに事実審理をさせるために事件を原裁判所に差し戻すのが原則となる。もっとも、原判決に関与した裁判官は差戻後の審理裁判には関与できない（325条4項）ため、裁判所の規模によっては差戻後の控訴審を構成できない場合がある。その場合には、原裁判所と同等の他の裁判所に移送することになる（以上につき、同条1項、2項）。

　それ以外の場合（原判決の確定した事実だけで原判決に代わる判断ができる場合）には、上告審は、自判をすることになる。つまり、原判決を破棄した上で、控訴審の立場に立って、控訴審のなすべき裁判、原判決に代わる判断を

することになる。具体的には、以下のとおりである。

　①　法令違反を理由として破棄をする場合に、さらなる事実審理の必要性がない場合には、破棄自判となる（326条1号）。

　この場合、請求の当否に対する判断を示して事件を終局的に落着させる例が普通だが、そうでない例もある。たとえば、第一審判決が訴えを却下し、控訴審判決もこれを相当として控訴を棄却したが、上告審は訴えを適法であると考える場合には、原判決を破棄するとともに、313条、307条に従い、第一審判決を取り消し、事件を第一審裁判所に差し戻すことになるところ、この場合の取消し・差戻しの判断は、控訴審のなすべき裁判をそれに代わってしているのだから、自判である（この場合、上告審判決は、請求の当否に対する判断をせず、かつ、事件を終局的に落着させるものでもない、ということになる。たとえばこうした部分の、上訴独特のわかりにくさが、実務家の上訴理論理解が不十分なものとなる1つの原因である。本章の記述がかなり長くなっている理由については、こうした部分についても一通りの説明を行うよう努めていることも大きい。そのことを理解して、そうした部分も頭に入れていってほしい）。

　②　また、裁判権がない場合（これは例示と解されている）を始めとして、訴訟要件を欠く場合や訴訟障害事由（起訴が禁止される事由）がある場合には、やはり、事件を原裁判所に差し戻す必要はないので、破棄自判となる（326条2号。条解1661～1662頁）。

　具体的には、第一審が却下判決、控訴審判決がこれを取り消した本案判決である場合には、上告審は控訴審判決を破棄してみずから控訴棄却の判決をし、第一審、控訴審とも本案判決である場合には、上告審は、控訴審判決を破棄し、第一審判決を取り消して、原告の訴えを却下しなければならない（いずれも、控訴審判決の破棄以外については、控訴審のなすべき裁判をそれに代わってしているのだから、自判である）。

[648]　**3　差戻審の審理と破棄判決の拘束力**

　差戻審の審理は以前の控訴審における審理の続行としての性質をもつ。

　もっとも、前記2のとおり、原判決に関与した裁判官は差戻後の審理裁判には関与できない（325条4項）から、必ず弁論の更新（249条2項）が行われる。

　差戻後の第1回期日については158条（陳述擬制）の適用があるとする説が多いが、続行期日の性質をもつことを考えると、同条の適用はないと考える

べきであろう（伊藤767頁の注(99)等）。

　差戻前の訴訟手続のうちその違法が破棄の理由とされたものは、取り消されたものとみなされる（313条、308条2項）。

　差戻しまたは移送を受けた裁判所は、破棄判決が破棄の理由とした事実上・法律上の判断に拘束される（破棄判決の拘束力。325条3項後段）。

　この拘束力の法的性質については、覊束力の部分で論じたとおりである（〔**450**〕。もう一度読み返しておいてほしい）。

　以下、破棄判決の拘束力の内容について述べる。

　便宜上、法律上の判断の拘束力について先に論じる。

　①　破棄の直接の理由となった否定的判断について生じる。その傍論たる判断には拘束力はない。

　前者は当然のことだが、後者はわかりにくい。

　これは、たとえば、(i)ある法規についてＡ解釈が不当とされＢ解釈が正当であるという判断がなされていても、差戻審は、他の適用可能な解釈であるＣ解釈があればそれを採ってよく（条解1659頁等）、(ii)ある事実関係についてＤ法規の不適用が不当とされ同法規を適用すべきことが指示されていても、差戻審は、他の適用可能な法規であるＥ法規があれば、これによりＤ法規を適用したのと同一の結論に達することができる限りそれを適用してよい（最判昭和43・3・19民集22巻3号648頁、百選5版115事件、コンメⅥ389〜390頁）、ということである。

　②　破棄の直接の理由となった否定的判断の論理的前提となる判断についても生じる。

　たとえば、原審が請求を認容し、これに対して訴訟要件が欠けている旨が上告理由として主張され、上告審が訴訟要件の存在を認めた上で原審の本案についての判断を不当として原判決を破棄した場合には、破棄判断の前提としての訴訟要件についての肯定的判断についても、拘束力が認められる

　③　判断遺脱、理由不備、釈明権不行使等が破棄理由となっている場合には、破棄の理由とされた指示的判断に拘束力が認められる（高橋下753頁）。

　次に、事実上の判断については、法律審としての上告審の性格上、上告審が職権調査事項および上告受理申立理由となる再審事由（前記**第3項第4**〔**636**〕参照）に関して行った事実認定に限定される。差戻前の控訴審において適法にされたものとして上告審の判断の基礎となった事実は含まない

（最判昭和36・11・28民集15巻10号2593頁）。

したがって、差戻審は、差戻前の控訴審と異なる事実認定を行うことが可能であり、その事実を前提として、破棄理由たる判断と異なる法規の適用を行う結果となっても、違法とされるものではない（この場合、事実認定が変更された以上、破棄判決の拘束力を認める前提が失われるから、破棄判決の法律上の拘束力も、当然に失われることになる〔上記最判昭和43・3・19は、このことをも述べている〕。これは、事実上の判断の拘束力に関する考え方の派生的な結果として法律上の判断の拘束力が失われる場合である）。

第4節　抗告

第1項　抗告の意義と種類

[649]　第1　抗告の意義

抗告とは、前記（[604]）のとおり、判決以外の裁判（決定、命令）に対する独立の上訴である。

終局判決前の裁判については、原則として、独立の不服申立ては認められず、控訴に伴って控訴審の判断を受ける（283条本文）。

しかし、本案との関係の薄い派生的な裁判でかつ手続の安定の観点から迅速に処理する必要があるものについては、独立の簡易な上訴を認め、早期に決着を付けるのが合理的である。ここに、抗告の認められる根拠がある。

[650]　第2　抗告の種類

抗告は、いくつかの観点から分類される。

第一に、抗告の対象となる裁判が第一審のものであるか否かにより、最初の抗告と再抗告に分けられる。第一審の決定、命令に対してなされるものが最初の抗告、最初の抗告に対する抗告審の裁判についての法律審への抗告が再抗告である。

第二に、抗告の要件・効果の相違から、通常抗告と即時抗告に分けられる。即時抗告は、裁判の告知を受けた日から１週間の不変期間内に提起しなければならず（332条）、原裁判の執行停止（広義の執行の場合を含む）の効力がある（334条１項）。比較的重要性が高く、かつ迅速に確定させる必要性も高い場合に、明文の規定によって認められる。通常抗告については、抗告期間の限定はなく、執行停止効もなく、原裁判所もしくは裁判官または抗告裁判所の執行停止の裁判によって初めて原裁判の執行停止が認められる（同条２項）。

　第三に、最高裁判所に対する抗告としては訴訟法が特に定める抗告のみが認められる（裁７条２号）ところ、これに当たるものとして、特別抗告（336条）と許可抗告（337条）がある。

第２項　抗告の認められる裁判

[651]　第１　法328条１項の抗告

　口頭弁論を経ないで訴訟手続に関する申立てを却下した決定または命令に対して認められる。

　口頭弁論を経てされる裁判、つまり、本案の口頭弁論に基づいてされる必要のある裁判（たとえば証拠申出を却下する決定、訴えの変更を許さない旨の決定〔143条４項〕等〔**220**〕）については、控訴に伴って控訴審の判断を受ければ足りるから、抗告の対象からは除かれる。

　訴訟手続に関する申立てを却下した決定・命令についても、当事者に申立権がなく職権でされる場合（裁判所の裁量が尊重される場合）には、抗告は認められない。

　訴訟手続に関する申立てを認容した場合には、申立人には不服はないから、申立人の抗告は許されない。それについて不服のあるほかの当事者・第三者については、特別の定めがある限り、抗告（即時抗告である）が許される（移送〔21条〕、補助参加を認める裁判〔44条３項〕、訴訟上の救助に関する決定〔86条〕、文書提出命令〔223条７項〕等）。

　以上の点については要件を満たしている場合であっても、個別に不服申立てが禁じられている場合には、抗告はできない（たとえば、訴えの提起前における証拠収集の処分の申立てについての裁判〔132条の８〕。訴訟手続開始後に同様の

処分を求めることが可能であることなどを理由とする〔条解699頁〕)。

328条1項にいう「訴訟手続に関する申立て」に該当するものとしては、管轄裁判所の指定（10条）、特別代理人の選任（35条1項）、担保取消し（79条1項）、期日指定（93条1項）、受継（128条）、証拠保全（235条）、訴え提起前の和解（275条）等に関する申立てがある（コンメⅥ412頁）。

なお、裁判官の裁判については、受命・受託裁判官の裁判に対しては受訴裁判所に異議の申立て（329条1項）ができ、異議の申立てについての裁判に対しては、抗告ができる（同条2項）。

裁判長の裁判については、裁判長が独立の裁判機関としてしたものであれば本条の対象となり（もっとも、訴状却下命令〔137条3項〕のように即時抗告ができる旨が規定されている例が多い）、裁判長が合議体の一員としてしたものについては、受訴裁判所に異議の申立てができる（150条参照。以上につきコンメⅥ414頁）。

[652]　第2　それ以外の抗告

違式の決定・命令に対する抗告については、前記[**606**]のとおりである。

また、前記**第1**でもその一部についてふれたが、明文で個別に抗告（すべて即時抗告）が認められている場合がある。

即時抗告が認められるのは、その後の手続や訴訟行為の前提となるため早期の確定が必要な事柄（移送〔21条〕、除斥・忌避を理由がないとする決定〔25条5項〕、補助参加〔44条3項〕、文書提出命令〔223条7項〕等）、本案との関係は薄いが当事者等の利害に関係が深い事柄（訴訟費用額確定処分に対する異議の申立てについての決定〔71条7項〕、担保取消決定〔79条4項。なお、担保取消申立却下決定については前記**第1**の場合に該当〕、訴訟上の救助に関する決定〔86条〕等）の場合が多い（即時抗告の例についてはコンメⅥ436〜437頁）。

[653]　第3項　抗告の手続

抗告は、原裁判によって法律上の不利益を受ける者に認められる。

抗告を提起した者を抗告人と呼ぶ。抗告については、相手方は不可欠というわけではない（たとえば訴状却下命令に対する即時抗告）が、抗告人と利害の対立する者が存在する場合には、その者が相手方となる。裁判所が必要に応

じ利害関係人を相手方として定める場合もある（例として民執74条4項）。

抗告および抗告審の手続には、その性質に反しない限り、控訴の規定が準用される（331条本文、規205条本文）。

抗告は、抗告状を原裁判所に提出して行う（331条、286条1項）。抗告理由を抗告状に記載しなかった場合には、抗告提起後14日以内に抗告理由書を原裁判所に提出しなければならない（規207条。控訴理由書と同趣旨の書面である）。抗告が不適法でその不備を補正することができない場合の取扱い、附帯抗告、抗告の取下げ等についても、控訴の規定（順に287条、293条、292条）が準用される。

通常抗告と即時抗告の相違は前記**第1項第2**（[650]）のとおりである。

原裁判をした裁判所または裁判長は、抗告に理由があると認めるときは、その裁判を更正することができる（333条。これを「再度の考案」という）。決定・命令は自縛力（[446]）が弱いと考えられるところから、原裁判を行った裁判所等に裁判の内容を全面的に見直す機会を与えるものである。ただし、理由のみの更正は認められない（伊藤774頁の注(116)）。

更正決定により、原裁判が取消し・変更されると、原決定は失効し、これに対する抗告も目的を達して終了する（もっとも、一部の取消し・変更の場合には、その限度で失効することになるから、抗告もその限度で残存することになろう）。更正決定の内容に不服がある者は、これに対して新たな抗告をすることができる。

原裁判所は、抗告に理由がないと認めるときは、その旨の意見を付して事件を抗告裁判所に送付する（規206条）。

実際には、再度の考案が行われる例は稀有である。

抗告審の審理は、任意的口頭弁論（87条1項ただし書）によって行われ、裁判所は、抗告人その他の利害関係人（相手方または抗告審の決定いかんによって不利益を受ける者）の審尋（335条。主張聴取の審尋）を行うほか、参考人または当事者本人について証拠調べとしての審尋（187条）も行うことができる。

なお、相手方となる者がある場合のその者への抗告状の送達については、判例上は、控訴状の送達に関する289条の準用は否定されており、抗告状の写しを送付するか否かは抗告審の裁量にゆだねられている。もっとも、裁量の範囲を逸脱すれば、違法とされる（最決平成23・4・13民集65巻3号1290頁、百選5版A40事件は、原審が原原審の文書提出命令を取り消し、申立てを却下した事

案について、申立人に攻撃防御の機会を与えるべき事案であったとして、抗告裁判所の審理手続に違法があるとし、職権による破棄を行った。重要な文書の文書提出命令の申立てについての決定に対する即時抗告〔223条7項〕については、抗告状の写しは送付すべきであろう）。

抗告審は、抗告が不適法であれば却下、理由がないときは棄却の裁判をし、理由があるときは、原裁判を取り消し、必要に応じて差戻し、自判の裁判をも行う（抗告の場合には、控訴とは異なり、原裁判を取り消すだけで足りることもある）。

[654] 第4項　再抗告

再抗告は、抗告審の決定に憲法解釈の誤りその他憲法違反または決定に影響を及ぼすことが明らかな法令違反がある場合に認められる法律審への抗告である（330条）。ただし、前記**第1項第2**（[650]）のとおり、最高裁判所に対する抗告としては特別抗告（336条）と許可抗告（337条）のみが認められるから、抗告裁判所が高等裁判所である場合には、再抗告はできない。

抗告を不適法として却下する決定に対しては328条1項により常に再抗告が認められ（もっとも、コンメⅥ421頁は、裁判の性質上不服申立てが許されない場合もあるという）、抗告を棄却する決定についても同様である。これらの決定は、抗告の対象としての要件を満たす原裁判を維持するものだからである。

抗告を認容する決定については、その内容によって再抗告の可否が決定される（たとえば、忌避申立却下決定が抗告審において取り消された場合には、忌避決定に対して不服申立てが許されない〔25条4項〕趣旨から、再抗告は認められない）。

再抗告が通常抗告となるか即時抗告となるかについても、抗告審の決定の内容が基準となる。最初の抗告が即時抗告であり、抗告審が却下・棄却決定によって原裁判を維持している場合には、再抗告も即時抗告になる。抗告審が原裁判を取消し・変更している場合には、その裁判の内容によって、いずれになるかが決定される（最決平成16・9・17判時1880号70頁、判タ1169号169頁。抗告審の裁判である再審請求棄却決定に対する不服申立ては、仮にこの決定が再審裁判所でされたものであるとすれば、それに対する不服申立ては、345条2項、347条により即時抗告によるべきものであるから、これに対する再抗告も即時抗告となるとした〔前者の例〕。また、担保取消申立却下決定に対する抗告は通常抗告だが、抗告審

が抗告に基づいて担保取消決定をした場合には、79条4項の趣旨から、再抗告は即時抗告になる〔後者の例〕）。

再抗告および再抗告審の手続には、その性質に反しない限り、上告の規定が準用される（331条ただし書、規205条ただし書）。したがって、再抗告理由書が提出されなければならず、これが期間内（抗告提起通知書の送達を受けた日から14日以内〔規210条1項〕）に提出されず、またはその記載が規則の定める方式に違反している場合には、再抗告は不適法として却下されることに注意すべきである（331条ただし書、316条1項2号）。

第5項　許可抗告

[655]　第1　意　義

許可抗告は、旧法時代に、決定・命令にかかわる法令解釈の争いについて最高裁判所による法令解釈の統一の機会がなく、高等裁判所の判例が対立している場合に実務の取扱いが定まらないなどの問題があったことから、これを解決するために、現行法によって設けられた制度である。

特別抗告（[658]）はその性質に反しない限り特別上告の規定を準用している（336条3項）ところ、許可抗告は、この336条3項を337条6項でさらに準用している。そして、特別上告に確定遮断効はない（116条1項の最初のかっこ書参照）から、特別抗告、許可抗告にも確定遮断効はない。つまり、許可抗告は、不服申立ての性質上の分類としては、特別抗告に近いものと位置付けられる（[599]）。

[655-2]　第2　対　象

許可抗告は、最高裁判所判例等の上告審判例と相反する判断がある事件その他の法令の解釈に関する重要な事項を含む事件について認められる（337条2項）。上告受理申立理由（[637]）と同様ということである。

許可抗告の対象となる高等裁判所の決定・命令については、337条1項が定める。

まず、再抗告審としての決定・命令については、すでに三審級の利益が保障されているので、除かれる。

許可抗告の申立てについての裁判も、これを許すとこの点の不服が際限なく繰り返されるのを認めることになるので、除かれる。

　また、その裁判が地方裁判所の裁判であるとした場合に抗告をすることができるものでなければならない。これは、そのような裁判をたまたま高等裁判所がした場合に許可抗告を認めるのは相当ではないからである。

　この趣旨で対象から除かれる裁判は、抗告の対象とならないような決定・命令、たとえば、申立てを認める決定で即時抗告をすることができる旨の規定がないものなどである。

　保全抗告についての裁判に対しては再抗告はできない旨の定めがある（民保41条3項。保全命令手続の裁判に対しては二審級しか認めないという趣旨である。また、高等裁判所がする保全抗告についての裁判に対しては元々再抗告はできない〔裁7条2号〕ので、この条文が念頭に置いているのは、地方裁判所がする保全抗告についての裁判である）。したがって、文理上は、高等裁判所がする保全抗告についての裁判については、「その裁判が地方裁判所の裁判であるとした場合に抗告をすることができないもの」に該当するように読める。しかし、これについては、判例は、制度趣旨のほうを重視して、許可抗告を認めた（最決平成11・3・12民集53巻3号505頁。以上については、瀬木・民保[128]、[493]参照)[15]。

[655-3]　第3　手続および裁判

　許可抗告の申立ては、原裁判の告知を受けた日から5日の不変期間内に（337条6項、336条2項）、抗告許可申立書を高等裁判所に提出することによって行う（337条6項、313条、286条）。この申立てには上告等提起の規定が準用され、申立ておよび申立書が適法であれば、高等裁判所は、当事者に対して抗告許可申立通知書を送達する（規209条、189条）。抗告許可申立書に理由の記載がない場合には、抗告許可申立通知書の送達を受けた日から14日以内に、抗告許可理由書を高等裁判所に提出しなければならない（規210条2項、1項）。

---

[15]　なお、民事保全手続の裁判はすべて決定によっており、許可抗告の重要な対象分野として想定されていたことを考えると、本来、337条に民事保全法41条3項との調整規定を設けておくべきだったと思われ、この点は、立法ミスの可能性がありうる。このように、万全を意図して作られる基本的な法律にも、立法ミスの可能性は存在することを、知っておくべきである。

許可抗告は、みずからの決定・命令について高等裁判所が許可した場合にのみ認められる。許可の基準は、前記**第2**のとおり、上告受理申立理由に準じる形で定められている（337条2項）。この許可があると、抗告があったものとみなされる（同条4項）。

許可後の抗告審手続については特別抗告審の規定が準用されており、最高裁判所または高等裁判所は、抗告について決定があるまで、原裁判の執行停止等の必要な処分を命じることができる（337条6項、336条3項、334条2項）。

最高裁判所は、裁判に影響を及ぼすことが明らかな法令の違反があるときは、原裁判を破棄することができる（337条5項）。

第5節　特別上訴

[656]　第1項　概説

最高裁判所は、憲法問題について終審裁判所としての権限を有する（憲81条）。

そこで、通常であれば最高裁判所の判断を受けられないような事件や通常の不服申立てが認められない事件についても、最高裁判所に上記の権限を行使する機会を保障する必要があり、そのために認められている制度を特別上訴という。特別上訴には、終局判決に対する特別上告と決定・命令に対する特別抗告とがある。

特別上訴は、確定した裁判に対する特別な不服申立てであって、確定遮断効はない（116条1項の最初のかっこ書、336条3項）。

第2項　特別上告、特別抗告

[657]　第1　特別上告

特別上告は、高等裁判所が上告審としてした終局判決（通常であれば最高裁

判所の判断を受けられないような事件である）および少額訴訟の終局判決に対する異議後の判決（通常の不服申立て〔控訴〕が認められない事件である）に対して、その判決に憲法解釈の誤りがあることその他憲法違反があることを理由とするときに限り認められる（327条1項、380条2項）。

特別上告および特別上告審の手続には、その性質に反しない限り、上告の規定が準用される（327条2項）。

[658]　第2　特別抗告

特別抗告は、地方裁判所および簡易裁判所の決定および命令で不服を申し立てることができないもの（通常の不服申立てが認められない事件である）ならびに高等裁判所の決定および命令（通常であれば最高裁判所の判断を受けられないような事件である）に対して、その裁判に憲法解釈の誤りがあることその他憲法違反があることを理由とするときに限り認められる（336条1項）。

特別抗告は、裁判の告知を受けた日から5日の不変期間内にしなければならない（同条2項）。

特別抗告および特別抗告審の手続のうちその他の点については、その性質に反しない限り、特別上告の規定が準用される（同条3項）。

【確認問題】

1　上訴、異議、特別上告、許可抗告、再審について説明せよ。
2　上訴制度の目的について、日本の具体的な制度についても言及しながら述べよ。
3　上訴審の審判の対象は何か。異議審の審判の対象とどのように異なるか。
4　違式の上訴・裁判について説明せよ。
5　上訴の効果と上訴不可分の原則（複数請求訴訟、多数当事者訴訟の場合の）について説明せよ。
6　控訴の利益に関する考え方について、具体的な例を引きながら説明せよ。
7　附帯控訴の意義、目的、性質について説明せよ。
8　控訴審の構造について、ありうる制度設計の種類ごとに説明せよ。

9 　302条 2 項とその例外である相殺の抗弁の場合について説明せよ。
10 　控訴審が原判決を取り消す場合の裁判の内容について説明せよ。
11 　不利益変更・利益変更禁止の原則とその例外について説明せよ（ことに相殺の抗弁の場合については正確に述べること）。
12 　上告制度は現行法においてどのように改正されたか。上告受理申立制度をも含めて説明せよ。
13 　判決の理由不備・理由の食い違いについて説明せよ。
14 　再審事由の上告・上告受理申立理由該当性について述べよ。
15 　上告審における口頭弁論の要否について述べよ。
16 　上告審における調査の範囲について説明せよ。
17 　破棄判決の内容について説明せよ。
18 　破棄判決の拘束力の性質と内容について説明せよ（ことに法律上の判断の拘束力については正確に述べること）。
19 　抗告の意義と種類について述べよ。
20 　抗告が認められるのはどのような場合か。
21 　許可抗告の制度趣旨、また、民事保全法41条 3 項との関係について説明せよ。

[659] 第22章
再審

本章では、確定した裁判についての不服申立方法である再審について論じる。不服申立方法としての特殊性を念頭に置きながら、その構造、再審事由、訴訟要件ないし適法要件、手続の概要を把握することが必要である。

[660] 第1節 概 説

再審は、確定判決について、再審事由（その内容は、判決の基礎となった訴訟手続、裁判資料等についての重大な瑕疵）がある場合に確定判決の取消しと事件の再審理を求める非常の不服申立方法である（もっとも、刑事の再審に比べると民事の再審は影が薄く、判例で問題になることの多い再審事由も手続保障違反一般に類推される338条1項3号くらいである）。

確定判決はこれを争うことができないのが原則だが、この建前を完全に貫くことは具体的正義にもとり、司法の信頼をもそこなうことから、こうした非常の不服申立方法が認められているわけである。

再審は、確定遮断効や移審効が問題にならない点で、通常の上訴と異なる。

確定した裁判に対する不服申立方法で確定遮断効がないもの（移審効はある）としては、ほかに特別上訴や許可抗告があるが、これらの制度は、その意義・機能がそれぞれ限局されたものであり、通常の不服申立て（上訴）に基本的に類似した構造をもち、それらを補完する役割を果たしていて、確定力を破った上で本案の申立て自体の再審理を求める再審とは、目的や構造が異なる。

一方、再審は、確定判決の確定力を破るという意味では上訴の追完（97条1項。[195]）との間に機能的共通性をもつ。しかし、全体としてみれば、不変期間の徒過に対する救済である上訴の追完とは制度趣旨が全く異なり、その構造からすれば、不服申立方法の特殊なものとみるべきことは明らかである。

　最後に、請求異議の訴え（民執35条）も、確定判決を含む債務名義に対する不服申立方法の一種といえるが、執行関係訴訟の1つとして執行力の消滅や制限を求めるものであるという意味で、民事訴訟手続上の裁判とは性格が異なる。

　再審の申立ては、再審の開始、つまり再審事由を主張して確定判決の確定力の消滅を求める部分と、本案の申立てについての再審理を求める部分とからなり、再審手続も、これに対応して2段階に分かれる。

　再審の訴えの訴訟物についてはさまざまな考え方があるが、確定判決の取消しを求める申立てについては訴訟法上の形成の訴えであって取消しを求める法的地位が訴訟物であり、本案についての再審理を求める申立てについては、通常の民事訴訟のそれと同じであるというように2つに分けて考えるのが多数説である。

　前者の訴訟物については、再審事由の内容が広範囲にわたり性質の全く異なるものが含まれていることに照らすと、取消しを求める法的地位を確定的に1つととらえ、既判力の遮断効の例外を認めないのは相当ではない。

　それではどう考えるかだが、再審事由ごとに訴訟物は異なると考える（伊藤778頁）よりも、訴訟物自体は1つであるとし、ただ、この裁判の基準時までに知りえなかった再審事由は失権しないと考える（新堂974頁）ほうが適切な結果が得られよう（なお、再審事由には、後記の出訴期間の遵守の制約〔[664]〕があるので、既判力の遮断効が及ばないと考えても、新たな再審の訴えが提起できるとは限らない）。

　手続の基本としては、裁判所は、まず、再審事由の有無について決定で判断し（345条2項、346条1項）、再審手続を開始した場合には、本案の申立てについて再審理を行った上で、再審請求を棄却するか、判決を取り消して新たな判決をすることとなる（348条）。

[661] 第2節　再審事由

　338条1項1号ないし3号については、絶対的上告理由（312条2項1号、2号、4号。[628]、[629]、[632]）と同一である。

　同項4号ないし7号は、判決の基礎となった裁判官の公正性または裁判資料にかかわる犯罪行為があった場合である。4号は裁判官に犯罪（たとえば収賄〔刑197条〕）があった場合に判断の公正さに疑いがもたれることを根拠とするので、判決の結論との間の因果関係を問わないが、5号ないし7号については、これが要求される。

　また、4号ないし7号については、該当の行為について有罪判決・過料の裁判が確定するか、証拠がないという理由以外の理由（検察官が不起訴処分とした場合〔刑訴248条〕、被告人の死亡〔同339条1項4号〕、公訴権の時効消滅〔同337条4号〕等）によりこれらが得られない場合に限り、再審の訴えが提起できる（なお、以上は、後記**第3節**で論じる事柄と同じく、再審の訴えの適法要件であると解される。後記最判昭和45・10・9にはそのことを前提とした説示がある）。ただし、後者の場合には、原告は、有罪の確定判決を得られた可能性について立証する必要がある（最判昭和42・6・20判時494号39頁）。

　もっとも、再審裁判所は、これらの再審事由の存否を判断するに当たっては、有罪の確定判決等の判断に拘束されるものではなく、独自に審理判断ができる（最判昭和45・10・9民集24巻11号1492頁）。

　同項8号は、判決の基礎となった民事もしくは刑事の判決その他の裁判または行政処分が後の裁判または行政処分により変更された場合である。判決の基礎となった裁判とは、原判決が法的な拘束力を受けた場合だけではなく、原判決の事実認定が全面的にこれらの裁判等に依拠しているような場合をも含むであろう。

　もっとも、実際には、この再審事由が認められる場合がそれほど多いわけではないと思われる[1]。

　同項9号は、当事者が提出した攻撃防御方法について裁判所が判決理由中で判断を行わず、そのことが結論に影響を及ぼすべき場合である（判決の理由不備・理由齟齬との相違につき[634]参照）。

もっとも、下級審判決の場合にはこれはすぐにわかることなので、上訴で主張すべきである（後記の再審の補充性〔338条1項ただし書。[665]〕の問題となる。ただし、上訴のうち上告については、再審の補充性の例外となる〔[665]〕ので、控訴審判決に9号の問題があれば、再審が可能である）。

　9号は、上告審判決についても問題となりうる（最判昭和39・3・24判タ161号77頁。適法な期間内に上告理由書の提出があったにもかかわらず、上告受理通知書〔現在の上告提起通知書〕の送達日時に誤記のある送達報告書に依拠し、十分な職権調査を尽くすことなく、期間徒過の提出と判断して上告却下の判決をした場合について、9号の再審事由に当たるとした）。

　同項10号は、既判力の抵触を解決するためのものである。

　もっとも、当事者が確定判決の存在を知りながらこれを援用せずに既判力と抵触する判決の作出を許してしまった場合には、やはり、再審の補充性の問題となり（ただし、上告については9号の場合と同様）、その結果、基準時が後になるあとの判決のほうが通用力をもつことになる（高橋下782～783頁、高橋上599頁。なお、[064]、[463] も参照）。

---

(1) この点が争われた近年の例としては、知的財産権関係事件がある（主な論点は特許法プロパーのそれとなるが、最判平成15・10・31判時1841号143頁、判タ1138号76頁、百選5版A39事件は、特許無効審決取消訴訟について、事件が上告審に係属中に特許に関し特許請求の範囲を減縮する旨の訂正審決が確定した場合に8号の再審事由を認めた。一方、特許権侵害訴訟については、最判平成20・4・24民集62巻5号1262頁が、同様の事情のある事件について8号の再審事由があるものと解される余地があるとしつつも、当該事案においては、これを理由に原審の判断を争うことは紛争の解決を不当に遅延させるものとして許されないとし、この判例を受けた特許法改正（104条の4の新設）後の最判平成29・7・10民集71巻6号861頁は、事例判決であったこの判例の趣旨を一般化した。詳しくは、判タ1444号113～117頁等の平成29年最判解説参照）。

第3節 再審の訴えの対象、訴訟要件ないし適法要件

[662] 第1項 再審の訴えの対象となる裁判

再審の訴えの対象となる裁判は、確定した終局判決である（338条1項本文）。

中間判決等の中間的裁判については、これについての再審事由を主張して、終局判決に対して再審の訴えを提起することになる。この場合、中間的裁判について独立した不服申立ての方法が定められているときでも、終局判決に対する再審の訴えが許される（339条の表現はわかりにくいが、こういう意味である）。

独立した不服申立ての方法が定められている場合にはそれに対する独立した再審申立てを認めることも考えられるが、それを認めても、最終的には終局判決に対する再審の訴えを認めざるをえず、かえって手間がかかるので、終局判決に対する再審の訴えでこれを主張させることとしたものである。

ただし、即時抗告によって不服を申し立てることができる決定・命令で確定したもの（もっとも、ある事項を終局的に確定するような決定・命令に限定される。訴状却下命令〔137条2項〕、訴訟費用についての決定〔71条、72条、73条〕、過料の裁判〔192条1項等〕等〔条解1753頁、コンメⅦ85頁〕）については、独立に再審の申立てをすることができる。これを準再審といい、判決に対する再審の規定が準用される（349条）。

349条は、先の趣旨から、即時抗告には服さないが終局的裁判の性質を有する決定・命令にも準用される（最大決昭和30・7・20民集9巻9号1139頁。最高裁判所のした、終局裁判の性質を有する決定・命令に対しては、準再審の申立てができるとする）。

同一の事件について各審級に確定判決が存在する場合、それぞれについて再審事由を主張して再審の訴えを提起できるのが原則である（ただし、管轄については、後記**第2項**参照）が、控訴審が本案判決をしている場合には、第一審判決に対する再審の訴えは提起できない（338条3項）。控訴審で本案を

含め全面的な審理がなされている以上、これに対して再審を認めれば十分であり、第一審判決について再審を認める必要性はないからである。

[663] 第2項　再審の訴えの管轄

再審の訴えは、不服の申立てにかかる判決をした裁判所が専属管轄として管轄権をもつ（340条1項）。ただし、審級を異にする裁判所に同一事件についての判決に対する再審の訴えが提起された場合（第一審判決と控訴却下判決、また、控訴審判決と上告棄却判決については、双方について再審の訴えを提起できる）には、上級の裁判所が併せて管轄権をもつ（同条2項）。判断の矛盾・抵触を避けるためである。この場合、下級裁判所は上級裁判所に事件を移送する。

[664] 第3項　再審の訴えの出訴期間

当事者は、判決確定後に再審事由を知った日から30日の不変期間内に再審の訴えを提起しなければならない（342条1項）。これは、それぞれの再審事由ごとに考える趣旨である。判決確定前に再審事由を知った場合には、判決確定の日から起算する（最判昭和45・12・22民集24巻13号2173頁。判断遺脱の事案）。

338条1項4号ないし7号の再審事由についての338条2項の事実（有罪判決等の確定の事実）は、再審の訴えの適法要件とみるべきである（[661]）が、この規定の適用に当たっては、338条1項4号ないし7号の再審事由のみならず338条2項の事実をも知った日から30日の期間が起算されると考えるべきである（大判昭和12・12・8民集16巻1923頁）。これらの再審事由については、再審事由を知っただけでは再審の訴えを提起することはできないのに、その時点から30日の期間を起算するのは不合理だからである。

また、当事者は、判決確定日（再審事由が判決確定後に生じた場合にあってはその事由が発生した日）から5年を経過したときは、再審の訴えを提起することができない（342条2項）。これは除斥期間と解される。338条1項4号ないし7号の再審事由については、338条2項の事実が生じた日から起算される。

代理権の欠缺（338条1項3号の一部）、既判力の抵触（同項10号）の場合については、以上の規定は適用がない（342条3項）。前者については当事者の保護を、後者については抵触の解消を、より重視するという趣旨である。

[665] 第4項　**再審の補充性**

　当事者が、再審事由を上訴で主張し、またはこれを知りながら主張しなかったとき（また、上訴を提起しなかったとき。最判昭和41・12・22民集20巻10号2179頁）には、その再審事由による再審の訴えは認められない（338条1項ただし書）。これを再審の補充性という。上訴も再審も不服申立ての一種である以上、同じ事由を二重に主張させる必要はないこと、これを知りながら主張しなかった場合には不服申立ての機会を放棄したものとみるべきことによる（伊藤778～779頁）。

　知っていたか否かは、代理人がいれば代理人をも含めて考えるが、代理権欠缺の場合には、本人を基準に考えることになる（伊藤779頁）。

　なお、この再審の補充性の性質についても、再審の訴えの適法要件とみるべきであろう（クエスト648頁）。

　再審事由のうち、338条1項9号、10号と再審の補充性との関係については、すでにふれた（[**661**]）。いずれも、そこに記したような事情があれば、当事者はこれを「知っていた」との事実上の推定がはたらく（上記最判昭和41・12・22。9号の事案）ので、「知らなかった」というためには、当事者は、何らかの特別な事情について反証する必要がある。

　同項3号についても、送達の関係で、送達自体としては有効であっても、当事者が送達された書類の内容を了知できなかった場合には、再審の補充性ははたらかないとするのが判例であることは、すでにふれた。送達の有効無効と再審の補充性とは別問題だとしたのである（[**214**]。これはきわめて当然のことのように思えるが、原審は、そう解していなかった）。

　また、上訴のうち上告については、本書は、再審事由のうち絶対的上告理由と重ならない部分（338条1項4号以下）の上告理由該当性について消極説を採る（[**636**]。なお、そこでもふれたとおり、現行民事訴訟法下の判例も、消極説にきわめて親和的である）ので、これらの事由を知りながら上告で主張しなくても、再審の補充性の問題とはならないと解することになる。上告受理申立てで主張していた場合でも、これは受理されるとは限らないものだから、同様に考えるべきであろう（なお、控訴については、再審の補充性の問題となることに注意）。

　この点について積極説を採る場合には、上告で主張しなければ、再審の補

充性の問題となる。したがって、二度手間を避け早期に決着させるという意味では、積極説のほうがベターなのだが、消極説は、それよりも、上告理由と再審事由を峻別して最高裁判所の負担を軽減することに重きを置き、再審事由は上告受理申立てにゆだねることにし、さらに不満があれば後から再審で主張させればよい、と考えるわけである（以上につき、[636]）⁽²⁾。

[666] 第5項　再審の訴えの当事者適格

　原告適格は、確定判決の効力を受け、その取消しについて不服の利益をもち、かつ、原判決の訴訟物について当事者適格を有する者にある。

　通常は、確定判決における全部または一部敗訴者である。

　既判力の主観的範囲が拡張される者のうち、口頭弁論終結後の承継人はこれらの要件を満たす（最判昭和46・6・3判時634号37頁、判タ264号196頁、百選5版117事件）が、請求の目的物の所持者は訴訟物について固有の利益をもたないから、不服の利益が認められない。訴訟担当の被担当者については、その者が原判決の訴訟物について当事者適格を有するか否かによる。

　なお、口頭弁論終結後の承継人のうち包括承継人については特に問題はないが、特定承継人については、本案の再審理において当然に当事者としての地位を取得すると考えてよいか（何らかの手続が必要ではないか）ということが問題となる。再審開始決定確定前でも再審事由の存在を条件とする本案についての潜在的な訴訟係属はあるととらえて、特定承継人に参加承継の申出とともに再審の訴えを提起させればよいとする考え方が有力である（クエスト651頁。詳しくは、高橋下794～798頁参照）。

---

(2)　なお、積極説を採る場合、同項4号ないし7号の再審事由については、これらの再審事由に加えて338条2項の事実（有罪判決等の確定）をも知りながら上訴で主張しなかった場合に限り、再審の補充性にふれる（最判昭和47・5・30民集26巻4号826頁）。また、証拠がないという理由以外の理由（被告人の死亡等。**第2節**）により有罪確定判決等が得られない場合には、そのような事実に加えて有罪確定判決等を得ることを可能とする証拠の存在を知りながら上訴で主張しなかった場合に限り、再審の補充性にふれることになる（被告人の死亡等の事実が再審の訴えの対象となる判決の確定前に生じたことを知っていた場合であっても、有罪確定判決等を得ることを可能とする証拠が再審の訴えの対象となる判決の確定後に収集された場合には、再審の補充性にふれない。最判平成6・10・25判時1516号74頁、判タ868号154頁）。

確定判決の対世効は受け、これによる具体的な不利益（相続権侵害等）も受けるが当事者適格を有しない者は、再審の訴えは提起できない（独立の原告適格は認められない。最判平成元・11・10民集43巻10号1085頁）が、補助参加（共同訴訟的補助参加）の申出とともに再審の訴えを提起することが可能である（43条2項、45条1項本文。伊藤784～785頁）。この場合には、補助参加の性質上、次に述べる独立当事者参加の申出による場合とは異なり、補助参加人自身がその地位を害されたことが再審事由になるものではなく、元の訴訟に再審事由があったか否かのみが問題となると解すべきであろう（伊藤785頁の注(22)）。
　また、上記のような者は、独立当事者参加の申出とともに元の訴訟の原被告双方を相手方として再審の訴えを提起することができる、とするのが多数説である（兼子485頁、新堂979頁、高橋下794頁）。
　最決平成25・11・21（民集67巻8号1686頁、百選5版118事件）は、新株発行の無効の訴えの被告とされた株式会社の訴訟活動が著しく信義に反しており、その訴えについての確定請求認容判決の効力を受ける第三者に確定判決の効力を及ぼすことが手続保障の観点から不適切な場合には、上記確定判決には、民事訴訟法338条1項3号の再審事由があるとし、この場合、確定判決の効力を受ける第三者は、確定判決にかかる訴訟について独立当事者参加の申出をすることによって、確定判決に対する再審の訴えの原告適格を有することになる、とした。
　そして、最決平成26・7・10（判時2237号42頁、判タ1407号62頁）は、この理は、新株発行の無効の訴えと同様にその請求を認容する確定判決が第三者に対してもその効力を有する株式会社の解散の訴えの場合においても異ならない、とした。
　これらの判例は、第三者自身が詐害的な元訴訟によってその地位を害されたことを理由とする再審（いわゆる第三者詐害再審。明治23年の旧々民事訴訟法にはこれを認める規定があったが、旧法、現行法にはそのような規定がない〔伊藤784頁の注(21)〕）を判例によって認めたものといえる。
　なお、このような第三者に明文で詐害再審の訴えの原告適格が認められている場合もある（行訴34条、会社853条、一般法人283条）。
　被告適格は、確定判決における全部勝訴者、その既判力の拡張を受けかつ原判決の訴訟物について当事者適格を有する者、である。
　人事訴訟では、相手方死亡後は検察官に被告適格が認められる（人訴12条3項、43条2項）。

第4節　再審の手続

[667] 第1項　再審の訴えの提起

　再審の訴えの管轄裁判所についてはすでにふれた（[663]）。

　再審の訴状には、当事者および法定代理人、不服の申立てにかかる判決の表示およびその判決に対して再審を求める旨（求める裁判の内容も記載すべきであろう）、不服の理由（再審事由）を記載しなければならない（343条）。

　不服の理由は後に変更することができる（344条）。

[668] 第2項　再審の訴えの適法性および再審事由の審理と裁判

　裁判所は、再審の訴えの訴訟要件ないし適法要件が認められない場合には、決定で再審の訴えを却下する（345条1項）。再審事由が認められない場合には、決定で再審の訴えを棄却する（同条2項）。棄却決定が確定した場合には、同一の事由により再審の訴えを提起することはできない（同条3項）。

　裁判所は、再審事由が認められる場合には、相手方を審尋（手続保障の見地から）した上で、再審開始の決定をする（346条）。

　以上の決定に対しては、いずれについても、即時抗告をすることができる（347条）。

　再審事由の存否に関する審理については、公益性が高いので職権探知主義が採られ、上告審でも事実審理がなされうる。

　このように、現行法は、訴えの適法性および再審事由の審理と裁判については決定手続により迅速に行い、その後本案の審理を行うという形で、再審手続を明確に2段階に分けた（一問一答381～382頁）。

[669] 第3項　本案の審理と判決

　再審開始決定が確定した場合には、裁判所は、不服申立ての限度で本案の

審理および裁判を行う（348条1項）。

再審の訴訟手続には、その性質に反しない限り、各審級における訴訟手続に関する規定が準用される（341条）。

本案の審理は原判決手続の再開続行として行われ、裁判官の交代があれば、弁論の更新の手続（249条2項）がとられる（なお、本書のように再審の確定判決についても前審関与による除斥を認めれば、裁判官は必ず交代することになる〔[090]〕）。

ただし、従前の訴訟手続のうち再審事由にかかわるものは、再審開始決定により効力を失う。

また、再審開始決定により原判決の既判力が解除されているので、当事者は、事実審であれば、口頭弁論終結後の事実に限らず攻撃防御方法の提出が認められる。

裁判所は、審理の結果、原判決を正当とする場合（原判決の口頭弁論終結後の事実によれば正当とされる場合をも含む）には、判決で再審の請求を棄却する（348条2項）。

それ以外の場合には、原判決を取り消した上で、当事者の請求について新たな裁判をする（同条3項）。

終局判決に対しては、その審級に応じた上訴が許される。

新たな既判力の基準時は、再審訴訟の事実審の口頭弁論終結時となる。

【確認問題】
1　再審と、上訴、特別上訴、上訴の追完、請求異議の訴えとの相違について説明せよ。
2　再審の訴えの訴訟物について述べよ。
3　再審事由のそれぞれについて、具体的に説明せよ。
4　再審の補充性に関し、338条1項9号、10号、3号について具体的に述べよ。また、再審事由の上告理由該当性を認めるか否かと再審の補充性との関係について説明せよ。
5　再審の訴えの当事者適格について述べよ。

[670] 第23章
簡易裁判所とその審理、略式訴訟手続、家庭裁判所と人事訴訟

　本章では、簡易裁判所とその訴訟手続の特則、民事訴訟法上の略式訴訟手続、そして、家庭裁判所と人事訴訟について論じる。いずれについても、その基本を正確に理解すること（弁護士のみならず、裁判官も、特別手続や、民事執行・保全法、倒産法では、基本の理解が不十分なために、ミスをしやすい）、また、それによって民事訴訟制度をその外延から把握することが大切である。以上の趣旨から、実務上重要な部分については、比較的詳しい解説を行う。また、家庭裁判所のあり方については、一定の法社会学的分析をも試みた。

第1節　簡易裁判所とその審理

[671]　第1項　**簡易裁判所**

　簡易裁判所は、少額軽微な事件を簡易迅速な手続によって解決することを目的として設けられた第一審裁判所であり（270条参照）、親しみやすく利用しやすい手続により国民・市民が簡易な事件・紛争をみずからの手で解決することができるようにすることを1つの目的としているため、訴訟手続の設計において弁護士の関与が必ずしも前提とされていない点に、その特色がある。

　もっとも、実際には、事物管轄にかかる訴額の度重なる引上げにより、地方裁判所の負担を調整するための裁判所（小型の地方裁判所）という性格が強

まっているのではないか、上記のような理想からは遠い状況となっているのではないかとの批判も強い。簡易裁判所判事の給源が、退官した後の裁判官（割合からすれば小さい）のほかは元裁判所書記官によって占められており、任用制度が開かれたものとなっていないこと、したがって裁判官の質にもムラが大きいことも、1つの問題であろう。

現行法によって新たに設けられた少額訴訟手続（[675]）は、簡易裁判所の審理を活性化し、そのあるべき姿に近付けるための1つの試みであるということができる。

簡易裁判所の管轄と移送関係については、簡易裁判所の事物管轄の拡大化傾向を考慮して、種々の調整規定が設けられているので、実務家は、これらをよく知っておく必要がある。

第一に、簡易裁判所の管轄は、訴額が140万円を超えない事件が基本だが、行政事件は除かれている（裁33条1項1号）し、訴額が140万円を超えない事件についても、不動産に関する訴訟は、地方裁判所にも提起することができる（同24条1号。競合管轄となっている）。

第二に、簡易裁判所は、反訴で地方裁判所の管轄に属する請求がなされた場合には、相手方（本訴原告・反訴被告）の申立てがあれば、本訴・反訴の地方裁判所への移送が義務付けられている（274条）。

第三に、簡易裁判所は、訴訟がその管轄に属する場合においても、相当と認めるときは、申立てによりまたは職権で、訴訟をその所在地を管轄する地方裁判所に移送することができる（18条。裁量移送）。

第四に、第一審裁判所間の、当事者の申立ておよび相手方の同意があるときの必要的移送の規定は、簡易裁判所から地方裁判所への移送の場合には、本案についての弁論や申述の後でも（つまり、いつの時点でも）、適用がある（19条1項）[1]。

第五に、簡易裁判所は、不動産に関する訴訟については、被告が本案についての弁論前に申立てをした場合には、地方裁判所への移送が義務付けられている（19条2項）。

---

(1) 第三や第四の移送の申立ては、事件が簡易裁判所の手に余ると感じられる場合には、できる限り早期にすることが望ましい。地方裁判所に移送された時点ですでに簡易裁判所で延々と迷走審理が行われていた事件については、能力の高い裁判官でなければ、短期間での再整理が難しいからである。

第六に、これは管轄違いの場合の取扱いだが、地方裁判所は、簡易裁判所の管轄に属する事件についても、専属管轄の場合を除き、申立てによりまたは職権でみずから裁判をすることができる（16条2項）。

[672] 第2項　簡易裁判所の訴訟手続

　簡易裁判所の訴訟手続については、若干の特則が定められている。
　まず、口頭の起訴が可能である（271条）。
　また、訴えの提起においては、請求の原因に代えて、紛争の要点を明らかにすれば足りる（272条）。これにより、口頭起訴もより容易になる。
　呼出し（139条）によらずに当事者双方が開廷時間中に裁判所に出頭して口頭弁論を行うことができる（273条）。もっとも、そのような事態はまれであろうし、いつでもこれに対応できる特別の法廷が設けられているわけでもなく、この規定はほとんど使われていない。
　準備書面は必ずしも提出しなくてよい（276条1項）。161条1項の特則である。その場合、裁判所は、口頭陳述の要旨を口頭弁論調書に記載しておくべきであろう。もっとも、2項、3項の限定があるので、1項が適用される場合はあまり広くない（2項の「相手方が準備をしなければ陳述をすることができないと認めるべき事項」については、具体的には、コンメV364頁参照）。
　当事者の一方が期日に出頭しない場合には、続行期日においても、擬制陳述が可能である（277条）。158条の特則である。一方が出頭していることを条件として、その限度で、書面審理を許容したものといえる。
　また、裁判所は、相当と認めるときは、証人、当事者本人、鑑定人の尋問に代えて、書面の提出をさせることができる（278条。205条の場合と異なり、当事者に異議のないことが要件となっていない）。
　口頭弁論調書記載の省略についても、通常の訴訟手続の場合（規68条）に比べてより容易になっていて、同条2項のような限定がない（規170条）。
　裁判所は、民間人から選任される司法委員に和解の補助をさせ、また、審理に立ち会わせて事件についてその意見を聴くことができる（279条1項）。実際に多く利用されているのは和解の補助であり、定型的な事件については、事実上は、司法委員が和解を行っているに等しい運用もなされているようである（簡易裁判所の特殊性に根ざした運用といえよう）。また、専門知識を要する

事件では、専門委員に近いような専門家司法委員も利用されている（以上、コンメⅤ376〜377頁）。

また、裁判所は、被告が原告の主張を争わず通常であれば請求認容判決がされる場合であっても、5年を超えない期間の分割払の定め、支払を怠った場合の期限の利益の喪失の定め、期限の利益を失うことなく支払を終えたときの訴え提起後の遅延損害金の支払義務免除の定めをする「和解に代わる決定」をすることができる。これについて当事者が決定の告知を受けた日から2週間以内に異議の申立てをしたときは、先の決定は効力を失い（したがって、裁判所は、従前の訴訟手続を進行させ、判決をすることになる）、2週間以内に異議の申立てがないときは、先の決定は裁判上の和解と同一の効力を有することとなる（275条の2）。

判決の記載事項についても、通常の訴訟手続の場合（253条〔令和4年改正後252条〕）よりも簡略化されている（280条）。

なお、簡易裁判所においては、いわゆる認定司法書士にも訴訟代理の権限が認められている（[**144**]）。

[673] 第2節　略式訴訟手続

民事訴訟法には、以下の3つの略式訴訟手続が設けられている。もっとも、支払督促に関する手続のうち通常訴訟に移行するまでの手続（この部分の手続が「督促手続」と呼ばれる）には裁判官は関与しないから、督促手続は、そのような意味でいえば、「訴訟手続」ではなく、通常訴訟の前駆手続にすぎない（なお、民事訴訟手続の特別手続全般については、[027] 参照）。

これらの手続においては、審理が簡略化され、債権者が早期に債務名義を得られるようになっており、仮執行宣言や執行停止についても、その点からの考慮が払われている場合がある（もっとも、手形・小切手に関係する金銭請求についての仮執行宣言の特則〔259条2項〕は、権利の性質にかんがみてのものなので、手形・小切手訴訟によるか否かを問わない）。

事件数からみると、督促手続の利用が多い（業者のほか、弁護士も適宜利用している）。一方、手形・小切手訴訟は、近年、その利用が激減している。

これらの手続は、初心者にはかなりわかりにくい。ことに、督促手続および督促異議と通常訴訟への移行手続は、複雑である。しかし、この手続はよく利用されるものであるから、正確に理解しておく必要がある。手続の全体が非常に精妙に組み立てられているので、正確に理解することによって、訴訟法的感覚をも養うことができるだろう。

[674] 第1項　手形・小切手訴訟

手形・小切手訴訟は、手形・小切手金等の請求について認められる略式訴訟手続である（350条1項、367条1項）。小切手訴訟については、手形訴訟の規定が全面的に引用されている（367条2項）ので、以下においては、手形訴訟について解説する。

手形訴訟の利用が可能なのは、手形による金銭の支払請求および附帯の法定利率による損害賠償請求である（350条1項）。手形による金銭の支払請求は、手形に化体された債権一般をさすが、利得償還請求権（手85条）のように手形に化体された権利とはいえないものは含まない。

手形金請求についてはもちろん通常の民事訴訟も可能なので、手形訴訟によりたい場合には、訴状にその旨の申述をしておかなければならない（350条2項）[2]。

通常訴訟とは異種の手続となるので、通常訴訟事件との併合請求はできない。また、手続を複雑にすることから、反訴は提起できない（351条）。中間確認の訴えも同様と解される。350条1項は給付請求のみを許容しているからである（新堂906頁）。手形の裏書譲渡を受けた者の49条による訴訟参加（参加承継の申出）は許される（原告に対しては請求を立てる必要はないであろう〔[594]〕）が、第三者が原告は盗難手形の悪意取得者であるなどと主張して権利主張参加（47条1項）をすることは許されない。簡易な手続による訴訟という手形訴訟の趣旨を大きく踏み越えるからである（条解1774〜1775頁、注釈(5)574〜575頁）。

---

(2)　具体的には、訴状の表題部に「手形訴訟の訴状」あるいは「訴状（手形訴訟）」等と記載し、請求の趣旨の前後または請求の原因のあとに「本件は手形訴訟による審理裁判を求める」、あるいは、請求の趣旨のあとに「との手形訴訟による判決を求める」との文言を加えるなどの方法がとられている（条解1769〜1770頁、コンメⅦ105頁）。

手形訴訟の審理は、1期日で終えるのが原則であり、やむをえず続行期日を指定する場合にも、前の期日から15日以内の日に指定しなければならない（規214条、215条）。

　証拠調べは、書証および文書の成立の真正または手形の提示についての当事者本人尋問に限られる。文書提出命令・送付嘱託等の申立てはすることができない。ただし、以上の規律は、職権調査事項には適用されない（352条）。

　書証については、訴え提起後に作成された当事者・第三者の報告証書（陳述書）の許容性が問題となるが、反対尋問の機会がないことなどから、消極説が通説である（条解1776頁）。

　原告は、口頭弁論の終結に至るまで、被告の承諾を要しないで、訴訟を通常の手続に移行させる旨の申述をすることができ、訴訟は、この申述があった時に通常の手続に移行する（353条1項、2項。関連規定として、同条3項、4項、354条）。いわゆる移行申述である。原告に手続選択の機会を与えたものであり、被告の答弁等から難しい争点の存在が明らかになった場合等に行われる（なお、最初からそのような事態が想定される場合には、多くの原告は手形訴訟手続を選択しない）。

　手形訴訟の判決書または判決書に代わる調書（254条）の表示については、「手形判決」と表示される（規216条）。

　認容判決には職権で仮執行宣言が付される（259条2項）。もっとも、これは通常訴訟の場合でも同様である。

　手形本案判決に対しては控訴が許されず（356条本文）、不服のある当事者は、判決書等の送達を受けた日から2週間の不変期間内に、判決をした裁判所に異議の申立てをする（357条）。異議には確定遮断効がある（116条）。異議の申立てに伴う執行停止については、通常訴訟によった場合と同様の要件であるが、いずれにせよ、通常の控訴の提起の場合よりも厳しい（403条1項3号ないし5号参照）。

　もっとも、通常の訴え却下判決に対しては控訴が可能である（356条ただし書）。ただし、請求が手形訴訟の適格を欠く場合には口頭弁論を経ないで判決で訴えが却下される（355条1項）ところ、これに対しては不服申立てはできない（356条ただし書）。しかし、判決書の送達を受けた日から2週間以内に通常訴訟を提起すれば、時効完成猶予効等が維持される（355条2項）。

　異議によって、訴訟は口頭弁論終結前の審理状態に戻り、通常手続による

訴訟が続行される（361条）。したがって、審判の対象も通常手続の場合と同様であるが、すでに手形判決が存在するので、異議後の判決は、手形判決を認可しまたは取り消す形で行われる（362条）。取消しの場合には、請求についても判断をする（控訴審判決の場合と同様である）。異議を却下しまたは手形判決の訴訟費用の負担の裁判を認可する場合には、訴訟費用負担の裁判は、異議後の訴訟費用についてのみ行えばよい（363条1項。手形判決の訴訟費用の裁判の全部または一部を認可できる場合については、新たに異議後の訴訟費用についてのみ判断すればよいとの趣旨であり、67条1項の特則である〔条解1823～1824頁〕）。異議後の判決に対する不服申立ては、通常どおり控訴である（なお、もちろん原則どおり上告等もできる）。

　異議申立権はその申立て前に限り放棄することができる（358条）。異議が不適法で補正不能の場合には、裁判所は、口頭弁論を経ないで、判決で異議を却下できる（359条）。異議は、終局判決があるまで、取り下げることができる（360条1項）。異議の取下げは、相手方の同意を得なければその効力を生じない（同条2項）。防御の態勢を整えた相手方の立場を保護するためである。異議の取下げについては、訴えの取下げの規定の多くが準用されている（360条3項）。

[675] 第2項　少額訴訟

　少額訴訟は、簡易裁判所で、訴額が60万円以下の金銭支払請求について認められる略式訴訟手続である（368条1項本文）。手続の柔軟さにその特色がある。ただし、同一の年に10回以上は利用できない（同項ただし書、規223条）。これは、一般市民のための手続という少額訴訟の制度趣旨から、金融業者等の業者の利用を制限するためである。

　原告は、少額訴訟手続を選択する場合には、訴え提起の際にその旨の申述をする（368条2項）。

　これに対し、被告は、訴訟を通常手続に移行させる旨の申述をすることができる。ただし、最初にすべき口頭弁論期日において弁論をし、またはその期日が終了した後は、この限りでない（373条1項）。訴訟は、この申述があった時に通常の手続に移行する（同条2項）。少額訴訟は控訴が許されない一審限りの手続であり、証拠調べ方法の制限があるなど手続も簡略化されてい

ることから、手続保障の観点から、被告に移行申述権を認めたものである（手形訴訟の場合と異なり、被告に移行申述権が認められていることに注意）。

　当事者が手続の内容を正確に理解し、ことに被告がその申述を適切になしうるようにするために、裁判所書記官は最初の期日の呼出しの際に手続の内容を説明した書面を交付しなければならず、裁判官は、最初の期日の冒頭に手続の重点の説明をしなければならない（規222条）。

　裁判所は、請求が少額訴訟の要件を欠くとき、公示送達によらなければ被告の最初の期日への呼出しができないとき、少額訴訟によることが相当ではないと認めるとき（事案が複雑である、即時性のない証拠調べが必要であるなどの場合）などには、通常手続により審理裁判をする旨の決定をしなければならない（373条3項）。

　反訴は提起できない（369条）。

　少額訴訟の審理は、1期日で終えるのが原則である（370条）。

　証拠調べは、即時に取り調べることができる証拠に限りすることができる（371条）。これは通常は疎明の場合の制限だが（188条）、少額訴訟では、1期日で証拠調べを終える必要性等から、通常の証明による手続でありながら、即時性を要求しているのである。

　したがって、証人は、同行在廷する者に限り尋問することができることになる。文書提出命令の申立てや文書送付嘱託もできない。

　証人等の尋問については、証人の宣誓不要、証人と当事者本人の尋問の順序は裁判官の判断にゆだねる、電話会議システムによる証人尋問可能、証人尋問の尋問事項書提出不要の特則がある（372条、規225条、226条）。

　少額訴訟の判決書または判決書に代わる調書（254条）の表示については、「少額訴訟判決」と表示される（規229条1項）。

　判決の言渡しは、相当でないと認める場合（判決の内容に検討を要する部分がある、当事者が興奮しているので時間を置いたほうがよいなどの場合）を除き、口頭弁論終結後ただちにする（374条1項）。判決の原本に基づかない言渡しが可能であり、調書をもって判決書の作成に代えることができる（同条2項。通常訴訟の調書判決〔254条。[**427**]〕と同様の手続による）。

　判決の言渡しは、主文および理由の要旨を告げてする（規229条2項、155条3項）。理由の要旨は、請求原因、抗弁等について簡潔にそれが認められるか否かを示す程度のものでよいと解されているようである（条解1861頁）が、

中心的な争点については、判断とその根拠がある程度具体的に示されてしかるべきではないだろうか。

　認容判決には職権で仮執行宣言が付される（376条1項）。

　また、裁判所は、請求を認容する判決においては、被告の資力等を考慮して特に必要があると認めるときは、3年を超えない期間の分割払の定め、支払を怠った場合の期限の利益の喪失の定め、期限の利益を失うことなく支払を終えたときの訴え提起後の遅延損害金の支払義務免除の定めをすることができる（375条1項、2項）。これは、実質的には、訴訟上の和解の内容を職権で判決の中に組み込むようなものであり、融通無碍な手続ならではの規定である。これらの定めについては、不服は申し立てられない（同条3項）。原告がみずから少額訴訟手続を選択したことが以上のような規律の正当化の根拠となろう。

　少額訴訟判決に対しては控訴が許されず（377条）、不服のある当事者は、判決書等の送達を受けた日から2週間の不変期間内に、判決をした裁判所に異議の申立てをする（378条）。異議には確定遮断効がある（116条）。異議の申立てに伴う執行停止については、手形・小切手訴訟の場合と同様の要件になっている（403条1項5号）。

　異議によって、訴訟は口頭弁論終結前の審理状態に戻り、通常手続による訴訟が続行される（379条1項）。

　判決の内容、訴訟費用の裁判については手形判決の場合と同様である（379条2項、362条、363条）。

　反訴の禁止、証人と当事者本人の尋問の順序、判決による支払の猶予については、異議前の手続の規定が準用されている（379条2項、369条、372条2項、375条）。

　異議申立権の放棄、口頭弁論を経ない異議の却下、異議の取下げについては、手形訴訟の規定が準用されている（378条2項、358条ないし360条）。

　異議後の終局判決、口頭弁論を経ない異議の却下判決に対しては、控訴ができない（380条1項）。不服申立てとしては、特別上告（同条2項、327条）以外許されないことになる。この点は、少額訴訟手続の最も目立った特徴の1つであり、略式訴訟手続の趣旨を徹底したものといえる。

　なお、少額訴訟については、執行に関しても、少額訴訟債権執行という簡易な手続が設けられている（民執167条の2ないし14。通常の債権執行によること

もできる〔民執167条の2第1項柱書〕)。

第3項　督促手続と督促異議、通常訴訟への移行

[676]　第1　概説

督促手続は、金銭その他の代替物または有価証券の一定の数量の給付を目的とする請求（損害の回復の比較的容易な給付請求に限定するという趣旨であり、公正証書の要件〔民執22条5号〕と同様の文言となっている）について債務者がこれを争わない場合に債権者に簡易迅速に債務名義を得させる手続である（382条本文。督促手続では、当事者の名称は、債権者、債務者である）。

現行法の下では支払督促を発するのは旧法の場合と異なり簡易裁判所の裁判官ではなく裁判所書記官とされ、名称も、従前の支払命令から支払督促に変更された。

督促手続は、仮執行宣言後に督促異議の申立てがあれば通常訴訟に移行するので、その段階までをも含めた手続の流れは手形訴訟や少額訴訟に似ているが、前記[673]でふれたとおり、通常訴訟に移行するまでの手続（この部分の手続が「督促手続」と呼ばれる）には裁判官は関与しないから、そのような意味でいえば、「訴訟手続」ではなく、通常訴訟の前駆手続にすぎない。

支払督促は裁判所書記官が発するので、申立ての要件適合性と請求に理由がないことが明らかか否かの点について書面の審査が行われるのみである（385条1項。当然のことながら、裁判所書記官は、裁判は行えず、証拠による事実認定はありえない）。

債務者に確実に督促異議申立ての機会を与えるべく、支払督促の申立ては、日本において、公示送達によらないでこれを送達することができる場合にのみこれをなしうることとされている（382条ただし書）。

債権者は、債務者が義務を争わないと思われる場合（認めているがなかなか支払をしない場合）あるいはその主張におよそ理由がないと思われるような場合には、とりあえず、訴えの提起ではなく支払督促の申立てを行うという選択をすることも多いため、督促手続の利用は多い。

[677]　第2　支払督促の申立てと発付

　支払督促の申立ては、債務者の普通裁判籍の所在地を管轄する簡易裁判所にするのが原則であるが、一部の請求については他の管轄裁判所も認められている（383条）。なお、督促手続については、電子情報処理組織によるいわゆる督促手続オンラインシステムの利用が可能である（397条ないし402条〔令和4年改正後397条ないし399条〕、132条の10〔[233]〕）ところ、このシステムによる申立てについては、指定簡易裁判所である東京簡易裁判所に対してすることができる（397条、民事訴訟法第132条の10第1項に規定する電子情報処理組織を用いて取り扱う督促手続に関する規則1条1項。また、電子情報処理組織による督促手続の特則一般については、同規則および新堂902～904頁参照）。

　支払督促の申立てには、その性質に反しない限り、訴えに関する規定が準用される（384条）。当事者、法定代理人、申立ての趣旨および原因の特定が必要である（133条2項〔上記改正後134条2項〕の準用）。申立ての原因については、請求を特定するのに必要な事実のみが記載されれば足り、請求を理由付ける事実までの記載は必要ではないというべきであろう（[038] 参照）。債務者が督促異議の申立てをすべきか否かの判断にはそれで十分であると解されるからである（条解1883頁）。

　裁判所書記官は、支払督促の申立てが382条もしくは383条の規定に違反するときまたは申立ての趣旨から請求に理由がないことが明らかなときは、申立てを却下しなければならない（385条1項。この処分の告知と処分に対する異議申立て等については同条2項ないし4項）。「申立ての趣旨から請求に理由がないことが明らかなとき」とは、申立ての趣旨および原因から請求の不存在、履行期の未到来、公序良俗違反・強行法規違反が明らかである場合等をいうと解される（条解1885頁、コンメⅦ273～274頁）。

　支払督促は、債務者を審尋しないで発せられる（386条1項）。債務者には督促異議申立ての機会が保障されているため、この段階での審尋、意見聴取は不要という趣旨であろう。裁判所書記官の審査の内容が上記のとおり限定されているということもある。

　支払督促は債務者に送達されなければならず、その効力は送達の時に生じる（388条1項、2項）。債務者への送達は支払督促の正本によってする（規234条1項）。なお、債権者に対しては、裁判所書記官から、支払督促を発し

た旨の通知がされるにとどまる（同条2項。債権者は、この通知さえ受ければ、その後の手続を進めることが可能だからである〔一問一答444頁〕）。また、388条2項のような規定が必要になるのは、決定・命令は告知によって効力が生じる（119条）が、裁判所書記官が発する支払督促にはこの規定が適用されないからである。

　債権者が申し出た場所に債務者の住所等がないため支払督促の送達ができないときは、裁判所書記官は、その旨を債権者に通知しなければならない。この場合において、債権者が通知を受けた日から2か月の不変期間内に新たな送達場所の申出をしないときは、支払督促の申立てを取り下げたものとみなされる（388条3項）。新たな送達場所についても送達不能の場合には、再度の通知が行われ、2か月の不変期間もその時点から再度進行する（条解1892頁）。

[678]　第3　督促異議

　債務者は、支払督促に対し、これを発した裁判所書記官の所属する簡易裁判所に督促異議の申立てをすることができる（386条2項）。仮執行宣言前に適法な督促異議の申立てがあると、支払督促は効力を失う（390条）。

　簡易裁判所は、督促異議を不適法であると認めるとき（例としては、393条の期間経過後の督促異議等）は、決定で督促異議を却下する（394条1項。督促異議にかかる請求が地方裁判所の管轄に属する場合をも含む旨が、注意的に規定されている）。この決定に対しては即時抗告をすることができる（同条2項）。督促異議を適法と認めるときは、後記**第4**の通常訴訟移行の手続をとることになる。なお、督促異議を適法と認める判断に対しては、不服申立ては許されない（新堂900頁、条解1899頁）。

　債務者が支払督促の送達を受けた日から2週間以内に督促異議の申立てをしないときは、裁判所書記官は、債権者の申立てにより、仮執行宣言をする。ただし、仮執行宣言前に督促異議の申立てがあった場合は、除外される（391条1項。ただし書該当の場合には、債権者の仮執行宣言の申立てを却下すべきである〔条解1896頁〕）。なお、仮執行宣言の際、職権で督促手続の費用額（規235条1項参照）を支払督促に付記して、これにも併せて仮執行宣言をする（391条1項）。仮執行宣言を付した支払督促は、債務名義となる（民執22条4号）。

債権者が仮執行宣言の申立てをすることができる時から30日以内にその申立てをしないときは、支払督促はその効力を失う（392条）。

仮執行宣言は、支払督促に記載され（原本に記載される〔規236条1項〕）、これが記載された支配督促の正本が当事者に送達される（391条2項）。ただし、債権者については、その同意があれば、送付をもって送達に代えることができる（同項ただし書）。

債務者は、仮執行宣言を付した支払督促の送達を受けた日から2週間の不変期間内であれば、なお督促異議の申立てをすることができる（393条）が、仮執行宣言前の督促異議の場合とは異なり、支払督促は失効しない。したがって、債権者は、強制執行の申立てをすることができ、債務者は、これを避けるためには、執行停止決定を得てこれを執行裁判所に提出しておかなければならない（民執39条1項7号参照。執行停止の要件については403条1項3号または4号）。

仮執行宣言後の督促異議については、終局判決があるまでは取り下げうると解される（292条の準用。ほかに適切な準用条文がない）。これにより、仮執行宣言付支払督促が確定する。移行後の訴訟手続で双方が欠席した場合には、この訴訟手続は第一審のそれであるから、督促異議の取下げではなく、訴えの取下げを擬制すべきであろう（この点では、292条2項を準用せず、263条による。以上、新堂901頁）。

仮執行宣言付支払督促に対して適法な督促異議の申立てがなかったときまたは督促異議申立却下決定が確定したときには、支払督促は、確定判決と同一の効力を有する（396条）。ただし、支払督促は裁判ではないから、既判力は否定される。

[679]　第4　通常訴訟への移行

適法な督促異議の申立てがあった場合には、督促異議にかかる請求については、その目的の価額に従い、支払督促の申立ての時に、支払督促を発した裁判所書記官の所属する簡易裁判所またはその所在地を管轄する地方裁判所に訴えの提起があったものとみなされる（395条）。

なお、オンラインシステムによる申立ての場合には、訴えが提起されたものとみなされる裁判所は398条が定める（この規定がないと、すべての事件について東京簡易・地方裁判所に訴えが係属することになってしまう。争う場合には適切

な場所の裁判所で争わせるのが当事者の便宜にかない、公正でもあるというのが、この規定の趣旨である）。移行すべき裁判所が複数ある場合には、①債権者が支払督促申立ての時に管轄裁判所を指定したときはその裁判所、②指定しなかったときは、まず383条1項所定の裁判所、これがないときには同条2項1号所定の裁判所となる（398条2項、3項、民事訴訟法第132条の10第1項に規定する電子情報処理組織を用いて取り扱う督促手続に関する規則3条5項）。

具体的な移行の手続としては、簡易裁判所管轄事件については口頭弁論期日が指定され、地方裁判所管轄事件については記録が地方裁判所に送付されることになる（この時点が、通常訴訟への移行時点と解される〔条解1901～1902頁〕）。

なお、督促手続から手形・小切手訴訟に移行する場合もある（366条、367条2項）。

移行後の手続においては、債権者は原告となり、支払督促申立ての手数料と訴え提起の手数料との差額を納付しなければならない（民訴費3条2項1号）。

判決主文は、仮執行宣言前の督促異議によって通常訴訟に移行した場合には、通常の場合と全く同様である。仮執行宣言後の督促異議によって通常訴訟に移行した場合には、支払督促を認可しまたは取り消す形で行われる（最判昭和36・6・16民集15巻6号1584頁）。

なお、督促手続の費用は訴訟費用の一部となる（395条後段）ので、主文においては、督促手続費用および訴訟費用の負担についての裁判がされる。

第3節　家庭裁判所と人事訴訟

[680]　第1項　家庭裁判所とそのあり方

家庭裁判所は、アメリカのファミリーコート等の制度を参考に、戦後、それまでの同種の制度を統合整理して設けられたものであり、家事審判・家事調停、人事訴訟の第一審の裁判、少年保護事件を取り扱う（裁31条の3）。職

員としては、各種の事件について必要とされる調査を行う家庭裁判所調査官（同61条の２）の存在が重要である。

家庭裁判所は、①人事訴訟法の施行（2004年〔平成16年〕）までは、人事訴訟も取り扱っておらず（それまでは人事訴訟は地方裁判所で行われていた）、「訴訟を扱わない裁判所」だった。

また、かつては、②家庭裁判所の保全処分（現在の用語は保全命令）には執行力がないと解されており、③1980年（昭和55年）の家事審判法改正によってこの点が改善された後においても、やはり、離婚前の、すなわち、共同親権を有する夫婦間の子の引渡しをめぐる紛争については、家庭裁判所における仮処分でそれが解決されることなく、その点についてのみ地方裁判所に対して人身保護請求の申立てが行われていた。

そして、④最高裁判例（最判平成５・10・19民集47巻８号5099頁、最判平成６・４・26民集48巻３号992頁）が夫婦間の子の引渡し紛争について人身保護請求を申し立てうる場合を限定した後にもなお、家裁実務においては、家庭裁判所の仮処分の執行において債務者の抵抗を排して直接強制を行うことに対する違和感が強く、子の引渡しを「強制」することに関してはできる限り人身保護手続によってほしいとの考え方が残っていた（瀬木比呂志「子の引渡しに関する家裁の裁判と人身保護請求の役割分担——子の引渡しに関する家裁の裁判の結果の適正な実現のために」判タ1081号49頁以下、瀬木・架橋429頁以下参照。なお、この問題については、2019年〔令和元年〕に民事執行法に子の引渡しの強制執行に関する規定〔174条ないし176条〕が設けられることでようやく一応の解決をみた）。

⑤親権者あるいは監護権者とならなかった親と未成年の子との面接交渉権（民766条）についても、その権利性や強制執行の可能性を否定する考え方が存在した（以上の全体につき、瀬木・本質111〜112頁）。

こうした部分にもその一端が現れているように、日本の家庭裁判所の基本的精神は、「和と説得」であり、「裁判もその履行の強制的実現もきらうという傾向が強かった」ことは否定しにくい。

また、家事事件手続法の施行（2013年〔平成25年〕）までは、手続にも、実質的手続保障の基本の確保が不十分であるという問題があった。

欧米では、家庭裁判所は、基本的に、家庭と子どもの問題について、行政機関をも含めた全体の制度を見据えながら命令の発付等によって手続の節目節目を適切にコントロールする役割をになっている（あるいは、になうことを

期待されている)。しかし、日本のそれは、受け身の姿勢が強く、こうした機能を未だ十分には果たしえていない。

　近年、家庭裁判所に対する利用者の批判は、地方裁判所の場合に劣らず強いが、その背景には、こうした、時代の流れにうまく対応できていない制度と裁判官の意識という問題がある。

　家庭裁判所について考える場合には、以上のような歴史的・制度的背景をまず押さえておく必要がある。なお、日本の家族法学についても、その思想において、家庭裁判所のそれに連動するような古い体質の部分があるのではないかという批判がある。

　もっとも、こうした問題の背景には、人々の法意識と近代法との間のずれ、人々の法的・制度的リテラシーの不足という別の問題もある。これは民事、行政、刑事でも同じことなのだが、それらの中では民事の部分がより国際標準に近く、ほかの分野ではこの点の齟齬、溝はより大きいといえよう（瀬木＝清水では、ジャーナリストとの対談であるため、この齟齬と溝の問題が、大きくクローズアップされている）。

　欧米の制度がすべてよいとは限らない（ことに、アメリカの司法制度は、全般に問題が大きくなってきている）し、制度というものは社会の中にその根をもっているから、「そのよい部分の移植」についても、十分な検討と準備がないと失敗に終わることがままある。しかし、そのことを意識した上でも、なお、日本の家庭裁判所制度は、かなりの改善が必要であるように思われる。

[681] 第2項　家事審判・調停と人事訴訟

　以下、家庭裁判所の事務のうち、民事訴訟法理論と関係の深い部分について解説してゆく。

[682] 第1　家事審判・調停

　家事審判は、性質上は非訟事件であり、家事事件手続法39条別表第1のそれ、別表第2のそれに分かれる。

　前者は家事調停の対象とならないもので争訟性が低い。当事者対立構造も想定されておらず、純然たる非訟事件である（たとえば成年後見、遺言）。後者は家事調停の対象となるもので争訟性が高い（たとえば婚姻費用分担、子の

監護、財産分与、遺産分割）。しかし、後者についても、判断の基準が法規に明確詳細に規定されているわけではない（たとえば財産分与に関する民768条3項参照）から、裁判官の裁量にゆだねられる部分が大きい。

　家事調停は、人事に関する訴訟事件その他家庭に関する事件について行われる（家事244条）。訴訟の提起が可能な事件については、訴え提起前に調停の手続を経なければならないという調停前置主義が採られている（同257条）。この「訴訟の前にまずは話合い」という制度の組立ては、前記**第1項**で論じたような家庭裁判所の思想の根幹形成にあずかっていると思われる。

[683]　第2　人事訴訟

　人事訴訟（人訴2条）については、ことに民事訴訟法理論との関係が深い。以下、そのような部分をピックアップしてゆく。

　家庭裁判所が人事訴訟に関連する損害賠償請求の併合を認める場合（同17条、8条）、離婚訴訟等に附帯して子の監護に関する処分や財産分与の申立てを認める場合（同32条）は、法が異種の訴訟手続の併合を認めている例の1つである（[071]）。

　当事者に関しては、①形成の訴えであるため当事者適格が法定される（同12条、41条ないし43条。[156]）、②法律関係確定の必要がある場合には、法律上訴訟承継人を定め、訴訟を維持させる場合がある（被告死亡の場合に、検察官を被告として訴訟を行わせ、また、続行する〔職務上の当事者〕。同12条3項、26条2項、42条2項、43条2項、3項。[117]、[159]、[197]、[666]）、③訴訟能力の制限は緩和される（同13条。[134]）。原告・被告となる者が成年被後見人である場合には、成年後見人等が職務上の当事者となる（同14条。[134]）、④利害関係人に対する訴訟係属の通知とその参加（強制参加）の制度がある（同28条、15条。[496-3]）などの特色がある。

　訴訟手続に関しては、弁論主義が排除され（同19条。民事訴訟法の規定の適用除外。なお、同1条参照）、職権探知主義による（同20条。[270]）。訴訟の終了に関する処分権主義も制限される。もっとも、離婚・離縁訴訟については、協議離婚・離縁が認められていることから、一定の限定はあるものの、和解、請求の放棄・認諾が認められている（同37条、44条。[516]、[522]）。証人と当事者本人の尋問の順序は裁判官の判断にゆだねられる（同19条は民訴207条2項を適用除外している）。プライヴァシー保護の観点から当事者尋問等の公開

停止が可能である（人訴22条。[**225**]）。

判決には対世効がある（同24条。[**496-2**]）。

また、人事訴訟における特殊な判決の効力として別訴禁止効がある。これは、人事訴訟において請求または請求の原因を変更することにより主張することができた事実に基づいて同一の身分関係についての人事に関する訴えを提起することができないとするものである。被告の反訴についても同様の制限がある（同25条）。人事法律関係の安定を図るために認められた、判決の特別の効力（訴訟物の枠を超えた失権的効力）である（典型的には、原告の離婚請求棄却後、基準時までに存在した事実に基づいて被告が離婚請求を提起することが禁じられる。これは、当事者にとっては、大きな制限である）。人事訴訟では訴えの変更および反訴が広く認められている（同18条）のは、この別訴禁止効の帰結である。

以上のとおりであるが、実際に行われている訴訟をみると、家庭裁判所調査官の関与があることを除けば、通常の民事訴訟とそれほど変わらないというのが実情である（[**270**]）。

【確認問題】

1. 関連条文を見ながら、簡易裁判所の訴訟手続に関する特則の概要について述べよ。
2. 関連条文を見ながら、手形訴訟手続、少額訴訟手続の概要について述べよ。
3. 関連条文を見ながら、督促手続と督促異議、通常訴訟への移行の概要について述べよ。

[684]　第24章
国際民事訴訟

　今後の学生、実務家、ことに後者にとって、国際民事訴訟の初歩を理解しておくことは、重要である。たとえば、連邦制を採るアメリカ（基本的に州ごとに法域が異なる）では、日本でいう国際民事訴訟法や国際私法に当たる法領域がきわめて重要だが、今後は、日本の法律家も、国際身分関係訴訟やその関連紛争、海外の企業との取引から生じる紛争、海外の消費者からの訴訟等に対応できる最低限の法的知識や感覚を身につけることが必要になってくると思われるからである（中小企業も海外の企業と取引をする機会が増えてきていることを考えよ）。また、こうした事柄の理解が民事訴訟法の理解をさらに立体的にすることも間違いない。

　そこで、本書の最後の章では、国際民事訴訟にかかわる基本的な論点を一通り検討しておくこととした（なお、瀬木・民保に、旧版にはなかった「国際民事保全」のセクションを加えたのも、同様の理由からである。同書［113-2］）。

　なお、国際身分関係訴訟については、本章で論じる国際裁判管轄、外国判決の承認と執行等について、独自の問題がある。家庭裁判所の関連領域になるので本書では原則としてふれないが、渉外を専門としない弁護士が取り扱う例もありうると思われるので、一定の知識は得ておくことが望ましい（国際民訴188〜235頁等参照）。

第1節　概　説

[685] 第1項　適用される法規、関連の条約

　国際民事訴訟で適用される法規は、手続法関係は原則として日本法（法廷地法）である（詳細については国際民訴103〜105頁参照）が、実体法関係については、国際私法の領域であり、法の適用に関する通則法によって定まる。国際私法の領域は、感覚がないとミスをしやすい分野なので、渉外事件を取り扱う場合には、まず、基本書で全体の構造を把握しておくことが望ましい。

　国際民事訴訟に関して日本が締結している条約としては、民事訴訟手続に関する条約（「民訴条約」といわれる）、民事又は商事に関する裁判上及び裁判外の文書の外国における送達及び告知に関する条約（「送達条約」といわれる）、送達に関する２国間条約（アメリカ、イギリスとの間で締結している。後記**第２項**の領事館送達を認める）、外国仲裁判断の承認及び執行に関する条約（ニューヨーク条約といわれる）等がある。日本は、証拠調べに関する条約は批准していない。

[686] 第2項　送　達

　外国における送達については、受訴裁判所の裁判長等が、その国の管轄官庁（通常は裁判所）またはその国に駐在する日本の大使、公使もしくは領事に送達の実施を嘱託する（108条、規45条。国際司法共助）。

　具体的には、民訴条約による方法、送達条約による方法、外国にある日本の領事館を経由する方法、２国間の司法共助取決め（さまざまな形で存在する）による方法がある。これらは、すべて、最高裁判所事務総局（民事局）経由で行われる。

　日本の当事者が受ける送達については、後記（**[691]**の②）のとおり、直接郵送・直接交付による送達の適法性が問題となる。

[687] 第3項　外国人の当事者に関する規律

　外国人の当事者に関する規律は、「手続法は法廷地法の原則」で単純に割り切れない分野の典型である。

　外国人の当事者能力については、大きく分けて、①法廷地法を基準とする（訴訟能力は手続の問題だから法廷地法によるべきだと考える。具体的には28条、29条による。ただし、当事者能力は実体法上の権利能力の有無を基準にして判断される〔28条の文言を参照〕から、外国人の当事者能力を決定する前提となる実体法については、民法28条の「その他の法令」に法の適用に関する通則法4条1項を含むという解釈により外国人の本国実体法をも考慮する。訴訟法学者が採る）、②外国人の本国訴訟法を基準とする、③法廷地法または本国訴訟法を基準とする（②・③説は国際私法学者が採る）、との3つの考え方がある（国際民訴106～111頁、澤木敬郎＝青山善充編『国際民事訴訟法の理論』〔有斐閣〕第6章「外国人の当事者能力および訴訟能力」201～214頁〔青山善充〕、注釈旧版(1)420～422頁各参照）が、未だ学説が十分に定まっているとはいえない。

　しかし、外国人（具体的に問題になるのは外国法人）がどのような権利を有し義務を負うかはその本国実体法によって決まるのだから、外国人の当事者能力を決定する前提となる実体法については、本国実体法をも考慮することが望ましく、また、日本の法廷とおよそかかわりのない本国訴訟法を基準とすることは訴訟に混乱を招くから、①説が相当であろう（国際民訴106～108頁）。判例も、下級審判例のみであるが、ほとんどすべてが①説に立っている（同95頁）。

　①説に立つ場合、外国人の当事者能力は、自然人については問題なく認められる（28条、民3条2項）。

　外国法人については、認許を得た場合には、基本的に日本の同種の法人と同様である（民35条）。

　認許を得ていない場合にも、法29条の要件を満たす場合にはこれにより当事者能力が認められるので、実務では、この条文で当事者能力を認めている例も多い。

　法29条の要件を満たさない場合には、上記のとおり、本国実体法を考慮して考えることになろう。

外国人の訴訟能力については、①法廷地法を基準とする（具体的には28条、31条以下。ただし、訴訟能力は実体法上の行為能力の有無を基準にして判断される〔28条の文言を参照〕から、外国人の訴訟能力を決定する前提となる実体法については、民法28条の「その他の法令」に法の適用に関する通則法4条1項を含むという解釈により外国人の本国実体法をも考慮する）、②本国訴訟法を基準とする、との考え方があるが、やはり①説が相当であろう（国際民訴111〜112頁、青山前掲220〜232頁）。

　なお、いずれの考え方を採るとしても、法33条により、本国法によれば訴訟能力を有しない場合であっても日本法によれば訴訟能力を有すべきときは、訴訟能力者とみなされる。

　外国人の当事者適格については、ケースバイケースとなるが、法廷地法（日本法）のみならず本国法をも考慮すべきである（国際民訴113〜120頁）。

[688] 第4項　その他

　法廷では日本語を使用することとされている（裁74条）。当事者等口頭弁論に関与する者が日本語に通じない場合には、通訳人を立ち会わせる必要がある（154条1項）。通訳人については、鑑定人に関する規定が準用される（同条2項）。

　また、外国語の文書について書証の申出をする場合には、訳文を添付しなければならない（規138条1項）。

　被告が日本語に通じない外国人で本人訴訟である場合には、原告側で通訳人の申出をする必要がある。また、訴状や準備書面についても訳文を添えることになる。過去には、離婚訴訟等で時々その例がみられた（通常訴訟の場合には、まず、日本語は十分にできる例が多い）。

　訴訟費用の担保（75条。[441]）については、民訴条約17条で、原告・参加人が締約国に住所を有するかその国民である場合には免除されていることに注意する必要がある。

[689] 第2節　国際裁判管轄

　民事裁判権には対人的制約と対物的制約があるが、対物的制約のうち他の国家との関係におけるものが国際裁判管轄の問題である（[096]）。

　これについては、2011年（平成23年）の改正により、従来の判例法等の蓄積の上に、3条の2ないし12、また、中間確認の訴えに関する145条3項、反訴に関する146条3項、絶対的上告理由に関する312条2項2号の2の規定が設けられた。

　そこで、まず、それ以前の学説判例について概観しておく。

　国際裁判管轄を認めるに当たってのメルクマールに関する学説としては、①逆推知説（民事訴訟法の土地管轄の規定から国際裁判管轄の有無を推知する）、②管轄配分説（民事訴訟法の土地管轄の規定を基本に、条理により、国際民事訴訟法的な配慮をも加えつつ、これを修正した上で類推する）、③利益衡量説（管轄原因事実の集中の度合、弱者保護の要請、事案と法廷地国との関連性等諸般の事情を総合考慮する）、④新類型説（事件類型ごとに国内土地管轄の規定を検討し直しつつ国際民事訴訟法上の規範を確立しようとする）等があり、①説、②説が有力であった。

　最判昭和56・10・16（民集35巻7号1224頁。マレーシア航空事件）は、日本国内に営業所を有する外国法人に対する損害賠償請求訴訟について国際裁判管轄を肯定したが、判示をみると、異なる考え方である①説と②説が混在している感がある。

　この判例を踏まえ、これ以降の下級審判例は、①説ないし②説によりつつ特段の事情のある場合には国際裁判管轄を否定するという方向をとった。

　そして、最判平成9・11・11（民集51巻10号4055頁）も、このような枠組みを是認した（ドイツから自動車等を輸入している日本法人がドイツに居住する日本人に対して契約上の金銭債務の履行を求める訴訟について、諸般の事情を考慮した上で国際裁判管轄を否定すべき特段の事情があるとした）。

　しかし、このような枠組みは漠然としていて個々の事案について国際裁判管轄が認められるか否かの予測可能性が低いなどの問題があったため、上記の民事訴訟法の規定が新設されたのである。その枠組みは、基本的には②説に近いと思われる。

以下、これについて述べる。

管轄原因については、被告の住所等による一般管轄（3条の2）と事件の種類内容との関係で認められる特別管轄（3条の3）がある。

後者のうち、通常の場合の義務履行地の管轄（5条1号）に対応する規定については、契約上の債務およびその関連債務の履行地に限定されている（3条の3第1号）。また、通常の場合の不法行為地の管轄（5条9号）に対応する規定については、外国で行われた加害行為の結果が日本国内で発生することが通常予見できない場合が除かれている（3条の3第8号かっこ書）。いずれも、被告の応訴負担、当事者間の公平等を考慮しての限定である（なお、不法行為地の証明については[105]参照）。

また、以上のほかに、消費者契約に関する消費者からの訴えについては、訴え提起時または消費者契約締結時における消費者の住所が日本国内にあるときにも国際裁判管轄が認められ、労働契約に関する個々の労働者からの訴えについては、労務提供地等が日本国内にあるときにも国際裁判管轄が認められる（3条の4第1項、第2項）。消費者・労働者保護、また、このような事案では事業者・事業主に過大な負担とはならないことを理由とする（もっとも、「訴え提起時における消費者の住所が日本国内にあるとき」については、消費者が日本での管轄取得を目的として住所を移転したような場合には、後記3条の9の適用がありえよう〔条解60頁〕）。

逆に、以上のような事案についての事業者から消費者に対する訴え、事業主から労働者に対する訴えについては、3条の3の規定の適用が排除される（3条の4第3項）ので、一般管轄（3条の2）、合意管轄（3条の7。なお、5項、6項の限定に注意）、応訴管轄（3条の8）のみが認められることになる。

複数請求訴訟、共同訴訟の併合請求における管轄については、7条と異なり、他の請求との間に密接な関連性がある場合に限り認められる（3条の6）。反訴に関する146条3項も、同条1項の場合と異なり、本訴の目的である請求または防御の方法との密接な関連性を要求している。

中間確認の訴えについては、日本の裁判所がこれについて管轄権を有しないときには提起できない（145条3項。たとえば、外国の特許権の侵害を理由とする損害賠償請求訴訟において、中間確認の訴えとして外国の特許権が有効であることの確認を求める場合〔3条の5第3項参照。条解844頁〕）。

法人の組織に関する訴え、登記・登録に関する訴え、設定の登録により発

生する知的財産権の存否・効力に関する訴えについては、日本の裁判所の専属的国際裁判管轄が認められる（3条の5）。同条に規定する事件について国際裁判管轄を認めずに却下した場合には絶対的上告理由となる（312条2項2号の2。[**630**]）。

最後に、日本の裁判所に国際裁判管轄が認められる場合であっても、特別の事情があると認められる場合には、訴えの却下が可能である（3条の9。国際裁判管轄については移送の余地はないから、これが認められない場合の措置は却下となる）。最終的な調整の手段として、従来の判例の「特段の事情」論をとりいれたものといえる（この条文の適用を認めた例として最判平成28・3・10民集70巻3号846頁〔アメリカで係属している先行訴訟から派生した紛争にかかる訴訟であって証拠方法も主にアメリカにあること、当事者双方にとっての負担の比較を理由とする〕）。

第3節　外国判決の承認と執行

[690]　第1項　**概　説**

外国判決の承認（その効力を日本でも認めること）と執行については、理解の不十分な実務家が多い。基本的事項として、外国判決の承認については、その要件（118条）を満たせば、当然に日本でも効力を有する（自動承認の原則）。しかし、その執行については、民事執行理論の原則により承認要件のような事項を執行機関に判断させるのは不適切ということになるので、外国判決の執行のためには、あらかじめ執行判決（民執24条）を得ておく必要がある。まず、この基本を押さえておくことが必要である。

また、いわゆる広義の執行（[**175**]の注(5)）についても、そのうち戸籍や不動産登記記録等への記載のためには、執行判決を得る必要があると解されている（条解622頁。最判昭和54・1・25判時917号52頁、判タ395号53頁も、仲裁判断に基づいて登記申請をするには執行判決を要する、としている）[1]。

[691] 第2項　**外国判決の承認**

118条1号ないし4号は、順に、以下のような要件を定めている。
① 外国裁判所の裁判権が認められること

これについては、外国判決承認の前提とされる国際裁判管轄権（間接的国際裁判管轄権）の判断基準は、日本の裁判所に訴えが提起された場合の国際裁判管轄権（直接的国際裁判管轄権）の判断基準と同一か否かが問題とされ、判例（最判平成10・4・28民集52巻3号853頁）は、間接的国際裁判管轄権については、「当事者間の公平、裁判の適正・迅速の理念に合致するものであり、条理にかなうものである」か否かによって判断すべきであるとしているため、判例の判断基準は直接的国際裁判管轄権のそれ（マレーシア航空事件判決〔[689]〕の示した基準）とは異なりうるという考え方によるものであろう、と解されてきた。

しかし、前記[689]でふれた改正については、間接的国際裁判管轄権の判断基準となることをも考慮に入れて直接的国際裁判管轄権に関する規定が置かれたとの事情があることから、同改正後は、上記の判断基準は同一であるとの考え方によるのが適切であろう（条解628～630頁）。

② 敗訴した被告に対する訴訟手続開始文書の現実の送達あるいは被告の応訴（送達の瑕疵を治癒するための応訴）

---

(1) もっとも、たとえば離婚判決の場合には、戸籍事務を行う市区町村がそれに従った記載をする可能性がある（当該判決が118条に定められる要件を欠いていると明らかに認められる場合を除き、届出を受理してさしつかえないという取扱いのようである〔昭和51年1月14日民二第280号民事局長通達〕）。したがって、承認要件を満たすか否かについて当事者間に争いのある判決の場合には、その被告が、市区町村に対し、「承認要件を満たすか否かについて争いがあるので戸籍の記載を行わないでほしい」旨の上申書を提出しておくほうがよいかもしれない。これをどう取り扱うかは市区町村の問題となるが、国（法務省。具体的には法務局長・地方法務局長）は、戸籍事務が全国統一的に適正かつ円滑に処理されるよう助言・勧告・指示等を行っているため、こうした場合、事務処理の前に法務省に照会がなされる可能性もある（ことに、離婚判決の場合、たとえば、その離婚を認めた外国実体法〔一般的に、家族法の規律は、地域・国家・宗教的基盤等によって非常に大きく異なる〕による判断内容が日本の公序良俗に反する〔118条3号〕といった主張がなされる可能性は、ほかの判決の場合よりも高いであろう）。

適法な呼出しが適切な防御を受けうる時期に行われたこと、国際司法共助の条約等があればそれに従ったものであることが必要である。手続保障の問題である。

これについては、直接郵送・直接交付による送達（アメリカ等英米法系の国々の原告からの送達ではありうる）の適法性が問題となる。

まず、直接交付については、送達条約もこれを認めていないから、不適法である（上記最判平成10・4・28。原告らから私的に依頼を受けた者による直接交付）。

しかし、民訴条約・送達条約締約国からの直接郵送については、日本はこれらの条約を批准する際に直接郵送による送達について拒否宣言をしていなかった（できるにもかかわらずしていなかった）ので、これが問題となっていた。

この点につき、全面的不適法説は、拒否宣言をしていないのは、日本政府がハーグ国際私法会議の特別委員会において示したことのある見解のとおり「直接郵送を行っても主権侵害とはみなさないという趣旨にすぎない」とする（つまり、送達としては不適法とする。条解634～635頁）。下級審判例の数は限られるが、司法共助に関する所定の手続を履践し、かつ訳文の添付のある送達でなければ118条2号の要件を満たさないとするものが優勢である（東京地八王子支判平成9・12・8判タ976号235頁およびその「解説」参照）。

しかし、拒否の宣言をしなかったのにこれをしたのと同様の取扱いをしてよいというのはいささか無理があり、日本語の訳文が添付され、期日までに十分な時間的余裕がある場合には適法、かつ、外国判決の承認・執行のための要件も満たす、と解すべきであったかと思われる（国際民訴2009年旧版121～124頁〔もっとも、同143頁はややニュアンスの異なる見解となっていた〕）[2]。

しかし、その後、この問題に関連するアメリカ連邦最高裁の判決を受けて、日本政府は、ようやく、2018年12月21日に送達条約に関して上記の拒否宣言を行った。これにより、日本の被告が直接郵送による訴状等の送達の無効を主張することに問題がなくなったわけである（もっとも、民訴条約のみの締約国との関係では依然として問題が残っている〔国際民訴132頁〕）。

なお、118条2号の「応訴したこと」については、送達の瑕疵を治癒する

---

[2] なお、日本語の訳文の添付もない直接郵送に対して当事者本人が英文の手紙を送ったことにより応訴が認められてしまった事案につき国際民訴155～156頁。外国の当事者からの送達に対する対応には注意が必要である。

ための応訴という観点から、応訴管轄が成立するための応訴（日本の裁判所に応訴管轄が生じるための規定である3条の8参照）とは異なり、被告が、防御の機会を与えられ、かつ、裁判所で防御のための方法をとったことを意味し、管轄違いの抗弁を提出したような場合もこれに含まれる（本案に関する訴訟活動を必要としない）というのが通説（国際民訴154～155頁等）、判例（上記最判平成10・4・28）である。しかし、被告の防御権保障という観点から疑問を感じる（同旨、条解635頁）。

③ 外国判決の内容および訴訟手続が日本の公序良俗に反しないこと

外国判決の承認が日本の法秩序からみて容認されないものであるか否かという問題である。

外国判決に対しても要求される基本理念としての公序良俗ということであるから、民法90条のそれよりは厳格に解すべきであろう（国際民訴156～157頁）。公序には実体的公序と手続的公序（外国において行われた訴訟手続が日本の公序に反する場合）とがある。

実体的公序については、外国裁判所の判決が日本の法秩序の基本原則ないし基本理念と相容れないものと認められる場合に118条3号にいう公の秩序に反するというべきであるとの一般論を立てた上で、アメリカ、カリフォルニア州の判決のうち、「補償的損害賠償等に加えて、見せしめと制裁のために懲罰的損害賠償としての金員の支払を命じた部分については、公序に反するから執行判決をすることができない」旨を示した判例（最判平成9・7・11民集51巻6号2573頁）が代表的なものである。しかし、懲罰的損害賠償一般について「見せしめ」という感情的な言葉を用いて排斥しているのは、最高裁判決にふさわしい表現とはいいにくい（こうした表現には、懲罰的損害賠償判決の承認を認めれば、日本にもその理論が波及してくることへの懸念があるのかもしれない）。

懲罰的損害賠償にもさまざまな機能があり、慰謝料、弁護士費用等不法行為損害に含まれる部分もあることにかんがみれば、そうした部分が特定、区分できる限りは承認を認めるべきであろう。また、当事者、裁判所ともに、できる限り、特定、区分に努めるべきであろう（同旨、条解637頁、国際民訴160～161頁）[3]。

手続的公序については、最判平成31・1・18（民集73巻1号1頁）が初の最高裁判断である[4]（なお、公序に関するそのほかの事例については、国際民訴

161～167頁、条解637～641頁各参照)。

　なお、後記**第4節**の国際訴訟競合の場合を手続的公序の問題として処理する考え方もある（その1例として［**694**］掲記の大阪地判昭和52・12・22。この点に関する学説については、国際民訴167～169頁参照)。

　④　相互の保証があること

　これは、日本が外国判決を承認するのと同様にその外国も日本の判決を承認するとの保証があることを意味する。そのような意味で対等な関係にある場合にのみ承認を認めるという趣旨である。

　これにつき、最判昭和58・6・7（民集37巻5号611頁）は、特定の判決をした外国裁判所の属する国において、その判決と同種の日本の裁判所の判決

---

(3)　なお、最判令和3・5・25民集75巻6号2935頁（後記平成31年最判を第1次上告審判決とする第2次上告審判決）は、118条3号の公序要件を具備しない懲罰的損害賠償金の支払を命じた部分が含まれる外国裁判所の判決にかかる債権について弁済がされた場合、その弁済が上記外国裁判所の強制執行手続においてされたものであっても、これが上記部分に充当されたものとして上記判決についての執行判決をすることはできない（懲罰的損害賠償部分を除く部分に充当されたと解すべきである）とし、その理由として、懲罰的損害賠償部分が日本において効力を有しない以上、上記弁済の効力を判断するに当たっても懲罰的損害賠償部分にかかる債権が存在するとみることはできず、したがって、上記弁済が懲罰的損害賠償部分に充当されることはないというべきであって、上記弁済が上記外国裁判所の強制執行手続においてされたものであってもこれと別異に解すべき理由はないから、としている。

(4)　この判例は、やはりアメリカ、カリフォルニア州の裁判所で確定した判決について、原裁判所が、これが日本の被告に送達されていなかった（誤った住所を宛先として普通郵便で発送されていた）ことから118条3号違背を認めたのに対し、上記平成9年最判が示した一般論を示した上で、敗訴当事者に対する判決書の送付を欠いた場合の手続的公序違反の具体的判断基準については、これに対する判決書送達の有無そのものではなく、「外国判決にかかる訴訟手続において、当該外国判決の内容を了知させることが可能であったにもかかわらず、実際には訴訟当事者にこれが了知されずまたは了知する機会も実質的に与えられなかったことにより、不服申立ての機会が与えられないまま当該外国判決が確定した」か否かである（したがって、判決書の送達がされていないことの一事をもってただちに118条3号にいう公の秩序に反するものと解することはできない）として破棄差戻しをしたものである。

　日本の民事訴訟法は、原則的な送達方法によることのできない事情のある場合であっても、少なくとも、当事者に判決内容を了知させまたは了知する機会を実質的に与えることによってその判決に対する不服申立ての機会を与えることを訴訟法秩序の根幹を成す重要な手続として保障していると解されることを理由とする。

　この判断は基本的に妥当かと思われるが、上記かぎかっこ部分の意味するところはかなりあいまいなので、その具体的な当てはめには注意する必要があろう。

が118条各号所定の条件と重要な点で異ならない条件のもとに効力を有するものとされていることをいう、としている。

これは、相互保証につき、すべての種類の判決についてのそれが要求されるものではなく、事件の種類（たとえば財産法上の事件と身分法上の事件）や判決成立手続（欠席・対席の別等）によるカテゴリーごとの相互保証（部分的相互保証）で足りるとの趣旨であると解されている。

なお、これまでに判例上相互の保証を欠くとされた国としては、ベルギー王国、中国がある（以上、条解644～645頁）。

[692] 第3項 外国判決の執行

外国判決の執行を求める訴えについては、民事執行法の領域の事柄になるので、簡潔にふれるにとどめる。

第一次的な管轄は、債務者の普通裁判籍の所在地を管轄する地方裁判所（家事事件における裁判にかかるものについては原則として家庭裁判所）、第二次的な管轄は、請求の目的または差し押さえることができる債務者の財産の所在地を管轄する地方裁判所にある（民執24条1項ないし3項）。

執行判決は、外国裁判所の判決が確定しているか、また、承認の要件を備えているか否かについてのみ判断する（同条4項）。内容についての再審査を行うべきではないからである。外国判決の確定が証明されないときには他の訴訟要件を欠く場合と同様訴えを却下し、外国判決が承認の要件を備えていないときには請求を棄却する（同条5項は後者についても「却下」というが棄却の意と解すべきである〔中野＝下村192頁〕）。

債務者が外国判決成立後（その基準時後）に生じた実体上の事由を抗弁として主張できるかについては、執行判決確定までは債務名義が完成していない（民執22条6号参照）ので請求異議の訴え（同35条）によることはできないことを考慮すると、これを肯定すべきである。したがって、執行判決の基準時までに生じた事由については、後に請求異議の訴えで争うことはできなくなる。

執行判決においては、外国判決による強制執行を許す旨の宣言をしなければならない（同24条6項。執行力の付与）。

執行判決制度の問題は、時間がかかりすぎることである。原告（外国人と

[693] 第4項 外国判決の承認・執行の効果

　外国判決の承認・執行の効果（具体的には、執行判決によりどのような効力が認められるか）については、最判平成9・7・11（民集51巻6号2530頁）が、日本において外国裁判所の判決の効力を認めるということは、その判決が当該外国において有する効果を認めることであるとしている。原則はそれでよいと思われるが、そのような効果が公序に反するような場合には、例外を認めるべきであろう。

　上記の判例は、「外国裁判所の判決に記載がない利息であっても、当該外国の法制上、判決によって支払を命じられた金員に付随して発生し、執行することができるとされている場合には、これを付加して執行判決をすることができる」とするものであり、このような場合には問題がないが、その外国が、判決の効力として日本の訴訟法が全く予想していないような訴訟法的効力を認めているような場合には、そのような効力については制限を受けることがありえよう（判決の内容自体はごく普通のものだが、その有する効力が日本の訴訟法では考えられないような内容のものである場合。たとえば、国際民訴172～173頁は、アメリカの判決についての当事者間におけるコラテラルエストッペル〔collateral estoppel〕は日本の争点効〔[498]〕に類似するものだから認めてよいが、第三者によるコラテラルエストッペルの援用はアメリカ法独自のものであり、日本でこれを認めるのは疑問であるとする）。

[694] 第4節 国際訴訟競合

　最後に、民事訴訟法理論の応用問題として、過去の判例でもよく問題となっている国際訴訟競合をとりあげておきたい。

　国際訴訟競合は、通常の民事訴訟法理論でいえば重複起訴の問題になるが、外国判決は必ず日本で承認されるとは限らないから、判断の矛盾抵触の防止

の要請によって常に後訴が不適法になる、と考えることはできない。

過去の判例をみると、国際訴訟競合には、大きく分けると、2つのタイプがある。

1つは、特定の原告が、どの国の裁判所が国際裁判管轄を認めてくれるかが不明であることなどから、複数の国の裁判所に訴えを提起する場合であり、もう1つは、外国における先行訴訟の被告が日本で同一の紛争について債務不存在確認の訴え等の関連する訴えを提起する場合である。いわば、前者は原被告共通型、後者は原被告逆転型である（石黒一憲『国際民事訴訟法』〔新世社〕262～263頁）。後者は、いわば、防衛的債務不存在確認訴訟等を日本で提起するものといえる。

原被告共通型については被告の応訴負担を考慮すべきだが、一方、すでに係属している訴訟について却下の可能性が高いような場合には、原告救済の観点も重要になってくる。原被告逆転型については一種の戦略的訴訟であることをどのように評価するかが中心的な問題となる。

国際訴訟競合については、第一に、日本で提起された訴えに国際裁判管轄を認めてよいか否かを考えるに当たり国際訴訟競合の事実が問題となり、第二に、第一において日本の裁判所に国際裁判管轄を認めた結果双方の国に訴訟が係属するに至った場合には、外国判決の承認・執行の段階で、2つの判決の関係をどう考えるかが問題になる。結論が認容と棄却で別になる場合はもちろん、結論は認容でもその範囲や金額が異なるという場合でも、判決の矛盾、抵触の問題は生じる。

そうすると、訴訟物を同じくする事件について複数の判決が存在するに至る結果を招くことは、国際訴訟競合の場合でもやはり望ましくないといえる。

学説をみると、国際訴訟競合を規制する方法については、①規制消極説（外国における訴訟係属を一切考慮しないで国内の訴えの提起を認める。外国判決の承認の段階で調整すれば足りるとする）、②承認可能性予測説（外国判決の承認可能性を予測し、承認が予測される場合には重複起訴禁止の法理を類推する）、③比較衡量説（個々のケースごとに諸事情を考慮した上で、国際訴訟競合の事実を国際裁判管轄決定の際の一要素として取り扱う）などがある。

先に論じたところによれば、①説は好ましくない（学説としてはあまりない）。②説については、外国判決の承認可能性が訴訟の初期の段階で予測できるかという問題がある。結局、③説（比較衡量説）が、比較的ベターであ

り、また、柔軟な処理を可能にする考え方といえようか。

判例については、たとえば、以下のようなものがある。

原被告共通型については、東京地判昭和61・6・20（判時1196号87頁、判タ604号138頁）が、台湾の航空会社の航空機が台湾上空で墜落したことにより死亡した日本人乗客の遺族が、アメリカの同航空機の製造・販売会社に対して提起した損害賠償請求訴訟について、台湾と日本には国交がないため、司法共助によって台湾にある証拠が調べられないことなどを理由に、マレーシア航空事件判決（[689]）とは異なり、日本の国際裁判管轄を否定して、訴えを却下している。台湾の裁判所に訴えを提起すべきであるとの判断である。

なお、アメリカでの訴えは、すでに、不便宜法廷地の法理（フォーラム・ノン・コンヴィーニエンス）（管轄のある裁判所が、当事者の便宜や正義の実現の観点から他の裁判所で審理を行うほうが妥当であると認めた場合に裁量による却下を認める法理）により却下されていた。本判決の考え方も、これに近いものといえる（証拠調べができないとなると、審理判断のしようがない）。

原被告逆転型の防衛的債務不存在確認訴訟については、①大阪地（中間）判昭和48・10・9（判時728号76頁）が、重複起訴にいう「他の裁判所」には外国裁判所を含まないという理由で国際裁判管轄を認め、②大阪地判昭和52・12・22（判タ361号127頁）は、その結果日本の判決と内容が矛盾抵触する結果となったアメリカの判決（なお、いずれの判決についても被告は欠席した）の執行判決を求める訴えにつき、日本裁判所の確定判決と矛盾牴触する外国判決を承認することは、両判決の確定の前後を問わず、旧法200条3号（現行法の118条3号に相当）の公序にふれるとしてこれを却下した。

上記の規制消極説に立った①判決、矛盾する内容の日本裁判所の確定判決が存在することだけを理由に118条3号により外国判決の承認を否定した②判決（内容いかんにかかわらず日本判決が優先する結果になる）、いずれも、乱暴な形式論理で判断している感がぬぐえない。

同じ類型に関し、③東京地判平成3・1・29（判時1390号98頁、判タ764号256頁）は、基本的に上記の比較衡量説によっていると思われるが、外国の訴訟が相当に進行しており、証拠もほとんど外国にあること、原告は外国で利益を上げてきており訴訟の提起も予想しえたことなどを理由として、日本の国際裁判管轄を否定している。④東京地（中間）判平成19・3・20（判時1974号156頁）も、考え方の枠組みは同様だが、外国の訴訟が未だ本案審理に

至っていないこと、関係証拠は日本にあり準拠法も日本法であること、原告は単に外国先行訴訟に対抗するために債務不存在確認訴訟を提起したものではなく、本件紛争は本来日本の裁判所において解決をはかるべき案件であると考えて後行訴訟を提起したものと認められることなどを理由として、日本の国際裁判管轄を肯定している。

　前記［689］でもふれた最判平成28・3・10（民集70巻3号846頁）は、原被告逆転型の関連不法行為損害賠償請求訴訟を日本で提起した事案についてのものであり、アメリカで係属している先行訴訟から派生した紛争にかかる訴訟であって証拠方法も主にアメリカにあること、当事者双方にとっての負担の比較を理由として、3条の9の「特別の事情」があると認めて訴えを却下すべきものとした。

　上記の下級審判例のうち合理性の高いものは基本的に比較衡量説によっていたと考えられるところ、この最高裁判例も、3条の9の「特別の事情」の枠組みにおいて外国訴訟の係属を考慮するという意味で、基本的に比較衡量説に立つものといえよう（同旨、国際民訴186頁）。

　以上によれば、立法論としては、比較衡量説によりつつ承認可能性をも1つの考慮要素として明示し、また、訴訟の却下ではなく中止ができるとの規定とこれに対する不服申立ての手段を整備することが、適切であろうか（国際民訴183～184頁参照）。

【確認問題】
1　国際民事訴訟で適用される法規について述べよ。また、外国人の当事者能力、訴訟能力についてはどう考えるべきか。
2　国際裁判管轄に関する民事訴訟法の規定およびそれ以前の学説判例の概要について述べよ。
3　外国判決の承認の要件およびその執行について述べよ。
4　国際訴訟競合に関する学説について述べよ。また、立法論としては、どのように考えるべきか。

補 論
民事裁判手続の IT 化に関する改正について

　本書第2版の改訂作業がおおむね整った2022年5月に、いわゆる「民事裁判手続の IT 化」に関する民事訴訟法等の改正法（令和4年法律第48号）が成立した。そこで、補論として、その概要や考えられるイメージ（これについては見込みにすぎない部分を含む）について基本的かつ重要な事柄を記し、また若干の考察を付することとした。したがって、書物のほかの部分とは異なり、基本的に速報的な性格の記述であり、また、暫定的な私見をも含むものと理解されたい。

　なお、この改正法では、性犯罪、DV の被害者等が提訴する場合を想定した当事者の住所等の秘匿制度も導入されている（改正後の133条ないし133条の4。相手方に住所等を知られることにより社会生活を営むのに著しい支障を生じるおそれがあることの疎明が必要）。

　この法律の施行時期については、附則により、個々的に施行日が定められている部分を除き公布の日から起算して4年を超えない範囲内において政令で定める日から施行することとされている。この制度の実現には、最高裁判所規則の整備や裁判所側の新たなシステム構築が必要な部分も多いため、早めにできるものから順次施行してゆくということであろう。

　なお、今後、民事執行・民事保全・倒産・家事事件等手続の IT 化に関する改正も行われてゆく予定である。

一　制度の概要

1　インターネットによる申立て（オンライン申立て）等の範囲、当面の実務

　委任を受けた訴訟代理人（54条1項ただし書の許可を得て訴訟代理人となった

者を除く）ないしこれに準じる者については、オンライン申立てが義務化される（改正後の132条の11）。

　なお、当面（改正法施行前）においてこれをなしうる場合については、「民事訴訟法第132条の10第1項に規定する電子情報処理組織を用いて取り扱う民事訴訟手続における申立てその他の申述等に関する規則」（従前の「電子情報処理組織を用いて取り扱う民事訴訟手続における申立て等の方式等に関する規則」の全部を改正したもの。2022年4月1日から施行。以下、「IT規則」という）1条が定める（とりあえず当面はこの範囲で書面による申立てと択一的にオンライン申立てを認める。なお、申立て等のオンライン化のための通則規定である132条の10については、[233]の注(4)でも簡潔にふれている）。

　具体的には、「規則3条1項によりファクシミリを利用して送信することによって裁判所に提出できるもの（申立て自体については手数料の納付を要しないものに限られており〔同項1号〕、たとえば訴状等は含まれないことになる）」で、「当事者双方に委任を受けた訴訟代理人（54条1項ただし書の許可による者を除く）があり、かつ、当事者双方がオンライン申立て等をすることを希望する事件その他裁判所が相当と認める事件における申立て等」についてオンライン申立て等をなしうる。

　なお、インターネットを用いて裁判所のシステムにアップロードすることのできるオンライン申立てや書証の写し（後記5第1段落参照）にかかる電磁的記録（この用語は、電磁化された書面一般について用いられているようである）のファイル形式については、IT規則施行細則1条において、PDF形式であることと出力した場合の用紙の大きさがA4であることが定められている。

　オンライン申立てに当たっては、当事者は、裁判所から付与された識別符号、当事者の登録する暗証符号を入力しなければならない（132条の10第4項、IT規則2条2項、3条、上記施行細則2条2項）。

　付け加えれば、当面の実務においては、改正前の132条の10（この条文も本改正で一部修正されている）とIT規則、上記施行細則に基づき、一部の裁判所で、オンラインによる準備書面、書証の写しの提出や書面による準備手続等の手続を利用したいわゆるウェブ会議（[287]）の方法による争点整理が行われることになると思われる。なお、訴訟記録そのものは、当面は、裁判所がファイルに記録された情報の内容を書面に出力した上で作成することになる（改正前の132条の10第5項）。閲覧等や申立てにかかる書類の送達、送付も

これによる（改正前の同条第6項）。

2　訴えの提起

2以下は、基本的に、改正法施行後の事柄についての記述となる。

インターネットによる訴えの提起の提訴時期については、132条の10第3項が定める。裁判所の使用にかかる電子計算機に備えられたファイル（同項にいう「ファイル」の定義については改正後の91条の2第1項参照）に記録された時点、ということである。なお、オンライン申立てについてもこれを書面でされたものとみなして同様の法的効果を生じさせるとの規定（132条の10第2項）がその前提としてある。

具体的には、たとえば、裁判所の事件管理システムの中に訴状受付のセクションが設けられ、そこに訴状をアップロードするような形になるのであろう。

3　送達、送付

電磁的記録の送達は、送達を受けるべき者が規則の定める方式による届出をしている場合には、送達すべき電磁的記録に記録されている事項につき送達を受けるべき者が閲覧や記録（ダウンロード）をなしうる措置をとる（事件管理システムの閲覧をなしうる部分は、裁判官だけが見られる部分、提出者も見られる部分、相手方も見られる部分、誰でも見られる部分等に階層化されると思われるところ、そこで被送達者が見られるようにアップロードする）とともに、送達を受けるべき者に対し当該措置がとられた旨の通知を発する方法（Eメール等によるのであろう）によりすることができる（改正後の109条の2）。

送達の効力発生時期については改正後の109条の3が定める。具体的には、①送達を受けるべき者による閲覧時、②送達を受けるべき者による、その使用にかかる電子計算機に備えられたファイルへの記録時（ダウンロードした時点ということである）、③裁判所による上記の通知日から1週間を経過した時、のいずれか早い時である。

1の冒頭でふれた訴訟代理人等に関する特則（上記の届出をしていなくてもこの方法による送達がなされうるし、その場合上記③の通知も不要。もっとも、実際には、訴訟代理人等はたとえば委任状の提出をする際には届出をする、といった運用になるようである）については改正後の109条の4が、電磁的記録の公示送達については改正後の111条以下が、それぞれ定める。

なお、規則47条1項にいう書類の直送については、裁判所の使用にかかる

電子計算機に備えられたファイルに記録する方法により行いうる（IT規則5条）。

4 口頭弁論、争点整理手続

口頭弁論（準備的口頭弁論を含む）はいわゆるウェブ会議の方法（裁判所および当事者が映像と音声の送受信により通話をする方法）で行いうる。審尋についてはさらに音声の送受信により通話をする方法（電話会議）で行いうる（改正後の87条の2）。

ただし、口頭弁論については従来どおり現実の法廷で行う。つまり、裁判官は法廷にいるが、当事者はウェブ参加ができる。傍聴人がウェブ参加している当事者を見ることができるようにするためには、法廷に大型のスクリーンを設置することなどが考えられる。

弁論準備手続についても全面的にウェブ会議で行いうる（改正後の170条3項）。

書面による準備手続については、遠隔地の要件が削除され（改正後の175条）、受命裁判官によることが一般的に（高裁に限らず）可能となる（改正後の176条の2）。

なお、期日の呼出しも原則として電子化される（改正後の94条）。

5 証拠調べ

まず、従来の書証については、その写しの提出を裁判所の使用にかかる電子計算機に備えられたファイルに記録する方法により行いうる（IT規則4条）ほか、従来と異ならない。

もっとも、原本それ自体の証拠調べや相手方によるその確認はウェブ会議では困難であろうから、原本の存在と成立に争いのないことを前提に原本の提出に代えて写しを提出する（写しの取調べによって原本を取り調べたことになる。[375]参照）場合は別として、原本の証拠調べや確認の必要がある場合には対面の審理を行うことにならざるをえない。そのような書証の証拠調べはなるべく集中して行うという運用になろうか。なお、原本の提出に代えて写しを提出する例は少なくともかつてはまれであった（原本が存在しないような場合に限られていた）が、今後は、原本の存在と成立に争いのない書証についてはそれが増える可能性はあろう。

次に、元々電磁の形であるような文書、いわゆる電子データの証拠調べについては、書証に準じる。その提出は、電磁的記録の記録媒体（USB等）の

提出または規則で定める方法（事件管理システムにアップロードする方法であろう）による。その文書提出命令、文書送付嘱託についても、インターネットによることが可能になる（改正後の231条の2および3）。

これについては、ファイル形式やメタデータ（データに関するデータ、コンテンツに関する各種の情報データ）まで含めて同一である電子データについては原本として取り扱い、そうでないものは写しとして取り扱うことになるのかと思われる（もっとも、メタデータの同一性については、場合によっては、厳密にいえば解析してみないとわからないという部分もあるようであり〔なお、この点を含め、メタデータの意味や重要性を示す具体的な記述の1例として、法律書ではないが、エドワード・スノーデン著、山形浩生訳『スノーデン独白──消せない記録』〔河出書房新社〕297〜298頁〕、結局、電子データについては、その元電子データとの厳密な同一性が争われれば、写しとして取り扱うしかないのかもしれない）。

後者の場合（写しとして取り扱う場合）、原本の存在と成立に争いがなければ原本の提出に代えて写しを提出することが可能である。争いがあれば原本の取調べが必要になるところ、原本となる電子データが存在しなかったり可動性がなければ、写し自体を原本として提出することになろう（以上は、通常の書証の場合とパラレルである。［375］参照）。

なお、電子データの成立の真正が争われる場合（通常の文書の場合とは異なり、写し作成の際の改変〔偽造〕が主張される場合もありえよう）の立証については、メタデータの解析が必要であり、鑑定によることになろうか。

証人、当事者本人の尋問については、当事者に異議がない場合には、映像と音声の送受信により通話をする方法で行いうる（現行法204条は、映像等の送受信による証人尋問を限られた場合に認めているが、改正後の同条は、それが可能な場合を広げている。210条はこれを準用する）。もっとも、裁判所外における証拠調べの場合には、当事者の意見を聴くことで足りる（改正後の185条）。また、簡易裁判所の訴訟手続では、一般的に映像等の送受信による証人・当事者尋問の方法で行いうる（改正後の277条の2）。

なお、映像等の送受信による方法の場合、裁判官は法廷にいるが当事者はウェブ参加ができるとの点は口頭弁論一般と変わりない。もっとも、当事者の一方のみが証人と同じ場所にいてウェブ参加し尋問を行うという形は問題が大きいので、避けるという運用になるかと思われる。

参考人、当事者本人の審尋については、裁判所が相当と認めるときは、映

像等の送受信により通話をする方法で行いうる。また、当事者に異議がないときは音声の送受信により通話をする方法（電話会議）で行いうる（改正後の187条3項、4項）。

鑑定、検証についても、事件管理システムによる鑑定書の提出や映像等の送受信による方法が広く可能になる（改正後の215条、215条の3、218条、232条の2）。

6　訴訟の終了

判決書は電子判決書により、その送達は書面または前記3の方法によって行う（改正後の252条ないし255条）。その改竄を防ぐ方法（規則157条に対応する方法）については、改正後の規則で規定されることになろう。

和解は、ウェブ会議の方法で行いうる（改正後の89条）。和解調書も電子化される（改正後の267条）。

なお、和解条項案の書面による受諾の制度については、遠隔地の要件が削除され、また、当事者双方が出頭困難な場合についても許容されるようになる（改正後の264条）。

7　法定審理期間訴訟手続（迅速な略式訴訟手続）——改正後の第7編

当事者双方の申出または一方の申出と他方の同意があった場合には、裁判所は、原則として、法定審理期間訴訟手続により審理・裁判をする旨の決定をしなければならない（消費者契約・個別労働関係民事紛争に関する訴えについては対象外。以上につき、改正後の381条の2）。

上記の決定があったときには、2週間以内に口頭弁論または弁論準備手続の期日が指定され、その期日において、その期日から6か月以内の口頭弁論終結の期日、口頭弁論終結日から1か月以内の判決言渡期日が指定される（なお、最初の期日から5か月以内に攻撃防御方法の提出、6か月以内に証拠調べが必要。以上につき、改正後の381条の3）。

当事者の双方または一方の通常手続移行申出があり、あるいは裁判所が法定審理期間訴訟手続による審理・裁判は困難と認める場合には、裁判所は、通常の手続により審理・裁判をする旨の決定をしなければならない（改正後の381条の4）。

判決書の記載は、事実については要旨で足り、理由については、審理中に当事者との間で確認された「判決において判断すべき事項」（これはおおまかな特定となっているが、たとえば、事実認定上の争点のほか、法律上の争点等も考え

られよう）についてすれば足りる（改正後の381条の５）。

不服申立ては、訴え却下の場合を除き異議の申立てによる。異議があった場合には、訴訟は、口頭弁論終結前の程度に復し、通常の手続による審理・裁判がされる（改正後の381条の６ないし８）。

8　訴訟記録の電子化と閲覧等

訴訟記録は電子化されることになる（たとえば、口頭弁論電子調書につき改正後の160条）が、これについては裁判所のシステム構築を待つ必要性が大きい。

その閲覧等に関する改正後の91条の２、同条の３の内容は、おおむね91条とパラレルなようである。秘密保護のための閲覧等の制限の規定についても、対応した修正がなされる（改正後の92条９項、10項、133条の２第５項、第６項。これらの規定の意味するところは、秘匿すべき部分については、電子記録ではなく書面等の形で記録化する、ということであろう）。

9　手数料

オンライン申立てにかかる手数料については、改正後の民事訴訟費用法８条１項により現金によることが原則とされている。この規定を踏まえた上で、電子納付のシステムが構築され、規則でその方法が定められることになるのかと思われる。

二　若干の考察

前記改正にかかる「民事裁判手続のIT化」については、おおむね常識的に予想される範囲にとどまっており、「国際標準に合わせるための立法」ということができるであろう。

もっとも、これが実務に及ぼす影響はかなり大きいと思われる。新たなメディアは、常に、コミュニケーションの方法、あり方を根本的に変えるものであり、インターネットはその典型であるところ、インターネットを用いることによって、審理・裁判のあり方も大きく変わってゆくことは避けられないと考えられるからである。

具体的にみると、まず、口頭弁論と弁論準備手続の使い分けという問題がある。従来は、少なくともある程度の経験を積んだ裁判官は、これらを適宜使い分けていたと思われる（典型的には、主張の大筋が整うまでのおおまかな整理は口頭弁論で行い、その後弁論準備手続で集中的に詰めた本格的な争点整理を行う〔[282]〕）。しかし、今後、もしも口頭弁論に実際に出頭する当事者はあまり

いないということになれば、このような使い分けはそれほど意味がなくなり、弁論準備手続の期日を多数接着して指定し、争点整理はもっぱらそこで行うという運用が一般的になるかもしれない。

　私見としては、争点整理の中核になるような1、2回の期日については、現実に対面して行ったほうがよいのではないかという気はする。オンラインによるコミュニケーションにはどうしても一定の限界があるからである（これは、たとえば大学の授業についても同様である）。

　証拠調べについては、人証の取調べは証人等の法廷への出頭を得て法廷で行うことを原則とすべきであろう。上記のとおり、オンラインによるコミュニケーションにははおのずから限界があり、反対尋問はかなり困難になるし、供述の信用性、証明力の評価についても同様だからである。近年、裁判官がかつてに比べて人証を軽視する傾向が出てきているが、それには裁判官の自己過信の結果という側面のある可能性は否定しにくい。人証調べで初めて心証の固まる事件、また心証の変わる事件はいずれも一定の割合で存在するのであり（[326]）、審理がオンライン化されることにより生じうる、伝えられる情報やコミュニケーションの不足を補うためにも、人証調べは法廷でじっくりと行うべきではないかと考える。

　和解については微妙である。対面で行うほうがよいと考える実務家も多いのではないかと思う。それは理解できるが、心証中心型の和解であれば、ウェブのほうがかえって進めやすいということもありうる。また、ウェブの場合には、対席和解を採り入れてゆくこともよりできやすいのではないかという気もする。私見としては、最後の詰めの段階ではともかく、それ以前の段階では、これを1つの機会として対席和解を採り入れ、和解の透明性を高めてゆくことを提案したい（[512]、ことにその注(4)参照）。

　裁判官経験者としてやや気になるのが、判決書の作成である。論文や書物を書くときに現実の書物ではなく電子書籍を参照しながら執筆を行うのはかなり難しいが、判決書についても、程度の差はあれ同様のことがいえるであろう。まあ、それは慣れの問題かもしれないが、判決書の記載のあり方自体が訴訟記録の電子化によって影響を受けることは、やはりありえよう。その場合、その変化をよい方向に生かし、争点がくっきりと浮かび上がり、それについてわかりやすく的確な判断がなされている判決への志向が維持されることが必要であろう。それとは逆の形、よくない形の典型が、当事者の準備

書面の記述や過去の類似判例の法律論を引き写す傾向の強いいわゆる「コピペ判決」である。すでに指摘されているこの問題含みの傾向がオンライン起案でさらに助長される可能性については、警戒すべきであろう。

　評価の分かれている「法定審理期間訴訟手続」の新設については、私は、過去にも、紛争解決方式の多様化の一環として同種の特別訴訟手続（ただし、対象としては主として本人訴訟を考えていた）を提案したことがあり（瀬木・架橋264頁以下、瀬木・要論[178]）、また、今回の立法は、当事者の選択権や手続移行権が保障され、判決に対して異議の申立てがあれば通常の訴訟手続が続行されるという「通常訴訟手続による審理・裁判の保障」が存在することからも、妥当なものと考える。

　個人的には、この略式訴訟手続の審理は、その実質からすると、仮の地位を定める仮処分命令手続の審理にかなり近いものになるのではないかという気がする。その意味では、「仮の地位を定める仮処分の特別訴訟化論」（[005]）の意図したところが、民事訴訟法の枠内で実現したものとみることもできるように思う。もっとも、対象となりうる事件類型については、より広範なものが考えられる。切迫した救済や判断が望まれるが通常の訴訟手続ではそれが難しい事件一般ということになろうか。

　以上、今回の立法は常識的な範囲のものであるが、将来は、たとえば、当事者の訴訟活動や裁判におけるAIの利用、補助といったよりコントラヴァーシャルな事柄も議論の俎上にのぼってくる可能性があろう。そうした段階では、その長所、欠点双方についてのより的確な検討、見極めが必要になってくると思われる。その意味では、今回の立法は、「上記のようなメディアの変容による民事裁判の変容」の序章を成すものといえるのかもしれない。

事 項 索 引

本文の左欄外に付したブロックごとの番号によっている。
索引において太字で記されているブロック番号は、その事項が中心的に記述されている項目である。

【あ】

相手方の援用しない自己に不利益な事実の
　陳述……………………………………[256]
悪意占有の擬制（訴訟の開始）………[044]
争いのない事実（判決書）…[313]・[422]
案分説……………………………………[063]

【い】

遺言執行者…………………………[159]・**[160]**
遺言無効確認の訴え
　……[160]・[179]（確認の利益）・[545]
遺産確認の訴え…………………………[545]
違式の裁判………………………………[606]
違式の上訴………………………………[606]
意思推定規定……………………………[336]
意思説（当事者の確定）………………[120]
意思能力……………[124]・[134]・[135]
意思表示
　――の規定の類推適用
　　……[247]・[508]（訴えの取下げ）・
　　　　[518]（和解）
　――の性質をもつ行為………………[238]
意匠権に関する訴え（管轄）…………[106]
移審効…………………………[599]・[607]
移送………………………………………[114]
　――の裁判の効果……………………[115]
　　裁量――……………………[114]・[671]
依存関係説………………………**[488]**・[592]
一応の推定（表見証明）………………[332]
一時的棄却………………………[052]・**[482]**
一部請求…………………………………[058]
　――と過失相殺、相殺………………[063]
　――と時効完成猶予………[059]・[062]

一部認容…………………………………[054]
一部判決…………………………………[409]
一般義務（文書提出命令）…[376]・**[381]**
一般社団法人…………[034]・[127]・[143]
一般条項……[018]・[169]・**[260]**・[500]
違法収集証拠……………………………[299]
入会団体…[128]・**[129]**（以上、当事者能
　力・適格）・[143]・**[540]**・[541]
インカメラ手続…………………………[395]
引用文書…………………………………[377]

【う】

内側説……………………………………[063]
写し………………………………………[205]
訴え………………………………………[029]
　――の客観的併合　→請求の併合
　――の交換的変更……………………[077]
　――の3類型…………………………[031]
　――の3類型と当事者適格…………[154]
　――の主観的併合　→共同訴訟
　――の種類……………………………[030]
　――の追加的変更……………………[077]
　――の類型
　　……………**[031]**・[154]（当事者適格）
訴え提起前の和解……[510]・[515]・[518]
訴えの提起………………………………[037]
　――前の証拠収集処分………………[294]
　――の効果……………………………[042]
　――の手数料…………………………[101]
訴えの取下げ……[044]・[067]・[077]・
　　[119]・[149]・[185]・[238]・
　　[239]・[247]・[248]・[281]・
　　[284]・[401]・[415]・[502]・**[503]**
　――の擬制……………………………[185]

——の合意……………[238]・**[246]**・[514]
　　——の効果……………………………[506]
　　——の手続……………………………[505]
　　——の要件……………………………[504]
　　——を争う方法………………………[509]
訴えの変更……………………………………[077]
　　——に対する裁判所の処置…………[080]
　　——の手続……………………………[079]
　　——の要件……………………………[078]
訴えの利益……………………………………[174]

【え】

ADR……………………………………………[024]
疫学的証明……………………………………[333]

【お】

応訴管轄………………………………………[112]
親子関係存在・不存在確認の訴え…[179]
オンライン（支払督促の申立て）
　…………………………………[677]・[679]

【か】

外国人・外国法人の当事者能力・訴訟能力
　………………………………………………[687]
外国における送達……………………[686]
外国判決の承認と執行………………[690]
外国法…………………[250]・[305]・[348]
　　——の証明……………………………[305]
解除権（既判力の基準時）…………[471]
介入尋問………………………………………[359]
回避……………………………………………[094]
回付…………………………………[098]・**[114]**
下級裁判所…[088]・[102]・[450]・[663]
拡大された重複起訴の禁止
　……………………………[068]・[410]・[498]
確定遮断効……………………[599]・[607]
確定判決……………………………………[465]
　　——と同一の効力…………………[466]
　　——の騙取…………………………[453]
　　——変更の訴え……………………[481]
確認の訴え…………………………………[032]
　　——選択の適否……………………[178]
　　——の当事者適格…………………[155]

確認の対象…………………………………[179]
確認の利益…………………………………[177]
確認判決……………………………………[032]
隔離尋問の原則……………………………[359]
過去の権利関係や法律行為の効力の確認
　………………………………………………[179]
家事審判……………………………………[682]
家事調停……………………………………[682]
家事調停官…………………………………[025]
過失相殺………………[**063**]・[**261**]・[415]
家庭裁判所…………………………………[680]
株主総会決議取消しの訴え
　……………………………[034]・[050]・[101]・
　　　　　　　　[**181**]（訴えの利益）
株主総会決議不存在確認の訴え
　……………………………[035]・[101]・[179]
株主総会決議無効確認の訴え
　……………………………[035]・[101]・[179]
株主代表訴訟
　　——（訴額の算定）………………[101]
　　——（訴訟上の和解）……………[516]
　　——（必要的共同訴訟）…………[549]
　　——（法定訴訟担当）……[159]・[197]
　　——（補助参加）…………………[559]
仮執行
　　——に基づく損害賠償責任………[435]
　　——の効果…………………………[435]
仮執行宣言…………………………………[433]
　　——の手続…………………………[434]
仮執行免脱宣言……………………………[433]
簡易裁判所…………………………………[671]
　　——の手続…………………………[672]
簡易裁判所判事……………………………[671]
管轄……………………………………………[098]
　　——の種類…………………………[099]
　　——の調査…………………………[113]
　　——の不当取得……………………[242]
　応訴——………………………………[112]
　競合——…[099]・[105]・[106]・[671]
　合意——………………………………[109]
　指定——………………………………[108]
　事物——………………………………[101]
　職分——………………………………[100]

785

審級――……………………[**100**]・[114]
　　専属――………………………………[099]
　　専属的合意――………………………[111]
　　知的財産関係事件の――……………[106]
　　土地――………………………………[102]
　　任意――………………………………[099]
　　付加的合意――………………………[111]
管轄区域…………………………………[102]
管轄決定の基準時……………[110]・[113]
管轄違いの抗弁…………………………[112]
管轄配分説（国際裁判管轄）…………[689]
官署としての裁判所……………………[086]
間接強制…………………………………[031]
間接事実……………[**259**]・[309]（自白）
　　重要な――…………………………[259]
間接主義…………………………………[224]
間接証拠…………………………………[259]
間接反証…………………………………[334]
完全陳述義務……………………………[275]
鑑定………………………………………[365]
　　――の嘱託…………………………[292]
　　――の手続…………………………[367]
鑑定義務…………………………………[366]
鑑定証人…………………………………[349]
鑑定人……………………………………[366]
　　――質問……………………………[368]
監督官庁の承認・意見（証拠調べ）
　　　　　　　　　　　……[353]・[383]
管理処分権の共同帰属（固有必要的共同訴
　　訟）…………………………………[536]
管理人（請求の目的物の所持者）……[492]
関連裁判籍………………………………[107]

【き】

期間………………………………………[191]
　　――の伸縮…………………………[194]
期日………………………………………[187]
　　――指定の申立て………[185]・[187]・
　　　　　　　　　　　　　　　　[233]
　　――の延期…………………………[190]
　　――の追って指定………[019]・[196]・
　　　　　　　　　　　　[200]・[545]
　　――の実施…………………………[190]

　　――の続行…………………………[190]
　　――の変更…………………………[189]
　　――の呼出し………………………[188]
期日請書…………………………………[188]
期日外釈明………………………………[272]
技術職業秘密文書………………………[385]
技術または職業の秘密………[355]・[385]
議事録（文書提出命令）………………[380]
擬制規定…………………………………[336]
擬制自白…[112]・[186]・[188]・[281]・
　　　[284]・[**315**]・[427]・[498]・
　　　[531]・[533]・[549]・[580]・[615]
擬制陳述………………………[**186**]・[311]
覊束力（判決の）………………………[450]
起訴責任転換説（執行力の主観的範囲）
　　………………………………………[494]
起訴前の和解　→訴え提起前の和解
規範的要件………………[**260**]・[265]・
　　　　　　　　　[317]（権利自白）
規範分類説（行為・評価規範）…[**098**]・
　　　[120]（当事者の確定）・[259]・
　　　[260]・[275]・[328]・[346]・[531]
既判力……………………………………[454]
　　――の基準時後の期限の到来……[482]
　　――の基準時後の形成権行使……[469]
　　――の客観的範囲…………………[482]
　　――の作用…………………………[456]
　　――の時的限界（基準時）………[468]
　　――の主観的範囲…………………[486]
　　――の縮小…………………………[475]
　　――の消極的作用…………………[457]
　　――の性質…………………………[455]
　　――の積極的作用…………………[457]
　　――の双面性………………………[462]
　　――の調査…………………………[463]
　　――の定義・目的・根拠…………[454]
　　――の抵触……[064]・[547]・[661]・
　　　　　　　　　　　　　　　　[664]
　　――を有する裁判…………………[464]
忌避………………………………………[092]
　　――事由……………………………[092]
　　――に関する手続と裁判…………[093]
逆推知説（国際裁判管轄）……………[689]

客観的証明責任‥‥‥‥‥‥‥‥‥‥[328]
休止満了‥‥‥‥‥‥‥‥‥‥‥‥‥[185]
求釈明権‥‥‥‥‥‥‥‥‥‥‥‥‥[272]
旧訴訟物理論‥‥‥‥‥‥‥‥‥‥‥[046]
給付の訴え‥‥‥‥‥‥‥‥‥‥‥‥[031]
　　──の当事者適格‥‥‥‥‥‥‥[118]
　　──の利益‥‥‥‥‥‥‥‥‥‥[175]
給付判決‥‥‥‥‥‥‥‥‥‥‥‥‥[031]
旧様式判決‥‥‥‥‥‥‥‥‥‥‥‥[418]
境界確定訴訟‥‥‥‥‥‥‥‥[036]・[540]
競合管轄‥‥‥[099]・[105]・[106]・[671]
強行規定‥‥‥‥‥‥‥‥‥‥‥‥‥[014]
強行法規等違反‥‥‥‥‥[317]（権利自白）・
　　　　　　　[452]（判決）・[516]（和解）・
　　　　　　　　　　　　[522]（認諾）
強制執行にかかわる文言（既判力）
‥‥‥‥‥‥‥‥‥‥‥‥‥‥‥‥[483]
行政処分の取消しを求める訴え
‥‥‥‥‥‥‥‥‥‥‥‥‥[071]・[101]
行政訴訟‥‥‥‥‥‥‥‥‥‥[257]・[270]
行政庁（当事者能力）‥‥‥‥‥‥‥[126]
共同所有関係と固有必要的共同訴訟
‥‥‥‥‥‥‥‥‥‥‥‥‥‥‥‥[538]
共同訴訟‥‥‥‥‥‥‥‥‥‥[526]・**527**
　　──の意義と類型‥‥‥‥‥‥‥[527]
共同訴訟参加‥‥‥‥‥‥‥‥‥‥‥[553]
共同訴訟的補助参加‥‥‥‥‥‥‥‥[567]
共同訴訟人
　　──の1人に対する相手方の訴訟行為
‥‥‥‥‥‥‥‥‥‥‥‥‥‥‥‥[550]
　　──の1人による訴訟行為‥‥‥[549]
共同訴訟人独立の原則‥‥‥‥‥‥‥[529]
業務執行組合員‥‥‥‥‥‥‥[130]・[165]
共有（固有必要的共同訴訟）‥‥‥‥[545]
共有物分割の訴え‥‥‥‥‥‥[036]・[545]
許可抗告‥‥‥‥‥‥‥‥‥‥‥‥‥[655]
虚偽表示に基づく占有者および登記名義人
　　（請求の目的物の所持者）‥‥‥[493]
居所‥‥‥‥‥‥‥‥‥‥‥‥‥‥‥[103]
金銭納付命令（上訴権の濫用）
‥‥‥‥‥‥‥‥‥‥‥‥‥[605]・[613]

【く】

具体的相続分‥‥‥‥‥‥‥‥‥‥‥[180]
国（当事者能力）‥‥‥‥‥‥‥‥‥[126]
区分所有建物の管理者（任意的訴訟担当）
‥‥‥‥‥‥‥‥‥‥‥‥‥‥‥‥[161]
組合‥‥‥‥‥‥‥‥‥‥‥‥‥‥‥[038]・
　　130（当事者能力・適格）・[165]・
　　　　　　　　　　　　　　　　[546]
クラスアクション‥‥‥‥‥‥‥‥‥[166]
訓示規定‥‥‥‥‥‥‥‥‥‥[013]・[016]

【け】

経験則‥‥‥[088]・[250]・[291]・[298]・
　　　　　[301]・**304**・[309]・[331]
　　──違反‥‥‥‥‥‥[449]・[635]・[644]
形式説と実質説　→実質説と形式説
形式的確定力‥‥‥‥‥‥‥‥‥‥‥[429]
形式的形成訴訟‥‥‥‥‥‥‥‥‥‥[036]
形式的証拠力　→文書の形式的証拠力
形式的当事者概念‥‥‥‥‥‥[118]・[153]
形式的表示説（当事者の確定）‥‥‥[120]
形式的不服説（控訴の利益）‥‥‥‥[610]
刑事施設収容者に対する送達
‥‥‥‥‥‥‥‥‥‥‥‥‥[137]・[207]
刑事訴訟等関係文書‥‥‥‥‥[383]・[391]
形成権‥‥‥‥[149]・[465]・[506]・[563]
　　──の訴訟上の行使‥‥‥‥‥‥[248]
形成原因‥‥‥‥‥‥[032]・[033]・[036]・
　　　　　　　　　　[038]・[050]・[178]
形成行為説（弁論の更新）‥‥‥‥‥[616]
形成の訴え‥‥‥‥‥‥‥‥‥‥‥‥[033]
　　──の該当性‥‥‥‥‥‥‥‥‥[035]
　　──の種類‥‥‥‥‥‥‥‥‥‥[034]
　　──の当事者適格‥‥‥‥‥‥‥[156]
　　──の利益‥‥‥‥‥‥‥‥‥‥[181]
形成判決‥‥‥‥‥‥‥‥‥‥‥‥‥[033]
　　──の第三者効‥‥‥‥‥‥‥‥[496]
形成力‥‥‥‥‥‥‥‥‥‥‥[033]・[496]
契約の日時の相違‥‥‥‥‥‥‥‥‥[264]
結果陳述‥‥‥‥‥‥‥‥‥‥‥‥‥[616]
欠席　→当事者の欠席
欠席判決主義‥‥‥‥‥‥‥‥‥‥‥[186]

決定……………………………………[403]
　　——に影響を及ぼすことが明らかな法令
　　　　違反………………………………[654]
　　——の既判力………………………[467]
原因判決………………………………[415]
厳格な証明……………………………[301]
現在の給付の訴え……………………[175]
検察官（職務上の当事者）………[117]・
　　[**159**]・[179]・[197]・[666]・[683]
検証……………………………………[398]
　　——協力義務………………………[399]
　　——調書……………………………[398]
　　——の手続…………………………[399]
検証物…………………………………[399]
　　——送付嘱託の申立て……………[399]
　　——提示の申立て…………………[399]
顕著な事由（期日の変更）…………[189]
限定承認………[057]・[415]・[476]・[**483**]
憲法違反（上訴）…………[625]・[626]・
　　　　　　　　　　　　　[654]・[657]・[658]
原本……………………………………[205]
権利確定説（時効完成猶予）………[045]
権利確定説（執行力の主観的範囲）
　　　　………………………………………[494]
権利行使説（時効完成猶予）………[045]
権利抗弁………………………………[261]
権利根拠規定…………………………[338]
権利自白………………………………[316]
　　——の対象…………………………[317]
権利主張参加…………………………[575]
権利障害規定…………………………[338]
権利消滅規定…………………………[338]
権利阻止規定…………………………[338]
権利能力………………[124]・[129]・[130]
権利保護
　　——の資格……………………[167]・[177]
　　——の利益……………………[167]・[177]
権利保護請求権説（訴権論）
　　　　……………………………[**003**]・[167]
権利保護説……………………………[004]
権利保護方式…………………………[029]
権利濫用………………[174]・[241]・[260]

【こ】

合意管轄………………………………[109]
　　専属的——………………………[111]
　　付加的——………………………[111]
行為期間………………………………[192]
行為規範　→規範分類説
後遺症・後遺障害…………[061]・[062]・
　　　　　　　　　　　　　[**476**]・[481]・[530]
合一確定（独立当事者参加）
　　　　…………………[572]・[578]・[581]・[582]
合一確定（必要的共同訴訟）
　　　　………[411]・[452]・[526]・[**527**]・
　　　　[535]・[547]・[548]・[558]・[607]
行為能力………………………………[124]
公開主義………………………………[225]
公害訴訟……………[062]・[398]・[415]
合議制…………………………………[087]
合議体…………………………………[087]
攻撃防御方法…………………………[046]
　　時機に後れた——の却下………[288]
　　独立した——（中間判決）………[415]
後見人………………[131]・[138]・[141]
公告……………………………………[201]
抗告……………………………………[649]
　　——の相手方……………………[653]
　　——の種類………………………[650]
　　——の手続………………………[653]
　　——の取下げ……………………[653]
　　——の認められる裁判…………[651]
抗告理由書……………………………[653]
交互尋問………………………………[359]
交互面接方式（和解）………………[512]
公示送達………………………………[217]
　　——による私法上の意思表示……[217]
　　——の瑕疵についての救済
　　　　………………………………[**218**]・[453]
　　——発効の猶予期間………………[217]
公序良俗…………………………[225]（公開）・
　　　　　　　　　　　　　[260]（弁論主義）・
　　　　　　　　　　　　　[317]（権利自白）・
　　　　　　　　　　　　　[452]（判決の無効）・
　　　　　　　　　[516]（和解）・[522]（放棄・認諾）・

［677］（支払督促）・［691］（外国判決）
更正権……………［150］・［152］・［311］
控訴…………………………………………［609］
　　──の追完…………………**[195]**・［622］
　　──の手続………………………………［613］
　　──の取下げ……………………………［621］
　　──の利益………………………………［610］
控訴期間…………………………［191］・［428］
控訴権の放棄………………………………［623］
控訴状………………………………………［613］
控訴審
　　──における訴えの変更・反訴……［612］
　　──の構造………………………………［614］
　　──の審理………………………………［615］
　　──の判決………………………………［618］
控訴理由書………………………**[613]**・［617］
公知の事実…………………………………［319］
　　──に反する自白………………………［309］
口頭起訴……………………………………［672］
口頭主義……………………………………［223］
行動説（当事者の確定）…………………［120］
口頭陳述の例外……………………………［361］
口頭弁論……………………………………［220］
　　──の一体性……………………………［228］
　　──の期日………………………………［187］
　　──の形骸化……………………………［282］
　　──の実施………………………………［228］
　　──の諸原則……………………………［221］
　　任意的──………………………………［220］
　　必要的──………………………………［220］
口頭弁論公開規定違反（上告理由）
　　………………………………………………［633］
口頭弁論終結後の承継人…………………［487］
口頭弁論調書………………………………［231］
口頭弁論を経ない訴えの却下
　　…………………［039］・**[041]**・［237］
口頭弁論を経ないで訴訟手続に関する申立
　　てを却下した決定または命令（抗告）
　　………………………………………………［651］
肯認的争点決定主義………………………［315］
交付送達……………………………………［210］
公文書………………………………………［371］
抗弁……………………………［235］・［341］

　　──と積極否認…………………………［267］
抗弁後行型・訴訟後行型（相殺と重複起
　　訴）…………………………………………［067］
公務員の証言拒絶権………………………［353］
公務秘密文書………………………………［383］
合有（固有必要的共同訴訟）……………［546］
効力規定……………………………………［013］
国際裁判管轄………………………………［689］
国際訴訟競合………………………………［694］
国際民事訴訟………………………………［684］
　　──と送達………………………………［686］
　　──と当事者……………………………［687］
　　──と法規………………………………［685］
国籍訴訟……………………………………［179］
告知…………………………………………［404］
互譲（和解）………………………………［513］
個別代理の原則……………………………［149］
個別労働関係民事紛争……………………［027］
固有期間……………………………………［191］
固有の防御方法…………………［489］・［494］
固有必要的共同訴訟……………［527］・**[535]**・
　　　　　　　　　　　　　　　　　　［620］
　　──の成否………………………………［535］
婚姻無効の訴え…………………**[035]**・［537］

【さ】

債権質権者（法定訴訟担当）……………［159］
債権者代位訴訟………［159］（訴訟担当）・
　　　　［197］・［491］（既判力）・［547］・
　　　　［559］・［576］（独立当事者参加）
債権者取立訴訟………［159］（訴訟担当）・
　　　　［197］・［491］（既判力）・［496］・
　　　　　　　　　　　　　　　［554］・［555］
債権表の記載（既判力）…………………［466］
再抗告………………………………………［654］
再抗弁……………………………［234］・［341］
最後の住所（管轄）………………………［103］
再々抗弁……………………………………［341］
財産的独立性（当事者能力）……………［127］
財産分与……………［071］・［620］・［682］
最初の口頭弁論期日………［041］・［427］・
　　　　　　　　　　　［502］・［603］・［617］
　　──の欠席……………………［281］・［315］

789

——の変更……………………［189］	裁判所等が定める和解条項…………［511］
再審……………………………………［660］	裁判所に顕著な事実………………［318］
——の管轄……………………［663］	——についての自白…………［309］
——の出訴期間………………［664］	裁判資料………………………………［232］
——の対象……………………［662］	裁判籍……………………………………［102］
——の手続……………………［667］	関連——………………………［107］
——の当事者適格……………［666］	特別——………………………［102］
——の補充性…………………［665］	独立——………………………［104］
——の要件……………………［662］	普通——………………………［103］
再審開始決定…………………………［668］	併合請求の——………………［107］
再審事由………………………………［661］	補充——………………………［103］
——の上告・上告受理申立理由該当性	裁判体……………………………………［087］
……………………………………［636］	裁判長……………………………**［087］**・［403］
再訴の禁止（訴えの取下げ）………［507］	裁判費用………………………………［438］
——効の主観的範囲…………［507］	債務不存在確認請求………**［029］**・［032］・
裁定期間………………………………［193］	［045］・**［055］**（処分権主義）・［062］・
在廷証人……………………［288］・［300］	**［065］**（重複起訴）・［180］・［459］・
再度の考案……………………………［653］	［484］・［555］・［594］・［595］・［694］
裁判……………………………………［402］	債務名義…［034］・［090］・［129］・［175］・
——の種類……………………［403］	［205］・［435］・［492］・［510］
——の脱漏……………………［413］	裁量移送……………………**［114］**・［671］
裁判外の自白…………………………［311］	詐害意思説（独立当事者参加）……［574］
裁判外紛争処理制度…………………［024］	詐害行為取消しの訴え………［035］・［176］
裁判官…………………………………［088］	詐害防止参加…………………………［574］
——の私知……………………［298］	差置送達………………………………［215］
裁判権…………………………………［096］	差押債権者………………………［159］・［197］・
——の対人的制約……………［097］	**［491］**（既判力）・［496］
裁判所…………………………………［086］	差戻し…［445］・［450］（覊束力）・［610］・
——外での証拠調べ……［348］・［362］	［614］・**［618］**・［647］・［648］
官署としての——……………［086］	任意的——……………………［618］
訴訟法上の——………………［086］	必要的——……………………［618］
裁判上の自白 →自白	サービサー……………………………［161］
裁判上の和解…………………………［510］	参加……………………………………［526］
——と同一の効力………［025］・［027］・	参加的効力……………………………［564］
［466］・［672］	——の要件……………………［565］
裁判所書記官…………………………［088］	参加・引受承継………………………［592］
——等の除斥・忌避・回避………［095］	——が認められない場合の判決…［597］
——の処分に対する異議申立て	——の原因……………………［592］
……………………………［217］・［402］	——の審理……………………［596］
裁判所書記官送達……………………［212］	——の手続……………………［593］
裁判所職員……………………………［088］	参加命令………………［540］・［554］・［555］
裁判所速記官…………………………［088］	暫定真実（法律上の推定）…………［335］
裁判所調査官…………………………［088］	残部判決………………………………［409］

事項索引

3面訴訟説（独立当事者参加）……[572]

【し】

事案解明義務……………………[257]
私鑑定……………………………[368]
敷金返還請求権…………………[180]
時機に後れた攻撃防御方法の却下…[288]
試験訴訟…………………………[062]
事件の同一性（重複起訴）……[065]
時効完成猶予……………………[045]
自己利用文書……………………[386]
事後審制（控訴審）……………[614]
自己負罪拒否……………[352]・[382]
事実（判決書）…………………[419]
事実主張の一致（自白）………[312]
事実上の主張……………………[234]
　　　──に対する当事者の対応………[236]
　　　──の種類……………………[235]
事実上の推定……[314]・**[331]**・[336]・
　　　　　　　　　　　　[435]・[665]
事実審……………………………[603]
　　　──の事実の拘束……………[644]
事実認定の実際…………………[325]
事実の提出に関する既判力の縮小…[476]
事実の同一性ないしふくらみ…[263]
死者を当事者とした訴訟………[122]
自然債務（訴えの利益）………[175]
自然人（当事者能力）…………[126]
質権者（請求の目的物の所持者）…[492]
失権効（弁論準備手続）………[285]
執行官……[031]・[088]・[204]・[216]・
　　　　　　　　　　　　　　　[492]
執行証書…………………………[510]
執行停止…………………………[608]
執行に関する主文の文言………[057]
執行判決を求める訴え…………[692]
執行文付与………………………[494]
執行力……………………………[031]
　　　──の主観的範囲の拡張……[494]
実質説と形式説（口頭弁論終結後の承継
　　人）……………………………[489]
実質的確定力……………………[429]
実質的証拠力　→文書の実質的証拠力

実質的表示説（当事者の確定）……[120]
実質秘………[353]・[355]・[383]・[385]
実体的不服説（控訴の利益）………[610]
実体法説（既判力）……………[455]
質問書（当事者照会）……………[290]
指定管轄…………………………[108]
私的自治の原則…………………[051]
支配人（任意代理人）
　　　……[137]・[145]（濫用）・**[151]**
自白………[036]・[113]・[236]・[239]・
　　[307]・[317]・[319]・[498]・
　　　　　　[500]・[529]・[549]・[563]・
　　　[565]・[574]・[580]・[589]・[644]
　　　──に関する原則（弁論主義）
　　　……………………………[170]・**[254]**
　　　──の効力……………………[313]
　　　──の成立と対象……………[308]
　　　──の撤回……**[314]**・[563]（補助参加）
　　　公知の事実に反する──……[309]
　　　先行──…………………………[256]
自白契約……………………[238]・[321]
自縛力（判決の）………[183]・[416]・
　　　　　　　　　　　　[446]・[653]
支払督促…………………………[676]
自判…………[602]・[618]（控訴審）・
　　　　[647]（上告審）・[653]（抗告審）
事物管轄…………………………[101]
　　　──の弾力化（簡裁）………[671]
私文書……………………………[371]
私法契約説（訴訟契約）………[246]
私法行為説（訴訟行為）…[247]・[508]・
　　　　　　　　　　　　　　　[518]
司法書士……[144]・[145]・[354]・[672]
私法秩序維持説…………………[004]
氏名冒用訴訟……………………[121]
社員総会等決議不存在確認の訴え…[242]
釈明権・釈明義務……[092]（忌避事由）・
　　　　[257]・[259]・**[271]**・[644]・[648]
釈明権の限界……………………[273]
釈明処分…………………………[272]
社内通達文書……………………[388]
宗教的紛争………………………[172]
就業場所送達……………………[211]

終局判決……………………………[408]	準備的口頭弁論…………………[286]
──前の裁判…[394]・[415]・**[609]**・[649]	準文書………………………………[369]
自由心証主義………[255]・[259]・**[321]**・[336]・[396]	少額訴訟……………………………[675]
	商業帳簿……………………………[343]
従たる当事者（補助参加）…………[557]	消極的確認の訴え…………………[032]
集中証拠調べ……………[226]・[227]	消極的釈明…………………………[272]
集中審理主義………………………[227]	承継執行文………………[489]・[494]
自由な証明…………………………[301]	証言義務……………………………[350]
重要な間接事実……………………[259]	証言拒絶権…………………………[351]
主観的証明責任……………………[328]	条件付給付判決……………………[056]
主観的追加的併合…………………[554]	証拠
──の類型………………………[555]	──に関する概念………………[299]
主観的予備的併合…………………[532]	証拠共通の原則
受寄者（請求の目的物の所持者）…[492]	…………[322]・[530]（通常共同訴訟）
受継………[122]・[197]・**[199]**・[233]・[243]・[415]・[590]・[591]	上告…………………………………[624]
	──の提起………………………[638]
取効的訴訟行為……………………[238]	飛越──………[247]・[604]・**[622]**・[624]・[644]
取材源の秘密………………………[355]	上告期間……………………………[638]
趣旨不明瞭な攻撃防御方法の却下…[288]	上告受理申立て……………………[639]
主尋問………………………………[359]	上告受理申立理由………[**637**]・[639]
受送達者……………………………[207]	上告状………………………………[638]
受訴裁判所の法廷以外の場所での尋問	上告審
……………………………………[362]	──と口頭弁論…………………[641]
受託裁判官………[**087**]・[091]・[348]・[362]・[368]・[403]・[511]・[651]	──の審理………………………[641]
	──の調査………………………[642]
	──の手続…………[638]・[641]
主たる当事者（補助参加）…………[557]	──の判決………………………[646]
主張…………………………………[234]	上告制度の改革……………………[625]
主張共通の原則	上告提起通知書……………………[638]
…………[256]・[531]（通常共同訴訟）	上告理由……………………………[626]
主張責任……………………………[256]	上告理由書…[**638**]・[639]・[640]・[641]
主張に関する原則（弁論主義）……[253]	証拠契約……………………………[321]
主張の有理性………………………[237]	証拠結合主義………………………[347]
出頭義務……………………………[350]	証拠決定……………………………[346]
受命裁判官…………[**087**]・[283]・[287]・[348]・[362]・[368]・[403]・[511]・[651]	証拠原因……………………………[299]
	証拠抗弁……………………………[288]
	証拠調べ
主要事実……………[**259**]・[309]（自白）	──の期日………………………[347]
──と認定事実の相違　→事実の同一性ないしふくらみ	──の結果……[223]・[299]・[323]・[**348**]
準再審………………………………[662]	──の実施………………………[348]
準備書面……………………………[280]	集中──……………[226]・[227]
──の提出・送付………………[281]	

事項索引

証拠資料……………………[232]・[299]
証拠制限契約………………[238]・[321]
証拠説明書…[280]・[291]・**[343]**・[375]
証拠に関する原則（弁論主義）……[255]
証拠能力………………………………[299]
証拠の申出……………………………[343]
　　──に対する裁判所の判断………[346]
　　──の時期………………………[344]
　　──の撤回………………………[345]
証拠方法………………………………[299]
　　唯一の──………………………[346]
証拠保全………………………………[295]
証書真否確認の訴え…………………[179]
上訴……………………………………[599]
　　──の効果………………………[607]
　　──の種類と概要………[599]・[604]
　　──の追完………………**[195]**・[218]
　　──の取下げ……………[238]・
　　　[503]（訴えの取下げ）・[529]・[565]
　　──の目的………………………[601]
　　──の要件………………………[605]
上訴期間…[192]・[426]・[549]・[562]・
　　　　　　　　　　　　　[567]・[607]
上訴権
　　──の放棄………………[549]・[580]・
　　　　　　　　　[623]（控訴権）
　　──の濫用………………[605]・[613]
上訴審の審判対象……………………[602]
上訴制度………………………………[600]
　　──の目的………………………[601]
上訴不可分の原則…………**[607]**・[621]
証人……………………………………[349]
　　──の義務………………………[350]
　　──の在廷………………………[359]
　　──の出頭確保…………………[357]
　　──の能力………………………[350]
　　──の保護………………………[363]
　　──の呼出し……………………[357]
証人尋問………………………………[349]
　　──の採否………………………[356]
　　──の実施………………………[359]
　　──の手続………………………[356]
　　──の申出………………………[356]

証人尋問調書………[231]・[296]・[361]
抄本……………………………………[205]
証明……………………………………[300]
　　──の対象………………………[303]
　　──を要しない事項……………[306]
　　疫学的──………………………[333]
　　厳格な──………………………[301]
　　自由な──………………………[301]
　　法規の──………………………[305]
　　模索的──………………………[393]
証明効……[180]・[320]・**[445]**・[497]・
　　　　　　　　　　　[560]・[572]・[578]
証明主題の転換………………………[333]
証明すべき事実の確認………………[285]
証明責任……………[036]・[172]・[256]・
　　　　　　　[302]・[305]・[310]・[312]・
　　　　　　　　　　　　　[328]・[338]
　　──の転換・証明負担の軽減……[330]
　　──の分配………………………[329]
　　客観的──………………………[328]
　　主観的──………………………[328]
証明責任規範説（証明責任）………[328]
証明責任契約………………[238]・[321]
証明責任説（自白）…………………[310]
証明度…………………………………[300]
証明妨害……**[321]**・[330]・[364]・**[396]**
証明力…………………………………[299]
将来の給付の訴え…………[052]・**[176]**
条理（国際民事訴訟）……[689]・[691]
職分管轄………………………………[100]
職務上顕著な事実……………………[320]
職務上の当事者……[134]・**[159]**・[683]
書証……………………………………[369]
　　──の手続………………………[375]
除斥……………………………………[090]
除斥期間……………[044]・[191]・[664]
職権公示送達…………………………[217]
職権証拠調べ……[027]・[113]・[255]・
　　　　　　　　　　　　　　　　[270]
　　──の禁止………………………[255]
職権進行主義…………………………[183]
職権送達主義…………………………[203]
職権探知主義………[250]・**[270]**・[683]

793

職権調査事項……[**014**]・[073]・[113]・
　　　　　　[**170**]・[270]・[301]・[463]・
　　　　　　[498]・[509]・[565]・[620]・
　　　　　　[624]・[636]・[641]・[643]・
　　　　　　[645]（上告審）・[647]・[648]
初日不算入の原則………………………[191]
処分権主義………[036]・[**051**]・[058]・
　　　　　　[157]・[238]・[251]・[412]・
　　　　　　[478]・[**502**]（訴訟の処分）・[563]・
　　　　　　[619]・[620]・[622]・[643]・[683]
処分証書……[259]・[309]・[**372**]・[380]
書面主義…………………………………[223]
書面尋問…………………………………[361]
書面に基づく陳述（証人尋問）………[361]
書面による準備手続……………………[287]
所有権の移転経過………………………[268]
白地手形の補充（既判力の基準時）
　　　　………………………………[474]
信義則………[055]・[059]・[062]・[119]・
　　　　　　[145]・[153]・[174]・[**241**]・
　　　　　　[260]（規範的要件）・[290]・[299]・
　　　　　　[321]・[341]・[480]・[495]・[**499**]
　　――に基づく拘束力（判決理由中の判
　　　　断）…………………………[499]
真偽不明（証明責任）………[302]・[328]
審級管轄……………………[**100**]・[114]
親権者………[088]・[138]・[141]・[680]
進行協議期日……………………………[279]
人事訴訟…………………………………[683]
人事訴訟法………………………[027]・[680]
真実擬制（書証）………………………[396]
真実義務…………………………………[275]
新実体的不服説（控訴の利益）………[610]
新種証拠…………………………………[370]
心証………………………………………[008]
審尋………[**220**]・[300]・[351]・[353]・
　　　　　　[383]・[394]・[595]・[653]・
　　　　　　　　　　　　[668]・[677]
審尋請求権………………………………[005]
真正期間…………………………………[191]
真正擬制（文書の真否）………[336]・[374]
新訴訟物理論……………………………[046]
審判形式…………………………………[052]

審判権の限界………………[169]・[**172**]
新併存説（訴訟行為）…………………[248]
尋問事項書………[353]・[**356**]・[675]
新様式判決………………………………[418]
審理の計画………………………………[277]
審理の現状に基づく判決………………[185]
審理の非公開……………………………[225]
審理不尽……………………[603]・[634]
診療録………………[295]・[296]・[379]

【す】
随時提出主義……………………………[226]
推定
　　一応の――（表見証明）…………[332]
　　事実上の――…[314]・[**331**]・[336]・
　　　　　　　　　　　　[435]・[665]
　　２段の――………[331]・[336]・[374]
　　法律上の権利――…………………[335]
　　法律上の事実――…………………[335]
数人の訴訟担当者（必要的共同訴訟）
　　………………………………………[536]

【せ】
請求…………………………………[029]
　　――の基礎…………………………[078]
　　――の原因………[038]・[077]・[079]・
　　　　　　　　　　　　[**235**]・[415]
　　――の減縮…………………………[503]
　　――の趣旨………[029]・[**038**]・[070]・
　　　　　　[077]・[101]・[164]・[574]・
　　　　　　[575]・[578]・[595]・[666]・[674]
　　――の追加………[077]・[163]・[554]・
　　　　　　　　　　　　　　[604]
　　――の併合…………………………[071]
請求異議の訴え…………[**034**]（性質）・
　　　　　　[045]（時効完成猶予）・
　　　　　　[046]・[090]・[176]・[433]・
　　　　　　[451]・[453]・[468]・[481]・
　　　　　　[483]・[492]・[494]・[497]・
　　　　　　[519]・[660]・[692]
請求原因　→請求の原因
請求の放棄・認諾…………[149]・[238]・
　　　　　　[284]・[316]・[401]・[466]・

[506]・**[521]**・[529]・[549]・
　　　[563]・[567]・[574]・[580]・[585]
　　──と訴訟要件……………………[523]
　　──と当事者の処分権限…………[522]
　　──の効果………………………[524]
　　──の要件………………………[522]
請求の目的物の所持者…………………[492]
　　──の類推適用…………………[493]
制限付自白………………………………[308]
制限的訴訟能力者………………………[133]
制限免除主義（裁判権）………………[097]
正当な当事者（規範分類説）
　　………………[120]・[122]・[123]
成年後見人・被後見人……[132]・[134]・
　　　　　　[138]・[139]・[141]・[159]・
　　　　　　　　　　　　　　　　[549]・[683]
成年後見監督人……………[134]・[549]
正本………………………………………[205]
責問権の放棄・喪失………[015]・[146]・
　　　　　[184]・[188]・[196]・[208]・
　　　　　[222]・[345]・[616]・[643]
積極的確認の訴え
　　………[032]・[045]（時効完成猶予）
積極的釈明………………………………[272]
絶対的上告理由…………………………[627]
絶対免除主義（裁判権）………………[097]
先行自白…………………………………[256]
前審関与（除斥）…………**[090]**・[091]・
　　　　　[092]・[094]・[095]
宣誓………………………………[350]・[358]
　　──義務………………………[350]
　　──無能力者…………………[350]
専属管轄……………………[014]・**[099]**
　　──規定違反（上告理由）
　　　………………………[630]・[631]
専属的合意管轄………………………[111]
選択的併合………[046]・[047]・[052]・
　　　　　　　　　[072]・[076]
船長（代理人・職務上の当事者）
　　　………………………[151]・[159]
選定者…………………………………[162]
選定当事者………[129]・[130]・**[161]**・
　　　　　[197]・[536]・[554]・[590]

　　──の全員の資格喪失……[197]・[590]
船舶管理人（代理人）………………[151]
全部判決………………………………[409]
専門委員………………………………[088]
占有機関（請求の目的物の所持者）
　　……………………………………[492]

【そ】
総合法律支援法………………………[443]
相殺権（既判力の基準時）…………[472]
相殺の抗弁………[063]（一部請求）・
　　　[067]（重複起訴）・[081]（反訴）・
　　　　　[235]・[288]（時機後れ）・
　　　[415]（中間判決）・**[484]**（既判力）・
　　　　　　　[497]（反射効）・[609]・
　　　[618]（控訴）・[620]（不利益変更）
相殺の再抗弁…………………………[235]
争訟的非訟事件……………[005]・**[017]**
相続財産管理人（法定代理人）……[138]
送達……………[040]（訴状）・**[201]**・
　　　[428]（判決）・[505]（訴えの取下げ）
　　──に用いられる書類………[205]
　　──の瑕疵とその救済………[208]
　　──の必要な書類……………[202]
　　──の方法……………………[210]
外国における──…………………[686]
公示──………………………………[217]
交付──………………………………[210]
裁判所書記官…………………………[212]
差置──………………………………[215]
就業場所──…………………………[211]
訴状の──……………………………[040]
出会──………………………………[213]
付郵便──……………………………[216]
補充──………………………………[214]
送達受取人…………………[137]・[207]・[209]
送達実施機関…………………………[204]
送達受領者……………………………[207]
送達担当機関…………………………[204]
送達名宛人………[207]・[208]・[214]・
　　　　　　　　　[216]・[217]・[218]
送達場所……[209]・[214]・[216]・[677]
　　──の届出……………[209]・[213]

送達報告書……………………………[206]	与効的――…………………………[238]
争点および証拠の整理手続…………[282]	訴訟行為説（訴訟行為）…[247]・[508]・
争点効…………[045]・[048]・[052]・	[518]
[060]・[084]・[244]・[445]・	訴訟告知……………………………[568]
[461-2]・[483]・[484]・[489]・	――の効果……………………[570]
[498]・**[500]**・[561]・[563]・	――の要件と手続……………[569]
[566]・[620]・[693]	訴訟参加……………………………[526]
争点整理……………………………[282]	訴訟指揮権…………………………[183]
――の実際……………………[282]	訴訟終了効………**[445]**・[451]・[452]・
相当と認める方法（期日の呼出し）・[188]	[518]・[520]・[524]
送付…………………………………[201]	訴訟終了宣言判決………[117]・[246]・
双方審尋主義………………………[222]	**[401]**・[414]・[509]・[519]・[621]
双方代理…………………[146]・[572]	訴訟準備・情報収集のための諸制度
総有…………[129]・[143]・[540]・[545]	…………………………………[289]
訴額………………**[101]**・[107]・[439]	訴訟障害…………………[169]・[647]
即時確定の利益……………………[180]	訴訟承継……………………………[588]
即時抗告…………………**[650]**・[652]	――主義………………………[587]
続審制（控訴審）…………………[614]	――の効果……………………[589]
訴権論………………………………[003]	訴訟状態
組織的利用文書（自己利用文書）…[390]	――承認義務………[563]・[567]・
訴状…………………………………[037]	**[589]**（訴訟承継）・[596]
――の審査……………………[039]	――の不当形成の排除（信義則）
――の送達……………………[040]	…………………………[245]
訴状および答弁書の陳述擬制　→陳述擬制	訴訟上の禁反言………………**[243]**・[499]
訴状却下命令……**[039]**・[403]・[406]・	訴訟上の権能
[613]（控訴却下命令）・	――の失効……………………[244]
[638]（上告状却下命令）・[662]	――の濫用の禁止……………[242]
訴訟救助……………………………[442]	訴訟上の合意　→訴訟契約
訴訟記録の閲覧…**[225]**・[231]・[300]・	訴訟上の代理人……………………[137]
[402]	訴訟上の和解……[025]・[187]・[222]・
訴訟係属の効果……………………[043]	[238]・[247]・[401]・[415]・
訴訟契約…………[232]・**[238]**・[240]・	[440]・[441]・[502]・[507]・
[246]・[247]・[299]・[508]・[622]	**[511]**・**[518]**・[563]・[567]・[675]
訴訟契約説（訴訟契約）……………[245]	――と訴訟要件………………[517]
訴訟行為……………………………[232]	――と当事者の処分権限……[516]
――と私法行為………………[246]	――のあり方…………………[512]
――と条件……………………[240]	――の解除……………………[520]
――と信義則…………………[241]	――の勧試……………………[511]
――に対する私法規定の適用可能性	――の主体……………………[515]
…………………………[247]	――の種類……………………[510]
――の追完……………………[195]	――の対象……………………[514]
――の撤回・取消し…………[239]	――の法的性質・効果………[518]
取効的――…………………………[238]	――の要件……………………[513]

事項索引

──を争う方法·····················[519]
訴訟資料·····························[232]
訴状審査·····························[039]
訴訟信託の禁止·····················[165]
訴訟代理権の授与、範囲、消滅······[147]
訴訟代理人···························[144]
　　──の過失（訴訟行為の追完）····[195]
訴訟脱退············[149]・[162]・[419]・
　　　　　　[**583**]・[594]・[595]・[596]
　　──の効果·······················[585]
　　──の要件と手続················[584]
訴訟担当············[038]・[064]・[090]・
　　　　　　[129]・[130]・[137]・[150]・
　　　　　　[153]・[**158**]・[197]・[419]・
　　　　　　[487]・[**490**]（既判力）・[492]・
　　　　　　　　　　　[507]・[516]（和解）・
　　　　　　[522]（放棄・認諾）・[536]・[540]・
　　　　　　[547]（以上、共同訴訟）・[558]・
　　　　　　　　　　　[560]・[590]・[666]
　　──の被担当者（既判力の主観的範囲）
　　　··································[490]
　　任意的──··························[161]
　　法定──····························[159]
訴訟中の訴え··························[030]
訴訟手続
　　──の進行························[183]
　　──の中止························[200]
　　──の中断························[197]
　　──の停止························[196]
訴訟と非訟····························[017]
訴訟能力················[014]・[124]・[**131**]
　　──欠缺の場合の処理··············[135]
　　──の喪失············[150]・[197]
訴訟の終了····························[401]
訴訟の遅滞を避けるための移送　→裁量移送
訴訟の非訟化··························[018]
訴訟判決······························[414]
訴訟引受け··········[030]・[043]・[220]・
　　　　　　　　　　　　[554]・[555]
　　──の原因··························[592]
　　──の手続··············[593]・[595]
訴訟費用······························[436]

──の裁判·······[413]・[414]・[419]・
　　　　　　[**436**]・[609]・[620]・[674]・[675]
　　──の種類··························[438]
　　──の担保··························[441]
　　──の負担··························[439]
訴訟費用額確定手続····················[440]
訴訟物····················[029]（定義）・
　　[046]（給付訴訟）・[050]（確認・形
　　　　　　　　　　　　　　　成訴訟）
　　──の同一・矛盾・先決···········[458]
訴訟物論争····························[046]
訴訟法規の種類························[013]
訴訟法上の裁判所······················[086]
訴訟法説（既判力）····················[455]
訴訟無能力者··························[132]
訴訟要件······························[168]
　　──の機能的分類··················[170]
　　──の種類························[169]
　　──の審理························[171]
続行命令····················[199]・[591]
外側説································[063]
疎明··································[300]
損害額の認定··························[324]

【た】

第1回口頭弁論期日　→最初の口頭弁論期日
第三者異議の訴え··········[034]・[160]・
　　　　　　　　　　　　[492]・[495]
対質··································[359]
代償請求··············[**072**]・[101]・[176]
対人的制約（裁判権）··················[097]
対世効····················[496-2]・[496-3]
対席判決主義··························[186]
代人（送達）··························[214]
対物的制約（裁判権）··················[096]
代理権・授権の欠如（上告理由）·····[632]
多数当事者訴訟························[526]
立退料································[056]
脱退　→訴訟脱退
建物買取請求権························[473]
建物収去土地明渡請求······[031]（主文）・
　　　　　　　　　　　[056]・[469]・[488]・

797

［489］（以上、既判力）・［528］・［544］・
　　　　　［576］・［592］（訴訟承継）
他人間の権利関係…［179］（確認の訴え）・
　　　　　［537］（固有必要的共同訴訟）
単純併合……………[**072**]・［074］・［533］
団体関係訴訟………［496］・［516］・［522］・
　　　　　　　　　　　　　　　　　［623］
単独制……………………………………［087］
単独体……………………………［087］・［403］
担保提供の抗弁………[**170**]・［441］・［688］

【ち】

父を定める訴え……………………………［036］
知的財産関係事件の管轄…………………［106］
知的財産高等裁判所………………………［106］
地方公共団体（当事者能力）……………［126］
嫡出否認の訴え………［033］・［034］・［197］
中間確認の訴え……………………………［084］
中間的裁判………［080］・[**406**]・［415］・
　　　　　　　　　［595］・［609］・［662］
中間の争い（中間判決）…………………［415］
中間判決……………………………………［415］
　　　――の効力……………………………［416］
仲裁…………………………………………［026］
仲裁鑑定契約……………………［238］・［321］
抽象的不作為請求（訴訟物）……………［038］
調査の嘱託…………………………………［291］
調書判決……………………………………［427］
調停…………………………………………［025］
重複起訴の禁止……［043］・［046］・[**064**]・
　　　　　　　　　［169］・［230］・［576］・［694］
　　　拡大された――……［068］・［410］・［498］
直接主義……………………………………［224］
直接証拠……………………………………［259］
直送…………………………………………［201］
賃金台帳（文書提出命令）………………［379］
賃借人（請求の目的物の所持者）………［492］
陳述擬制……………………………[**186**]・［311］
陳述書………………………………………［360］
沈黙…………………………………………［236］

【つ】

追加的選定………………………［163］・［554］

追加判決…………………………［413］・［581］
追認…［014］・［121］・[**135**]（訴訟能力）・
　　　［137］・［139］・［143］・［145］・
　　　　　　　　　　　　　　［146］・［439］
通常期間……………………………………［194］
通常共同訴訟………………………………［528］
通常抗告……………………………………［650］
通知…………………………………………［201］

【て】

出会送達……………………………………［213］
提訴手数料　→訴えの提起の手数料
提訴予告通知………………………………［294］
廷吏…………………………［088］・［190］・［204］
手形・小切手訴訟…………………………［674］
手形債権……………………［065］・［111］・［674］
手形の取立委任裏書（任意的訴訟担当）
　　　　　　　　　　　　　　　　　　　　　　　［161］
適格消費者団体（当事者適格）…………［166］
適時提出主義………………………………［226］
手続保障……………………[**005**]・［019］（非訟）
伝聞証言……………………………………［359］
電話会議………［037］・[**284**]・［287］・［675］

【と】

倒産処理手続………………………………［023］
当事者………………………………………［117］
　　　――の死亡……………………………［590］
　　　――の責めに帰することができない事由
　　　（追完）……………………………［195］
　　　――の同一性（重複起訴）…………［064］
　　　――の表示………[**119**]（訂正）・［447］
　　　主たる――（補助参加）……………［557］
　　　従たる――（補助参加）……………［557］
当事者権……………………………［005］・[**117**]
当事者恒定主義……………………………［587］
当事者照会…………………………………［290］
当事者尋問…………………………………［364］
　　　――の補充性…………………………［364］
当事者適格……［036］（境界確定）・［125］・
　　　［126］・［128］・[**153**]・［170］・
　　　［197］・［199］・［452］・［488］・
　　　［527］・［549］・［553］・［576］・

798

　　　　　　［590］・［597］・［666］（再審）・
　　　　　　［683］・［687］
　　──の拡張……………………［166］
　　──の非両立（独立当事者参加）
　　　　……………………………［576］
　　訴えの3類型と──……………［154］
当事者の意思による訴訟の終了……［502］
当事者能力…………［014］・［124］・**［125］**・
　　　　　　［197］・［687］
　　──の消滅……………………［197］
当事者の確定………………………［119］
　　──の基準……………………［120］
当事者の欠席………………………［185］
当事者費用…………………………［438］
同時審判申出共同訴訟………………［533］
当然承継……………………………［590］
　　──の手続……………………［591］
当然の補助参加……………………［531］
答弁書……［041］・［112］・［186］・**［280］**・
　　　　　　［315］・［427］・［639］（上告）
謄本…………………………………［205］
特殊行為説（任意的当事者変更）……［119］
督促異議……………………………［678］
督促手続……………………………［676］
　　──の通常訴訟への移行…………［679］
特段の事情の不存在（自己利用文書）
　　……………………………………［389］
特別委任事項（訴訟代理人）………［149］
特別抗告……………………………［658］
特別裁判籍…………………………［102］
特別上告……………………………［657］
特別上訴……………………………［656］
特別代理人…………［087］・［137］・**［139］**・
　　　　　　［141］・［142］・［143］・［295］・
　　　　　　［300］・［651］
特別手続……………………［027］・［673］
独立裁判籍…………………………［104］
独立した攻撃防御方法（中間判決）
　　……………………………………［415］
独立当事者参加………………**［572］**・［620］
　　──の審理……………………［580］
　　──の請求の趣旨……………［578］
　　──の手続……………………［579］

　　──の判決……………………［581］
　　──の判断（上訴）……………［582］
　　──の要件……………［573］・［577］
独立の訴え…………………［030］・［083］
独立附帯控訴……［611］・［612］・［621］・
　　　　　　［640］
特例判事補…………………………［088］
土地管轄……………………………［102］
飛越上告…［247］・［604］・**［622］**・［624］・
　　　　　　［644］
取消権（既判力の基準時）…………［470］

【な】

内部文書性（自己利用文書）………［387］

【に】

二重起訴の禁止　→重複起訴の禁止
2段の推定…………［331］・［336］・［374］
日本の民事訴訟手続の特質…………［012］
2当事者対立構造…………**［117］**・［197］・
　　　　　　［401］・［572］・［596］
任意管轄……………………………［099］
任意規定……………………………［015］
任意訴訟の禁止……………［015］・**［238］**
任意代理人…………………［137］・［144］
任意的口頭弁論……………………［220］
任意的差戻し………………………［618］
任意的訴訟担当
　　…………［161］〔「訴訟担当」も参照〕
任意的当事者変更…………………［119］
認知の訴え…………［033］・［034］・［119］

【は】

陪席裁判官…………［039］・［087］・［272］・
　　　　　　［284］・［359］
敗訴可能性説（自白）………………［310］
破棄判決……………………………［647］
　　──の拘束力……………［450］・［648］
破産管財人…………［038］・［111］・［126］・
　　［159］（訴訟担当）・［197］・［198］・
　　［419］・［488］・［491］・［516］・［590］
破産債権確定訴訟……………［078］・［496］
破産者………………［197］・［198］・［590］

799

破産手続開始……[142]・[150]・[197]・
　　　　　　　　　　　　[320]・[590]
破産手続の終了……………………[590]
判決………………………………[403]
　　――の言渡し………………………[426]
　　――の確定…………………………[429]
　　――の更正…………………………[447]
　　――の効力…………………………[445]
　　――の種類…………………………[407]
　　――の証明効　→証明効
　　――の成立…………………………[417]
　　――の相対効……[**486**]・[496]・[497]・
　　　　　　　　　　　　　　　　　　[545]
　　――の送達…………………………[428]
　　――の対世効　→対世効
　　――の内容の確定…………………[417]
　　――の不存在………………………[451]
　　――の変更…………………………[449]
　　――の騙取…………………………[453]
　　――の法律要件的効力……………[445]
　　――の無効…………………………[452]
　　一部――……………………………[409]
　　確認――……………………………[032]
　　給付――……………………………[031]
　　旧様式――…………………………[418]
　　形成――……………………………[033]
　　原因――……………………………[415]
　　控訴審の――………………………[618]
　　残部――……………………………[409]
　　終局――……………………………[408]
　　新様式――…………………………[418]
　　全部――……………………………[409]
　　訴訟――……………………………[414]
　　訴訟終了宣言――…[117]・[246]・
　　　[**401**]・[414]・[509]・[519]・[621]
　　中間――……………………………[415]
　　調書――……………………………[427]
　　追加――………………………[413]・[581]
　　非――………………………………[451]
　　引換給付――……[056]・[288]・[483]
　　変更――………[191]・[220]・[**449**]
　　本案――……………………………[414]
判決言渡期日………………[016]・[187]・

[426]（通知）・[641]（通知）
判決効を受ける第三者の保護……[496-3]
判決裁判所の構成の違法（上告理由）
　　…………………………………[628]
判決主文例…………[031]・[032]・[033]
判決書……………………………[418]
　　――に代わる調書…………………[427]
　　――の実際…………………………[419]
　　――の必要的記載事項……………[419]
判決に影響を及ぼすことが明らかな法令違
　　反（上告理由）………………[635]
判決に関与できない裁判官の判決関与（上
　　告理由）………………………[629]
判決理由
　　――中の判断の拘束力　→争点効
　　――の不備または理由の食い違い　→理
　　　由不備・理由の食い違い（上告理由）
犯罪被害者等の損害賠償請求………[027]
判事…………………………………[088]
判事補………………………………[088]
反射効……………[129]・[230]・[**497**]
反証…………………………………[302]
反訴…………………………………[081]
　　――の手続…………………………[083]
　　――の取下げ………………………[083]
　　――の要件…………………………[082]
　　予備的――……[067]・[**081**]・[083]・
　　　　　　　　　　　　　　　　　　[240]
反対尋問……………………………[359]
判断遺脱（上告理由）……[634]・[648]・
　　　　　　　　　　　　　　　　　　[664]

【ひ】

引受承継　→参加・引受承継
引換給付判決………[056]・[288]・[483]
引渡し・閲覧の対象文書……………[378]
非公開審理………[017]・[026]・[220]・
　　[225]（公開主義）・[282]・[283]・
　　　　　　　　　　　　　[284]・[683]
被参加人……………………………[557]
非訟事件……………………………[017]
　　争訟的――……………………[005]・[**017**]
　　非争訟的――………………………[017]

事項索引

非争訟的非訟事件……………………[017]
筆界特定手続…………………………[036]
筆記等の義務（証人尋問）…………[374]
必要的共同訴訟……………[527]・[535]
　　――の審理…………………………[548]
必要的口頭弁論………………………[220]
必要的差戻し…………………………[618]
ビデオテープ………[231]・[370]・[398]
否認……………………………………[236]
否認的争点決定主義…………………[315]
非判決…………………………………[451]
非弁護士の訴訟行為…………………[145]
被保佐人………………………………[133]
被補助人………………………………[133]
秘密保持命令………………[225]・[395]
評価規範　→規範分類説
評議………[087]・[090]・[**417**]・[426]・
　　　　　　　　　　　　　　　　[629]
評決（前審関与）……………………[090]
表見証明　→一応の推定
表見代理（法人等の代表者）………[143]
表示説（当事者の確定）……………[120]
表示の訂正（当事者）………………[119]

【ふ】

夫婦の同居義務……………[019]・[175]
付加期間………………………………[194]
付加的合意管轄………………………[111]
不起訴の合意………[110]・[**169**]・[170]・
　　　　　　　　[174]・[238]・[247]・[508]
武器平等の原則………………………[222]
複合説（任意的当事者変更）………[119]
複雑訴訟形態…………………………[070]
覆審制（控訴審）……………………[614]
複数請求訴訟…………………………[070]
復代理人………………………………[149]
副本……………………………………[205]
不控訴の合意…………………………[622]
不在者の財産管理人（法定代理人）
　　　　　　　　　　　　[138]・[142]
不執行の合意………[057]・[175]・[483]
不真正期間……………………………[191]
付随手続………………………………[021]

附帯抗告………………………………[653]
附帯控訴………………………………[611]
　　――の性質………………………[612]
　　独立――…[611]・[612]・[621]・[640]
附帯上告………………………………[640]
不代替的作為義務……………………[031]
不知……………………………………[236]
普通裁判籍……………………………[103]
物証……………………………………[299]
不定期間の故障………………………[200]
部分社会の法理………………………[173]
不変期間………………………………[194]
付郵便送達……………………………[216]
不利益性………………………[310]（自白）・
　　　　　　　　[388]（自己利用文書）
不利益陳述……………………………[256]
不利益変更・利益変更禁止の原則
　　………[036]・[051]・[075]・[076]・
　　　　　　　[582]・[612]・[**619**]
　　――の例外………………………[620]
文書……………………………………[369]
　　――特定のための手続…………[393]
　　――に関する真実擬制…………[396]
　　――の形式的証拠力……………[374]
　　――の実質的証拠力……………[374]
　　――の証拠調べ…………………[375]
　　――の証拠力……………………[374]
　　――の成立の真正
　　　　………[309]（自白）・[374]
　　――の不提出に対する制裁……[396]
　　引用――…………………………[377]
　　技術職業秘密――………………[385]
　　刑事訴訟等関係――……………[391]
　　公――……………………………[371]
　　公務秘密――……………………[383]
　　私――……………………………[371]
　　自己利用――……………………[386]
　　社内通達――……………………[388]
　　準――……………………………[369]
　　引渡し・閲覧の対象――………[378]
　　法定専門職秘密――……………[384]
　　法律関係――……………………[380]
　　利益――…………………………[379]

801

文書送付嘱託……………………………[397]
文書提出義務……………………………[376]
文書提出命令……………………………[376]
　　──に従わない場合の効果………[396]
　　──に対する判断…………………[394]
　　──の申立て………………………[392]
紛争解決説………………………………[004]
紛争の主体たる地位の移転（口頭弁論終結
　　後の承継人）………………………[488]

【へ】

併行審理主義……………………[012]・[227]
併合請求の裁判籍………………………[107]
併存説（訴訟行為・契約）
　………………[246]・[247]・[508]・[518]
別訴禁止効………………………………[683]
変更判決…………………[191]・[220]・**449**
弁護士会の懲戒処分中の訴訟行為……[145]
弁護士強制主義…………………………[144]
弁護士代理の原則………………………[144]
　　──の違反…………………………[145]
弁護士費用……[437]・**438**・[443]・[691]
弁護士法上の照会………………[180]・[293]
弁護士法25条違反行為…………………[146]
弁護士倫理………………………………[512]
片面的当事者参加……**572**・[580]・[594]
弁論
　　──の更新…………………………[616]
　　──の更新権………………………[617]
　　──の再開…………………………[229]
　　──の制限・分離・併合…………[230]
　　──の全趣旨………………………[323]
弁論兼和解………………………………[283]
弁論主義…………………………………[250]
　　──違反の有無……………………[266]
　　──と処分権主義の関係…………[251]
　　──の3原則………………………[252]
　　──の対象…………………………[258]
弁論準備手続……………………………[283]
　　──の終了とその効果……………[285]
弁論能力…………………………………[136]

【ほ】

放棄・認諾調書…………………[466]・**521**
法規の証明………………………………[305]
法規不適用説（証明責任）……………[328]
報告行為説（弁論の更新）……………[616]
報告証書…………………………………[372]
法人
　　──等の代表者……………………[143]
　　──の当事者能力…………………[126]
　　──の内部紛争……………………[155]
法人格のない社団・財団
　　…………**127**・**129**・[139]・[143]
法人格否認の法理
　　……[119]・[123]（当事者の確定）・
　　　　[495]（既判力・執行力）
妨訴抗弁…………………………………[170]
法廷………………………………………[187]
法定期間…………………………………[193]
法廷警察権………………………………[183]
法定証拠主義……………………………[321]
法定証拠法則……………………………[336]
法定序列主義……………………………[226]
法定専門職
　　──の守秘義務……………………[354]
　　──秘密文書………………………[384]
法定訴訟担当
　　………………[159]〔「訴訟担当」も参照〕
法定代理権の消滅………………………[142]
法定代理人………………………[137]・[138]
　　──の権限…………………………[141]
　　──の地位…………………………[140]
法廷地法……………[348]・[685]・[687]
法的観点指摘権能・義務………………[274]
法的観点の提出に関する既判力の縮小
　　……………………………………[477]
法的評価の再施…………………[046]・[047]
法テラス…………………………………[443]
法律関係文書……………………………[380]
法律上の権利推定………………………[335]
法律上の事実推定………………………[335]
法律上の主張……………………………[234]
法律上の制裁（期日の不遵守）………[188]

法律上の争訟（審判権）…[172]・[173]・
　　　　　　　　　　　　　　　　[610]
法律審……………………………………[603]
法律扶助…………………………………[443]
法律要件的効力…………………………[445]
法律要件分類説（証明責任）…………[329]
法令解釈に関する重要な事項（上告受理申
　　立理由）………**[637]**・[639]・[640]
法令解釈の統一（上告審）
　　………[601]・[604]・[636]・[637]・
　　　　　　　　　　　[655]（許可抗告）
法令上の訴訟代理人……………………[151]
補佐人……………………………………[152]
補充裁判籍………………………………[103]
補充尋問…………………………………[359]
補充送達…………………………………[214]
補助参加…………………………………[557]
　　――と既判力の拡張………………[566]
　　――の手続…………………………[561]
　　――の申出…………………………[561]
　　――の要件…………………………[558]
　　――の利益…………………………[559]
　　――の類型…………………………[560]
　　当然の――…………………………[531]
補助参加人の訴訟行為・地位…………[562]
補助事実……………[259]・[309]（自白）
本案
　　――の審理（再審）………………[669]
　　――の弁論………[112]（応訴管轄）・
　　　　　　　　　　　　[170]（妨訴抗弁）
　　――の申立て………………………[233]
本案判決…………………………………[414]
　　――請求権説（訴権論）…………[003]
本権に基づく請求………………………[082]
本証………………………………………[302]
本人訴訟…………………………………[144]

【み】

未成年者…………………………………[132]
民事裁判権　→裁判権
民事執行手続……………………………[022]
民事訴訟
　　――の法源…………………………[002]

　　――の理念………………[004]・[005]
民事訴訟規則……………………………[002]
民事訴訟制度目的論……………………[004]
民事訴訟手続関連諸手続・制度………[020]
民事訴訟手続の特別手続………………[027]
民事訴訟手続の流れ……………………[006]
民事訴訟法の沿革・法源………………[002]
民事調停…………………………………[025]
民事調停官………………………………[025]
民事保全手続……………………………[021]
民法上の組合（当事者能力）…………[130]

【む】

矛盾挙動禁止　→訴訟上の禁反言

【め】

命令………………………………………[403]
メモの自由………………………………[225]

【も】

申立て……………………………………[233]
模索的証明………………………………[393]
持分会社………………………[132]・[497]

【や】

やむをえない事由（期日の変更）……[189]

【ゆ】

唯一の証拠方法…………………………[346]
誘導尋問…………………………………[359]
猶予期間…………………………………[192]

【よ】

要件事実論………………………………[338]
　　――と争点整理……………………[340]
　　――のポイント……………………[341]
　　――の問題点………………………[339]
養子縁組無効確認・取消しの訴え
　　………………[035]・[180]・[537]
要約書面…………………………………[285]
与効的訴訟行為…………………………[238]
予備的反訴…[067]・**[081]**・[083]・[240]
予備的併合……………[052]・**[072]**・[075]

予備的申立て……………………［075］・［240］

【ら】

ラウンドテーブル法廷………………［286］

【り】

利益衡量説（証明責任）……………［329］
利益文書………………………………［379］
利益変更禁止の原則　→不利益変更・利益
　変更禁止の原則
利害関係人…………［157］・［231］・［567］・
　　　　　　　　　　　［653］（抗告）・［683］
離婚訴訟（訴訟物）…………………［050］
略式訴訟手続…………………………［673］
理由（判決書）………………………［419］
理由説明義務（弁論準備手続等）
　…………………………［**285**］・［617］
理由付否認……………………………［308］
理由不備・理由の食い違い（上告理由）
　………………………………………［634］
両性説（訴訟行為・契約）
　…………［246］・［247］・［508］・［518］
量的一部と質的一部…………………［054］
稟議書（文書提出命令）

…………［380］・［386］・［388］・［389］

【る】

類似必要的共同訴訟…………［527］・［**547**］

【ろ】

労働組合（任意的訴訟担当）………［165］
労働審判手続………［017］・［018］・［025］・
　　　　　　　　　　　　　　　　［**027**］
録音テープ（新種証拠）……………［370］

【わ】

和解
　訴え提起前の──………［**510**］・［515］・
　　　　　　　　　　　　　　　　［518］
　裁判上の──………………………［510］
　訴訟上の──……［025］・［187］・［222］・
　　　　［238］・［247］・［401］・［415］・
　　　　［440］・［441］・［502］・［507］・
　　　　［**511**］・［**518**］・［563］・［567］・［675］
和解条項案の書面による受諾………［511］
和解に代わる決定……………［466］・［**672**］
ワークプロダクトの法理（自己利用文書）
　………………………………………［390］

判 例 索 引

本文の左欄外に付したブロックごとの番号によっている。

【大審院】

大判明治44・3・24民録17輯117頁	[035]
大判大正2・7・11民録19輯662頁	[545]
大判大正4・9・29民録21輯1520頁、百選5版56事件	[314]
大判大正5・12・23民録22輯2480頁	[259]
大判大正9・10・14民録26輯1495頁	[112]
大決大正11・7・17民集1巻398頁	[559]
大判大正12・12・17民集2巻684頁	[545]
大判大正13・5・19民集3巻211頁	[545]
大判大正14・4・24民集4巻195頁	[519]
大判昭和2・2・3民集6巻13頁	[120]
大判昭和3・6・21民集7巻493頁	[546]
大判昭和4・6・1民集8巻565頁	[435]
大判昭和7・11・28民集11巻2204頁	[056]
大判昭和8・2・9民集12巻397頁	[310]
大判昭和8・11・7民集12巻2691頁	[179]
大判昭和9・1・23民集13巻47頁	[139]
大判昭和9・3・7民集13巻278頁	[497]
大判昭和10・9・3民集14巻1886頁	[519]
大判昭和10・10・28民集14巻1785頁、百選5版5事件	[120]
大判昭和10・12・26民集14巻2129頁	[218]
大判昭和11・3・11民集15巻977頁、百選5版6事件	[120]
大判昭和11・5・22民集15巻988頁	[585]
大判昭和12・2・23民集16巻133頁	[435]
大判昭和12・12・8民集16巻1923頁	[664]
大決昭和13・11・19民集17巻2238頁	[448]
大判昭和14・5・16民集18巻557頁	[491]・[576]
大判昭和15・4・10民集19巻716頁	[579]
大判昭和15・7・26民集19巻1395頁	[559]
大判昭和16・3・7判決全集8輯12号9頁	[045]
大判昭和16・3・15民集20巻191頁	[122]
大判昭和17・1・28民集21巻37頁	[045]
大判昭和18・6・1民集22巻426頁	[426]

805

【最高裁判所】

最判昭和24・8・2民集3巻9号291頁……………………………………………[054]
最判昭和24・8・18民集3巻9号376頁…………………………………………[613]
最判昭和25・6・23民集4巻6号240頁…………………………………………[207]
最判昭和25・7・11民集4巻7号316頁…………………………………………[314]
最判昭和25・7・14民集4巻8号353頁…………………………………………[319]
最判昭和25・10・31民集4巻10号516頁………………………………………[186]
最判昭和26・3・29民集5巻5号177頁…………………………………………[346]
最判昭和27・6・17民集6巻6号595頁…………………………………………[281]
最大判昭和27・10・8民集6巻9号783頁………………………………………[172]
最判昭和27・10・21民集6巻9号841頁…………………………………………[323]
最判昭和27・11・20民集6巻10号1015頁………………………………………[346]
最判昭和27・11・27民集6巻10号1062頁、百選5版51事件……………………[261]
最判昭和27・12・5民集6巻11号1117頁………………………………………[359]
最判昭和27・12・25民集6巻12号1240頁………………………………………[346]
最判昭和28・5・7民集7巻5号489頁…………………………………………[450]
最判昭和28・5・14民集7巻5号565頁…………………………………………[348]
最判昭和28・5・29民集7巻5号623頁…………………………………………[189]
最判昭和28・11・17行裁集4巻11号2760頁……………………………………[172]
最判昭和28・12・14民集7巻12号1386頁………………………………………[576]
最大判昭和28・12・23民集7巻13号1561頁……………………………………[181]
最判昭和28・12・24民集7巻13号1644頁………………………………………[178]
最判昭和29・1・28民集8巻1号308頁…………………………………………[440]
最判昭和29・10・26民集8巻10号1979頁………………………………………[093]
最判昭和29・12・16民集8巻12号2158頁………………………………………[178]
最判昭和30・1・28民集9巻1号83頁、百選5版4事件…………………………[092]
最判昭和30・4・5民集9巻4号439頁…………………………………………[288]
最判昭和30・5・20民集9巻6号718頁…………………………………………[178]
最判昭和30・6・24民集9巻7号919頁…………………………………………[054]
最判昭和30・7・5民集9巻9号985頁、百選5版55事件………………………[317]
最大決昭和30・7・20民集9巻9号1139頁………………………………………[662]
最判昭和30・12・26民集9巻14号2082頁………………………………………[180]
最判昭和31・4・3民集10巻4号297頁、百選5版110事件……………………[609]
最判昭和31・4・13民集10巻4号388頁…………………………………………[224]
最判昭和31・5・10民集10巻5号487頁…………………………………………[541]
最判昭和31・5・25民集10巻5号577頁…………………………………………[309]
最判昭和31・7・20民集10巻8号947頁…………………………………………[320]
最判昭和31・7・20民集10巻8号965頁…………………………………………[497]
最判昭和31・9・18民集10巻9号1160頁………………………………………[160]
最判昭和31・10・4民集10巻10号1229頁………………………………………[180]
最判昭和31・12・20民集10巻12号1573頁……………………………[077]・[618]
最判昭和31・12・28民集10巻12号1639頁………………………………………[273]

最判昭和32・2・8民集11巻2号258頁、百選5版65事件･･････････････････････････････････[359]
最判昭和32・2・28民集11巻2号374頁、百選5版33事件･･････････････････････[077]・[618]
最判昭和32・5・10民集11巻5号715頁･･[332]
最判昭和32・6・7民集11巻6号948頁、百選5版81事件･･････････････････････････････[059]
最判昭和32・6・25民集11巻6号1143頁、百選5版A21事件･･････････････････････････[345]
最判昭和32・7・2民集11巻7号1186頁･･[448]
最大判昭和32・7・20民集11巻7号1314頁･･･[179]
最判昭和32・7・30民集11巻7号1424頁･･[452]
最判昭和32・12・13民集11巻13号2143頁、百選5版A38事件･･････････････････････････[612]
最判昭和33・4・17民集12巻6号873頁･･[162]
最判昭和33・6・6民集12巻9号1384頁･･[056]
最判昭和33・6・14民集12巻9号1492頁、百選5版93事件･･････････････[247]・[508]・[518]
最判昭和33・7・8民集12巻11号1740頁、百選5版47事件････････････････････････････[269]
最判昭和33・7・22民集12巻12号1805頁･･･[541]
最判昭和33・7・25民集12巻12号1823頁、百選5版17事件････････････････････････････[139]
最判昭和33・8・8民集12巻12号1921頁･･･[101]
最判昭和33・11・4民集12巻15号3247頁･･･[616]
最判昭和34・2・20民集13巻2号209頁･･[059]
最判昭和34・3・26民集13巻4号493頁･･[243]
最判昭和34・7・3民集13巻7号898頁･･[543]
最判昭和34・7・17民集13巻8号1095頁･･･[095]
最大判昭和34・12・16刑集13巻13号3225頁･･[173]
最判昭和35・2・9民集14巻1号84頁･･[348]
最判昭和35・3・1民集14巻3号327頁･･･[335]
最判昭和35・3・9民集14巻3号355頁･･･[173]
最判昭和35・5・24民集14巻7号1183頁･･･[079]
最大判昭和35・6・8民集14巻7号1206頁･･[173]
最大判昭和35・10・19民集14巻12号2633頁･･･[173]
最判昭和35・12・23民集14巻14号3166頁･･･[248]
最判昭和36・1・26民集15巻1号175頁･･[148]
最判昭和36・4・25民集15巻4号891頁･･[050]
最判昭和36・4・27民集15巻4号901頁、百選5版48事件････････････････････････････[260]
最判昭和36・5・26民集15巻5号1425頁･･･[218]
最判昭和36・6・16民集15巻6号1584頁･･･[679]
最判昭和36・10・5民集15巻9号2271頁･･[314]
最判昭和36・11・24民集15巻10号2583頁、百選5版A33事件･････････････････[155]・[553]
最判昭和36・11・28民集15巻10号2593頁･･[648]
最判昭和36・12・15民集15巻11号2865頁･･[544]
最判昭和37・1・19民集16巻1号106頁、百選5版A34①事件･････････････････････････[562]
最判昭和37・5・24民集16巻5号1157頁･･[481]
最判昭和37・8・10民集16巻8号1720頁･･[059]
最判昭和37・9・21民集16巻9号2052頁･･[375]
最決昭和37・10・12民集16巻10号2128頁･･[593]

最判昭和37・10・12民集16巻10号2130頁	[045]
最判昭和37・12・18民集16巻12号2422頁、百選5版9事件	[130]
最判昭和38・1・18民集17巻1号1頁	[077]
最判昭和38・2・21民集17巻1号182頁、百選5版19事件	[149]
最判昭和38・3・8民集17巻2号304頁	[410]
最判昭和38・3・12民集17巻2号310頁	[544]
最判昭和38・4・12民集17巻3号468頁	[208]
最判昭和38・7・30民集17巻6号819頁	[640]
最判昭和38・10・1民集17巻9号1106頁	[544]
最判昭和38・10・1民集17巻9号1128頁	[507]
最大判昭和38・10・30民集17巻9号1252頁	[045]
最大判昭和38・10・30民集17巻9号1266頁、百選5版20事件	[146]
最判昭和39・3・24判タ161号77頁	[661]
最判昭和39・4・7民集18巻4号520頁	[052]・[075]
最判昭和39・5・12民集18巻4号597頁、百選5版70事件	[331]・[336]
最判昭和39・6・12民集18巻5号764頁	[035]
最判昭和39・6・24民集18巻5号874頁	[324]
最判昭和39・7・28民集18巻6号1241頁、百選5版59事件	[332]
最判昭和39・10・15民集18巻8号1671頁	[127]
最判昭和39・11・26民集18巻9号1984頁	[339]
最判昭和40・3・4民集19巻2号197頁、百選5版34事件	[082]
最判昭和40・3・11判タ175号110頁	[339]
最判昭和40・3・19民集19巻2号484頁	[610]
最判昭和40・4・30民集19巻3号768頁	[339]
最判昭和40・5・20民集19巻4号859頁	[540]
最判昭和40・6・24民集19巻4号1001頁	[567]
最大決昭和40・6・30民集19巻4号1089頁、百選5版2事件	[019]
最判昭和40・7・23民集19巻5号1292頁	[056]
最判昭和40・9・17民集19巻6号1533頁、百選5版76事件	[055]
最判昭和40・12・21民集19巻9号2270頁	[453]
最判昭和41・1・21民集20巻1号94頁	[077]
最判昭和41・3・18民集20巻3号464頁、百選5版21事件	[175]
最判昭和41・3・22民集20巻3号484頁、百選5版109事件	[488]・[592]
最判昭和41・3・31判時443号31頁、判タ190号125頁	[098]
最判昭和41・4・12民集20巻4号548頁、百選5版A16事件	[268]
最判昭和41・7・28民集20巻6号1265頁	[139]
最判昭和41・9・22民集20巻7号1392頁、百選5版54事件	[309]
最判昭和41・9・30民集20巻7号1523頁	[143]
最判昭和41・11・10民集20巻9号1733頁	[083]
最判昭和41・11・25民集20巻9号1921頁	[540]
最判昭和41・12・22民集20巻10号2179頁	[665]
最判昭和42・2・23民集21巻1号169頁	[574]
最判昭和42・2・24民集21巻1号209頁、百選5版A12事件	[218]

最判昭和42・6・20判時494号39頁 ……………………………………………………… [661]
最判昭和42・7・18民集21巻6号1559頁、百選5版82事件 ……………………… [061]
最判昭和42・7・21民集21巻6号1643頁 ……………………………………………… [341]
最判昭和42・7・21民集21巻6号1663頁 ……………………………………………… [606]
最判昭和42・8・25民集21巻7号1740頁 ……………………………………………… [541]
最大判昭和42・9・27民集21巻7号1925頁 …………………………………………… [572]
最大判昭和42・9・27民集21巻7号1955頁、百選5版A8事件 …………………… [145]
最判昭和42・10・19民集21巻8号2078頁、百選5版8事件 ………………………… [127]
最判昭和43・2・15民集22巻2号184頁、百選5版94事件 ………………………… [520]
最判昭和43・2・22民集22巻2号270頁、百選5版35事件 ………………………… [036]
最判昭和43・2・27民集22巻2号316頁 …………………………………… [245]・[453]
最判昭和43・3・7民集22巻3号529頁 ………………………………………………… [075]
最判昭和43・3・8民集22巻3号551頁、百選5版A30事件 ………………………… [532]
最判昭和43・3・15民集22巻3号607頁、百選5版99事件 ………………………… [544]
最判昭和43・3・19民集22巻3号648頁、百選5版115事件 ………………………… [648]
最判昭和43・4・12民集22巻4号877頁 ………………………………………………… [581]
最判昭和43・5・31民集22巻5号1137頁 ……………………………………………… [160]
最判昭和43・6・21民集22巻6号1297頁 ……………………………………………… [145]
最判昭和43・9・12民集22巻9号1896頁、百選5版95事件 ………………………… [531]
最判昭和43・11・1民集22巻12号2402頁 …………………………………………… [143]
最大判昭和43・11・13民集22巻12号2510頁 ………………………………………… [045]
最判昭和43・12・24民集22巻13号3428頁、百選5版60事件 …………… [331]・[435]
最判昭和43・12・24民集22巻13号3454頁 …………………………………………… [261]
最判昭和44・2・27民集23巻2号441頁 ……………………………………………… [437]
最判昭和44・2・27民集23巻2号497頁 ……………………………………………… [641]
最判昭和44・4・17民集23巻4号785頁 ……………………………………………… [544]
最判昭和44・6・24判時569号48頁、判タ239号143頁、百選5版84事件 ……… [499]
最判昭和44・7・8民集23巻8号1407頁、百選5版86事件 ………………………… [453]
最判昭和44・7・10民集23巻8号1423頁、百選5版15事件 ………………………… [172]
最判昭和44・7・15民集23巻8号1532頁 ……………………………………………… [577]
最判昭和44・10・17民集23巻10号1825頁、百選5版92事件 ……………………… [246]
最判昭和44・11・27民集23巻11号2251頁 …………………………………………… [045]
最判昭和45・1・22民集24巻1号1頁 ……………………………………… [567]・[578]
最判昭和45・3・26民集24巻3号165頁 ……………………………………………… [291]
最判昭和45・4・2民集24巻4号223頁 ………………………………………………… [181]
最判昭和45・5・22民集24巻5号415頁 ……………………………………………… [543]
最判昭和45・6・11民集24巻6号516頁、百選5版52事件 ………………………… [273]
最大判昭和45・7・15民集24巻7号861頁、百選5版A9事件 ……………………… [179]
最判昭和45・7・24民集24巻7号1177頁 ……………………………………………… [059]
最判昭和45・10・9民集24巻11号1492頁 …………………………………………… [661]
最判昭和45・10・22民集24巻11号1583頁、百選5版103事件 ………… [559]・[560]・[564]
最大判昭和45・11・11民集24巻12号1854頁、百選5版13事件 ………… [130]・[165]
最判昭和45・12・15民集24巻13号2072頁、百選5版18事件 ……………………… [143]

最判昭和45・12・15民集24巻13号2081頁………………………………………………	[260]
最判昭和45・12・22民集24巻13号2173頁………………………………………………	[664]
最命令昭和46・3・23判時628号49頁、判タ261号194頁	[139]
最判昭和46・4・23判時631号55頁、百選5版45事件…………………………………	[288]
最判昭和46・6・3判時634号37頁、判タ264号196頁、百選5版117事件…………	[666]
最判昭和46・6・25民集25巻4号640頁、百選5版91事件…………………… [247]・	[508]
最判昭和46・6・29判時636号50頁、判タ264号198頁、百選5版A15事件…………	[267]
最判昭和46・10・7民集25巻7号885頁、百選5版A31事件………… [540]・[541]・	[549]
最判昭和46・10・19民集25巻7号952頁……………………………………………………	[450]
最判昭和46・11・25民集25巻8号1343頁、百選5版75事件……………………………	[056]
最判昭和46・12・9民集25巻9号1457頁…………………………………………………	[540]
最判昭和47・2・15民集26巻1号30頁、百選5版23事件………………………………	[179]
最判昭和47・5・30民集26巻4号826頁…………………………………………………	[665]
最判昭和47・6・2民集26巻5号957頁……………………………………………………	[129]
最判昭和47・6・15民集26巻5号1000頁…………………………………………………	[435]
最判昭和47・11・9民集26巻9号1513頁、百選5版A10事件…………………………	[179]
最判昭和47・11・9民集26巻9号1566頁…………………………………………………	[138]
最判昭和47・12・26判時722号62頁………………………………………………………	[101]
最判昭和48・4・5民集27巻3号419頁、百選5版74事件………………… [053]・	[063]
最判昭和48・4・24民集27巻3号596頁、百選5版108事件……………………………	[576]
最判昭和48・6・21民集27巻6号712頁、百選5版87事件……………………………	[489]
最判昭和48・7・20民集27巻7号863頁、百選5版106事件……………………………	[582]
最判昭和48・10・9民集27巻9号1129頁…………………………………………………	[129]
最判昭和48・10・26民集27巻9号1240頁、百選5版7事件……………… [123]・	[495]
最判昭和49・4・26民集28巻3号503頁、百選5版85事件……… [057]・[476]・	[483]
最判昭和49・10・24判時760号56頁………………………………………………………	[489]
最判昭和50・3・13民集29巻3号233頁…………………………………………………	[582]
最判昭和50・7・3判時790号59頁…………………………………………………………	[567]
最判昭和50・10・24民集29巻9号1417頁、百選5版57事件……………………………	[300]
最判昭和50・10・24判時824号65頁………………………………………………………	[426]
最判昭和51・3・15判時814号114頁………………………………………………………	[122]
最判昭和51・3・23判時816号48頁、百選5版42事件…………………………………	[243]
最判昭和51・3・30判時814号112頁、判タ336号216頁、百選5版A32事件…………	[558]
最判昭和51・7・19民集30巻7号706頁、百選5版12事件……………………………	[160]
最判昭和51・9・30民集30巻8号799頁、百選5版79事件………………… [242]・	[499]
最判昭和51・10・21民集30巻9号903頁、百選5版90事件……………………………	[497]
最判昭和52・3・15民集31巻2号234頁…………………………………………………	[173]
最判昭和52・3・15民集31巻2号280頁…………………………………………………	[173]
最判昭和52・3・24金融・商事判例548号39頁…………………………………………	[244]
最判昭和52・4・15民集31巻3号371頁…………………………………………………	[309]
最判昭和52・7・19民集31巻4号693頁、百選5版A29事件…………………………	[507]
最判昭和53・3・23判時886号35頁、百選5版89事件…………………………………	[497]
最判昭和53・3・30民集32巻2号485頁…………………………………………………	[101]

最判平18・9・11民集60巻7号2622頁………………………………………………………………[483]
最決平18・10・3刑集60巻8号247頁、且つ選5版67事件…………………………………………[355]
最判平19・3・20民集61巻2号586頁、且つ選5版40事件…………………………………………[214]
最判平19・3・27民集61巻2号711頁…………………………………………………………………[641]
最判平19・5・29判時1978号7頁、判タ1248号117頁………………………………………………[176]
最判平19・8・23判時1985号63頁、判タ1252号163頁………………………………………………[387]
最判平19・11・30民集61巻8号3186頁…………………………………………………………………[387]
最判平19・12・4民集61巻9号3274頁…………………………………………………………………[442]
最判平19・12・11民集61巻9号3364頁…………………………………………………………………[385]
最判平19・12・12民集61巻9号3400頁…………………………………………………………………[391]
最判平20・4・24民集62巻5号1262頁…………………………………………………………………[661]
最判平20・5・8判時2011号116頁、判タ1273号125頁……………………………………………[610]
最判平20・7・17民集62巻7号1994頁、且つ選5版97事件…………………………………………[540]
最決平20・11・25刑集62巻10号2507頁、且つ選5版68事件………………………………………[385]
最判平21・12・18民集63巻10号2900頁…………………………………………………………………[180]
最判平22・3・16民集64巻2号498頁……………………………………………………[620]・[641]
最判平22・4・13裁時1234号31頁………………………………………………………………………[453]
最判平22・5・25判時2085号160頁、判タ1327号67頁………………………………………………[090]
最判平22・6・29民集64巻4号1235頁…………………………………………………………………[129]
最判平22・7・16民集64巻5号1450頁…………………………………………………………………[465]
最決平23・4・13刑集65巻3号1290頁、且つ選5版A40事件………………………………………[653]
最判平23・5・18民集65巻4号1755頁…………………………………………………………………[107]
最判平24・2・24判時2144号89頁、判タ1368号63頁………………………………………………[437]
最判平24・12・21判時2175号20頁、判タ1386号179頁……………………………………………[176]
最判平25・6・6民集67巻5号1208頁…………………………………………………………………[059]
最決平25・11・21刑集67巻8号1686頁、且つ選5版118事件………………………………………[999]
最判平25・12・19民集67巻9号1938頁…………………………………………………[383]・[390]
最判平26・2・27民集68巻2号192頁、且つ選5版10事件…………………………………………[129]
最判平26・7・10判時2237号42頁、判タ1407号62頁…………………………………[578]・[999]
最判平26・9・25民集68巻7号661頁…………………………………………………………………[179]
最判平27・1・22判時2252号33頁、判タ1410号55頁………………………………………………[486]
最判平27・11・30民集69巻7号2154頁…………………………………………………………………[465]
最決平27・12・14刑集69巻8号2225頁…………………………………………………………………[067]
最判平28・2・26判時1422号66頁………………………………………………………………………[567]
最判平28・3・10民集70巻3号846頁……………………………………………………[689]・[694]
最判平28・6・2民集70巻5号1157頁…………………………………………………………………[165]
最判平28・10・18民集70巻7号1725頁…………………………………………………[180]・[293]
最判平28・12・8判時2325号37頁、判タ1434号57頁………………………………………………[176]
最判平29・3・13判時2340号68頁、判タ1436号92頁………………………………………………[045]
最判平29・7・10民集71巻6号861頁…………………………………………………………………[661]
最判平29・7・24民集71巻6号969頁…………………………………………………………………[145]
最決平29・10・4民集71巻8号1221頁…………………………………………………………………[383]
最決平29・10・5民集71巻8号1441頁…………………………………………………………………[146]

判例索引

最判平成11・3・9 判時1672号67頁、判タ1000号256頁 ·············· [639]
最判平成11・3・12 民集53巻3号505頁 ······························· [655]
最判平成11・4・8 判時1675号93頁、判タ1002号132頁 ············· [640]
最判平成11・4・23 判時1675号91頁、判タ1002号130頁 ············ [640]
最判平成11・6・11 判時1685号36頁、判タ1009号95頁、百選5版26事件 ··· [180]
最判平成11・6・29 判時1684号59頁、判タ1009号93頁 ······· [634]・[636]
最判平成11・11 民集53巻8号1421頁 ································ [540]
最判平成11・11・12 民集53巻5号1787頁、百選5版69事件 ··· [386]・[387]・[388]
最判平成11・12・16 民集53巻6号1989頁 ······························ [60]
最判平成12・2・24 判時1719号52号523頁、百選5版25事件 ············ [180]
最判平成12・3・10 民集54巻3号1073頁、百選5版A24事件 ··· [355]・[394]
最判平成12・3・10 判時1711号55号1031号165頁 ······················· [380]
最判平成12・7・7 民集54巻6号1767頁、百選5版101事件 ·············· [549]
最判平成12・10・13 判時1731号3頁、判タ1049号216頁 ················ [101]
最判平成12・12・14 民集54巻9号2709頁 ······························ [389]
最判平成12・12・14 民集54巻9号2743頁 ······························ [394]
最判平成13・1・30 民集55巻1号30頁 ···································· [559]
最判平成13・2・22 判時1742号89号1057号144頁 ······················ [393]・[394]
最判平成13・4・26 判時1750号101頁、判タ1061号70頁 ················ [105]
最判平成13・6・8 民集55巻4号727頁 ·································· [394]
最判平成13・12・7 民集55巻7号1411頁 ································ [389]
最判平成14・1・22 判時1776号67頁、判タ1085号194頁、百選5版104事件 ··· [560]・[564]
最判平成14・6・7 民集56巻5号899頁 ·································· [127]
最判平成14・6・10 判時1791号59号1102号158頁 ······················· [60]
最判平成14・12・17 判時1812号76号1115号162頁 ······················ [641]
最判平成15・7・11 民集57巻7号787頁、百選5版98事件 ·············· [541]
最判平成15・10・31 判時1841号143頁、判タ1138号76頁、百選5版A39事件 ··· [636]・[661]
最判平成15・11・13 民集57巻10号1531頁、百選5版A34②事件 ········· [549]
最判平成16・2・20 判時1862号154頁、判タ1156号122頁 ················ [380]
最判平成16・3・25 民集58巻3号753頁、百選5版29事件 ················ [65]
最判平成16・5・25 民集58巻5号1135頁、百選5版A23事件 ············· [391]
最判平成16・7・6 民集58巻5号1319頁 ································ [545]
最判平成16・9・17 判時1880号70頁、判タ1169号169頁 ················ [654]
最判平成16・11・26 民集58巻8号2393頁 ····················· [384]・[387]・[388]
最判平成17・7・15 民集59巻6号1742頁 ································ [495]
最判平成17・7・22 民集59巻6号1837頁 ································ [391]
最判平成17・10・14 民集59巻8号2265頁、百選5版A22事件 ··· [353]・[383]
最判平成17・11・10 民集59巻9号2503頁 ································ [388]
最判平成18・2・17 民集60巻2号496頁 ································ [388]
最判平成18・4・14 民集60巻4号1497頁、百選5版A11事件 ··· [067]・[081]
最判平成18・7・21 民集60巻6号2542頁 ································ [60]
最判平成18・9・4 判時1948号81頁、判タ1223号122頁 ················ [641]

最判平成 1・11・20民集43巻10号1160頁 …………………………………………… [097]
最判平元・12・8民集43巻11号1259頁 ……………………………………………… [324]
最判平成 2・7・20民集44巻5号975頁 ………………………………………………… [620]
最判平成 3・4・19民集45巻4号477頁 ………………………………………………… [160]
最判平成 3・12・17民集45巻9号1435頁、百選 5 版38事件の① ………………… [067]
最判平成 4・1・23民集46巻1号1頁 …………………………………………………… [173]
最判平成 4・9・10民集46巻6号553頁、百選 5 版116事件 ………………………… [214]
最判平成 4・10・29民集46巻7号1174頁、百選 5 版62事件 ………………………… [257]
最判平成 4・10・29民集46巻7号2580頁 ……………………………………………… [181]
最判平成 5・9・7民集47巻7号4667頁 ………………………………………………… [172]
最判平成 5・10・19民集47巻8号5099頁 ……………………………………………… [089]
最判平成 5・11・11民集47巻9号5255頁 ……………………………… [057]・[175]・[483]
最判平成 6・4・26民集48巻3号992頁 ………………………………………………… [680]
最判平成 6・5・31民集48巻4号1065頁、百選 5 版11事件 ………………………… [129]
最判平成 6・9・27判時1513号111頁、判タ867号175頁、百選 5 版105事件 … [575]・[579]
最判平成 6・10・25判時1516号74頁、判タ868号154頁 …………………………… [665]
最判平成 6・11・22民集48巻7号1355頁、百選 5 版113事件 ……………… [063]・[484]・[620]
最判平成 7・1・24判時1523号81頁、判タ874号130頁 ……………………………… [160]
最判平成 7・2・23判時1524号134頁、判タ875号95頁、百選 5 版A42事件 …… [606]
最判平成 7・7・18裁判集民176巻49号2717頁 ……………………………………… [172]
最判平成 7・7・18裁判集民176号491頁 ……………………………………………… [036]
最判平成 7・10・24裁民177号1頁 ……………………………………………………… [273]
最判平成 7・12・15民集49巻10号3051頁、百選 5 版78事件 ……………………… [469]
最判平成 7・12・15民集49巻10号3088頁 ……………………………………………… [341]
最判平成 8・5・28判時1569号48頁、判タ910号268頁 ……………………………… [237]
最判平成 9・3・14判時1600号89頁、判タ937号104頁①事件、百選 5 版A27事件 …… [478]
最大判平成 9・4・2民集51巻4号1673頁 ……………………………………………… [549]
最判平成 9・7・11民集51巻6号2530頁 ………………………………………………… [693]
最判平成 9・7・11民集51巻6号2573頁 ………………………………………………… [691]
最判平成 9・7・17判時1614号72頁、判タ950号113頁 ……………………………… [478]
最判平成 9・11・11民集51巻10号4055頁 ……………………………………………… [689]
最判平成10・2・27民集52巻1号299頁 ………………………………………………… [160]
最判平成10・3・27民集52巻2号661頁 ………………………………………………… [157]
最判平成10・4・28民集52巻3号853頁 ………………………………………………… [691]
最判平成10・4・30民集52巻3号930頁、百選 5 版44事件 ………………………… [485]
最判平成10・6・12民集52巻4号1147頁、百選 5 版80事件 ……………… [059]・[063]・[242]・[620]
最判平成10・6・30民集52巻4号1225頁、百選 5 版38事件の② ………………… [067]
最判平成10・9・10判時1661号81頁、判タ990号138頁①事件・②事件、百選 5 版39
　　事件 ……………………………………………………………………………………… [453]
最判平成10・12・17判時1664号59頁、判タ992号299頁 …………………………… [077]
最判平成11・1・21民集53巻1号1頁、百選 5 版27事件 …………………………… [180]
最判平成11・2・25民集53巻2号235頁 ………………………………………………… [333]

812

| 最判昭和53・7・10民集32巻5号888頁 …………………………………… [242] |
| 最判昭和53・9・14判時906号88頁，民集5所収88事件 ………………… [495] |
| 最判昭和54・1・25判時917号52頁，判タ395号53頁 …………………… [690] |
| 最判昭和55・1・11民集34巻1号1頁，民集5所収1事件 ………………… [172] |
| 最判昭和55・2・7民集34巻2号123頁，民集5所収46事件 ……………… [268] |
| 最判昭和55・2・8民集34巻2号138頁 …………………………………… [129] |
| 最判昭和55・2・8判時961号69頁，判タ413号90頁 ……………………… [129] |
| 最判昭和55・4・10判時973号85頁，判タ419号80頁 ……………………… [172] |
| 最判昭和55・10・23民集34巻5号747頁，民集5所収77事件 …………… [469] |
| 最判昭和56・4・7民集35巻3号443頁 …………………………………… [172] |
| 最判昭和56・4・14民集35巻3号620頁，民集5所収73事件 …………… [293] |
| 最判昭和56・9・11民集35巻6号1013頁 ………………………………… [545] |
| 最判昭和56・9・24民集35巻6号1088頁，民集5所収41事件 …………… [229] |
| 最判昭和56・10・16民集35巻7号1224頁 ………………………………… [689] |
| 最大判昭和56・12・16民集35巻10号1369頁，民集5所収22事件 ……… [176] |
| 最判昭和57・3・30民集36巻3号501頁，民集5所収A26事件 ………… [469] |
| 最判昭和57・5・27判時1052号66頁，判タ489号56頁 …………………… [218] |
| 最判昭和57・6・4判時1048号97頁，判タ474号107頁 …………………… [339] |
| 最判昭和57・7・1民集36巻6号891頁 …………………………… [540]・[541] |
| 最判昭和58・2・8判時1092号62頁，判タ538号112頁 …………………… [545] |
| 最判昭和58・3・22判時1074号55頁，判タ494号62頁，民集5所収111事件 … [075] |
| 最判昭和58・4・14判時1131号81頁，判タ540号191頁 …………………… [076] |
| 最判昭和58・6・7民集37巻5号611頁 …………………………………… [691] |
| 最判昭和58・10・18民集37巻8号1121頁 ………………………………… [036] |
| 最判昭和60・3・15判時1168号65頁，判タ569号49頁 …………………… [580] |
| 最判昭和61・3・13民集40巻2号389頁，民集5所収24事件 …………… [545] |
| 最判昭和61・4・11民集40巻3号558頁 …………………………………… [076] |
| 最判昭和61・5・30民集40巻4号725頁 …………………………………… [053] |
| 最判昭和61・7・17民集40巻5号941頁，民集5所収83事件 ……………… [481] |
| 最判昭和61・9・4判時1215号47頁，判タ624号138頁，民集5所収112事件 … [620] |
| 最判昭和62・2・6判時1232号100頁，判タ638号137頁 …………………… [054] |
| 最判昭和62・4・23民集41巻3号474頁 …………………………………… [160] |
| 最判昭和62・7・17民集41巻5号1381頁 ………………………………… [180] |
| 最判昭和62・7・17民集41巻5号1402頁，民集5所収96事件 …………… [554] |
| 最判昭和63・1・26民集42巻1号1頁，民集5所収36事件 ……… [174]・[435] |
| 最判昭和63・2・25民集42巻2号120頁 …………………………………… [553] |
| 最判昭和63・3・1民集42巻3号157頁 ……………………………[035]・[180] |
| 最判昭和63・3・31判時1277号122頁，判タ668号131頁 ………………… [176] |
| 最大判平成元・3・8民集43巻2号89頁 ………………………………… [225] |
| 最判平成元・3・28民集43巻3号167頁，民集5所収100事件 …… [535]・[545] |
| 最判平成元・9・8民集43巻8号889頁 …………………………………… [172] |
| 最判平成元・9・19判時1328号38頁，判タ710号121頁 …………………… [076] |
| 最判平成元・11・10民集43巻10号1085頁 ………………………………… [999] |

最判平成29・12・18民集71巻10号2364頁	[197]
最判平成30・4・26判時2377号10頁、判タ1450号19頁	[173]
最判平成30・10・11民集72巻5号477頁	[324]
最判平成30・12・14民集72巻6号1101頁	[176]
最決平成30・12・18民集72巻6号1151頁	[115]
最判平成30・12・21民集72巻6号1368頁	[180]
最判平成31・1・18民集73巻1号1頁	[691]
最決平成31・1・22民集73巻1号39頁	[383]・[391]
最決平成31・2・12民集73巻2号107頁	[071]
最判平成31・3・5判時2421号21頁、判タ1460号39頁	[180]
最判令和元・7・5判時2437号21頁、判タ1468号45頁	[243]
最判令和元・11・7判時2435号104頁、判タ1469号52頁	[288]
最決令和2・3・24民集74巻3号455頁	[391]
最決令和2・3・24判時2474号46頁①事件、判タ1480号144頁①事件	[391]
最判令和2・4・7民集74巻3号646頁	[440]
最判令和2・7・9民集74巻4号1204頁	[481]
最判令和2・9・3民集74巻6号1557頁	[181]
最判令和2・9・7民集74巻6号1599頁	[180]
最判令和2・9・11民集74巻6号1693頁	[067]・[083]
最決令和3・3・18民集75巻3号822頁	[354]
最決令和3・4・14民集75巻4号1001頁	[146]
最判令和3・4・16判時2499号8頁、判タ1488号121頁	[499]
最決令和3・4・27判時2500号3頁、判タ1488号70頁	[101]
最判令和3・5・17民集75巻6号2303頁	[635]
最判令和3・5・25民集75巻6号2935頁	[691]

【高等裁判所】

大阪高判昭和29・10・26下民集5巻10号1787頁	[119]
福岡高判昭和30・10・10下民集6巻10号2102頁	[575]
名古屋高決昭和43・9・30判時546号77頁、判タ232号121頁	[560]
大阪高判昭和46・4・8判時633号73頁、判タ263号229頁、百選5版A28事件	[493]
仙台高判昭和55・1・28判時963号55頁、判タ409号115頁	[570]
大阪高判昭和56・1・30判時1005号120頁、判タ443号85頁	[570]
大阪高判昭和62・7・16判時1258号130頁、判タ664号232頁	[065]
仙台高判昭和62・12・23判時1273号65頁、判タ674号200頁	[075]
東京高判平成4・7・29判時1433号56頁、判タ809号215頁	[180]
東京高決平成15・7・15判時1842号57頁、判タ1145号298頁	[388]
東京高判平成21・5・28判時2060号65頁、百選5版58事件	[324]
福岡高判平成22・12・6判時2102号55頁、判タ1342号80頁	[486]
東京高判平成28・12・16判時2359号12頁	[173]
大阪高決平成30・7・10判タ1458号154頁	[111]

【地方裁判所】

大阪地（中間）判昭和48・10・9判時728号76頁……………………………………［694］
大阪地判昭52・12・22判タ361号127頁………………………………………………［694］
神戸地判昭和59・5・18判時1135号140頁、百選5版66事件……………………［299］
大阪地決昭和61・5・28判時1209号16頁①事件、判タ601号85頁①事件、百選5版71事件
　　………………………………………………………………………………………［393］
東京地判昭和61・6・20判時1196号87頁、判タ604号138頁………………………［694］
東京地判平成3・1・29判時1390号98頁、判タ764号256頁………………………［694］
横浜地小田原支決平成3・8・6自由と正義43巻6号120頁…………………………［092］
東京地八王子支判平成9・12・8判タ976号235頁……………………………………［691］
大阪地判平成18・7・7判タ1248号314頁……………………………………………［067］
東京地（中間）判平成19・3・20判時1974号156頁…………………………………［694］
東京地判平成19・3・26判時1965号3頁、判タ1238号130頁、百選5版28事件………［180］
長崎地決平成25・11・12 LLI/DB 判例秘書………………………………………………［486］

【著者略歴】
瀬木比呂志（せぎ・ひろし）
1954年名古屋市に生まれる。1977年東京大学法学部卒業。2年の司法修習を経た後、裁判官として東京地裁、最高裁等に勤務、滞米在外研究。並行して研究、執筆や学会報告を行う。2012年明治大学法科大学院専任教授に転身。民事訴訟法、同演習、民事執行・保全法等を担当、再度の滞米在外研究。専門書の著書として、研究の総論『民事訴訟の本質と諸相』、体系書『民事保全法〔新訂第2版〕』、『民事訴訟実務・制度要論』、演習書『ケース演習 民事訴訟実務と法的思考』（各日本評論社）、論文集『民事裁判実務と理論の架橋』（判例タイムズ社）等、一般書の著書として、日本の司法制度および裁判の包括的批判『絶望の裁判所』、『ニッポンの裁判』（各講談社現代新書）、『檻の中の裁判官──なぜ正義を全うできないのか』（角川新書）、実務家や学者の利用をも念頭に置いた入門書『民事裁判入門──裁判官は何を見ているのか』（講談社現代新書）、独学・リベラルアーツ関連の総論『リベラルアーツの学び方』、同じく各論『究極の独学術──世界のすべての情報と対話し学ぶための技術』（各ディスカヴァー・トゥエンティワン）、創作『黒い巨塔 最高裁判所』（講談社文庫）、ジャーナリスト清水潔氏との対談『裁判所の正体』（新潮社）、一般書の総論ともいえる『裁判官・学者の哲学と意見』（現代書館）、リベラルアーツ関連の各論の1つ『教養としての現代漫画』（日本文芸社）、また、関根牧彦の筆名による『内的転向論』（思想の科学社）、『心を求めて』、『映画館の妖精』（各騒人社）、『対話としての読書』（判例タイムズ社）がある。『ニッポンの裁判』により第2回城山三郎賞を受賞。

民事訴訟法［第2版］
2019年3月15日　第1版第1刷発行
2022年12月15日　第2版第1刷発行

著　者──瀬木比呂志
発行所──株式会社　日本評論社
　　　　〒170-8474 東京都豊島区南大塚3-12-4
　　　　電話 03-3987-8621（販売）8592（編集）
　　　　振替 00100-3-16
　　　　https://www.nippyo.co.jp/
印刷所──精文堂印刷株式会社
製本所──株式会社　松岳社

ⓒ H. SEGI　2022　Printed in Japan
装幀／レフ・デザイン工房
ISBN978-4-535-52625-9

JCOPY 〈(社)出版者著作権管理機構　委託出版物〉
本書の無断複写は著作権法上での例外を除き禁じられています。複写される場合は、そのつど事前に、(社)出版者著作権管理機構（電話03-5244-5088、FAX03-5244-5089、E-mail：info@jcopy.or.jp）の許諾を得てください。また、本書を代行業者等の第三者に依頼してスキャニング等の行為によりデジタル化することは、個人の家庭内の利用であっても、一切認められておりません。